고문진보 후집 2

역주
譯註

고문진보 후집 2

附 문장궤범

성백효·이영준·박민희 역

한국인문고전연구소

차 례

《古文眞寶後集 2》

卷6

文章軌範

대루원기待漏院記

왕우칭王禹偁 원지元之

• 작가소개

　　왕우칭(王禹偁, 954~1001)은 자가 원지(元之)이고 호는 뇌하 선생(雷夏先生)이며 제주(濟州) 거야(鉅野) 사람이다. 북송(北宋)의 대표적인 시인이자 산문가로, 이미 9세에 문장을 잘한다는 명성이 있었다. 송 태종(宋太宗) 태평흥국(太平興國) 8년(983)에 진사가 되어 우습유(右拾遺), 좌사간(左司諫), 지제고(知制誥), 한림학사(翰林學士) 등을 역임하였으나 강직한 성품으로 직간을 잘하여 여러번 폄적(貶謫)되었다. 진종(眞宗) 즉위 후 지제고가 되었다가 이후 다시 지황주(知黃州)로 폄적되었기 때문에 '왕황주(王黃州)'로도 일컬어진다. 이후 함평(咸平) 4년(1001) 겨울에 지기주(知蘄州)가 되었는데 한 달을 넘기지 못하고 병으로 서거(逝去)하였는바, 향년 48세이다.

　　왕우칭은 북송 시대 시문 혁신 운동의 선구자로서, 그의 산문은 당대(唐代)의 고문 운동가인 한유(韓愈)와 유종원(柳宗元)을 모범으로 삼았기에 풍격(風格)이 청신(清新)하고 평이(平易)하다는 평을 받는다. 시에 있어서는 두보(杜甫)와 백거이(白居易)를 추숭하여 당시 사회 현실을 반영한 작품들이 많다. 시 역시 산문과 마찬가지로 언어가 평이하고 유창하며 풍격이 간아(簡雅)하고 고담(古淡)하다는 평을 받는다. 저서로는《소축집(小畜集)》과《오대사궐문(五代史闕文)》이 전한다.

• 작품개요

　　이 글은 작자의 대표적인 작품으로, 편미(篇尾)의 '극시소리 왕우칭위문(棘寺小吏王禹偁爲文)'이라는 부분을 통하여 작자가 송 태종(宋太宗) 단공(端拱) 2년(989)에 대리시 평사(大理寺評事)로 있으면서 지은 것임을 유추할 수 있다.

이 작품은 '관청(官廳)'의 벽(壁)에 써붙이는 글'인 '청벽기(廳壁記)'에 속한다. '청벽기'란 당대(唐代)부터 관계(官界)에서 유행하기 시작한 일종의 기서문(記敍文)으로 '벽기(壁記)'라고도 하는바, 일반적으로 서법가(書法家)가 직접 글씨를 쓰고 해당 관서(官署)의 벽에다가 새겨넣는데, 그 내용은 주로 해당 관서 및 직책의 연혁, 역대 역임자, 임명자 현황 등을 서술하는 것이었다. 이러한 청벽기를 쓰는 본래 의도는, 전임자들의 정치적 업적과 도덕적 면모를 서술함으로써 후임자가 이를 본받아 부지런히 백성을 위하여 정사를 돌보도록 하려는 것이었다. 그러나 후대에는 점차 본래 의도와 관계 없이 역사적 사실을 평가하거나 전임자를 포폄하는 등 자신의 의견을 개진하는 일종의 문학 양식으로 정착하게 되었다.

이 작품 역시 제목을 가지고 보자면 '청벽기'에 속하지만, 실제 내용은 '근(勤)' 자로 단서를 열고 '신(愼)' 자로 수습하여 그 성격이 '잠체(箴體)'와 유사하며, 또한 정치적 색채를 띤 일종의 '재상론(宰相論)'이라고 간주해도 무방할 것이다. '대루원(待漏院)'은 새벽에 등청(登廳)한 재상 및 대신들이 궐문이 열릴 때까지 기다리는 장소로, 여기서 '루(漏)'는 곧 물시계인바, '대루'란 '조회할 때가 되기를 기다린다'는 의미이다.

이 작품은 재상이 '대루(待漏)'할 때에 지니는 서로 다른 생각을 가지고 현상(賢相)·간상(姦相)·용상(庸相)의 세 부류로 나누어 재상의 임무와 역할을 잘 묘사하였다. 특히 대비(對比)의 방법을 사용하여 현상과 간상을 분명하게 형상화하였는데, 이를 통하여 포폄을 가하려는 작자의 의도를 매우 분명하게 드러내었다. 다시 말해, 이 작품에는 현실 정치에 대한 작자의 우려, 비판 및 이상이 반영되어 있다고 하겠다.

篇題小註·· 迂齋云 句句見待漏意라 是時에 五代氣習未除하여 未免稍俳[1]라 然이나 辭嚴義正하니 可以想見其人이요 亦自得體라

우재(迂齋)가 말하였다. "글귀마다 대루(待漏, 시간을 기다림)하는 뜻을 볼 수 있다. 이때에 오대(五代)의 기습(氣習)이 아직 제거되지 않아 다소 대우(對偶)를 이룸을 면치 못하였다. 그러나 말이 엄하고 의(義)가 바르니, 그 인품을 상상해 볼 수 있고 문장 또한 자연 체재에 맞는다."

---

1 稍俳: '배(俳)'는 배구(俳句)를 뜻하는바, 문장을 지을 적에 짝을 맞추는 것이다.

··· 漏 물시계 루 俳 일컬을 칭 稍 약간 초 俳 짝 배

○ 王黃州는 名禹偁(칭)이요 字元之니 太宗朝名臣也니 平生出處 可見於竹樓記[2]라 自黃移蘄(기)遂卒하여 以剛直으로 不容於時하니 觀此篇切磨凜凜하면 則可見矣라 所以東坡作元之畫像贊[3]에 不勝重之云이요 近年時文[4]도 亦用其語라 周益公詞科文字中에 有唐政堂記[5]하니 仍不能外其意度也라

○ 왕황주(王黃州)는 이름이 우칭(禹偁)이고 자(字)가 원지(元之)이니, 태종조(太宗朝)의 명신(名臣)으로 평생의 출처(出處)를 이 〈황주죽루기(黃州竹樓記)〉에서 볼 수 있다. 그는 황주에서 기주(蘄州)로 옮겨 마침내 별세해서 강직(剛直)함으로 세상에 용납되지 못하였으니, 이 편의 절차탁마(切磋琢磨)함이 늠름한 것을 보면 알 수 있다. 이 때문에 소동파(蘇東坡)는 왕원지(王元之)의 화상찬(畫像贊)을 지으면서 못내 소중히 여겼고, 근년에 지은 시문(時文)에도 그의 말을 사용하였다. 주익공(周益公)의 사과문자(詞科文字)에도 〈당정당기(唐政堂記)〉가 있는데, 이 또한 그 의도(意度)를 벗어나지 못하였다.

· 原文

天道不言而品物亨하고 歲功成者는 何謂也오 四時之吏와 五行之佐[6]가 宣其氣矣

---

2 竹樓記: 〈황주죽루기〉를 가리킨다. 왕우칭이 좌천되어 황주에 부임하였을 적에 황주의 대나무를 가지고 기와를 대신하여 누대를 짓고서 지은 기문으로, 바로 뒤에 보인다.

3 所以東坡作元之畫像贊: 소동파가 소주(蘇州) 호구사(虎丘寺)를 지나다가 왕원지의 화상을 보고 그를 사모하였었는데, 뒤에 공의 증손 왕분(王汾)이 보여준 묘비문을 보고 지은 찬이다. 그 찬에 "아득한 구원(九原)이여! 내 공을 사랑해도 다시 세상에 나오게 할 수 없네.〔茫茫九原 愛莫起之〕"라고 하여 왕원지를 만날 수 없는 안타까움을 나타내었다.《東坡全集 卷94 王元之畫像贊》

4 時文: '시(時)'란 당시에 유행하는 의미를 지니고 있는바, '시체(時體)'와 같은 뜻으로 '당시 유행하는 문체'를 가리킨다. 특히 봉건시대에는 과거 시험의 답안에 쓰이던 문체를 통틀어 시문이라고 지칭하였다. 대표적인 예로, 육조와 당나라 때 성행한 변려문(騈儷文)과 명청 시대의 팔고문(八股文)을 들 수 있다.

5 周益公詞科文字中 有唐政堂記: 주익공은 남송(南宋) 때의 명신인 주필대(周必大)로 익국공(益國公)에 봉해졌으므로 익공이라 한 것이며, '사과'는 학문이 깊고 문사가 청려(淸麗)하여 조정의 일상 문고(文藁)를 초안할 수 있는 인재를 선발하는 과거의 하나이다. 송대(宋代)에는 굉사과(宏詞科), 사학겸무과(詞學兼茂科), 박학굉사과(博學宏詞科)를 통틀어 가리켰던 말이다. '당정당기'는 주필대의 문집인《문충집(文忠集)》권92 〈굉사소업(宏詞所業) 12수(首)〉 중 기(記)에 실려 있는 〈당정사당기(唐政事堂記)〉를 가리킨다.

6 四時之吏 五行之佐: 봄·여름·가을·겨울의 네 철과 금(金)·목(木)·수(水)·화(火)·토(土)의 오행을 담당한 천관(天官)들이 있어서 천제(天帝)를 보필하는 것으로 간주하여 말한 것이다.

蘄 바랄 기   凜 찰 름   宣 펼 선

요 聖人不言而百姓親하고 萬邦寧者는 何謂也오 三公論道하고 六卿分職[7]하여 張其
敎矣니 是知君逸於上하고 臣勞於下는 法乎天也니라【起句는 以天道譬喻說起니 氣象宏大하고
格調整嚴하다.】 古之善相天下者를 自咎, 夔로 至房, 魏[8]히 可數也니 是不獨有其德이요
亦皆務于勤爾라【已微見待漏意.】 況夙興夜寐하여 以事一人은 卿大夫猶然이어든 況
宰相乎아

천도(天道)가 말하지 않아도 만물이 형통하고 세공(歲功, 1년의 절서(節序))이 이루어지는 것은
어째서인가? 사시(四時)의 관리와 오행(五行)의 보좌관들이 그 기운을 펴기 때문이요, 성인(聖
人)이 말하지 않아도 백성이 친애하고 만방(萬邦)이 편안한 것은 어째서인가? 삼공(三公)이
도(道)를 논하고 육경(六卿)이 직책을 나누어 맡아서 그 가르침을 베풀기 때문이니, 군주가 위
에서 편안하고 신하가 아래에서 수고로움은 하늘을 본받은 것임을 알 수 있다.【기구(起句)는
천도(天道)를 가지고 비유하여 말해서 기상이 크고 격조가 엄정하다.】

옛날에 재상이 되어 군주를 도와 천하를 잘 다스린 자는 고요(咎陶, 고요(皐陶))와 기(夔)로부
터 방현령(房玄齡)과 위징(魏徵)에 이르기까지 셀 수 있으니, 이들은 다만 덕행이 있을 뿐만 아
니라, 또한 모두 부지런함에 힘썼다.【이미 '대루(待漏)'하는 뜻을 약간 나타내었다.】 더구나 일찍 일
어나고 밤늦게 자서 한 사람(군주)을 섬김은 경대부(卿大夫)도 그러한데 하물며 재상(宰相)은
더말해 무엇하겠는가.

朝廷이 自國初로 因舊制하여 設宰臣待漏院于丹鳳門之右하니【提得分曉.】 示勤政
也라 至若北闕向曙하고 東方未明에 相君啓行하니 煌煌火城[9]이요 相君至止하니 噦

---

7 三公論道 六卿分職: 삼공은 고대 중앙의 최고 관함(官銜)으로, 주(周)나라에는 태사(太師), 태부(太傅), 태보(太保)
를 삼공이라 하였고, 전한(前漢) 때에는 대사도(大司徒), 대사마(大司馬), 대사공(大司空)을, 후한(後漢) 때에는 태위(太
尉), 사도(司徒), 사공(司空)을 삼공이라 하였다. 육경은 《서경》〈주관(周官)〉에 의하면 천관경(天官卿)인 총재(冢宰), 지관
경(地官卿)인 사도(司徒), 춘관경(春官卿)인 종백(宗伯), 하관경(夏官卿)인 사마(司馬), 추관경(秋官卿)인 사구(司寇), 동
관경(冬官卿)인 사공(司空)으로 이루어져 있는바, 이는 조선조의 육조(六曹)와 같다.

8 自咎夔 至房魏: 고요(咎陶)와 기(夔)는 요(堯)·순(舜) 시대의 재상이 되어 임금을 잘 보필한 신하로, 고요는 순(舜)
임금 때 형정(刑政)을 맡고, 기는 순 임금 때 음악을 관장하는 악정(樂正)을 맡아 오음(五音)·육률(六律)을 바로잡고 팔방
의 풍기(風氣)를 소통시켰다. 방현령(房玄齡)과 위징(魏徵)은 당 태종(唐太宗)을 명군으로 만든 재상으로, 방현령은 일을
도모하는 데에 뛰어났고, 위징은 간의 대부(諫議大夫) 등 요직을 역임하면서 강직한 성품으로 직간(直諫)을 잘하여 유명하다.

9 火城: 고대에는 조회(朝會)를 거행할 적에 수많은 횃불을 늘어세웠는바, 수십 수백 개의 횃불이 켜져 불야성을 이루
므로 이렇게 지칭한 것이다. 여기서는 어둑한 새벽녘에 횃불을 밝힌 재상의 의장행렬을 가리킨다.

··· 相 도울 상 咎 사람이름 고 夔 공경할 기 寐 잘 매 曙 새벽 서 煌 빛날 황 噦 방울소리 홰

(해)囐鸞聲[10]이라 金門[11]未闢하고 玉漏猶滴이어든 撤蓋下車하여 于焉以息하니 待漏之際에 相君이 其有思乎인저【一句引起下面, 分兩段, 言賢相·姦相所思之不同.】

우리 조정이 국초로부터 옛 제도를 따라 재상의 대루원(待漏院)을 단봉문(丹鳳門) 오른쪽에 설치하니,【제기함이 분명하다.】 정사에 부지런함을 보인 것이었다. 북궐(궁전 북쪽의 문루(門樓)로 신하들이 조회하기 위해 기다리던 곳)에 새벽빛이 비치고 동방이 아직 밝지 않았을 적에 상군(相君, 재상)이 길을 떠나니 〈불을 밝힌 행렬이〉 빛나고 빛나는 화성(火城)이요, 상군이 이르니 쇄쇄히 방울 소리가 울린다. 금마문(金馬門)이 아직 열리지 않고 옥루(玉漏)의 물방울이 아직도 떨어지고 있으면 휘장을 걷고 수레에서 내려 이곳에서 쉬니, 〈조회에 참석할〉 시간이 되기를 기다리는 즈음에 상군은 아마도 생각하는 바가 있을 것이다.【한 구(句)가 하면을 이끌어내어 두 단락으로 나뉘는데 현상(賢相)과 간상(姦相)의 생각하는 바가 똑같지 않음을 말하였다.】

其或兆民未安이어든 思所泰之하며 四夷未附어든 思所來之하며 兵革未息이어든 何以弭之하며【此下雖藏了思字, 皆是思意, 下段倣此.】 田疇多蕪어든 何以闢之하며 賢人在野어든 我將進之하며 佞臣在朝어든 我將斥之하며 六氣[12]不和하여 災眚荐至어든 願避位以禳之하며 五刑[13]未措하여 欺詐日生이어든 請修德以釐(리)之라하여 憂心忡忡하여 待旦而入하면 九門[14]旣啓에 四聰[15]甚邇라 相君言焉에 時君納焉하면 皇風이 於是

---

10 囐囐鸞聲: 수레의 방울 소리가 아름답게 울려 퍼짐을 말한 것이다. 쇄쇄는 가까이 다가올 때에 천천히 행차하는 소리가 절도 있게 들리는 것을 형용하는 말이다. 《시경》〈소아(小雅) 정료(庭燎)〉에 "군자가 이르니, 방울 소리 쇄쇄하도다.〔君子至止 鸞聲囐囐〕" 하였다.

11 金門: 한(漢)나라 미앙궁(未央宮)의 대문인 금마문(金馬門)이다. 문 앞에 구리로 만든 말이 있으므로 이렇게 부르며, 조칙(詔勅)을 작성하는 문학의 선비들이 이 문으로 출입하였다. 전하여 조정의 뜻으로도 쓰인다.

12 六氣: 천지간의 여섯 가지 기운으로서, 음(陰)·양(陽)·풍(風)·우(雨)·회(晦)·명(明)을 말한다. 《春秋左氏傳 昭公 元年 注》

13 五刑: 고대의 육형(肉刑)으로 얼굴에 자자하는 묵형(墨刑), 코를 베는 의형(劓刑), 발을 베는 월형(刖刑), 남녀의 생식기를 불구로 만드는 궁형(宮刑), 요참(腰斬)하는 대벽(大辟) 등을 이르는데, 후대에는 모든 형벌을 범칭하는 말로 쓰였다.

14 九門: 옛날 천자의 궁궐에 있던 아홉 개의 문으로, 곧 노문(路門)·응문(應門)·치문(雉門)·고문(庫門)·고문(皐門)·성문(城門)·근교문(近郊門)·원교문(遠郊門)·관문(關門)이다. 그러나 반드시 아홉이 아니라 여러 개의 궁문(宮門)을 가리킨 것으로 보는 것이 타당할 듯하다.

15 四聰: 사방 백성의 일을 듣는 귀라는 말로, 임금을 가리킨다. 《서경》〈우서(虞書) 순전(舜典)〉에 "사악(四岳)에게 물어 사방의 문을 열어놓고 사방의 눈을 밝히고 사방의 귀를 통하게 하셨다.〔詢于四岳 闢四門 明四目 達四聰〕"라고 보인다.

··· 鸞 방울 란　撤 거둘 철　蓋 일산 개　弭 그칠 미　眚 재앙 생　荐 거듭 천　禳 재앙물리칠 양　釐 다스릴 리　忡 근심할 충　邇 가까울 이　夷 화평할 이

乎淸夷하고 蒼生이 以之而富庶하리니 若然則總百官, 食萬錢이 非幸也요 宜也니라
【此是賢相.】

혹시라도 만백성이 편안하지 못하면 편안하게 할 것을 생각하며, 사방 오랑캐가 귀부(歸附)하지 않으면 오게 할 것을 생각하며, 병혁(兵革, 전쟁)이 그치지 않으면 어떻게 이를 그치며【이 아래에는 비록 '사(思)' 자를 감추고 있으나 모두 '사'자의 뜻이니, 아래 단락도 이와 같다.】 토지가 황무함이 많으면 어떻게 이를 개척할까를 생각하며, 현인(賢人)이 초야에 있으면 내 장차 그를 등용하고, 간신이 조정에 있으면 내 장차 그를 배척할 것을 생각하며, 육기(六氣)가 조화롭지 못하여 재앙이 거듭되면 사직(辭職)하여 재앙을 물리칠 것을 청원하며, 오형(五刑)을 아직 폐지하지 못하여 속임수가 날로 생겨나면 덕을 닦아 바로잡을 것을 청해야겠다고 생각하여, 근심하는 마음이 충충(忡忡)하여 아침이 되기를 기다려 들어가면 구문(九門)이 이미 열림에 사총(四聰)이 매우 가깝다. 상군이 말함에 당시의 군주가 이 말을 받아들이면 황풍(皇風, 황제의 풍화(風化))이 이에 청명하고 안정되며 백성이 이 때문에 부유하고 많아질 것이니, 이와 같다면 백관을 총괄하고 만전(萬錢)을 받아먹는 것이 요행이 아니라 당연한 것이다.【이것은 바로 현상(賢相)이다.】

其或私讐未復이어든 思所逐之하며 舊恩未報어든 思所榮之하며 子女[16]玉帛을 何以致之하며 車馬器玩을 何以取之하며 姦人附勢어든 我將陟之하며 直士抗言이어든 我將黜之하며 三時告災하여 上有憂色이어든 構巧辭以悅之하며 群吏弄法하여 君聞怨言이어든 進諂容以媚之라하여 私心滔滔하여 假寐而坐라가 九門旣開에 重瞳[17]屢回어든 相君言焉에 時君惑焉하면 政柄이 於是乎隳(휴)哉하고 帝位以之而危矣리니 若然則死下獄, 投遠方이 非不幸也요 亦宜也니라【此是姦相.】

혹시라도 사사로운 원한을 보복하지 못하였으면 축출(逐出)할 것을 생각하며, 옛 은혜를 보답하지 못하였으면 영화롭게 해줄 것을 생각하며, 자녀(子女)와 옥백(玉帛)을 어떻게 오게 하

---

16 子女 : 남녀노예 또는 미녀를 가리킨다.

17 重瞳 : 눈동자가 둘인 것으로 군왕의 눈을 가리킨다. 옛날 순(舜) 임금이 중동이었고 초 패왕(楚霸王)인 항우(項羽) 역시 중동이었다 한다. 이 때문에 군왕을 상징하는 말로 쓰이게 되었다.

며 거마(車馬)와 기물(器物)과 완호품(玩好品)을 어떻게 취할까 생각하며, 간사한 사람이 권세에 붙으면 내 장차 그를 올려주고, 정직한 선비가 직언으로 간쟁하면 내 장차 그를 축출할 것을 생각하며, 농번기인 봄·여름·가을에 각처에서 발생한 재해를 보고하여 상(上, 군주)이 근심하는 기색이 있으면 교묘한 말을 엮어 기쁘게 하며, 여러 관리들이 법을 농간하여 군주가 원망하는 말을 들으면 아첨하는 모양을 올려 잘 보여야겠다고 생각하여, 사사로운 마음이 도도(滔滔)하여 가매(假寐)한 채로 앉았다가 구문이 이미 열림에 중동(重瞳, 임금의 눈)이 여러 번 돌아본다. 상군이 말함에 당시의 군주가 이 말에 혹하면 정권이 이에 무너지고 황제의 지위가 이 때문에 위태로워질 것이니, 이와 같다면 하옥(下獄)되어 죽고 먼 지방으로 유배됨이 불행이 아니라 또한 당연한 것이다.【이것은 바로 간상(姦相)이다.】

是知一國之政과 萬人之命이 懸於宰相하니 可不愼歟아 復有無毀無譽하며 旅進旅退하여 竊位而苟祿하고 備員而全身者는 亦無所取焉이니라【此是庸相. 分三等說, 入院者觀此文, 當於何審擇而自處哉.】棘寺(시)【大理寺.】小吏[18] 王禹偁은 爲文請誌院壁하여 用規于執政者하노라【似箴體, 全是規之, 末自提出規字.】

　이를 통해 일국(一國)의 정사와 만인(萬人)의 생명이 재상에게 달려있음을 알 수 있으니, 삼가지 않을 수 있겠는가.

　그리고 다시 훼방도 없고 칭찬도 없으며 떼 지어 나아가고 떼 지어 물러나와 지위를 도둑질하여 구차히 녹봉만 먹으며 인원수나 채우고 몸을 온전히 하는 자가 있으니, 이는 또한 취할 것이 못 된다.【이는 바로 용상(庸相, 용렬한 재상)이다. 세 등급으로 나누어 설명하였으니, 대루원에 들어온 자가 이 글을 보면 마땅히 어떤 것을 살펴 택하여 자처해야 할지를 알 것이다.】

　극시(棘寺)【대리시(大理寺)이다.】의 소리(小吏) 왕우칭은 글을 지어 대루원의 벽에 써서 집정자(執政者)를 타이르노라.【잠(箴)의 체재와 같다. 모두 다 규간(規諫)한 것으로, 말미에 스스로 '규(規)' 자를 끄집어내었다.】

18　棘寺小吏: 극시(棘寺)는 당시 재판을 맡았던 대리시(大理寺)의 별칭으로 청사 주위에 가시나무를 심어 놓았기 때문에 붙여진 이름이다. 소리(小吏)는 낮은 관리라는 뜻으로 자신을 겸칭한 것이다.

　　　　　…　懸 매달 현　毀 훼방할 훼　旅 무리 려　棘 가시나무 극　寺 관아 시　規 타이를 규

황주죽루기黃州竹樓記

왕우칭王禹偁

• 작품개요

　이 작품의 본래 제목은 〈황주신건소죽루기(黃州新建小竹樓記)〉로, 〈황강신건죽루기(黃岡新建竹樓記)〉, 또는 〈황주신건소죽루기(黃州新建小竹樓記)〉라고도 한다.

　송나라 진종(眞宗) 함평(咸平) 원년(998) 섣달 그믐에 작자 왕우칭은 《태종실록(太宗實錄)》 수찬으로 사실(史實)을 직서(直書)하여 재상의 불만을 야기하고 참소를 받아 지황주(知黃州)로 좌천되었다. 다음해 3월 27일에 임소에 도착하여 두 칸의 죽루를 세우고 같은 해 8월 15일에 이 글을 지었다.

　죽루 및 그 주변 사방의 풍광과 죽루에 올라 완상하는 즐거움을 표현하고 아울러 폄적되었을 때의 심정을 드러내었는데, 특히 청한수도(淸閑守道)를 즐기는 작자의 지향을 드러내면서 불우함에 대한 불평과 답답한 심사를 함축하고 있는 것이 이 작품의 장처(長處)라고 할 수 있다. 전체적으로 작자의 감정과 묘사된 경치가 서로 잘 어울리며, 언어의 구사가 간결하면서도 의미심장하다.

　금(金)나라 왕약허(王若虛)의 문집인 《호남집(滹南集)》 권36 〈문변(文辨)〉에 의하면, 왕안석(王安石)이 일찍이 "왕우칭의 〈죽루기〉가 구양수의 〈취옹정기〉보다 낫다.〔王元之竹樓記勝歐陽醉翁記〕"라고 평가하였다고 한다. 작자는 북송대 고문 운동의 선구자들 중 한 사람으로서, 문장과 자구를 조탁하는 데에 치중하거나 내용이 너무 어려워 뜻을 이해하기 힘든 글을 짓는 것을 반대하였다. 이러한 그의 문장관과 취지가 잘 체현(體現)된 것이 바로 이 작품으로, 강직한 성품 때문에 조정에서 용납되지 못하여 지방관으로 떠돌면서도 자연을 즐거워하는 작자의 모습을 직접 마주하는 듯하다.

黃岡[19]之地에 多竹하여 大者는 如椽하니 竹工破之하여 刳(고)去其節하고 用代陶瓦하여 比屋皆然하니 以其價廉而工省(생)也일새라 子城[20]西北隅에 雉堞圮毁(치첩비훼)하고 蓁莽荒穢어늘 因作小樓二間하니 與月波樓通이라 遠吞山光하고 平挹江瀨하여 幽闃遼敻(유격요형)이 不可具狀이라 夏宜急雨하니 有瀑布聲이요 冬宜密雪하니 有碎玉聲이요 宜鼓琴하니 琴調和暢하고 宜詠詩하니 詩韻淸絶하며 宜圍棋하니 子聲이 丁丁然하고 宜投壺하니 矢聲이 錚錚然하니 皆竹樓之所助也라

황강(黃岡) 지역에는 대나무가 많아 큰 것은 서까래 만하였다. 죽공(竹工)이 이것을 쪼개어 그 마디를 도려내고 기와 대신에 사용하여 집집마다 지붕이 모두 그러하니, 값도 싸고 품도 덜 들기 때문이었다.

자성(子城)의 서북쪽 모퉁이에 치첩(雉堞, 성가퀴)이 무너지고 잡초가 우거져 황폐하였는데, 이곳을 깨끗이 정리하고서 작은 누(樓) 두 칸을 지으니, 월파루(月波樓)와 통하였다. 멀리 산빛을 머금고 평평히 강물을 취하는 듯하여 고요하고 아득함을 이루 다 형상할 수가 없다. 여름에는 소낙비가 좋으니 〈비가 대나무 지붕 위에 내리면〉 폭포소리가 나고, 겨울에는 싸라기눈이 좋으니 〈눈이 대나무 지붕 위에 내리면〉 옥이 부서지는 소리가 나고, 금(琴)을 타기에 좋으니 금(琴)의 가락이 온화하고 편안하며, 시(詩)를 읊기에 좋으니 시운(詩韻)이 맑고 뛰어나며, 바둑을 두기에 좋으니 바둑알을 놓는 소리가 정정(丁丁, 땅땅)히 울리고, 투호(投壺)하기에 좋으니 화살을 던지는 소리가 쟁쟁(錚錚)하게 들리는바, 이는 모두 죽루(竹樓)의 도움 때문이었다.

公退之暇에 披鶴氅(창)衣하고 戴華陽巾[21]하고 手執周易一卷하고 焚香默坐하여 消遣世慮하니 江山之外에 第見風帆沙鳥와 煙雲竹樹而已라 待其酒力醒하고 茶煙

---

19 黃岡 : 지명으로 현재 호북성(湖北省) 황강현(黃岡縣)에 해당한다.

20 子城 : 외성(外城)에 에워싸여 있는 '내성(內城)'이나 성문 밖에 부속되어 있는 월성(月城) 따위를 가리킨다.

21 披鶴氅衣 戴華陽巾 : '학창의'는 도포(道袍)의 일종으로 '학창(鶴氅)'이라고도 한다. 소매가 넓고 뒤 솔기가 터진 흰 옷의 가를 검은 천으로 넓게 댄 옷으로, 마치 학의 깃처럼 생겼기 때문에 이렇게 부른 것이다. '화양건'은 도사(道士)나 은거하던 사람이 쓰던 두건이다.

••• 椽 서까래 연 刳 도려낼 고 雉 성가퀴 치 堞 성가퀴 첩 圮 무너질 비 蓁 우거질 진 莽 우거질 망 挹 뜰 읍 瀨 여울 뢰 闃 고요할 격 敻 멀 형 碎 부서질 쇄 壺 술병 호 錚 소리 쟁 披 걸칠 피 氅 새털옷 창 戴 일 대

歇하여 送夕陽하고 迎素月하니 亦謫居之勝概也라 彼齊雲, 落星[22]이 高則高矣요 井幹, 麗譙[23]가 華則華矣나 止于貯妓女, 藏歌舞하여 非騷人之事니 吾所不取로라

공무(公務)에서 물러난 여가에 학창의(鶴氅衣)를 입고 화양건(華陽巾)을 쓰고는 손에 《주역(周易)》 한 권을 잡고 분향(焚香)하고 묵묵히 앉아서 세속의 생각을 모두 잊어버리니, 강산 밖에는 오직 바람을 받은 돛단배, 모래가의 물새, 안개와 구름, 대나무와 나무만 보일 뿐이었다. 술기운이 깨고 차 끓이는 연기가 사라지기를 기다려 석양을 보내고 밝은 달을 맞이하니, 또한 좌천되어 사는 곳의 뛰어난 경치였다. 저 제운루(齊雲樓)와 낙성루(落星樓)가 높기는 하고 정간루(井幹樓)와 여초루(麗譙樓)가 화려하기는 하나, 다만 기녀(妓女)를 모으고 가무(歌舞)하는 자들을 모으는데 그칠 뿐이어서 소인(騷人, 시인)의 일이 아니니, 나는 취하지 않는 바이다.

吾聞竹工云 竹之爲瓦僅十稔(임)이니 若重覆(부)之면 得二十稔이라하니 噫라 吾以至道乙未歲로【太宗朝至道元年乙未.】自翰林出滁上하고【知滁州.】丙申에 移廣陵하고【移知揚州.】丁酉에 又入西掖이라가【復知制誥.】戊戌歲除日에 有齊安之命하여【眞宗朝咸平元年戊戌, 謫守黃州.】己亥閏三月에 到郡하니 四年之間에 奔走不暇라 未知明年에 又在何處하니 豈懼竹樓之易朽乎리오 後之人이 與我同志하여 嗣而葺之하면 庶斯樓之不朽也라 咸平二年八月十五日에 記하노라

내 죽공에게 들으니, 이르기를 "대나무를 기와 대신 사용하면 겨우 10년 밖에 가지 못한다. 그러나 이중으로 덮으면 20년을 갈 수 있다." 하였다. 아! 내가 지도(至道) 을미년(995)에【태종조(太宗朝) 지도(至道) 원년 을미(乙未)이다.】한림(翰林)으로 있다가 저상(滁上, 저주(滁州))으로 나왔고,【지저주(知滁州)가 되었다.】병신년(996)에 광릉(廣陵)으로 옮기고,【지양주(知揚州)로 옮겼다.】정유년(997)에 또다시 서액(西掖, 중서성)으로 들어갔다가【다시 지제고(知制誥)가 되었다.】무술년(998) 섣달그믐에 제안(齊安, 황주)으로 좌천하는 명령이 내려서【진종조(眞宗朝) 함평(咸平)

---

22 齊雲, 落星: 모두 높은 누대의 이름이다. 제운루는 중국 섬서성(陝西省) 화현(華縣)의 성안에 있던 누각으로, 당(唐)나라 소종(昭宗)이 제운루에 올라 서북쪽 장안을 바라보며 돌아가고 싶다고 한 고사가 있다. 낙성루는 삼국시대 오(吳)나라 때에 건축된 3층 누각으로, 높아서 낙성루라 이름하였다.

23 井幹, 麗譙: 정간루는 한 무제(漢武帝)가 우물 난간의 모양으로 지었다는 누각의 이름인데 높이가 50여 장(丈)이나 되었다 하며, 여초루는 삼국시대 조조(曹操)의 누각 이름으로 화려하기로 유명하다.

원년 무술(戊戌)에 좌천되어 황주(黃州)를 맡았다.】기해년(999) 윤3월에 부임하니, 4년 동안에 분주하여 겨를이 없었다. 명년에는 또다시 어느 곳에 있을지 모르니, 내 어찌 죽루가 쉽게 썩음을 근심하겠는가? 뒤에 부임해 오는 사람들이 나의 뒤를 이어서 지붕을 해 인다면 아마도 이 죽루는 불후(不朽)할 것이다.

  함평(咸平) 2년(999) 8월 15일에 쓰다.

엄선생사당기嚴先生祠堂記

범중엄范仲淹 희문希文

• 작가소개

　　범중엄(范仲淹, 989~1052)은 자가 희문(希文)으로 오현(吳縣) 사람이며 북송 인종(仁宗) 때의 명
상(名相)이다. 두 살이던 순화(淳化) 원년(990)에 부친 범용(范墉)이 병으로 임소에서 졸하자 모친
사씨(謝氏)가 빈곤한 집안 사정으로 인하여 치주(淄州) 장산현(長山縣) 사람 주문한(朱文翰)에게 개
가하는 바람에 범중엄은 성명을 '주열(朱說)'로 바꾸게 되었다. 이후 대중상부(大中祥符) 4년(1011)
에 자신의 집안에 대해 알게 되어 모친 곁을 떠나 남도(南都) 응천부(應天府)로 가서 척동문(戚同文)
에게 수학하였다. 이때 범중엄은 몹시 곤궁하였으나, 학문에 더욱 매진하여 유가의 경전에 통달하
고 아울러 원대한 포부를 지니게 되었다. 대중상부 8년(1015)에 '주열'이라는 성명으로 진사에 합격
하여 9품인 광덕군 사리참군(廣德軍司理參軍)에 임명되자 바로 모친을 모셔와 봉양하였다. 천희(天
禧) 원년(1017)에는 문림랑(文林郎)으로 승진하여 집경군 절도추관(集慶軍節度推官)이 되자 본적(本
籍)을 되찾아 본래의 성명인 '범중엄'을 회복하게 되었다. 일설에는, 천성(天聖) 6년(1028)에 모친상
을 치른 뒤에 회복하였다고도 한다. 이후 흥화 현령(興化縣令), 비각 교리(秘閣校理), 진주 통판(陳州
通判), 지소주(知蘇州) 등의 직책을 역임하였는데 강직한 성품으로 직언을 일삼아 누차 폄척(貶斥)당
하였다. 강정(康定) 원년(1040)에 한기(韓琦)와 함께 섬서경략 안무초토부사(陝西經略安撫招討副使)
가 되어 '둔전구수(屯田久守)'의 방침을 채택하여 서북 변방의 방어를 공고히 하였다. 경력(慶曆) 3년
(1043)에는 참지정사(參知政事)가 되어 '경력신정(慶曆新政)'이라는 정치 개혁 운동을 제창하였는데,
신정이 좌절되자 외직으로 좌천되어 빈주(邠州)·등주(鄧州)·항주(杭州)·청주(青州) 등을 맡아 다스
렸다. 황우(皇祐) 4년(1052)에 지영주(知潁州)가 되어 병든 몸으로 부임하던 도중에 서거(逝去)하였는

바, 향년 64세이다. 사후에 병부 상서(兵部尙書)·초국공(楚國公)에 추증되었으며, 시호는 문정(文正)이다. 이 때문에 '범문정공(范文正公)'으로도 일컬어진다. 범중엄은 문무를 겸비하고 지모가 출중한 인물로 정치, 군사, 문학, 교육, 사상, 서예 등 다방면에서 두각을 드러내었다. 저서에 《범문정공집(范文正公集)》이 있다.

• 작품개요

　'엄선생(嚴先生)'은 후한(後漢) 초기의 은사(隱士)인 엄광(嚴光)으로, 이 작품은 작자가 목주(睦州)로 폄적되었을 적에 엄광이 은거한 곳에 그의 사당을 세우고 그 후손을 불러서 제사를 지내도록 하면서 지은 글이다.

　《후한서(後漢書)》 권83 〈일민열전(逸民列傳)〉에 의하면, 엄광은 회계(會稽) 여요(餘姚) 사람으로 자는 자릉(子陵)이며 후한 광무제(光武帝) 유수(劉秀)와 동문수학한 친구 사이이다. 그는 유수가 황제의 자리에 오르자 성명을 바꾸고 숨어 살았는데, 유수가 기어코 찾아내어 조정으로 불렀으나 오지 않다가 세 번을 부른 다음에야 겨우 나아갔다. 하루는 유수가 엄광과 함께 잠을 자던 중 엄광이 유수의 배 위에 다리를 올려놓았는데, 바로 다음날에 태사(太史)가 아뢰기를, "객성이 어좌(御座, 제좌성(帝座星))를 범하였습니다."라고 하자, 유수가 웃으면서, "짐이 옛 친구인 엄자릉과 함께 잠을 잤을 뿐이다."라고 하였다. 그 뒤 유수가 조정에 머물러 있기를 권하였으나, 엄광은 절강성(浙江省)에 있는 부춘산(富春山)으로 들어가 엄릉뢰(嚴陵瀨)라는 물가에서 낚시질을 하며 일생을 마쳤다고 전한다.

　작자는 작품 속에서 엄광과 광무제를 함께 나열함으로써 세상의 부귀공명을 탐하지 않았던 엄광의 고결한 인품과 현사를 예우하고 자신을 낮추었던 광무제의 관대한 도량에 대해서 찬미하였으나, 이 작품을 통해 실제로 드러내려고 하였던 것은 바로 엄광의 인품과 기개라고 보는 것이 타당하다.

　전체적으로 작품의 결구(結構, 짜임새)가 매우 정교하다. 특히 결구(結句)인 "구름낀 산이 창창하고 강물이 깊고 넓도다. 선생의 유풍(遺風)은 저 산처럼 높고 저 물처럼 장구(長久)하리로다.〔雲山蒼蒼 江水泱泱 先生之風 山高水長〕"는 인구에 회자되는 명구로, 엄광이라는 한 인물의 높은 풍도(風度)를 잘 개괄하였다. 이 부분은 처음에 '선생지덕(先生之德)'이라고 하였는데, 이태백(李泰伯)이 '풍(風)' 자로 바꾸도록 건의하자 작자가 흔쾌히 바꾸었다고 한다. 아울러 엄광과 광무제에 대해 《주역》의 고괘(蠱卦)와 준괘(屯卦)의 효사(爻辭)를 인용하여 찬미한 것은 매우 절묘한 용사(用事)라고 하겠다.

　문헌에 의하면 엄광의 본래의 성은 '장(莊)'이었는데, 후한 명제(明帝)의 휘(諱)를 피하여 '엄'으로 바꾸었다고 한다.

篇題小註‥ 迂齋云 字少詞嚴하고 筆力老健이라 嚴光은 字子陵이니 少與光武同學이러니 光武旣卽位에 避之하여 釣于富春山中이어늘 物色召之하여 至호되 卒不仕하니 事見後漢書라 富春山中은 卽今嚴州桐廬縣之釣臺也라 嚴州는 舊爲睦州러니 後改爲嚴하니 亦取嚴光所隱之義라 范文正이 守嚴州할새 首爲祠堂하고 祠之하여 擧千載之欠事하고 唱萬世之淸風하니 至今范公附祀嚴祠焉이라 此篇은 辭甚簡嚴하고 義甚宏闊하니 天下之至文也라 非嚴先生之事면 不能稱此文이요 非范文正之文이면 不能記此事라 容齋隨筆²⁴에 載范公旣爲此文하여 以示南豊李泰伯²⁵한대 李讀之에 歎味不已하고 起言曰 公文一出이면 必將名世하리라 妄意輒易一字하여 以成盛美라한대 公이 瞿然하여 握手扣之하니 答曰 雲山江水之語는 於義甚大하고 於辭甚(悽)[溥]²⁶어늘 而德字承之하니 乃似趢趗(록속)이라 擬換作風字 如何오 公이 凝坐頷首하고 殆欲下拜라하니 按風字萬倍精神이라 孟子論伯夷, 下惠에 皆以風言²⁷하시고 太史公亦云 觀夫子遺風²⁸이라하니 風字不可易也니 范公이 偶初未之及耳라 世有剽竊聞此而不審者 乃謂公初作德字러니 怳惚間에 見一道人이 令改作風字라하여 似若傅會於子陵之神者하니 好怪可哂也라

우재가 말하였다. "자수(字數)가 적으면서도 문사가 엄정하며 필력이 노련하고 굳세다."

엄광(嚴光)은 자가 자릉(子陵)이니, 어려서 광무제(光武帝)와 동문수학(同門修學)하였는데, 광무제가 즉위한 뒤에 그를 피해 은둔하여 부춘산(富春山) 가운데에서 낚시질하였다. 광무제가 그를 물색하여 불러 왔으나 끝내 벼슬을 하지 않았으니, 이 사실이 《후한서(後漢書)》에 보인다. 부춘산 가운데

---

24 容齋隨筆: 북송(北宋)의 홍매(洪邁)가 지은 책으로, 대개 경전(經典)을 고증(考證)한 내용이다.

25 南豊李泰伯: 태백은 이구(李覯, 1009~1059)의 자(字)로, 북송 남성(南城) 사람이고 사상가이자 시인이며, 호는 우강(旴江)이다.

26 (悽)[溥]: 저본에는 '처(悽)'로 되어 있으나 《용재수필(容齋隨筆)》 권5 〈엄선생사당기(嚴先生祠堂記)〉에 의거하여 '부(溥)'로 바로잡았다.

27 孟子論伯夷下惠 皆以風言: 《맹자》 〈진심 하(盡心下)〉에 "성인은 백세(百世)의 스승이니, 백이와 유하혜가 이것이다. 그러므로 백이의 풍도(風度)를 들은 자는 완악한 지아비가 청렴해지고 나약한 지아비가 뜻을 세우게 되며, 유하혜의 풍도를 들은 자는 경박한 지아비가 돈후(敦厚)해지고 비루한 지아비가 너그러워진다. 백세의 위에서 분발하거든 백세의 아래에서 그 풍도를 들은 자가 흥기하지 않는 이가 없으니, 성인이 아니고서 이와 같겠는가. 더구나 그들을 직접 가까이 하여 배운 자에 있어서랴![孟子曰 聖人 百世之師也 伯夷柳下惠是也 故聞伯夷之風者 頑夫廉 懦夫有立志 聞柳下惠之風者 薄夫敦 鄙夫寬 奮乎百世之上 百世之下 聞者莫不興起也 非聖人而能若是乎 而況於親炙之者乎]"라고 보인다.

28 太史公亦云 觀夫子遺風: 태사공은 사마천(司馬遷)을 가리키고 부자(夫子)는 공자(孔子)를 가리킨다. 사마천은 약관의 나이에 천하를 유람하려는 뜻을 세우고 여러 곳을 돌아다녔는데, 《사기》 〈태사공자서(太史公自序)〉에 "제나라와 노나라의 도시에서 학업을 강습하고 공자의 유풍을 보았다.[講業齊魯之都 觀孔子之遺風]" 하였다.

는 바로 지금의 엄주(嚴州) 동려현(桐廬縣)의 조대(釣臺)이다. 엄주는 옛날에 목주(睦州)라 하였는데 뒤에 엄주로 개칭(改稱)하였으니, 이 또한 엄광이 은둔한 뜻을 취한 것이다. 범문정공(范文正公)이 엄주를 맡았을 적에 처음으로 사당을 짓고 그를 제사하여, 천 년 동안 하지 못했던 일을 거행하고 만대에 청풍(淸風)을 불러 일으켰으니, 지금 범공(范公)은 엄선생의 사당에 배향되어 있다.

이 편은 문사가 매우 간결하고 엄정하며 뜻이 매우 크고 넓으니, 천하에 지극히 훌륭한 문장이다. 엄선생의 일이 아니면 이 글에 걸맞지 않고, 범문정공의 문장이 아니면 이 일을 기록할 수 없다.

《용재수필(容齋隨筆)》에 다음과 같은 내용이 기재되어 있다.

"범공(范公)이 이미 이 글을 지어 남풍(南豐) 이태백(李泰伯, 이구(李覯))에게 보이자, 이태백은 읽고 나서 감탄하고 음미하기를 마지않으며 일어나 말하기를 '공(公)의 이 글이 한번 세상에 나오면 반드시 세상에 이름날 것입니다. 저의 망령된 생각으로 한 글자를 바꾸어 성대한 아름다움을 이루려 합니다.' 하니, 공(公)은 놀라 손을 잡고 물었다. 이태백은 대답하기를 '운산 강수(雲山江水)의 말은 뜻을 보자면 매우 크고 문사로 보자면 매우 넓은데 '덕(德)' 자가 뒤를 받으니, 의미가 너무 짧은 듯합니다. '풍(風)' 자로 바꾸는 것이 어떻겠습니까?' 하니, 공(公)은 가만히 앉아 머리를 끄덕이고는 내려가 절하고자 하였다."

살펴보건대, '풍(風)' 자는 만 배나 정채(精彩)롭다. 맹자(孟子)가 백이(伯夷)와 유하혜(柳下惠)를 논할 적에 모두 풍(風)으로 말씀하셨고, 태사공(太史公) 또한 "부자(夫子)의 유풍(遺風)을 보았다." 하였으니, 풍(風) 자는 바꿀 수가 없는데, 범공이 우연히 처음에 미처 보지 못했을 뿐이다. 세상에서는 이것을 표절해 듣고는 자세히 살피지 못한 자들이 마침내 이르기를 "공이 처음 '덕(德)' 자로 썼는데 황홀한 사이에 한 도인(道人)이 나타나 '풍(風)' 자로 고치게 했다." 하여, 마치 자릉(子陵, 엄광의 자(字))의 신(神)에 부회(傅會)하려는 것처럼 하니, 괴이함을 좋아함이 가소롭다.

• 原文

先生은 漢光武之故人也라 相尙以道러니 及帝握赤符하고 乘六龍[29]하여 得聖人之

---

29 及帝握赤符 乘六龍: '적부(赤符)'는 도참설(圖讖說)이 적혀 있는 붉은 비서(秘書)인 적복부(赤伏符)이며, '육룡(六龍)'은 천자의 지위를 이른다. 광무제(光武帝) 유수(劉秀)가 한(漢)나라를 부흥시키기 위하여 기병(起兵)하였는데, 관중(關中)의 유생(儒生)인 강화(彊華)가 적복부를 바쳤는바, 여기에 "유수가 군대를 출동시켜 무도(無道)한 자를 체포하면, 사이(四夷)가 운집해 용이 들에서 싸우다가 사칠의 즈음에 불이 주인이 되리라.[劉秀發兵捕不道 四夷雲集龍鬪野 四七之際火爲主]"라고 하였다. 한나라는 본래 화덕(火德)으로 왕(王) 노릇하여 적색(赤色)을 숭상하였으며, 4×7은 28인바, 당시 한나라 고조(高祖)인 유방(劉邦)이 나라를 세운지 280년이라 하며, 또는 유수의 나이가 28세였으므로, 이는 유수가 황

時하여 臣妾億兆하니 天下孰加焉고 惟先生이 以節高之라 旣而動星象[30]하고 歸江湖하여 得聖人之淸하여 泥塗軒冕[31]하니 天下孰加焉고 惟光武以禮下之라【兩下竝說, 竝無抑揚, 便見嚴光不屈光武, 光武不臣嚴光之意.】

선생은 한(漢)나라 광무제(光武帝)의 고인(故人, 오랜 친구)이다. 서로 도(道)로써 높였는데, 광무제가 적부(赤符)를 잡고 육룡(六龍)을 타고서 성인의 때를 얻어 억조(億兆)의 백성을 신첩(臣妾)으로 삼으니, 천하에 누가 그보다 더 존귀하겠는가. 오직 선생만이 절의(節義)로써 자신을 높였다. 이윽고 별자리를 움직이게 하고 강호(江湖)로 돌아와 성인의 깨끗함을 얻어 헌면(軒冕, 벼슬)을 진흙처럼 여기니, 천하에 누가 그보다 더 높겠는가. 오직 광무제가 예(禮)로써 자신을 낮추었다.【두 가지를 나란히 말하여 모두 억양(抑揚)이 없으니, 바로 엄광(嚴光)은 광무제(光武帝)에게 굽히지 않고 광무제는 엄광을 신하로 삼지 않은 뜻을 볼 수 있다.】

在蠱之上九에 衆方有爲어늘 而獨不事王侯하고 高尙其事[32]라하니 先生이 以之하고 在屯之初九에 陽德方亨이어늘 而能以貴下賤하여 大得民也[33]라하니 光武以之라【引兩卦, 天造地設.】 蓋先生之心은 出乎日月之上하고 光武之量은 包乎天地之外하니 微先生이면 不能成光武之大요 微光武면 豈能遂先生之高哉리오 而使貪夫廉하고

제가 될 것을 예언한 것이라 한다. 육룡은 《주역》건괘(乾卦)의 여섯 효를 이르는바, 〈건괘 단전(彖傳)〉에 "때로 육룡을 타고 하늘을 운행한다.〔乘六龍以御天〕"라고 하였으므로 제왕이 즉위하는 것을 '육룡을 탄다.'라고 한 것이다.

30 動星象: 성상(星象)은 별의 자리이다. 광무제가 엄광을 불러 함께 잠을 잤는데, 엄광이 잠결에 발을 광무제의 배 위에 올려놓았다. 다음날 천문(天文)을 보는 태사(太史)가 "어제 저녁 객성(客星)이 제좌성(帝座星)을 범했으니, 이는 큰 변고입니다."라고 아뢰자, 광무제는 웃으며 '내가 친구인 엄광과 함께 잤기 때문이다.' 하였다. 옛날 점성가(占星家)들은 천상(天上)의 자미성(紫微星)이나 북극성(北極星)은 황제의 성좌(星座)로 보아 객성(客星, 떠돌이 별)이 이들 성좌를 범하면 천자의 신변에 위험이 가해지는 것으로 생각하였다.

31 泥塗軒冕: '헌(軒)'은 경대부(卿大夫)가 타는 수레이고 '면(冕)'은 공경(公卿)의 면복(冕服)으로, 곧 고관대작(高官大爵)을 진흙처럼 하찮게 여김을 의미한다.

32 在蠱之上九……高尙其事: 《주역(周易)》〈고괘(蠱卦) 상구(上九)〉에 "왕후(王侯)를 섬기지 않고 그 일을 고상히 하도다.〔不事王侯 高尙其事〕" 하였다.

33 在屯之初九……大得民也: 《주역》〈준괘(屯卦) 초구(初九)〉에 "반환(磐桓, 주저)함이니, 정(貞)에 거함이 이로우며 후(侯)를 세움이 이롭다.〔磐桓 利居貞 利建侯〕"하였는데, 그 〈상전(象傳)〉에 "비록 반환하나 뜻은 정도(正道)를 행하려 하며, 귀한 신분으로서 천한 이에게 몸을 낮추니, 크게 민심을 얻도다.〔雖磐桓 志行正也 以貴下賤 大得民也〕" 하였다.

···· 泥 진흙 니 塗 진흙 도 軒 높은수레 헌 冕 면류관 면 蠱 좀벌레 고 以 쓸 이 屯 어려울 준
微 없을 미 遂 이룰 수 懦 나약할 나

懦夫立[34]하니 是는 大有功於名敎[35]也니라【幹歸立祠意.】

《주역(周易)》〈고괘(蠱卦)〉에서 다른 효(爻)들은 모두 한창 일하는 바가 있는데, 상구효(上九爻)만 홀로 "왕후(王侯)를 섬기지 않고 자기 일을 고상히 한다."라고 하였으니 선생이 이것을 따랐고, 〈준괘(屯卦)〉에서 초구효(初九爻)는 양강(陽剛)의 덕(德)이 한창 형통하고 있는데 능히 "귀함으로 천한 이에게 몸을 낮추어 크게 민심을 얻는다." 하였으니 광무제가 이것을 따랐다.【두 괘(卦)를 인용한 것이 매우 자연스럽고 훌륭하다.】선생의 마음은 일월(日月)의 위로 솟아 나오고 광무제의 도량은 천지의 밖을 포용하니, 선생이 아니었으면 광무제의 큰 도량을 이루지 못하였을 것이요, 광무제가 아니었으면 어찌 선생의 높은 절개를 이룰 수 있었겠는가. 그리하여 탐욕스런 지아비로 하여금 청렴하게 하고 나약한 지아비로 하여금 뜻을 세우게 하였으니, 이는 명교(名敎, 유교)에 크게 공(功)이 있는 것이다.【사당을 세운 뜻으로 돌렸다.】

仲淹이 來守是邦하여【緣所以立祠.】始構堂而奠焉하고 乃復(복)【除其役也.】其爲後者四家하여 以奉祠事하고 又從而歌曰 雲山蒼蒼하고 江水泱泱이라 先生之風은 山高水長이로다【含無限意.】

내(범중엄)가 와서 이 고을을 맡아【사당을 세우게 된 연유이다.】비로소 사당(祠堂)을 지어 제사를 올리고 그 후손인 네 집안을 복호(復戶)【그 부역(賦役)을 면제한 것이다.】하여 제사를 받들게 하였으며, 또 따라서 다음과 같이 노래하였다.

구름낀 산이 아득히 푸르고 　　　　　　　　　　　雲山蒼蒼
강물이 깊고 넓도다 　　　　　　　　　　　　　　江水泱泱
선생의 유풍(遺風)은 　　　　　　　　　　　　　　先生之風
저 산처럼 높고 저 물처럼 장구(長久)하리로다 　　山高水長
　【무한한 뜻을 포함하였다.】

---

34 使貪夫廉 懦夫立 : 《맹자》〈만장 하(萬章下)〉에 "백이(伯夷)의 풍도(風度)를 들은 자들은 완악한 지아비가 청렴해지고, 나약한 지아비가 뜻을 세우게 된다.〔聞伯夷之風者 頑夫廉 懦夫有立志〕"라고 한 말을 원용한 것이다.

35 名敎 : 유교(儒敎)를 달리 일컫는 말로, 지켜야 할 인륜의 명분(名分)에 관계되는 가르침이라는 뜻이다.

… 淹 담글 엄 奠 올릴 전 復 세금과 부역 면제할 복 泱 넓을 앙

악양루기岳陽樓記

범중엄范仲淹

• 작품개요

이 작품은 작자가 경력(慶曆) 6년(1046) 9월 15일에 파릉군 태수(巴陵郡太守) 등자경(滕子京)의 요청에 응하여 중수(重修)한 악양루(岳陽樓)를 두고 지은 글이다. 악양루는 지금의 호남성(湖南省) 악양성(岳陽城) 서쪽 동정호(洞庭湖)와 마주한 곳에 있다. 전하는 말로 당나라 개원(開元) 4년(716) 중서령(中書令) 장열(張說)이 이곳으로 좌천되어 지은 것이라 하는데, 누각이 웅장하고 경관이 빼어나며 800리 동정호가 모두 눈앞에 펼쳐져 역대로 문사들이 올라와 수창(酬唱)하는 장소가 되어 왔다.

송대 문인들의 관습에 따르면, '기(記)'나 다른 산문을 지을 적에 반드시 작자 자신이 그곳에 있어야 하는 것은 아니었다. 글을 부탁하는 쪽에서 화권(畫卷) 또는 그와 관련된 문헌 자료를 함께 보내주어 글을 짓는 사람이 참고하도록 하였던 것이다.

작자가 활동하였던 북송대는 대내적으로는 계급의 모순이 나날이 두드러졌으며 대외적으로는 거란(契丹)과 서하(西夏)가 중원을 호시탐탐 노리던 내우외환의 시기였다. 이러한 난국을 타개하기 위하여 작자 범중엄을 위시한 정치 집단이 개혁을 진행하기 시작하였는데, 후인들은 이를 '경력 신정(慶曆新政)'이라고 일컬었다. 그러나 개혁은 대지주 계급(大地主階級) 보수파(保守派)의 강력한 반대를 만났고 황제의 결심 역시 확고하지 못하여 태후를 우두머리로 하는 보수 관료 집단의 압박 하에 실패로 끝났다. 개혁이 실패한 뒤에 작자는 재상 여이간(呂夷簡)에게 미움을 받아 하남(河南) 등주(鄧州)로 폄적되었는데, 이 작품은 바로 등주에서 지은 것이며 악양루에서 지은 것은 아니다.

등자경은 악주(岳州, 파릉군)로 폄적되었지만 재임 기간 동안에 치적을 쌓아 다시 조정으로 복귀할 기회를 얻고자 하였는데, 악양루를 중수한 것은 그 목적을 이루기 위한 방법의 일환으로 경력(慶曆) 5년(1045)에 완성하였다. 또한 등자경은 자신의 명성을 높이기 위하여 작자에게 〈동정만추도(洞庭晚秋圖)〉를 보내 주면서 두 편의 기문을 지어 줄 것을 부탁하였는데, 그 중 하나가 바로 이 〈악양루기〉이고 또 다른 하나는 〈언홍제기(偃虹堤記)〉였다.

이러한 종류의 '기(記)'는 주로 사정(事情), 풍경 묘사[寫景], 인물 기록[記人]을 통하여 작자의 감정과 견해를 드러내는 것이 특징이다. 이 작품은 악양루의 풍광 및 '장마비가 계속될 때[霪雨霏霏]'와 '봄날이 화창하여 경치가 선명할 때[春和景明]'가 사람에게 가져다주는 각각의 다른 감상을 보여줌으로써 '남의 일로 기뻐하지 않으며 자기의 일로 슬퍼하지 않는[不以物喜 不以己悲]' 옛 인인(仁人)의 마음을 제시하고, 아울러 '천하 사람들이 근심하기에 앞서 근심하고 천하 사람들이 즐거워한 뒤에 즐거워할 것[先天下之憂而憂 後天下之樂而樂]'이라는 작자 자신의 정치 철학을 드러내었다.

작품 전체는 기사(記事)와 서술(敍述), 풍경 묘사, 감정 표현[抒情], 의론(議論)이 하나로 어우러져 있는데, 문사(文辭)가 간약(簡約)하고 낭송할 적에 문장의 음절이 조화롭다. 또한 대구(對句)를 만드는 '배우(排偶)'의 수법으로 경물(景物)을 대비(對比)하였는바, 기문 중에 참신한 작품이라고 하겠다.

篇題小註‥ 迂齋曰 首尾布置와 與中間狀物之妙를 不可及已라 然이나 最妙處는 在臨了斷遣一轉語[36]하니 乃知此老胸襟宇量이 直與岳陽, 洞庭으로 同其廣大라 范仲淹은 字希文이라 官至參政하니 與杜祁公衍, 富鄭公弼, 韓魏公琦[37]로 齊名하여 號杜, 富, 韓, 范이라하니 宋之名臣也라 德行文章과 政事功業을 兼有之하니라 公이 自爲布衣時로 已有經濟天下之大志하여

---

36 一轉語: 선가(禪家)에서 한마디 말을 가지고 사람의 기봉(機鋒)을 전환하여 깨닫도록 해주는 것, 또는 그러한 말을 가리킨다. 여기서는 독자를 계발시켜 주어 문득 깨닫게 하는 가장 중요한 어구를 가리킨다.

37 與杜祁公衍……韓魏公琦: 이 세 사람은 범중엄과 함께 북송(北宋)의 명신(名臣)으로 여러 폐단을 개혁하였다. 두연(杜衍)은 자가 세창(世昌)이고 기국공(祁國公)에 봉해졌으며, 시호는 정헌(正獻)이다. 외군(外郡)을 다스릴 때 신중하고 치밀하게 하고, 위엄과 형벌로 관리들을 감독하지 않았는데도 관리와 백성들이 그의 청렴과 정돈됨을 두려워하였다. 부필(富弼)은 자가 언국(彦國)이고 정국공(鄭國公)에 봉해졌으며, 시호는 문충(文忠)이다. 인종 때 과거에 급제하여 지제고(知制誥), 추밀사(樞密使) 등을 거쳐 중서 문하시랑 평장사(中書門下侍郞平章事)가 되었는데, 수성(守成)에 힘써 현상(賢相)으로 일컬어졌다. 한기(韓琦)는 자가 치규(稚圭), 호가 공수(贛叟)이고 위국공(魏國公)에 봉해졌으며 시호는 충헌(忠獻)으로 약관의 나이에 진사가 되어 우사간(右司諫), 추밀원 직학사(樞密院直學士) 등을 역임하였다. 국가 대사를 맡아서 위태로운 일을 피하지 않아 조정에서 소중하게 여겼다.

胸 가슴 흉　襟 가슴 금　祁 성할 기　衍 남을 연　弼 도울 필　琦 옥 기　蘊 쌓일 온
滕 등나라 등

常誦言曰 士當先天下之憂而憂하고 後天下之樂而樂이라하니 此其素所蘊也라 此篇은 爲滕宗諒[38]作이니 末段에 寫其素志妙甚이라 然이나 前面은 分兩柱對說하여 排比偶儷하니 前輩謂傳奇體耳[39]라 此乃宋初以來文體如此러니 直待歐, 尹出而五代偶儷之體始變云[40]이라

우재가 말하였다. "처음부터 끝까지 안배한 것과 중간에 사물을 형상한 것의 뛰어남을 미칠 수가 없다. 그러나 가장 뛰어난 부분은 끝부분에 이르러 일전어(一轉語)를 결단한 데 있으니, 이 노인의 흉금과 도량이 곧바로 악양루·동정호(洞庭湖)와 그 광대함을 함께함을 알 수 있다."

범중엄은 자가 희문(希文)이니, 벼슬이 참지정사(參知政事)에 이르렀다. 기국공(祁國公) 두연(杜衍), 정국공(鄭國公) 부필(富弼), 위국공(魏國公) 한기(韓琦)와 명성이 나란하여 두(杜)·부(富)·한(韓)·범(范)이라 불리었으니, 송(宋)나라의 명신으로 덕행(德行)과 문장(文章), 정사(政事)와 공업(功業)을 아울러 갖추었다. 공(公)은 포의(布衣)로 있을 때부터 이미 천하에 대해서 경세제민(經世濟民)하려는 큰 뜻을 품어 항상 외워 말씀하기를 "선비는 마땅히 천하 사람들이 근심하기에 앞서 근심하고 천하 사람들이 즐거워한 뒤에 즐거워해야 한다." 하였으니, 이는 그가 평소 가지고 있던 포부이다.

이 편은 등종량(滕宗諒)을 위하여 지은 것인데, 끝 부분에 자신의 평소 뜻을 묘사한 것이 매우 뛰어나다. 그러나 전면(前面)은 두 기둥으로 나누어 상대하여 말해서 배비(排比)하여 짝을 맞추었으니, 선배(先輩)들은 이것을 '전기체(傳奇體)'라 이른다. 이는 바로 송나라 초기 이래의 문체가 이와 같았던 것인데, 구양공(歐陽公)과 윤공(尹公, 윤수(尹洙))이 나오자, 오대시대(五代時代)에 짝을 맞추던 문체가 비로소 변하였다.

38　滕宗諒: 자는 자경(子京)이며, 하남(河南) 낙양(洛陽) 사람이다. 북송의 문신으로 천장각 대제(天章閣待制)·정언(正言)·사간(司諫) 등을 역임하였고, 범중엄과 교유하였다. 범중엄이 등주(鄧州)를 다스릴 때, 등종량이 좌천되어 악주(岳州)를 다스리고 있었다. 등종량이 이때 악양루를 중수(重修)하고 기문(記文)을 부탁하자, 범중엄이 친구를 위로하는 내용을 담아 써주었다.

39　前輩謂傳奇體耳: '전기'라는 명칭은 당나라 사람 배형(裴鉶)이 지은 《전기》라는 책에서 시작되었는데, 기이한 것이 많아서 전할 만하였기 때문에 전기라고 하였다. 진사도(陳師道)의 《후산시화(後山詩話)》에 "범문정공이 〈악양루기〉를 지을 적에 대우(對偶)를 사용하여 계절의 경치를 말하였는데, 세상에서는 이것을 기이하다고 하였으며, 윤사로(尹師魯)는 이것을 읽고서 '전기체(傳奇體)'이다.'라고 하였으니, 전기는 당(唐)나라의 배형이 저술한 소설이다.[范文正公爲岳陽樓記 用對語說時景 世以爲奇 尹師魯讀之曰 傳奇體耳 傳奇唐裴鉶所著小說也]"라고 보인다.

40　直待歐尹出而五代偶儷之體始變云: '구(歐)'는 구양수(歐陽脩)이고 '윤(尹)'은 윤수(尹洙)이며, '우려(偶儷)'는 대구(對句)를 맞추어 글을 짓는 것으로 사륙변려문(四六騈儷文)을 이른다. 당나라 초기까지는 모든 문장이 사륙변려문이었는데, 한유(韓愈)와 유종원(柳宗元)의 고문운동(古文運動)으로 문풍이 크게 바뀌었다. 그러나 오대(五代)시대까지도 여전히 이 문체를 사용하였는데, 구양수 등이 나오면서 완전히 바뀌었으므로 이렇게 말한 것이다.

... 寫 쓸 사　偶 짝 우　儷 짝 려

- 原文

慶曆四年春에 滕子京이 謫守巴陵郡[岳州]하니 越明年에 政通人和하여 百廢具
興이라 乃重修岳陽樓하여 增其舊制하고 刻唐賢今人詩賦于其上하고 屬(촉)子作文
以記之라 予觀夫巴陵勝狀이 在洞庭一湖라 銜遠山하고 呑長江하여 浩浩蕩蕩하여
橫無際涯하여 朝暉夕陰에 氣象萬千하니 此則岳陽樓之大觀也니 前人之述에 備
矣라 然則北通巫峽하고 南極瀟湘하여 遷客騷人이 多會于此하니 覽物之情이 得無
異乎아【下分言悲喜之異.】

　경력(慶曆) 4년(1044) 봄에 등자경(滕子京, 등종량(滕宗諒))이 좌천되어 파릉군(巴陵郡)【악주(岳州)
이다.】을 맡았는데, 명년에 정사가 소통되고 인민이 화합하여 온갖 폐지되었던 것들이 모두 창
성(昌盛)하였다. 이에 악양루(岳陽樓)를 중수하여 옛 제도보다 더 크게 만들고, 당(唐)나라의 현
인(賢人)과 지금 사람들의 시부(詩賦)를 그 위에 새기고는 나에게 부탁하여 기문을 지어서 이
러한 사실을 기록하게 하였다.

　내가 보건대, 파릉의 훌륭한 경치는 오로지 한 동정호(洞庭湖)에 있다. 먼 산을 머금고 긴 강
을 삼켜 호호탕탕(浩浩蕩蕩)하여 가로로 아득히 넓고 멀어 끝이 없어서 아침 햇볕과 저녁 그늘
에 기상이 만 가지·천 가지이니, 이는 악양루의 훌륭하고도 장대한 광경으로 옛사람의 기술
에 구비되어 있다. 그렇다면 북으로 무협(巫峽)에 통하고 남으로 소상(瀟湘)까지 이르러 좌천
된 나그네와 소인(騷人)들이 이곳에 많이 모이니, 경물(景物)을 바라보고서 일으키는 그들의
감정이 어찌 다르지 않을 수 있겠는가.【아래에는 슬픔과 기쁨의 다름을 나누어 말하였다.】

若夫霪雨霏霏하여 連月不開라 陰風怒號하여 濁浪排空하며 日星隱曜하고 山岳潛
形하며 商旅不行하여 檣傾楫摧(장경즙최)하며 薄暮冥冥에 虎嘯猿啼라 登斯樓也면 則
有去國懷鄕하고 憂讒畏譏하여 滿目蕭然하여 感極而悲者矣라【立二柱. 此是覽物而悲
者.】

　장맛비가 계속되어 여러 달 동안 개지 않는다. 음산한 바람이 세차게 불어와 탁한 물결이
공중을 치며 해와 별이 빛을 숨기고 산악이 형체를 감추며, 장사꾼과 나그네들이 다니지 않
아 돛대가 기울고 노가 부러지며, 어둑어둑 땅거미가 질 적에 범이 휘파람불고(으르렁거리고)
원숭이가 운다. 〈이러한 때에〉 이 누대에 오르면 국도를 떠나 고향을 그리워하고, 참소하는

銜 입에물 함　呑 삼킬 탄　際 끝 제　涯 물가 애　暉 빛 휘　峽 골짜기 협　霪 장마 음
霏 안개 비　檣 돛대 장　傾 기울 경　楫 노 집　摧 꺾을 최　嘯 휘파람불 소　猿 원숭이 원
啼 울 제　讒 참소할 참

말을 근심하고 비난하는 말을 두려워하여 눈에 띄는 모든 것들이 쓸쓸해져 감회가 지극한 나머지 슬퍼하는 자가 있을 것이다.【두 기둥을 세웠으니, 이는 바로 경물을 바라보고서 슬퍼하는 자이다.】

至若春和景明하고 波瀾不驚하여 上下天光이 一碧萬頃이라 沙鷗翔集하고 錦鱗游泳하며 岸芷汀蘭이 郁郁靑靑이요 而或長煙一空하여 皓月千里라 浮光은 躍金하고 靜影은 沈璧이라 漁歌互答하니 此樂何極가 登斯樓也면 則有心曠神怡하여 寵辱俱忘하고 把酒臨風하여 其喜洋洋者矣리라【此是覽物而喜者. 樓之變態萬狀, 而人情所感, 不過二端, 此一樣人, 勝前一樣人, 要之, 是知有己者而已.】

봄날이 화창하여 경치가 선명하며 물결이 일지 않아 상하의 하늘빛이 끝없이 푸르다. 모랫벌의 백구(白鷗)들은 날아와 모이고 비단 같은 물고기들은 헤엄치며 강안(江岸)의 지초와 물가의 난초는 욱욱(郁郁, 향기로움)하고 청청(靑靑, 무성함)하다. 혹 긴 물안개가 잠깐 개어 밝은 달이 천 리를 비추면, 〈호수 위에〉 떠있는 달빛은 금빛처럼 출렁이고 고요한 달 그림자는 구슬이 잠긴 듯한데 어가(漁歌)를 서로 화답하니, 이 낙(樂)이 어찌 다하겠는가. 〈이러한 때에〉 이 누대에 오르면 마음이 넓어지고 정신이 온화하여 영광과 치욕을 모두 잊고는 술잔을 잡고 바람을 맞으며 그 기쁨이 양양(洋洋)한 자가 있을 것이다.【이것은 바로 경물을 바라보고서 기뻐하는 자이다. 누대의 변화무쌍한 모습이 수만 가지인데, 인정이 감동하는 바는 슬픔과 기쁨 두 가지에 불과하니, 이러한 사람이 앞의 사람보다 낫다. 요컨대 자신이 있음을 아는 자일 뿐이다.】

嗟夫라 予嘗求古仁人之心하니 或異二者之爲는 何哉오 不以物喜하며 不以己悲하여 居廟堂之高면 則憂其民하고 處江湖之遠이면 則憂其君하나니【常情所感, 不過上面二端而已, 而仁人之心, 出入只是一致, 憂樂不在己而在物, 故一致耳. 居廟堂則憂民不爲堯‧舜之民, 居江湖則憂君未爲堯‧舜之君, 此仁人‧君子之用心, 所以異於常人徇物悲喜之心也.】是는 進亦憂요 退亦憂니 然則何時而樂耶아 其必曰 先天下之憂而憂하고 後天下之樂而樂歟인저 噫라 微斯人이면 吾誰與歸리오

아아, 슬프다! 내 일찍이 옛 인인(仁人)의 마음을 찾아보니, 혹 이 두 사람의 행위와 다름은 어째서인가? 외물(外物, 부귀공명) 때문에 기뻐하지 않고 자기 일로 슬퍼하지 않아, 높은 묘당(廟堂, 조정)에 있게 되면 백성을 걱정하고 먼 강호에 있게 되면 군주를 근심하니,【보통 사람

의 심정이 감동하는 바는 위의 두 가지에 불과할 뿐인데, 인인(仁人)의 마음은 나가고 들어옴에 다만 한결같아서 근심과 즐거움이 자신에게 있지 않고 남에게 있다. 그러므로 일치하는 것이다. 묘당(廟堂, 조정)에 있으면 백성들이 요·순의 백성이 되지 못함을 근심하고 강호(江湖)에 있으면 군주가 요·순과 같은 군주가 되지 못함을 근심하니, 이는 인인(仁人)과 군자의 마음 씀이 보통 사람이 외물에 따라 슬퍼하고 기뻐하는 마음과 다른 이유이다.〕 이는 나아가도 근심하고 물러나도 근심하는 것이다. 그렇다면 어느 때에나 즐거워할 수 있는가? 반드시 "천하 사람들이 근심하기에 앞서 근심하고 천하 사람들이 즐거워한 뒤에 즐거워할 것이다."라고 말할 것이니, 아! 이러한 사람이 아니면 내가 누구와 더불어 돌아가겠는가?

격사홀명擊蛇笏銘

석개石介 수도守道

• 작가소개

석개(石介, 1005~1045)는 자가 수도(守道), 또 다른 자가 공조(公操)로 연주(兗州) 봉부(奉符) 사람이다. 북송(北宋) 초기의 문인이자 송대 이학(理學)의 선구자로 이른바 '태산학파(泰山學派)'의 창시자이며, 호원(胡瑗)·손복(孫復)과 함께 '송초삼 선생(宋初三先生)'으로 일컬어진다.

젊었을 때부터 큰 뜻을 품었으며 성품이 강직하였다. 특히 학문에 독실하여 경서(經書)를 깊이 연구하였는데, 주소(注疏)의 해설보다는 경문(經文)에 담겨 있는 의리(義理)를 중시하였으며, 이(理)·기(氣)·도통(道統)·문도(文道) 등에 관한 그의 의론은 이정(二程)과 주자(朱子)에게 큰 영향을 끼쳤다. 천성(天聖) 8년(1030)에 진사(進士)로 급제하여 장사랑(將仕郎)·운주관찰추관(鄆州觀察推官)에 제수되었으며, 이후 남경유수 추관 겸 제거응천부 서원(南京留守推官兼提擧應天府書院)·가주군사 판관(嘉州軍事判官)·국자감 직강(國子監直講) 등을 역임하고 두연(杜衍), 한기(韓琦)의 추천으로 태자중윤(太子中允)·직집현원(直集賢院)에 발탁되었다. 강정(康定) 원년(1040) 3월에 부친 석병(石丙)이 별세하였는데, 거상(居喪)하는 동안 조래산(徂徠山) 장춘령(長春嶺)에 조래서원(徂徠書院)을 열어 제생(諸生)에게 《주역》을 가르쳤으므로 '조래 선생(徂徠先生)'으로 일컬어졌다. 저술로는 문집인 《조래집(徂徠集)》과 《괴설(怪說)》, 《중국론(中國論)》, 《당감(唐鑑)》 등이 있다.

• 작품개요

이 글은 공도보(孔道輔)의 일화에 감명을 받은 작자가 지은 명문(銘文)으로 앞에 서문(序文)이 있다. 송(宋)나라 진종(眞宗) 상부(祥符) 연간에 영주(寧州) 천경관(天慶觀)에 있는 요상한 뱀이 영물(靈物)이라고 소문이 나서 그 고을의 자사(刺史) 및 수많은 사람이 끊임없이 찾아가 정성껏 예(禮)를 올렸다. 뒤에 강직하기로 유명한 공도보가 "인간 세상에는 예악(禮樂)이 있고 귀신 세계에는 귀신이 있으니, 이 뱀이 너무 속이는 것이 아닌가? 우리 백성을 속이며 우리 풍속을 혼란하게 하니, 죽여 용서하지 말아야 한다."라고 하고는 홀(笏)을 가지고 그 머리를 내리쳐 죽였는데, 일반 뱀과 다름이 없었다. '홀'이란 옛날 관리들이 서판(書版)으로 사용하는 물건인데, 관복 위에 늘 이것을 차고 다녔다. '명(銘)'이란 돌이나 금속 기물 따위에 새기는 운문(韻文)인바, 이 작품을 지은 의도는 뱀을 쳐죽인 공도보의 덕(德)을 기려 많은 사람에게 교훈이 되게 하려는 것이다.

작품의 주 내용은 요사스러운 뱀을 쳐죽임으로써 미신과 이단을 타파하고 올바른 도(道)를 밝혔던 공도보의 훌륭한 행위를 기린 것으로, 강직하여 꺾이지 않는 공도보의 기개가 행간(行間)에 흘러 넘친다. 남송(南宋) 말기 문천상(文天祥)의 〈정기가(正氣歌)〉는 이 작품에서 깊은 영향을 받은 것이라 한다.

篇題小註‥ 石介는 字守道로 魯人이니 號徂徠先生이요 孔公은 名道輔니 二公은 皆剛正人也라 非孔公之剛正이면 不能爲此事요 非徂徠之剛正이면 不能發揮此事니 讀之면 可以廉頑立懦니라

석개(石介)는 자가 수도(守道)로 노(魯) 지방 사람이니 호가 조래 선생(徂徠先生)이요, 공공(孔公)은 이름이 도보(道輔)이니, 두 공(公)은 모두 굳세고 바른 사람이었다. 공공의 굳세고 바름이 아니면 이 일을 할 수 없고, 조래의 굳세고 바름이 아니면 이 일을 펼쳐 나타낼 수 없으니, 이 글을 읽어보면 완악한 자가 청렴해지고 나약한 자가 뜻을 세울 수 있게 된다.

• 原文

天地至大어늘 有邪氣干於其間하여 爲凶暴, 爲殘賊이면 聽其肆行하여 如天地卵育之而莫禦也하며 人生最靈이어늘 或異類出於其表하여 爲妖怪, 爲淫惑이면 信其異端하여 如人蔽覆(부)之而莫露也하나니라

천지가 지극히 큰데도 사기(邪氣)가 그 사이에 범하여 흉포한 짓을 하고 잔적(殘賊)한 짓을

介 클 개　徂 갈 조　徠 올 래　揮 휘두를 휘　頑 완악할 완　懦 나약할 나　干 범할 간
殘 해칠 잔　肆 방자할 사

하면 멋대로 행하도록 내버려두어 마치 천지가 알을 까서 길러주어 막지 않는 듯하며, 인생(사람)이 가장 영특한데도 혹 이상한 종류가 그 밖에 나와 요괴(妖怪)한 짓을 하고 음혹(淫惑)한 짓을 하면 그 이단(異端)을 믿어서 마치 사람들이 가려주고 덮어주어 드러나지 않도록 하는 듯하다.

祥符年[41]에 寧州天慶觀에 有蛇妖하여 極怪異라 郡刺史日兩至於其庭하여 朝焉하니 人以爲龍하여 擧州人內外遠近이 罔不駿奔於門以觀호되 恭莊肅祗하여 無敢怠者라 今龍圖待制孔公이 時佐幕在是邦일새 亦隨郡刺史於其庭이러니 公曰 明則有禮樂이요 幽則有鬼神이니 是蛇不以誣乎아 惑吾民하며 亂吾俗하니 殺無赦라하고 以手板으로 擊其首하여 遂斃於前하니 則蛇無異焉이라 郡刺史曁(기)內外遠近庶民이 昭然若發蒙하여 見靑天, 覩白日이라 故로 不能肆其凶殘而成其妖惑하니라 易曰 是故로 知鬼神之情狀[42]이라하니 公之謂乎인저

상부(祥符) 연간에 영주(寧州)의 천경관(天慶觀)에 요망한 뱀이 있어 지극히 괴이하였다. 군(郡)의 자사(刺史)가 날마다 두 번씩 그 뜰에 이르러 뵈니, 사람들은 그 뱀을 용이라고 생각하여 내외·원근의 온 고을 사람들이 모두 급히 문에 달려와 뵙되 공손하고 단정하며 엄숙하고 조심하여 감히 태만히 하는 자가 없었다.

지금 용도각(龍圖閣)의 대제(待制)로 있는 공공(孔公, 공도보(孔道輔))이 이때 막하(幕下)의 보좌관으로 이 고을에 있었는데, 또한 군(郡)의 자사를 따라 그 뜰로 갔다. 공이 말씀하기를 "밝은 인간 세계에는 예악(禮樂)이 있고 어두운 귀신 세계에는 귀신이 있으니, 이 뱀이 너무 속이는 것이 아닌가? 우리 백성을 속이며 우리 풍속을 어지럽히니, 죽여 용서하지 말아야 한다." 하고는 수판(手板, 홀(笏))으로 뱀의 머리를 내리치자 마침내 그 앞에서 죽었는데, 일반 뱀과 조금도 다름이 없었다.

이에 군(郡)의 자사와 내외·원근에 있는 백성이 마치 뒤집어쓰고 있던 것을 헤치고 청천(靑

---

41 祥符年 : 상부(祥符)는 송 진종(宋眞宗)의 연호로, 원래의 정식 연호는 대중상부(大中祥符)인바, 1008년에서 1016년까지의 기간이다.

42 易曰……知鬼神之情狀 : 《주역》〈계사전 상(繫辭傳上)〉에 "정(精)과 기(氣)가 합하여 물(物)이 되고 〈정과 기가 흩어져〉 혼(魂)이 떠돌아다녀 변(變, 죽음)이 되니, 이 때문에 귀신의 정상(情狀)을 안다.〔精氣爲物 游魂爲變 是故知鬼神之情狀〕"라고 보인다.

··· 駿 빠를 준 觀 볼 근 以 너무 이 斃 죽을 폐 曁 및 기 蒙 뒤집어쓸 몽

天)과 백일(白日)을 직접 눈으로 보는 듯 분명히 알게 되었다. 그러므로 〈이 뱀이〉 그 흉포함과 잔적함을 멋대로 부리지 못하고 요괴함과 음혹함을 이루지 못하였다. 《주역(周易)》에 "이 때문에 귀신의 정상(情狀)을 안다." 하였으니, 공을 두고 말함일 것이다.

夫天地間에 有純剛至正之氣하여 或鍾於物하며 或鍾於人하니 人有死하고 物有盡호되 此氣不滅烈烈하여 彌亘(긍)億萬世而長在라 在堯時에 爲指佞草[43]하고 在魯에 爲孔子誅少正卯刃[44]하고 在晉, 在齊에 爲董史筆하고【書晉趙盾·齊崔杼弑君.[45]】在漢武帝朝에 爲東方朔戟하고【請誅董偃.[46]】在成帝朝에 爲朱雲劍하고【請斬張禹.[47]】在東漢에 爲張綱輪하고【劾梁冀.[48]】在唐에 爲韓愈論佛骨表, 逐鰐魚文하고 爲段太尉擊朱泚笏[49]이요 今爲公擊蛇笏이라 故로 佞人去에 堯德聰하고 少正卯戮에 孔法擧하고

---

43 在堯時 爲指佞草 : '지녕초(指佞草)'는 간신을 지적해 내는 풀로 일명 굴일(屈軼)이라고도 하는데, 요(堯) 임금 때에 있었다 한다.

44 在魯 爲孔子誅少正卯刃 : '소정묘(少正卯)'는 춘추시대 노(魯)나라의 대부로, 마음이 험악하고 행실이 편벽되었다. 공자가 재상의 일을 섭행(攝行)할 때 정사를 어지럽혔다는 죄목으로 그를 처형하였다.

45 在晉 在齊 爲董史筆 書晉趙盾 齊崔杼弑君 : '동사필(董史筆)'은 춘추시대 직필(直筆)을 쓰기로 유명한 동호(董狐)와 남사씨(南史氏)의 붓을 이른다. 진(晉)나라 영공(靈公)이 무도(無道)한 짓을 하다가 조천(趙穿)에게 시해되었는데, 대부(大夫)인 조돈(趙盾)은 망명하려다가 영공이 죽자 그대로 돌아와 조천을 토벌하지 않았다. 이에 사관인 동호는 '조돈이 그 군주를 시해하였다.'라고 기록하였다. 또한 제(齊)나라의 대신(大臣)인 최저(崔杼)가 장공(莊公)을 시해하고 사관에게 이 사실을 기록하지 못하도록 위협하였으나 사관인 남사씨는 목숨을 걸고 이 사실을 기록하였는바, 이와 관련된 내용이 《춘추좌씨전》 선공(宣公) 2년과 양공(襄公) 25년에 각각 보인다.

46 在漢武帝朝 爲東方朔戟 請誅董偃 : 동방삭(東方朔)은 한(漢)나라 무제(武帝)의 신하로 무제에게 직언(直言)과 풍간(諷諫)을 잘하였는데, 무제가 지나치게 동언(董偃)을 총애하자 동방삭이 동언의 죄목을 일일이 밝히며 국가의 기강을 바로잡을 것을 진언(進言)하였다. 이에 무제는 동방삭의 직언을 받아들였다. 《前漢紀 卷11 孝武》

47 在成帝朝 爲朱雲劍 請斬張禹 : 주운(朱雲)은 전한 성제(成帝) 때의 직신(直臣)으로 언관이 아니었는데도 성제의 사부인 장우(張禹)를 간신으로 지목하여 탄핵하면서 상방참마검(尙方斬馬劍)을 하사받아 장우를 참수할 것을 청하였다. 이에 성제가 노하여 주운을 끌고 나가게 하니, 주운은 어전(御殿)의 난간을 부여잡아 부러뜨리면서도 직간을 멈추지 않았다. 뒤에 성제는 주운의 말이 옳음을 깨닫고 난간을 보수하여 그대로 쓰면서 직간(直諫)하는 신하의 본보기로 삼게 하였다. 《前漢書 卷67 朱雲傳》

48 在東漢 爲張綱輪 劾梁冀 : 후한 순제(順帝) 때 대장군 양기(梁冀)가 외척으로 권력을 독점하여 조정이 부패하였는데, 마침 조정에서 장강(張綱) 등을 선발하여 전국을 순행하면서 관리들의 잘못을 규찰하게 하였다. 이에 다른 사람들은 모두 명을 받고 떠났으나 장강은 자신의 수레바퀴를 낙양(洛陽)의 도정(都亭)에 묻으면서 말하기를 "승냥이와 이리가 요로에 버티고 있는데, 여우와 살쾡이 따위야 어찌 따질 것이 있겠는가.[豺狼當路 安問狐狸]" 하고 양기를 탄핵하였다. 《後漢書 卷86 張王种陳列傳 張綱》

49 在唐…爲段太尉擊朱泚笏 : 태위(太尉)는 관명(官名)으로 단수실(段秀實)을 가리킨다. 당 덕종(唐德宗) 때에 주자(朱泚)가 모반하려 하자, 단수실은 주자의 얼굴에 침을 뱉고 홀(笏)로 얼굴을 쳐 부상을 입힌 뒤에 살해되었다.

··· 鍾 모을 종 彌 뻗칠 미 亘 뻗칠 긍 佞 아첨할 녕 戟 창 극 鰐 악어 악 泚 땀날 자(체)
戮 죽일 륙 盾 사람이름 돈(둔)

罪趙盾(돈)에 晉人懼하고 辟崔子에 齊刑明하고 距董偃하며 折張禹하며 劾梁冀에 漢室乂(예)하고 佛, 老微에 聖道行하고 鰐魚徙에 潮患息하고 朱泚傷에 唐朝振하고 怪蛇死에 妖氣散이라

천지의 사이에 순수하게 굳세고 더할 나위없이 바른 기운이 있어 혹 물건에게 모여 있고 혹 사람에게 모여 있으니, 사람은 죽고 물건은 다하여도 이 기운은 없어지지 않고 열렬(烈烈)하여 억만 대에 두루 걸쳐 길이 남아있다.

요(堯) 임금 때에는 지녕초(指佞草)가 되었고, 노(魯)나라에서는 공자(孔子)가 소정묘(少正卯)를 벤 칼이 되었으며, 진(晉)나라와 제(齊)나라에서는 동호(董狐)와 남사씨(南史氏)의 붓이 되었고,【진(晉)나라 조돈(趙盾)과 제(齊)나라 최저(崔杼)가 군주를 시해한 것을 썼다.】한(漢)나라 무제(武帝) 때에는 동방삭(東方朔)의 창이 되었으며,【동언(董偃)을 주살할 것을 청하였다.】성제(成帝) 때에는 주운(朱雲)의 칼이 되었고,【장우(張禹)를 참수할 것을 청하였다.】동한(東漢)에서는 장강(張綱)의 수레바퀴가 되었으며,【양기(梁冀)를 탄핵하였다.】당(唐)나라에서는 한유(韓愈)의 〈논불골표(論佛骨表)〉와 〈축악어문(逐鰐魚文)〉이 되었고 단태위(段太尉, 단수실(段秀實))가 주자(朱泚)를 치는 홀(笏)이 되었으며, 지금은 공이 뱀을 친 홀이 되었다.

그러므로 아첨하는 사람이 제거됨에 요 임금의 덕(德)이 밝아졌고, 소정묘가 죽음에 공자의 법이 거행되었고, 조돈(趙盾)을 죄줌에 진나라 사람들이 두려워하였고, 최자(崔子)를 죄줌에 제나라의 형벌이 밝아졌고, 동언(董偃)을 막으며 장우(張禹)를 꺾으며 양기(梁冀)를 탄핵함에 한나라 황실이 다스려졌고, 불(佛)·노(老)가 미약해짐에 성인의 도(道)가 행해졌고, 악어가 옮겨감에 조주(潮州)의 폐해가 종식되었고, 주자가 부상을 당함에 당나라의 조정이 떨쳐고, 괴이한 뱀이 죽음에 요기(妖氣)가 흩어졌다.

噫라 天地鍾純剛至正之氣하여 在公之笏하니 豈徒斃一蛇而已리오 軒陛之下에 有罔上欺民先意順旨者어든 公以此笏指之하고 廟堂之上에 有蔽賢蒙惡違法亂紀者어든 公以此笏麾之하고 朝廷之內에 有諛容佞色附邪背正者어든 公以此笏擊之리라 夫如是면 則軒陛之下에 不仁者去하고 廟堂之上에 無奸臣하고 朝廷之內에 無佞人하리니 則笏之功也 豈止在一蛇리오 公以笏爲任하고 笏得公而用하여 公方爲朝廷正人이요 笏方爲公之良器라 敢稱德于公하여 作笏銘하노라

아! 천지가 순수하게 굳세고 더할 나위 없이 바른 기운을 모아 공의 홀에 있게 하였으니, 어찌 다만 뱀 한 마리를 죽일 뿐이겠는가. 헌폐(軒陛, 조정, 궁궐)의 아래에 군주를 속이고 백성을 속이며 군주의 생각에 앞서서 군주의 뜻에 영합하고 순종하는 자가 있으면 공이 이 홀로 지적하고, 묘당(廟堂, 조정)의 위에 현자(賢者)를 가리고 악한 자를 덮어주며 법을 이기고 기강을 어지럽히는 자가 있으면 공이 이 홀로 지휘하며, 조정의 안에 아첨하는 용모와 낯빛으로 간사함에 붙고 정도(正道)를 저버리는 자가 있으면 공이 이 홀로 칠 것이다.

이와 같다면 헌폐의 아래에 불인(不仁)한 자가 제거되고, 묘당의 위에 간신(奸臣)이 없어지고, 조정의 안에 아첨하는 사람이 없어질 것이니, 그렇다면 이 홀의 공(功)이 어찌 다만 한 마리 뱀을 죽임에 있겠는가. 공은 홀을 가지고 임무를 삼고 홀은 공을 만나 쓰여져서 공은 장차 조정의 정직한 사람이 되고 홀은 장차 공의 좋은 기물(器物)이 될 것이다. 이에 감히 공의 덕(德)을 칭송하여 홀명(笏銘)을 짓는다.

曰 至正之氣 天地則有하니 笏爲靈物일새 笏乃能受로다 笏之爲物이 純剛正直하니 公惟正人일새 公乃能得이로다 笏之在公에 能破淫妖하고 公之在朝에 讒人乃消로다 靈氣未竭이면 斯笏不折이요 正道未亡이면 斯笏不藏이라 惟公寶之하니 烈烈其光이로다

더할 나위 없이 바른 기운이	至正之氣
하늘과 땅에 있으니	天地則有
홀이 영물(靈物)이기에	笏爲靈物
홀이 마침내 받았도다	笏乃能受
홀이라는 물건은	笏之爲物
순수하게 굳세며 바르고 올곧으니	純剛正直
공이 정인(正人)이기에	公惟正人
공이 마침내 얻었도다	公乃能得
홀이 공에게 있으면	笏之在公
능히 음혹과 요괴를 깨뜨리고	能破淫妖
공이 조정에 있으면	公之在朝
참소하는 사람이 마침내 사라지도다	讒人乃消

··· 讒 참소할 참 消 사라질 소 竭 다할 갈

영기(靈氣)가 다하지 않으면   靈氣未竭

이 홀이 꺾이지 않을 것이요   斯笏不折

정도가 망하지 않으면   正道未亡

이 홀이 감춰지지 않을 것이다   斯笏不藏

공이 이것을 보물로 간직하고 있으니   惟公寶之

그 빛이 열렬(烈烈)하도다   烈烈其光

간원제명기諫院題名記

사마광司馬光 군실君實

• 작가소개

　　사마광(司馬光, 1019~1086)은 자가 군실(君實), 호가 우수(迂叟)이다. 섬주(陝州) 하현(夏縣) 속수향(涑水鄉) 사람이므로 '속수 선생'으로도 일컬어진다. 북송 인종(仁宗) 보원(寶元) 원년(1038)에 진사로 급제하여 인종·영종(英宗)·신종(神宗)·철종(哲宗)의 네 시대에 걸쳐 벼슬을 하였는데, 용도각 직학사(龍圖閣直學士)·한림학사(翰林學士)·어사중승(御史中丞) 등 조정 안팎의 주요 관직을 역임하고 상서 좌복야 겸 문하시랑(尙書左僕射兼門下侍郎)에 이르렀다.

　　신종(神宗)이 왕안석(王安石)을 발탁하여 신법(新法)을 단행하자, 이를 반대하다가 조정에서 물러나 15년 동안《자치통감(資治通鑑)》의 집필에 매진하였는데, 신종 역시 이 책의 완성을 크게 기대하여 그로 하여금 낙양(洛陽)에 거주하며 집필을 계속할 수 있도록 지원을 아끼지 않았다. 이후 철종이 즉위하자 조모인 선인태후(宣仁太后)가 섭정을 하였는데, 신법을 싫어하는 태후에게 발탁되어 정권을 담당하며 신법을 모두 폐지하고 구법으로 환원하였는바, 당시의 연호를 따서 '원우(元祐)의 재상'이라고 일컬어졌다. 그러나 얼마 있지 않아 원우(元祐) 원년(1086)에 세상을 떠났다. 사후에 태사(太師)로 추증되고 온국공(溫國公)에 봉해졌기 때문에 '사마온공(司馬溫公)'으로도 일컬어진다. 시호는 문정(文正)이다. 저술로는《자치통감》외에《온국문정사마공문집(溫國文正司馬公文集)》,《계고록(稽古錄)》,《속수기문(涑水記聞)》,《잠허(潛虛)》등이 있다.

• 작품개요

　　이 작품은 작자가 가우(嘉祐) 8년(1063)에 지은 글로, 간관(諫官)의 내력을 서술하고 간관의 책임과 갖추어야 할 품덕(品德) 및 '간관 석각(諫官石刻)'의 유래를 설명함으로써 간관들에게 맡은 직책을 성실히 수행하도록 경계하고 있다.

'간원'이란 황제에게 간언을 올리는 일을 담당한 기구이고, '제명'이란 간관이 자신의 성명을 목판 따위에 적어 간원에 두는 것을 말한다. 송대에는 인종(仁宗) 명도(明道) 원년(1032)에 처음으로 간원을 두었는데 그 장관을 '지간원사(知諫院事)'라고 하였다. 그 이전에는 문하성과 중서성에 분속(分屬)된 좌ㆍ우 간의 대부(諫議大夫), 좌ㆍ우 사간(司諫), 좌ㆍ우 정언(正言)이 있었는데, 명칭은 비록 간관이었지만 황제의 특지(特旨)로 임무를 수행하는 경우가 아니고서는 결코 간쟁(諫爭)을 할 수가 없었다.

작자는 가우 6년(1061)에 기거사인(起居舍人)ㆍ동지간원(同知諫院)이 되었는바, 이 작품은 바로 그가 지간원으로 있으면서 간관들의 사명감 및 책임 의식을 고취시킬 목적으로 사람을 보내 간원 내에 하나의 석비(石碑)를 세우고 모든 간관의 성명을 새긴 다음 이 글을 지어서 사정(事情)을 기술한 것이다.

이 작품은 200자가 채 되지 않는 짧은 편폭으로, 두 단락으로 나뉜다. '고자 간무관(古者諫無官)'부터 '기간상거 하원재(其間相去何遠哉)'까지의 첫 번째 단락은 의론에 속하는 부분으로 주도면밀하고 상세함이 특징이며, '천희초(天禧初)'부터 '가불구재(可不懼哉)'까지의 두 번째 단락은 기사(記事)ㆍ서술(敍述)에 속하는 부분으로 간결하고 단정함이 특징이다. 얼핏 보면 두 부분이 서로 동떨어져 있는 듯하지만 사실은 긴밀하게 연결된 것으로, 모두 간관이 된 사람은 마땅히 "오로지 국가를 이롭게 할 것이요, 자신에 대한 계책을 하지 말 것[專利國家 而不爲身謀]"을 강조하고 있다.

작품의 요지는 간관의 중대한 책임 및 간관으로서 응당 갖추어야 할 품덕을 밝힘에 있는데, 전체적인 결구(結構)가 간단하고 논리 전개의 순서가 분명하며 필세가 예리하다.

篇題小註·· 迂齋云 首尾一百六十八字로되 而包括無餘하여 識(始)〔治〕⁵⁰體하고 明職守하며 筆力高簡이 如此하니 可以想見其人矣라

우재가 말하였다.

---

50 (始)〔治〕: 저본에는 '시(始)'로 되어 있으나 《숭고문결(崇古文訣)》 권17 〈송문(宋文) 간원제명기(諫院題名記)〉의 평비(評批)에 의거하여 '치(治)'로 바로잡았다.

"머리부터(처음부터) 끝까지 168자에 불과한데 남김없이 포괄하여, 정치의 대체(大體)를 알고 맡은 직책을 밝혔으며 필력(筆力)이 이처럼 높고 간결하니, 그 인품을 상상해 볼 수 있다."

• 原文

古者에 諫無官하니 自公卿大夫로 至于工, 商히 無不得諫者러니 漢興以來로 始置官하니라【漢文帝始詔擧賢良方正直言極諫, 至宣帝朝, 始有諫大夫.】夫以天下之政과 四海之衆으로 得失利病이 萃于一官하여 使言之하니 其爲任이 亦重矣라 居是官者는 當志其大하고 捨其細하며 先其急하고 後其緩하여 專利國家요 而不爲身謀니 彼汲汲於名者는 猶汲汲於利也니 其間相去何遠哉리오

옛날에는 간관(諫官)이 따로 없어, 공(公)·경(卿)·대부(大夫)로부터 공(工)·상(商)에 이르기까지 간(諫)할 수 없는 자가 없었는데, 한(漢)나라가 일어난 이래로 비로소 간관을 두었다.【한(漢)나라 문제(文帝)가 처음으로 명령하여 현량방정직언극간과(良方正直言極諫科)를 직접 시험하여 인재를 임용하였는데, 선제(宣帝) 때에 이르러 처음으로 간대부(諫大夫)를 두었다.】저 천하의 정사와 사해(四海)의 많은 백성으로 정치의 득실(得失)과 백성의 이병(利病, 이해(利害))이 한 관원에 모여 있어 그로 하여금 지적해 말하게 하니, 그 임무가 또한 중하다. 이 관직을 담당한 자는 마땅히 그 큰 것에 뜻을 두고 잗다란 것을 버리며 급한 것을 먼저하고 급하지 않은 것을 뒤에 하여, 오로지 국가를 이롭게 할 것이요 자신에 대한 계책을 세우지 말아야 할 것이다. 저 명예에 급급한 자는 이익에 급급한 것과 같으니, 그 사이에 얼마나 큰 차이가 있겠는가.

天禧初에 眞宗이 詔置諫官六員하여 責其職事러니 慶曆中에【仁宗朝.】錢君이 始書其名於版이라【錢昆[51]爲右諫議大夫.】光이 恐久而漫滅일새 嘉祐八年에【仁宗末年.】刻著于石하노니 後之人이 將歷指其名而議之曰 某也忠하고 某也詐하며 某也直하고 某也曲이라하리니 嗚呼라 可不懼哉아【結尾三四語, 凜凜乎秋霜烈日. 凡官皆有題名記, 而如此結, 施之諫官, 爲尤宜. ○辭簡義嚴, 所該甚大, 其意甚多, 文字何在乎冗長哉?】

---

51 錢昆: 송나라 인종(仁宗) 때 우간의 대부로, 일찍이 앞서 간관(諫官)을 지낸 사람들의 성명을 목판(木板)에 써 두었는데, 그 후 사마광은 이 판각이 오래되어 없어질까 염려하여 돌에 새겼다.

⋯ 病 해로울 병 萃 모을 췌 汲 서두를 급 捨 버릴 사 禧 복 희 版 판목 판 漫 더러울 만
詐 속일 사 懼 두려울 구

천희(天禧) 초년(初年)에 진종(眞宗)께서 조칙(詔勅)을 내려 간관 6명을 두어 그 직무를 맡게 하였다. 경력(慶曆) 연간에【인종조(仁宗朝)이다.】 전군(錢君)이 처음으로 〈전임 간관들의〉 이름을 현판(懸板)에 썼으니,【전곤(錢昆)이 우간의 대부(右諫議大夫)가 되었다.】 나 사마광(司馬光)은 오래되면 없어질까 두려워 가우(嘉祐) 8년(1063)에【인종(仁宗)의 말년이다.】 돌에 새겨 드러내노니, 뒤에 부임해 온 사람들은 장차 그 이름을 하나하나 가리키며 의론하기를 "아무는 충성스러웠고 아무는 속였으며 아무개는 정직하였고 아무개는 바르지 못했다." 할 것이다. 아! 그러니 두려워하지 않을 수 있겠는가.【끝맺은 서너 마디 말이 가을 서리와 뜨거운 햇빛보다 늠름하다. 모든 관청에 다 제명기(題名記)가 있으나 이와 같은 끝맺음은 간관에게 베푸는 것이 더욱 마땅함이 된다. ○문사가 간략하면서도 문의(文義)가 엄정하며, 포함한 바가 매우 크고 그 뜻이 매우 풍부하니, 문자가 어찌 쓸데없이 긴 데에 달려 있겠는가.】

독락원기獨樂園記

사마광司馬光

• 작품개요

　이 작품은 신종(神宗) 희령(熙寧) 연간에 작자가 왕안석(王安石)의 신법(新法)을 반대하다가 서경유사 어사대(西京留司御史臺)의 한직으로 좌천되었을 적에 지은 글로, 희령 6년(1073)에 20무(畝)의 땅을 구입하여 정원을 조성하고서 쓴 것이다. 작자는 퇴청하면 이 정원에서 홀로 소요거나 독서하면서 지냈는데 이러한 것이 진정한 즐거움이라 하여 '독락(獨樂)'이라 명명하였다.

　그러나 《상설고문진보대전》의 〈독락원기(獨樂園記)〉는 정문(正文) 중에서 '독락'이라 명명한 이유를 밝힌 부분만을 실어 놓은 것으로, 실제 작품의 첫머리에서는 '독락'이란 명칭이 《맹자》로부터 유래한 것임을 드러내고 있으며, 독락원이 독서당(讀書堂)을 중심으로 농수헌(弄水軒)·조어암(釣魚菴)·종죽재(種竹齋)·채약포(採藥圃)·요화정(澆花亭)·견산대(見山臺)로 구성되어 있음을 알려 준다. 이러한 측면에서 보자면 이른바 '원림소품(園林小品)'의 비조(鼻祖)로 간주할 수도 있겠다.

　작품 속에서는 독락원에 거처하는 작자 자신의 생활 모습이 서정적으로 묘사되어 있는데, 송대(宋代) 기문의 일반적 경향인 의론적 성격과 맥락을 같이 하면서도 서정에 치우쳐 있는 것이 특징이라 하겠다. 전체적으로 편폭은 짧지만, 문사가 세련되고 문세가 예리하며 힘차다. 아울러 작자의 감정과 경물이 조화를 이루면서 논리의 전개가 분명하다. 짧고 간결한 글 속에, 작자의 맑고 격조 있는 의경(意境)이 잘 드러나 있다.

　《상설고문진보대전》 전집 권3 〈오언고풍(五言古風) 장편(長篇)〉에 소식의 〈사마온공독락원(司馬溫公獨樂園)〉이라는 시가 실려 있는데, 희령 10년(1077) 5월 6일 서주(徐州)에서 지은 것으로 《소동파집(蘇東坡集)》 3책 8권에 실려 있다. 오랜 정치상의 교우인 소식이 작자에게 준 편지에 "오래도록 공이 새로 지은 글을 보지 못하여 홀연 〈독락원기〉를 꺼내 음미하였다. 문득 스스로 시 한 수를 지어 그런대로 한번 웃음거리로 삼는다."라고 한 것으로 보아 이 시가 지어진 배경 및 독락원을 빌어 작자의 인품을 칭송한 것임을 짐작할 수 있다.

독락원에 대해서는 송(宋)나라 이격비(李格非)가 편찬한 《낙양명원기(洛陽名園記)》〈독락원〉에 "사마온공이 낙양에 있을 때에 우수(迂叟)라 자호(自號)하고 그 정원을 독락원이라 칭하였다. 정원이 지극히 협소하여 다른 정원에 비할 바가 못되었으니, 독서당(讀書堂)은 수십 개의 서까래로 지은 작은 집이었고 요화정(澆花亭)은 더욱 작았으며 농수헌(弄水軒)·종죽헌(種竹軒)은 그보다 더 좁았고 견산대(見山臺)는 높이가 한 길에 불과하였다. 조어암(釣魚菴)과 채약포(採藥圃)는 다만 대나무 가지를 얽어 만들어서 낙엽이 무성하고 잡초가 우거져 있을 뿐이었다. 그런데도 온공이 스스로 지은 서(序)와 여러 누대와 정자를 노래한 시가 세상에 많이 알려져 있는 것은 사람들이 흠모하는 바가 정원에 있지 않고 사람에게 있기 때문이다.〔司馬溫公在洛陽 自號迂叟 謂其園曰獨樂園 卑小不可與他園班 其曰讀書堂者 數十椽屋 澆花亭者 益小 弄水種竹軒者 尤小 曰見山臺者 高不過尋丈 曰釣魚菴 曰采藥圃者 又特結竹杪 落蕃蔓草爲之爾 溫公自爲之序 諸亭臺詩 頗行於世 所以爲人欣慕者 不在於園耳〕"라고 한 내용이 보인다.

篇題小註‥ 司馬溫公이 自號迂叟하고 其退居에 適意於園圃하여 其樂이 如此하니라

사마온공(司馬溫公)이 우수(迂叟)라 자호하고 관청에서 물러나와 거처할 적에 전원(田園)에 뜻이 맞아 그 즐거워함이 이와 같았다.

• 原文

迂叟平日讀書호되 上師聖人하고 下友群賢하여 窺仁義之原하고 探禮樂之緒하여 自未始有形之前으로 曁四達無窮之外하여 事物之理가 擧集目前하여 可者를 學之호되 未至夫可하니 何求於人이며 何待於外哉리오 志倦體疲하면 則投竿取魚하고 執衽采藥하며 決渠灌花하고 操斧剖竹하며 濯熱盥水하고 臨高縱目하여 逍遙徜徉하여 惟意所適하니 明月이 時至하고 淸風이 自來라 行無所牽하고 止無所柅(니)하여 耳目肺腸을 卷爲己有하여 踽踽焉, 洋洋焉하니 不知天壤之間에 復有何樂이 可以代此

也로다 因合而命之曰獨樂이라하노라

　우수(迂叟)가 평소 책을 읽되 위로는 성인(聖人)을 스승 삼고 아래로는 군현(群賢)을 벗 삼아 인의(仁義)의 근원을 엿보고 예악(禮樂)의 실마리를 탐구하여 일찍이 형체(形體)가 있기 이전으로부터 사방으로 통달하여 무궁무진한 밖에 이르기까지 사물의 이치가 모두 눈앞에 모여 가(可)한 것을 배우되 아직 가함에 이르지 못하였으니, 어찌 남에게서 구하며 어찌 밖에서 기다리겠는가.(필요로 하겠는가.)

　뜻이 게을러지고 몸이 피곤하면 낚싯대를 던져 물고기를 잡고 옷섶을 잡고서 약(藥)을 캐며, 개천을 터놓아 꽃에 물을 주고 도끼를 잡아 대나무를 쪼개며, 더위를 씻어 물로 세수하고 높은 곳에 올라 눈길 닿는대로 마음껏 멀리 내다보아서 소요(逍遙)하고 상양(徜徉, 이리저리 거님)하여 뜻에 맞는 대로 하니, 명월(明月)이 때맞춰 이르고 청풍(淸風)이 저절로 불어온다. 가도 끌려가는 바가 없고 그쳐도 멈추게 하는 바가 없어서 이목(耳目)과 폐장(肺腸)을 거두어 자신의 소유로 삼아 우우(踽踽, 홀로 가는 모양)하고 양양(洋洋, 여유롭고도 즐거운 모양)하니, 천지의 사이에 다시 어떠한 낙(樂)이 이것을 대신할 수 있을지 모르겠다. 이에 이 몇 가지 즐거운 일들을 합하여 이름하기를 '독락(獨樂)'이라 하였다.

독맹상군전讀孟嘗君傳

왕안석王安石 개보介甫

• 작가소개

　　왕안석(王安石, 1021~1086)은 자가 개보(介甫), 호가 반산(半山)이며 무주(撫州) 임천(臨川) 사람이다. 형국공(荊國公)에 봉해졌기 때문에 '왕형공'으로 일컬어지며, 시호가 '문(文)'이기 때문에 '왕문공'으로도 일컬어진다.

　　경력(慶曆) 2년(1042) 진사에 급제하여 희령(熙寧) 2년(1069) 참지정사(參知政事)가 되고 이듬해 동중서문하 평장사(同中書門下平章事)가 되었다. 신종(神宗)의 절대적인 지지 아래 경제와 정사, 군사와 교육 등 다방면으로 개혁하였는데, 역사에서는 이를 신법(新法)이라고 한다. 그러나 사마광(司馬光)을 위시한 이천(伊川) 정이(程頤), 동파(東坡) 소식(蘇軾) 등 보수파의 격렬한 반대를 일으켜 개혁이 중단되기도 하였으며, 보수파와 대항하기 위해 장돈(章惇), 여혜경(呂惠卿) 등의 소인을 등용하여 결국 그의 신법은 실패하였다. 그의 산문은 결구가 근엄하면서도 분석이 투철하며, 언어가 간격하고 풍격이 높아 당송팔대가의 한 사람으로 뽑히게 되었으나 진력(陳櫟)의 《고문진보》에는 이 짧은 한 편이 겨우 수록되었다. 저서에 《왕임천집(王臨川集)》이 있다.

• 작품개요

　　이 작품은 작자가 《사기(史記)》의 〈맹상군전(孟嘗君傳)〉을 읽고 자신의 소감을 밝힌 글이다. 저작 시기에 대해서는, 회남절도판관(淮南節度判官)으로 있던 시절(1042~1045)에 지었다는 설과 변경(汴京)에 머물며 직집현원(直集賢院)·삼사탁지판관(三司度支判官)·지제고(知制誥)로 있던 시절(1059~1063)에 지었다는 설이 있다.

맹상군은 전국시대 제(齊)나라의 공자(公子)인 전문(田文)으로, 제나라의 정승이 되어 설읍(薛邑)에 봉해지고 호(號)를 맹상군이라 하였다. 조(趙)나라의 평원군(平原君)인 조승(趙勝), 위(魏)나라의 신릉군(信陵君)인 위무기(魏無忌), 초(楚)나라의 춘신군(春申君)인 황헐(黃歇)과 함께 전국시대 네 공자로 알려졌다. 전문은 진 소왕(秦昭王)의 초청을 받고 진나라에 들어갔다가 감옥에 갇혀 살해될 위기에 처하자, 소왕의 애첩(愛妾)에게 구원을 청하였는데 그 첩은 전문의 호백구(狐白裘)를 요구하였다. 전문은 일찍이 여우 겨드랑이의 고운 털로 만든 호백구라는 명품 갖옷이 있었으나 이미 소왕에게 바쳤으므로 그 첩의 요구에 응할 수가 없었는데, 마침 수행한 문객(門客)중에 개처럼 문틈이나 담 구멍으로 들어가 도둑질을 잘하는 자가 있어 진나라 궁중의 창고에 들어가 호백구를 훔쳐다가 진왕의 애첩에게 주고 그녀의 주선으로 석방되었다. 감옥에서 나온 전문은 이 사실이 발각되기 전에 진나라를 탈출하기 위해 성명을 바꾸고 급히 국경으로 달려갔으나 새벽닭이 울어야 관문을 열어주게 되어있는 관문(關門)의 규칙 때문에 또다시 위기에 처하였다. 이때 마침 닭 울음을 잘 흉내내는 문객이 있어 닭 울음을 흉내 내자, 주위에 있던 모든 닭들이 따라 울었으므로 전문은 마침내 뒤쫓아 오는 진나라의 무사(武士)를 따돌리고 관문을 나가 위기를 모면하였다.

이 작품에서 작자는 그동안 전해오던 '맹상군은 선비(훌륭한 인재)를 잘 얻었다.〔孟嘗君能得士〕'라는 전통적인 관점에 반대하여 '선비는 반드시 세상을 다스리는 재략(才略)이 있어야 하는데, 저 닭 울음소리를 흉내 내고 개처럼 도둑질하는 무리들은 근본적으로 선비라는 고귀한 명칭에 어울리지 않는다'는 참신한 주장을 내세운다.

작품 전체는 총 88자에 불과한 짧은 편폭이지만, 입론〔論〕·반박〔駁〕·전절〔轉〕·결단〔斷〕의 네 단계 문장으로 구성되어 전절(轉折)이 힘차고 결구(結構, 짜임새)가 긴밀하다. 특히 언어의 구사가 간결하고 세련되며 문세가 당당하고, 필력이 준절(峻截)하고 사기(辭氣)가 능려(凌厲)하다. 작자 자신의 호매(豪邁)한 기백과 자부심을 유감없이 발휘하여 세속적 견해를 타파하였는바, 단문 중에 역대로 전송되는 명작이라 할 것이다.

篇題小註‥ 史記에 秦昭王이 囚孟嘗君한대 君이 變姓名하고 夜半에 至函谷關하니 關法에 鷄鳴出客이라 追者將至러니 客能爲鷄鳴하여 於是에 群鷄皆鳴하여 遂出關하니라

《사기》에 진(秦)나라 소왕(昭王)이 맹상군(孟嘗君)을 가두자, 맹상군은 성명을 바꾸고 한밤중에 함곡관(函谷關)에 이르렀는데 관문의 법에 닭이 울어야 객(客)을 내보내었다. 이때 추격하는 자가 거

••• 囚 가둘 수 嘗 일찍이 상 函 상자 함 關 관문 관

의 뒤쫓아왔는데, 문객이 닭 울음소리를 잘 흉내 내자, 이에 닭들이 모두 울어 마침내 함곡관을 나설 수 있었다.

• 原文

世皆稱孟嘗君이 能得士라 士以故歸之하여 而卒賴其力하여 以脫於虎豹之秦이라 하니라 嗟乎라 孟嘗君은 特鷄鳴狗吠(폐)之雄耳니 豈足以言得士리오 不然이면 擅齊之强하여 得一士焉이라도 宜可以南面而制秦이어니 尙取鷄鳴狗吠之力哉아 鷄鳴狗吠之出其門하니 此士之所以不至也니라【此一轉, 筆力健. 謝云: "此篇立意, 亦是祖述前言. 韓文公祭田橫墓文[52]云: '當嬴氏之失鹿, 得一士而可王, 何五百人之擾擾, 不脫夫子於劍鋩? 豈所寶之非賢? 抑天命之有常?'" 介甫蓋自此篇變化來.】

세상에서는 모두 말하기를 '맹상군이 선비(인재)를 얻었으므로 선비가 이 때문에 그에게 귀의하여 마침내 그들의 힘을 의뢰해서 호랑이와 표범 같은 진(秦)나라에서 벗어났다.'라고 한다.

아! 슬프다. 맹상군은 다만 닭 울음소리와 개 짖는 소리를 흉내 내는 자들의 영웅일 뿐이니, 어찌 선비를 얻었다고 말할 수 있겠는가. 그렇지 않다면 제(齊)나라의 강성함을 독점하여 한 선비만 얻어도 마땅히 남면(南面)하여 진나라를 제압할 수 있었을 터이니, 오히려 닭 울음소리와 개 짖는 소리를 흉내 내는 자들의 힘을 취할 것이 있겠는가? 닭 울음소리와 개 짖는 소리를 흉내 내는 자들이 그 문하(門下)에서 나왔으니, 이 때문에 훌륭한 선비들이 이르지 않은 것이다.【이 한 번 전환한 것의 필력이 굳세다. 사첩산(謝疊山)이 말하였다. "이 편의 주된 뜻은 또한 앞의 말을 조술(祖述)하였다. 한문공(韓文公)의 〈제전횡묘문(祭田橫墓文)〉에 '영씨(嬴氏, 진(秦)나라)가 사슴을 잃었을 때를 당하여 한 선비를 얻으면 왕 노릇할 수 있었으니, 어찌 오백 명이나 분분히 많으면서 부자(夫子, 전횡)를 칼끝에서 벗어나지 못하게 하였는가. 아마도 보배로 삼은 것이 어진 사람이 아니었던가? 아니면 천명이 일정함이 있었던가? 하였다." 왕개보(王介甫, 왕안석)의 이 글은 이 편(〈제전횡묘문〉)으로부터 변화하여 온 것이다.】

---

52 韓文公祭田橫墓文 : 한문공은 한유(韓愈)이며, 〈제전횡묘문〉은 전횡(田橫)의 묘에 제사한 글로, 아래 《문장궤범》 권 7에 보인다.

상범사간서上范司諫書

구양수歐陽脩 영숙永叔

• 작가소개

　　구양수(歐陽脩, 1007~1072)는 자가 영숙(永叔)이고 호가 취옹(醉翁), 육일거사(六一居士)이며 길주(吉州) 영풍(永豐) 사람이다. 길주가 원래 여릉군(廬陵郡)에 속하였기 때문에 '여릉 구양수(廬陵歐陽脩)'로 자처하였으며, 시호가 문충(文忠)이기 때문에 '구양문충공(歐陽文忠公)'으로도 일컬어진다.

　　어려서 부친을 여의고 집이 가난하였으나 학문에 힘썼으며, 폐정(弊政)을 개혁할 것을 주장하여 범중엄(范仲淹)의 '경력신정(慶曆新政)'에 적극적으로 참여하였다. 이로 인해 정적들의 공격을 받아 여러 차례 파직되고 좌천되었다. 뒤에 한림학사(翰林學士)·추밀부사(樞密副使)·참지정사(參知政事) 등의 요직을 역임하고 왕안석(王安石)의 신법(新法)을 반대하였다. 산문과 시·사(詞)에 모두 걸출한 작가로 송대 문단(文壇)의 영수(領袖)이며, 당송팔대가의 한 사람이다. 저서에 《구양문충공집(歐陽文忠公集)》이 있다.

• 작품개요

　　이 작품은 명도(明道) 2년(1033) 작자가 낙양에서 서경유수추관(西京留守推官)으로 있으면서 좌사간(左司諫) 범중엄(范仲淹)에게 올린 편지이다. 범중엄이 사간이 되었음에도 이렇다 할 간언이 없자, 이 편지를 통하여 사간이 된 것을 축하하면서 그에게 직간(直諫)을 하여 여망(輿望)에 부응할 것을 요구하였다. 특히 국가의 정사를 위해서는 조정에서 올바른 의견을 숨김없이 아뢰어야 함을 강조하고 있는바, 언관의 중요성에 대한 작자의 신념이 잘 드러나 있다. 이후 작자 역시 간관(諫官)이 되어 자신의 신념을 그대로 실천하였기 때문에 여정(余靖)·채양(蔡襄)·왕소(王素)와 함께 '경력사간관(慶曆四諫官)'으로 일컬어졌다. 이 작품은 한유(韓愈)의 〈쟁신론(爭臣論)〉에 비견되는 명문장으로서로 참고해 보면 더욱 좋을 것이다.

篇題小註‥ 迂齋云 此文은 出退之爭臣論後하니 亦頗祖其遺意로되 而文字無一語與之重疊하니 眞可與之爭衡이로다

우재가 말하였다. "이 글은 한퇴지(韓退之)의 〈쟁신론(爭臣論)〉보다 뒤에 나왔으니 또한 그의 유의(遺意)를 크게 따랐을 것이다. 그런데도 문자에 한 마디 말도 〈쟁신론〉과 중첩됨이 없으니, 참으로 한퇴지의 〈쟁신론〉과 겨룰 만하다."

○ 范仲淹이 時爲司諫하여 未有所言한대 歐公이 卽以書促之使言이러니 其後에 歐公이 亦除諫官하여 與蔡襄, 余靖으로 皆以諫得名하여 號慶曆四諫官[53]이라하여 諫諍之美 前後鮮儷하니 觀其交相責如此하면 則其能不負所職이 宜哉인저

범중엄이 이때 사간(司諫)이 되어 직언(直言)한 것이 없었는데, 구양공이 곧 편지로 재촉하여 간언하게 하였다. 그 후 구양공도 간관(諫官)에 제수되었는데 채양(蔡襄)·여정(余靖)과 함께 모두 간쟁(諫諍)을 잘함으로 명성을 얻어 경력사간관(慶曆四諫官)으로 이름나 간쟁의 아름다움이 전후에 비견할 자가 드물다. 그 서로 권면한 것이 이와 같음을 보면 맡은 직책을 저버리지 않음이 당연하다 하겠다.

• 原文
前月中에 得進奏吏報[54]하니 云自陳州召至闕하여 拜司諫이라하니 卽欲爲一書以賀

---

53 號慶曆四諫官: '경력사간관(慶曆四諫官)'은 북송 인종(仁宗) 경력(慶曆) 연간(1041~1048)의 네 명의 간관인 구양수(歐陽脩), 여정(余靖), 채양(蔡襄), 왕소(王素)를 가리킨다. 당시 간신들이 쫓겨나고 범중엄(范仲淹), 부필(富弼), 한기(韓琦) 등이 정권을 잡고 이들이 간관이 되었는데, 직집현원(直集賢院) 석개(石介)가 충량(忠良)들이 등용되고 소인(小人)들이 쫓겨난 것을 기뻐하여 〈경력성덕시(慶曆聖德詩)〉를 지었다.

54 進奏吏報: 진주원(進奏院)은 당(唐)·송(宋)시대의 관서(官署)의 이름으로, 당나라 때에 서울에 두고 상도유후원(上

로되 多事恩卒하여 未能也로라 司諫은 七品官爾라【先立此一句, 解說在後.】於執事에 得
之不爲喜로되 而獨區區欲一賀者는 誠以諫官者는 天下之得失과 一時之公議
繫焉일새라【此是一篇主意綱目.】

지난달 진주원(進奏院)의 이보(吏報, 관보(官報))를 얻어보니, 여기에 이르기를 〈집사(執事)께
서〉 진주(陳州)로부터 부름을 받고 대궐에 이르러 사간(司諫)에 임명되었다.' 하였습니다. 저는
즉시 한 편지를 올려 축하하고자 하였으나 일이 많아 몹시 바빠 실행하지 못하였습니다. 사
간은 7품의 관직이니【먼저 이 한 구를 세웠고 해설은 뒤에 있다.】집사에게 있어 이것을 얻는 것이
기뻐할 것이 못되나 내 홀로 구구하게 한번 축하하고자 하였던 것은 진실로 간관(諫官)이란
직책은 천하의 득실(得失)과 일시(一時)의 공론(公論)이 달려있기 때문입니다.【이것이 바로 한 편
의 주된 뜻으로 강목이다.】

今世之官이 自九卿⁵⁵百執事로 外至一郡縣吏히 非無貴官大職可以行其道也라
然이나 縣越其封하고 郡踰其境하여는 雖賢守長⁵⁶이라도 不得行은 以其有守也요 吏部
之官이 不得理兵部하고 鴻臚(홍려)之卿이 不得理光祿⁵⁷은 以其有司也라

지금 세상의 벼슬이 구경(九卿)과 백집사(百執事, 백관)로부터 밖으로는 한 군(郡)·현(縣)의
관리에 이르기까지 그 도(道)를 행할 수 있는 귀한 관직과 큰 직책이 없지는 않습니다. 그러나
현은 그 현의 경계를 넘어가고 군은 그 군의 경계를 넘어가면 비록 어진 수장(守長)이라도

都留後院)이라 하였다가 대력(大曆) 12년(777)에 상도진주원(上都進奏院)으로 바꾸어서 각 주진(州鎭)의 관원들이 서울
에 올라올 때 머물게 하였는데 장주(章奏), 조령(詔令) 및 각종 문서를 전달하는 것을 관장하였다. 송나라 초기에도 이 제
도를 그대로 따라서 진주원을 설치하고 진주관(進奏官)을 두었다.

55 九卿 : 중국 역대 왕조에서 실권을 담당한 9명의 대신(大臣)으로, 시대에 따라 그 명칭이 다르다. 주(周)나라 때에는
소사(少師)·소부(少傅)·소보(少保)·총재(冢宰)·사도(司徒)·사공(司空)·사마(司馬)·사구(司寇)·종백(宗伯), 한(漢)나
라 때에는 태상(太常)·광록훈(光祿勳)·위위(衛尉)·태복(太僕)·정위(廷尉)·대홍려(大鴻臚)·종정(宗正)·대사농(大司
農)·소부(少府), 명(明)나라 때에는 육부(六部)의 상서(尙書)와 도찰원 도어사(都察院都御史)·통정사 사(通政司使)·대
리시 경(大理寺卿)을 가리켰다. 조선조에서는 의정부의 좌·우 참찬(左右參贊), 육조 판서(六曹判書), 한성부 판윤(漢城府
判尹)을 이른다.

56 守長 : 군수(郡守)나 현령(縣令) 등 지방 장관의 통칭이다.

57 鴻臚之卿 不得理光祿 : '홍려(鴻臚)'와 '광록(光祿)'은 관서 이름으로, 홍려시(鴻臚寺)는 외국 사신의 접대나 조회(朝
會)와 제사 등을 행할 때 예법을 관장하였고, 광록시(光祿寺)는 주로 궁중의 선식(膳食) 등을 맡아 보았다.

··· 恩 바쁠 총 卒 갑작스러울 졸 越 넘을 월 踰 넘을 유 鴻 기러기 홍 臚 전할 려(로)

도(道)를 행할 수 없으니, 이는 각각 맡은 곳이 있기 때문이며, 이부(吏部)의 관원이 병부(兵部)를 다스릴 수 없고 홍려시(鴻臚寺)의 경(卿)이 광록시(光祿寺)를 다스릴 수 없으니, 이는 각각 맡은 부서가 있기 때문입니다.

若天下之得失과【應前面主張.】 生民之利害와 社稷之大計를 惟所見聞而不係職司者는 獨宰相可行之요【添此一脚, 見諫官之重.】 諫官可言之爾라 故로 士學古懷道者 仕於朝에 不得爲宰相인댄 必爲諫官이니 諫官雖卑나 與宰相等이라【非十分見得到, 不敢下此等語.】 天子曰不可라도 宰相曰可라하며 天子曰然이라도 宰相曰不然이라하여 坐乎廟堂之上하여 與天子相可否者는 宰相也요【坐立二字, 有尊卑之辨.】 天子曰是라도 諫官曰非라하며 天子曰必行이라도 諫官曰必不可行이라하여 立乎殿陛之前하여 與天子爭是非者는 諫官也라【廟堂·殿陛四字, 相可否·爭是非六字, 更移易不得, 亦略見尊卑之辨.】 宰相은 尊하여 行其道하고 諫官은 卑하여 行其言하니 言行이면 道亦行也라

천하의 득실과【전면(前面)의 주장에 응한다.】 생민(生民)의 이해(利害)와 사직(社稷)의 대계(大計)를 보고 들은 대로 말하여 직사(職司, 직무)에 매여 있지 않은 것은 홀로 재상(宰相)만이 행할 수 있고【이 한 다리를 더하여 간관(諫官)의 소중함을 나타내었다.】 간관만이 말할 수 있습니다.

그러므로 선비로서 옛 것을 배우고 도(道)를 품고 있는 자가 조정에서 벼슬할 적에 재상이 될 수 없으면 반드시 간관이 되니, 간관은 비록 낮으나 재상과 동등합니다.【십분 식견이 지극하지 않았으면 감히 이러한 말을 하지 못한다.】 천자가 불가(不可)하다고 하더라도 재상은 가(可)하다고 하며, 천자가 옳다고 하더라도 재상은 옳지 않다고 하여, 묘당(廟堂)의 위에 앉아 천자와 더불어 가타부타 하는 자는 재상이며,【좌(坐)·립(立) 두 글자에 신분의 높고 낮은 구분이 있다.】 천자가 옳다고 하더라도 간관은 그르다고 하며 천자가 기필코 행하겠다고 하더라도 간관은 기필코 행할 수 없다고 하여 전폐(殿陛)의 앞에 서서 천자와 더불어 옳고 그름을 다투는 자는 간관입니다.【'묘당(廟堂), 전폐(殿陛)' 네 글자와 '상가부(相可否), 쟁시비(爭是非)' 여섯 글자는 다시 바꿀 수 없고, 또한 신분의 높고 낮은 구별을 대략 볼 수 있다.】 재상은 지위가 높아 그 도를 행하고 간관은 지위가 낮아 그 말을 행하니, 말이 행해지면 도 또한 행해지는 것입니다.

九卿, 百司, 郡縣之吏 守一職者는 任一職之責하고【又生一責字.】 宰相, 諫官은 繫天下之事하니 亦任天下之責이라 然이나 宰相, 九卿而下失職者는 受責於有司어니

와 諫官之失職也는 取譏於君子하니【到此, 諫官又重於宰相.】 有司之法은 行乎一時어니와 君子之譏는 著之簡冊而昭明하고 垂之百世而不泯하니 甚可懼也라 夫七品之官이【應司諫七品官耳一句.】 任天下之責하고 懼百世之譏하니 豈不重耶아【收拾盡結上.】 非材且賢者면 不能爲也니라【材, 賢二字, 應在後, 生下.】

구경(九卿)과 백사(百司)와 군현(郡縣)의 관리로서 한 직무를 맡은 자는 한 직무의 책임을 담당하고,【또다시 한 '책(責)' 자를 만들어 내었다.】 재상과 간관은 천하의 일에 관계하니, 또한 천하의 책임을 담당합니다. 그러나 재상과 구경 이하로서 직무를 제대로 수행하지 못한 자는 유사(有司)에게 책망을 받지만 간관이 직무를 제대로 수행하지 못한 것은 군자(君子)에게 비판을 받으니,【이에 이르면 간관이 재상보다 더 중하다.】 유사의 법은 한때에 행해지지만 군자의 비판은 간책(簡冊)에 드러나 밝게 나타나고 백세(百世)에 드리워져 없어지지 않으니, 심히 두려워할 만합니다. 7품의 관직으로서【'사간은 칠품관이다〔司諫七品官耳〕'라는 한 구에 응한다.】 천하의 책임을 담당하고 백세의 비판을 두려워하니, 어찌 중하지 않겠습니까.【수습하여 위를 모두 끝맺었다.】 재주가 있으면서 어진 자가 아니면 할 수 없는 것입니다.【'재(材)'·'현(賢)' 두 글자는 응함이 뒤에 있어 아래를 만들어 내었다.】

近에 執事始被召於陳州하니 洛之士大夫相與語曰 我識范君하니 知其材也로라 其來에 不爲御史면 必爲諫官이라하더니 及命下에 果然이라 則又相與語曰 我識范君하니 知其賢也로라 他日에 聞有立天子陛下하여 直辭正色하여 面爭廷論者는 非它(他)人이요 必范君也라하더니【期之也. 材·賢二字, 不可移易, 惟材則可爲諫官, 惟賢則能諫, 以稱此官矣. 公時官於洛陽, 范公適有此除, 洛中士大夫有此議論, 故述所見以告之.】拜官以來로 翹首企足하여 竚乎有聞이로되 而卒未也하니 竊惑之하노라 豈洛之士大夫能料於前而不能料於後也아 將執事有待而爲也아【本欲責之而故緩之, 文字節奏當然.】

근간에 집사께서 처음 진주에서 부름을 받고 오니, 낙양(洛陽)의 사대부들이 서로 말하기를 "나는 범군(范君)을 잘 아니, 그가 재주있음을 아노라. 그가 옴에 어사(御史)가 되지 않으면 반드시 간관이 되리라." 하였는데, 명령이 내림에 과연 그러하였습니다. 그들은 또 서로 말하기를 "나는 범군을 잘 아니, 그가 어짊을 아노라. 훗날에 천자의 뜰 아래에 서서 서슴없이 올곧은 말을 하고 낯빛을 엄정하게 하여 대면하여 간쟁하고 조정에서 의론하는 자가 있단 말을

··· 翹 들교 企 발돋움할 기 竚 기다릴 저 竊 저으기 절 料 헤아릴 료

듣게 된다면 이는 다른 사람이 아니라 반드시 범군일 것이다." 하였는데,【기대한 것이다. '재(材)'·'현(賢)' 두 글자를 바꿀 수가 없으니, 오직 재주가 있어야 간관이 될 수 있고 오직 어질어야 능히 간하여 이 관직에 걸맞을 수 있다. 공(公)이 이때에 낙양에서 벼슬하고 있었는데, 범공(范公)에게 마침 이 제수가 있자 낙양의 사대부들 중에 이러한 의론이 있었으므로 자신이 본 바를 기술하여 말한 것이다.】 관직에 임명된 이래로 머리를 들고 발돋움을 하고서 이런 소문이 있기를 기다렸으나 끝내 없으니, 내 적이 이점에 대해 의혹을 갖고 있습니다. 아마도 낙양의 사대부들이 앞에서는 잘 헤아렸으나 뒤에서는 잘 헤아리지 못했는가 봅니다. 그렇지 않으면 집사께서 기다림이 있어서입니까?【본래 책망하고자 하면서 짐짓 느슨히 하였으니, 문자의 절주(節奏, 리듬)가 당연하다.】

昔에 韓退之作爭臣論하여 以譏陽城不能極諫이러니 卒以諫顯하니 人皆謂城之不諫이 蓋有待而然이어늘 退之不識其意而妄譏라호되 脩獨以謂不然이라하노라 當退之作論時하여 城爲諫議大夫已五年이요 後又二年에 始廷論陸贄及沮裴延齡作相하여 欲裂其麻[58]하니 纔兩事耳라 當德宗時하여 可謂多事矣라 授受失宜하여 叛將强臣이 羅列天下하고 又多猜忌하여 進任小人하니 於此之時에 豈無一事可言而須七年耶아 當時之事가 豈無急於沮延齡,論陸贄兩事耶아 謂宜朝拜官而夕奏疏也니라

옛날에 한퇴지(韓退之)가 〈쟁신론(爭臣論)〉을 지어서 양성(陽城)이 극간(極諫)하지 못함을 비판하였는데, 양성은 끝내 간함으로써 이름이 드러났습니다. 이에 사람들은 모두 "양성이 간하지 않은 것은 기다림이 있어 그랬던 것인데 한퇴지가 그 뜻을 알지 못하고 함부로 비난하였다."라고 말합니다. 그러나 저는 홀로 옳지 않다고 여깁니다. 한퇴지가 〈쟁신론〉을 지을 당시에 양성은 간의 대부(諫議大夫)가 된 지 이미 5년이었고, 그 후 또 2년 만에 처음으로 조정에서 육지(陸贄)에 대해 논변하고 배연령(裴延齡)이 재상되는 것을 저지하여 마지(麻紙)의 조서(詔書)를 찢고자 하였으니, 〈양성이 간했던 것은〉 겨우 이 두 가지 일 뿐이었습니다.

---

58 始廷論陸贄及沮裴延齡作相 欲裂其麻: 육지(陸贄)는 당(唐)나라의 정치가로 덕종(德宗) 때 국정을 담당하여 충성스런 간언을 잘하였는데, 그가 좌천되자 양성이 황제에게 극간하다가 좌천되었다. 또 덕종이 간사한 배연령(裴延齡)을 재상으로 삼으려 하자, 양성이 "혹시라도 배연령을 재상으로 삼는다면 내가 그 조서(白麻)를 찢어버리겠다."라고 하며 저지하였다.《唐書 卷192 陽城列傳》백마는 흰 마로 만든 종이로 여기에 임명장을 썼는바, 곧 배연령의 임명장을 찢어버리겠다고 말한 것이다.

덕종(德宗)의 때를 당하여 다사다난(多事多難)하다고 이를 만하였습니다. 벼슬을 맡겨줌이 마땅함을 잃어 배반한 장수와 강한 신하들이 천하에 나열되었고 군주(君主)는 또 시기심이 많아 소인(小人)들을 등용하였으니, 이러한 때에 어찌 한 가지 일도 말할 만한 것이 없어서 7년을 기다린단 말입니까. 당시의 일이 배연령을 저지하고 육지에 대해 논변하는 두 가지 일보다 더 급한 것이 없었겠습니까. 마땅히 아침에 벼슬에 임명되면 저녁에 상소문을 올렸어야 한다고 생각합니다.

幸而【精神都在幸而, 向使兩轉上.】城爲諫官七年에 適遇延齡, 陸贄事하여 一諫而罷하여 以塞其責하니 向使止五年六年而遂遷司業59이런들【妙.】是는 終無一言而去也니 何所取哉리오 今之居官者는 率三歲而一遷하고【此一轉, 又緊.】 或一二歲하고 甚者는 半歲而遷也하니 此又非可以待乎七年也라【直從退之作論, 生許多說話, 更不曾斷.】

다행히【정신이 모두 '행이(幸而)'와 향사'(向使)'라는 두 전환하는 부분에 있다.】양성은 간관이 된 지 7년 만에 마침 배연령과 육지의 일을 만나 한번 간하고는 파직(罷職)되어서 그 책임을 때웠습니다. 그때에 만일 5년이나 6년만 하고 마침내 사업(司業)으로 옮겼더라면【절묘하다.】이는 끝내 한마디 말도 없이 떠나는 것이니, 어찌 취할 바가 있겠습니까. 지금 관직에 있는 자들은 대부분 3년에 한 번씩 옮기고【여기서 한 번 전환한 것이 더욱 긴요하다.】혹은 1~2년 만에 옮기며 심한 경우에는 반 년 만에도 옮기니, 이 또한 7년을 기다릴 수 있는 것이 아닙니다.【다만 퇴지가 지은〈쟁신론〉으로부터 허다한 말을 만들어냈을 뿐, 더 이상 양성을 판결하지 않았다.】

今天子躬親庶政하사 化理淸明하여 雖爲無事나【出脫.】然自千里로 詔執事而拜是官者는 豈不欲聞正議而樂讜言乎아 然이나 今未聞有所言說하여 使天下知朝廷有正士하고 而彰吾君納諫之明也라 夫布衣韋帶之士 窮居草茅에는 常恨不見用이라가 及用也엔 又曰 彼非我職이니 不敢言이라하고 或曰 我位猶卑하여 不得言이라하고【此言不得爲諫官者.】得言矣엔【此言得爲諫官者.】又曰 我有待라하면【應前.】是는 終無一人言也니 可不惜哉아

---

59 司業: 국자감(國子監)의 교수직(敎授職)으로, 양성이 간의 대부로 있다가 국자 사업(國子司業)으로 밀려났기 때문에 말한 것이다.

··· 適 마침 적 罷 마칠 파 塞 막을 색 向 지난번 향 讜 곧은말할 당 彰 드러낼 창 韋 가죽 위 茅 띠풀 모 誦 욀 송

지금 천자께서는 몸소 여러 정무(政務)를 친히 다스리시어 교화와 정치가 청명(淸明)하여 비록 무사하다고 하나【탈출하였다.】천 리 먼 곳에서 집사를 불러 이 관직에 임명한 것은 어찌 올바른 의론을 듣고 충직한 말을 좋아해서가 아니겠습니까. 그러나 이제 언설(言說)하는 바가 있어 천하 사람으로 하여금 조정에 정직한 선비가 있음을 알게 하고 우리 군주가 간언을 받아들이는 밝음을 드러나게 했다는 말을 듣지 못했습니다.

저 베옷을 입고 가죽띠를 두른 선비들이 초모(草茅, 초가집)에서 곤궁하게 살며 앉아서 서사(書史)를 읽을 적에는 항상 등용되지 못함을 한하다가 등용됨에 미쳐서는 또 말하기를 "저것은 내 직무가 아니니 감히 말할 수 없다." 하고, 혹은 말하기를 "내 지위가 아직 낮아서 말할 수 없다." 하고,【이것은 간관이 될 수 없는 자를 말한 것이다.】말할 수 있는 자리에 있게 되면【이것은 간관이 된 자를 말한 것이다.】또 말하기를 "나는 기다리는 것이 있다."라고 한다면,【앞에 응한다.】이는 끝내 말하는 사람이 하나도 없는 것이니, 참으로 애석하지 않겠습니까.

伏惟執事는 思天子所以見用之意하고 懼君子百世之譏하여 一陳昌言하여 以塞重望하고【應前.】且解洛之士大夫之惑이면【應前惑字.】則幸甚이리라【末六句, 收拾盡前意, 嚴重緊切, 包括無餘. ○古文中, 有三篇, 皆爲諫官言, 韓公爭臣論, 司馬公諫院題名記, 及歐陽公此書是也. 皆關涉大, 議論好, 千古不朽.】

삼가 바라건대 집사께서는 천자께서 등용해 주신 뜻을 생각하고 백세토록 드리워져 없어지지 않는 군자의 비판을 두려워하여, 한번 훌륭한 말씀을 아뢰어 큰 기대에 부응하고【앞에 응한다.】또한 낙양 사대부들의 의혹(疑惑)을【앞의 '혹(惑)' 자에 응한다.】풀어 주십시오. 그러신다면 매우 다행일 것입니다.【끝의 여섯 구가 앞의 뜻을 빠짐없이 수습하였으니, 엄중하고 긴절하여 남김없이 포괄하였다. ○고문 가운데 세 편이 모두 간관을 위하여 말한 것이니, 한공의 〈쟁신론(爭臣論)〉, 사마온공의 〈간원제명기(諫院題名記)〉와 구양공의 이 편지가 그것이다. 이들은 모두 관계됨이 크고 의론이 좋으니, 천고에 전해질 불후의 문자이다.】

상주주금당기相州畵錦堂記

구양수歐陽脩

• 작품개요

　이 작품은 북송대의 명재상 한기(韓琦)가 그의 고향인 상주(相州)에 세운 주금당(畵錦堂)의 기문(記文)인바, 영종(英宗) 치평(治平) 2년(1065)에 지어진 것이다. 한기는 황우(皇祐) 5년(1053) 정월에 무강군 절도사(武康軍節度使)의 신분으로 지병주(知幷州)가 되었는데, 지화(至和) 2년(1055) 2월에 병 때문에 자청하여 지상주(知相州)가 되어 고향으로 돌아와 관아의 후원에 당을 짓고 '주금(畵錦)'이라 명명하였다.

　일찍이 항우(項羽)는 "부귀해지고 나서 고향으로 돌아가지 않는 것은 비단옷 입고 밤길을 가는 것과 같다.〔富貴不歸故鄕 如衣錦夜行〕"라고 말하였다. 이 때문에 후세 사람들은 부귀하여 고향에 돌아가는 것을 "비단옷을 입고 대낮에 다니는 것〔衣錦畵行〕과 같다."라고 하였다. 여기서 '주금'이란 곧 '의금주행(衣錦畵行)'의 줄임말로, 한기가 고향 상주를 맡아 다스리게 된 것은 말 그대로 '금의환향(錦衣還鄕)'인 셈이었다.

　그러나 포부가 원대하였던 한기는 '주금'을 영화롭게 여기지 않았다. 그래서 그는 〈주금당〉이라는 시를 짓고 돌에다 새겨서 자신의 뜻을 밝혔는데, 그 내용은 대체로 '은혜와 원수를 속 시원히 갚고 명예를 과시하는 행위〔快恩讐 矜名譽〕는 하찮게 여길 만하다'는 것이었다. 즉, 한기는 옛사람이 과시하던 바를 경계로 삼기 위하여 '주금'을 가지고 당(堂)을 명명하였던 것이다. 작자는 한기의 이 시를 읽고서 그의 뜻에 감명을 받아 바로 이 글을 지었다.

　작품 속에서 "오직 덕(德)이 생민(生民)에게 입혀지고 공(功)이 사직(社稷)에 베풀어진다.〔惟德被生民而功施社稷〕"라고 한 부분과 "천하를 태산처럼 편안한 곳에 두었다.〔措天下於泰山之安〕"라고 한 부분을 통하여, 실제로는 한기의 비범한 지향, 원대한 이상 및 위대한 공적을 찬양하고자 하는 작자의 의도를 엿볼 수 있다. 특히 한기가 일반 사람의 범속함을 벗어났으며 포부가 원대하다는 것을 드러내기 위해 대비(對比)의 수법을 반복적으로 사용하였다.

작품은 전체적으로 분량이 길지 않지만, 충실한 내용에 간결한 서사와 논리적인 문장 전개가 더해져 의론이 정밀하고 힘차다. 문세는 변화가 다채로우며 문사는 자연스럽고 유창하다. '고문 운동'을 주장하였던 작자의 문풍과 정치적 견해가 잘 반영된 뛰어난 작품이라고 할 만하다.

篇題小註‥ 迂齋曰 文字委曲하여 善於形容이라

우재가 말하였다. "문자가 곡진하여 형용하기를 잘하였다."

○ 富貴不歸故鄕이면 如衣錦夜行[60]이라하니 後人이 遂以富貴歸故鄕者로 爲衣錦晝行하니 蓋本前說而反言之也라 韓魏公琦는 字稚圭니 以德量, 文章, 政事, 功業으로 爲宋相臣第一이라 時封魏國公하니 本相州人이라 仁宗朝에 旣罷相하고 以武康軍節度使로 知本州하니 上이 蓋以是榮之也라 公이 因作晝錦堂于州宅後圃하고 又有詩焉이라 歐陽公이 爲作此記에 謂公不以常情之榮爲榮이라하고 末又謂非徒爲州里一時之榮이라하니 蓋本韓公詩意하여 述其心事而廣之라 文甚明白正大하니 兒童孰不熟讀之리오마는 而韓公晝錦堂詩는 則鮮知之일새 今附見(현)於此云이라

詩曰 古人之富貴 歸於本郡縣을 譬若衣錦游하여 白晝自光絢(현)이라 否則如夜行하니 雖麗胡由見(현)가 事累載方册이요 今復著俚諺이라 或紆太守章하고 或擁使者傳하여 歌樵忘故窮하고 滌器掩前賤[61]이라 所得快恩仇요 愛惡(오)任驕狷이라 其志止於此하니 士固不足羨이라 茲

---

60 富貴不歸故鄕 如衣錦夜行 : 항우(項羽)가 일찍이 진(秦)나라의 함양(咸陽)을 도륙한 뒤에 혹자가 그에게 함양에 그대로 머물기를 권유하자, 항우는 자기 고향인 강동(江東)으로 돌아가려 하면서 "부귀하여 고향에 돌아가지 않는 것은 마치 비단옷을 입고 밤길을 걷는 것과 같다.〔富貴不歸故鄕 如衣錦夜行〕"라고 하였다. 이 말로 인하여 부귀하여 고향에 돌아가는 것을 "비단옷을 입고 낮에 길을 가는 것이다.〔衣錦晝行〕"라는 말이 생기게 되었으며 혹은 금의환향(錦衣還鄕)이라고도 한다.《漢書 卷31 項籍傳》

61 滌器掩前賤 : 한대(漢代)의 문장가인 사마상여(司馬相如)가 일찍이 탁왕손(卓王孫)의 딸 탁문군(卓文君)을 아내로 삼아 자기 고향인 성도(成都)로 돌아갔으나, 집이 너무 가난하여 탁문군과 함께 목롯집을 마련하여 탁문군은 술을 팔고 자신은 쇠코잠방이를 입고 천인(賤人)들 틈에 섞여 시중(市中)에서 그릇 닦는 일을 하면서 살았다.《史記 卷117 司馬相如

予來舊邦에 意在弗矜衒이라 以疾而量力에 懼莫稱方面이라 抗表納金節하고 假守冀鄕便이라 帝曰其汝俞라 建纛(독)往臨殿하라하시니 行路不云非하고 觀歎溢郊甸이라 病軀諧少休요 先壠遂完繕이라 歲時存父老하고 伏臘潔親薦이라 恩榮孰與偕오 衰劣媿獨擅이라 公餘新此堂하니 夫豈事飲燕가 亦非張美名하여 輕薄詫(타)紳弁이라 重祿許安閑이나 顧己常兢戰이라 庶一視題榜하여 則念報主眷이라 汝報何能爲오 進道確無倦이라 忠義聳大節하니 匪石烏可轉이리오 雖前有鼎鑊이나 死耳誓不變이라 丹誠難悉陳하니 感泣對筆硯이라

　옛말에 '부귀(富貴)하여 고향에 돌아가지 않으면 비단옷을 입고 밤중에 다니는 것과 같다.' 하였는바, 후세 사람이 마침내 부귀하여 고향에 돌아가는 것을 비단옷을 입고 한낮에 길을 가는 것이라 하였으니, 이는 앞의 말에 근본을 두어 뒤집어 말한 것이다. 위국공(魏國公) 한기(韓琦)는 자가 치규(稚圭)이니, 덕량(德量)과 문장, 정사와 공업(功業)으로 송나라 상신(相臣)의 제일이 되었다. 이때 위국공(魏國公)에 봉해지니, 본래는 상주(相州) 사람이다. 인종조(仁宗朝)에 재상을 그만둔 다음 무강군절도사(武康軍節度使)로 본주(本州, 상주)를 맡으니, 인종은 이로써 그를 영화롭게 한 것이다. 공(公)은 이에 주부(州府)의 집 뒤 후원에 주금당(晝錦堂)을 짓고 또 시(詩)를 지었다.

　구양공은 이 기문을 지을 적에 '공은 보통 사람들의 마음에 영화롭게 여기는 것을 영화롭게 여기지 않았다.' 하였고, 끝에 또 '단지 고향 마을에 일시(一時)의 영광일 뿐만이 아니다.' 하였으니, 이는 한공(韓公)의 시의 뜻에 근본을 두어 심사(心事)를 기술해서 넓힌 것이다. 문장이 매우 명백하고 정대(正大)하니, 아이들도 누가 익숙히 읽지 않겠는가. 그러나 한공의 〈주금당(晝錦堂)〉 시는 아는 이가 드물기 때문에 이제 여기에 붙여서 보이는 바이다.

　그 시는 다음과 같다.

옛 사람들은 부귀하여	古人之富貴
본래의 군현으로 돌아감을	歸於本郡縣
비유하건대 비단옷을 입고서 돌아다녀	譬若衣錦游
한낮에 절로 빛남과 같다 하였네	白晝自光絢
그렇지 않으면 밤중에 다니는 것과 같으니	否則如夜行
비록 화려하나 어찌 나타낼 수 있겠는가	雖麗胡由見

… 滌 씻을 척　狷 강직할 견　羨 부러워할 선　衒 자랑할 현　俞 옳을 유　纛 대장기 독
甸 경기 전　軀 몸 구　壠 밭두둑 롱　臘 섣달 랍　媿 부끄러울 괴　詫 자랑할 타　弁 고깔 변
兢 조심할 긍　榜 써붙일 방　聳 우뚝솟을 용　烏 오찌 오　鑊 가마솥 획　硯 벼루 연

이 사실이 여러 방책에 기재되었고 事累載方册

이제 다시 속담에 전하네 今復著俚諺

혹은 태수의 인장(印章) 차고 或紆太守章

혹은 사자의 깃발 꽂고는 或擁使者傳

나무꾼 노래하던 옛적의 곤궁함을 잊고 歌樵忘故窮

그릇 씻던 천했을 적의 생활 숨기네 滌器掩前賤

얻은 것으로 은혜와 원한을 통쾌하게 보답하고 所得快恩仇

좋아하고 미워함에 따라 교만과 고집부리네 愛惡任驕狷

그 뜻 여기에 그치니 其志止於此

진실로 선비들에게 부러워할만한 것이 못된다오 士固不足羨

이에 내가 옛 고향에 부임해 오니 玆予來舊邦

그 뜻은 자랑하지 않음에 있네 意在弗矜衒

병들어 자신의 힘을 헤아려 보니 以疾而量力

방면의 임무 감당하지 못할까 두려워 懼莫稱方面

표문(表文) 올려 금인(金印) 바치고 抗表納金節

임시 태수로 고향에 편히 있기 바랐네 假守冀鄕便

황제께서는 네 가서 帝曰其汝俞

독기(纛旗) 꽂고 부임하여 진정시켜라 하셨네 建纛往臨殿

길가는 사람들 그르다 하지 않고 行路不云非

보고 감탄하는 이 교외에 가득하네 觀歎溢郊甸

병든 몸 다소 조리하고 病軀諧少休

선영(先塋)을 마침내 완전히 보수하리라 先壠遂完繕

세시(歲時)에 부로들 문안하고 歲時存父老

복랍(伏臘)에 정결히 하여 친히 제수 올리리라 伏臘潔親薦

은혜와 영화 어디에 비할까 恩榮孰與偕

쇠하고 용렬한 몸으로 영화 독차지함 부끄럽네 衰劣媿獨擅

공무의 여가에 이 당(堂)을 새로 지으니 公餘新此堂

어찌 술 마시고 잔치함에 종사하겠는가 夫豈事飮燕

또한 아름다운 이름 드날려 亦非張美名

경박하게 선비들에게 자랑함 아니라오	輕薄詑紳弁
후한 녹봉으로 편안함 허락하셨으나	重祿許安閑
자신 돌아보아 항상 조심하고 두려워하네	顧己常兢戰
써 붙인 편액 한번 보아	庶 ·視題榜
군주의 은혜에 보답함 생각하노라	則念報主眷
네 보답은 어떻게 하는 것인가	汝報何能爲
도(道)에 정진하기를 확고히 하여 게을리 하지 않는 것이라오	進道確無倦
충의로 큰 절개 세우니	忠義聳大節
돌이 아닌데 어찌 마음 돌리겠는가	匪石烏可轉
비록 앞에 가마솥이 있더라도	雖前有鼎鑊
그저 죽을 뿐 맹세코 변치 않으리라	死耳誓不變
이 충성 다 말하기 어려우니	丹誠難悉陳
감읍(感泣)하며 붓과 벼루 마주하네	感泣對筆硯

• 原文

仕宦而至將相하고 富貴而歸故鄕은 此人情之所榮이니 而今昔之所同也라【起語壯.】 蓋士方窮時에 困阨閭里하여는 庸人孺子皆得易而侮之하나니 若季子不禮於其嫂[62]하고 買臣이 見棄於其妻[63]라가【舉親者則疎者可知.】 一旦에 高車駟馬로 旗旄[64]導前而騎卒擁後어든 夾道之人이 相與騈肩累跡하여 瞻望咨嗟하고 而所謂庸夫愚婦者 奔走駭汗하며 羞愧俯伏하여 以自悔罪於車塵馬足之間하나니 此는 一介之士

---

62 季子不禮於其嫂: 계자(季子)는 전국시대 변사(辯士)인 소진(蘇秦)의 자(字)이다. 소진이 귀곡 선생(鬼谷先生)을 사사(師事)하고 진(秦)나라에 들어가 혜왕(惠王)을 설득하였으나 성공하지 못하고 초라한 모습으로 돌아오자, 그의 형수는 밥을 주지 않았고 그의 아내는 베틀에서 내려오지도 않았다. 그러다가 뒤에 육국(六國)의 재상이 되어 돌아오니, 그의 형수와 아내는 멀리 마중 나와 감히 고개를 쳐들고 보지 못하였다. 《史記 卷69 蘇秦列傳》

63 買臣見棄於其妻: 한(漢)나라 주매신(朱買臣)은 집이 무척 가난하였으나 책 읽기를 그치지 않으니, 그의 아내는 가난을 견디지 못해 그만 남편을 버리고 도망하였다. 그 후 주매신이 무제(武帝)에게 발탁되어 고향인 회계(會稽)의 태수(太守)로 부임해 오자, 그를 버리고 갔던 옛 아내는 크게 부끄러워한 나머지 목을 매어 자결하고 말았다. 《漢書 卷64上 朱買臣列傳》

64 旗旄: '기모(旂旄)'로도 표기하는바, 깃대의 맨 윗부분에 이우(犛牛, 들소)의 꼬리를 달아 장식한 정기(旌旗)로 군장(軍將)이 세우던 것이다.

阨 곤할 액 孺 어릴 유 嫂 아제미 수 旄 깃발 모 擁 낄 옹 夾 낄 협 騈 나란할 변
瞻 우러볼 첨 駭 놀랄 해 汗 땀 한 羞 부끄러울 수 塵 티끌 진

得志當時하여【常人之志, 不過如此.】而意氣之盛을 昔人이 比之衣錦之榮[者]⁶⁵也라

벼슬하여 장상(將相)에 이르고 부귀하여 고향에 돌아감은 이는 인정(人情)에 영화롭게 여기는 바이니, 예나 지금이나 똑같은 것이다.【기두(起頭)의 말이 웅장하다.】선비가 곤궁할 때를 당하여 여리(閭里)에서 곤액(困厄)을 당할 적에는 용렬한 사람과 어린아이들까지도 모두 하찮게 여기고 업신여기니, 예컨대 계자(季子)가 그 형수(兄嫂)에게 예우를 받지 못하고 주매신(朱買臣)이 그 아내에게 버림을 받았다가【친한 자를 들면 소원한 자를 알 수 있다.】하루아침에 높은 수레와 사마(駟馬)를 타고서 기모(旗旄)가 앞에서 인도하고 기졸(騎卒)들이 뒤에서 옹위하면 길 좌우에 있는 사람들이 서로 어깨를 나란히 하고 발을 모아 바라보고 감탄하며, 이른바 〈예전에 업신여기던〉 용렬한 지아비와 어리석은 아낙네가 분주하게 놀라 땀을 흘리며 부끄러워 땅에 엎드려 수레 먼지와 말발굽 사이에서 스스로 자신의 죄를 뉘우치니, 이는 한 선비가 당시에 뜻을 얻어【보통사람의 뜻은 이와 같음에 지나지 않는다.】의기(意氣)의 성함을, 옛날 사람들이 비단옷을 입은 영화에 비유하였다.

惟大丞相魏國公則不然하니【前意本淺陋, 全要此一句斡轉.】公은 相人也라【先安此一句, 應在後.】世有令德하여 爲時名卿⁶⁶하니 自公少時로 已擢高科, 登顯仕하여【天聖五年, 公廷試第二人.】海內之士 聞下風⁶⁷而望餘光者가 蓋亦有年矣니 所謂將相而富貴는 皆公所宜素有라 非如窮阨之人이 僥倖得志於一時하여 出於庸夫愚婦之不意하여 以驚駭而誇耀之也니라【惟非倖得, 故不矜誇.】

그러나 대승상(大丞相) 위국공(魏國公)만은 그렇지 않았다.【앞의 뜻은 본래 천루한데, 완전히 이 한 구가 돌려놓았다.】공은 상주(相州) 사람인데,【먼저 이 한 구를 놓았으니, 응함이 뒤에 있다.】대대로 훌륭한 덕(德)이 있어 당시의 명경(名卿)이 되었다. 공은 젊었을 때부터 이미 고과(高科)에 뽑히고 높은 벼슬에 올라서【천성(天聖) 5년(1027)에 공(公)이 정시(廷試)에서 제 2인으로 급제하였다.】해

---

65 〔者〕: 저본에는 없으나 《문충집(文忠集)》과 《당송팔가문초》에 의거하여 보충하였다.

66 世有令德 爲時名卿: 한기(韓琦)의 부친 한국화(韓國華)가 송 태종(宋太宗) 2년(977)에 진사로 급제하였고 진종(眞宗) 때에 우간의 대부(右諫議大夫)에 올랐으므로 이렇게 말한 것이다.

67 下風: 자신을 낮추어 하위(下位)에 있다고 하는 겸사인데, 여기서는 높은 사람의 덕화(德化)나 소문이 미침을 말한 것이다.

내(海內)의 선비들이 하풍(下風)을 듣고 여광(餘光)을 바란 지가 여러 해가 되었으니, 이른바 장상(將相)이 되어 부귀해진다는 것은 모두 공이 의당 본래 소유한 것이다. 궁액(窮厄)한 사람이 요행으로 한때에 뜻을 얻어 용렬한 지아비와 어리석은 부인들의 예상을 벗어나 깜짝 놀라게 하고 과시(誇示)하는 것과는 똑같지 않다.【요행으로 얻은 것이 아니기 때문에 사랑하시 않은 것이다.】

然則高牙, 大纛(독)이 不足爲公榮이요【高牙, 旗也. 大纛, 以氂牛尾爲之, 車前儀制也.】桓圭, 袞裳[68]이 不足爲公貴요 惟德被生民而功施社稷하여 勒之金石하고 播之聲詩하여 以耀後世而垂無窮이 此公之志요【公之志却在此, 與常人之志相反矣.】而士亦以此望於公也하나니 豈止夸(과)一時而榮一鄕哉아

그렇다면 높은 아기(牙旗)와 큰 둑기(纛旗)가 공(公)에게 영화가 될 수 없고【'고아(高牙)'는 깃발이다. '대둑(大纛)'은 들소 꼬리를 가지고 만드니, 수레 앞의 의장(儀仗)이다.】환규(桓圭)와 곤상(袞裳)이 공에게 귀함이 될 수 없으며, 오직 덕이 생민(生民)에게 입혀지고 공(功)이 사직(社稷)에 베풀어져 〈훌륭한 업적이〉 금석(金石)에 새겨지고 성시(聲詩, 악가(樂歌))에 전파되어 후대에 빛나 무궁한 세상에 남겨지는 것이 바로 공의 뜻이요,【공의 뜻은 여기에 있으니, 보통 사람의 뜻과 상반된다.】선비들 또한 공에게 이것을 바라니, 어찌 다만 한때에 과시하고 한 지방에 영화롭게 할 뿐이겠는가.

公이 在至和[69]中에 嘗以武康之節로 來治於相이라【應公相人也一句.】乃作晝錦之堂于後圃하고 旣又刻詩於石하여 以遺相人호되 其言이 以快恩讐, 矜名譽爲可薄하니 蓋不以昔人所夸者爲榮이요 而以爲戒라【公之見, 却如此.】於此에 見公之視富貴爲如何니 而其志豈易量哉아【應此公之志句.】

공(公)은 지화(至和) 연간에 일찍이 무강군(武康軍)의 절월(節鉞)을 가지고 상주로 와서 다스

---

68 桓圭袞裳: '규(圭)'는 옛날 제후왕들이 조회하거나 회동(會同)할 때에 갖고 다니는 옥(玉)으로 위는 둥글고 아래는 모난바, 공(公)은 환규(桓圭), 후(侯)는 신규(信圭), 백(伯)은 궁규(躬圭)였으며, 환규는 길이가 9촌(寸)이고 신규와 궁규는 7촌이었다. '곤상(袞裳)'은 곤면구장(袞冕九章)의 관복으로 구명(九命)의 상공(上公)이 입었는바, 상의에 고개를 숙인 용(龍) 그림이 있으므로 곤(袞, 곤룡(袞龍))이라 한 것이다.

69 至和: 북송 인종(仁宗)의 연호로, 1054~1055년까지이다.

··· 袞 곤룡포 곤 勒 새길 륵 耀 빛날 요 夸 과시할 과 圃 채전 포 矜 자랑할 긍

렸다.【'공은 상주 사람이다[公相人也]'라는 한 구에 응한다.】 이에 주금당(晝錦堂)을 후원(後園)에 짓고
는 또 시(詩)를 비석(碑石)에 새긴 뒤에 상주 사람들에게 남겨주었는데, 그 내용은 은혜와 원
한을 통쾌하게 갚고 명예를 자랑하는 것을 하찮게 여길 만하다는 것이니, 이는 옛사람이 자
랑으로 여기던 일을 영광스럽게 생각하지 않고 그것을 경계한 것이다.【공의 견해가 이와 같다.】
여기에서 공이 부귀를 어떻게 보는지 알 수 있으니, 어찌 공의 뜻을 쉽게 헤아릴 수 있겠는
가.【'이는 공의 뜻이다[此公之志]'라는 구에 응한다.】

故로 能出入將相하여 勤勞王家호되 而夷險一節하고 至於臨大事, 決大議하여는 垂
紳正笏하여 不動聲色하고 而措天下於泰山之安하니【語壯.】 可謂社稷之臣矣로다
其豐功盛烈이 所以銘彝鼎而被絃歌者는 乃邦家之光이요 非閭里之榮也라【占地
步闊, 非但本州之榮而已.】 余雖不獲登公之堂이나 幸嘗竊誦公之詩하여 樂公之志有
成하여【足前兩志字意.】 而喜爲天下道也일새【只爲相州言則小矣.】 於是乎書하노라【結得斬絕.
○韓公之詩, 唯以忠義自勉, 歐公之記, 則以功業相期, 蓋詩韓所自作, 記乃歐爲韓作, 故其體不同如此.】

이 때문에 나가면 장수가 되고 들어오면 재상이 되어 왕가(王家, 국가)를 위해 부지런히 힘쓰
되 평안할 때나 위험할 때나 절개가 한결같으며, 국가의 대사를 당면해 큰 의론을 결단할 때
에는 띠를 드리우고 홀을 바로잡고는 말소리와 얼굴빛을 조금도 움직이지 않고 천하를 태산
처럼 편안한 곳에 두었으니,【말이 웅장하다.】 사직(社稷)의 신하라 이를 만하다.
　공이 남긴 많은 공훈과 성대한 업적이 이정(彝鼎, 종묘(宗廟)의 제기(祭器)와 보정(寶鼎))에 새겨지
고 현가(絃歌)에 입혀져 연주되는 것은 바로 국가의 영광이지, 여리(閭里)의 영광이 아니다.【지
보(地步, 범위)가 넓으니, 단지 본 주(州)의 영화일 뿐만이 아니다.】
　내가 비록 공의 주금당에 올라보지는 못했으나 다행히 일찍이 공의 시를 속으로 외면서 공
의 뜻이 성취됨을 즐거워하여【앞의 두 '지(志)' 자의 뜻을 충족하였다.】 세상 사람들에게 말하기를
좋아하기에【다만 상주(相州)를 위하여 말하면 작은 것이다】 이에 글을 쓰노라.【끝맺음이 뛰어나다. ○
한공의 시(詩)는 오직 충의(忠義)로써 스스로 권면하였고, 구양공의 기문(記文)은 공업을 가지고 서로 기대하
였으니, 시는 한공이 직접 지은 것이고 이 기문은 바로 구양공이 한공을 위하여 지은 것이므로 체재가 똑같지
않음이 이와 같은 것이다.】

취옹정기醉翁亭記

구양수歐陽脩

• 작품개요

이 작품은 북송 인종(仁宗) 경력(慶曆) 6년(1046)에 지어진 것으로, 당시 작자는 저주 태수(滁州太守)로 좌천된 상태였다. 좌천되기 전에는 태상승(太常丞)·지간원(知諫院)·우정언(右正言)·지제고(知制誥)·하북도 전운안찰사(河北都轉運按察使) 등 조정의 주요 직책을 맡고 있었으나 줄곧 한기(韓琦), 범중엄(范仲淹), 부필(富弼) 등이 주도한 정치 개혁 운동을 지지하고, 보수파인 하송(夏竦) 등의 무리를 비판하였기 때문에 경력 5년 8월에 저주로 좌천된 것이었다.

'취옹정'은 지금의 안휘성(安徽省) 저주시(滁州市) 서남쪽 낭야산(琅琊山) 부근에 있었는바, '취옹'은 바로 작자의 호이기도 하다. 작품은 저주 일대의 자연 경물이 아침저녁과 사계절에 따라 다르게 보여주는 아름다운 풍광과 저주 백성들의 화락하고 평안한 생활을 묘사하였다. 특히 작자가 산림에서 백성들과 함께 노닐며 경치를 감상하고 연회를 베풀어 그들과 함께 술을 마시는 즐거운 정취를 잘 드러내고 있는데, 이는 다름 아닌 '여민동락(與民同樂)'의 체현인 셈이다.

작품은 전체적으로 간결한 문장에 객관적 묘사가 주를 이루며, 기교를 부리지 않는 평담(平淡)한 문사로 구성되어 있다. 길지 않은 편폭에 허사(虛辭, 어조사)가 많은데, 23개의 '而' 자, 21개의 '也' 자, 18개의 '者' 자, 14개의 '之' 자를 사용하여 독특한 문장을 구사한 것이 큰 특색이다. 주자의 말씀에 의하면, 어떤 사람이 이 〈취옹정기〉 원고(原稿)를 구입하였는데, 첫 구절에서 '저주는 사면에 산이 있다〔滁州四面有山〕'는 등 수십 자로 표현하였다가 결국에는 '환저개산야〔環滁皆山也〕' 다섯 자로 압축했다고 하였는바,[70] 작자가 얼마나 진지한 태도로 창작에 임하였는지 짐작해 볼 수 있다.

---

70 주자의……하였는바: 이 내용은《주자어류(朱子語類)》 권139 〈논문 상(論文上)〉에 보인다.

작품을 읽어 보면, 당시 40세였던 작자는 '취옹'이라 자호(自號)하고서 "술을 조금만 마셔도 곧 취하고 나이가 또 가장 높았다.〔飮少輒醉 而年又最高〕", "창안(蒼顏) 백발(白髮)로 그 사이에 쓰러져 있다.〔蒼顏白髮 頹然乎其間〕"라고 자신을 표현하였다. 이러한 부분은 작자가 산수의 즐거움을 빌려서 자신의 불우함을 해소하고 있음을 드러낸 것이다.

작품 속에서는 '산수지락(山水之樂)', '유인지락(遊人之樂)', '태수지락(太守之樂)'의 세 가지 즐거움이 점층적으로 대비를 이루면서 작품의 주제를 선명하게 드러내고 있는데, 이 '락(樂)' 자가 작품 전체를 관통하며 서로 밀접하게 연관되어 있다. 《당송팔가문초》를 엮은 모곤(茅坤)은 이 작품에 대해 '글 가운데 그림이다〔文中之畫〕'라고 평하였다.

篇題小註‥ 迂齋云 此文은 所謂筆端有畫(화)라 又如累疊階級하여 一層高一層이로되 逐旋上去하면 都不覺이니라

우재가 말하였다. "이 글은 이른바 붓 끝에 그림이 있다는 것이다. 또 여러 층의 계단이 한 층 한 층 높아지는데 따라서 오르다 보면 자신도 전혀 깨닫지 못하는 것과 같다."

○ 歐陽公年四十에 守滁州할새 愛其山水之勝하여 作醉翁亭而日遊之라 今觀公詩하면 有曰四十未爲老어늘 醉翁偶題篇이라 醉中遺萬物하니 豈復記吾年[71]가 又贈沈遵曰 我時四十猶强健이어늘 自號醉翁聊戲客이라 爾來憂患十年間에 鬢髮未老嗟先白[72]이라하고 又曰 顏摧鬢改眞一翁이라 心以憂醉安知樂[73]고하니 大略可見守滁之樂이 後來不復有矣라 它如醉翁吟, 憶滁南幽谷[74]이 眷眷不忘하여 不一而足하니 不能盡述于此也라 年方四十而云年又最高라하니 蓋是時僚佐賓客이 偶皆妙年耳라 一篇二十七也字로되 讀之에 不覺其多하니 此又一體라

71 今觀公詩……豈復記吾年: 이 시는 제목이 〈제저주취옹정(題滁州醉翁亭)〉으로 《구양문충집(歐陽文忠集)》 권53에 실려 있다.

72 又贈沈遵曰……鬢髮未老嗟先白: 이 시는 《구양문충집》 권6에 실려 있다.

73 又曰……心以憂醉安知樂: 이 시는 《구양문충집》 권7 〈증심박사가(贈沈博士歌)〉에 보인다.

74 醉翁吟, 憶滁南幽谷: 〈취옹음〉은 구양수가 태학박사(太學博士) 심준(沈遵)에게 지어준 글이며, 〈억저남유곡〉은 〈억저주유곡(憶滁州幽谷)〉으로, 《구양문충공집》 권15와 권12에 각각 보인다.

公有祈雨祭漢高帝文[75]하고 又有祭吳尙書文[76]하니 皆是此體요 坡公酒經[77]도 亦然이라 又聞
嘗有見公初槀者러니 首以十數句로 敍滁山水라가 旣而皆塗去하고 只以五字書之라하니 亦
學者之所當知니라

　　구양공은 나이 40세에 저주(滁州)를 맡았는데, 산수(山水)의 뛰어난 경치를 사랑하여 취옹정(醉翁
亭)을 짓고 날마다 여기에서 놀았다. 이제 공(公)의 시를 보면 "40이란 나이 아직 늙은 것은 아닌데
취옹이 우연히 시편에 썼네. 취한 가운데 만물을 잊으니, 어찌 다시 내 나이 기억하겠는가?" 하였으
며, 또 심준(沈遵)에게 준 시에 "나는 40세라 아직 강건(强健)한데 취옹이라 자호하여 애오라지 손
님들을 희롱하네. 그동안 걱정 속에 10년을 사느라 늙기도 전에 살쩍과 머리 먼저 세었네." 하였으
며, 또 이르기를 "얼굴 야위고 살쩍 세었으니 참으로 한 늙은이이네. 마음이 근심 때문에 취하니 어
찌 즐거움을 알겠는가." 하였으니, 저주를 맡은 즐거움이 뒤에는 다시 없었음을 대략 볼 수 있다. 기
타 〈취옹음(醉翁吟)〉과 〈억저남유곡(憶滁南幽谷)〉 등의 시에 권권히 이를 잊지 못하여 읊은 것이 한
두 번이 아니니 이것을 여기에 다 기술할 수가 없다.

　　나이가 이제 겨우 40세인데도 '나이가 또 가장 높다'고 말하였으니, 이때에 보좌관과 빈객들이 우
연히 다 소년이었던 듯하다. 한 편(篇)에 '야(也)' 자가 27개인데도 읽어보면 그 많음을 깨닫지 못하
니, 이 또한 문장의 한 체재이다. 공은 〈기우제한고황제문(祈雨祭漢高皇帝文)〉이 있고 또 〈제오상서
문(祭吳尙書文)〉이 있는데 모두 다 이 문체(文體)이며, 파공(坡公)의 〈주경(酒經)〉도 그러하다.

　　또 들으니, 일찍이 공의 초고(初槀)를 본 자가 있었는데, 앞부분에 십수 구(句)로 저주(滁州)의 산
수를 서술하였다가 이윽고 모두 지워버리고, 다만 '환저개산야(環滁皆山也)'라는 다섯 글자로 썼다
고 하니, 이 또한 배우는 자가 마땅히 알아야 할 것이다.

---

75 祈雨祭漢高帝文 : 〈기우제한고황제문(祈雨祭漢高皇帝文)〉으로, 비가 내리기를 기원하며 한(漢)나라 고황제(高皇帝)
의 신령에게 제사 드리는 제문으로, 그 내용은 벼슬아치가 저주(滁州)에서 근무하는 햇수는 3~4년에 불과하지만 고황제
가 이곳에서 제삿밥을 드신 것은 영원히 끊이지 않으니, 가뭄으로 고생하는 백성들을 위해 부디 비를 내려주시길 바란다는
내용이다. 글이 짧지만 백성을 위한 관료의 간절한 마음이 잘 드러나 있다.《歐陽文忠集 卷47 祈雨祭漢高皇帝文》

76 祭吳尙書文 : 상서(尙書) 오공(吳公)을 위한 제문으로, 선비가 벼슬살이를 하면서 이해(利害)에 급박하여 절개를 잃
지 않는 자가 매우 드물고, 사람이 평소 뜻이 우뚝하지만 병을 앓다가 죽는 사람이 많은 점을 말하면서 오공이 정치와 문학
이 매우 뛰어났지만 이제는 멀리 떠났기에 오랜 친구인 나뿐만 아니라 많은 사람들이 슬퍼한다는 내용이다. 짧은 글이지만
뜻이 간절하다.《歐陽文忠集 卷50 祭吳尙書文》

77 坡公酒經 : 〈주경(酒經)〉은 〈동파주경(東坡酒經)〉으로, 소식은 술을 즐겨 마셨을 뿐만 아니라 술을 빚기도 하였는데, 이 글
에 누룩을 만드는 방법, 곡식의 비율, 마시는 날짜 등을 적어놓았다. 400자가 안 되는 짧은 글인데도 내용이 풍부하다.《東
坡全集 卷100 東坡酒經》

　　　　　　•••　祈 빌 기　槀 초고 고　塗 칠할 도

原文

環滁는 皆山也라 其西南諸峰이 林壑尤美하여 望之에 蔚然而深秀者는 瑯琊也요
【山.】 山行六七里에 漸聞水聲潺潺而瀉出于兩峰之間者는 釀泉也요【水.】 峰回
路轉에 有亭翼然臨于泉上者는 醉翁亭也라 作亭者誰오 山之僧智僊(仙)也요 名
之者誰오 太守自謂也라【未說破姓名.】 太守與客으로 來飮于此할새 飮少輒醉하고 而
年又最高라 故로 自號曰醉翁也라하니 醉翁之意는 不在酒하고 在乎山水之間也하
니 山水之樂을【安一樂字作根, 後面反覆說樂字, 有無限議論意味.】 得之心而寓之酒也라

저주(滁州)는 빙 둘러 모두 산이다. 그 서남쪽의 여러 봉우리는 숲과 골짝이 더욱 아름다운
데, 멀리 바라봄에 울창하여 깊고 빼어난 것은 낭야산(瑯琊山)이요,【산이다.】 산길로 6~7리를
가노라면 점점 물소리가 잔잔하게 들리다가 두 봉우리 사이로 쏟아져 나오는 것은 양천(釀泉)
이요.【물이다.】 봉우리가 돌고 길이 굽이져 있는데 정자가 나는 듯이 솟아 물가에 임해 있는
것은 취옹정(醉翁亭)이다. 정자를 지은 자는 누구인가? 산의 승려인 지선(智僊)이요, 정자의 이
름을 지은 자는 누구인가? 태수(太守)가 직접 이름한 것이다.【성명(姓名)을 아직 말하지 않았다.】
　태수는 빈객들과 이곳에 와서 술을 마실 적에 조금만 마셔도 곧 취하였고 나이가 또 가장
높았다. 그러므로 취옹(醉翁)이라고 자호하였는데, 취옹의 뜻은 술에 있지 않고 산수(山水)의
사이에 있으니, 산수의 즐거움을【한 '낙(樂)' 자를 놓아서 뿌리로 만들고, 후면에는 반복하여 '낙' 자를
말해서 무한한 의론과 의미를 두었다.】 마음에 얻어 술에 붙인 것이다.

若夫日出而林霏開하고【朝.】 雲歸而巖穴暝하여【暮.】 晦明變化者는 山間之朝暮
也요 野芳發而幽香하고【春.】 嘉木秀而繁陰하며【夏.】 風霜高潔하고【秋.】 水落而石
出者는【冬.】 山間之四時也라 朝而往하고 暮而歸에 四時之景不同而樂亦無窮也라

저 해가 뜨면 숲의 안개가 개고【아침이다.】 구름이 돌아가면 바위 굴이 어두워져【저녁이다.】
어둠과 밝음이 변화하는 것은 산간(山間)의 아침·저녁이요, 들꽃이 피면 그윽한 향기가 풍기
고【봄이다.】 아름다운 나무가 무성하면 짙은 그늘이 지며,【여름이다.】 풍상(風霜)이 고결(高潔)하
고【가을이다.】 수위(水位)가 떨어져 바닥의 돌이 드러나는 것은【겨울이다.】 산간의 사시(四時)이
다. 아침에 갔다가 저녁에 돌아올 적에 사시의 경치가 똑같지 않으니 즐거움 또한 무궁하다.

··· 環 돌 환　壑 골짜기 학　蔚 무성할 울　瑯 산이름 랑　琊 산이름 야　潺 졸졸흐를 잔　瀉 쏟을 사
釀 술빚을 양　僊 신선 선　輒 문득, 번번이 첩　寓 붙일 우　霏 안개 비　暝 어둘 명　晦 어둘 회
芳 꽃다울 방

71
卷6

至於負者歌于塗하고 行者休于樹하며 前者呼하고 後者應하여 傴僂提携하여 往來
而不絶者는 滁人遊也요 臨溪而漁하니 溪深而魚肥하고 釀泉爲酒하니 泉洌而酒香
이라 山肴野蔌(속)을 雜然而前陳者는 太守宴也니 宴酣之樂은 非絲非竹이라 射者
中하고 奕者勝하여 觥籌(굉주)交錯하여 起坐而諠譁(훤화)者는 衆賓歡也요 蒼顔白髮
이 頹然乎其間者는 太守醉也라

　짐을 진 자가 길에서 노래하고 길을 가는 자가 나무 그늘에서 쉬며, 앞서 가는 자가 부르고
뒤따라가는 자가 응답하여 〈늙은이는〉 허리를 구부리고 〈어린이는〉 손을 잡아끌고서 끊임없
이 오가는 것으로 말하면 저주 사람들이 노니는 것이요, 시냇가에 임하여 물고기를 잡으니
시내가 깊어 물고기가 살지고, 양천의 물을 길어 술을 빚으니 샘물이 시원하여 술이 향기롭
다. 산에서 사냥한 고기 안주와 들에서 채취한 나물들을 뒤섞어 앞에 진열한 것은 태수의 잔
치이니, 잔치에서 술 마시며 즐기는 것은 현악기도 아니고 관악기도 아니다.
　투호(投壺)를 하는 자는 화살을 병 속에 던져 넣고 바둑을 두는 자는 이겨서 벌주를 먹이는
술잔과 술잔을 세는 산가지가 이리저리 엇갈려 뒤섞여 있는데 일어났다 앉았다 하며 떠드는
것은 손님들이 즐거워하는 것이요, 창안 백발(蒼顔白髮)로 그 사이에 쓰러져 있는 것은 태수가
취한 것이다.

已而요 夕陽在山하고 人影散亂은 太守歸而賓客從也요 樹林陰翳하여 鳴聲上下
는 遊人去而禽鳥樂也라 然而禽鳥는 知山林之樂하고 而不知人之樂하며 人은 知
從太守遊而樂하고 而不知太守之樂其樂也라【公同遊之樂, 外與人同, 而自得之樂, 內與
人異. 自得於心者, 人不能知之, 亦不能爲人言之也. 有無盡之味.】醉能同其樂하고 醒能述以文
者는 太守也니【見公自作記.】太守는 謂誰오 廬陵歐陽脩也니라【到此, 方說出姓名.】

　이윽고 석양이 산에 걸리고 사람 그림자가 흩어져 어지러운 것은 태수가 돌아감에 빈객이
따라가는 것이요, 나무 그늘이 어두워지자 새들의 울음소리가 오르내리는 것은 노닐던 사람
이 돌아감에 산새가 즐거워하는 것이다.
　그러나 새들은 산림(山林)의 즐거움만 알고 사람들의 즐거움은 알지 못하며, 사람들은 태수
를 따라 놀면서 즐거워할 줄만 알고 태수가 그 즐거움을 즐거워하는 줄은 알지 못한다.【공이
함께 노닌 즐거움이 겉으로는 남들과 같았으나 자득한 즐거움은 안으로 남들과 달랐으니, 공이 마음에 자득한

　　… 傴 곱사등이 구　僂 곱사등이 루　洌 물시원할 열　肴 안주 효　蔌 산나물 속　酣 취할 감
　　奕 바둑 혁　觥 술잔 굉　籌 산가지 주　諠 시끄러울 훤　譁 시끄러울 화

것을 남들은 알지 못하였고, 공 또한 남에게 말할 수 없었던 것이다. 무궁무진한 맛이 있다.】술에 취하여 그 즐거움을 함께 즐거워하고 술이 깨어 이 즐거움을 글로 기술한 자는 태수이니,【공이 스스로 기문을 지었음을 나타내었다.】태수는 누구인가? 여릉(廬陵) 구양수(歐陽脩)이다.【여기에 이르러 비로소 성명을 말하였다.】

추성부秋聲賦

구양수歐陽脩

- **작품개요**

이 작품은 작자가 53세이던 북송 인종(仁宗) 가우(嘉祐) 4년(1059)에 지은 것으로, 〈취옹정기〉를 잇는 또 한 편의 명문이다. 이해 봄에 작자는 개봉부윤(開封府尹)을 사임하고 저술에 전력하고 있었다.

작자는 만년에 벼슬길이 순탄하여 높은 지위에 올랐지만, 장기간의 정쟁(政爭)과 그로 인한 수차례의 좌천은 그의 마음속에 가시지 않는 답답함과 괴로움을 심어 주었다. 아울러 당시 조정의 암울한 상황과 날로 쇠약해지는 국세는 그에게 큰 고민거리가 되었다. 이러한 시점에서 그는 매우 단촉한 인생과 무정한 자연의 변화에 대하여 느낀 바가 있었고 '가을'이라는 계절에 특별한 감정을 갖게 되었다. 이것이 바로 〈추성부〉가 지어지게 된 배경이다.

작품은 구양자(歐陽子, 작자의 자칭)가 어느 가을날 밤 고요히 서재에 앉아서 독서를 하다가 서남(西南) 쪽으로부터 들려오는 바람 소리를 듣게 되는 장면으로부터 시작되는데, 일인칭 시점으로 서술되는 간결한 문장을 통해 한 폭의 그림 같은 광경을 생동감 넘치게 그려내었다. 작자는 동자(童子)와의 대화를 이끌어 내면서 '추성'이 형성된 연유를 탐구하는데, 사회와 자연의 두 방면으로 분석과 의론을 진행하며 끝까지 '추성'이라는 주제를 놓지 않고, 초목과 사람의 대비를 통하여 자신의 의론을 드러내었다. 하지만 이러한 작자의 깊은 고민과 그 과정에서 느끼게 된 비상(悲傷)에 대하여 이해할 수 있는 사람은 아무도 없었다. 이는 작품의 끝에서 묘사된 대꾸도 없이 졸고 있는 동자와 사방에서 들려오는 풀벌레 소리를 통하여 알 수 있다.

작품은 형체가 없는 '추성'을 묘사와 논의의 소재로 삼아 부(賦)라는 형식을 통해 가을에 대한 감회를 서술하였다. 이 과정에서 추성에 대해 여러 방면으로 나열하고 묘사하여 부가 지닌 특성을 능숙하게 구현하였다. 특히 초목이 바람에 꺾이는 비상함과 처량함을 서술하고, 우울과 근심에 더욱 쉽게 침범당하는 사람까지 언급하였는바, 이는 또한 작자 자신의 절실한 체득이라 할 것이다. 전체적으로 구상(構想)이 참신하고 문사가 청아하며 문세의 변화가 다채롭다. 또한 작품 속에서 풍경묘사[寫景], 감정 표현[抒情], 기사(記事), 의론(議論)이 조화를 이루고 있다.

　　문학사에 있어서, 이 작품은 후대의 문체에 적지 않은 공헌을 하였다. 한대(漢代) 이후 변우(騈偶), 포서(鋪敍), 성률(聲律)을 중시해 오던 '부'는 송대(宋代) 이후 내용상의 공허함과 형식상의 정형화로 인해 몰락의 길을 걷고 있었는데, 작자는 이러한 폐단을 분명하게 인식하고 산문화(散文化)된 부를 지어 새로운 길을 모색하였다. 이러한 작품을 후대에는 '문부(文賦)'라고 일컬었는데, 작품 전체가 대장(對仗)을 이루며 구(句)의 끝부분마다 운각(韻脚)이 있는 변부(騈賦) 즉 배부(俳賦)와는 상대되는 개념으로, 여기서 '문'은 고문(古文)을 가리키는바, 몇 개의 운만 압운하였을 뿐 나머지는 변우(騈偶)에 구애받지 않는다. 이는 부(賦)의 변체(變體)로 이른바 '고문 운동'의 산물이다. 이 작품이 바로 문부의 선구이자 대표작이라 할 것이다.

篇題小註‥ 迂齋云 模寫之工하고 轉折之妙하며 悲壯頓挫하여 無一字塵淠이니라

　　우재가 말하였다. "모사(模寫)가 뛰어나고 전절(轉折)함이 훌륭하며 비장(悲壯)하고 돈좌(頓挫, 억양)하여 한 글자도 진부(陳腐)한 것이 없다."

○ 賦秋聲은 可謂妙矣라 深意在末段하니 蓋因天時一年之秋하여 而說人生一世之秋하니 丹者槁, 黑者星이 是也라 人多繫(침)於名韁하고 蕩於情瀾하고 熬(오)於慾火하여 自戕賊以至此하니 於秋聲에 何恨乎아 此意可使人發深省하여 而惕然有戒懼之心焉이니라

　　가을 소리[秋聲]를 읊은 것이 훌륭하다고 이를 만하다. 깊은 뜻이 끝 부분에 있으니, 천도(天道)가 운행하는 1년의 가을을 통해 사람이 살아가는 한 세상의 가을을 설명하였는바, '붉던 얼굴이 야위고 검은 머리가 성성해진다.'는 것이 이것이다. 사람들은 대부분 명예의 고삐에 매이고 정(情)의 물결에 동요되며 욕심의 불에 들볶여 스스로 몸을 해쳐서 이 지경에 이르니, 가을 소리를 어찌 한하겠는가. 이 뜻이 사람들로 하여금 깊은 반성을 하여 척연(惕然)히 경계하고 두려워하는 마음이 있게 한다.

歐陽子方夜讀書러니 聞有聲自西南來者하고 悚然而聽之하고 曰 異哉라 初淅瀝(석력)以蕭颯(삽)이러니 忽奔騰而澎湃(팽배)하여 如波濤夜驚하며 風雨驟至라【善名狀.】其觸於物也에 鏦(창)鏦錚(정)錚하여 金鐵皆鳴하고 又如赴敵之兵이【尤佳.】衘枚疾走하여 不聞號令이요 但聞人馬之行聲이로다【壯.】

구양자(歐陽子)가 밤중에 책을 읽고 있었는데, 서남쪽으로부터 들려오는 소리를 듣고는 송연(悚然)히 〈귀 기울여〉 듣고 말하기를 "이상도 하다. 처음에는 바람이 우수수 초목을 흔들며 지나가는 듯하더니 갑자기 뛰어오르며 팽배하여 마치 파도가 밤에 요동치며 풍우(風雨)가 급히 몰려오는 듯하였다.【형용하기를 잘하였다.】물건에 부딪힘에 쟁그랑 쇳소리가 나 금철(金鐵)이 모두 울리는 듯하며, 또 적진(敵陣)에 달려가는 군대(軍隊)가【더욱 아름답다.】매(枚, 나뭇가지)를 입에 물고 빨리 달려 호령(號令) 소리는 들리지 않고 사람과 말이 가는 소리만 들리는 듯하다." 하였다.【웅장하다.】

子謂童子호되 此何聲也오 汝出視之하라 童子曰 星月皎潔하고 明河在天하니 四無人聲이요 聲在樹間이러이다【語灑.】子曰 噫嘻悲哉라 此秋聲也로다 胡爲乎來哉오 蓋夫秋之爲狀也 其色慘淡하여 煙霏雲斂이요 其容淸明하여 天高日晶이요 其氣慄洌하여 砭(폄)人肌骨이요 其意蕭條하여 山川寂寥라 故로 其爲聲也 凄凄切切하고 呼號憤發하여 豐草【四用草木字, 却相應.】綠縟而爭茂하고 佳木蔥蘢而可悅이라가 草拂之而色變하고 木遭之而葉脫하나니 其所以摧敗零落者 乃一氣之餘烈이라

나는 동자(童子)에게 이르기를 "이것이 무슨 소리인가? 네가 나가 보아라." 하였다. 동자가 〈나갔다가 돌아와서〉 대답하기를 '별과 달이 밝고 깨끗하며 밝은 은하수가 하늘에 있는데 사방에 사람 소리가 들리지 않고 이 소리는 나무 사이에서 납니다." 하였다.【말이 청신(淸新)하다.】
나는 다음과 같이 말하였다. "아! 슬프다. 이것은 가을 소리이다. 어찌하여 이것이 오는가? 가을의 형상은 그 색깔이 참담(慘淡)하여 안개가 피어 오르고 구름이 걷히며, 그 모양이 청명(淸明)하여 하늘이 높고 해가 빛나며, 그 기후가 매우 차가워 사람의 살갗과 뼛속을 찌르며, 그 의경(意境)이 소조(蕭條, 쓸쓸)하여 산천이 적막하다. 그러므로 그 소리가 매우 처절하고 울부짖는 듯 노여워하는 듯하여, 무성한 풀이【'초(草)', '목(木)'이라는 글자를 네 번 사용하여 서로 응하

••• 淅 빗소리 석 瀝 물방울 력 颯 쓸쓸할 삽 澎 물부딪는소리 팽 湃 물부딪는소리 배 驟 몰려올 취 鏦 울리는소리 창 錚 쇳소리 쟁 衘 재갈 함 嘻 한숨쉴 희 霏 안개 비 晶 맑을 정 砭 침놓을 폄 縟 번다할 욕 蔥 푸를 총 蘢 우거질 롱 拂 스칠 불

게 하였다.】 푸르게 자라 무성함을 다투고 아름다운 나무가 울창하여 즐거울 만하다가 풀이 이 바람에 스치면 색깔이 변하고 나무가 이 바람을 만나면 잎이 떨어지니, 그 꺾이고 무너지며 영락(零落)하는 것은 바로 이 한 기운의 남은 위열(威烈) 때문이다.

夫秋는 刑官也[78]라 於時에 爲陰이요 又兵象也라 於行에 爲金이니 是謂天地之義氣[79]라 常以肅殺而爲心이니라 天之於物에 春生秋實이라 故로 其在樂也에 商聲이 主西方之音[80]하고 夷則(칙)이 爲七月之律[81]하니 商은 傷也니 物旣老而悲傷이요 夷는 戮也니 物過盛而當殺이니라

가을은 형관(刑官)이니 사시(四時)에 있어 음(陰)이 되고, 또 병상(兵象, 병기 또는 병란의 상징)이니 오행(五行)에 있어 금(金)이 된다. 이를 천지의 의기(義氣)라 이르는바, 항상 숙살(肅殺, 날씨가 추워 물건을 죽임)함을 마음으로 삼는다. 하늘은 만물(萬物)에 있어 봄에 낳고 가을에 열매를 맺게 한다. 그러므로 음악에 있어 상성(商聲)은 서방(西方)의 음(音)을 주장하고, 십이율(十二律)의 이칙(夷則)은 7월의 율(律)이 된다. 상(商)은 상(傷)한다는 뜻이니 물건이 늙으면 비상(悲傷)함이요, 이(夷)는 죽인다는 뜻이니 물건이 지나치게 성(盛)하면 마땅히 죽게 되는 것이다.

嗟乎라 草木無情이로되 有時飄零하나니 人爲動物하여【歸之於人.】 惟物之靈이라 百憂感其心하고 萬事勞其形하여 有動于中이면 必搖其精하나니 而況思其力之所不及

---

78 夫秋 刑官也 : 《주례(周禮)》에 육관(六官)을 천(天)·지(地)·춘(春)·하(夏)·추(秋)·동(冬)으로 나누어 형관(刑官)인 사구(司寇)를 추관(秋官)이라 하였다. 이 때문에 후세에 이조(吏曹)를 천관天官), 호조(戶曹)를 지관(地官), 예조(禮曹)를 춘관(春官), 병조(兵曹)를 하관(夏官), 형조(刑曹)를 추관(秋官), 공조(工曹)를 동관(冬官)이라 하였는바, 가을에는 서리가 내려 만물을 죽이므로 이름한 것이다.

79 於時爲陰……是謂天地之義氣 : 사시(四時)에 있어 물건을 내고 자라게 하는 봄과 여름은 양(陽)이고, 물건을 죽이는 가을과 겨울은 음(陰)이 된다. 오행에 있어 봄은 목(木), 여름은 화(火), 가을은 금(金), 겨울은 수(水), 한여름인 음력 6월은 토(土)가 되며, 오성(五性)에 있어 인(仁)은 봄의 목, 예(禮)는 여름의 화, 의(義)는 가을의 금, 지(智)는 겨울의 수, 신(信)은 중앙의 토에 해당되는바, 인(仁)은 살려주고 의(義)는 잘못하는 자를 죽이므로 이렇게 말한 것이다.

80 商聲主西方之音 : '상(商)'은 오성(五聲)의 하나로, 고대에 오성을 오행(五行)과 계절에 배합하여 각(角)은 동방목(東方木)으로 춘(春), 치(徵)는 남방화(南方火)로 하(夏), 상(商)은 서방금(西方金)으로 추(秋), 우(羽)는 북방수(北方水)로 동(冬), 궁(宮)은 중앙토(中央土)로 분류하였다.

81 夷則 爲七月之律 : 이칙은 십이율려(十二律呂)의 하나로, 양율(陽律)의 다섯 번째이고, 절후로는 음력 7월에 해당한다. 십이율은 황종(黃鐘)·태주(大簇)·고선(姑洗)·유빈(蕤賓)·이칙(夷則)·무역(無射)을 양려(陽呂), 대려(大呂)·협종(夾鐘)·중려(仲呂)·임종(林鐘)·남려(南呂)·응종(應鐘)을 음려(陰呂)라 한다.

하며 憂其智之所不能하니【自淺而深.】 宜其渥然丹者爲槁木이요 黟(이)然黑者爲星星이라 奈何非金石之質이어늘 欲與草木而爭榮가【發明尤佳.】 念誰爲之戕賊이완대 亦何恨乎秋聲고 童子莫對하고 垂頭而睡하니 但聞四壁에 蟲聲唧(즉)唧하여 如助子之歎息이러라【此轉尤佳.】

아! 초목은 무정(無情)하나 때로 낙엽이 되어 떨어지니, 사람은 동물이 되어【사람에게 돌렸다.】 만물의 영장(靈長)이다. 온갖 근심이 그 마음을 감동시키고, 만 가지 일이 그 형체를 수고롭게 하여, 심중(心中)에 움직임이 있으면 반드시 그 정신을 뒤흔들어 소모시킨다. 하물며 그 힘으로 미칠 수 없는 것을 생각하고, 그 지혜(智慧)로 능하지 못한 바를 근심하니,【얕음으로부터 깊음에 이르렀다.】 마땅히 볼그레 윤기가 돌던 얼굴이 마른 나무처럼 되고, 칠흑처럼 검던 머리가 성성하게 세고 만다. 금석(金石)의 자질이 아닌데 어찌하여 초목과 영화(榮華)를 다투고자 하는가?【발명함이 더욱 아름답다.】 생각하건대 누가 해치기에 또한 어찌 가을 소리를 한하는가."
동자는 대꾸하지 않고 머리를 떨구고 졸고 있었는데, 사방 벽에서 즉즉히 우는 풀벌레 소리만이 들려와 마치 나의 탄식을 돕는 듯하였다.【이 전환이 더욱 아름답다.】

··· 渥 윤택할 악 槁 마를 고 黟 검을 이 唧 벌레우는소리 즉

증창승부憎蒼蠅賦

구양수歐陽脩

• 작품개요

이 작품은 치평(治平) 3년(1066)에 지어진 일종의 고체부(古體賦)이다. 줄거리는 비교적 분명한
데, 제목을 통하여 알 수 있듯이 '창승(蒼蠅, 쉬파리)'을 증오하는 감정이 작품 전개상 중요한 맥락이
된다. 창승이 하루 종일 앵앵거리고 날아다니면서 음식이나 식재료에 구더기를 갈겨놓아 좋은 것을
나쁜 것으로 만드는 것이 마치 소인배가 자신의 이익을 추구하기 위하여 염치 불고하고 군주에게
아첨하며 올바른 사람을 중상모략하는 것과 비슷하다는 점에 착안하였다.

가우(嘉祐) 8년(1063) 3월 29일에 인종(仁宗)이 후사 없이 붕서(崩逝)하자, 그 종형(從兄)인 복안
의왕(濮安懿王) 윤양(允讓)의 아들 서(曙)가 즉위하였는데, 이가 바로 영종(英宗)이다. 영종은 즉위
한 다음 해에 조칙을 내려 생부의 추봉(追封) 문제를 의론하면서 한기(韓琦)와 작자 구양수 등의 의
론을 받아들여 '황고(皇考)'라 칭하고자 하였는데, 범순인(范純仁)·여회(呂誨)·여대방(呂大防) 등은
인종을 황고라 부르고 복안의왕을 '황백(皇伯)'이라 불러야 한다고 반대하여 조정에서 큰 분쟁이 일
어났다. 당시 작자는 중서성(中書省)의 의견을 대표하여 범순인·여회 등 대간파(臺諫派)에게 탄핵을
받았다. 이러한 상황 속에서 작자는 소인배를 비유하는 창승을 가지고 대간파를 강렬하게 지탄하
며 자기의 불평을 드러내었다고 보여진다.

작품은 작은 부분을 통하여 큰 부분을 바라보는 구조를 이루고 있다. 창승이라는 미물이 끼치
는 구체적인 해로움에 대하여 비교적 자세히 서술함으로써 국가와 백성에게 재앙을 가져오는 소인
배의 참소를 은유적으로 비판함과 동시에 당시 조정의 상황에 대한 불만을 표출한 것이다.

특히 작품의 말미에서 언급된 '지극(止棘)'은 구체적으로 《시경(詩經)》 소아(小雅) 〈청승편(靑蠅

篇》)에 "앵앵거리는 쉬파리 가시나무에 앉아 있네. 남을 모함하는 참소꾼 여러 나라를 혼란시키네.[營營靑蠅 止于棘 讒人罔極 交亂四國]"라고 한 부분을 가리킨다. 《시경》이라는 경전적 근거를 원용함으로써 창승을 주요 소재로 삼은 것이 사상적 함의가 깊다는 것을 드러내고, 이를 통하여 입론을 강화하는 효과를 얻었기 때문에 글이 더욱 생동감 있다.

이 작품은 대체로 전통적인 부체(賦體)의 격구압운(隔句押韻)을 취하면서도 산문구(散文句)를 함께 사용하여 작자 특유의 평이하고 자연스러운 풍격(風格)과 문장 양식을 확립하였다.

篇題小註‥ 蠅之爲物이 賦形至微나 害物至重하니 猶姦人邪佞하여 以敗君德하고 變黑白하여 以爲物之害하나니 此詩人托物比興이니라

파리라는 물건은 형체를 부여받음이 매우 작으나 다른 물건을 해침이 지극히 중하니, 간사한 사람이 사악한 짓을 하고 아첨하여 군주의 덕(德)을 무너뜨리며 흑백을 변란(變亂)시켜 물건을 해치는 것과 같은바, 이는 시인이 물건에 가탁하여 비흥(比興)한 것이다.

• 原文

蒼蠅蒼蠅아 吾嗟爾之爲生하노라 旣無蜂蠆(채)之毒尾하고【左傳: "蜂蠆有毒."】又無蚊蝱(문맹)之利觜(자)라【聞見錄: "歐陽公云: '子作憎蠅賦. 蠅可憎矣, 尤不堪蚊蚋, 自[遠][82]嘵喝來, 利觜咬人也.'"】幸不爲人之畏어니 胡不爲人之喜오 爾形이 至眇하고 爾欲이 易盈하니 盂盂殘瀝과 砧几餘腥에 所希秒忽이니 過則難勝이라 苦何求而不足하여 乃終日而營營고【詩: "營營靑蠅."】逐氣尋香하여 無處不到하여 頃刻而集하니 誰相告報오 其在物也雖微나 其爲害也至要라

창승(蒼蠅)아! 창승아!   蒼蠅蒼蠅
나는 너의 세상살이를 서글퍼하노라   吾嗟爾之爲生
벌과 전갈처럼 독을 품은 꼬리가 없고   旣無蜂蠆之毒尾

---

82 〔遠〕: 저본에는 없으나 《문견후록(聞見後錄)》에 의거하여 보충하였다.

蠅 파리 승 蠆 전갈 채 蚊 모기 문 蝱 등에 맹 觜 부리 취 盈 가득할 영 盂 사발 우
瀝 찌꺼기 력 砧 다듬잇돌 침 腥 비린내날 성 秒 세미할 묘

【《춘추좌씨전》 희공(僖公) 22년에 "벌과 전갈은 독이 있다." 하였다.】

| 모기나 등에처럼 뾰족한 주둥이도 없다 | 又無蚊蝱之利觜 |

【《문견후록(聞見後錄)》에 말하였다. "구양공이 말하기를 '내가 〈증승부(憎蠅賦)〉를 지었다. 파리는 미워할만 하지만 모기와 등에를 더욱 견딜 수 없으니, 먼 곳으로 부터 앵앵대며 와서 뾰족한 주둥이로 사람을 문다.' 하였다."】

다행히 사람들이 두려워하지 않는데	幸不爲人之畏
어찌하여 사람들이 좋아함이 되지 않는가?	胡不爲人之喜
네 몸이 지극히 작고	爾形至眇
네 욕심이 채워지기 쉽다	爾欲易盈
잔과 사발의 남은 찌꺼기와	盃盂殘瀝
도마 위의 남은 비린 것에	砧几餘腥
바라는 바가 매우 적으니	所希秒忽
지나치면 감당하기 어렵다	過則難勝
괴롭게 무엇을 구하기에 만족할 줄 모르고서	苦何求而不足
종일토록 앵앵대는가?	乃終日而營營

【《시경(詩經)》 〈소아(小雅) 청승(靑蠅)〉에 "앵앵거리며 나는 청승이여.〔營營靑蠅〕"라고 하였다.】

냄새를 쫓고 향기를 찾아	逐氣尋香
이르지 않는 곳이 없어서	無處不到
삽시간에 모여드니	頃刻而集
누가 서로 일러주는가?	誰相告報
물건으로 보자면 비록 작으나	其在物也雖微
그 해됨은 지극히 크도다	其爲害也至要

若乃華榱(최)廣厦와 珍簟(점)方牀에 炎風之燠이요 夏日之長이라 神昏氣墬하고 流汗成漿하여 委四肢而莫擧하고 眊兩目其茫洋하니 惟高枕之一覺(교)하여 冀煩歊(효)之蹔(暫)忘이어늘 念於爾而何負완대 乃於吾而見殃고 尋頭撲面하고 入袖穿裳하며 或集眉端하고 或沿眼眶(광)하여 目欲瞑而復警하고 臂已痺而猶攘하니 於此之時에 孔子何由見周公於髣髴이며 莊生安得與蝴蝶而飛揚고【語, 子曰: "吾不復夢見

周公." 莊子: "夢爲蝴蝶, 栩栩然蝴蝶, 不知周也, 俄然覺, 則蘧蘧然周也."[83]】徒使蒼頭丫髻(아
계)로 巨扇揮颺하여 或頭垂而腕脫하고 或立寐而顚僵하니 此其爲害者一也라

화려한 서까래와 넓은 집	若乃華榱廣廈
보배로운 대자리와 네모진 평상에	珍簟方牀
뜨거운 바람이 무덥고	炎風之燠
여름 해가 길기도 하다	夏日之長
정신이 혼몽하고 기운이 위축되며	神昏氣蹙
땀이 흘러 흥건하여	流汗成漿
사지를 늘어뜨리고 거동하지 못하며	委四肢而莫擧
두 눈이 흐려 가물가물하니	眊兩目其茫洋
오직 베개를 높이 베고 한잠 푹 자고 깨어나서	惟高枕之一覺
번거로움과 시끄러움을 잠시 잊기 바랐는데	冀煩歊之蹔(暫)忘
생각하건대 내 너에게 무슨 잘못을 저질렀기에	念於爾而何負
마침내 나에게 이러한 재앙(폐해)을 보이는가	乃於吾而見殃
머리로 찾아들고 얼굴에 부딪히며	尋頭撲面
소매 속으로 들어오고 치마 속으로 뚫고 들어오며	入袖穿裳
혹은 눈썹 끝에 앉고	或集眉端
혹은 눈두덩을 따라 맴돌아	或沿眼眶
감기려던 눈 다시 놀라 깨고	目欲瞑而復警
마비된 팔뚝도 휘둘러대니	臂已痺而猶攘
이러한 때에	於此之時
공자(孔子)가 어떻게 꿈 속에서 주공(周公)을 보실 수 있으며	孔子何由見周公於髣髴
장생(莊生, 장주(莊周))이 어떻게 〈꿈 속에서〉 호랑나비와 더불어 날 수 있겠는가	
	莊生安得與蝴蝶而飛揚

---

83 語子曰……則蘧蘧然周也: 장생(莊生)은 장주(莊周, 장자)이며 호접(蝴蝶)은 호랑나비로, 파리가 달려들어 괴롭히
면 공자나 장주인들 어떻게 잠을 자며 꿈을 꾸겠느냐는 말이다. 《논어》〈술이(述而)〉에 "나의 노쇠함이 심하다. 내 꿈 속에
주공(周公)을 뵙지 못한 지가 오래되었다."는 공자의 말씀이 보이며, 《장자》〈제물론(齊物論)〉에 "장주가 꿈에 호랑나비가
되어 훨훨 날아다녔다."는 내용이 있으므로 말한 것이다.

••• 丫 두갈래질 아 髻 상투 계 揮 휘두를 휘 颺 날릴 양 腕 팔뚝 완 僵 쓰러질 강

【《논어(論語)》〈술이(述而)〉에 공자가 말씀하시기를 "내 다시는 꿈 속에 주공(周公)을 뵙지 못한다." 하셨고, 《장자(莊子)》〈제물론(齊物論)〉에 "꿈에 호랑나비가 되었다. 훨훨 날아다니는 호랑나비가 되어 장주(莊周)인 줄 알지 못하였는데 잠시 뒤에 깨어 보니 갑자기 장주가 되어 있었다." 하였다.】

하릴없이 창두(蒼頭, 하인)와 아계(丫髻, 계집종)들로 하여금	徒使蒼頭丫髻
큰 부채를 휘두르게 하여	巨扇揮颺
혹은 졸다가 머리를 떨구고 팔이 빠지며	或頭垂而腕脫
혹은 서서 졸다가 쓰러지기도 하니	或立寐而顚僵
이는 그 폐해의 첫 번째이다	此其爲害者一也

又如峻宇高堂에 嘉賓上客이 沽酒市脯하고 鋪筵設席하여 聊娛一日之餘閑이로되 奈爾衆多之莫敵고 或集器皿하고 或屯几格하며 或醉醇酎(순주)하여 因之沒溺하며 或投熱羹하여 遂喪其魄하니 諒雖死而不悔나 亦可戒夫貪得이라【班固難莊: "靑蠅嗜肉汁而忘溺死, 衆人貪世利而陷罪禍."】 尤忌赤頭하니 號爲景迹이라【酉陽雜俎: "身靑者能敗物, 巨者頭如火."】 一有霑(점)汚하면 人皆不食하나니 奈何引類呼朋하여 搖頭鼓翼하여 聚散倏(숙)忽하여 往來絡繹고 方其賓主獻酬하고 衣冠儼飾에 使吾揮手頓足하여 改容失色하니 於此之時에 王衍이 何暇於淸談이며【王衍手揮玉塵尾, 終日淸談.[84]】 賈誼堪爲之太息이니【賈誼上書: "可爲痛哭者一, 可爲長太息者六."[85]】 此其爲害者二也라

또 높은 집과 고당(高堂)에	又如峻宇高堂
아름다운 손님과 상객(上客)이 있어	嘉賓上客
술을 받아오고 포를 사오고는	沽酒市脯
자리를 펴고 좌석을 마련하여	鋪筵設席
애오라지 하루의 여가를 즐기려 하나	聊娛一日之餘閑

---

84 王衍手揮玉塵尾 終日淸談: 왕연은 진(晉)나라 사람으로, 자가 이보(夷甫)이다. '청담(淸談)'은 청정무위(淸淨無爲)의 말로 노장학(老莊學)을 이르는바, 왕연은 노장학을 좋아하여 종일토록 청담을 나누며 즐겼다. 옥주미(玉塵尾)는 옥으로 자루를 만든 주미인데, 주미는 사슴 꼬리를 나무에 단 것으로 도사나 승려들이 자주 사용하였다. 《晉書 卷43 王戎列傳》

85 賈誼上書……可爲長太息者六: 전한(前漢)의 가의(賈誼)는 일찍이 문제(文帝)에게 글을 올려 "지금의 상황은 통곡할 만한 것이 한 가지이고 눈물을 흘릴 만한 것이 두 가지이고 크게 탄식할 만한 것이 여섯 가지입니다." 하였다. 《前漢書 卷48 賈誼傳》

대적할 수 없이 많은 너희를 어찌하겠는가	奈爾衆多之莫敵
혹은 그릇과 뚜껑에 모여들고	或集器皿
혹은 찬장 시렁에 진치고 있으며	或屯几格
혹은 순주(醇酒, 전내기)에 취해	或醉醇酎
인하여 빠져 죽으며	因之沒溺
혹은 뜨거운 국으로 뛰어들어	或投熱羹
마침내 그 넋을 잃으니	遂喪其魄
진실로 죽더라도 후회하지 않으나	諒雖死而不悔
이익을 탐하는 마음을 경계할 만하다	亦可戒夫貪得

【반고(班固)의 〈난장론(難莊論)〉에 "청승(青蠅)은 고기즙을 좋아하여 빠져죽는 것을 잊고, 중인(衆人)들은 세상의 이익을 탐하여 죄화(罪禍)에 빠진다." 하였다.】

머리가 붉은 것을 더욱 꺼리니	尤忌赤頭
이름을 경적(景迹)이라 하는데	號爲景迹

【《유양잡조(酉陽雜俎)》〈충편(蟲篇)〉에 "몸이 푸른 놈은 능히 물건을 부패하게 하고 큰 놈은 머리가 불빛과 같다." 하였다.】

한번 더럽혀진 음식을	一有霑汚
사람들은 모두 먹지 않는다	人皆不食
어찌하여 동류들을 끌어오고 벗을 불러와	奈何引類呼朋
머리를 흔들고 날개를 치면서	搖頭鼓翼
삽시간에 모였다 흩어졌다 하여	聚散倏忽
끊임없이 왕래하는가	往來絡繹
막 손님과 주인이 술잔을 올리고 권하며	方其賓主獻酬
의관(衣冠)을 엄숙히 꾸미고 있는데	衣冠儼飾
나로 하여금 손을 휘젓고 발을 굴러	使吾揮手頓足
용모를 바꾸고 얼굴빛을 잃게 만드니	改容失色
이러한 때에	於此之時
왕연이 어느 겨를에 청담을 하겠으며	王衍何暇於淸談

【왕연(王衍)이 손으로 옥주미(玉麈尾)를 휘두르면서 종일토록 청담(淸談)을 하였다.】

가의가 너희 때문에 크게 탄식할 만하니	賈誼堪爲之太息

【가의의 상서(上書)에 "통곡할 만한 것이 한 가지이고, 길게 탄식할 만한 것이 여섯 가지이다." 하였다.】

이는 그 폐해의 두 번째이다   此其爲害者二也

又如醯醢(혜해)之品과 醬醓(장니)之制를 及時月而收藏하여 謹瓶罌(앵)之固濟어늘 乃衆力以攻鑽하여 極百端而窺覦(규기)하며 至於大胾(자)肥牲과 嘉殽美味에 蓋藏이 稍露而罅隙(하극)하고 守者或時而假寐하여 纔少怠於防嚴이면 已輒遺其種類하여 莫不養息蕃滋하여 淋漓敗壞라 使親朋卒至에 索爾以無歡하고 臧獲(장획)懷憂하여 因之而得罪하니 此其爲害者三也라 是皆大者니 餘悉難名이로다

또 젓갈 따위의 물품과	又如醯醢之品
장조림을 만든 것을	醬醓之制
제 철과 달에 담아 보관해서	及時月而收藏
병과 항아리를 단단히 막아놓았는데도	謹瓶罌(罌)之固濟
여러 마리의 힘으로 공격하여 뚫고	乃衆力以攻鑽
온갖 수단을 다하여 엿보며	極百端而窺覦
큰 고깃점과 살진 희생	至於大胾肥牲
좋은 안주와 맛있는 음식도	嘉殽美味
저장한 것이 조금 드러나 틈이 생기거나	蓋藏稍露而罅隙
지키는 자가 어쩌다가 깜박 졸아	守者或時而假寐
잠시라도 방비를 태만히 하면	纔少怠於防嚴
이미 그 종류(구더기)들을 까서	已輒遺其種類
모두 기르고 번식시켜	莫不養息蕃滋
음식이 질척거리고 부패한다	淋漓敗壞
친한 벗이 갑자기 와도	使親朋卒至
아무것도 없어 기쁘게 하지 못하고	索爾以無歡
노비들이 근심을 품어서	臧獲懷憂
인하여 죄를 얻게 되니	因之而得罪
이는 그 폐해의 세 번째이다	此其爲害者三也
이는 모두 큰 폐해이니	是皆大者

나머지는 모두 일일이 거론하기 어렵다　　　　　　　　　餘悉難名

嗚呼라 止棘之詩 垂之六經하니 於此에 見詩人之博物과 比興⁸⁶之爲精이니 宜乎以
爾刺讒人之亂國이라 誠可嫉而可憎이로다【詩: "營營靑蠅. 止于棘. 讒人罔極. 父亂四國."⁸⁷】

슬프다!	嗚呼
지극의 시(詩)가	止棘之詩
육경에 전해지고 있으니	垂之六經
여기에서 시인(詩人)의 물건에 대한 해박함과	於此見詩人之博物
비흥(比興)의 정(精)함을 볼 수 있다	比興之爲精

너를 가지고 참소하는 사람이 국가를 혼란시킴을 풍자하는 것이 마땅하니

宜乎以爾刺讒人之亂國

진실로 가증스럽고 또 가증스럽도다　　　　　　　　　誠可嫉而可憎

　　【《시경(詩經)》〈소아(小雅) 청승(靑蠅)〉에 "앵앵거리는 쉬파리 가시나무에 앉아있네. 남을 모함하는 참소꾼 망
극(罔極, 끝없음)하여 여러 나라를 혼란시키네." 하였다.】

86　比興: 《시경》 육의(六義)의 비(比)와 흥(興)을 말한 것이다. 비는 비유법으로, 쉬파리를 참소꾼에 비유한 위의 〈청승〉
편 등이 이에 해당한다. 흥은 어떤 물건을 보고 연상한 것을 앞에 써서 다음 구(句)를 흥기(興起)하는 것을 이른다. 《시경
(詩經)》의 육의는 풍(風)·아(雅)·송(頌)의 삼경(三經)과 흥(興)·부(賦)·비(比)의 삼위(三緯)를 이르는바, 풍·아·송은
시의 내용과 성질을 말하고, 흥·부·비는 시의 체제와 내용을 말한다.

87　詩營營靑蠅……交亂四國: 지극(止棘)의 시는 《시경(詩經)》〈소아 청승〉을 이른다. 육경(六經)은 여섯 가지 경전(經
典)으로 시(詩)·서(書)·역(易)·예(禮)·악(樂)·춘추(春秋)를 이르는데, 여기서는 특히 《시경》을 지칭한 것이다.

　　　　　… 棘 가시나무 극 讒 참소할 참 嫉 미워할 질

명선부鳴蟬賦

구양수歐陽脩

• 작품개요

이 작품은 앞서 나온 〈추성부(秋聲賦)〉와 함께 작자의 대표적인 문부(文賦)의 하나이다. 매미의 울음소리를 발단으로 삼아 만물의 울음[鳴]에 대해 논하고, 한 걸음 더 나아가 사람의 울음인 어언(語言)·문자(文字)까지 언급하였다. 여기서 어언·문자는 다름 아닌 '문장'인바, 이 작품을 '문장'에 대해서 논한 '문장론'으로도 볼 수 있을 것이다. '명(鳴)' 자를 통하여 문장을 논하였다는 측면에서 한유(韓愈)의 〈송맹동야서(送孟東野序)〉와 접점이 있는 작품으로, 양자를 함께 비교하여 읽어 볼 만하다.

篇題小註‥ 此篇은 因蟬鳴而及萬物之鳴하고 又因物鳴而及人之以文鳴하여 擺布推極하여 大有意味요 末仍結歸蟬聲하여 不走本題하니 家數大略與秋聲賦相似라 楊誠齋嘗屢提掇此賦하여 以爲歐陽氏故實云이라

이 편은 매미의 울음으로 인하여 만물의 울음을 언급하고 또 물건의 울음으로 인하여 사람이 문장으로 읊음을 언급하고는, 펼쳐놓고 미루어 지극히 해서 크게 의미가 있고, 끝에서는 다시 매미 소리로 귀결하여 본래의 제목을 떠나지 않았으니, 가수(家數, 풍격(風格))가 대략 〈추성부〉와 비슷하다. 양성재(楊誠齋, 양만리(楊萬里))는 일찍이 이 부(賦)를 여러 번 제시하여 구양수의 고실(故實, 옛날 역사)이라 하였다.

... 蟬 매미 선 擺 벌여놓을 파 屢 여러 루 掇 주울 철

嘉祐元年夏에 大雨水어늘 奉詔祈晴於醴泉宮할새 聞鳴蟬하고 有感而賦云이라

가우(嘉祐) 원년(元年, 1056) 여름에 큰 비가 내리자, 나는 조명(詔命)을 받들고 예천궁(醴泉宮)에서 기청제(祈晴祭)를 올렸는데, 매미 소리를 듣고 감동한 바가 있어 다음과 같이 부(賦)하였다.

肅祠庭以祇事兮여 瞻玉宇之崢嶸(쟁영)이라 收視聽以淸慮兮여 齋予心以薦誠이라 因以靜而求動兮여 見乎萬物之情이라 於是에 朝雨驟止하고 微風不興하니 四無雲而靑天이요 雷曳(예)曳其餘聲이라 乃席芳葯하고 臨華軒하니 古木數株 空庭草間이라

사당의 뜰에 엄숙히 제사를 받듦이여	肅祠庭以祇事兮
높이 솟아있는 옥우(玉宇, 화려한 궁전)를 쳐다본다	瞻玉宇之崢嶸
보고 들음을 거두어 생각을 깨끗하게 함이여	收視聽以淸慮兮
내 마음을 재계(齋戒)하여 정성을 올렸다	齋予心以薦誠
인하여 정(靜)으로써 동(動)을 구함이여	因以靜而求動兮
만물의 실정을 보노라	見乎萬物之情
이에 아침 비가 갑자기 멈추고	於是朝雨驟止
미풍(微風)도 일지 않으니	微風不興
사방으로 구름한 점 없는 푸른 하늘에	四無雲而靑天
우레는 우르릉 여운을 울리고 있었다	雷曳曳其餘聲
이에 아름다운 향풀에 앉고	乃席芳葯
화려한 난간에 임하니	臨華軒
고목 몇 그루가	古木數株
빈 뜰의 풀 사이에 있었다	空庭草間

爰有一物이 鳴于樹顚하니 引淸風以長嘯하고 抱纖柯而永歎이라 嘒(혜)嘒非管이요 泠(령)泠若絃하여 裂方號而復咽(열)하고 凄欲斷而還連이라 吐孤韻以難律하여 含

五音[88]之自然하니 吾不知其何物이요 其名曰蟬이라【此二句, 少疎漏, 文公嘗議之.】豈非因物造形하여 能變化者耶아【此以下, 學荀子諸賦造語.】出自糞壤하여【世謂蜣蜋化蟬.】慕清虛者耶아 凌風高飛하여 知所止者耶아 嘉木茂盛에 喜淸陰者耶아 呼吸風露하여 能尸解[89]者耶아 綽(작)約雙鬢이 修嬋娟(선연)者耶아 其爲聲也不樂不哀요 非宮非徵(치)라 胡然而鳴이며 亦胡然而止오

이때 어떤 물건이	爰有一物
나뭇가지 끝에서 우니	鳴于樹巓
시원한 바람을 끌어다가 길게 휘파람 불고	引淸風以長嘯
가는 나뭇가지를 안고 길게 탄식한다	抱纖柯而永歎
앵앵 울음 소리 피리 소리가 아니요	嘒嘒非管
시원하여 현을 타는 듯하다	泠泠若絃
찢어질 듯 막 부르짖다가 다시 오열하고	裂方號而復咽
처절하여 끊어질 듯하다가 다시 이어졌다	凄欲斷而還連
외로운 음운을 토하여 율(律)에 맞추기 어려우나	吐孤韻以難律
오음(五音)의 자연스러움을 품고 있으니	含五音之自然
나는 이것이 어떤 물건인지 알지 못하겠고	吾不知其何物
이름을 매미라 하였다	其名曰蟬

【이 두 구는 다소 소루하니, 문공(文公, 주자)이 일찍이 비판하였다.】

물건에 따라 형체를 만들어 능히 변화하는 자가 아니겠는가	豈非因物造形能變化者耶

【이 이하는 순자(荀子)가 지은 여러 부(賦)에 사용한 말을 흉내냈다.】

분양(糞壤, 거름흙)으로부터 나와서 청허(淸虛)를 사모하는 자인가	出自糞壤慕淸虛者耶

【세상에서는 쇠똥구리가 매미로 변한다고 말한다.】

바람을 타고 높이 날아 그칠 곳을 아는 자인가	凌風高飛 知所止者耶

---

88 五音: 궁(宮)·상(商)·각(角)·치(徵)·우(羽)의 다섯 음을 가리킨다.

89 尸解: 도가(道家)의 말로 '시해(屍解)'라고도 쓰니, 사람이 죽어 시신이 있으나 신선이 됨을 이른다. 《진서(晉書)》〈갈홍전(葛洪傳)〉에 "갈홍이 올연(兀然)히 조는 듯하다가 죽었는데……그 안색을 살펴보니 살아있는 듯하였고 몸도 유연하였으며, 시신을 들어 입관(入棺)하는데 매우 가벼워 비어있는 옷과 같았는바, 세상에서는 시해하여 신선이 되었다 하였다.〔洪坐至日中 兀然若睡而卒……視其顔色如生 體亦柔軟 擧尸入棺 甚輕 如空衣 世以爲尸解得仙云〕"라고 보인다.

··· 綽 얌전할 작 鬢 살쩍 빈 嬋 예쁠 선 娟 예쁠 연 徵 소리 치 胡 어찌 호

아름다운 나무가 무성함에 시원한 그늘을 좋아하는 자인가	嘉木茂盛 喜淸陰者耶
바람과 이슬을 호흡하여 시해(尸解)하는 자인가	呼吸風露 能尸解者耶
아리따운 두 갈래 귀밑머리로 고운 자태를 가꾸는 자인가	綽約雙鬟 修嬋娟者耶
그 소리는	其爲聲也
즐겁지도 않고 슬프지도 않으며	不樂不哀
궁성(宮聲)도 아니요 치성(徵聲)도 아니었다	非宮非徵
어쩌면 그렇게 울다가	胡然而鳴
또한 어쩌면 그렇게 멈추는가	亦胡然而止

吾嘗悲夫萬物이 莫不好鳴이라 若乃四時代謝[90]에 百鳥嚶(앵)兮며 一氣候至에 百蟲驚兮라 嬌兒姹(차)女는 語鸝(리)庚兮요 鳴機絡緯는 響蟋蟀(실솔)兮라 轉喉弄舌이【鳥.】 誠可愛兮요 引腹動股가【蟲.】 豈勉强而爲之兮아 至於汚池濁水에 得雨而聒(괄)兮며【蟆.】 飮泉食土하여 長夜而歌兮하니【蚓.】 彼蝦蟆(하마)는 固若有欲이어니와 而蚯蚓은 亦何求兮오 其餘大小萬狀을 不可悉名이로되【物鳴不止上所言者, 不可無此語該之.】 各有氣類하여 隨其物形하여 不知自止하여 有若爭能이라가 忽時變以物改면 咸漠然而無聲이라

나는 일찍이 만물이 울음을 좋아하는 것을 서글퍼하였다	吾嘗悲夫萬物莫不好鳴
사시(四時)가 번갈아듦에 온갖 새가 지저귀며	若乃四時代謝 百鳥嚶兮
한 기후가 이름에 온갖 풀벌레가 놀란다	一氣候至 百蟲驚兮
예쁘고 아리따운 계집아이의 목소리는 꾀꼬리의 노래요	嬌兒姹女 語鸝庚兮
베틀을 울리며 실을 짜는 것은 귀뚜라미의 노래이다	鳴機絡緯 響蟋蟀兮
목청을 굴리고 혀를 놀리는 것이 진실로 사랑스럽고	轉喉弄舌 誠可愛兮
【새이다.】	
배를 당기고 다리를 움직이는 것이 어찌 억지로 하는 것이겠는가	引腹動股 豈勉强而爲之兮
【풀벌레이다.】	
웅덩이의 탁한 물에서 비를 만나 시끄럽게 울며	至於汚池濁水 得雨而聒兮

---

90 四時代謝 : 대(代)는 교대해 오고 사(謝)는 떠나가는 것으로 봄, 여름, 가을, 겨울이 번갈아 교대하는 것을 말한다.

··· 嚶 울 앵 嬌 아리따울 교 姹 아리따울 차 鸝 꾀꼬리 리 緯 짤 위 蟋 귀뚜라미 실
蟀 귀뚜라미 솔 喉 목구멍 후 股 다리 고 汚 웅덩이 와 聒 떠들 괄 蝦 두꺼비 하
蟆 두꺼비 마 蚯 지렁이 구 蚓 지렁이 인 漠 조용할 막

【개구리이다.】

| 샘물을 마시고 흙을 먹으면서 긴 밤에 노래하기도 하니 | 飲泉食土 長夜而歌兮 |

【지렁이다.】

저 하마(蝦蟆, 개구리나 두꺼비)는 진실로 욕망이 있어 우는 듯하지만	彼蝦蟆固若有欲
저 지렁이는 또한 무엇을 구해서인가	而蚯蚓亦何求兮
그 나머지 크고 작은 만 가지 형상을	其餘大小萬狀
다 형언할 수 없으나	不可悉名

【우는 물건이 위에서 말한 것에 그치지 않으니, 그것을 다 아우르는 이 말이 없어서는 안 된다.】

각기 기류(氣類)가 있고	各有氣類
그 물형(物形)에 따라	隨其物形
스스로 그칠 줄을 몰라	不知自止
마치 재능을 다투는 듯하다가	有若爭能
갑자기 철이 변하여 물건이 바뀌면	忽時變以物改
모두 조용하여 소리를 내지 않는다	咸漠然而無聲

嗚呼라 達士所齊는 萬物一類라 人於其間에 所以爲貴는 蓋以巧其語言하며 又能傳於文字라 是以로 窮彼思慮하며 耗其血氣하여 或吟哦其窮愁하며 或發揚其志意하여【二句, 有窮·達之分.】雖共盡於萬物이나 乃長鳴於百世하니【此二句, 乃一篇之警策. 雖然以窮思慮, 耗血氣, 而能以文鳴, 不過詞章家者流之事耳, 必如此以鳴, 是反不如蟲鳥之鳴出於自然也. 理達之文, 何嘗若是其費力哉?】子亦安知其然哉리오 聊爲樂以自喜라 方將考得失, 較同異러니【有未盡之意.】俄而雲陰復興하고 雷電俱擊하여 大雨旣作하니 蟬聲遂息하니라【回護有收拾. ○歐公自跋云: "子因學書, 起作賦草, 他兒一視而過, 獨小子棐守之不去, 此兒他日, 必能爲吾此賦也. 因以與之."】

아! 슬프다	嗚呼
통달한 선비가 똑같이 여기는 바는	達士所齊
만물을 한 가지로 보는 것이다	萬物一類
사람이 이 사이에	人於其間
귀한 존재가 되는 까닭은	所以爲貴

그 언어를 아름답게 잘 꾸미며	蓋以巧其語言
또 문자로 전할 수 있기 때문이다	又能傳於文字
이 때문에 저 사려(思慮)를 다하고	是以窮彼思慮
그 혈기(血氣)를 소모하여	耗其血氣
혹은 자신의 곤궁함과 시름을 읊조리고	或吟哦其窮愁
혹은 자신의 의지(意志)를 발양(發揚)하여	或發揚其志意

【이 두 구에 곤궁한 자와 영달한 자의 구분이 있다.】

비록 만물과 똑같이 다하여 없어지나	雖共盡於萬物
마침내 백세(百世)에 길이 울리니	乃長鳴於百世

【이 두 구는 바로 한 편의 경책(警策)이다. 그러나 사려(思慮)를 다하고 혈기를 소모하여 능히 문장으로 우는 것은 사장가(詞章家) 부류의 일에 불과할 뿐이니, 반드시 이와 같이 운다면 이는 도리어 자연에서 나오는 풀벌레와 새 울음소리만 못한 것이다. 이치에 통달한 글이 어찌 일찍이 이와 같이 힘을 허비하였겠는가.】

나 또한 어찌 그러함을 알겠는가	子亦安知其然哉
애오라지 즐거워하면서 스스로 기뻐할 뿐이다	聊爲樂以自喜
바야흐로 득실(得失)을 상고하고	方將考得失
동이(同異)를 비교하고자 하였는데	較同異

【다하지 않은 뜻이 있다.】

얼마 후 검은 구름이 다시 일고	俄而雲陰復興
우레와 번개가 함께 쳐서	雷電俱擊
큰 비가 쏟아지니	大雨旣作
매미의 울음소리는 마침내 그치고 말았다	蟬聲遂息

【회호(回護)하여 수습함이 있다. ○구양공이 스스로 지은 발문에 다음과 같은 내용이 있다. "내가 글씨를 배움으로 인하여 부(賦)의 초고를 지었는데, 다른 아이들은 한 번 보고 지나갔으나 유독 작은아들 비(棐)가 이것을 간직하고 버리지 않았으니, 이 아이가 후일 반드시 나의 이와 같은 부를 지을 수 있을 것이다. 이에 이 부를 그에게 준다."】

송서무당남귀서送徐無黨南歸序

구양수歐陽脩

• 작품개요

　이 작품은 북송 인종(仁宗) 지화(至和) 원년(1054)에 지어진 '증서(贈序)'이다. 서무당(徐無黨)은 무주(婺州) 영강(永康) 사람으로 경력(慶曆) 초에 작자를 스승으로 섬겨 고문(古文)을 배우고, 작자가 편찬한 《신오대사(新五代史)》에 주석을 달았다. 이때 수도인 변경(汴京)에서 고향인 영강에 돌아가게 되자 작자가 이 글을 지어 증별한 것이다.

　'증서'란 앞서 나온 한유의 작품들에도 보이듯이, 떠나는 사람에게 지어주는 일종의 송별문이다. 이 작품에서는 사람을 전송할 적에 느끼는 일반적인 아쉬움과 슬픔이 그다지 드러나 있지 않고, 사제 간의 권면(勸勉)이 근간을 이루고 있다.

　작자는 《춘추좌씨전》 양공(襄公) 24년에 나오는 삼불후(三不朽), 즉 입덕(立德)·입공(立功)·입언(立言)을 골자로 삼아 제시하며 논의를 전개하였는데, 주된 내용은 말(문장)은 그저 전해질 수 있는 것이 아니라 덕이나 공에 의지한 뒤에야 진정으로 불후할 수 있다는 것이다. 작자는 서무당에게 수신입덕(修身立德)과 시사입공(施事立功)을 면려하는 한편 당시의 부사(浮奢)한 문풍(文風)을 간접적으로 비판하며 이러한 문장들은 후세에 길이 전해지기 어렵다는 점을 지적하였다.

　작품은 전체적으로 결구(結構)가 엄격·주밀하고 논리적인 성격이 뛰어나다. 논평·분석·탐구를 점층적으로 진행하여 조리와 논점이 정확하고 어조가 명쾌하기 때문에 매우 강한 설득력과 감화력을 지녔다. 특히 '입공은 가벼운 일이고 수신(修身 덕행)만이 중요한 일이며, 입언은 더욱 더 가벼운 일이다.'라고 하는 작자의 견해는 개인의 수양을 도외시하고 문장에만 주력하는 이들에게 참으로 '정문일침(頂門一鍼)'이 된다고 할 수 있겠다.

篇題小註‥ 此篇은 謂古人有三不朽하니 德行, 功業, 文章이 是也[1]라 文章之虛는 不如功業
之實이요 而文章, 功業이 皆本於德行之深하니 功業之不朽者는 固不待見(현)於文章이요 而
德行之不朽者는 亦不待見於功業이라 後世之士 其不得以功業自見이요 而以文章自見者
多矣라 然이나 往往泯沒不傳하여 而不能終古不朽者는 豈非徒用力於文章하여 而不知本於
德行哉아 所以勉徐生以思하니 欲其因文章而反求諸其本也니라

이 편의 주된 내용은 다음과 같다. 옛 사람이 세 가지 불후(不朽, 영원히 없어지지 않음)가 있다 하였
으니, 덕행(德行)과 공업(功業)과 문장(文章)이 이것이다. 문장의 공허함은 공업의 진실함만 못하고
문장과 공업은 모두 덕행의 깊음에 근본하니, 공업의 불후는 진실로 문장에 나타내지 않아도 되고,
덕행의 불후 또한 공업에 나타내지 않아도 된다. 후세의 선비들이 공업으로써 자신을 드러내지 못
하고 문장으로써 자신을 드러낸 자가 많다. 그러나 왕왕 문장이 없어지고 전해지지 못하여 영원히
불후하지 못함은 어찌 한갓 문장에만 힘을 쓰고 덕행에 근본을 둘 줄을 몰라서가 아니겠는가. 이 때
문에 서생(徐生)에게 생각하도록 권면하였으니, 그가 문장을 통해서 근본(덕행)을 되찾게 하고자 한
것이다.

• 原文

草木, 鳥獸之爲物과 衆人之爲人이 其爲生雖異나 而爲死則同하여 一歸於腐壞
澌(시)盡泯滅而已언마는 而衆人之中에 有聖賢者하니 固亦生且死於其間이로되 而
獨異於草木, 鳥獸, 衆人者하여 雖死而不朽하고 愈遠而彌存也라 其所以爲聖賢
者는 修之於身이요【德行.】施之於事요【功業.】見(현)之於言이니【文章.】是三者는 所以
能不朽而存也니라

초목(草木)과 조수(鳥獸) 등의 동식물과 중인(衆人)의 사람됨은 그 삶은 비록 다르나 죽음은

---

1   古人有三不朽……是也: 진(晉)나라에 사신 간 숙손표(叔孫豹)에게 진나라의 경(卿)인 범선자(范宣子)가 불후에 대
해 묻자, 숙손표는 이르기를 "최상은 덕행을 세움[立德]이고, 그 다음은 공업을 세움[立功]이고, 그 다음은 후대에 전할 만
한 말(문장)을 남김[立言]이다. 이는 세월이 아무리 오래 흐르더라도 없어지지 않으니, 이것을 불후라고 한다.[太上有立德
其次有立功 其次有立言 雖久不廢 此之謂不朽]"라고 하였다. 숙손표는 노(魯)나라의 경이다.《春秋左氏傳 襄公 24年》

똑같아서 한결같이 부패하고 파괴되어 다 없어져 사라짐으로 돌아갈 뿐이지만 중인 가운데 성현(聖賢)이 계시니, 진실로 또한 그 사이에 살고 죽으나 홀로 초목·조수와 중인들과는 달라서 비록 죽더라도 불후(不朽)하고 오래될 수록 더욱 보존된다. 그 성현이 되는 까닭은 덕행(德行)을 자기 몸에 닦고【덕행이다.】 공입(功業)을 일에 시행하고【공업이다.】 문장(文章)을 말에 나타내기 때문이니,【문장이다.】 이 세 가지가 불후하여 오래도록 보존될 수 있는 까닭이다.

修於身者는 無所不獲이요 施於事者는 有得. 有不得焉이요 其見於言者는 則又有能. 有不能焉이라 施於事矣면 不見於言이라도 可也니 自詩. 書. 史記所傳으로 其人이 豈必皆能言之士哉아 修於身矣면 而不施於事하고 不見於言이라도 亦可也니 孔門弟子 有能政事者矣요 有能言語者矣²로되 若顔回者는 在陋巷하여 曲肱飢臥而已요 其群居則默然終日하여 如愚人³이라 然이나 自當時로 群弟子皆推尊之하여 以爲不敢望而及하고 而後世更(경)千百歲에 亦未有能及之者하니 其不朽而存者固不待施於事어든 況於言乎아

〈덕행을〉 자기 몸에 닦는 자는 얻지 못하는 것이 없고, 〈공업을〉 일에 시행(施行)하는 자는 얻을 수도 있고 얻지 못할 수도 있으며, 〈문장을〉 말에 나타내는 자는 잘할 수도 있고 잘하지 못할 수도 있다. 공업을 일에 시행한다면 말에 나타내지 않아도 괜찮으니, 《시경(詩經)》과 《서경(書經)》과 《사기(史記)》에 전해지는 바를 가지고 살펴보면, 그 사람들이 어찌 반드시 모두 말(문장)을 잘하는 선비이겠는가?

덕행을 몸에 닦는다면 공업을 일에 시행하지 않고 문장을 말에 나타내지 않더라도 괜찮으니, 공자(孔子) 문하의 제자 중에 정사(政事)에 능한 자가 있었고 언어에 능한 자가 있었으나, 안회(顔回)와 같은 자는 누추한 골목에 있으면서 팔뚝을 굽혀 베고 굶주려 누워 있을 뿐이었으며, 여러 사람과 거처할 적에는 묵묵히 하루를 마쳐 어리석은 사람과 같았다. 그러나 당시

---

2 孔門弟子……有能言語者矣: 《논어》〈선진(先進)〉에 "덕행(德行)에는 안연(顔淵)·민자건(閔子騫)·염백우(冉伯牛)·중궁(仲弓)이었고, 언어(言語)에는 재아(宰我)·자공(子貢)이었고, 정사(政事)에는 염유(冉有)·계로(季路)였고, 문학(文學)에는 자유(子游)·자하(子夏)였다.〔德行 顔淵閔子騫冉伯牛仲弓 言語 宰我子貢 政事 冉有季路 文學 子游子夏〕"라고 보인다.

3 其群居則默然終日 如愚人: 《논어》〈위정(爲政)〉에 공자가 안회를 평하기를 "내가 회(回)와 더불어 말함에 종일토록 내 말을 어기지 않아 어리석은 사람인 듯하였는데, 물러간 뒤에 그의 사생활을 살펴봄에 충분히 발명(發明)하니, 안회는 어리석지 않구나!〔吾與回言 終日不違如愚 退而省其私 亦足以發 回也不愚〕"라고 하였다.

··· 陋 누추할 루 巷 골목 항 肱 팔뚝 굉 默 침묵할 묵 推 밀 추 更 지날 경

부터 여러 제자들이 모두 그를 추존(推尊)하여 감히 바라보아 미칠 수 없다고 여겼고, 후세에 천백 년을 지나서도 그 경지에 미칠 수 있는 자가 없으니, 불후하여 오래도록 보존됨은 진실로 공업을 일에 시행하지 않아도 되는데 하물며 문장을 말에 나타내는 것은 더 말해 무엇하겠는가.

予讀班固藝文志⁴와 唐四庫書目⁵하고 見其所列하니 自三代, 秦, 漢以來로 著書之士가 多者는 至百餘篇이요 小者도 猶三四十篇이라 其人을 不可勝數로되 而散亡磨滅하여 百不一二存焉이라

내가 반고(班固)의 《한서(漢書)》〈예문지(藝文志)〉와 당(唐)나라 사고(四庫)의 서목(書目)을 읽고 여기에 나열되어 있는 것을 보니, 삼대(三代)와 진(秦)·한(漢) 이후로 책을 저술한 인사가, 많은 자는 백여 편에 이르고 적은 자도 30~40편이 되어서 이런 사람들을 이루 헤아릴 수가 없었으나, 그 글들이 흩어져 없어지고 마멸(磨滅)되어 백에 한 둘 밖에 보존되지 못하였다.

予竊悲其人의 文章麗矣요 言語工矣로되 無異草木榮華之飄風과 鳥獸好音之過耳也라 方其用心與力之勞가 亦何異衆人之汲汲營營이리오마는 而忽(然)[焉]⁶以死者 雖有遲有速이나 而卒與三者로 同歸於泯滅하니 夫言之不可恃[也]⁷ 蓋如此라【無德行爲之本, 徒言, 固不可恃也.】今之學者 莫不慕古聖賢之不朽하여 而勤一世以盡心於文字間者는 皆可悲也니라

나는 그 사람의 문장이 아름답고 언어가 공교로웠으나 초목(草木)의 영화(榮華, 꽃)가 바람에 흩날리며 조수(鳥獸)의 아름다운 울음소리가 귓가를 스쳐 지나가는 것과 다름이 없음을 서글

4　班固藝文志 : 반고의 《한서》〈예문지〉는 유흠(劉歆)의 《칠략(七略)》을 모방하여 그 내용에 따라 육예략(六藝略)·제자략(諸子略)·시부략(詩賦略)·병서략(兵書略)·수술략(數術略)·방기략(方技略)의 육략(六略)으로 나누어 도서 목록을 수록하였다.

5　唐四庫書目 : 당 현종(唐玄宗)이 장안(長安)과 낙양(洛陽) 두 곳에 서고(書庫)를 짓고 갑(甲)·을(乙)·병(丙)·정(丁)으로 순서를 매겨 경(經)·사(史)·자(子)·집(集)의 사고(四庫)를 구분하였다.

6　(然)[焉] : 저본에는 '연(然)'으로 되어 있으나 《구양문충공집(歐陽文忠公集)》과 《당송팔가문초(唐宋八家文鈔)》에 의거하여 '언(焉)'으로 바로잡았다.

7　[也] : 저본에는 없으나 《구양문충공집》과 《당송팔가문초》에 의거하여 보충하였다.

퍼한다. 그 마음과 힘을 쓸 때의 수고로움이 또한 어찌 중인(衆人)들이 이익을 쫓기에 급급하고 영영(營營)하는 것과 다르겠는가. 갑자기 죽는 것은 비록 더디고 빠름이 있으나 끝내 세 가지(초목·조수·중인)와 더불어 다 없어지는 데로 돌아가니, 말의 믿을 수 없음이 이와 같다.【덕행이 근본이 됨이 없고 한갓 말(문장)만 잘하는 것은 진실로 믿을 수 없는 것이다.】지금 배우는 자들이 옛 성현의 불후를 사모하여 한 세상(일생)동안 부지런히 힘써서 문자 사이에 마음을 다하지 않는 자가 없으니, 이는 모두 슬퍼할 만하다.

東陽【婺州.】徐生이 少從予學하여 爲文章[8]에 稍稍見稱於人이러니 旣去에 乃與群士로 試於禮部하여 得高第하니 由是知名이라 其文辭日進하여 如水涌而山出하니 子欲摧其盛氣而勉其思也라【深意在言外.】故로 於其歸에 告以是言하노라 然이나 子固亦喜爲文辭者라 亦因以自警焉하노라

　동양(東陽)의【무주(婺州)이다.】서생(徐生, 서무당(徐無黨))은 어려서부터 나를 따라 배워서 문장을 지음에 차츰차츰 사람들에게 칭찬을 받았는데, 떠나간 다음 마침내 여러 선비들과 함께 예부(禮部)에서 시험을 보아 높은 등급을 얻으니, 이 때문에 이름이 알려졌다. 그의 문장이 날로 진전하여 마치 물이 솟아오르고 산이 우뚝 솟아나온 듯하였다. 나는 그의 성한 기운을 꺾고 그의 생각할 것을 권면하고자 하므로【깊은 뜻이 말 밖에 있다.】그가 돌아갈 적에 이 말로 고하는 것이다. 그러나 나도 진실로 문사(文辭)를 짓기 좋아하는 자이니, 또한 이를 통해 스스로 경계하고자 하노라.

8　少從予學 爲文章：《당송팔가문초》표점에는 '학(學)'에서 구(句)를 끊지 않고 연결하였으며,《고문진보언해본》에는 한 문장으로 연결하여 "나를 따라 문장 짓는 것을 배우다."로 해석하였으나, '학(學)'에는 여러 뜻이 있어서 경서도 배우고 역사책도 배우는바 문장을 짓는 방법만을 배운다고 해석하는 것은 뜻이 좁다고 생각하여 위와 같이 구를 끊고 해석하였다.

　　　　　　　　⋯　稍 점점 초 涌 솟아날 용 摧 꺾을 최

종수론縱囚論

구양수歐陽脩

• 작품개요

　　이 작품은 일종의 사론(史論)으로, 강정(康定) 원년(1040)에 지어진 것이다.《당서(唐書)》와《자치통감(資治通鑑)》에 의하면, 정관(貞觀) 6년(632) 12월에 태종(太宗)이 사형수 390명을 딱하게 여겨서 다음해 9월까지 다시 옥으로 돌아와 형을 받는다는 조건하에 그들을 석방하였는데, 사형수들이 매우 감격하여 약속한 기한에 맞춰 한 명도 빠짐없이 옥으로 돌아와 태종이 그들을 전부 사면하였다고 한다.

　　당 태종 이세민(李世民)은 통상 '정관지치(貞觀之治)'라는 태평 성세를 이룬 훌륭한 군주로 평가받으며, '종수(縱囚)' 사건 역시 줄곧 태종의 은덕으로 말미암아 죄수들이 교화된 것으로 해석되었다. 그러나 작자는 '종수'라는 하나의 사실(史實)에 대하여 의문을 제기하면서, 전통적인 견해와는 달리 '이 일은 교훈으로 삼을 만한 것이 못 된다'는 자신의 주장을 피력하고, 아울러 "요(堯)·순(舜)과 삼왕(三王)의 정치(政治)는 반드시 인정(人情)에 근본하여 특이(特異)한 것을 내세워 높은 체하지 않고, 인정을 미리 헤아려 명예를 구하지 않는 것이다.〔堯舜三王之治 必本於人情 不立異以爲高 不逆情以干譽〕"라는 견해를 명확하게 제시하였다.

　　작품의 골자는 문제의 제기·분석·해결의 세 단계로 구성된다. 기두(起頭)에서는 단도직입적으로 "신의(信義)는 군자(君子)에게 행해지고 형벌하여 죽임은 소인(小人)에게 베풀어진다.〔信義行於君子 而刑戮施於小人〕"라고 말을 시작하여 작품 전체의 기조를 정하고, '종수'라는 사건 그 자체가 인지상정(人之常情)에 어긋남을 지적하며 문제를 제기하였다. 문제를 분석할 적에 당 태종과 죄수들의 서로 다른 심리 상태를 추리해봄으로써 "윗사람과 아랫사람이 서로 상대방의 마음을 이용해서 이런 미명(美名)을 이루었다.[上下交相賊 以成此名也]"라는 결론을 얻었다. 동시에 그는 또 당 태종이 등극한 6년 동안 극악대죄를 범한 죄수들이 결코 사라지지 않았다는 사실을 통하여 우연한 '종수' 사건이 정치·교화상의 문제를 해결하지 못하였음을 증명하였다. 즉, 작자는 태종의 '종수'가 명예를 추구하는 한낱 지열한 수단임을 간파한 것이다. 문제를 해결할 적에는 매우 예리한 논조로 "반드시 인정에 근본해야 한다.[必本於人情]"라는 자신의 관점을 선명하게 드러내었다.

이 작품은 반문구(反問句)를 비교적 많이 사용하여 설득력을 더욱 강화시켰고, 문제를 분석할 적에 문답의 형식을 사용해 논증하여 작품의 가독성을 증가시켰다. 참으로 착상이 기발하고 문세가 힘찬 수작(秀作)이라고 하겠다.

篇題小註·· 唐太宗貞觀七年에 去年에 帝親錄繫囚라가 見應死者하고 悶之하여 縱使歸家호되 期以來秋來就死하고 仍勅天下死囚皆縱遺이라가 至期하여 來詣京師러니 至是九月하여 去歲所縱天下死囚凡三百九十人이 無人督帥(솔)이로되 皆如期自詣朝堂하여 無一人亡匿者어늘 上이 皆赦之하다

당 태종(唐太宗) 정관(貞觀) 7년(633)에 있었던 일이다. 지난해에 황제가 구속되어 있는 죄수들을 친히 기록하여 살펴보다가 사형에 해당하는 자들을 보고는 불쌍히 여겨 풀어주어 집으로 돌려보내되 다음해 가을에 와서 사형을 받도록 기약하고, 이어서 천하의 사형수들을 모두 풀어놓아 보내주었다가 기한이 되면 경사(京師, 장안(長安))로 오도록 칙명을 내렸었는데, 이해 9월에 이르러 지난해 풀어놓아 보내주었던 천하의 사형수 총 390명이 감독하여 인솔하는 자가 없었는데도 모두 기한에 맞추어 스스로 조당(朝堂, 조정)으로 와서 한 사람도 도망하여 숨은 자가 없었다. 이에 황제가 이들을 모두 사면하였다.

○歐公論此事에 得太宗之情하고 盡用刑之理라 文尤簡而當하고 婉而明하니 宜熟讀이니라

구양공은 이 일을 논함에 태종의 심정을 간파하고 형벌을 사용하는 이치를 다하였다. 문장이 더욱 간결하고 마땅하며 완곡하면서도 분명하니, 마땅히 익숙히 읽어야 할 것이다.

··· 繫 맬 계 縱 풀어놓을 종 悶 불쌍할 민 勅 조서 칙 詣 나아갈 예 帥 거느릴 솔 匿 숨을 닉 赦 용사할 사 婉 완곡할 완

- **原文**

信義는 行於君子하고 而刑戮은 施於小人하나니 刑入于死者는 乃罪大惡極이니 此又小人之尤甚者也요 寧以義死언정 不苟幸生하여 而視死如歸는 此又君子之尤難者也니라【敷演說, 未是主意, 亦幹旋好上.】

　　신의(信義)는 군자에게 행해지고 형육(刑戮, 형벌하여 죽임)은 소인에게 베풀어진다. 〈죄에 대한〉 형벌이 죽음에 들어간 자는 죄가 크고 악(惡)이 극에 이른 것이니 이는 또 소인 중에 더욱 심한 자요, 차라리 의(義)에 따라 죽을지언정 구차히 요행으로 살려고 하지 않아서 죽음을 자기 집으로 돌아가는 것처럼 여김은 이는 또 군자로서도 더욱 어려운 것이다.【부연하여 말한 것이니, 주된 뜻은 아니나 또한 전환한 것이 매우 좋다.】

方唐太宗之六年에 錄大辟囚三百餘人하여 縱使還家하고 約其自歸以就死하니【敍事省文, 亦高.】 是는 以君子之難能으로 期小人之尤者以必能也라 其囚及期而卒自歸하여 無後者하니【省了幾句.】 是는 君子之所難이요 而小人之所易也니 此豈近於人情이리오【一句折倒簡當.】

　　당(唐)나라 태종(太宗) 6년(632)에 대벽수(大辟囚, 사형수) 3백여 명을 기록하여 석방해서 집으로 돌려보내고는 그들이 스스로 돌아와 사형을 받도록 약속하였으니,【일을 서술함이 생략되고 문장 또한 고아하다.】 이는 군자도 하기 어려운 것을 가지고 소인 중에서도 더욱 심한 자에게 반드시 해내기를 기대한 것이다. 그런데 죄수들이 약속한 기일(期日)이 되자 마침내 스스로 돌아와서 뒤늦은 자가 없었으니,【몇 구를 생략하였다.】 이는 군자는 하기 어려운 바요, 소인은 하기 쉬운 바이다. 이것이 어찌 인정에 가깝겠는가.【한 구로 절도(折倒, 뒤집음)하였으니, 간략하고 마땅하다.】

或曰 罪大惡極은 誠小人矣나 及施恩德以臨之하여는 可使變而爲君子하니 蓋恩德入人之深而移人之速이 有如是者矣니라 曰 太宗之爲此는 所以求此名也라【說破.】 然이나 安知夫縱之去也에 不意其必來以冀免하여 所以縱之乎며 又安知夫被縱而去也에 不意其自歸而必獲免하여 所以復(부)來乎아【極是.】 夫意其必來而縱之면 是는 上賊下之情也요 意其必免而復來면 是는 下賊上之心也니 吾見上

····· 戮 죽일 륙　寧 차라리 녕　苟 구차할 구　辟 형벌 벽　安 어찌 안　冀 바랄 기　賊 해칠 적
烏 어찌 오

下交相賊하여 以成此名也로니 烏有所謂施恩德與夫知信義者哉리오【此段關鎖斷制, 文極有法.】 不然이면 太宗施德於天下 於茲六年矣어늘 不能使小人不爲極惡大罪 하고 而一日之恩이 能使視死如歸而存信義는 此又不通之論也니라【此一轉, 幷後又 有三轉, 多少好議論.】

혹자는 말하기를 "죄가 크고 악이 극에 이른 것은 진실로 소인이지만 은덕을 베풀어 그들을 대함에 미쳐서는 변화시켜 군자가 되게 할 수 있으니, 은덕(恩德)이 사람에게 깊이 들어가서 사람을 신속하게 변화시킴이 이와 같다." 하였다.

나는 이에 대하여 다음과 같이 말한다.

"태종이 이런 일을 한 것은 이러한 이름(은덕을 베풀었다는 아름다운 이름)을 구하려고 한 것이 다.【설파하였다.】 그러나 태종이 죄수들을 석방하여 보낼 적에 그 죄수들이 반드시 돌아와서 사면되기를 바랄 것임을 미리 헤아리지 않고서 석방한 것인지 어찌 알겠으며, 또 죄수들이 석방되어 떠나갈 적에 스스로 돌아오면 틀림없이 사면될 것임을 미리 헤아리지 않고서 다시 온 것인지 어찌 알겠는가.【지극히 옳다.】 반드시 돌아오리라고 생각하여 석방해주었다면 이는 윗사람이 아랫사람의 마음을 도둑질한 것이요, 반드시 사면될 것이라고 생각하여 다시 왔다 면 이는 아랫사람들이 윗사람의 마음을 도둑질한 것이다. 내가 보건대, 윗사람과 아랫사람이 서로 도둑질해서 이런 미명(美名)을 이룬 것이니, 이른바 은덕을 베풀었다는 것과 신의를 알 았다는 것이 도대체 어디에 있는가.【이 단락의 관쇄(關鎖, 끝맺음)와 단제(斷制)는 문장에 매우 법도가 있다.】

그렇지 않다면 태종이 천하에 은덕을 베푼 지가 이때에 이미 6년이었는데도 소인들로 하여 금 극악대죄(極惡大罪)를 짓지 않게 하지 못하고, 하루아침의 은혜로 죽음을 보기를 집으로 돌 아가는 것처럼 여기게 하여 신의를 보존하였다는 것은 이는 또 통할 수 없는 의론이다."【여기 서는 한 번 전환하고, 아울러 뒤에서도 또 세 번 전환한 부분이 있으니, 의론이 좋다.】

然則何爲而可오 曰 縱而來歸어든 殺之無赦하고 而又縱之而又來면 則可知爲恩 德之致爾라 然이나 此는 必無之事也라 若夫縱而來歸而赦之는 可偶一爲之爾니 若屢爲之면 則殺人者皆不死하리니 是可爲天下之常法乎아 不可爲常者 其聖人 之法乎아 是以로 堯舜三王之治는 必本於人情하여【應豈近於人情.】 不立異以爲高하 고 不逆情以干譽하나니라【簡健.】

··· 致 이룰 치 屢 자주 루 逆 미리 역 干 구할 간

"그렇다면 어찌해야 되는가?" "석방했다가 돌아오면 죽여서 용서하지 말고 그 후에 또 석방해도 다시 돌아온다면 이는 은덕의 소치임을 알 수 있다. 그러나 이는 반드시 없는 일이다. 석방해주었다가 돌아옴에 죄를 용서해주는 것은 우연히 어쩌다가 한 번 할 수 있을 뿐이다. 만일 여러 번 이렇게 한다면 사람을 죽인 자가 모두 죽지 않을 것이니, 이것이 천하의 떳떳한 법이 될 수 있겠는가. 떳떳한 법이 될 수 없는 것이 어찌 성인(聖人)의 법이겠는가. 이 때문에 요(堯)·순(舜)과 삼왕(三王)의 정치는 반드시 인정(人情)에 근본하여【'어찌 인정에 가깝겠는가〔豈近於人情〕'에 응한다.】특이(特異)한 것을 내세워 높은 체하지 않고, 인정을 미리 헤아려 명예를 구하지 않는 것이다."【간략하고 힘차다.】

붕당론朋黨論

구양수歐陽脩

• 작품개요

　　이 작품은 송나라 경력(慶曆) 4년(1044)에 인종(仁宗)에게 올린 주장(奏章)으로, 보수파(保守派)의 '붕당을 짓는다'는 무함에 대하여 사리를 따져 밝히는 것이 그 목적이다.

　　경력 3년(1043)에 범중엄(范仲淹)·부필(富弼)·한기(韓琦)·두연(杜衍)이 동시에 조정에서 집권하고 작자 구양수와 채양(蔡襄)·여정(余靖)·왕소(王素)가 함께 간관(諫官)이 되었는데, 이때 이들의 주도하에 정치 개혁이 시작되었는바, 역사에서는 이를 '경력신정(慶曆新政)'이라 한다.

　　그러나 범중엄과 구양수 등은 이전부터 보수파 관료들에게 '붕당'으로 지목되었던 상태였고, 그 이후로 줄곧 조정에서는 '붕당을 짓는다'는 의론이 끊이지 않고 제기되었다. 이에 보원(寶元) 원년(1038)에는 인종이 특별히 붕당에 대해 경계하는 조서를 내리기까지 하였다.

　　경력 3년에 이르면 보수파인 여이간(呂夷簡)은 면직되었지만 여전히 조정에서 큰 영향력을 발휘하고 있었고, 개혁을 반대하기 위하여 하송(夏竦)을 수장으로 하는 보수파 관료들은 범중엄·구양수 등을 '당인'으로 지목하여 정식으로 공격하였다. 당시 간관이었던 작자는 보수파들의 이러한 비난을 논박하기 위하여 경력 4년에 이 작품을 지어 올린 것이다.

　　작품은 간결한 문세에 순차적 논리 전개가 두드러지는데, 타당한 근거와 투철한 분석으로 인하여 그 주장을 반박할 수 없는 논리적인 힘을 갖추고 있다. 특히 '붕당'이라는 당시의 금기어를 거리낌 없이 사용하여 붕당에는 군자와 소인의 원칙적인 구별이 있음을 지적하였다. 아울러 역사적 사례를 인증(引證)함으로써 군자의 붕당은 국가에 유익하나 소인의 붕당은 국가에 유해함을 설명하고, 군자의 참된 붕당을 나아오게 하여 쓰고 소인의 거짓된 붕당을 물리칠 것을 군주에게 바라고 있다.

　　작자는 붕당의 객관적 존재를 정면으로 지적하며, 붕당을 반대하는 것을 구실로 삼는 자들이야
말로 붕당을 짓고 있음을 간파하고, 군주가 군자의 붕당과 소인의 붕당을 구별하여 군자의 붕당을
중용하고 소인의 붕당을 배척하기 바랐다. 작품은 전체적으로 대비(對比)를 통하여 비판을 가하였
는데, 배우구(排偶句)를 적절히 사용함으로써 의론의 기세를 더욱 증가시킨 것이 특색이라고 하겠다.

篇題小註‥ 自朋黨之名이 起於弘恭, 石顯하여 以是而譖蕭望之, 周堪, 劉向[9]이러니 而後小
人之傾善類者 往往以此로 一網打盡之하니 後漢之黨錮와 李唐之牛, 李와 宋之蜀黨, 洛黨,
元祐黨, 僞學黨[10]은 其禍極矣라 公在諫院하여 進此論하니 亦劉向封事遺意也[11]라 向曰 孔子
與顏淵, 子貢으로 更(경)相稱譽호되 不爲朋黨이요 禹, 稷, 皐陶轉相汲引호되 不爲比周하니 何
則고 忠於爲國하여 無邪心也라하니 歐公이 不過推極之耳라 要之컨대 君子는 可以朋言이요 不
可以黨言이니 公이 雖不說破나 然終篇用朋字黨字하여 未嘗苟也하니 細觀則見之니라

9　自朋黨之名……劉向 : 홍공(弘恭)과 석현(石顯)은 전한(前漢) 원제(元帝) 때의 환관으로 두 사람이 차례로 중서령(中
書令)을 맡아 당시 국가를 염려하여 직언을 하던 유향(劉向) 등을 모함해서 축출하고 권력을 독점하여 나라를 어지럽혔
다. 원제 즉위 초에 태자태부(太子太傅) 소망지(蕭望之)와 주감(周堪)이 치란(治亂)과 왕도(王道)를 진언하여 황제를 보
필하였고, 유갱생(劉更生 유향) 등을 등용하여 정치를 보좌하게 하였다. 그런데 당시 정권을 농락하던 환관 홍공과 석현
등은 소망지 등을 당인(黨人)이라고 탄핵하여 하옥시키고, 소망지가 원망하는 마음을 품고 있다고 모함하자, 소망지는 음
독 자살하였고 유갱생은 10여 년 동안 폐고(廢錮)되었다.《漢書 卷78 蕭望之傳》

10　後漢之黨錮……僞學黨 : '당고(黨錮)'는 후한 말기 당시 권력을 쥐고 있던 환관들이 진번(陳蕃)·이응(李膺)·범방(范
滂) 등의 명사(名士)들을 붕당(朋黨)을 한다고 지목하여 죽이거나 금고시킨 사건을 가리키며, '우(牛)·이(李)'는 당(唐)나
라의 우승유(牛僧孺)와 이덕유(李德裕)로, 이들은 서로 파당(派黨)을 지어 싸웠다. '촉당(蜀黨)'과 '낙당(洛黨)'은 북송의
동파(東坡) 소식(蘇軾)은 촉지방 출신이고 이천(伊川) 정이(程頤)는 낙양에 살았기 때문에 붙여진 이름인데, 동파와 이천
두 문인(門人)들이 서로 다툼으로 인하여 반목(反目)이 심하였다. '원우(元祐)'는 북송 철종의 연호로 이때 왕안석의 신법
(新法)에 반대하는 사마광(司馬光)·여공저(呂公著) 등 수백 명의 명사들을 원우당인(元祐黨人)으로 몰아 축출하였으며,
'위학'은 거짓 학문이란 뜻으로, 남송(南宋) 영종(寧宗) 때에 도학파(道學派)로 알려진 주자(朱子)를 그 반대파들이 모함하
기 위하여 붙인 이름이다.

11　亦劉向封事遺意也 : 유향은 본명이 유갱생(劉更生)으로 황실의 종친이었는데, 당시 환관과 외척이 결탁하여 정직한
선비들을 붕당을 한다고 모함하는 것을 보고 영광(永光) 원년(B.C. 43)에 글을 올려 붕당이란 말의 옳지 못함을 지적하였
는바, 여기에 "옛날 공자(孔子)가 안연(顏淵)·자공(子貢)과 함께 칭찬하였으나 붕당이 되지 않았고, 우(禹)·직(稷)과 고요
(皐陶)가 번갈아 서로 이끌어 천거하였으나 비주(比周)가 되지 않았으니, 어째서이겠습니까? 나라를 위함에 충성스러워
간사한 마음이 없었기 때문입니다."라고 강력히 주장하였다. '봉사(封事)'는 봉사소(封事疏)로 국가의 중대한 사안을 말할
경우 봉함하여 올려 제왕이 직접 보게 하는 것이다.《前漢書 卷36 楚元王傳》

붕당이란 명칭이 전한(前漢)의 홍공(弘恭)과 석현(石顯)에게서 비롯되어 이 말로써 소망지(蕭望之)·주감(周堪)·유향(劉向)을 모함하였는데, 이후로 소인 중에 착한 선비들을 모함하는 자들이 왕왕 이 말로써 일망타진(一網打盡)하였는바, 후한(後漢)의 당고(黨錮)와 이당(李唐)의 우(牛)·이(李)와 송나라의 촉당(蜀黨)·낙당(洛黨)·원우당(元祐黨)·위학당(僞學黨)은 그 화(禍)가 극에 달하였다.

구양공은 간원(諫院)에 있으면서 이 논을 올렸으니, 또한 유향이 봉사(封事)를 올린 뜻이라고 하겠다. 유향은 이르기를 "공자(孔子)가 안연(顏淵)·자공(子貢)과 함께 번갈아 서로 칭찬하셨으나 붕당이 되지 않고, 우(禹)·직(稷)과 고요(皐陶)가 돌아가며 서로 이끌어 천거하였으나 비주(比周, 사사로이 친함)가 되지 않았으니, 어째서인가? 나라를 위함에 충성스러워 간사한 마음이 없었기 때문이다." 하였으니, 구양공은 이 말을 미루어 지극히 한 것에 불과할 뿐이다. 요컨대 군자는 '붕(朋)'이라고 말할 수 있으나 '당(黨)'이라고 말할 수는 없으니, 구양공이 비록 이것을 설파하지 않았으나 이 편을 마치도록 '붕' 자와 '당' 자를 사용하여 일찍이 구차하지 않은바, 이것을 세세히 관찰하면 볼 수 있다.

• 原文

臣聞朋黨之說이 自古有之하니 惟幸人君이 辨其君子小人而已라 大凡君子는 與君子로 以同道爲朋하고 小人은 與小人으로 以同利爲朋하나니 此自然之理也니이다

신은 듣건대, 붕당(朋黨)에 관한 설(說)이 예로부터 있었으니, 오직 인군께서 군자와 소인을 분별하시기를 바랄 뿐입니다. 대체로 군자는 군자와 더불어 도(道)를 함께하여 붕(朋)이 되고, 소인은 소인과 더불어 이익을 함께하여 붕이 되니, 이는 당연한 이치입니다.

然이나 臣謂小人無朋이요 惟君子則有之라하노니 其故는 何哉오 小人은 所好者利祿也요 所貪者財貨也라 當其同利之時하여 暫相黨引以爲朋者는 僞也라 及其見利而爭先하고 或利盡而交疎하여는 甚者는 反相賊害하여 雖其兄弟親戚이라도 不能相保라 故로 臣謂小人無朋이니 其暫爲朋者는 僞也라하노이다

그러나 신은 생각하건대, 소인은 붕(朋)이 없고 오직 군자에게만 붕이 있다고 여기니, 그 까닭은 어째서이겠습니까? 소인은 좋아하는 것이 이(利)와 녹(祿)이고, 탐하는 것이 재화(財貨)

••• 貪 탐할 탐　暫 잠시 잠

입니다. 이익을 함께 할 때에 잠시 서로 당을 만들고 끌어들여서 붕으로 삼는 것은 거짓입니다. 이익을 보고서는 먼저 차지하려고 다투고 혹 이익이 다하여 교분이 소원해지면 심한 경우에는 도리어 서로 해쳐 비록 형제간과 친척간이라도 서로 보호하지 못합니다. 그러므로 신은 이르기를 '소인은 붕이 없으니, 잠시 붕으로 삼는 것은 거짓이다.'라고 하는 것입니다.

君子則不然하여 所守者道義요 所行者忠信이요 所惜者名節이라 以之修身이면 則同道而相益하고 以之事國이면 則同心而共濟하여 終始如一하니 此君子之朋也라 故로 爲人君者는 但當退小人之僞朋하고 用君子之眞朋이면 則天下治矣리이다【惟君子可以朋言, 小人之朋, 則必以僞言矣, 道理旣明, 下文乃用事證.】

군자는 그렇지 않아 지키는 것은 도의(道義)이고 행하는 것은 충신(忠信)이며 아끼는 것은 명절(名節)입니다. 이로써 몸을 닦으면 도를 함께하여 서로 유익하고, 이로써 나라를 섬기면 마음을 함께하여 공(功)을 이루어 처음부터 끝까지 변함이 없으니, 이것이 군자의 붕입니다. 그러므로 인군이 된 자는 다만 마땅히 소인의 거짓된 붕을 물리치고 군자의 참된 붕을 등용해야 하니, 그렇게 된다면 천하가 다스려질 것입니다.【오직 군자만이 붕(朋)이라고 말할 수 있고 소인의 붕은 반드시 거짓으로 말한 것이니, 도리(道理)가 이미 분명한데 아래 글에서 마침내 고사를 인용하여 증명하였다.】

堯之時에 小人共工, 驩兜等四人[12]이 爲一朋하고 君子八元, 八愷(凱)十六人[13]이 爲一朋이어늘 舜佐堯하사 退四凶小人之朋하시고 而進元愷君子之朋하시니 堯之天下大治하고 及舜自爲天子하여는 而皐, 夔, 稷, 契(설)等二十二人[14]이 竝列于朝하여

---

12 小人共工, 驩兜等四人: 네 사람은 공공(共工)·환도(驩兜) 및 우왕(禹王)의 아버지인 곤(鯀)과 삼묘(三苗)의 군주를 이르는바, 이들을 사흉(四凶)이라 칭하였다. 《서경》〈우서(虞書) 순전(舜典)에 "공공을 유주(幽洲)에 유배 보내고, 환도를 숭산(崇山)으로 추방하고, 삼묘(三苗)의 군주를 삼위(三危)로 귀양 보내고, 곤(鯀)을 우산(羽山)에 안치시켰다.[流共工于幽洲 放驩兜于崇山 竄三苗于三危 殛鯀于羽山]"라고 보인다. 공공은 관명(官名)으로 성명은 전하지 않으며, 삼묘의 군주 역시 성명이 미상이다.

13 君子八元八愷十六人: '팔원(八元)'과 '팔개(八愷)'는 여덟 명의 선인(善人)과 여덟 명의 훌륭한 사람인데, 팔원은 백분(伯奮)·중감(仲堪)·숙헌(叔獻)·계중(季仲)·백호(伯虎)·중웅(仲熊)·숙표(叔豹)·계리(季狸)이고, 팔개는 창서(蒼舒)·퇴개(隤凱)·도연(檮戭)·대림(大臨)·방강(厖降)·정견(庭堅)·중용(仲容)·숙달(叔達)이다.《春秋左氏傳 文公 18年》

14 皐, 夔, 稷, 契等二十二人: 사악(四岳) 한 명과 지방 장관인 십이목(十二牧) 및 순(舜) 임금이 직접 이름을 들어 임명한 백우(伯禹, 우왕)·기(棄)·설(契)·고요(皐陶)·수(垂)·익(益, 백익(伯益))·백이(伯夷)·기(夔)·용(龍) 등을 이르는바,

更(경)相稱美하며 更相推讓하여 凡二十二人이 爲一朋이어늘 而舜皆用之하사 天下
亦大治하니이다

요(堯) 임금 때에 소인인 공공(共工)과 환도(驩兜) 등 네 사람이 한 붕(朋)이 되었고, 군자인
팔원(八元), 팔개(八愷) 등 16명이 한 붕이 되었는데, 순(舜) 임금은 요 임금을 도와 사흉(四凶)
인 소인의 붕을 물리치고 팔원, 팔개인 군자의 붕을 등용하시니 요 임금의 천하가 크게 다스
려졌습니다. 순 임금 자신이 스스로 천자가 됨에 이르러는 고요(皐陶) · 기(夔) · 후직(后稷) ·
설(契) 등의 22명이 함께 조정에 나열되어 번갈아 서로 상대방의 아름다움을 칭찬하고 번갈
아 서로 자리를 미루고 사양하여 22명이 한 붕이 되었는데, 순 임금은 이들을 모두 등용하여
천하가 또한 크게 다스려졌습니다.

書曰 紂有臣億萬호되 惟億萬心이어니와 周有臣三千하니 惟一心이라하니 紂之時에
億萬人이 各異心하니 可謂不爲朋矣로되 然紂以此亡國하고 周武王之臣은 三千人
이 爲一大朋이로되 而周用以興하니이다

《서경(書經)》〈태서(泰誓)〉에 "상(商)나라 주왕(紂王)은 신하 억만(10만) 명을 두었는데 마음이
억만으로 다르지만 주(周)나라는 신하 3천 명을 두었는데 오직 한 마음이었다."라고 하였습니
다. 주왕의 때에 억만 사람이 각기 마음을 달리하였으니 붕이 되지 않았다고 이를 만하였으
나 주왕은 이 때문에 나라를 망쳤고, 주나라 무왕(武王)의 신하는 3천 명이 하나의 큰 붕이 되
었으나 주나라는 이들을 등용하여 흥하였습니다.

後漢獻帝[15]時에 盡取天下名士하여 囚禁之하고 目爲黨人이러니 及黃巾賊起하여 漢

《서경》〈우서(虞書) 순전(舜典)〉에 자세히 보인다. 기(棄)는 성이 희(姬)이며 농관(農官)인 후직(后稷)이 되었는바, 본문의
직(稷)은 바로 그를 가리킨 것이다.

15 後漢獻帝: 헌제(獻帝)는 후한의 마지막 임금 유협(劉協)의 묘호로, 아홉 살 때에 동탁(董卓)에 의해 제위에 올랐다.
그런데 군벌인 동탁과 조조(曹操)에게 견제당하여 황제 노릇을 제대로 하지 못하였으며, 뒤에는 조조의 아들 조비(曹丕)에
게 쫓겨나 산양공(山陽公)이 되었다. 붕당을 금한 것은 환제(桓帝)와 영제(靈帝)인데, 영제가 특히 심하였는바, 여기의 헌제
는 마땅히 영제가 되어야 할 것이다. 후한 영제 때 환관(宦官)들의 전횡(專橫)을 막기 위해 사대부인 진번(陳蕃)과 이응(李
膺) 등이 대장군 두무(竇武)와 함께 환관을 살해하려다가 실패하여 진번과 이응 등 100여 인이 피살되고, 700여 명이 수
금(囚禁)되었는데, 이를 당고지화(黨錮之禍)라고 한다.《後漢書 卷97 黨錮列傳》

⋯ 夔 공경할 기 更 번갈아 경 稷 피 직 契 사람이름 설 紂 사람이름 주 囚 가둘 수

室大亂¹⁶일새 後方悔悟하여 盡解黨人而釋之나 然已無救矣요 唐之晚年에 漸起朋黨之論이러니 及昭宗時에 盡殺朝之名士하여 或投之黃河하고 曰 此輩는 淸流라 可投濁流라하니 而唐遂亡矣¹⁷니이다【用事已盡, 下文却紐上事, 作議論.】

후한(後漢) 헌제(獻帝) 때에 천하의 명사(名士)들을 모두 잡아 가두고 당인(黨人)이라 지목하였는데, 황건적(黃巾賊)이 일어나 한나라가 크게 혼란하자, 그러한 뒤에야 비로소 뉘우치고 깨달아 당인들을 모두 풀어 석방하였으나 이미 구제할 수가 없었습니다. 당(唐)나라 말년에 붕당에 관한 의론이 점점 일어났는데 소종(昭宗) 때에 이르러 조정의 명사들을 모두 죽이고 혹은 이들을 황하(黃河)에 던지며 말하기를 "이들은 청류(淸流)이니, 탁류(濁流)에 던질 만하다."라고 하더니, 당나라는 마침내 망하였습니다.【고사를 인용함이 이미 극진한데, 아래 글에서 위의 일과 엮어서 의론을 만들었다.】

夫前世之主 能使人人異心하여 不爲朋이 莫如紂요 能禁絶善人爲朋이 莫如漢獻帝요 能誅戮淸流之朋이 莫如唐昭宗之世나 然皆亂亡其國하니이다

전대(前代)의 군주 중에 사람마다 마음을 달리하여 붕이 되지 못하게 한 것은 주왕보다 더한 이가 없고, 선인(善人)이 붕이 되는 것을 금지한 것은 후한의 헌제보다 더한 이가 없고, 청류의 붕을 주륙(誅戮)한 것은 당나라 소종의 시대보다 더한 적이 없습니다. 그러나 그들은 모두 그 나라를 어지럽혀 멸망하게 하였습니다.

---

16 黃巾賊起 漢室大亂 : 황건적(黃巾賊)은 후한(後漢) 영제(靈帝) 때에 장각(張角)이 자칭 '황천(黃天)'이라 하고 농민을 충동질하여 일으킨 반란군인데, 전염병이 유행할 때 도가의 의술로 치료하며 백성들을 현혹시켜 만든 단체이다. 그 수가 수십만에 이르고 모두 황건(黃巾)으로 머리를 쌌으므로 황건군 또는 황건적이라 불렀다. 난은 평정되었으나 한나라는 이 때문에 망하게 되었다. 《後漢書 卷8 靈帝紀》

17 及昭宗時……而唐遂亡矣 : 소종(昭宗)은 의종(懿宗)의 아들로, 환관의 세력에 의해 옹립되었으나 그들에 의해 실권을 빼앗겼고 결국 주전충(朱全忠)에게 죽임을 당하였다. 당(唐)나라의 마지막 황제이자 소종의 아들인 애제(哀帝) 때에 재상 유찬(柳璨)이 주전충의 뜻에 영합하여 대신(大臣)인 배추(裴樞) 등 조사(朝士)들을 참소해서 활주(滑州) 백마역(白馬驛)에서 죽였는데, 과거에 여러 번 급제하지 못해서 조사들에게 불만을 품고 있던 이진(李振)이 주전충의 좌리(佐吏)로 있다가 "이들이 스스로 청류(淸流)라고 말하니 황하(黃河)에 던져 넣어서 영원히 탁류(濁流)가 되게 해야 합니다.【此輩自謂淸流 宜投於黃河 永爲濁流】"라고 하자, 주전충이 그 말을 따랐다고 한다. 그 후 907년에 주전충은 애제를 폐하고 후량(後梁)을 세웠다. 《通鑑節要 卷48 唐紀 昭宣帝》《舊五代史 卷18 梁書 李振列傳》

更(경)相稱美推讓하여 而不自疑가 莫如舜之二十二人이요 舜亦不疑而皆用之나 然而後世에 不誚舜爲二十二人朋黨所欺하고 而稱舜爲聰明之聖者는 以其能 辨君子與小人也라 周武之世에 擧其國之臣三千人이 共爲一朋하니 自古爲朋之 多且大莫如周나 然周用此以興者는 善人은 雖多而不厭也일새니 夫興亡治亂之 迹을 爲人君者 可以鑑矣니이다【君子有朋而無黨, 此說可破朋黨之論.】

번갈아 서로 칭찬하고 자리를 미루고 사양하여 스스로 의심하지 않은 것은 순 임금의 22명 의 신하보다 더한 이가 없고, 순 임금 또한 이들을 의심하지 않고 모두 등용하였으나 후세에 서는 순 임금이 22명의 붕당에게 속임을 당하였다고 꾸짖지 않고, 순 임금을 총명한 성군(聖 君)이라고 칭찬하니, 이것은 군자와 소인을 분별하였기 때문입니다.

주나라 무왕의 세대에 온 나라의 신하 3천 명이 함께 한 붕이 되었으니, 예로부터 붕(朋)을 이룸에 많고도 큰은 주나라보다 더한 나라가 없으나 주나라가 이들을 등용하여 흥한 것은, 선인(善人)은 비록 많더라도 싫지 않기 때문입니다. 저 흥망(興亡)과 치란(治亂)의 자취를 인군 이 된 자는 거울로 삼아야 할 것입니다.【군자는 붕(朋)만 있고 당(黨)이 없으니, 이 설은 붕당의 의론을 깨트릴 만하다.】

… 誚 꾸짖을 초 厭 싫을 염 迹 자취 적

족보서族譜序

소순蘇洵 명윤明允

- **작가소개**

　　소순(蘇洵, 1009~1066)은 자가 명윤(明允)이고, 자호(自號)가 노천(老泉)으로 미주(眉州) 미산(眉山) 사람이다. 젊었을 적에 독서를 좋아하지 않았고 부친이 건재하였기 때문에 가족을 부양해야 하는 부담도 없어서 이백과 두보처럼 임협(任俠)과 장유(壯遊)를 일삼아 적잖은 지방을 돌아다녔다. 그의 자술에 의하면, 25세인 명도(明道) 2년(1033)에야 제대로 된 독서를 시작하게 되었다고 한다. 27세인 경우(景祐) 2년(1035)에는 학문이 성취되기 전에 어떠한 문장도 짓지 않겠다고 스스로 다짐하고서 발분독서(發憤讀書)하였는데, 경우 4년과 5년에 연달아 과거에 낙방하였다. 이후 줄곧 집에 거처하며 독서에만 매진하였다.

　　가우(嘉祐) 원년(1056)에 아들 소식(蘇軾)·소철(蘇轍)을 데리고 경사에 가서 과거에 응시하고 한림학사(翰林學士) 구양수(歐陽脩)를 알현하였는데, 〈형론(衡論)〉·〈권서(權書)〉·〈기책(幾策)〉 등을 그에게 보여주고 크게 인정받아 세상에 문명을 떨쳤다.

　　그의 문장은 《맹자》·《전국책》의 영향을 깊이 받아 문체가 간경(簡勁)하고 질박한데, 책론(策論)에 더욱 뛰어났다. 아들 소식, 소철과 함께 '삼소(三蘇)'라 불렸고, 또 함께 당송팔대가의 반열에 들어갔다. 문집으로 《가우집(嘉祐集)》이 전한다.

- **작품개요**

　　이 작품은 〈족보인(族譜引)〉이라고도 하는바, '인(引)'은 서(序)와 같은 뜻이다. 작자가 미주(眉州)에 사는 소씨(蘇氏) 집안의 족보를 처음으로 만들고 족보를 만든 이유를 간결하게 설명한 글이다.

중국의 족보는 소순이 만든 것에서 비롯되어 성행하게 되었으며, 우리나라에도 큰 영향을 미쳤다. 그러나 이 서문의 내용으로 보면 일반적인 족보라기보다는 자기 선대만을 간략하게 기술한 가승(家乘)에 가까운 형태로 보인다.

작자는 이 작품 외에 〈소씨족보정기(蘇氏族譜亭記)〉도 지었는데, 여기에 "지금 우리 일족은 복(服)을 입는 가까운 친척이 100명에 불과하지만 해마다 철에 따라 지내는 제사에 서로 함께 기쁨과 우애를 다하지 못하고, 조금 먼 친척은 서로 왕래조차도 하지 않으니, 이는 우리 향당과 이웃 마을에 보여줄 수 없는 것이다. 이에 《소씨족보》를 만들고 고조의 산소 서남쪽에 정자를 세우고 돌에 새겼다.〔今吾族人 猶有服者 不過百人 而歲時蜡社 不能相與盡其歡欣愛洽 稍遠者 至不相往來 是無以示吾鄕黨隣里也 乃作蘇氏族譜 立亭於高祖墓塋之西南而刻石焉〕"라고 한 내용이 보이는바, 서로 참조해 볼 만하다.

篇題小註·· 迂齋曰 議論簡嚴하고 字數少而曲折多하니 非特文章之妙라 可以見忠厚氣象이니라

우재가 말하였다. "의론이 간결하면서도 엄정(嚴正)하고 글자 수가 적으면서도 곡절이 많으니, 단지 문장이 묘할 뿐만 아니라 충후(忠厚)한 기상을 볼 수 있다."

○ 族譜規模와 分親疏詳略이 可爲世法이라 中分兩段하고 結語同而意略不同하니 前段은 是自己身單說上祖考去요 後段은 是自祖考旁說開近族去로되 各以孝悌之心可油然而生으로 結之하여 使人自思而得之하여 有有餘不盡一唱三歎之意焉[18]이라 老泉이 又有蘇氏族譜亭記及譜例序한대 皆可以警世하니 宜倂觀之니라

족보의 규모와 친소에 따라 상세함과 소략함을 나눈 것이 세상의 법이 될 만하다. 중간에는 두 단락으로 나누었고 맺음말은 똑같으나 뜻은 약간 다르니, 앞 단락은 자기 일신(一身)으로부터 위로 올라가 조고(祖考, 할아버지와 아버지)를 말하였고, 뒷 단락은 조고로부터 옆으로 퍼져서 가까운 친족을

---

18 有有餘不盡一唱三歎之意焉: 《예기(禮記)》〈악기(樂記)〉에 "청묘의 비파는 붉은 줄에 너른 구멍을 밑바닥에 뚫었으며, 한 사람이 선창을 하면 세 사람이 따라서 화답하는데, 이는 선왕이 남긴 소리가 있는 것이다.〔淸廟之瑟 朱絃而疏越 壹倡而三歎 有遺音者矣〕"라고 한 데서 온 말로, 훌륭한 음악이나 시문을 의미한다.

··· 折 꺾을 절 譜 족보 보 旁 곁 방 油 구름일 유 倂 아우를 병

말하였는데, 각기 "효제(孝悌)의 마음이 유연(油然)히 생길 것이다."는 것으로 끝맺었다. 그리하여 사람들로 하여금 스스로 생각하여 터득하게 해서 남음이 있고 다하지 않아서, 한 사람이 선창하면 세 사람이 따라 화답하는 뜻이 있다. 노천(老泉)은 또 〈소씨족보정기(蘇氏族譜亭記)〉와 〈보례서(譜例序)〉가 있는데 모두 세상을 경계할 만하니, 마땅히 함께 보아야 할 것이다.

• **原文**

蘇氏族譜는 譜蘇氏之族也라 蘇氏出於高陽[19]하여 而蔓延於天下라 唐神堯【高祖】初에 長史味道刺眉州라가 卒于官하고 一子留于眉하니 眉之有蘇氏는 自此始어늘 而譜不及者는 親盡[20]也일새라 親盡則曷爲不及고 譜爲親作也일새라 凡子得書而孫不得書者는 何也오 著代也일새라 自吾之父로 以至吾之高祖는 仕不仕, 娶某氏, 享年幾, 某日卒을 皆書로되 而它不書者는 何也오 詳吾之所自出也일새라 自吾之父로 以至吾之高祖는 皆曰諱某로되 而它則遂名之는 何也오 尊吾之所自出也일새라 譜爲蘇氏作이어늘 而獨吾之所自出을 得詳與尊은 何也오 譜吾作也일새라 嗚呼라 觀吾之譜者는 孝悌之心이 可以油然而生矣리라

〈소씨족보(蘇氏族譜)〉는 소씨의 종족(宗族)을 열기(列記)한 것이다. 소씨는 고양(高陽)에서 나와 천하에 널리 퍼졌다. 당(唐)나라 신요(神堯)【고조(高祖)이다.】 초기에 장사(長史)인 소미도(蘇味道)가 미주 자사(眉州刺史)가 되었다가 관청에서 죽고 한 아들이 미주에 남으니 미주에 소씨가 있게 된 것은 이로부터 시작되었는데, 족보에 미치지 않은 것은 친(親)이 다하였기 때문이다. 친이 다하면 어찌하여 미치지 않는가? 족보는 친을 위하여 만들었기 때문이다.

---

19 蘇氏出於高陽 : 고양은 오제(五帝)의 하나인 전욱 고양씨(顓頊高陽氏)이다. 소순의 〈족보후록(族譜後錄)〉에 "소씨의 선조는 고양에서 나왔으니, 고양의 아들은 칭(稱)이고 칭의 아들은 노동(老童)이며 노동은 중려(重黎), 오회(吳回)를 낳았다. 중려는 제곡(帝嚳) 때에 화정(火正)이 되어 축융(祝融)이라 불렸으나 죄로 죽임을 당하였으니, 그 후손들이 사마씨(司馬氏)이다. 그의 아우 오회가 다시 화정이 되었으니, 오회가 육종(陸終)을 낳았고 육종이 아들 여섯 명을 낳았다. 장남은 번(樊)이니 곤오(昆吾)이고 …… 곤오는 처음 성이 기씨(己氏)였으며 그 뒤에 소씨(蘇氏)·고씨(顧氏)·온씨(溫氏)·동씨(董氏)가 되었다. …… 주(周)나라 때 소분생(蘇忿生)이 있었는데, 바로 《서경》에 이른바 사구(司寇) 소공(蘇公)이다. 사구 소공이 하(河) 땅에 봉해져 대대로 주나라에서 벼슬을 하였고 그 봉토에서 가(家)를 이루었기 때문에 하남(河南)·하내(河內)에 모두 소씨가 있게 되었다."라고 보인다.

20 親盡 : 친족으로서의 친함이 다하는 것으로, 위로 4대인 고조(高祖)와 아래로 4대인 고손(高孫), 그리고 동고조(同高祖)인 삼종형제(三從兄弟, 8촌)까지만 복(服)이 있고 그 이상은 복이 없으므로 이들을 가리켜 말한 것이다.

••• 蔓 퍼질 만 延 뻗을 연 刺 살필 자 眉 눈썹 미 娶 장가들 취 享 누릴 향 它 다를 타

무릇 아들은 쓰고 손자는 쓰지 않음은 어째서인가? 대(代)를 나타내었기 때문이다. 나의 아버지로부터 나의 고조에 이르기까지는 벼슬하고 벼슬하지 않음과 아무 씨(氏)에게 장가든 것과 향년(享年)이 몇인 것과 아무 날 별세한 것을 모두 썼으나 다른 이를 쓰지 않은 것은 어째서인가? 나의 소자출(所自出, 말미암아 나온 소상)을 상세히 하기 위해서이다.

나의 아버지로부터 나의 고조에 이르기까지는 '휘(諱) 모(某)'라 하였으나 다른 이는 마침내 〈휘하지 않고 직접〉 이름을 쓴 것은 어째서인가? 나의 소자출(所自出)을 높이기 위해서이다. 족보는 소씨를 위하여 만들었는데, 홀로 나의 소자출만을 상세히 하고 높인 것은 어째서인가? 족보는 내가 만들었기 때문이다. 아! 나의 족보를 보는 자들은 효제(孝悌)의 마음이 유연(油然)히 생길 것이다.

情見(현)于親하고 親見于服하며 服始于衰(최)하여 以至于緦(시)麻[21]하고 而至于無服하니 無服則親盡하고 親盡則情盡하고 情盡則喜不慶, 憂不弔하나니 喜不慶, 憂不弔면 則塗(途)人也라 吾所與相視如塗人者 其初는 兄弟也요 兄弟其初는 一人之身也니【發明至此.】 悲夫라 一人之身이 分而至於塗人하니【多少曲折.】 吾譜之所以作也니라【此作譜之意.】

정(情)은 친(親)에 나타나고 친은 복(服)에 나타나며, 복은 참최(斬衰)에서 시작하여 시마(緦麻)에 이르고 복이 없음에 이른다. 복이 없으면 친이 다하고 친이 다하면 정이 다하며, 정이 다하면 기쁜 일이 있어도 경하하지 않고 근심스런 일이 있어도 조문(위문)하지 않으니, 기쁜 일이 있어도 경하하지 않고 근심스런 일이 있어도 조문하지 않는다면 도인(塗人, 길가는 낯선 사람)인 것이다. 내가 도인처럼 보는 자가 그 처음에는 형제간이었고, 형제간이 그 처음에는 한 사람의 몸이었으니,【발명함이 여기에 이르렀다.】 슬프다! 한 사람의 몸이 나뉘어 도인에 이르니,【곡절이 많다.】 나의 족보가 이 때문에 만들어진 것이다.【이는 족보를 지은 뜻이다.】

其意曰 分而至於塗人者는 勢也니 勢는 吾無如之何也어니와 幸其未至於塗人也

---

21 服始于衰 以至于緦麻: '최(衰)'는 상복(喪服)으로, 옷자락의 끝부분을 꿰매지 않고 그대로 둔 것을 참최(斬衰), 꿰맨 것을 자최(齊衰)라 하는바, 부(父)·군(君)·부(夫)를 위해서만 참최 3년을 입고 그 나머지는 모두 자최복을 입는다. 상복은 참최 3년과 자최 3년 및 기년(期年)·대공 구월(大功九月)·소공 오월(小功五月)·시마 삼월(緦麻三月)의 다섯 종류가 있는바, 이를 오복(五服)이라 한다.

··· 衰 상복 최 緦 시마복 시 麻 삼마 弔 위문할 조 塗 길 도

에 使其無致於忽忘焉이 可也니라【忠厚氣象.】嗚呼라 觀吾之譜者는 孝悌之心이 可
以油然而生矣리라

　족보를 만든 뜻은, 나뉘어 도인에 이르는 것은 세(勢)이니, 세는 내가 어쩔 수 없지만 다행
히 도인에 이르기 전에 잊어버리는 지경에 이르지 않게 함이 옳은 것이다.【충후한 기상이다.】
아! 나의 족보를 보는 자들은 효제의 마음이 유연히 생길 것이다.

系之以詩하니 曰 吾父之子가 今爲吾兄이니 吾疾在身이면 兄呻不寧이라 數世之後
엔 不知何人하여 彼死而生에 不爲戚欣이라 兄弟之情이 如足如手어니와 其能幾何오
彼不相能은 彼獨何心고

다음과 같은 시를 붙인다　　　　　　　　　　　　　　　　　　　　　系之以詩曰

우리 아버지의 아들이　　　　　　　　　　　　　　　　　　　　　吾父之子

이제 나의 형이 되었으니　　　　　　　　　　　　　　　　　　　今爲吾兄

내 몸에 질병이 있으면　　　　　　　　　　　　　　　　　　　　吾疾在身

형은 신음하여 편치 못하다　　　　　　　　　　　　　　　　　　兄呻不寧

몇 대가 지난 뒤에는　　　　　　　　　　　　　　　　　　　　　數世之後

서로 누구인지를 알지 못하여　　　　　　　　　　　　　　　　　不知何人

저가 죽고 사는 것을　　　　　　　　　　　　　　　　　　　　　彼死而生

슬퍼하거나 기뻐하지 않는다　　　　　　　　　　　　　　　　　不爲戚欣

형제간의 정은　　　　　　　　　　　　　　　　　　　　　　　　兄弟之情

수족(手足)과 같지만　　　　　　　　　　　　　　　　　　　　　如足如手

이렇게 하는 자가 얼마이겠는가　　　　　　　　　　　　　　　其能幾何

저 서로 화합하지 못하는 자는　　　　　　　　　　　　　　　　彼不相能

홀로 무슨 마음인가　　　　　　　　　　　　　　　　　　　　　彼獨何心

【族人之理, 近者當親, 遠者必疎. 同高祖者服總, 過此無服矣. 古人於此, 甚謹之. 老泉族譜亭記曰: "今
吾族人, 猶有服者, 不過百人." 乃作蘇氏族譜, 立亭於高祖墓塋之西南而刻石焉. 東坡於惟簡大師, 稱之

曰無服之兄, 韓昌黎於雲卿稱叔父,[22] 於韓擇木必別之曰同姓叔父. 朱文公考之曰: "五世祖免, 殺同姓也,

公於擇木已無服, 故以同姓言之." 楊誠齋與族弟濟翁書, 力辨族弟親弟之分, 何可苟也? 今世族譜不講

者, 或近族稍貧下, 雖有服, 亦不齒之, 或五世以上雖可考, 亦削而不錄, 固非也. 其族譜之講者, 賴以辨

親疎, 明行列, 亦幸矣. 而其流弊, 乃使不明古誼者, 徒執行列, 以厭疎遠, 已疎爲塗人, 而以親近之虛稱

律之, 已(之)流爲工傭奴隷屠販, 玷詩禮, 隳家聲, 略不之恤, 而髯齠忽者艾, 癡騃玩儒宗, 往往而然, 反

致乖和氣, 召咴咴, 尤非也. 故老泉此序, 此詩, 皆以爲: "已疎遠者, 無可奈何, 欲厚其未疎遠者而已."

或曰: "無服者, 例以塗人視之, 毋乃導人以薄乎?" 曰: "於已爲塗人之後, 而於其中, 自有賢而可敬者,

情之交相厚而不可疎者, 更以同姓之義裁之, 而待之盡其道焉, 自有不言而可知者. 理一之仁, 分殊之義,

未嘗不竝行而不相悖也. 親者厚之, 不當以賢否分, 疎者厚之, 眞當以賢否分矣. 此乃導人以全和氣也,

何薄歟? 若不分親疎, 不問賢否, 不別老稚, 槩欲以區區之行列行之, 是爲無星之稱, 無寸之尺. 謾曰同

姓皆當厚, 而近族反待之甚薄者, 有之矣, 不識族人之理者, 於此篇, 尤當讀之, 輒因批點而極論焉."】

【족인(族人)의 이치는 가까운 자를 마땅히 친히 하고 소원한 자를 반드시 소원히 해야 한다. 고조(高祖)가

같은 자는 〈8촌간으로〉 시마복(緦麻服)을 입으니, 이를 넘으면 복(服)이 없다. 옛 사람은 이에 대하여 매우 엄

격하였다. 노천(老泉)의 〈족보정기(族譜亭記)〉에 이르기를 "지금 우리 족인 중에 아직 복이 있는 자는 백 명에

불과하다."라고 하고, 마침내 《소씨족보(蘇氏族譜)》를 짓고 정자(소씨족보정(蘇氏族譜亭)을 가리킴)를

고조(高祖) 묘소의 서남쪽에 세우고는 비석을 새겨 세웠다. 동파는 유간대사(惟簡大師)에 대하여 '복(服)이

없는 형'이라 하였고, 한창려(韓昌黎)는 한운경(韓雲卿)에 대하여 '숙부'라 칭하고 한택목(韓擇木)에 대하여

는 반드시 구별해서 '동성숙부(同姓叔父)'라 하였다. 주문공(朱文公)이 고증하기를 "오세(五世)에 단문(袒免)

하는 복은 동성으로 내려오니, 공(公)이 한택목에 대하여 이미 복이 없기 때문에 동성이라고 말한 것이다." 하

였다. 양성재(楊誠齋)가 족제(族弟) 제옹(濟翁)에게 준 편지에 족제(집안 아우)와 친제(친아우)의 구분에 대

해 힘써 변별하였으니, 어찌 구차히 할 수 있겠는가. 지금 세간에 족보를 강구(講究)하지 않는 자들은 혹 가까

22　東坡於惟簡大師……於韓擇木必別之曰同姓叔父: 소식의 〈보월대사탑명(寶月大師塔銘)〉에 "보월대사(寶月大師)

유간(惟簡)은 자가 종고(宗古)이며 소씨(蘇氏)로 미주(眉州)의 미산(眉山) 사람인데, 나에게 복이 없는 형이 된다.〔寶月大

師惟簡 字宗古 姓蘇氏 眉之眉山人 於余爲無服兄〕"하였고, 한유의 〈과두서후기(科斗書後記)〉에 "나의 숙부(운경)는 대력

(大曆) 연간에 문장이 뛰어나 홀로 중조(中朝)에 행해지니, 천하에 자신의 선조의 공적과 행실을 서술하여 후세에 믿음을

받고자 하는 자들이 모두 한씨에게 돌아갔다. 이때에 이양빙(李陽冰)이 홀로 전서(篆書)에 능하였고, 동성 숙부인 택목이

팔분체(八分體)를 잘 썼다. 〈그리하여 유명한 비문은〉 묻지 않아도 이 세 분들이 짓고 썼음을 모두 알았다.〔愈叔父 當大曆

世 文辭獨行中朝 天下之欲銘述其先人功行 取信來世者 咸歸韓氏 於時李監陽冰 獨能篆書 而同姓叔父擇木 善八分 不問

可知其人〕"하였다. 《東坡全集 卷89 寶月大師塔銘》《別本韓文考異 卷13 科斗書後記》

운 친족이 조금 가난하고 신분이 낮으면 비록 복이 있는 친족이라도 친족으로 끼워주지 않고, 혹은 상고할 수 있는 5세(世) 이상이라도 삭제하고 기록하지 않으니, 이는 진실로 잘못된 것이다. 족보를 강구하는 자들은 이 족보를 힘입어 친소(親疏)를 분별하고 항렬(行列)을 밝히니, 이는 그나마 다행이다. 그러나 그 유폐(流弊)는 마침내 고의(古誼)에 밝지 못한 자들로 하여금 한갓 항렬만을 고집해서 소원한 자의 마음을 만족시키려 하여 이미 소원하여 길가는 사람이 되었는데도 친근함을 표현하는 헛된 칭호로 준례를 삼게 하며, 이미 흘러가 공장이와 머슴과 노예와 백정이 되어 시례(詩禮)를 더럽히고 가문의 명성을 떨어트림을 조금도 부끄러워하지 않게 한다. 그리하여 항렬이 높은 어린 아이들이 항렬이 낮은 노인을 홀대하고 미련한 자가 유종(儒宗)을 희롱해서 왕왕 그러하여 도리어 화기(和氣)를 손상시키고 분쟁을 불러일으키니, 이는 더욱 잘못된 것이다. 그러므로 노천이 이 서문과 이 시에 모두 말하기를 "이미 소원한 자는 어쩔 수 없고, 아직 소원하지 않은 자를 후하게 할 뿐이다."라고 한 것이다.

혹자는 말하기를 "복이 없는 친족을 으레 길가는 사람으로 보면 사람을 박함으로 인도하는 것이 아닙니까?" 하니, 내가 대답하였다. "이미 길가는 사람이 된 뒤라도 이 가운데 본디 어질어 존경할 만한 자와 정(情)의 사귐이 서로 두터워 소원히 대할 수 없는 자가 있으니, 다시 동성(同姓)의 의리로 재단하여 이들을 대함에 그 도리를 다해야 한다. 이는 본래 말하지 않아도 알 수 있는 것이니, 이일(理一)의 인(仁)과 분수(分殊)의 의(義)가 언제나 병행하여 서로 어긋나지 않는다. 〈친족 중에〉 친근한 자를 후대함에 어질고 어질지 않음으로 구분하지 말아야 하고, 소원한 자를 후대함에 참으로 어질고 어질지 않음을 가지고 분별해야 하니, 이는 바로 사람을 인도해서 화기(和氣)를 온전히 하는 것이니, 어찌 박하다 하겠는가. 만약 친소를 구분하지 않고 현부(賢否)를 따지지 않고 노소(老少)를 구별하지 않고서 한결같이 구구한 항렬로써 행하고자 한다면, 이는 눈금 없는 저울과 칫수 없는 자[尺]가 되는 것이다. 건성으로 '동성을 모두 마땅히 후대해야 한다.'라고 말하여 가까운 친족을 도리어 심히 박대하는 자가 있을 것이니, 족인의 이치를 알지 못하는 자는 이 편에 대해 더욱 마땅히 읽어야 하므로 곧 비평(批評)을 가하면서 지극히 논하는 것이다."】

장익주화상기張益州畵像記

소순蘇洵

• 작품개요

　이 작품은 익주(益州, 촉(蜀) 지방)를 잘 다스린 북송의 문신 장방평(張方平, 1007~1091)의 사적을 기술함으로써 관대한 정사를 베풀고 백성을 아낀 관리상(官吏像)를 잘 형상화한 글이다.

　장방평은 자가 안도(安道)이고 호가 낙전거사(樂全居士)이며 시호는 문정(文定)이다. 벼슬이 익주지주(益州知州)를 거쳐 참지정사(參知政事)에 이르렀는바, 신종(神宗) 때 왕안석(王安石)의 임용과 그의 신법(新法)을 반대하였다.

　지화(至和) 원년(1054)에 촉(蜀) 지역에 곧 난(亂)이 있을 것이라는 소문이 돌면서 큰 소요가 일어나자, 조정에서는 장방평을 파견하여 촉 지역을 안정시키고 난을 미연에 막고자 하였다. 그해 11월에 장방평이 부임하여 변경과 군현의 주둔군을 철수시키는 파격적인 결정을 내렸는데, 많은 이들이 걱정하였지만 결국 난은 일어나지 않았고, 이듬해 설날이 되자 촉 지역 사람 모두가 크게 기뻐하여 소요가 진정되었다. 장방평은 무력보다는 예법(禮法)으로 민생을 안정시켜 더욱 큰 칭송을 받았다. 이후 가우(嘉祐) 원년(1056)에 장방평이 조정으로 돌아가게 되자, 촉 지역 사람들이 생사당(生祠堂)을 세우고 그의 화상을 모셔 그가 세운 큰 공적을 기리고자 하였는데, 이때 작자가 이 글을 지은 것이다.

　작품은 크게 네 부분으로 구별할 수 있다. 첫 번째 부분에서는 장방평이 촉 지역에 들어가 소요 사태를 처리하는 과정을 서술하였다. 두 번째 부분에서는 주로 장방평의 뛰어난 계책과 품격에 대하여 작자의 의론과 감상을 이야기하였다. 세 번째 부분에서는 촉 지역 백성들이 자발적으로 장방평의 화상을 모시고서 그를 존숭하는 간절한 심정을 설명하였다. 네 번째 부분에서는 장방평의 행위와 업적에 대한 작자의 태도와 평가가 집중적으로 드러나 있다. 작품의 말미에서는 시의 형식을 사용하여 장방평이 촉 지역에 들어가 소요를 진정시킨 과정을 재차 기술하고, 아울러 소요가 진정된 뒤의 상황과 익주의 번영에 대하여 노래하였다.

전체적으로 이 작품은 작자의 분명한 관점과 충분한 논거에 날카롭고 거침없는 필력이 더해진 수작(秀作)이라고 하겠다.

篇題小註‥ 張方平은 字安道요 號樂全居士라 除參知政事호되 不拜하고 以宣徽使太子太保致仕하여 卒하니 年八十五라

장방평(張方平)은 자가 안도(安道)이고 호(號)가 낙전거사(樂全居士)이다. 참지정사(參知政事)에 제수되었으나 취임하지 않고, 선휘사(宣徽使) 태자 태보(太子太保)로 치사(致仕)하여 별세하니, 나이가 85세였다.

○ 迂齋曰 詞氣嚴重하여 有法度라 說不必有像而亦不可以無像하니 此三四轉이 奇甚하니 是好處요 是善回護蜀人이라 公은 蜀人也니 所以尤難言이니라

우재가 말하였다. "사기(詞氣)가 엄중하여 법도가 있다. '굳이 화상이 있을 필요가 없다.'라고 말하고, 또 '화상이 없어서는 안된다.'라고 말하였으니, 이 서너 번의 전환이 매우 기이한바, 이것이 좋은 부분이요 촉(蜀) 지방 사람들을 잘 변호해 준 점이다. 공(公)은 촉 지방 사람이니, 이 때문에 말하기가 더욱 어려운 것이다."

○ 老泉之文이 老辢(랄)健峭하고 頓挫宛轉하여 甚有古氣하니 子由는 固遠不及이요 子瞻亦不能爲此也니라

노천(소순)의 문장은 노련(老鍊)하고 신랄(辛辣)하고 굳세며 돈좌(頓挫, 억양)하고 완곡하여 매우 예스러운 기운이 있으니, 자유(子由, 소철(蘇轍))는 진실로 크게 미치지 못하고, 자첨(子瞻, 소식(蘇軾))도 이런 글은 짓지 못한다.

至和元年秋에 蜀人이 傳言호되 有寇至邊이라하니 邊軍이 夜呼하니 野無居人하고 妖言이 流聞하니 京師震驚이라 方命擇帥(수)할새 天子曰 毋養亂하며 毋助變하라 衆言朋興이나 朕志自定호라 外亂不作이라도 變且中起니 旣不可以文令이요 又不可以武競이라 惟朕一二大吏에 孰能爲處玆文武之間고 其命往撫朕師호리라 乃惟曰張公方平이 其人이니이다 天子曰 然하다

　지화(至和) 원년(1054) 가을에 촉(蜀) 지방 사람들이 말을 전하기를 "적이 변방에 이르렀다." 하였다. 그리하여 변방의 수비하는 군사들이 밤에 고함치니 들에 거주하는 백성이 없었고, 요망한 말이 유포되니 경사(京師)가 놀라 두려워하였다. 막 명하여 장수를 뽑을 적에 천자(天子)께서는 말씀하시기를 "난(亂)을 기르지 말며 변(變)을 조장하지 말라. 여러 말이 함께 일어나나 짐(朕)의 뜻은 본래 정해졌노라. 외란(外亂)이 일어나지 않더라도 변란이 또 중앙에서 일어날 수 있으니, 문덕(文德)으로 명령할 수 없고 또 무력(武力)으로 다툴 수도 없다. 짐의 한두 명 대관(大官) 중에 누가 능히 문무(文武)의 사이에 처할 수 있는가? 그에게 명하여 가서 내 무리들을 어루만지도록 하리라." 하셨다. 이에 "장공 방평(張公方平)이 그 적임자입니다." 하니, 천자께서는 "옳다." 하셨다.

公以親辭호되 不可라 遂行하여 冬十一月에 至蜀하니 至之日에 歸屯軍, 撤守備하고 使謂郡縣호되 寇來在吾하니 無以勞苦하라【見公能荷重任.】 明年正月朔旦에 蜀人이 相慶如它日하여 遂以無事라 又明年正月에 相告留公像于淨衆寺하니 公不能禁이라

　공은 어버이 때문에 사양하였으나 허락을 받지 못하였다. 마침내 길을 떠나 겨울 11월에 촉 지방에 이르렀다. 공은 부임하는 날에 주둔군을 돌려보내고 수비를 철수시키고 군현(郡縣)에게 이르기를 "적이 오더라도 책임은 나에게 있으니(내가 책임질 것이니), 그대들은 노고하지 말라." 하였다.【공이 능히 중임을 맡음을 볼 수 있다.】

　다음해 정월 초하루 아침에 촉 지방 사람들은 예전처럼 서로 경하하여 마침내 무사하였다. 또 다음해 정월에 서로 고하여 공의 화상(畫像)을 정중사(淨衆寺)에 모시도록 하니, 공은 이를 막지 못하였다.

寇 도적 구 妖 요사할 요 震 진동할 진 朕 나 짐 競 다툴 경 屯 진칠 둔 撤 거둘 철
淨 깨끗할 정

眉陽蘇洵이 言于衆曰 未亂도 易治也요 既亂도 易治也로되 有亂之萌하고 無亂之形이 是謂將亂이니 將亂은 難治하니 不可以有亂急이요 亦不可以無亂弛라 惟是元年之秋는 如器之欹(기) 未墜於地어늘【模寫工.】 惟爾張公이 安坐於旁하여 其顔色不變하여 徐起而正之하고 既正에 油然而退하여 無矜容이라 爲天子牧小民不倦은 惟爾張公이라 爾繁(예)以生하니 惟爾父母니라

미양(眉陽) 소순(蘇洵)은 여러 사람들에게 다음과 같이 말하였다.

"아직 난(亂)이 일어나지 않은 것도 다스리기 쉽고 이미 난이 일어난 것도 다스리기 쉬우나 난의 싹만 있고 난의 형체가 없는 것을 일러 장난(將亂, 장차 혼란하려 함)이라 하니, 장난은 다스리기가 어렵다. 난이 있다 하여 급히 다스릴 수도 없고, 또한 난이 없다 하여 해이할 수도 없다. 이 원년의 가을은 그릇이 기울어지기만 하고 아직 땅에 떨어지지 않은 것과 같았는데,【묘사가 공교롭다.】 너의 장공은 곁에서 편안히 앉아 얼굴빛을 변치 않고 서서히 일어나 바로잡았으며, 바로잡은 다음에는 유연히 물러가 자랑하는 모양이 없었다. 천자를 위해 백성을 기름에 게을리하지 않은 자는 오직 너의 장공이다. 너희들은 이분 때문에 살았으니, 바로 너의 부모인 것이다.

且公이 嘗爲我言호되 民無常性하여 惟上所待라 人皆曰 蜀人多變이라하여 於是에 待之以待盜賊之意하고 而繩之以繩盜賊之法하여 重足屛息之民을 而以礩(침)斧令이라 於是에 民始忍以其父母妻子之所仰賴之身으로 而棄之於盜賊이라 故로 每每大亂하나니라 夫約之以禮하고 驅之以法은 惟蜀人爲易요 至於急之而生變은 雖齊, 魯亦然이라 吾以齊, 魯待蜀人이러니 而蜀人亦自以齊, 魯之人待其身이라【出脫妙. 老蘇蜀人, 故此一轉尤佳.】 若夫肆意於法律之外하여 以威劫齊民은 吾不忍爲也로라 嗚呼라 愛蜀人之深하고 待蜀人之厚를 自公而前으론 吾未始見也로라 皆再拜稽首하고 曰 然하니이다

또 공은 일찍이 나에게 말씀하기를 '백성은 일정한 성품이 없어서 윗사람들이 대하는 대로 한다. 사람들은 모두 「촉 지방 사람들은 변란이 많다.」 하여, 이에 도적을 대하는 뜻으로 대하고 도적을 다스리는 법으로 다스려, 발자국을 크게 떼지 못하고 숨을 죽이고 있는 백성을 도끼 받침과 도끼로 명령한다. 이에 백성은 비로소 어쩔 수 없이 그 부모와 처자들이 우러러 의

지하는 몸을 도적에게 버린다. 그러므로 매양 크게 혼란했던 것이다. 저 예(禮)로써 단속하고 법(法)으로써 부린다면 오직 촉 지방 사람이 다스리기 쉬우며, 급히 변란을 만들어 냄에 이르러는 비록 제(齊)·노(魯) 지방이라도 또한 그러하다. 내가 제·노 지방 사람으로 촉 지방 사람들을 대하자 촉 지방 사람들 또한 스스로 제·노 지방 사람처럼 자기 몸을 대하였다.【전환함이 묘하다. 노소(老蘇)는 촉(蜀) 지방 사람이므로 이 한 번의 전환이 더욱 아름답다.】만일 법률의 밖에서 내 마음대로 하여 위엄으로써 백성들을 겁박하는 일은 내 차마 할 수가 없다.' 하였다.

아! 촉 지방 사람들을 깊이 사랑하고 촉 지방 사람들을 후하게 대하는 것을 공 이전에는 내 일찍이 본 적이 없다."

이에 사람들은 모두 재배하고 머리를 조아리며 "옳습니다." 하였다.

蘇洵이 又曰 公之恩이 在爾心하니 爾死면 在爾子孫이요 其功業이 在史官하니 無以 像爲也라 且公意不欲하니 如何오【此二三轉尤妙.】皆曰 公則何事於斯리오 雖然이나 於我心에 有不釋焉이라 今夫平居에 聞一善이면 必問其人之姓名과 與其鄕里之 所在하여 以至於其長短, 大小, 美惡之狀하고 甚者는 或詰(힐)其平生所嗜好하여 以想見其爲人하고 而史官亦書之於其傳하나니 意使天下之人으로 思之於心이면 則存之於目이니 存之於目故로 其思之於心也固하니【此幹, 十分精神.】由此觀之컨대 像亦不爲無助니이다【有力.】蘇洵이 無以詰하여 遂爲之記하노라 公은 南京人이니 爲人 이 慷慨有大節하고 以度量雄天下하니 天下有大事면 公可屬(촉)이니라

소순은 또 말하기를 "공의 은혜는 너희들 마음속에 간직되어 있으니 너희들이 죽으면 너희들 자손에게 있을 것이요, 그 공업은 사관(史官)에 의해 기록될 것이니 화상을 만들 필요가 없다. 또 공의 뜻에도 이를 원하지 않으니, 어찌하겠는가?" 하였다.【이 두세 번의 전환이 더욱 묘하다.】

이에 촉 지방 사람들이 모두 말하기를 "공이야 어찌 이에 대해 일삼겠습니까? 그러나 우리들 마음에 석연치 않은 것이 있습니다. 지금 평소에 한 선행(善行)을 들으면 반드시 그 사람의 성명과 그 향리의 소재지를 묻고 그 사람의 키의 장단(長短)과 몸집의 대소(大小)와 미악(美惡)의 모양에까지 이르며, 심한 경우에는 혹 그의 평소 기호하는 바를 물어서 그의 사람됨을 상상해 보며, 사관들은 또한 이것을 전(傳)에 쓰기도 합니다. 생각건대 이는 천하 사람들로 하여금 마음에 그를 생각하면 눈에 선하게 보존되게 하려는 것이니, 눈에 보존되기 때문에 그 마

··· 詰 힐문할 힐 慷 슬플 강 慨 슬플 개 屬 부탁할 촉

음에 생각함이 견고해지는 것입니다.【이 전환은 매우 정채(精采)가 있다.】이로 말미암아 보건대,
화상 또한 도움이 없지 않습니다." 하였다.【힘이 있다.】

　나는 더 이상 힐난할 수가 없어 마침내 이 화상기(畵像記)를 짓게 되었다.

　공은 남경(南京) 사람으로 사람됨이 강개하여 큰 절개가 있고 도량으로 천하의 으뜸이 되
니, 천하에 큰 일이 있으면 공에게 맡길 만하다.

系之以詩하니 曰 天子在祚하신 歲在甲午에 西人傳言호되 有寇在垣이라 庭有武臣
하고 謀夫如雲이어늘 天子曰嘻라하시고 命我張公이샀다【舍武臣謀夫而特用張公.】公來自
東하시니 旗纛(독)舒舒라 西人聚觀하여 于巷于塗로다 謂公暨(기)暨러니【急也.】公來
于于로다【緩也.】公謂西人호되 安爾室家하여 無或敢訛하라 訛言不祥이니 往卽爾常
하여 春爾條桑하고 秋爾滌場하라 西人稽首호되 公我父兄이로다 公在西圉하니 草木
駢駢이요 公宴其僚하니 伐鼓淵淵이라 西人來觀하고 祝公萬年이로다 有女娟(연)娟하
니 閨闥閑閑하고 有童哇(와)哇하니 亦旣能言이라 昔公未來엔 期汝棄捐이러니라 禾麻
芃(봉)芃하고 倉庾崇崇하니 嗟我婦子아 樂此歲豐이어다 公在朝廷이면 天子股肱이라
天子曰歸하시니 公敢不承이리오 作堂嚴嚴하니 有廡有庭이라 公像在中하니 朝服冠
纓이로다 西人相告호되 無敢逸荒하라 公歸京師나 公像在堂이시니라【末八字妙. 謂公雖去
而像留, 儼然臨之, 何敢忽也?】

　다음과 같은 시를 붙인다　　　　　　　　　　　　　　　　　　　系之以詩曰

　천자가 재조(在祚, 재위)하신　　　　　　　　　　　　　　　　　天子在祚
　갑오년에　　　　　　　　　　　　　　　　　　　　　　　　　　歲在甲午
　서쪽 사람들이 말을 전하기를　　　　　　　　　　　　　　　　西人傳言
　적이 담 안에 있다 하였다　　　　　　　　　　　　　　　　　　有寇在垣
　조정에는 무신(武臣)이 있고　　　　　　　　　　　　　　　　　庭有武臣
　모신(謀臣)들이 구름처럼 많았는데　　　　　　　　　　　　　　謀夫如雲
　천자께서는 '아, 그렇다' 하시고　　　　　　　　　　　　　　　天子曰嘻
　우리 장공에게 명하셨다　　　　　　　　　　　　　　　　　　　命我張公
　【무신(武臣)과 모부(謀夫)를 놓아두고 특별히 장공(張公)을 등용한 것이다.】

··· 垣 담 원 嘻 탄식할 희 纛 대장기 독 舒 펼 서 暨 굳셀 기 于 좆을 우 訛 속일 와　　123 ┊
　　 圉 동산 유 駢 나란히할 병 娟 예쁠 연 闥 문지방 달 哇 아이소리 와 芃 성할 봉 庾 곳집 유　卷7
　　 股 넓적다리 고 肱 팔뚝 굉 廡 행랑 무 纓 갓끈 영

공이 동쪽에서 오시니	公來自東
기(旗)와 둑(纛)이 펄럭이고 펄럭였다	旗纛舒舒
서쪽 사람들이 모여 구경하기를	西人聚觀
골목에서 하고 길에서 하였다	于巷于塗
공이 급히 서둘 것이라고 생각하였는데	謂公暨暨

【'기기(暨暨)'는 급함이다.】

공은 오시기를 느릿느릿 하였다	公來于于

【'우우(于于)'는 느슨함이다.】

공은 서쪽 사람들에게 이르시기를	公謂西人
너의 실가(室家)를 편안히 하여	安爾室家
혹시라도 감히 유언비어를 하지 말라	無或敢訛
유언비어는 상서롭지 못하니	訛言不祥
너의 떳떳한 생업(生業)에 나아가	往卽爾常
봄에는 가지뽕으로 누에를 치고	春爾條桑
가을에는 마당을 깨끗이 만들어 놓아라 하셨다	秋爾滌場
서쪽 사람들은 머리를 조아리며	西人稽首
공은 우리의 부형이시다 하였다	公我父兄
공이 서쪽 동산에 계시니	公在西囿
초목이 무성하고 무성하며	草木騈騈
공이 동료들에게 잔치를 베푸시니	公宴其僚
북소리가 둥둥 울리도다	伐鼓淵淵
서쪽 사람들이 와서 구경하고	西人來觀
공의 만수무강을 축원하도다	祝公萬年
딸이 예쁘고 예쁘니	有女娟娟
규문에서 편안하고 한가로우며	閨闥閑閑
동자도 웅얼웅얼 말을 배우더니	有童哇哇
어느덧 말을 잘한다	亦旣能言
옛날 공이 오시기 전에는	昔公未來
너희들을 버릴 것이라고 기약했었다	期汝棄捐

벼와 삼이 무성하며	禾麻芃芃
창고가 높고 높으니	倉庾崇崇
아! 우리 처자들아	嗟我婦子
이 풍년을 즐길지어다	樂此歲豐
공이 조정에 계시면	公在朝廷
천자의 고굉(股肱)이시다	天子股肱
천자께서 돌아오라 하시니	天子曰歸
공이 감히 명령을 받들지 않겠는가	公敢不承
사당을 만들기를 장엄하게 하니	作堂嚴嚴
무(廡, 행랑)도 있고 뜰도 있다	有廡有庭
공의 화상 이 가운데 모셨으니	公像在中
조복을 입고 관을 쓰고 갓끈을 매셨다	朝服冠纓
서쪽 사람들이 서로 말하기를	西人相告
감히 안일하고 황음(荒淫)하지 말라	無敢逸荒
공은 경사로 돌아가셨으나	公歸京師
공의 화상은 이 당(堂)에 모셔져 계시다	公像在堂

【끝의 여덟 글자가 묘하다. 공이 비록 떠나갔더라도 공의 화상이 남아 있어 엄연히 임하고 있으니, 어찌 감히 소홀히 할 수 있겠느냐고 말한 것이다.】

관중론管仲論

소순蘇洵

• 작품개요

　이 작품은 일종의 사론(史論)으로, 관중(管仲)이 죽자 제(齊)나라가 혼란하게 된 사실(史實)을 실례로 들어서 어진 이를 등용하는 것이 국가의 장기적 안정의 실현을 보장하는 근본임을 논증하였고, 위정자의 가장 중요한 책무가 평소 인재를 양성하고 자신의 후임자를 잘 선발해야 하는 것임을 밝혔다.

　관중은 춘추시대의 저명한 정치가로, 제 환공(齊桓公)을 보좌하여 패업(霸業)을 성취하게 하였고 죽기 직전 환공에게 수조(豎刁) 등을 등용해서는 안된다고 당부하였기 때문에 후세의 논자들은 대부분 관중을 극진히 추숭하였다. 그러나 작자는 이와 다른 견해를 제시하여 사람들의 이목을 일신시켰다.

　기두(起頭)에서는, 임종할 적에 어진 이를 추천하지 못하여 간사한 자들에게 국가를 혼란하게 만드는 빌미를 제공한 관중의 잘못을 지적하였다. 이어서 두 번째 단락에서는 어진 이를 천거하는 것이 간사한 이들을 제거하는 것보다 훨씬 더 중요하다고 주장하였고, 세 번째 단락에서는 제나라와 진나라의 사례를 대비함으로써 이러한 주장의 타당성을 확보하였다. 마지막 단락에서는 죽어서 직간한 사추(史鰌, 사어(史魚))와 조참(曹參)을 천거한 소하(蕭何) 등 어진 이를 천거한 또 다른 실례를 인용하여 관중의 잘못을 재차 지적하였다.

　작품 속에서 작자는 제나라의 내란을 야기한 요인에 대하여 세밀하게 분석하였는데, 표면상으로는 수조(豎刁)·역아(易牙)·개방(開方) 등 세 사람 때문인 듯하지만 실제로는 관중의 사후에 정사를 담당할 어진 이가 없었기 때문이라고 주장하였다. 아울러 관중이 죽기 직전에 어진 이를 추천하여 자신을 대신하게 하지 않았던 것이 '근본을 알지 못한 것[不知本]'이라고 비판함과 동시에 진(晉)나라에서는 문공(文公)의 사후에 '노성인(老成人)'이 있어서 정사를 담당하였던 것을 실례로 들어서 대조적으로 논술하였다. 또한 사추가 거백옥(蘧伯玉)을, 소하가 조참을 천거하였던 사실을 가지고 대비하여 증명하였다.

작품은 전체적으로 작자의 독특한 견해를 골자로 하여 정밀한 분석과 반복적 대비를 진행하였고, 여기에 예리한 필봉과 막힘없는 문세가 더해져 뛰어난 설득력을 지니게 되었다. 이른바 '당송고문팔대가' 중에서 작자의 문장은 종횡으로 치달려 웅기(雄奇)해서 책론(策論)에 뛰어나다고 알려졌는데, 특히 이 〈관중론〉은 이러한 평가에 걸맞는 대표작이다. 정치적 평론문[政論文]을 지을 적에 작자는 전통적 견해라 할 수 있는 '구설(舊說)'에 구애받지 않았으며, 관중이 죽기 직전에 현인을 천거하지 않은 것이 제나라의 내란을 양성한 원인임을 지적해내었는바, 그 논점이 매우 탁월하다고 이를 만하다. 또한 작자가 거론한 일들은 모두 상고할 수 있는 사실(史實)로 상세하고 확실해서 믿을 만하며, 제나라와 진나라의 성쇠에 대해 논한 부분은 대비가 사람들의 주의를 끌 정도로 선명하다고 하겠다. 본말이 전도된 관중의 태도에 대한 작자의 평가가 매우 정확하고 절실하다고 하겠다.

서술과 의론이 국가의 치란성쇠를 벗어나지 않음을 통하여 작자가 이 작품을 지을 적에 매우 고심하였다는 것을 짐작할 수 있다. 작자의 주장은 국가와 백성 모두에게 유익한 점이 있는바, 오늘날에도 거울로 삼아 준용할 만한 가치가 있다.

篇題小註‥ 責其不薦賢이라

관중(管仲)이 현자(賢者)를 천거하지 않은 것을 책망하였다.

○ 東萊云 此文은 句句的當하니 前亦可學이요 後不可到니라

동래(東萊, 여조겸(呂祖謙))가 말하였다. "이 문장은 구(句)마다 적확하고 타당하니, 선배들도 이를 배워야 할 것이요 후배는 도저히 따를 수가 없다."

○ 迂齋曰 諸論中에 唯此論이 最純正이라 開闔抑揚이 妙하니 責管仲이 最深切이니라

우재가 말하였다. "여러 논 가운데 오직 이 논이 가장 순정(純正)하다. 문장을 펼쳤다 거두어 들임과 분세의 기복이 묘하니, 관중을 책망함이 가상 싶고 산설하다."

- **原文**

管仲이 相(威)[桓]公²³하여 霸諸侯하고 攘夷狄하여 終其身토록 齊國이 富强하여 諸侯不敢叛이러니【功.】 管仲이 死하고 竪刁(수조). 易牙. 開方²⁴이 用하여 桓公이 薨於亂하고 五公子爭立²⁵하여 其禍蔓延하여 訖簡公히 齊無寧歲하니라【禍.】

관중(管仲)이 제(齊)나라의 환공(桓公)을 도와 제후(諸侯)의 패자(霸者)가 되게 하고 이적(夷賊)을 물리쳐 그 몸을 마치도록 제나라가 부강(富强)하여 제후들이 감히 배반하지 못하였다.【공(功)이다.】 그런데 관중이 죽자, 수조(竪刁)·역아(易牙)·개방(開方)이 등용되어 환공이 난(亂)에 죽었고 다섯 공자(公子)가 즉위하기를 다투어 그 화가 만연하여 간공(簡公)에 이르도록 제나라는 편안한 해가 없었다.【화(禍)이다.】

夫功之成이 非成於成之日이요【承接好, 有力.】 蓋必有所由起하며 禍之作이 不作於作之日이요 亦必有所由兆하니 則齊之治也를 吾不曰管仲而曰鮑叔이요【借此, 形容下邊事, 見左傳莊元年.】 及其亂也를 吾不曰竪刁. 易牙. 開方而曰管仲이라하노라【推原

---

23 管仲 相(威)[桓]公 : 저본에는 환(桓)을 피휘(避諱)하여 '위(威)'로 바꾸었으나 본집(本集)인 《가우집(嘉祐集)》에 의거하여 모두 '환(桓)'으로 환원하였다. 이 《고문진보후집》은 누우재(樓迂齋)의 《숭고문결(崇古文訣)》을 따랐는데, 북송 흠종(欽宗)의 휘를 피한 것이다. 관중(管仲)은 춘추시대 제(齊)나라 사람으로 이름은 이오(夷吾)이다. 제나라 양공(襄公)이 무도하여 양공의 아들 소백(小白)과 소백의 아우인 공자 규(公子糾)가 외국으로 도망가 있었다. 양공이 시해되자 소백이 돌아와 즉위하니, 이가 바로 환공이다. 관중은 환공을 도와 제후의 패자가 되게 하고 천하를 바로잡음으로써 백성들이 그의 은혜를 입게 되었는데, 공자(孔子)가 이를 두고 "관중이 아니었다면 우리는 오랑캐처럼 머리를 풀어헤치고 옷깃을 왼쪽으로 했을 것이다.〔微管仲 吾其被髮左衽矣〕"라고 하였다.

24 竪刁易牙開方 : 수조(竪刁)는 내시이고, 역아(易牙)는 뛰어난 요리사로 환공(桓公)의 비위를 맞추기 위하여 친자식을 삶아 요리해 올렸으며, 개방(開方)은 위(衛)나라의 공자(公子)이다.

25 五公子爭立 : 환공은 세 명의 부인(夫人)이 있었으나 모두 아들이 없고 여섯 명의 후궁이 낳은 여섯 명의 공자(公子)가 있었는바, 곧 뒤에 효공(孝公)이 된 소(昭)와 무맹(武孟, 무궤(無詭))·원(元, 혜공(惠公))·반(潘, 소공(昭公))·상인(商人, 의공(懿公))·옹(雍)이다. 환공은 소를 후계자로 지명하였으나 뒤에 수조(竪刁) 등에 의하여 무맹(武孟)이 즉위하게 되었는데, 이 때문에 난이 일어나 무맹은 즉위한 지 3개월 만에 살해되었다. 위에서 오공자(五公子)라 한 것은 무맹을 제외한 다섯 명을 가리킨 것이다.

相 도울 상 霸 으뜸 패 攘 물리칠 양 竪 더벅머리 수 刁 조두 조 薨 죽을 훙 蔓 퍼질 만
訖 이를 흘 鮑 생선 포 顧 다만 고

禍本.】何則고 竪刁, 易牙, 開方三子는 彼固亂人國者어니와 顧其用之者 桓公也라
【先責桓公. 是責管仲張本.】夫有舜而後에 知放四凶[26]하고 有仲尼而後에 知去少正卯[27]
하시니 彼桓公은 何人也오【含蘊.】顧其使桓公으로 得用三子者는 管仲也라【方責仲.】

저 공(功)이 이루어짐은 이루어진 날에 이루어진 것이 아니요【이어 접속함이 좋고 힘이 있다.】
반드시 말미암아 일어난 바가 있으며, 화(禍)가 일어남은 일어난 날에 일어난 것이 아니요 또
한 반드시 말미암아 시작된 바가 있는 것이니, 제나라가 다스려짐에 대하여 나는 관중 때문
이라고 말하지 않고 포숙(鮑叔) 때문이라고 말하며,【이것을 빌려 아래쪽의 일을 형용하였으니, 이 일
은《춘추좌씨전》장공(莊公) 원년에 보인다.】그 혼란함에 대하여 나는 수조ㆍ역아ㆍ개방 때문이라
고 말하지 않고 관중 때문이라고 말한다.【화의 근본에 대해서 미루어 궁구하였다.】어째서인가? 수
조ㆍ역아ㆍ개방 세 사람은, 저들은 진실로 남의 나라를 어지럽힌 자들이지만 이들을 등용한
자는 환공이다.【먼저 환공을 책망하였는데, 이는 관중을 책망하는 장본이다.】

순(舜) 임금이 있은 뒤에 사흉(四凶)을 추방할 줄 알았고, 중니(仲尼)가 있은 뒤에 소정묘(少
正卯)를 제거할 줄 알았으니, 저 환공은 어떠한 사람인가?【깊은 뜻을 함축하고 있다.】돌아보건대
환공으로 하여금 세 사람을 등용하게 한 자는 관중이었다.【비로소 관중을 책망하였다.】

仲之疾也에 公이 問之相하니 當是時也하여 吾以仲且擧天下之賢者以對러니【此是
本.】而其言이 乃不過曰 竪刁, 易牙, 開方三子는 非人情이니 不可近而已라하니【此
是末.】嗚呼라【看它過接.】仲以爲桓公이 果能不用三子矣乎아 仲與桓公處幾年矣
니 亦知桓公之爲人矣乎인저【責得有理.】桓公이 聲不絶乎耳하며 色不絶於目이어늘
而非三子者면 則無以遂其欲이니 彼其初之所以不用者는 徒以有仲焉耳라【看有,
無二字.】一日無仲이면 則三子者 可以彈冠而相慶矣리니【造理抑揚反覆, 在此數行.】仲
以爲將死之言이 可以縶(칩)桓公之手足耶아【婉曲切.】

관중이 병이 위독하자, 환공이 그에게 다음의 재상을 물으니, 이때를 당하여 나는 관중이

---

26 四凶: 공공(共工)ㆍ환도(驩兜)ㆍ곤(鯀)ㆍ삼묘(三苗)의 군주 등의 원흉(元兇)으로, 순 임금은 섭정을 하면서 이들을 멀
리 유배 보내었다.

27 少正卯: 춘추시대 노(魯)나라의 대부로 간악한 짓을 자행하였는데, 공자가 정권을 잡은 3일 만에 처형하였다.

장차 천하의 현자(賢者)를 천거하여 대신하게 하리라고 생각하였는데,【이것은 바로 본(本)이다.】 그의 말은 마침내 '수조·역아·개방 세 사람은 인정(人情)이 아니니, 가까이 하지 말라.'고 하는 데에 불과할 뿐이었다.【이것은 바로 말(末)이다.】

아!【저 과접(過接)함을 보아야 한다.】 관중은 환공이 과연 이들 세 사람을 등용하지 않을 것이라고 여겼단 말인가? 관중이 환공과 지낸 지가 몇 년이었으니, 또한 환공의 사람됨을 잘 알았을 것이다.【책망함이 조리가 있다.】 환공은 아름다운 음악 소리가 귀에 끊이지 않고 아름다운 색이 눈에 끊이지 않았는데, 세 사람이 아니면 그 욕심을 이룰 수가 없었으니, 저들이 처음에 등용되지 않은 까닭은 다만 관중이 있었기 때문이었다.【'유(有)'·'무(無)' 두 글자를 보아야 한다.】 하루 아침에 관중이 없어지면 저 세 사람은 〈세상에 나오려고〉 관(冠)을 털고 서로 경하하였을 것이니,【이치를 가지고 억양하고 반복함이 이 몇 줄에 달려 있다.】 관중은 죽음을 앞두고 한 말이 환공의 수족을 묶어놓을 수 있으리라고 여겼단 말인가?【완곡함이 간절하다.】

夫齊國은 不患有三子요 而患無仲이니 有仲則三子者는 三匹夫耳라【警策.】 不然이면 天下에 豈少三子之徒리오 雖桓公이 幸而聽仲하여 誅此三人이라도 而其餘者를 仲能悉數而去之耶아【好.】 嗚呼라 仲은 可謂不知本者矣로다 因桓公之問하여 擧天下之賢者以自代런들【本.】 則仲雖死나 而齊國에 未爲無仲也니 夫何患三子者리오 不言이라도 可也니라【末.】

저 제나라는 세 사람이 있는 것을 걱정하지 않고 관중이 없음을 걱정할 뿐이니, 관중이 있다면 세 사람은 세 필부(匹夫)일 뿐이다.【경책(警策)한 것이다.】 그렇지 않다면 천하에 어찌 세 사람의 무리뿐이겠는가. 환공이 다행히 관중의 말을 들어서 이 세 사람을 주살(誅殺)하였더라도 그 나머지 사람들을 관중이 모두 하나하나 세어서 제거할 수 있겠는가?【좋다.】

아! 슬프다. 관중은 근본을 알지 못한 자라고 이를 만하다. 환공의 물음으로 인하여, 천하의 현자를 천거해서 자기를 대신하게 했더라면【본(本)이다.】 관중이 죽더라도 제나라에 관중이 없는 것이 아니니, 어찌 세 사람을 걱정하겠는가? 이는 말하지 않아도 된다.【말(末)이다.】

五霸莫盛於桓, 文하니【使晉文外,[28] 事佳意新, 文不困, 到此, 意已竭, 却把文公比竝.】 文公之

---

28 使晉文外: 오자나 탈자가 있는 것으로 보이나, 확실하지 않으므로 해석하지 않았음을 밝혀둔다.

••• 悉 다할 실 數 셀 수 虐 사나울 학 襲 물려받을 습 盟 맹세 맹 恃 믿을 시

才 不過桓公이요 其臣이 又皆不及仲이요【狐·趙之徒.】 靈公【文公孫.】之虐이 不如孝
公【桓公子.】之寬厚언마는 文公死에 諸侯不敢叛晉하고 晉襲文公之餘威하여 猶得爲
諸侯之盟主 百餘年하니【繼霸, 直至悼公.】 何者오 其君雖不肖나 而尙有老成人焉일
새라【趙武·魏絳等.】 桓公之死也에【過佳.】 一亂塗地는 無惑也니 彼獨恃一管仲이라가
而仲則死矣라 夫天下에 未嘗無賢者하니 蓋有有臣而無君者矣어니와 桓公在焉이
요 而曰天下不復有管仲者는 吾不信也로라【生新意承前.】

　　오패(五霸)는 제나라 환공(桓公)과 진(晉)나라 문공(文公)보다 성한 이가 없었는데,【일이 아름
답고 뜻이 새로워서 문장이 곤궁하지 않고 이에 이르려는 뜻이 이미 다했는데, 다시 문공을 가지고 비교한 것
이다.】 문공의 재주가 환공보다 낫지 못하였고, 그 신하들이 또 모두 관중에 미치지 못하였으
며,【그의 신하는 호언(狐偃)과 조최(趙衰)의 무리이다.】 진나라 영공(靈公)【문공의 손자이다.】의 포악함
은 제나라 효공(孝公)【환공의 아들이다.】의 관후(寬厚)함만 못하였지만 문공이 죽은 후에도 제후
들이 감히 진나라를 배반하지 못하고, 진나라는 문공의 남은 위엄을 물려받아 오히려 제후(諸
侯)의 맹주 노릇을 백여 년 동안 하였으니,【진나라는 패업을 계승하여 도공(悼公)까지 줄곧 이어졌다.】
이는 어째서인가? 그 군주가 비록 불초하나 아직도 노성(老成)한 사람들이 있었기 때문이었
다.【노성한 사람은 조무(趙武)와 위강(魏絳) 등이다.】
　　환공이 죽자【과접(過接)함이 아름답다.】 제나라가 대번에 혼란하여 만회할 수 없을 정도가 된
것은 의혹할 것이 없으니, 저가 오직 관중 한 사람만 믿고 있다가 관중이 죽었기 때문이다.
천하에는 일찍이 현자가 없었던 적이 없으니, 훌륭한 신하가 있는데도 훌륭한 군주가 없는
경우는 있지만, 환공 같은 군주가 있는데도 천하에 다시 관중 같은 인재가 없다고 말한다면
나는 믿지 않는다.【새로운 뜻을 내어 앞을 이었다.】

仲之書에 有記其將死에 論鮑叔, 賓胥無之爲人하고 且各疏其短하니【管子寢疾, 桓
公往問之, 仲曰: "鮑叔之爲人, 好直而不能以國(强)〔詘〕,[29] 賓胥無之爲人, 好善而不能以國詘."】 是其
心이 以爲是數子者는 皆不足以托國이요 而又逆知其將死하니 則其書誕謾하여 不
足信也라

---

29 (强)〔詘〕: 저본에는 '강(强)'으로 되어 있으나, 《관자(管子)》에 의거하여 '굴(詘)'로 바로잡았다.

··· 胥 서로 서 托 부탁할 탁 逆 미리 역 誕 거짓 탄 謾 허탄할 만

131
卷7

관중의 책(《관자(管子)》)에 그가 죽음을 앞두고 포숙(鮑叔)과 빈서무(賓胥無)의 사람됨을 논하고, 또 각기 그 단점을 조목조목 진술한 기록이 있으니,【관자(管子, 관중)가 병환이 위급하자 환공이 가서 물었는데, 관중이 대답하기를 "포숙의 사람됨은 강직함을 좋아하나 나라를 위해 그 강직함을 굽히지 못하고, 빈서무의 사람됨은 그 선(善)을 좋아하나 나라를 위해 그 선을 굽히지 못합니다."라고 하였다.】 이는 그가 마음속으로 이 몇 사람들은 모두 나라를 맡길 수 없다고 여긴 것이요, 또 자기가 곧 죽을 줄을 미리 알았던 것이니, 이 책은 허탄하여 믿을 만한 것이 못된다.

吾觀史鰌以不能進蘧伯玉而退彌子瑕라 故로 有身後之諫[30]하고 蕭何且死에 擧曹參以自代[31]하니【二事的當.】大臣之用心이 固宜如此也니라【只如此繳, 不費辭而有餘味.】

내가 보건대, 사추(史鰌)는 거백옥(蘧伯玉, 거원(蘧瑗))을 등용하고 미자하(彌子瑕)를 물리치지 못하였다 하여 이 때문에 신후(身後)의 간함을 남겼고, 소하(蕭何)는 죽음을 앞두고 조참(曹參)을 천거하여 자신을 대신하게 하였으니,【두 가지 일이 적당하다.】대신(大臣)의 마음 씀은 진실로 마땅히 이와 같아야 한다.【다만 이와 같이 맺어서 말을 허비하지 않고도 남은 맛이 있다.】

一國이 以一人興하고 以一人亡하나니 賢者는 不悲其身之死하고【責仲十分到.】而憂其國之衰라 故로 必復有賢者而後에 有以死하나니 彼管仲은 何以死哉오【斷句有力, 如破竹勢, 一句緊一句.】

한 나라가 한 사람 때문에 흥하고 한 사람 때문에 망하니, 현자는 자기 몸이 죽음을 슬퍼하

---

30 史鰌……身後之諫 : 사추(史鰌)는 춘추시대 위(衛)나라의 사관(史官)으로 자가 자어(子魚)인데, 사관이었으므로 사어(史魚)라고도 칭한다. '신후(身後)'는 사후(死後)를 이른다. 사추는 일찍이 영공(靈公)에게 현신(賢臣)인 거백옥(蘧伯玉)을 등용하고 권신(權臣)인 미자하(彌子瑕)를 물리칠 것을 청했으나 영공은 듣지 않았다. 사추는 죽을 때에 그 아들에게 유언하기를 "나는 생전에 현신을 등용하고 간신을 물리치지 못했으니, 내가 죽거든 예(禮)를 다 갖추지 말고 시신을 북측 창문 밑에 두라." 하였다. 영공이 조문을 갔다가 이것을 보고 물어 그 내용을 알고는 다시 예를 갖추어 빈소를 만들게 한 다음, 거백옥을 등용하고 미자하를 물리쳤다. 이에 세상에서는 사추가 죽은 뒤에도 간언을 올렸다 하여 '신후지간(身後之諫)'이라고 칭하였다.

31 蕭何且死 擧曹參以自代 : 소하(蕭何)와 조참(曹參)은 모두 유방(劉邦)을 도와 한(漢)나라를 세운 개국공신이다. 소하는 자신의 후임으로 평소 사이가 좋지 않던 조참을 천거했는데, 소하가 죽고 조참이 정승이 되자 한결같이 소하의 법을 준수해서 백성을 번거롭게 하지 않았다. 《史記 卷53 蕭相國世家》

··· 鰌 미꾸라지 추 蘧 패랭이꽃 거 彌 더욱 미 瑕 옥티 하 蕭 쑥 소

지 않고【관중을 십분 책망하였다.】 그 나라가 쇠망함을 근심한다. 그러므로 반드시 다시 현자가 있은 뒤에 〈편안한〉 죽음이 있는 것이다. 그런데 저 관중은 어떻게 죽었는가?【단구(斷句)에 힘이 있어서 파죽지세와 같으니 한 구 한 구가 더 긴요하다.】

목가산기木假山記

소순蘇洵

• 작품개요

　이 작품은 가우(嘉祐) 2년(1057)에 지어진 것이다. 일설에는 가우 3년에 작자가 계수(溪叟)에게서 세 봉(峰)의 목가산(木假山)을 얻고 그것을 뜰에다가 둔 다음에 이 글을 지어 기념한 것이라고도 한다.

　'목가산'이란 큰 나무뿌리가 오랜 세월 동안 물과 모래·돌 등에 의해 침식과 충격을 받아 변형되어 산의 모양을 갖추게 된 것을 가리키는바, 이는 곧 문인들의 관상용이었다. 작품 속에서 작자는 목가산의 형성에 관한 우여곡절 및 그 조형을 생동감 넘치게 묘사하였는데, 이를 통하여 사람이 겪는 불행과 곤란을 은유하고, 늠름한 자태로 굽히지 않는 목가산처럼 고상한 기품과 절조를 추구하도록 타이르고 있다.

　작품은 크게 두 단락으로 나눌 수 있는데, 첫 번째 단락에서는 목가산이 형성되는 과정에 대하여 서술하였고, 두 번째 단락에서는 목가산에 대한 작자의 정감을 집중적으로 드러내며 자신이 깨달은 바를 밝혔다.

　이 작품은 많은 비유와 은유를 사용함으로써 인생의 철리(哲理)를 암시하고 있는 것이 특징으로, 작자의 감동과 탄식, 고상한 인격과 절조에 대한 찬양과 추구를 표현하는 데에 유용하다. 또 다른 특징은 허구[虛]와 실제[實]의 결합이다. 나무가 성장하는 어려움과 목가산이 만들어지면서 겪는 곤란, 목가산의 운명이 기구한 것 등을 서술한 것은 실제에 속하고, 마지막 부분에서 작자가 느끼고 깨달은 바를 예술적으로 윤색해낸 것은 허구에 속한다.

　이 작품에서 목가산이라는 구체적 사물에 대하여 기술하는 기초 위에 자신의 감정을 드러내고 철리를 의론한 것은 송대 산문의 전형적인 특징을 잘 체현하였다고 이를 만하다.

참고로 목가산의 세 봉우리 중 가운데는 작자 자신을, 그 곁에 있는 두 봉우리는 두 아들을 은유하고 있는 것 또한 특별하다.

篇題小註‥ 山谷云 往嘗觀明允木假山記하니 以爲文章氣 自似莊周, 韓非라하노라

산곡(山谷, 황정견(黃庭堅))이 말하였다. "지난번에 일찍이 소명윤(소순)의 〈목가산기(木假山記)〉를 보고서, 문장의 기운이 자연 장주(莊周)·한비(韓非)와 유사하다고 생각하였노라."

○ 迂齋云 首尾不過四百以下字로되 而起伏開闔이 有無限曲折하니 此老可謂妙於文字者 矣라 其終은 蓋以三峰으로 比其父子三人云이라

우재가 말하였다. "처음부터 끝까지 4백 자 이하에 불과한데 기복(起伏)과 개합(開闔)에 무한한 곡절이 있으니, 이 노인은 문자에 뛰어난 자라고 이를 만하다. 마지막에는 세 봉우리로써 자기 삼부자(三父子)를 비유하였다."

• 原文

木之生이 或蘖(얼)而殤하고 或拱而夭하며 幸而至於任爲棟樑則伐하고 不幸而爲 風之所拔, 水之所漂하여 或破折, 或腐하고 幸而得不破折, 不腐하면 則爲人之所 材하여 而有斧斤之患하나니라【看此處曲折.】

나무가 자랄 적에 혹 싹(가지)이 나서 죽기도 하고 혹 한 공(拱, 한 움큼)이 되어 요절하기도 하며 다행히 동량(棟樑) 감에 이르면 베임을 당하고, 불행히 바람에 뽑히고 물에 떠내려가서 혹 부서지거나 꺾이고 혹 썩기도 하며, 다행히 부서지거나 꺾이지 않고 썩지 않으면 사람에게 재목으로 여겨져 도끼와 자귀로 베이는 화(禍)가 있다.【이곳의 곡절을 보아야 한다.】

其最幸者는 漂沈汨沒於湍沙之間이 不知其幾百年이요 而其激射齧(설)食之餘가

或髣髴於山者면 則爲好事者取去하여 强之以爲山하나니 然後에 可以脫泥沙而遠斧斤이로되 而荒江之濱에 如此者幾何며 不爲好事者所見하고 而爲樵夫野人所薪者何可勝數리오 則其最幸者之中에 又有不幸者焉이라

이 가운데 가장 다행스러운 것은 여울과 모래 사이에 떠내려가다가 가라앉은 지가 몇 백 년이 되었는지를 알지 못하고 격류(激流)에 씻기고 침식당한 나머지 혹 산(山)을 방불케하는 것이 있으면 일을 벌이기를 좋아하는 자들이 가져다가 억지로 산처럼 꾸며놓는 경우가 있으니, 그러한 뒤에야 진흙과 모래를 벗어나고 도끼와 자귀를 멀리 할 수 있다. 그러나 큰 강가에 이와 같은 것이 얼마나 되며, 일 벌이기를 좋아하는 자에게 발견되지 않고 초부(樵夫, 나무꾼)와 야인(野人)에게 땔감이 되는 것을 어찌 이루 헤아릴 수 있겠는가. 그렇다면 가장 다행스러운 것 가운데에 또 불행한 것이 있는 것이다.

子家에 有三峰하니 子每思之하면 則疑其有數存乎其間이라 且其蘗而不殤하고【此樣轉折, 妙甚.】 拱而不夭하며 任爲棟樑而不伐하고 風拔水漂而不破折, 不腐하며 不破折, 不腐而不爲人所材以及於斧斤하고 出於湍沙之間하여 而不爲樵夫野人之所薪而後에 得至乎此하니 則其理似不偶然也라【應有數存其間一句.】

내 집에 세 봉우리의 목가산(木假山)이 있는데, 내가 매양 생각하면 그 사이에 운수가 있는 듯하다. 또 그 싹이 나서 죽지 않고【이러한 전환이 매우 묘하다.】 공(拱)이 되어 요절하지 않으며, 또 동량감이 될 만한데도 베임을 당하지 않고, 바람에 뽑히고 물에 떠내려가서 부서지거나 꺾이지 않으며, 부서지거나 꺾이지 않고 썩지도 않았으면서 사람에게 재목으로 여겨져 도끼와 자귀가 미치지 않고, 여울과 모래 사이에서 나와 초부와 야인에게 땔감이 되지 않은 뒤에야 여기에 이를 수 있으니, 그렇다면 그 이치가 우연치 않은 듯하다.【'그 사이에 운수가 있다〔有數存乎其間〕'라는 한 구에 응한다.】

然이나 子之愛之는 則非徒愛其似山이라 而又有所感焉이요 非徒感之라 而又有所敬焉이로라 子見中峰이 魁岸踞肆하고 意氣端重하여 若有以服其旁之二峰이요【老泉自說.】 二峰者 莊栗刻削하여 凜乎不可犯하여 雖其勢服於中峰이나 而岌然決無阿附意하니【待二子如此.】 吁其可敬也夫인저 其可以有所感也夫인저

••• 斧 도끼부 濱 물가 빈 樵 나무할 초 踞 걸터앉을 거 肆 펼 사 莊 씩씩할 장 栗 엄할 률 削 깎을 삭 凜 늠름할 름 岌 산높을 급 阿 아첨할 아 吁 탄식할 우

그러나 내가 이 목가산을 사랑하는 것은 다만 산과 같아서가 아니라 또 보고 느끼는 바가 있기 때문이며, 다만 느낌이 있어서만이 아니라 또 공경하는 바가 있어서이다. 내가 보건대, 가운데 봉우리는 웅장하고도 우뚝하게 버티고 있으며 의기(意氣)가 단중(端重)하여 그 옆에 있는 두 봉우리를 복종시킬 수 있을 듯하고,【노천이 자신을 비유하여 말한 것이다.】두 봉우리는 장율(莊栗, 씩씩함)하고 각삭(刻削, 뾰족함)하여 범할 수 없을 정도로 늠름하여, 비록 그 형세는 가운데 봉우리에 복종하는 듯하나 우뚝이 높아서 결코 아부하는 뜻이 없으니,【두 아들을 대하기를 이와 같이 한 것이다.】아! 공경할 만하다. 아마도 느끼는 바가 있을 만하구나!

고조론高祖論

소순蘇洵

• 작품개요

　이 작품은 〈권서(權書)〉의 가장 마지막 편으로, 한 고조(漢高祖) 유방(劉邦)의 지혜가 '큰 것에 밝고 작은 것에 어두워[明於大而暗於小]' 다른 사람들이 미칠 수 없었음을 논증한 것이다.

　작자는 《사기》〈고조본기〉를 가지고 분석하여, 여씨(呂氏)들이 난을 일으킬 것을 미리 알았던 한 고조의 예지력을 언급한 다음, 여씨들이 틀림없이 난을 일으킬 것과 여후(呂后)를 제거할 수 없었던 정황에 대하여 논하였다. 이어서 여후를 제거할 수 없었던 상황이었기에 그 당여를 약화시키려 하였던 것에 대해 논하며 번쾌(樊噲)를 죽이려 한 것을 이야기하고, 번쾌가 일찍 죽은 것이 매우 다행이라고 주장한다. 작자의 논리대로라면 진평과 주발이 번쾌를 죽이지 않았던 것은 한 고조의 사후에 우환을 남긴 것으로, 한 고조가 번쾌를 죽이려고 하였던 것이 바로 '대지(大智)'인 셈이다.

　작자는 한 고조가 여씨의 난을 예견하여 주발(周勃)을 최고의 군권자(軍權者)인 태위(太尉)로 임명하고, 자신의 뒤를 이을 혜제(惠帝)가 무사히 장성할 수 있도록 여후를 즉시 제거하지는 않았다고 보았다. 다만 여후의 세력을 약화시키기 위해 진평과 주발에게 번쾌를 죽이도록 하였지만 이들이 그때 당장 죽이지 않으므로 인해 큰 우환거리를 남겼으나, 다행히 번쾌가 오래 살지 못하였기 때문에 뒤에 주발이 여씨 일족을 제거할 수 있어 유씨 왕조가 지속될 수 있었다고 주장하였다.

　이 작품은 논리 전개상에 비약이 있고 문장의 전후 연결에 문제가 있어 보이기도 하지만 작자의 독특한 견해와 번뜩이는 재기(才氣)가 두드러지는 뛰어난 작품이라고 하겠다.

　참고로 번쾌는 한 고조와 동서지간(同壻之間)으로, 한 고조의 아내는 여치(呂雉, 여후)이고, 번쾌의 아내는 여수(呂嬃)이다.

篇題小註‥ 漢樊噲傳에 盧綰이 叛이어늘 帝遣噲伐之러니 人有言 噲黨呂氏하니 一日宮車
晏駕면 噲欲以兵誅戚氏, 趙王이라한대 帝大怒하여 使陳平載絳侯代將하고 卽軍中斬噲러니
平이 畏呂氏하여 執噲詣長安하니 至則帝已崩이라 后釋噲하다 惠帝六年에 噲卒하니라

《한서(漢書)》〈번쾌전(樊噲傳)〉에 연왕(燕王) 노관(盧綰)이 반란을 일으키자, 고제(高帝, 고조(高祖))
는 번쾌를 보내어 정벌하게 하였는데, 어떤 사람이 "번쾌는 여씨(呂氏)와 한 무리〔黨〕이니, 어느 날
황제께서 안가(晏駕, 승하)하면 번쾌는 병력을 동원하여 고제의 애희(愛姬)인 척씨(戚氏)와 그의 아들
인 조왕(趙王 여의(如意))을 죽이고자 할 것입니다."라고 아뢰었다. 이에 고제는 크게 노하여 진평(陳
平)으로 하여금 강후(絳侯, 주발(周勃))를 수레에 태우고 군중(軍中)으로 가서 강후가 대신 병력을 통
솔하게 하고, 군중에서 번쾌를 목 베게 하였다. 진평은 여씨(呂氏, 여후(呂后))를 두려워하여 번쾌를
목 베지 않고 붙잡아 장안(長安)으로 왔는데, 도착하자 고제가 승하하였다. 여후는 번쾌를 석방하였
는데, 혜제(惠帝) 6년(B.C. 189)에 번쾌가 죽었다.

○ 此篇은 反覆論高帝爲身後慮 全在斬樊噲上하니 噲妻는 呂后女弟嬃也라 不去呂后者는
欲扶惠帝之弱이요 斬樊噲者는 欲翦呂后之黨이니 斬噲則高帝可死而無憂矣라 平, 勃이 不
悟此하고 乃留噲不斬하니 豈非遺帝身後之憂耶아 幸噲後來自先死耳라 議論이 抑揚反覆하
여 極有精神하니라

이 편은 고제의 신후(身後, 사후)에 대한 염려가 오로지 번쾌를 목 베는 데 있음을 반복하여 논하
였으니, 번쾌의 아내는 여후의 여동생인 여수(呂嬃)였다. 고제가 여후를 제거하지 않은 것은 혜제의
약함을 붙들어 주기 위함이었고, 번쾌를 목 베려 한 것은 여후의 당(黨)을 제거하고자 해서였으니,
번쾌를 목 베었다면 고제는 죽으면서 걱정이 없었을 것이었다. 그런데 진평과 주발은 이것을 깨닫
지 못하고 마침내 번쾌를 살려 두고 목 베지 않았으니, 어찌 고제에게 신후의 걱정을 끼친 것이 아
니겠는가. 다행히 뒤에 번쾌가 저절로 먼저 죽었을 뿐이다. 의론이 억양 반복(抑揚反覆)하여 지극히
정신(精神, 정채(精采))이 있다.

• 原文

漢高祖挾數用術하여 以制一時之利害는 不如陳平하고 揣(췌)摩天下之勢하여 舉

指搖目하여 以劫制項羽는 不如張良하니 微此二人이면 則天下不歸漢이요 而高帝
는 乃木彊之人而止耳라【抑.】然이나 天下已定에 後世子孫之計는 陳平, 張良智之
所不及을 則高帝常(嘗)先爲之規畫處置하여 使夫後世之所爲로 曉然如目見其
事而爲之者하니【揚.】蓋高帝之智 明於大而暗於小를 至於此而後見也라

　　한(漢)나라 고조(高祖)가 술수(術數)를 부리고 술책을 써서 한때의 이해(利害)를 제어하는 데
에는 진평(陳平)보다 못하고, 천하의 형세를 헤아려 손가락을 들고 눈을 돌려서 항우(項羽)를
겁제(劫制, 견제)하는 데에는 장량(張良)보다 못하였으니, 이 두 사람이 없었다면 천하는 한나
라에 돌아가지 않았을 것이요, 고제(高帝, 유방(劉邦))는 바로 목강(木彊, 투박하고 뻣뻣함)한 사람
일 뿐이었을 것이다.【이상은 억누른 것이다.】

　　그러나 천하가 이미 평정된 뒤에 후세 자손에 대한 계책은 진평과 장량의 지혜로도 미치지
못하였는데, 고제는 일찍이 먼저 이에 대한 계획을 세우고 처치(조치)하여 후세의 행하는 바
로 하여금 그 일을 직접 보고 한 듯 분명하게 하였으니,【이상은 드날린 것이다.】고조의 지혜는
큰 것에 밝고 작은 것에 어두움을 여기에 이른 뒤에 볼 수 있다.

帝常(嘗)語呂后曰【入實事, 第一段, 思量未盡.】周勃은 重厚少文이나 然安劉氏者는
必勃也니 可令爲太尉[32]라하니 方是時하여 劉氏旣安矣니 勃又將誰安耶아 故로 吾
之意는 曰 高帝之以太尉屬勃也는 知有呂氏之禍也라하노라【文不斷.】雖然이나 其
不去呂后는 何也오 勢不可也라【第二段, 思量也未盡.】

　　고제는 일찍이 여후(呂后)에게 말하기를【실제 일로 들어갔으니, 첫 번째 단락은 생각하고 헤아림이
미진하다.】"주발(周勃)은 중후(重厚)하고 문장(문식(文飾))이 부족하나 유씨(劉氏)를 편안히 할 자
는 틀림없이 주발일 것이니, 그를 태위(太尉)로 삼을 만하다." 하였는데, 이때를 당하여 유씨

---

32 帝常語呂后曰……可令爲太尉: 고조(高祖)가 병이 위독하자, 여후가 묻기를 "폐하께서 승하하신 뒤에 소상국(蕭相國
소하(蕭何))이 죽으면 누구로 그를 대신해야 합니까?" 하니, 고조는 "조참(曹參)이 괜찮다." 하였다. 다시 그 다음을 물으니,
고조는 "왕릉(王陵)이 괜찮으나 다소 우직하니, 진평(陳平)이 그를 도울 수 있다. 진평은 지혜는 충분하나 홀로 맡기기는 어
렵다. 주발은 중후하고 문식(文飾)이 부족하나 유씨(劉氏)를 편안히 할 자는 반드시 주발일 것이니, 그를 태위로 삼을 만
하다." 하였다. 그리하여 그의 말대로 하였는바, 태위는 군권을 관장한 직책이었다. 혜제(惠帝)가 죽고 여후가 임조(臨朝)하
여 여씨들을 상당수 왕으로 봉하였는데, 여후가 죽자, 여씨들이 황제의 자리를 넘보았으나 주발과 진평이 상의하고 여씨들
을 죽인 다음 문제(文帝)를 영립(迎立)하였다.

　　　　　　… 微 없을 미　勃 일어날 발　尉 벼슬이름 위

가 편안하였으니, 주발이 또 장차 누구를 편안히 한단 말인가? 그러므로 나는, 고제가 태위라는 직책을 주발에게 맡긴 것은 여씨의 화가 있을 줄을 알았기 때문이라고 생각한다.【글이 끊기지 않았다.】그러나 여후를 제거하지 않은 것은 어째서인가? 형세가 불가하기 때문이었다.【두 번째 단락은 생각하고 헤아렸으나 또한 미진하다.】

昔者에 武王沒하고 成王幼에 而三監[33]叛하니 帝意百歲後에 將相大臣及諸侯王이 有如武庚祿父(보)而無有以制之也일새 獨計以爲家有主母면 而豪奴,悍婢가 不敢與弱子抗하나니【句法.】呂氏佐帝定天下하여 爲諸侯大臣素所畏服하니 獨此可以鎭壓其邪心하여 以待嗣子之壯이라【下語, 造字, 運意, 甚精到.】故로 不去呂后者는 爲惠帝計也니라

옛날 무왕(武王)이 별세하고 성왕(成王)이 어린 나이로 즉위하자, 삼감(三監)이 배반하였으니, 고조의 뜻에는 백세의 뒤에 장상(將相)과 대신(大臣)과 제후왕(諸侯王) 중에 무경(武庚) 녹보(祿父)와 같은 자가 있으면 이를 제지하지 못할까 염려되었다. 그리하여 홀로 곰곰이 생각하기를 '집에 주모(主母)가 있으면 기운 센 사내 종과 사나운 계집종이 주인의 약한 자식에게 대항하지 못한다.【구법(句法)이다.】여씨가 고제를 도와 천하를 평정하여 제후왕과 대신들이 평소 그녀를 두려워하여 복종하고 있으니, 오직 이 방법만이 그들의 간사한 마음을 진압하여 사자(嗣子)가 장성하기를 기다릴 수 있다.'라고 하였다.【말을 만들고 글자를 놓고 뜻을 운용함이 매우 정밀하고 지극하다.】그러므로 여후를 제거하지 않은 것은 혜제(惠帝)를 위한 계책이었다.

呂后를 旣不可去라 故로 削其黨하여 以損其權하여【第三段, 思量方盡.】使雖有變이라도 而天下不搖라【一篇之精神, 全在此句, 有挽萬鈞力.】是故로 以樊噲之功으로 一旦에 遂欲斬之而無疑하니 嗚呼라 彼獨於噲不仁耶아 且噲與帝偕起하여 拔城陷陣하여 功不爲少요 方亞父嗾項莊時[34]에 微噲譙羽런들 則漢之爲漢을 未可知也라 一旦에

---

33 三監: 은(殷)나라를 감시하던 세 사람으로 관숙(管叔)·채숙(蔡叔)·곽숙(霍叔)을 가리킨다. 주 무왕(周武王)은 은나라를 정벌한 다음 주왕(紂王)의 아들인 무경(武庚)을 다시 은에 봉하고 아우인 관숙 등을 은에 파견하여 무경을 감시하게 하였다. 그 후 무왕이 죽고 성왕(成王)이 어린 나이로 즉위하자, 관숙 등은 무경과 함께 반란을 일으켰다가 주공(周公)의 토벌을 받고 모두 죽었다. 녹보(祿父)는 무경(武庚)의 자이다.

34 亞父嗾項莊時: 아부(亞父)는 중부(仲父)와 같은 뜻으로, 항우(項羽)가 모사(謀士)인 범증(范增)을 높여 칭한 것이

人有惡(오)噲하여 欲滅戚氏者라하니 時에 噲出伐燕이어늘 立命平, 勃하여 卽軍中斬之하니라【只使二子, 是何意?】

　　여후를 이미 제기할 수 없으므로, 그 당여(黨與)를 줄여 그의 권세를 약화시켜【세 번째 단락은 생각하고 헤아림이 비로소 극진하다.】가령 변란이 있더라도 천하가 동요되지 않도록 하였다.【한 편의 정신이 완전히 이 구(句)에 있어서 만 균을 당기는 힘이 있다.】이 때문에 큰 공이 있는 번쾌(樊噲)에 대해 하루아침에 거리낌 없이 그를 베고자하였던 것이니, 아! 슬프다. 저 고제는 번쾌에 대해서만 불인(不仁)하단 말인가? 또 번쾌는 고제와 함께 일어나서 성(城)을 함락시키고 적진을 무너뜨려 공이 적지 않았으며, 아부(亞父)가 항장(項莊)을 사주하여 고제를 죽이려 할 때에 번쾌가 항우(項羽)를 꾸짖지 않았더라면 한나라는 한나라가 되었을지 알 수 없다.

　　하루아침에 어떤 사람이 번쾌를 미워하여 '번쾌가 척씨(戚氏)를 없애려고 한다.'라고 하였으니, 이때에 번쾌는 밖으로 나가 연(燕)나라를 정벌하고 있었는데, 고제는 그 자리에서 진평과 주발에게 명하여 군중(軍中)에 가서 번쾌의 목을 베게 하였다.【다만 진평과 주발 두 사람을 시킨 것은 도대체 무슨 뜻인가.】

夫噲之罪未形也요 惡之者誠僞를 未必也요 且帝之不以一女子로 斬天下功臣이 亦明矣라 彼其娶於呂氏하니 呂氏之族에 若産, 祿輩는 皆庸才라 不足恤이요 獨噲豪健하여 諸將所不能制니 後世之患이 無大於此矣라

　　번쾌의 죄가 아직 드러나지 않았고, 그를 미워한 자가 한 말의 진실과 거짓을 기필할 수가 없었으며, 게다가 고제가 한 여자 때문에 천하의 공신을 베지 않음 또한 분명하다. 저 번쾌는 여씨에게 장가들었는데, 여씨의 일족 중에 여산(呂産), 여록(呂祿)과 같은 무리들은 모두 용렬한 재주여서 굳이 근심할 것이 없었고, 다만 번쾌만이 호건(豪健)하여 여러 장수들이 제재할 수 없었으니, 후세의 걱정거리가 이보다 큰 것이 없었다.

夫高帝之視呂后는 猶醫者之視菫也하여 使其毒으로 可使治病이요 而無至於殺

___

다. 항장(項莊)은 항우의 숙부(叔父)로, 홍문(鴻門)에서 항우와 유방이 만나 잔치할 때에 범증이 항장에게 유방을 살해하도록 지시하였다. 이때 번쾌(樊噲)는 방패를 들고 잔치자리로 뛰어들어 항우를 꾸짖고 유방을 구출하였다.

　　　　　　　　　　… 僞 거짓 위　娶 장가들 취　恤 근심할 휼　菫 오두(烏頭) 근

人而已라 噲死則呂氏之毒이 將不至於殺人이니 高帝以爲是足以死而無憂矣어늘 彼平, 勃者는 遺其憂者也로다 噲之死於惠帝之六年은 天也니 使之尙在면 則呂祿을 不可紿요 太尉不得入北軍矣[35]리라

고제는 여후를 마치 의원이 근(菫, 독약인 오두(烏頭))을 보듯이 하여 그 독으로 하여금 병을 다스리게만 하고 사람을 죽이는 데까지는 이르지 않게 할 뿐이었다. 번쾌가 죽는다면 여씨의 독은 장차 사람을 죽이는 데까지는 이르지 않을 것이니, 고제는 생각하기를 '이렇게 하면 충분히 죽어도 근심이 없을 것이다.'라고 여겼는데, 저 진평과 주발은 고제의 근심을 남겨 놓은 자들이다.

번쾌가 혜제(惠帝) 6년(B.C 189)에 죽은 것은 천운(天運)이었으니, 가령 그가 여전히 살아있었다면 여록을 속일 수가 없었을 것이요, 태위(太尉, 주발)가 북군(北軍)에 들어가지 못했을 것이다.

或謂噲於帝最親하니 使之尙在라도 未必與産, 祿叛이라하니 夫韓信, 黥布, 盧綰이 皆南面稱孤[36]하고 而綰又最爲親幸이나 然及高帝之未崩也하여 皆相繼以逆誅하니 誰謂百歲之後[37]에 椎埋屠狗之人이 見其親戚得爲帝王하고 而不欣然從之耶아【帝在則與帝親, 帝死則産 · 祿爲親矣.】吾故曰 彼平, 勃者는 遺其憂者也라하노라

혹자는 말하기를 '번쾌는 고제에게 있어 가장 친한 사람이었으니, 가령 그가 여전히 살아 있었더라도 반드시 여산 · 여록과 함께 배반하지는 않았을 것이다.'라고 한다. 그러나 한신(韓

---

35 呂祿……不得入北軍矣 : '태위(太尉)'는 관명으로 주발(周勃)을 가리키며 '북군(北軍)'은 당시 왕성(王城) 수비군의 하나이다. 여후(呂后)는 혜제(惠帝)의 뒤를 이어 즉위한 다음 여씨 일족을 중용(重用)하고 장차 황제의 대권(大權)을 여씨에게 물려주려 하였다. 그러다가 여후가 죽자, 북군의 대장군을 맡고 조왕(趙王)에 봉해져 있던 여록(呂祿)과 남군(南軍)을 맡고 있던 여산(呂産) 등 그의 일족들은 반대파를 제거하고 대권을 차지하려 하였다. 이에 태위 주발은 여록에게 "당분간 군권(軍權)을 나에게 맡기고 봉지로 가 있으면 내가 모든 문제를 해결해 주겠다."라고 설득하였다. 여록이 그의 말을 따라 대장군의 인수(印綬)를 넘겨주자, 주발은 즉시 북군으로 들어가 여씨를 반대하는 자들을 데리고 여씨 일족을 대숙청(大肅淸)하였으므로 말한 것이다.

36 南面稱孤 : '남면(南面)'은 남향(南向)으로 왕자(王者)의 자리를 뜻하며, '고(孤)'는 왕자가 자신을 칭하는 겸사인바, 한신(韓信) 등이 고조(高祖)에게 북면(北面)하여 신(臣)이라고 칭하지 않고 반역하였음을 이른다. 그러나 한신은 반역한 마음만 품고 있었지 황제를 칭하지는 않았다.

37 百歲之後 : '백세(百歲)'는 제왕에 대해 죽는다는 말을 쓰기 싫어하여 대신 쓴 것으로 곧 사후(死後)를 가리킨다.

··· 紿 속일 태 黥 자자할 경 椎 몽둥이 퇴 埋 묻을 매 屠 죽일 도 欣 기쁠 흔

信)·경포(黥布)·노관(盧綰)이 모두 남면(南面)하여 고(孤)를 칭하였고, 노관은 또 가장 친하고 총애하였으나 고제가 죽기 전에 모두 서로 뒤를 이어 반역하다가 죽었으니, 백세(百歲)의 뒤에 추매(椎埋, 사람을 죽여 땅에 묻음)하고 개를 도살하던 사람(번쾌를 가리킴)이 그 친척이 제왕(帝王)이 됨을 보고 혼연히 따르지 않을 것이라고 누가 생각하겠는가.【〈번쾌(樊噲)는〉 고제가 살아있으면 고제와 친하고 고제가 죽으면 여산(呂產)·여록(呂祿)과 친했을 것이다.】 나는 그러므로 "저 진평과 주발은 고제의 걱정거리를 남겨놓은 자이다."라고 말하는 것이다.

상구양내한서 上歐陽內翰書

소순蘇洵

• 작품개요

　　이 작품은 일종의 간알문(干謁文)이다. '간알문'이란 요즘의 자기소개서와 그 성격이 비슷한데 자신의 포부와 사상, 또는 문장 등을 높은 사람에게 알려서 자신을 천거해주기를 청하는 글이다. 특히 이 작품은 작자가 착의용력(着意用力)한 수작으로, 북송 인종(仁宗) 가우(嘉祐) 원년(1056)에 지어졌다. 당시 작자는 나이가 50에 가까웠으나 진사도 되지 못하였고 게다가 명문 출신도 아니었는바, 말 그대로 '포의궁거(布衣窮居)'하는 일개 무명의 서생일 뿐이었다. 이때 구양수(歐陽脩)는 한림원(翰林院)의 시독학사(侍讀學士)로서 조정의 요직을 맡아 내명(內命)을 전담하고 국사의 주요 결정에 참여하였기 때문에 '내한(內翰)'이라고 일컬은 것이다.

　　이 작품은 작자가 구양수에게 보낸 첫 번째 편지이다. 당시 구양수는 오대(五代) 이래 부미(浮靡)한 문풍을 반대하는 '신고문 운동(新古文運動)'을 주도한 문단의 영수였다. 이에 작자는 일반적인 자천서(自薦書)의 속된 투식에 빠지지 않기 위하여 심혈을 기울였는바, 결국 이 작품을 통하여 구양수의 높은 평가를 받게 되었다. 이 편지를 읽은 구양수는 가의(賈誼)와 유향(劉向)이라고 하더라도 결코 작자보다 문장을 잘하지는 못할 것이라고 생각하여, 〈기책(幾策)〉 2편, 〈권서(權書)〉 10편, 〈형서(衡書)〉 10편 등 작자의 글 22편을 인종에게 올렸고, 이로 말미암아 작자는 명성을 크게 얻게 되어 당시 수많은 문사들이 서로 다투어 전송(傳誦)하며 작자의 문장을 모방하였다. 재상 한기(韓琦) 역시 작자의 문장을 크게 인정하여 조정에 천거하기까지 하였는데 작자는 병을 핑계 대고 응하지 않았다가 뒤에 비서성 교서랑에 임명되었다.

　　작품 전체는 크게 세 부분으로 나뉜다. 첫 번째 부분에서는 군자들의 이합에 대한 서술을 통하여 작자가 구양수에게 글을 올리게 된 원인을 설명하고, 어진 이를 앙모하는 심정을 집중적으로 그려내었다. 작품에서 언급한 부필, 윤수, 여정, 채양, 범중엄, 구양수는 모두 개혁파로, 이는 작자 자신의 정치적 경향을 드러낸 것이다.

　두 번째 부분에서는 주로 문학을 평론하였는데, 구양수의 문장을 칭찬하는 것에서 시작하여 문단의 선배들까지 논하였다. 특히 맹자, 한유, 이고, 육지의 문장에 대해 평함으로써 구양수의 문장을 두드러지게 하여 작자가 구양수의 문장을 깊이 이해하고 있음을 설명하였다.

　세 번째 부분에서는 각고의 노력으로 학문을 탐구한 작자의 경험을 서술하였다. 이 부분의 묘미는, 작자가 자신의 문학적 성취를 노골적으로 언급하지 않고 학습한 경력과 체회(體會)라는 두 방면으로 드러낸 데에 있다고 하겠다. 작자는 소싯적에 독서를 하지 않다가 27세에 처음으로 '발분독서'를 결심하였다. 경력 7년(1047)에는 진사에 급제하지 못하고 돌아온 뒤에 이전에 지었던 글들을 모두 불태운 다음 문을 닫아걸고 더욱더 독서에 공을 들여 육경과 백가의 학설에 통달하고 결국에는 성취한 바가 있게 되었다.

　작품 전체를 통틀어 볼 때, 본문의 특징을 다음과 같이 귀납해 낼 수 있다. 첫 번째는 문사가 간결·명료하고, 두 번째는 결구(結構)가 치밀하고 행문(行文)이 완곡하며, 세 번째는 서사·의론·서정이 하나로 융합되어 있다. 이 밖에도 일인칭 시점으로 서술된 문장이 절실한 감정을 잘 전달해 준다고 하겠다.

篇題小註‥　離合二字 爲前段綱領하고 而以己之道未成, 將成, 粗成, 大成等字로 參錯之라 中間엔 敍六君子中有已先死而不及見者하고 有貴與遠而難見者하니 可以書見者는 唯歐公而已라 遂以一段으로 頌公之文하고 又以一段으로 自述己之文하니 節節相生하고 前後照應하여 無一語出律令外하니라

　이(離)·합(合) 두 글자를 앞 단락의 강령(綱領)으로 삼고는 자기의 도(道)가 아직 이루어지지 않고, 장차 이루어지려 하고, 대강 이루어지고, 크게 이루어졌다는 등의 문자를 섞어 글을 지었다. 중간에는 여섯 군자 중에 이미 먼저 사망하여 미처 만나 보지 못한 자가 있고 귀하거나 멀리 있어 만나보기 어려운 자가 있으니, 글로써 만나볼 수 있는 자는 오직 구양공뿐임을 서술하였다. 마침내 한 단락으로 구양공의 문장을 칭송하고 또 한 단락으로 자신의 문장을 스스로 서술하였으니, 구절마다 상생(相生)하고 전후가 조응(照應)하여 한마디 말도 율령(律令, 법도) 밖을 벗어남이 없다.

‥‥　粗 거칠 조(추)　錯 섞을 착

○ 選此篇이 又有一說이라 老泉이 二十五歲에 方知讀書學文이로되 彼其用力精專일새 後來成就高卓如此라 後生이 徒以過時自棄하여 而不肯用力者는 尤宜讀此하여 以自鞭策焉이니라

이 편을 뽑은 데에는 또 한 설(說, 이유)이 있다. 노천은 25세에 비로소 책을 읽고 문장을 배울 줄 알았는데, 그는 힘을 씀이 정밀하고 전일하였기에 뒤에 성취함이 이처럼 드높았던 것이다. 후생(後生)으로서 단지 때가 지났다 하여 스스로 포기하고 학문에 힘쓰려고 하지 않는 자는 더더욱 마땅히 이 글을 읽어 스스로 채찍질하여야 할 것이다.

• 原文

洵이 布衣窮居하여 常竊自歎하여 以爲天下之人이 不能皆賢이요 不能皆不肖라 是以로 賢人君子之處於世에 合必離하고 離必合이라【離合之說, 本出國語.[38]】往者에 天子方有意於治하실새【仁宗慶曆三年.】而范公이 在相府하고【仲淹參政.】富公[39]이 在樞密하고 執事與余公,[40] 蔡公[41]이 爲諫官하고 尹公[42]이 馳騁上下하여 用力於兵革之地하니이다【洙爲陝西經略.】

---

38 離合之說 本出國語 : 이 내용은 《국어(國語)》에는 보이지 않고 《여씨춘추(呂氏春秋)》〈대악(大樂)〉에 "헤어지면 다시 합하고 합하면 다시 헤어진다.[離則復合 合則復離]"라고 보인다.

39 富公 : 인종(仁宗) 때의 명재상인 부필(富弼)로, 자는 언국(彦國), 시호는 문충(文忠)이다. 거란(契丹)이 국경에 접근하여 땅을 요구하자 부필이 나가서 땅을 내줄 수 없다고 강력하게 주장하고, 아울러 화친과 전쟁의 이해를 말하여 거란을 물러가게 하였다. 《宋史 卷313 富弼列傳》

40 余公 : 인종 때의 명신인 여정(余靖)으로, 자는 안도(安道), 호는 무계(武溪)이다. 범중엄을 비호한 일로 구양수, 윤수(尹洙)와 함께 좌천되었고 이 일로 더욱 명성이 알려졌다. 중서 사인(中書舍人)으로 장수가 되어 농지고(儂智高)의 반란을 토벌하였다. 《宋史 卷320 余靖列傳》

41 蔡公 : 인종 때의 명신인 채양(蔡襄)으로, 자는 군모(君謨), 시호는 충혜(忠惠)이다. 시문(詩文)에 능하고 사서(史書)에 밝았다. 추밀직학사(樞密直學士)로 있다가 복주(福州)를 거쳐 천주(泉州)를 다스리면서 만안도(萬安渡)에 큰 돌다리를 놓아 사람들이 안전하게 건너다닐 수 있도록 하고 700리에 소나무를 심어 도로를 보호하니, 사람들이 비석을 세워 공덕을 칭송하였다. 《宋史 卷320 蔡襄列傳》

42 尹公 : 윤수(尹洙)로 하남(河南) 사람이며 자는 사로(師魯)이다. 어려서 형 윤원(尹源)과 함께 유학(儒學)으로 이름이 알려졌다. 진사(進士)가 되어 정평현 주부(正平縣主簿)가 되었고 하남부 호조참군(河南府戶曹參軍), 안국군 절도추관(安國軍節度推官) 등을 역임하였다. 대신의 천거로 조정에 들어와서 관각 교감(館閣校勘)이 되었고 태자 중윤(太子中允)으로 옮겼다. 마침 범중엄이 붕당을 한다는 이유로 좌천되었는데, 윤수는 상주(上奏)하기를 "신은 범중엄과 스승과 벗의 의리를 겸하였으니, 이는 범중엄의 무리입니다. 이제 범중엄이 붕당을 지었다는 이유로 죄를 받았으니, 신이 구차히 면할 수 없습니다.[臣與之義兼師友 則是仲淹之黨也 今仲淹以朋黨被罪 臣不可苟免]"하였다. 이에 관각교감에서 낙직(落職)되었다. 《宋史 卷295 尹洙列傳》

···· 卓 우뚝할 탁 徒 한갓 도 鞭 채찍 편 策 채찍 책 馳 달릴 치 騁 달릴 빙

저는 포의(布衣)로 곤궁하게 살면서 항상 마음속으로 스스로 탄식하여 이르기를 '천하 사람들이 다 어질 수도 없고 다 불초할 수도 없다. 이 때문에 현인(賢人)과 군자(君子)가 세상에 처함에 합하면 반드시 떠나고 떠나면 반드시 합한다.'라고 하였습니다.【이합(離合)의 설은 본래 《국어(國語)》에 나온다.】 지난번에 천자께서 막 정치에 뜻을 두고 계실 적에【인종(仁宗) 경력(慶曆) 3년(1043)이다.】 범공(范公, 범중엄(范仲淹))은 상부(相府)에 있었고,【범중엄은 참지정사(參知政事)였다.】 부공(富公, 부필(富弼))은 추밀원(樞密院)에 있었고, 집사(執事, 구양수(歐陽脩))와 여공(余公, 여정(余靖))·채공(蔡公, 채양(蔡襄))은 간관(諫官)이 되었고, 윤공(尹公, 윤수(尹洙))은 상하로 분주히 다니면서 병혁(兵革, 전쟁)이 있는 땅에서 힘을 쓰고 있었습니다.【윤수는 섬서 경략(陝西經略)이었다.】

方是之時하여 天下之人이 毛髮絲粟之才 紛紛[然][43] 而起하여 合以爲一이어늘 而洵也自度(탁)其愚魯無用之身이 不足以自奮於其間일새 退而養其心하여 幸其道之將成이어든 而可以復見於當世之賢人君子러니 不幸道未成에 而范公이 西하고【陝西宣撫.】 富公이 北하고【河北宣撫.】 執事與余公, 蔡公이 分散四出하고【歐河北都轉運, 余坐蕃語, 貶知吉州,[44] 蔡以親老請郡, 知福州.】 而尹公이 亦失勢奔走於小官하니이다【通判濠州.】

이때를 당하여 천하 사람들은 머리털이나 실오라기와 곡식알처럼 보잘것없는 재주를 가진 자들도 분분히 일어나서 합하여 하나가 되었습니다.

그런데 저는 스스로 헤아려 봄에, 어리석고 노둔하여 쓸모없는 몸이 그 사이에서 분발할 수 없으므로 물러나와 마음을 수양하면서 다행히 그 도(道)가 장차 이루어지면 다시 당세의 현인과 군자들을 뵐 수 있으리라 생각하였습니다. 그런데 불행히 도가 이루어지기 전에 범공은 서쪽으로 떠나고,【범중엄이 섬서 선무(陝西宣撫)가 되었다.】 부공은 북쪽으로 떠나고,【부필이 하북 선무(河北宣撫)가 되었다.】 집사와 여공·채공은 흩어져 사방으로 나갔으며,【구양수는 하북도전운사(河北都轉運使)가 되었고, 여정은 번어시(蕃語詩)에 연좌되어 지길주(知吉州)로 강등되었고, 채양은 어버

---

43 〔然〕: 저본에는 없으나 《가우집(嘉祐集)》과 《당송팔가문초(唐宋八家文抄)》에 의거하여 보충하였다.

44 余坐蕃語 貶知吉州: '번어(蕃語)'는 번이(蕃夷)의 말로 여기서는 거란어(契丹語)를 가리킨다. 여정은 여러 차례 거란에 사신으로 가서 거란어를 익혔는데, 일찍이 거란의 군주를 대하여 번어시(蕃語詩)를 지었다. 이에 시어사(侍御史) 왕평(王平), 감찰어사(監察御史) 유원유(劉元瑜) 등이 여정이 사신의 체모를 잃었다고 탄핵하여 지길주로 좌천되었다. 《續資治通鑑長編 卷155 仁宗》

··· 粟 곡식 속 度 헤아릴 탁 散 흩어질 산

이가 연로하다는 이유로 군(郡)을 청하여 지복주(知福州)가 되었다.】윤공 또한 세력을 잃고 작은 관직에 분주하였습니다.【윤수는 통판호주(通判濠州)가 되었다.】

洵이 時在京師하여 親見其事하고 忽忽仰天歎息하여 以爲斯人之去하니 而道雖成이나 不復足以爲榮也러니【榮字, 意欠審.】 旣復自思念호되 往者衆君子之進於朝는 其始也에 必有善人焉推之하니 今也에 亦必有小人焉間之라 今[之]⁴⁵世에 無復有善人也인댄 則已矣어니와 如其不然也인댄 吾何憂焉이리오 姑養其心하여 使其道大有成而待之가 何傷이리오

저는 이때에 경사(京師)에 있으면서 직접 이 일을 보고 실의한 채로 근심스레 하늘을 우러러 탄식하면서 '이분들이 떠나갔으니, 내 도(道)가 비록 이루어져도 다시는 영광스러움이 될 수 없다.'라고 여겼습니다.【'영(榮)' 자는 뜻이 자세하지 못하다.】 그런데 얼마 후 다시 스스로 생각하기를, '지난번에 여러 군자가 조정에 등용된 것은 그 처음에 반드시 선인(善人)들이 있어서 추천했기 때문일 것이니, 지금도 반드시 소인들이 있어서 이간하였기 때문일 것이다. 지금의 세상에 다시 선인이 없다면 그만이지만 만일 그렇지 않다면 내가 어찌 근심하겠는가? 우선 내 마음을 수양해 도가 크게 이루어지게 하고 기다린다면 이것이 어찌 나쁘겠는가.' 하였습니다.

退而處十年에 雖未敢自謂其道有成矣나 然浩浩乎其胸中이 若與曩者異요 而余公이 適亦有成功於南方하고【余知桂州, 平儂智高, 與有功, 除工部侍郎.】執事與蔡公이 復(부)相繼登於朝하고 富公이 復自外入爲宰相하여【仁宗至和(三)[二]年.⁴⁶】其勢將復合于一이라 喜且自賀하여 以爲道旣已粗成하니 而果將有以發之也라하나이다

물러나와 거처한 지 10년에 감히 나의 도(道)가 이루어졌다고 스스로 말할 수는 없으나 가슴이 탁 트여 지난번과는 다른 듯하였으며, 여공 또한 마침 남방에서 공을 세웠고,【여정은 지

---

45 〔之〕: 저본에는 없으나 《가우집》과 《당송팔가문초》에 의거하여 보충하였다.

46 仁宗至和(三)〔二〕年 : 저본에는 '지화삼년(至和三年)'으로 되어 있는데, 인종 지화 연간은 1054~1055년으로 지화 3년이 없으며, 부필(富弼)이 지화 2년(1055)에 중서문하평장사(中書門下平章事)가 되었으므로 이를 참조하여 '3년'을 '2년'으로 바로잡았다.

계주(知桂州)가 되었는데, 농지고(儂智高)의 난을 평정하는 데에 공을 세워 공부 시랑(工部侍郎)에 제수되었다.】 집사와 채공이 다시 서로 이어 조정에 등용되었으며, 부공이 다시 외지에서 조정으로 들어와 재상이 되어【이때는 인종(仁宗) 지화(至和) 2년(1055)이다.】 그 형세가 장차 다시 하나로 합하게 되니, 저는 기뻐하며 한 편으로 스스로 축하하여 '도가 이미 대강이나마 이루어졌으니, 과연 장차 이것을 발휘할 수 있겠다.'라고 여겼습니다.

旣又反而思其向之所慕望愛悅之而不得見之者하니 蓋有六人焉이라 今將往見之矣로되 而六人者에 已有范公, 尹公二人亡焉하니 則又爲之潸(산)焉出涕以悲하니이다 嗚呼라 二人者는 不可復見矣어니와 而所恃以慰此心者 猶有四人也일새 則又以自解하고 思其止於四人也일새 則又汲汲欲一識其面하여 以發其心之所欲言이로되 而富公은 又爲天子之宰相하니 遠方寒士 未可遽以言通於其前이요 而余公, 蔡公은 遠者는 又在萬里外하고【余知靑州, 蔡再福州.】 獨執事在朝廷間이요 而其位差不甚貴하니 可以叫呼攀援而聞之以言이로되 而飢寒衰老之病이 又痼而留之하여 使不克自至於執事之庭이로이다

이윽고 또 지난번에 우러러 흠모하고 좋아하면서도 만나 뵙지 못한 분을 돌이켜 생각해보니 여섯 분이 있었습니다. 이제 찾아가서 만나 뵈려 하나 여섯 분 중에 이미 범공과 윤공 두 분이 별세하였으니, 이 때문에 줄줄 눈물을 흘리며 슬퍼하였습니다. 아! 두 분은 다시 만나 뵐 수가 없지만 믿고서 이 마음을 위로할 수 있는 분이 아직도 네 분이 계시므로 또 스스로 근심을 풀면서도, 네 분에 그침을 생각하고는 또 급급히 한번 그 얼굴을 뵙고서 마음에 말하고자 하는 바를 드러내고 싶었습니다.

그런데 부공은 또 천자의 재상으로 계시니, 먼 지방의 빈한한 선비가 대번에 그 앞에 말로써 통할 수가 없으며, 여공과 채공으로 말하자면 먼 분은 또 만 리 밖에 계십니다.【여정은 지청주(知靑州)가 되었고 채양은 다시 지복주(知福州)가 되었다.】 오직 집사만이 조정(朝廷)의 사이에 계시고 그 지위가 그리 높지 않으시니, 고함쳐 부르고 붙들고 의지하여 말씀을 여쭐 수가 있으나 저는 기한(飢寒)과 노쇠(老衰)로 인한 병이 또 고질이 되어 몸에 머물고 있어서 스스로 집사의 뜰에 이를 수가 없습니다.

夫以慕望愛悅其人之心으로 十年而不得見하여 而其人已死如范公, 尹公二人

… 潸 눈물흘릴 산 涕 눈물 체 遽 급할 거 叫 부르짖을 규 攀 휘어잡을 반 痼 고질 고

者하니 則四人者之中에 非其勢不可遽以言通者면 何可以不能自往而遽已也리오

　그분들을 우러러 흠모하고 좋아하는 마음을 갖고도 10년 동안 만나 뵙지 못하여 그분들 중에 범공과 윤공 두 분처럼 이미 돌아가신 분이 있으니, 그렇다면 네 분 중에 그 형세가 대번에 말로써 통할 수 없는 자가 아니라면 어찌 직접 찾아뵐 수 없다고 하여 대번에 그만둘 수 있겠습니까?

執事之文章을 天下之人이 莫不知之라 然이나 竊以爲洵之知之也特深하여 愈於天下之人이라호이다 何者오 孟子之文은 語約而意深하여 不爲巉(참)刻斬截之言이로되 而其鋒不可犯이요 韓子之文은 如長江大河 渾浩流轉하여 魚黿蛟龍이 萬怪惶惑이어늘 而抑遏蔽掩하여 不使自露로되 而人望見其淵然之光과 蒼然之色에 亦自畏避하여 不敢迫視하며 執事之文은 紆餘委備하여 往復百折이로되 而條達疏暢하여 無所間斷하고 氣盡語極하여 急言竭論이로되 而容與閑易하여 無艱難辛苦之態하니 此三者는 皆斷然自爲一家之文也니이다

　천하 사람들 중에 집사의 문장을 모르는 자가 없습니다. 그러나 저는 남몰래 생각하기를 '제가 집사의 문장을 앎이 특별히 깊어서 천하 사람들보다 낫다.'라고 여기고 있습니다. 어째서이겠습니까? 맹자(孟子)의 문장은 말이 간약하면서도 뜻이 깊어서 각박하고 단호한 말씀을 하지 않는데도 그 예봉(銳鋒)을 범할 수 없으며, 한자(韓子, 한유)의 문장은 마치 장강(長江)·대하(大河)가 넓게 휘감아 돌아 흘러서 물고기와 자라와 교룡 등이 온갖 괴이함에 두려움과 당혹감을 느끼게 하는데, 이것을 억제하고 엄폐(掩蔽)하여 스스로 드러내지 않았으나 사람들이 그 연연(淵然)한 빛과 창연(蒼然)한 빛을 바라보고는 또한 스스로 두려워하고 피하여 감히 다가가 보지 못함과 같으며, 집사의 문장은 여유가 있고 위비(委備, 곡진)하여 오가며 백 번이나 꺾였는데도 조리(條理)가 창달(暢達)하고 소통(疏通)하여 간단한 바가 없으며, 기운이 극진하고 말이 지극하여 급히 말씀하고 끝까지 다 의론하였으나 용여(容與, 여유 있음)하고 한이(閑易, 한가롭고 평이함)하여 간난(艱難)하고 신고(辛苦)한 태도가 없으니, 이 세 분은 모두 단연(斷然)코 각자 일가(一家)의 문장을 이루었다고 할 수 있습니다.

惟李翶之文은 其味黯然而長하고 其光油然而幽하여 俯仰揖遜하여 有執事之態하

… 巉 가파를 참　截 끊을 절　黿 큰자라 원　蛟 교룡 교　遏 그칠 알　蔽 가릴 폐　掩 가릴 엄
　　迫 가까울 박　紆 얽힐 우　暢 통창할 창　艱 어려울 간　翶 날 고　黯 어두울 암　油 구름일 유
　　贄 폐백 지　措 베풀 조　的 맞을 적

151
卷7

고 陸贄之文은 遣言措意가 切近的當하여 有執事之實이로되 而執事之才는 又自有過人者하니 蓋執事之文은 非孟子, 韓子之文이요 而歐陽子之文也니이다

오직 이고(李翱)의 문장은 그 맛이 암연(黯然, 은은)하면서도 길고 그 빛이 유연하면서도 그윽하여 부앙(俯仰)하고 읍손(揖遜)하여 집사의 태도가 있고, 육지(陸贄)의 문장은 글자를 사용하고 뜻을 표현함이 절근(切近)하고 적당하여 집사의 실제가 있으나, 집사의 재주는 또 자연 보통 사람보다 뛰어난 점이 있으니, 집사의 문장은 맹자와 한자의 문장이 아니요, 바로 구양자(歐陽子) 자신의 문장입니다.

夫樂道人之善而不爲諂者는 以其人誠足以當之也일새라 彼不知者는 則以爲譽人以求其悅己也라하리니 夫譽人以求其悅己는 洵亦不爲也로되 而其所以道執事光明盛大之德하여 而不自知止者는 亦欲執事之知其知我也니이다 雖然이나 執事之名은 滿於天下하니 雖不見其文이라도 而固已知有歐陽子矣어니와 而洵也는 不幸墮在草野泥塗之中하고 而其知道之心이 又近已粗成하니 欲徒手奉咫尺之書하여 自託於執事면 將使執事로 何從而知之며 何從而信之哉잇가

남의 선(善)을 말하기 좋아하면서도 아첨함이 되지 않는 것은 그 사람이 진실로 충분히 이에 해당되기 때문입니다. 저 알지 못하는 자들은 〈저를 보고〉 남을 칭찬하여 자기를 좋아해 알아주기를 구한다.'라고 말할 것이니, 저 남을 칭찬하여 자기를 좋아해 알아주기를 구하는 짓은 저 또한 하지 않습니다. 그런데도 집사의 광명(光明)하고 성대(盛大)한 덕(德)을 말하면서 스스로 그칠 줄 모르는 까닭은 또한 집사께서 제가 집사를 알아준다는 것을 아시게 하고자 해서입니다. 그러나 집사의 이름은 천하에 가득하니, 비록 집사의 글을 보지 않았더라도 진실로 이미 구양자가 있음을 알고 있지만, 저는 불행히 초야와 진흙 속에 떨어져 있고 게다가 도(道)를 아는 마음이 근래에야 대강 이루어졌으니, 맨손으로 짧은 편지를 받들어 스스로 집사에게 의탁하고자 하면, 장차 집사로 하여금 저의 뜻을 어떻게 알게 하며 어떻게 믿게 하겠습니까?

洵은 少年不學하고 生二十五歲에 始知讀書하여 從士君子游하니 年旣已晩이요 而又不遂刻意厲(勵)行하여 以古人自期하고 而視與己同列者에 皆不勝己일새 則遂

… 諂 아첨할 첨 墮 떨어질 타 泥 진흙 니 塗 진흙 도 徒 한갓 도 咫 지척 지 勝 나을 승 燒 불사를 소 曩 지난번 낭 兀 우뚝할 올

以爲可矣러니 其後困益甚하여 復取古人之文而讀之하니 始覺其出言用意與己大異라 時復內顧하여 自思其才하니 則又似夫不遂止於是而已者라 由是로 盡燒其曩時所爲文數百篇하고 取論語, 孟子, 韓子及其他聖人賢人之文하여 而兀然端坐하여 終日以讀之者七八年矣니이다

저는 소년 시절에 배우지 못하고 25세에 비로소 독서할 줄을 알아 사군자(士君子)를 따라 교유(交遊)하였는데, 나이가 이미 많은데다가 또 마침내 뜻을 다하고 행실을 힘써 고인(古人)처럼 되기를 스스로 기약하지 않고, 저와 동렬인 자들과 비교해 봄에 그들이 모두 저보다 낫지 못하기에 마침내 가(可)하다고 여겼습니다.

그 뒤에 곤궁함이 더욱 심하여 다시 고인의 글을 가져다 읽어보니, 비로소 말을 내고 뜻을 씀이 저와 크게 다르다는 것을 깨달았습니다. 이때 다시 안으로 돌아보아 스스로 저의 재주를 생각해 보니, 또 마침내 이에 그칠 뿐만은 아닌 듯하였습니다. 이 때문에 지난번 지었던 글 수백 편을 모두 불태우고,《논어(論語)》,《맹자(孟子)》,《한자(韓子)》및 기타 성인(聖人)과 현인(賢人)의 글을 가져다가 오뚝하게 정좌하고서 종일토록 읽기를 7∼8년 동안 하였습니다.

方其始也에 入其中而惶然以惑하고 博觀於其外而駭然以驚이러니 及其久也에 讀之益精하니 而其胸中이 豁然而明하여 若人之言이 固當然者라 然猶未敢自出其言也러니 時旣久에 胸中之言이 日益多하여 不能自制일새 試出而書之하고 已而再三讀之하니 渾渾乎覺其來之易也라【公墓誌云: "年二十七, 始大發憤, 讀書爲文."】然이나 猶未敢自以爲是也로이다

막 시작했을 때에는 그 가운데로 들어가서는 두려워 갈피를 못잡고 그 밖을 널리 보고는 깜짝 놀랐었는데, 오랫동안 그렇게 하고서는 읽기를 더욱 정밀히 하니 흉중이 확 트여 밝아져서 마치 사람의 말이 당연히 그래야 할 듯이 여겨졌으나 아직도 감히 제 말을 스스로 써내는 못하였습니다. 그러다가 시일(時日)이 이미 오래되자, 흉중에 있는 말이 날로 더욱 많아져서 스스로 자제할 수가 없기에, 시험 삼아 한번 내어 써놓고 이윽고 재삼 읽어보니, 혼혼(渾渾)히 그 써내는 것이 쉬움을 깨닫게 되었습니다.【공(소순)의 묘지명(墓誌銘)에 "나이 27세에 처음으로 크게 분발하여 책을 읽고 문장을 지었다." 하였다.】그러나 아직도 감히 스스로 옳다고 여기지는 못합니다.

近所爲洪範論,史論凡七篇을 執事觀其如何하소서 噫嘻라 區區而自言을 不知者는 又將以爲自譽以求人之知己也리라 惟執事는 思其十年之心이 如是之不偶然也而察之하소서 不宣하노이다 洵再拜하노이다

근래에 지은 〈홍범론(洪範論)〉과 〈사론(史論)〉 등 총 7편을 집사께서는 어떠한지 살펴보십시오. 아! 제가 구구히 스스로 말하는 것을 알지 못하는 자들은 또 장차 '자신을 칭찬하여 남이 자기를 알아주기를 구한다.'라고 말할 것입니다. 부디 집사께서는 10년 동안 저의 마음이 이처럼 우연치 않다는 것을 생각하여 살피소서. 〈편지 끝의〉예를 다 갖추지 못하고 이만 줄입니다. 소순(蘇洵)은 재배(再拜)합니다.

상전추밀서上田樞密書

소순蘇洵

• 작품개요

작자는 송 인종 가우 원년(1056) 봄에 두 아들 소식, 소철과 함께 변경(汴京)에 와서 벼슬자리를 얻을 것을 강구하였는바, 이 작품은 바로 작자가 변경에서 전추밀(田樞密)에게 올린 편지로 일종의 간알문(干謁文)이다. 전추밀은 전황(田況, 1003~1061)으로, 자가 원균(元均)이며, 그 선조는 기주(冀州) 신도(信都) 사람이다. 이때 전황이 추밀원 부사(樞密院副使)를 맡고 있었으므로 '전추밀'이라고 칭한 것이다. 전황은 일찍이 경력 8년(1048)부터 황우 2년(1050)까지 익주(益州)를 다스렸는데, 작자가 그를 만난 적이 있었으므로 작자의 이 글에서 구사한 어휘가 비교적 직설적이며 간단명료하다. 특히 기두에서 제목이나 글의 주제에 꼭 들어맞게 하는 상용 투식을 대담하게 탈피하여 '하늘이 나에게 〈자질을 내려〉 주신 것이 어찌 우연이겠습까?〔天之所以與我者 夫豈偶然哉〕'라고 시작하였다.

이 작품은 세 부분으로 나눌 수 있다. '천지소이여아자(天之所以與我者)'부터 '불우연야(不偶然也)'까지의 첫 번째 부분에서는 사람의 천부(天賦)는 결코 우연이 아닌 것으로, 군신·부자간이라도 마음대로 옮겨 바꾸거나 줄 수 없다는 것을 말하고 있다. '부기소이여아자(夫其所以與我者)'부터 '금지세우미견기인야(今之世愚未見其人也)'까지의 두 번째 부분에서는 하늘이 그 사람에게 재주를 부여함에 비록 궁통(窮通)의 구별이 있지만 끝내는 한번의 쓰임이 있기에 자포자기해서는 안 됨을 말하였다. '집사지명만천하(執事之名滿天下)'부터 작품의 말미까지의 세 번째 부분에서는 작자가 글을 올려 스스로 천거하는 의도에 대해서 일일이 밝히고 있다. 여기서 주목할 점은 자신을 천거해주기를 청하면서 전혀 비굴하지 않고 자신만만해 한 것인데, 이러한 자세야말로 꼿꼿한 선비의 기상이라 할 것이다. 아울러 하늘이 개인에게 부여한 재지(才智)는 결코 우연한 것이 아니므로 충분히 더 소중하게 여기고 십분 발휘할 만한 가치가 있다는 작자의 인식은 다시 한번 생각해 볼 만하다.

篇題小註‥ 田公은 名況이요 字元鈞이니 嘉祐三年에 爲樞密使하니라.

전공(田公)은 이름이 황(況)이요 자가 원균(元鈞)이니, 가우(嘉祐) 3년(1058)에 추밀원사(樞密院使)가 되었다.

○ 東萊云 此篇은 議論反覆하여 極有法度하니 最宜詳味라 意實求知나 辭不卑屈하니라.

동래가 말하였다. "이 편은 의론이 반복하여 지극히 법도가 있으니, 가장 자세히 음미해야 할 것이다. 뜻은 실로 자신을 알아주기를 바란 것이나 말이 조금도 비굴하지 않다."

• **原文**

天之所以與我者 夫豈偶然哉아 堯不得以與丹朱하시고 舜不得以與商均하시고 而瞽瞍不得奪諸舜하니 發於其心하여 出於其言하며 見(현)於其事하여 確乎其不可易也라 聖人이 不得以與人하시고 父不得奪諸其子하니 於此에 見天之所以與我者 不偶然也니이다

하늘이 나에게 〈자질을 내려〉 주신 것이 어찌 우연이겠습니까? 요(堯) 임금은 이것을 아들인 단주(丹朱)에게 주지 못하셨고, 순(舜) 임금은 이것을 아들인 상균(商均)에게 주지 못하셨으며, 고수(瞽瞍)는 이것을 아들인 순 임금에게서 빼앗지 못하였으니, 그 마음에 발로되어 말에 나오며 일에 나타나서 확고하여 바꿀 수가 없는 것입니다. 성인(聖人)이 남에게 주실 수가 없고 아버지가 자식에게서 빼앗을 수가 없으니, 여기에서 하늘이 나에게 〈자질을 내려〉 주신 것이 우연치 않음을 볼 수 있습니다.

夫其所以與我者는 必有以用我也니 我知之로되 不得行之하고 不以告人이면 天固用之어늘 我實置之니 其名曰棄天이요 自卑以求幸其言하고 自小以求用其道하면 天之所以與我者何如완대 而我如此也오 其名曰褻天이니 棄天도 我之罪也요 褻天도 亦我之罪也어니와 不棄不褻이로되 而人不我用은 不我用之罪也니 其名曰逆天이니이다

‥‥ 況 비유할 황 鈞 고를 균 瞽 소경 고 瞍 소경 수 奪 빼앗을 탈

저 〈하늘이〉 나에게 〈자질을 내려〉 주신 것은 반드시 나를 쓰고자 해서일 것이니, 내가 이 것(도(道))을 알고 있으나 이것을 행하지 못하고 이를 남에게 말해주지 않는다면 하늘은 진실로 나를 쓰려 하시는데 내가 실로 버려두는 것이니, 이것을 이름하여 '기천(棄天, 하늘을 버림)'이라 합니다. 스스로 몸을 낮추면서 나의 말을 좋아해 주기를 바라고 스스로 하찮게 여기면서 나의 도(道)를 써주기를 구한다면 하늘이 나에게 〈자질을 내려〉 주신 것이 어떠하기에 내가 이와 같이 한단 말입니까? 이것을 이름하여 '설천(褻天, 하늘을 함부로 대함)'이라 합니다. 하늘을 버림도 나의 죄요 하늘을 함부로 대함도 나의 죄이지만, 버리지도 않고 함부로 대하지 않는데도 남이 나를 등용하지 않는 것은 나를 등용하지 않는 이의 죄이니, 이것을 이름하여 '역천(逆天, 하늘을 거스름)'이라 합니다.

然則棄天, 褻天者는 其責이 在我하고 逆天者는 其責이 在人하나니 在我者는 吾將盡 吾力之所能爲者하여 以塞夫天之所以與我之意하고 而求免夫天下後世之譏어 니와 在人者를 吾何知焉이리오 吾求免夫一身之責之不暇어니 而暇爲人憂乎哉잇가

그렇다면 하늘을 버리고 하늘을 함부로 대함은 그 책임이 나에게 있고, 하늘을 거스름은 그 책임이 남에게 있는 것이니, 책임이 나에게 있는 것은 내가 장차 내 힘에 할 수 있는 것을 다 하여 하늘이 나에게 〈자질을 내려〉 주신 바의 뜻에 부응하고 천하와 후세의 비판을 면하기를 구하여야 하겠지만, 책임이 남에게 있는 것을 내가 어찌 알겠습니까? 나는 내 일신(一身)의 책임을 면하기를 구하기에도 겨를이 없으니, 어느 겨를에 남을 위하여 걱정하겠습니까.

孔子, 孟軻之不遇에 老於道途하사되 而不倦, 不慍, 不怍, 不沮者[47]는 夫固知夫責 之所在也시니이다 衛靈, 魯哀, 齊宣, 梁惠[48]之徒 不足相與以有爲也를 我亦知之

---

47 不倦不慍不怍不沮者 : '불권(不倦)'은 《논어(論語)》〈술이(述而)〉에 "묵묵히 기억하고 배우면서 싫어하지 않고 사람 가르치기를 게을리 하지 않는 것이 어느 것이 나에게 있겠는가?(默而識之 學而不厭 誨人不倦 何有於我哉)"라고 한 부분에 보인다. '불온(不慍)'은 《논어》〈학이(學而)〉에 "남들이 나를 알아주지 않아도 서운해하지 않는다면 또한 군자가 아니겠는가?(人不知而不慍 不亦君子乎)"라고 한 부분에 보인다. '불작(不怍)'은 《맹자》〈진심 상(盡心上)〉에 "부모가 모두 살아계시고 형제에게 아무 일이 없는 것이 첫 번째 즐거움이다. 하늘을 우러러 부끄러움이 없고 사람을 굽어보아 부끄러움이 없는 것이 두 번째 즐거움이다. 천하의 영재를 얻어 그들을 가르치는 것이 세 번째 즐거움이다.(父母俱存 兄弟無故 一樂也 仰不愧於天 俯不怍於人 二樂也 得天下英才而教育之 三樂也)"라고 한 부분에 보인다.

48 衛靈魯哀齊宣梁惠 : 위 영공(衛靈公)은 이름이 원(元)으로, 일찍이 공자에게 진법을 물은 적이 있는데 공자는 배우

矣로되 抑將盡吾心焉耳니 吾心之不盡이면 吾恐天下後世無以責夫衛靈, 魯哀, 齊宣, 梁惠之徒요 而彼亦將有以辭其責也리니 然則孔子, 孟軻之目이 將不暝於 地下矣시리이다

공자(孔子)와 맹가(孟軻, 맹자)가 불우했을 때에 도로에서 늙으셨으나 게을리하지 않고 서운해 하지 않고 부끄러워하지 않고 저상(沮喪)되지 않으셨던 것은 진실로 책임의 소재를 아셨기 때문입니다. 위 영공(衛靈公)과 노 애공(魯哀公), 제 선왕(齊宣王)과 양 혜왕(梁惠王)의 무리들은 서로 함께 훌륭한 일을 할 수 없음을 나(공자와 맹자 자신) 또한 알고 있었으나 장차 내 마음을 다할 뿐이니, 내 마음을 다하지 않는다면 나는 천하와 후세의 사람들이 위 영공과 노 애공, 제 선왕과 양 혜왕의 무리를 책망할 수 없을까 두렵고, 저들 또한 장차 그 책임을 회피할 말이 있을 것이니, 그렇다면 공자와 맹자의 눈이 아마도 지하에서 감기지 못하셨을 것입니다.

夫聖人賢人之用心也 固如此하니 如此而生하고 如此而死하며 如此而貧賤하고 如此而富貴하여 升而爲天하고 沈而爲淵하며【此喩人 · 己各有職.】 流而爲川하고 止而爲山은 彼不預吾事니 吾事畢矣라 竊怪夫後之賢者 不能自處其身也하여 飢寒窮困之不勝하여 而號於人하니 嗚呼라 使吾誠死於飢寒困窮耶인댄 則天下後世之責이 將必有在리니 彼其身之責을 不自任以爲憂어늘 而我取而加之吾身이면 不亦過乎잇가

저 성인(聖人)과 현인(賢人)의 마음 씀은 진실로 이러하니, 이렇게 하면서 살고 이렇게 하면서 죽으며 이렇게 하면서 빈천하고 이렇게 하면서 부귀할 뿐이요, 올라가 하늘이 되고 잠기어 못이 되며【이는 남과 자기가 각각 맡은 직책이 있음을 비유하였다.】 흘러가 내〔川〕가 되고 멈추어 산이 됨은 저것은 나의 일에 간여되지 않으니 (상관이 없으니), 내 일은 이것으로 끝나는 것입니다.
저는 남몰래 저 후세의 현자들이 그 몸을 스스로 잘 처신하지 못하여 기한(飢寒)과 곤궁(困窮)을 이기지 못해서 남에게 울부짖는 것을 괴이하게 여깁니다.

지를 못하였다고 대답하고 다음날에 떠나갔다. 《論語 衛靈公》 노 애공(魯哀公)은 이름이 장(蔣)으로, 공자에게 정치에 대하여 물은 적이 있었다. 그러나 공자는 노나라에 등용될 수가 없었다. 《史記 孔子世家》 제 선왕(齊宣王)은 이름이 벽강(辟疆)이며, 양 혜왕(梁惠王)은 위 혜왕(魏惠王)으로 이름은 영(罃)이다. 맹자는 제(齊)나라와 위(魏)나라에서 자신의 학설을 주장하였으나 결국 등용되지는 못하였다. 《史記 孟子列傳》

··· 暝 눈감을 명 預 관여할 예 畢 다할 필 怪 괴이할 괴 肖 어질 초

아! 가령 내가 진실로 기한과 곤궁에 죽는다면 천하와 후세에 책임을 물을 데가 장차 틀림없이 따로 있을 것이니, 저들이 자신들의 책임을 스스로 맡아 근심으로 삼지 않는데, 내가 그 책임을 취하여 이것을 내 몸에 가한다면 잘못이 아니겠습니까.

今洵之不肖 何敢亦自列於聖賢이리오마는 然이나 其心은 有所甚不自輕者로이다 何則고 天下之學者 孰不欲一蹴而造聖人之域이리오 然이나 及其不成也엔 求一言之幾乎道나 而不可得也며 千金之子는 可以貧人이요 可以富人이로되 非天之所與면 雖以貧人富人之權으로도 求一言之幾乎道나 不可得也며 天子之宰相은 可以生人이요 可以殺人이로되 非天之所與면 雖以生人殺人之權으로도 求一言之幾乎道나 不可得也니이다

이제 불초한 제가 어찌 감히 또한 스스로 성현의 반열에 서겠습니까마는 그러나 제 마음에는 심히 스스로 가볍게 여기지 않는 바가 있습니다. 어째서이겠습니까? 천하의 배우는 자가 누군들 한번 뛰어서 성인의 경지에 나가고자 하지 않겠습니까마는 그 이루지 못함에 미쳐서는 한마디 말이 도(道)에 가깝기를 바라나 얻을 수가 없습니다. 천금(千金)을 가진 집안의 아들은 남을 가난하게 할 수도 있고 남을 부유하게 할 수도 있으나, 하늘이 주신 바가 아니면 남을 가난하게 하고 남을 부유하게 할 수 있는 권력으로도 한마디 말이 도에 가깝기를 바라나 얻을 수가 없으며, 천자의 재상은 사람을 살릴 수도 있고 사람을 죽일 수도 있으나 하늘이 주신 바가 아니면 사람을 살리고 사람을 죽일 수 있는 권력으로도 한마디 말이 도에 가깝기를 바라나 얻을 수가 없습니다.

今洵이 用力於聖人賢人之術이 亦已久矣라 其言語와 其文章이 雖不識其果可以有用於今而傳於後與否로되 獨怪夫得之之不勞하여 方其致思於心也에 若或起之하며 得之心而書之紙也에 若或相之하니 夫豈無一言之幾於道者乎아 千金之子와 天子之宰相이 求而不得者를 一旦在己라 故로 其心에 得以自負하니 或者 天其亦有以與我也리이다

지금 저 소순(蘇洵)은 성인과 현인의 학술에 힘을 쓴 지가 또한 이미 오래이니, 그 언어와 그 문장이 과연 지금 쓰여질 수 있고 후세에 전해질 수 있는 지의 여부를 알 수 없으나 다만

이상하게도 이것을 얻음이 수고롭지 않아서, 마음에 생각을 지극히 할 적에 혹 〈누군가가〉 일으켜 주는 듯하며, 이것을 마음에 얻어 종이에 쓸 적에 혹 〈누군가가〉 도와주는 듯하니, 어찌 한마디 말이 도에 가까운 것이 없겠습니까. 천금을 가진 집안의 아들과 천자의 재상이 바라도 얻지 못하는 것을 하루아침에 제 몸에 보유하였습니다. 그리므로 이 마음에 자부하게 되었으니, 어쩌면 하늘이 또한 나에게 주셨나 봅니다.

囊者에 見執事於益州하니 當時之文이 淺狹可笑라 飢寒窮困이 亂其心하고 而聲律記問이 又從而破壞其體하여 不足觀也已러니 數年來로 退居山野하여 自分永棄하여 與世俗日疎闊일새 得以大肆其力於文章하여 詩人之優遊와 騷人之淸深과 孟, 韓之溫醇과 遷, 固之雄剛과 孫, 吳之簡切를 投之所向에 無不如意니이다

지난번에 집사를 익주(益州)에서 뵈었는데, 당시 저의 문장은 천근하고 좁아서 가소(可笑)로웠습니다. 그리고 기한과 곤궁이 마음을 어지럽히고 성률(聲律)과 기문(記問)이 또 따라서 체재를 파괴하여 볼만한 것이 못되었습니다. 그런데 수년 이래로 물러나 산야(山野)에 거처하여 스스로 영원히 세상에 버려질 것이라고 여기고는 세속과 날로 소원해지고 멀어졌습니다. 그리하여 문장에 크게 힘을 써서 시인(詩人,《시경》의 작자)의 우유(優遊, 여유로움)함과 소인(騷人,《초사》의 작자)의 맑고 깊음과 맹자(孟子)·한자(韓子)의 온화하고 순수함과 사마천(司馬遷)·반고(班固)의 웅장하고 강건함과 손자(孫子)·오자(吳子)의 간략하고 간절함에 있어서 붓을 움직여 향하는 바에 뜻대로 되지 않는 것이 없습니다.

嘗試以爲董生은 得聖人之經이나 其失也流而爲迂하고 鼂錯(조조)는 得聖人之權이나 其失也流而爲詐하니 有二子之才而不流者는 其惟賈生乎인저 惜乎라 今之世에 愚未見其人也로이다【老泉蓋以賈生自擬.】

일찍이 시험 삼아 한번 생각하기를 '동생(董生, 동중서(董仲舒))은 성인(聖人)의 떳떳한 법을 얻었으나 그 잘못됨은 흘러가서 우활함이 되었고, 조조(鼂錯)는 성인의 권도를 얻었으나 그 잘못됨은 흘러가서 속임수가 되었으니, 두 사람의 재주가 있으면서도 흘러가서 잘못되지 않은 자는 오직 가생(賈生, 가의(賈誼))일 것이다. 애석하도다! 지금 세상에서 나는 그러한 사람을 아직 만나 보지 못하였다.'라고 하였습니다.【노천이 아마도 가생(賈生)을 자신에 비견한 듯하다.】

··· 囊 지난번 낭 狹 좁을 협 闊 넓을 활 肆 펼 사 優 한가로울 우 騷 근심할 소 醇 전국술 순 鼂 일찍 조 錯 둘 조

作策二道하니 曰 審勢, 審敵이요 作書十篇하니 曰權書라 洵有山田一頃하니 非凶歲면 可以無飢요 力耕而節用이면 亦足以自老하니 不肖之身은 不足惜이로되 而天之所與者를 不忍棄요 且不敢褻也라 執事之名이 滿天下하고 天下之士의 用與不用이 在執事라 故로 敢以所謂策二道, 權書十篇으로 爲獻하노이다

책(策) 두 편을 지었으니 〈심세(審勢)〉와 〈심적(審敵)〉이요, 글 10편을 지었으니 《권서(權書)》라는 것입니다. 저는 산전(山田) 1경(頃)을 소유하고 있으니, 흉년이 아니면 굶주리지 않을 수 있고, 농사에 힘쓰고 비용을 절약하면 또한 스스로 늙어갈 수가 있으니, 불초한 이 몸은 굳이 애석히 여길 만한 것이 없으나, 하늘이 내려주신 것을 차마 버릴 수 없고 또 감히 함부로 대할 수가 없습니다. 집사의 이름이 천하에 가득하고, 천하의 선비가 등용되고 등용되지 못함이 집사에게 달려 있습니다. 그러므로 감히 이른바 책(策) 두 편과 《권서》 10편을 바치는 것입니다.

平生之文을 遠不可多致요 有洪範論, 史論十篇하여 近以獻內翰歐陽公하니 度(탁)執事與之朝夕相從하여 議天下之事하시니 則斯文也其亦庶乎得陳於前矣리이다 若夫言之可用과 與其身之可貴與否者는 執事事也요 執事責也니 於洵에 何有哉리잇고

평소 지은 글을 멀어서 많이 보낼 수가 없고 〈홍범론(洪範論)〉과 〈사론(史論)〉 10편이 있어서 근간에 내한(內翰) 구양공(歐陽公)에게 올렸습니다. 헤아려 보건대 집사께서는 구양공과 조석(朝夕)으로 서로 종유하시어 천하의 일을 의론하고 계시니, 이 글도 행여 앞에 진열될 수 있을 것입니다. 제 말이 쓸 만한지와 제 몸이 귀하게 될 수 있는 지의 여부로 말하면 집사의 일이요 집사의 책임이니, 저에게 무슨 상관이 있겠습니까.

명이자설名二子說

소순蘇洵

• 작품개요

　　이 작품은 기서체(記敍體) 산문으로, 작자가 자신의 두 아들에게 '식(軾, 수레 앞턱 가로나무)'과 '철(轍, 수레 바퀴자국)'이라는 이름을 지어준 의도를 설명하고, 두 아들이 천하 국가를 위하여 자기의 능력을 공헌하는 훌륭한 사람이 되기를 바라는 글이다. 경력 6년(1046)에 작자는 경사에 와서 제거(制擧)에 응하였으나 낙방하였다. 그 다음해에 고향으로 돌아와 이 글을 지었는데, 당시 소식은 11세, 소철은 8세였다.

　　이 작품은 두 단락으로 나뉜다. 첫 번째 단락에서는 장자의 이름을 '식'으로 지은 의도에 대해 설명하고 있다. '식'은 수레에 있어서 다른 부분들처럼 중요한 작용은 없지만 '식'이 없으면 완벽한 수레가 될 수 없는바, '식'은 수레를 완전하게 만들어주는 작용을 한다. 소식의 성격은 솔직하고 표리부동하지 않으며 꾸밈이 없어서 봉건시대 예교주의의 처세방법과는 맞지 않았기에 작자는 장자(長子)의 성격 중 부족한 부분이라고 생각되는 것에 초점을 맞추어 말하였다.

　　두 번째 단락에서는 차자(次子)를 '철'로 명명한 의도해 대해 설명하고 있다. 먼저 수레를 나아가게 하는 거철(車轍)의 중요한 작용을 이야기하고, 더 나아가 '철'의 작용이 이처럼 중대한데도 화복(禍福)과 전혀 관계 없음을 설명하였다. 작자는 화복에 초연한 '철'을 가지고 차자의 성격을 비유하였다. 표면적으로는 마치 작자가 차자에게만 명철보신의 처세법을 전수한 것처럼 보이지만 사실은 그렇지 않다. 작자는 결국 '철'의 중요한 작용에 대해 긍정하였고, 차자에게 '철'이라고 명명하면서 차자가 '철'처럼 천하의 수레에 공헌하는 능력을 지니기를 바란 것이다.

　　이 작품은 예술적인 측면에서 볼 때 비유를 매우 뛰어나게 구사한 점이 특징이라고 하겠다. 작자는 '윤(輪)·복(輻)·개(蓋)·진(軫)'과 '천하의 수레[天下之車]'를 통하여 한 개인과 천하·국가의 관계를 비유하였고, '식'을 가지고 '외식(外飾)'하지 않는 소식의 성격을 비유하였으며, 화복의 사이에서 잘 대처하는 '철'의 특징을 가지고 화복에 간여하지 않는 소철의 성격을 비유하였다. 이처럼 매우 뛰어난 비유와 반복적 분석을 통하여 100자가 못 되는 이 작품은 사변(思辨)과 철리(哲理)의 광채가 번뜩이게 되었다.

篇題小註‥ 老泉先生二子는 長曰軾이요 次曰轍이니 觀此老之所以逆料二子之終身하면 不差毫釐하니 可謂深於知二子矣로다 迂齋云 字數不多而宛轉折(族)〔旋〕[49]하여 有無限意思하니 此文字之妙也라

노천 선생(老泉先生)의 두 아들은 장자(長子)는 식(軾)이고 차자(次子)는 철(轍)이다. 이 노인이 두 아들의 종신(終身, 일생)을 미리 헤아린 것을 보면 털끝만큼도 틀리지 않았으니, 두 아들을 깊이 알았다고 이를 만하다. 우재는 "글자 수가 많지 않으면서도 완전(宛轉)하고 꺾어 돌려 무한한 의사(意思)가 있으니, 이것이 문자의 묘함이다." 하였다.

・原文

輪, 輻, 蓋, 軫이【圜轉者曰輪, 輳於輪曰輻, 覆乎車者曰蓋, 車後橫木曰軫.】 皆有職乎車로되 而軾은 獨若無所爲者라【軾在車前.[50]】 雖然이나 去軾則吾未見其爲完車也로니【言天下無此人不得.】 軾乎아 吾懼汝之不外飾也하노라【深憂長公之不合世俗, 恐得禍重也. 不外飾, 與無所爲一句相應.】

윤(輪)·복(輻)·개(蓋)·진(軫)【둥글고 구르는 것을 '윤(輪, 수레바퀴)'이라 하고, 수레바퀴로 모여드는 것을 '복(輻, 수레바퀴통)'이라 하고, 수레를 덮고 있는 덮개(일산)를 '개(蓋)'라 하고, 수레 뒤에 가로댄 나

---

49 (族)〔旋〕: 저본에는 '족(族)'으로 되어 있으나 《숭고문결(崇古文訣)》에 의거하여 '선(旋)'으로 바로잡았다.

50 軾在車前: '식(軾)'은 수레 앞 턱에 있는 가로 댄 나무인데, 수레를 타고 가다가 경례할 대상을 만나게 되면 이 가로 댄 나무에 머리를 대어 경의를 표시한다.

… 軾 수레앞턱가로나무 식 轍 수레바퀴자국 철 逆 미리 역 毫 터럭 호 釐 털끝 리 輪 바퀴 륜

輻 바퀴살 복 軫 수레뒤가로나무 진 飾 꾸밀 식

무를 '진(軫, 뒤턱나무)'이라 한다.]이 모두 수레에서 맡은 직책(역할)이 있으나 식(軾)은 홀로 하는 바가 없는 듯하다.【'식(軾)'은 수레 앞에 있다.】그러나 식을 버린다면 나는 이것이 완전한 수레가 됨을 볼 수 없으니,【천하에 이 사람이 없으면 안 됨을 말한 것이다.】식(軾)아! 나는 네가 외식(外飾)을 하지 않을까 두려워하노라.【장공(長公, 소식)이 세속에 영합하지 못해서 큰 화를 입을까 깊이 우려한 것이다. '외식하지 않는다〔不外飾〕'는 것은 '하는 바가 없다〔無所爲〕'는 한 구와 서로 응한다.】

天下之車 莫不由轍이로되 而言車之功에 轍不與焉이라【不與功, 亦不受禍, 正相乘除.】 雖然이나 車仆馬斃라도 而患不及轍하나니【忌之者少, 或可免禍.】是轍者는 禍福之間이 니 轍乎아 吾知免矣로라【逆知少公得禍必輕.】

　천하의 수레가 철(轍, 바퀴 자국)을 따르지 않음이 없으나 수레의 공로를 말할 적에 철은 참 여되지 않는다.【공에 참여되지 않지만 또한 화도 받지 않으니, 바로 두 가지 일의 결과가 똑같아지게 된다.】 그러나 수레가 넘어지고 말이 죽더라도 화환(禍患)이 철에는 미치지 않으니,【시기하는 자가 적 어서 혹 화를 면할 수 있는 것이다.】 이 철(轍)은 화(禍)와 복(福)의 중간인 것이다. 철(轍)아! 나는 네 가 화를 면할 줄을 아노라.【소공(少公, 소철)이 화를 입음이 반드시 가벼울 줄을 미리 안 것이다.】

··· 仆 쓰러질 부 斃 죽을 폐

卷 8

조주한문공묘비潮州韓文公廟碑

소식蘇軾 자첨子瞻

- **작가소개**

  소식(蘇軾, 1037~1101)은 자가 자첨(子瞻)·화중(和仲)이며, 호가 철관도인(鐵冠道人)·동파거사(東坡居士)이다. 미주(眉州) 미산(眉山) 사람으로, 본적은 하북(河北) 난성(欒城)이다. 21세이던 가우(嘉祐) 2년(1057)에 변경에 가서 과거에 응시하여 진사에 급제하였다. 당시 주고관(主考官)은 문단의 영수 구양수(歐陽脩)였고, 소시관(小試官, 주고관을 보조하는 관원)은 시단(詩壇)의 숙장(宿將) 매요신(梅堯臣)이었다. 이때 소식이 제출한 〈형상충후지지론(刑賞忠厚之至論)〉이라는 책론(策論)의 답안이 구양수의 눈에 대번에 띄었는데, 구양수는 자기의 제자 증공(曾鞏)의 답안으로 오해하고 피혐하기 위하여 그 답안을 2등으로 놓았다는 일화가 전한다. 이러한 일화를 비롯하여 구양수의 거듭된 상찬으로 그 명성이 자자하였다.

  가우 6년(1061), 제과(制科)에 급제하여 대리평사(大理評事)·첨서봉상부 판관(簽書鳳翔府判官)이 되었다가 4년 뒤에 조정으로 돌아와 판등문고원(判登聞鼓院)이 되었다. 희령(熙寧) 4년(1071)에 항주 통판(杭州通判)이 되고, 희령 7년(1074) 가을에 지밀주(知密州)가 되었다. 희령 10년(1077) 4월부터 원풍(元豐) 2년(1079) 3월까지 지서주(知徐州)로 있었고 원풍 2년(1079) 4월에는 호주 지사(湖州知事)가 되었다. 원풍(元豐) 3년(1080)에 '오대시안(烏臺詩案)'으로 인하여 황주 단련부사(黃州團練副使)로 좌천되었다. 철종(哲宗)이 즉위한 뒤에 한림학사(翰林學士)·시독학사(侍讀學士)·예부 상서(禮部尚書) 등을 역임하고 외직으로 나가 항주·영주(潁州)·양주(揚州)·정주(定州) 등지를 다스렸다.

  만년에는 신법당이 집권하여 혜주(惠州)·담주(儋州)로 좌천되었다. 휘종(徽宗) 원부(元符) 3년(1100) 4월에 대사령(大赦令)이 내려 다시 조봉랑(朝奉郎)으로 부임하기 위하여 북쪽으로 돌아오다가 건중건국(建中靖國) 원년 7월 28일, 상주(常州)에서 병으로 서거하였다. 고종(高宗) 때에 태사(太師)를 추증하였고, 시호는 '문충(文忠)'이다.

소식은 북송 중엽 문단의 영수로, 시(詩)·사(詞)·산문(散文)의 문학과 서(書)·화(畫)의 예술 분야에서 뛰어난 업적을 많이 남겼다. 그의 문체는 대체로 종횡무진 호방하여 구애됨이 없다. 특히 그의 시는 제재(題材)의 범위가 넓은데, 청신(淸新)하고 호건(豪健)하며 과장과 비유를 잘 구사하여 독특한 풍격을 갖추어 황정견(黃庭堅)과 함께 '소황(蘇黃)'으로 병칭된다. 또한 사(詞)에 있어서는 신기질(辛棄疾)과 함께 소위 '호방파(豪放派)'의 대표인바, '소신(蘇辛)'으로 병칭된다. 그의 산문 저술은 굉장히 풍부한데, 활달하면서도 자연스러워 구양수와 함께 '구소(歐蘇)'로 병칭되는바, '당송팔대가(唐宋八大家)'의 한 사람으로 꼽힌다. 아울러 서법(書法)에도 뛰어나 '송사가(宋四家)'의 한 사람으로 꼽히고, 문인화(文人畫)를 잘 그렸는데 그 중에서도 묵죽(墨竹)·괴석(怪石)·고목(枯木) 등에 더욱 뛰어났다. 저술 및 작품으로 《동파칠집(東坡七集)》·《동파역전(東坡易傳)》·《동파악부(東坡樂府)》·《소상죽석도권(瀟湘竹石圖卷)》·《고목괴석도권(古木怪石圖卷)》 등이 세상에 전한다.

- 작품개요

이 작품은 당시 지조주(知潮州) 왕척(王滌)이 북송 철종(哲宗) 원우(元祐) 5년(1090)에 부임하여 조주성 남쪽에 한유(韓愈)의 사당을 중수한 뒤 작자에게 사당의 비문을 요청하자, 작자가 이에 응하여 원우 7년(1092) 3월에 지은 것이다. '조주'는 현재 광동(廣東) 조안현(潮安縣)이며, '한문공'은 곧 당대(唐代)의 문장가 한유로, 시호가 '문(文)'이기 때문에 이렇게 칭한 것이다.

원화(元和) 14년(819) 정월에, 헌종(憲宗)이 봉상(鳳翔) 법문사(法門寺)로 환관을 보내어 석가모니의 손가락뼈를 맞이해 궁중에 들여놓고 3일 동안 공양을 올렸다. 이에 한유는 〈논불골표(論佛骨表)〉를 올려 잘못된 점을 지적하다가 헌종의 노여움을 사서 조주 자사로 좌천되었다. 한유가 조주에 있었던 기간은 1년 미만이었지만 치적(治績)을 이루고 선정(善政)을 베풀었기 때문에 조주 사람들에게 추앙을 받아 오랜 세월이 지나도 잊히지 않아 작자 당대까지 이어지고 있었던 것이다.

으레 이러한 글을 지을 적에는, 조주에 남긴 한유의 공과 덕에 대해 구체적으로 서술하여 조주 사람들이 한유를 기념하는 이유를 설명하여야 할 것이다. 그러나 이 작품은 정반대로 한유의 관적(貫籍)·관력(官歷) 및 조주에 부임한 과정 등에 대하여 자세히 설명하지 않았으며, 또한 조주에서의 공과 덕을 서술하지도 않았다.

작자는 기두(起頭)에서 힘찬 기세로 곧장 신백(申伯)·여후(呂侯, 보후(甫侯))와 부열(傅說)을 거론함으로써 한유를 대번에 '고성현(古聖賢)'의 반열에 올려놓았다. 이후 한유의 구체적인 행위와는 거리가 멀게 '호연지기(浩然之氣)'를 끄집어낸 다음 "문풍(文風)은 팔대(八代)의 쇠함을 일으키고 도(道)는 천하(天下)의 빠짐을 구제하였으며, 충성은 인주(人主)의 노여움을 범하고 용맹은 삼군(三軍)의 장수를 빼앗았다.〔文起八代之衰 而道濟天下之溺 忠犯人主之怒 而勇奪三軍之帥〕"라는 네 구를 사용하여 세도(世道)와 인심(人心) 및 문도(文道)에 있어서의 한유가 끼친 중대한 영향을 개괄적으로 강조하고, 한유가 '천지에 참여하고 성쇠(盛衰)에 관계되는〔參天地 關盛衰〕' 호연지기를 지니고 있다고 귀결하였다.

이러한 기술법은 실제 한유와는 동떨어진 단순한 '범론(泛論)'으로 보인다. 하지만 "공(公)이 능한 것은 하늘의 일이요, 능하지 못한 것은 인간의 일이었다.〔蓋公之所能者天也 其所不能者人也〕"라는 평론의 복선이 되면서 오히려 한유를 부각시키는 효과를 준다. 다시 말해, 작자는 한유의 공과 덕을 극력 표창하기 위하여 더 높은 차원에서 입론하여 '개괄적인 평가'를 가지고 '구체적인 기술'을 대체하였다. 작은 범위에 있는 한유의 공과 덕을 강조한 것이 아니라 거시적 관점에서 한유의 무량한 공과 덕을 드러내었기 때문에 한유에 대하여 구체적이며 직접적인 기술보다 더욱 더 힘이 있는 것이다.

이 작품은 한유의 생애 및 업적에 대한 의론이 주를 이루는바, 한 편의 '한유론(韓愈論)'이라고 불러도 무방할 것이다. 전체적으로 결구(結構)가 엄격하고 행문(行文)에 있어 문장의 변화가 풍부하며 조종 억양(操縱抑揚)과 수습(收拾)이 적절하여 번잡한 병폐가 전혀 없다. 작자가 이 작품을 통하여 드러내고자 하였던 것은 한유의 '위도(衛道)' 정신으로, 한유가 제창한 소위 '고문운동'은 '문이재도(文以載道)'를 표방하였다. 여기서 한유가 말하는 '도(道)'는 곧 유가의 도(道)로, 이 글을 감상할 적에는 구사(構思)와 작법(作法)의 훌륭한 점만 볼 것이 아니라, 작자가 숭경하고 추구하는 것이 바로 이 '도(道)'라는 것을 분명하게 알아야 한다.

篇題小註‥ 郞[1]曰 東坡外集에 載與吳子野書[2]하니 論此碑云 文公廟碑를 近已寄去矣라 潮州自文公未到로 已有文行之士如趙德者하니 蓋風俗之美久矣라 先伯父與陳文惠公相知러니 公在政府에 未嘗一日忘潮也하고 云 潮民雖小民이나 亦知禮義라하니 信如子野言也라 碑中에 已具論矣로라

---

1   郞: 낭엽(郞曄)으로 남송(南宋) 효종(孝宗) 때에 벼슬하였으며, 장구성(張九成)의 문인으로 장구성의 말인 《횡포일신(橫浦日新)》을 기록하였다 한다.

2   東坡外集 載與吳子野書: 오자야(吳子野)는 오복고(吳復古)로, 자야는 그의 자이며 호는 원유(遠遊)이다. 소식이 그를 위해 〈원유암명(遠遊菴銘)〉을 지었다. 〈여오자야(與吳子野)〉는 《동파전집(東坡全集)》 권83에 실려 있다.

낭엽(郎曄)이 다음과 같이 말하였다.

"《동파외집(東坡外集)》에 동파가 오자야(吳子野)에게 준 편지가 실려 있으니, 편지에서 이 비(碑)에 대해 논하기를 '한문공의 묘비를 근간에 이미 지어 부쳐 보냈다. 조주는 한문공이 부임하기 전부터 이미 문장과 덕행에 뛰어난 선비로 조덕(趙德)과 같은 자가 있었으니, 풍속의 아름다움이 오래된 곳이다. 선백부(先伯父)는 진 문혜공(陳文惠公, 진요좌(陳堯佐))과 서로 친하셨는데 문혜공은 정부(政府)에 있을 적에 일찍이 하루도 조주를 잊은 적이 없었으며, 「조주 백성들은 비록 일반 백성이지만 또한 예의를 안다.」라고 하였으니, 진실로 그대의 말과 같다. 비 가운데에 이미 자세히 논하였노라.' 하였다."

○ 洪容齋曰 劉夢得, 李習之, 皇甫湜, 李南紀 皆稱頌文公之文에 各極其至러니 及東坡之碑一出에 而衆說盡廢라 騎龍白雲之詩는 蹈厲發越하여 直到雅, 頌하니 所謂若捕龍蛇, 搏虎豹者[3]니 大哉라 言乎[4]여

홍용재(洪容齋, 홍매(洪邁))가 말하였다. "유몽득(劉夢得, 유우석(劉禹錫))·이습지(李習之, 이고(李翶))·황보식(皇甫湜)·이남기(李南紀, 이한(李漢))는 모두 문공의 문장을 칭송함에 각각 지극함을 다하였는데, 동파의 이 비문이 한번 나오자 이 사람들의 말(글)이 모두 버려졌다. 용(龍)을 타고 백운향(白雲鄕)에 갔다는 시는 의기(意氣)가 격앙되고 생동감이 넘쳐 곧장 아(雅)·송(頌)의 경지에 이르니, 이른바 '용과 뱀을 잡고 범과 표범을 때려잡듯이 한다.'는 것이니, 아! 훌륭하도다, 문장이여."

○ 秦, 漢以後로 振文章而反之古는 一昌黎耳라 此碑는 誠大題目이니 非東坡大手筆이면 誰宜爲之리오 坡文之雄偉不常者 此是也라 然이나 方虛谷[5]이 嘗因論感生帝之說[6]而言曰 維岳

---

3 所謂若捕龍蛇, 搏虎豹者: 횡거 선생(橫渠先生)이 태재(太宰, 총재(冢宰))의 직책은 수행하기가 어려움을 말씀하면서 "많고 많은 천하의 일을 마땅히 용과 뱀을 잡고 호랑이와 표범을 때려잡듯이 마음과 힘을 써서 보아야 비로소 될 것이다.〔其混混天下之事 當如捕龍蛇 搏虎豹 用心力看 方可〕"라고 한데서 온 말이다.《張子全書 卷4 周禮》

4 洪容齋曰……大哉言乎: 이 내용은 《용재수필(容齋隨筆)》 권8 〈논한문공(論韓文公)〉에 보인다.

5 方虛谷: 방회(方回)를 가리킨 것으로 허곡은 그의 호이다. 송나라 말, 원나라 초기의 문인으로, 자는 만리(萬里)이며, 흡현(歙縣) 사람이다. 원군(元軍)이 쳐들어오자 벼슬을 포기하고 시작(詩作)에만 힘쓰며 지냈다. 그가 편찬한 《영규율수(瀛奎律髓)》는 총 49권으로 당·송 양대의 율시(律詩)를 골라 모은 책이다. 《동강집(桐江集)》, 《속고금고(續古今考)》 등의 저술이 있다. 《癸辛雜識 別集 卷上 方回》

6 感生帝之說: '감생제(感生帝)'는 줄여서 '감제(感帝)' 또는 '감생(感生)'이라고도 하는데, 왕자(王者)의 시조가 감응하

降神하여 生甫及申⁷은 詩人이 蓋盛言賢者之生不偶然하여 天生之以畁國家하니 其謂嵩高降神而爲此人者는 實以其禀太山喬嶽高厚非常之氣요 非果有一物投胎托化而生也라 俗儒不得其意하여 而曰 蕭何孕昴하고 傅說騎箕라하고 下至西竺輪廻之說이 蔓延滋甚하니 東坡學佛이라 故로 亦曰 其生也有自來하고 其逝也有所爲라하니 信如此면 則古今聖賢이 其生也는 必以其物之精英而來하고 其死也는 又必復還夫精英之元物者리니 世豈有此理也哉아 此說은 亦學者所當知也라 故로 倂錄焉하노라

진(秦)·한(漢) 이후로 문장을 떨쳐 고문(古文)으로 돌아가게 한 것은 창려(昌黎) 한 사람뿐이다. 이 비는 진실로 큰 제목이니, 동파의 훌륭한 필력이 아니면 그 누가 짓겠는가. 동파의 문장이 웅위(雄偉)하여 보통이 아님은 바로 이것이다. 그러나 방허곡(方虛谷)이 일찍이 감생제(感生帝)의 설(說)을 논하면서 이르기를 "'산악(山嶽)에서 신령(神靈)을 내려 보후(甫侯)와 신백(申伯)을 냈다.'는 것은 시인(詩人)이 현자의 출생이 우연치 않아서 하늘이 현자를 내어 국가에 줌을 지극하게 말한 것이다. '숭고(崇高)한 산악이 신령을 내려 이 사람을 내었다.'라고 말한 것은 실제로 태산 교악(泰山喬嶽)의 고후(高厚)하고 비상한 정기를 받았음을 말한 것이요, 참으로 한 가지 물건이 태(胎) 속으로 들어가 조화에 의탁하여 탄생하는 것은 아니다. 세속의 학자들은 그 뜻을 알지 못하고 이르기를 '소하(蕭何)는 묘성(昴星)의 정기를 받고 태어났고 부열(傅說)은 기성(箕星)을 타고 갔다.' 하며, 아래로는 심지어 서축(西竺, 인도의 불교)의 윤회설(輪廻說)이 만연하여 불어나게 되니, 동파는 불교를 배웠기 때문에 또한 '그 태어남에 유래가 있고 그 죽어서 되는 바가 있다.'라고 말한 것이다. 그러나 진실로 이와 같다면 고금의 현성(賢聖)들이 태어날 적에는 반드시 그 물건의 정영(精英)으로부터 오고, 죽을 적에는 또 반드시 정영의 원래 물건으로 다시 돌아가게 되는 것이니, 세상에 어찌 이러한 이치가 있겠는가." 하였다. 이 말은 또한 배우는 자가 마땅히 알아야 할 바이므로 여기에 함께 기록한다.

여 태어나게 된 제(帝)를 일컫는 말이다. 고대에는 왕자의 시조가 모두 태미원(太微垣)에 있는 오방(五方)의 천제(天帝) 가운데 한 제(帝)의 정기에 감응하여 태어났다고 여겼기 때문에 이렇게 말한 것이다.

7　維岳降神 生甫及申 : 《시경》〈대아(大雅) 숭고(崧高)〉에 보이는바, 주자는 주 선왕(周宣王)의 외숙인 신백(申伯)이 사(謝) 땅으로 봉지(封地)를 받아 나가자, 윤길보(尹吉甫)가 그를 전송하기 위해 지은 시라 하였다. 즉 신백과 보후(甫侯)는 모두 사악(四嶽)의 제사를 맡았던 강씨(姜氏)의 후손이므로 "높은 산악에서 신령스러운 화기(和氣)를 내려 보후와 신백을 낳았다."라고 한 것이다. 보(甫)와 여(呂)는 통하므로 보후를 여후(呂侯)라고 칭하기도 한다.

··· 甫 겨우 보　畀 줄 비　嵩 높은산 숭　禀 받을 품　喬 높을 교　孕 아이밸 잉　昴 별이름 묘
竺 나라이름 축　倂 아우를 병

• 原文

匹夫而爲百世師하며 一言而爲天下法[8]은【起句力量大, 究其極, 惟孔·孟可當之.】是皆有以參天地之化하고 關盛衰之運하여 其生也有自來하고 其逝也有所爲라 故로 申·呂自嶽降[9]하고【生有自來.】傳說(부열)爲列星[10]하니【逝有所爲. ○莊子大宗師篇: "傳說得之, 以相武丁, 乘東維, 騎箕尾, 而比於列星."】古今所傳을 不可誣也니라

필부(匹夫)로서 백세(百世)의 스승이 되고, 한 마디 말로 천하의 법(모범)이 됨은【기구(起句)가 역량이 크니, 그 극(極)을 다한다면 오직 공자와 맹자만이 여기에 해당할 수 있다.】이는 모두 천지의 조화에 참여되고 성쇠(盛衰)의 시운에 관계되어, 태어남에 말미암아 오는 바(유래)가 있고 죽어서 되는 바가 있는 것이다. 그러므로 신백(申伯)과 여후(呂侯, 보후(甫侯))가 산악으로부터 〈인간세상으로〉 내려오고,【태어남에 유래가 있는 것이다.】부열(傳說)이 〈죽어서〉 열성(列星)이 되었으니,【죽어서 되는 바가 있는 것이다. ○《장자》〈대종사(大宗師)〉에 "부열이 이것(도(道))을 얻어서 무정(武丁)을 돕고는 동유성(東維星)을 타고 기성(箕星)과 미성(尾星)을 타고서 열성(列星)과 나란히 하게 되었다." 하였다.】고금에 전하는 바를 속일 수 없는 것이다.

---

8 匹夫而爲百世師 一言而爲天下法: '필부(匹夫)'는 일반적으로 벼슬하지 않는 평민을 이르는데 여기서는 왕자(王者)에 상대하여 쓰였으며, '백세사(百世師)'는 후세의 영원한 스승을 이른다. 《맹자》〈진심 하(盡心下)〉에 "성인은 백세의 스승이니, 백이(伯夷)와 유하혜(柳下惠)가 바로 그러한 분이다.〔聖人百世之師也 伯夷柳下惠 是也〕"라고 보이며, 《중용》 29장에 "군자는 동(動)함에 대대로 천하의 도(道)가 되니, 행(行)함에 대대로 천하의 법도(法度)가 되며 말함에 대대로 천하의 준칙(準則)이 된다. 멀리 있으면 우러러봄이 있고, 가까이 있으면 싫지 않다.〔君子動而世爲天下道 行而世爲天下法 言而世爲天下則 遠之則有望 近之則不厭〕"라고 보인다. 또 《사기(史記)》〈공자세가(孔子世家)〉에는 "공자가 포의(布衣)셨으나 10여 대에 전해져서 배우는 자들이 종주(宗主)로 높이고 있다.〔孔子布衣 傳十餘世 學者宗之〕"라고 보인다.

9 申呂自嶽降: 신려(申呂)는 신백(申伯)과 여후(呂侯, 보후(甫侯))로 모두 주 선왕(周宣王) 때의 충성스런 제후들이다. 이 내용은 《시경》〈대아(大雅) 숭고(崧高)〉에 "우뚝 솟은 산악(山嶽)이 높아 하늘에 이르도다. 산악에서 신령을 내려 보후와 신백을 내셨도다.〔崧高維嶽 駿極于天 維嶽降神 生甫及申〕"라고 보인다. 주자(朱子)의 《시경집전(詩經集傳)》에 "선왕의 외숙인 신백이 나가 사읍(謝邑)에 봉해지자, 윤길보(尹吉甫)가 시를 지어 그를 전송하였다. 악산(嶽山)이 높고 커서 그 신령(神靈)과 화기(和氣)를 내려 보후와 신백을 내니, 실로 주나라의 정간(楨榦)과 번병(藩屛)이 되어서 그 덕택을 천하에 베풂을 말한 것이다.〔宣王之舅申伯 出封于謝 而尹吉甫作詩以送之 言嶽山高大 而降其神靈和氣 以生甫侯申伯 實能爲周之楨榦屛蔽 而宣其德澤於天下也〕"라고 주(注)하였다.

10 傳說爲列星: 부열(傳說)은 상(商)나라 고종(高宗 무정(武丁))의 재상인데 죽은 뒤에 천상의 성수(星宿)가 되었다고 전해진다. 《장자(莊子)》〈대종사(大宗師)〉에 "부열이 무정을 보좌하여 천하를 소유하였는데, 죽어서 동유(東維)에 올라 기성(箕星)과 미성(尾星)을 타고 천상으로 올라가서 열성(列星)이 되었다.〔相武丁 奄有天下 乘東維 騎箕尾 而比於列星〕"라고 보인다. 동유는 기성(箕星)과 남두성(南斗星) 사이에 있는 천한(天漢, 은하)의 별이라 하며, 일설에는 바로 기성과 미성이라 하기도 한다.

孟子曰 我善養吾浩然之氣[11]라하시니 是氣也 寓於尋常之中하고 而塞乎天地之間하여 卒然遇之에 王. 公失其貴하고 晉. 楚失其富하며 良. 平失其智[12]하고 賁. 育失其勇[13]하며 儀. 秦失其辯[14]하나니【如破竹勢.】 是孰使之然哉오 其必有不依形而立하고 不恃力而行하며 不待生而存하고【應生有自來.】 不隨死而亡者矣라【應逝有所爲.】 故로 在天에 爲星辰하고【應傳說爲列星句.】 在地에 爲河嶽하고【應申. 呂自嶽降.】 幽則爲鬼神하고 而明則復爲人하나니【全是輪廻之說.】 此理之常이니 無足怪者니라

맹자(孟子)가 말씀하시기를 "나는 나의 호연지기(浩然之氣)를 잘 기른다." 하셨으니, 이 호연지기는 심상(尋常)한 가운데 붙어 있고 천지의 사이에 가득 차 있어서, 갑자기 〈호연지기를 소유한 사람을〉 만남에 왕(王)과 공(公)이 그 귀함을 잃고 진(晉)나라와 초(楚)나라가 그 부유함을 잃으며, 장량(張良)과 진평(陳平)이 그 지혜를 잃고 맹분(孟賁)과 하육(夏育)이 그 용맹을 잃으며, 장의(張儀)와 소진(蘇秦)이 그 언변을 잃으니,【파죽지세와 같다.】 이는 누가 그렇게 만드는 것인가? 아마도 틀림없이 형체를 의지하여 서지 않고 힘을 믿어 행하지 않으며 삶을 기다려 보존하지 않고【'태어남에 유래가 있다〔生有自來〕'는 것에 응한다.】 죽음을 따라 없어지지 않는 것이 있을 것이다.【'죽어서 되는 바가 있다〔逝有所爲〕'는 것에 응한다.】

그러므로 하늘에서는 성신(星辰)이 되고【'부열이 열성이 되었다〔傳說爲列星〕'는 구에 응한다.】 땅에서는 하악(河嶽)이 되며,【'신백과 여후가 산악에서 내려왔다〔申呂自嶽降〕'는 것에 응한다.】 그윽하면 귀신이 되고 밝으면 다시 사람이 되는 것이니,【완전히 윤회의 설(說)이다.】 이는 떳떳한 이치로서 괴이하게 여길 것이 못된다.

自東漢以來로 道喪文弊하여 異端竝起하니 歷唐貞觀. 開元之盛하여 輔以房. 杜.

---

11 孟子曰……浩然之氣 : 이 내용은 《맹자》〈공손추 상(公孫丑上)〉에 보인다.

12 良平 : 장량(張良)과 진평(陳平)으로 이들은 뛰어난 전략가로서 유방(劉邦)을 도와 한(漢)나라를 세운 개국공신이다.

13 賁育失其勇 : '분육(賁育)'은 맹분(孟賁)과 하육(夏育)으로 맹분은 전국시대 제(齊)나라의 용사이고, 하육은 주(周)나라의 역사(力士)로, 맹분은 맨손으로 쇠뿔을 뽑았고 하육은 천 균(鈞)의 무게를 들어 올렸다고 한다. 1균은 120근(斤)이다.

14 儀秦失其辯 : '의진(儀秦)'은 전국시대의 변사(辯士)인 장의(張儀)와 소진(蘇秦)으로, 각국을 돌아다니며 교묘하게 제후들을 설득했던 인물들이다. 소진은 처음에 진 혜왕(秦惠王)을 찾아갔으나 자신의 말을 써 주지 않자, 연(燕)·조(趙)·한(韓)·위(魏)·제(齊)·초(楚)의 육국(六國)이 연합하여 진나라에 대항하도록 하는 합종책(合從策)을 가지고 각 국의 군주를 설득하였고, 장의는 육국의 군주들에게 다시 진나라를 섬기도록 하는 연횡책(連衡策)을 가지고 설득하였다. 《史記 卷69 蘇秦列傳, 卷70 張儀列傳》

••• 寓 붙어살 우 尋 여덟자 심 常 두길 상 塞 막을 색 卒 갑자기 졸 賁 클 분 怪 괴이할 괴

姚, 宋이로되 而不能救러니【房玄齡 · 杜如晦, 太宗貞觀相, 姚崇 · 宋璟, 玄宗開元相.】獨韓文公이 起布衣하여 談笑而麾之하니 天下靡然從公하여 復歸于正이 蓋三百年於此矣라 文起八代之衰[15]하고【東漢 · 魏 · 晉 · 宋 · 齊 · 梁 · 陳 · 隋也.】而道濟天下之溺하며 忠犯人主之怒[16]하고【諫憲宗迎佛骨.】而勇奪三軍之帥[17]하니【入王廷湊軍, 折服之, 出牛元翼於圍.】此豈非參天地, 關盛衰하여 浩然而獨存者乎아【收拾前語 鎖結.】

동한(東漢) 이래로 도(道)가 망하고 문(文)이 피폐하여 이단(異端)이 함께 일어나니, 당(唐)나라 정관(貞觀) · 개원(開元) 연간의 전성기를 거치면서 방현령(房玄齡) · 두여회(杜如晦)와 요숭(姚崇) · 송경(宋璟) 같은 어진 재상이 보필하였으나 이것을 바로잡지 못하였는데,【방현령과 두여회는 태종(太宗) 정관(貞觀) 연간의 명상(名相)이고, 요숭과 송경은 현종(玄宗) 개원(開元) 연간의 명상이다.】홀로 한문공(韓文公)이 포의(布衣)로 일어나 담소하면서 지휘하니, 천하가 바람에 쏠리듯 공을 따라 다시 정도(正道)로 돌아온 지가 이제 3백 년이 되었다. 문풍(文風)은 팔대(八代)의 쇠함을 일으키고【팔대(八代)는 동한(東漢), 위(魏), 진(晉), 송(宋), 제(齊), 양(梁), 진(陳), 수(隋)이다.】도는 이단에 빠진 천하를 구제하였으며, 충성은 인주(人主)의 노여움을 범하고【헌종(憲宗)이 부처의 유골(사리)을 맞이해 오는 것을 간하였다.】용맹은 삼군(三軍)의 장수를 빼앗았으니,【한문공이 왕정주(王廷湊)의 군대에 들어가서 설복(說服)시켜 우원익(牛元翼)을 포위된 가운데에서 구출하였다.】이 어찌 천지에 참여되고 성쇠에 관계되어 호연(浩然)히 홀로 존재하는 것이 아니겠는가?【앞의 말을 수습하여 맺었다.】

蓋嘗論天人之辨하여 以謂 人無所不至로되 惟天은 不容僞라 智可以欺王公이로되【人.】不可以欺豚魚요【天.】力可以得天下로되【人.】不可以得匹夫匹婦之心이라

---

15 文起八代之衰: 문풍이 쇠약했던 여덟 왕조로, 당나라에 이르러 한유가 역대 변려문(騈儷文) 일색(一色)의 문풍(文風)을 처음 고문(古文)으로 바꿔놓았음을 말한 것이다.

16 忠犯人主之怒: 당나라 헌종(憲宗)이 불교를 믿어 부처의 사리를 금중(禁中)에 맞아들이려고 하자, 한유가 〈논불골표(論佛骨表)〉를 올려 이의 부당함을 강력히 간언하여 불교가 신봉할 것이 못됨을 설명하였다. 이에 대노한 헌종은 한유를 조주 자사(潮州刺史)로 좌천시켰다.《新唐書 卷176 韓愈列傳》《唐宋八家文 卷2 論佛骨表》

17 勇奪三軍之帥: 한유는 원화(元和) 15년(820)에 국자좨주(國子祭酒)에 제수되었다가 병부 시랑(兵部侍郎)으로 옮겼다. 이때 진주군(鎭州軍)이 반란을 일으켜 절도사(節度使) 전홍정(田弘正)을 살해하고 왕정주(王廷湊)를 절도사로 세우고는 조정에서 정벌군으로 보낸 우원익(牛元翼)의 군대를 포위하는 일이 발생하였다. 한유는 조정의 명을 받고 가서 왕정주를 설득하여 포위를 풀게 하고 돌아왔다.《舊唐書 卷160 韓愈列傳》

【天.】故로 公之精誠이 能開衡山之雲[18]이로되【天. ○文公謁衡嶽廟詩云: "我來正逢秋雨節, 陰氣晦昧無清風. 潛心默禱若有應, 豈非正直能感通? 須臾淨掃衆峰出, 仰見突兀撑靑空."】而不能回憲宗之惑하고【人.】能馴鰐魚之暴[19]로되【天.】而不能弭皇甫鎛, 李逢吉之謗하고【人. ○上得公潮州謝表, 欲復用之, 鎛奏愈終狂疏, 可且內移, 遂移袁州. 逢吉因臺參事,[20] 使與李紳交鬪, 遂罷爲兵部侍郎.】能信於南海之民하여 廟食百世로되【天.】而不能使其身一日安於朝廷之上하니【人.】蓋公之所能者는 天也요 其所不能者는 人也라【二句, 倂鎖前人無不至 天不容僞句.】

　　내 일찍이 하늘과 사람의 분별을 논하여 다음과 같이 말하였다.

　　"사람은 못하는 짓이 없으나 하늘은 거짓을 용납하지 않는다. 지혜가 왕공을 속일 수 있으나【사람이다.】돼지와 물고기를 속이지는 못하고,【하늘이다.】힘이 천하를 얻을 수 있으나【사람이다.】필부(匹夫)·필부(匹婦)의 마음을 얻을 수는 없다.【하늘이다.】그러므로 공의 정성이 형산(衡山)의 구름을 걷히게 하였으나【하늘이다. ○한문공(韓文公)의 〈알형악묘 수숙악사 제문루(謁衡嶽廟遂宿嶽寺題門樓)〉 시에 다음과 같이 말하였다. "내가 형산을 찾아온 것은 바로 가을비 내리는 시절이라, 음기로 어둠침침하고 시원한 바람 없었네. 잠심하여 묵묵히 기도함에 응험이 있는 듯하니, 어찌 정직한 마음이 신명을 감통시킨 것 아니랴. 잠깐 사이에 구름이 말끔히 걷히고 봉우리들 솟아나니, 우러러봄에 높은 봉우리들 푸른 허공을 떠받치고 있구나."】헌종(憲宗)의 미혹됨을 돌리지는 못하였고,【사람이다.】악어의 포악함을 길들였으나【하늘이다.】황보박(皇甫鎛)과 이봉길(李逢吉)의 비방을 그치게 하지는 못하였고,【사람이다. ○상(上)이 공의 〈조주자사사상표(潮州刺史謝上表)〉를 얻고는 다시 등용하고자 하였는데, 황보박(皇甫鎛)이 아뢰기를 "한유는 끝내 방탕하고 소략하니, 우선 내지(內地)로 옮겨야 합니다." 하여, 마침내 원주(袁州)로 옮겼다. 이봉길(李逢吉)이 대참(臺參)하는 일로 인하여 이신(李紳)과 서로 다투게 하였는데, 마침내 파직되어 병부 시랑(兵部侍郎)이 되었다.】남해(南海)의 백성에게 믿음을 받아 사당에서 백세

18　能開衡山之雲: 형산(衡山)은 호남성(湖南省)에 있는 명산(名山)으로, 한유가 일찍이 형산에 오를 때에 가을비가 내리므로 정성을 다해 기도하였더니, 구름이 깨끗이 걷혔다 한다.

19　能馴鰐魚之暴: 한유가 조주 자사(潮州刺史)로 있을 적에 악계(惡溪)에 사는 악어 때문에 백성들이 고통스러워하자 〈악어문(鱷魚文)〉을 지어 악어를 다른 곳으로 옮겨 가게 하였다.

20　逢吉因臺參事: '대참(臺參)'은 새로 임명된 관원이 어사대(御史臺)로 가서 알현하는 것으로, 새로 관직에 임명된 자가 대참하는 것이 규례이다. 이봉길은 이신(李紳)을 축출할 구실을 만들기 위해 한유를 경조윤(京兆尹) 겸 어사대부에 임명하고 이신이 어사중승(御史中丞)으로 있는 어사대에 가서 알현하지 못하게 하여 이신과 서로 불화하게 하였다. 《新唐書 卷176 韓愈列傳》

　　　　… 馴 길들일 순　鰐 악어 악　弭 그칠 미　鎛 종박　謗 비방할 방

토록 제향을 받아먹으나【하늘이다.】 그 몸을 하루도 조정의 위에서 편안히 있게 하지는 못하였
으니,【사람이다.】 공이 능한 것은 하늘의 일이요, 능하지 못한 것은 인간(사람)의 일이었다."【이
두 구는 앞의 '사람은 못하는 짓이 없으나 하늘은 거짓을 용납하지 않는다〔人無不至 天不容僞〕'는 구를 아울러
맺은 것이다.】

始潮人이 未知學이러니 公이 命進士趙德²¹하여【潮州人.】爲之師하니 自是로 潮之士
皆篤於文行하여 延及齊民하여 至于今號稱易治하니 信乎라 孔子之言曰 君子學
道則愛人이요 小人學道則易使也²²여 潮人之事公也에 飮食에 必祭하며 水, 旱, 疾
疫凡有求에 必禱焉호되 而廟在刺史公堂之後하니 民以出入爲艱이라 前守欲請
諸朝하여 作新廟라가 不果러니 元祐五年에【哲宗朝庚午歲.】朝散郞王君滌²³이 來守是
邦할새 凡所以養士治民者를 一以公爲師하니 民旣悅服이라 則出令曰 願新公廟
者면 聽이라하니 民讙趨之하여 卜地於州城之南七里하여 朞年而廟成하니라

처음에 조주(潮州) 사람들은 학문을 몰랐는데, 공이 진사(進士) 조덕(趙德)【조주(潮州) 사람이
다.】에게 명하여 스승이 되게 하니, 이로부터 조주의 선비들이 모두 문학과 행실에 독실해져
널리 일반 백성에게까지 미쳤다. 그리하여 지금까지 다스리기 쉽다고 알려져 있으니, 진실이
구나! 공자(孔子)의 말씀에 "군자(君子, 정치가)가 도(道)를 배우면 백성을 사랑하고 소인(小人, 백
성)이 도를 배우면 부리기 쉽다." 하심이여!

조주 사람들은 공을 섬김에 있어, 음식을 먹을 적에 반드시 제(祭, 고수레)를 올리며, 수재(水
災)와 한해(旱害)와 질병(疾病)이 있어, 바람(소망)이 있을 적마다 반드시 기도하였는데, 사당이
자사(刺史) 공관(公館)의 뒤에 있어 백성이 출입하는 것을 어렵게 여겼다.

지난번 태수(太守)가 조정에 요청하여 새 사당을 짓고자 하다가 결행하지 못하였는데, 원
우(元祐) 5년(1090)에【철종조(哲宗朝) 경오년(庚午年)이다.】조산랑(朝散郞) 왕군 척(王君滌)이 와서

---

21 公命進士趙德 : 이와 관련된 내용은 한유(韓愈)의 〈조주청치향교첩(潮州請置鄕校牒)〉에 "조덕(趙德)은 수재(秀才)
로 침아(沈雅)하고 전정(專靜)하여 자못 경전에 통달하고 문장이 있으며 능히 선왕의 도(道)를 알아 이를 논하고, 또 이단
을 배척하고 공자를 높이니, 스승이 될 만하다.〔趙德秀才 沈雅專靜 頗通經 有文章 能知先王之道 論說且排異端而宗孔氏
可以爲師矣〕"라고 보인다.

22 孔子之言曰……易使也 : 이 내용은 《논어》〈양화(陽貨)〉에 보인다.

23 朝散郞王君滌 : '조산랑(朝散郞)'은 송(宋)나라 문관의 품계로 7품이다. 왕척(王滌)은 자가 용림(用霖)으로 낭야(瑯
琊) 사람이다. 벼슬이 지조 주사(知潮州事)를 거쳐 중서 사인(中書舍人)에 이르렀다.

이 고을을 맡으면서 선비를 양성하고 백성을 다스리는 모든 방법을 한결같이 공을 모범으로 삼으니, 백성이 이미 기뻐하고 복종하였다. 왕공(王公)은 명령을 내리기를 "공의 사당을 새로 짓기를 원하는 자가 있으면 들어주겠다." 하니, 백성이 기꺼이 달려와서 주성(州城)의 남쪽 7리 쯤 되는 곳에 터를 잡아 기년(朞年, 1년)만에 사당이 이루어졌다.

或曰 公이 去國萬里而謫于潮하여 不能一歲而歸하니 沒而有知면 其不眷戀于潮也審矣라하니 軾曰 不然하다 公之神在天下者 如水之在地中하여 無所往而不在也어늘 而潮人이 獨信之深하고 思之至하여 焄蒿(훈호)悽愴²⁴하여 若或見之하니 譬如鑿井得泉하고 而曰水專在是라하면 豈理也哉리오 元豐元年에【神宗朝甲子歲.】 詔封公昌黎伯이라 故로 榜曰 昌黎伯韓文公之廟라하니라 潮人이 請書其事于石하니 因爲作詩以遺之하여 使歌以祀公하노라

혹자는 말하기를 "공(公)이 국도(國都, 도성)에서 만 리나 떠나와 이 조주로 귀양 와서 1년이 못되어 돌아갔으니, 죽어서 〈영혼이 있어〉 앎이 있다면 조주를 돌아보고 연연하지 않을 것이 분명하다." 하였다. 이에 나는 다음과 같이 말하였다.
"그렇지 않다. 공의 신(神)이 천하에 있는 것은 물이 땅 속에 있는 것과 같아서 가는 곳마다 있지 않은 곳이 없는데, 조주 사람들이 유독(특히) 공을 깊이 믿고 지극히 그리워하여 제사를 지낼 적에 신(영혼)의 기운이 몸에 이르러 처창(悽愴)해져서 혹시라도 뵙는 듯이 여기니, 비유하면 우물을 파 샘물을 얻고서 물이 오로지 이곳에만 있다고 한다면 이것이 어찌 이치이겠는가."
원풍(元豐) 원년(1078)에【신종조(神宗朝) 갑자년(甲子年)이다.】 조령(詔令)을 내려 공을 창려백(昌黎伯)으로 봉하였다. 그러므로 방(榜)에 써 붙이기를 '창려백 한문공의 사당'이라 하였다. 조주 사람들이 이 사실을 비석에 써줄 것을 청하니, 이로 인하여 시(詩)를 지어 보내어서 이 시를 노래하여 공을 제사하게 하노라.

其辭曰 公昔騎龍白雲鄕하여【莊子: "乘彼白雲, 至于帝鄕."】 手抉雲漢分天章하니 天

24　焄蒿悽愴: '훈호(焄蒿)'는 제수를 올려 제사하는 것으로, '훈'은 음식의 향기이고 '호'는 제수의 기운이 위로 올라감을 이른다. '처창(悽愴)'은 제사하는 자들이 매우 공경하여 마음이 숙연해지는 것으로, 《예기(禮記)》〈제의(祭義)〉에 "그 기운이 위로 올라가서 소명·훈호·처창함이 되니, 이는 백물의 정기이며 신이 드러난 것이다.〔其氣發揚于上 爲昭明焄蒿悽愴 此百物之精也 神之著也〕"라고 보인다.

謫 귀양갈 적　沒 죽을 몰　眷 돌아볼 권　戀 사모할 연　審 분명할 심　焄 태울 훈　蒿 쑥 호
悽 슬플 처　抉 들추어낼 결　粃 쭉정이 비　糠 겨 강　略 스칠 략　翺 날 고

孫爲織雲錦裳이라 飄然乘風來帝旁하여 下與濁世掃粃糠이라【指攘斥佛·老. 起意謂公自天降, 應生有自來.】西游咸池略扶桑[25]하니【離騷: "飮子馬於咸池兮, 揔予轡乎扶桑." 淮南子: "日出暘谷, 浴於咸池, 拂於扶桑." 喩公之道與日齊光也.】草木衣被昭回光이라 追逐李, 杜參翶翔하니 汗流籍, 湜走且僵[26]하여 滅沒倒景(영)不得望이라【相如大人賦: "貫列缺之倒景."[27]】作書詆佛譏君王하니 要觀南海窺衡湘하고【謂謫潮.】歷舜九疑弔英, 皇이라【娥皇, 女英, 舜二妃.】祝融先驅海若藏하니 約束鮫鰐如驅羊이라 鈞天無人帝悲傷하니 謳吟下招遣巫陽[28]이라【謂公沒復歸于天, 應逝有所爲.】爆(박)牲鷄卜[29]羞我觴하니 於(오)粲荔丹與蕉黃이라【用韓公祭柳侯之語祭公.[30]】公不少留我涕滂하니 翩然被髮下大荒이라【文公雜詩: "翩然下大荒, 被髮騎麒麟." 竟用公說, 豪逸切當.】

그 시의 내용은 다음과 같다   其辭曰

공의 정신이 옛날 백운향(白雲鄕, 천상(天上))에서 용을 타고는   公昔騎龍白雲鄕

【《장자》〈천지(天地)〉에 "저 흰 구름을 타고서 상제의 고향에 이른다." 하였다.】

---

25 西游咸池略扶桑: '함지(咸池)'는 해가 목욕한다는 못으로 서쪽 끝 해지는 곳에 있다 하며, '부상(扶桑)'은 동쪽 끝에 있는 신목(神木)인데 해가 뜰 때에 이 나뭇가지를 지나간다고 한다. 그리하여 동쪽에 있는 신비로운 지역을 일컫게 되었다. '약(略)'은 스쳐간다는 뜻이다.

26 汗流籍湜走且僵: '적식(籍湜)'은 한유의 친구이자 문인인 장적(張籍, 767~830)과 황보식(皇甫湜, 777~835)으로, 이들 역시 문장가인데도 한유의 문장에 압도당해 온힘을 다해 따라가려 해도 미치지 못함을 말한 것이다.

27 相如大人賦 貫列缺之倒景: 《사기》 주에 "'열결(列缺)'은 번개이고, '도영(倒景)'은 해가 아래 있는 것이다.〔列缺 天閃也 倒景 日在下〕" 하였다. 한나라 무제(武帝)가 신선(神仙)을 좋아하므로 사마상여가 〈대인부〉를 지어서 신선의 일을 서술하여 무제에게 바치니, 무제가 크게 기뻐하고 "표표(飄飄)하여 구름 위로 솟아오르는 기상이 있다." 하였다. 《史記 卷117 司馬相如列傳》 '도영'은 천상의 가장 높은 곳으로 해와 달의 광채가 도리어 아래에서 위로 비춘다. 그리하여 이곳에서 해와 달을 내려다보면 그 그림자가 모두 거꾸로 보이기 때문에 붙여진 이름이라 한다.

28 鈞天無人帝悲傷 謳吟下招遣巫陽: '균천(鈞天)'은 구천(九天)의 하나로 하늘의 중앙(中央)이며, '무양(巫陽)'은 신무(神巫)의 이름인바, 천제(天帝)의 궁(宮)인 균천에 훌륭한 사람이 없으므로 천제는 이를 슬퍼하고 노래를 읊으며 무양을 인간 세상으로 보내어 한문공을 천상(天上)으로 불러갔다는 뜻이다. 그러나 일설에는 균천을 당(唐)나라 조정으로, 제(帝)를 황제(皇帝)로 보아, 윗 구(句)를 한문공이 죽은 뒤에 '당나라 조정에 보필할 인재(人才)가 없음을 한탄한 경종(敬宗)의 고사(故事)로 보고, 아랫 구를 한문공의 혼(魂)을 불러오고 위하여 신무인 무양을 천상으로 보내며 이 시(詩)를 읊는 것으로 해석하기도 한다.

29 鷄卜: 닭의 뼈로 점치는 것으로 남방(南方)의 풍속이라 한다.

30 用韓公祭柳侯之語祭公: 한유가 유종원(柳宗元)의 업적을 기리고 칭송하는 〈유주나지묘비(柳州羅池廟碑)〉를 지었는데, 여기에 "여자(荔子)는 붉고 파초(바나나)는 누르니 여러 안주와 채소를 섞어 유후의 사당에 올린다.〔荔子丹兮蕉黃 雜肴蔬兮進侯堂〕"라고 하였으므로 말할 것이다. 〈유주나지묘비〉는 권3에 보인다.

··· 湜 맑을 식 僵 넘어질 강 詆 비방할 저 鮫 상어 교 謳 노래할 구 爆 들소 박 羞 올릴 수
觴 술잔 상 荔 여지 여 蕉 파초 초 滂 뚝뚝떨어질 방 翩 날 편

177

卷8

손으로 운한(雲漢, 은하수)을 열어 하늘의 문장 나누니　　　手抉雲漢分天章

천손(天孫, 직녀성)이 운금(雲錦)의 치마 짜 주었네　　　天孫爲織雲錦裳

표연(飄然)히 바람 타고 상제(上帝) 곁으로 와서　　　飄然乘風來帝旁

탁세에 내려 보내어 비강(粃糠, 쭉정이와 겨)을 쓸게 하였네　　　下與濁世掃粃糠

【불(佛)·노(老)를 배척함을 가리킨 것이다. 일으킨 뜻은 공이 하늘로부터 내려왔음을 말한 것이니, '태어남에 유래가 있다〔生有自來〕'는 것에 응한다.】

서쪽으로 함지(咸池)에 놀고 부상(扶桑)을 스쳐 가니　　　西游咸池略扶桑

【〈이소경(離騷經)〉에 "내 말을 함지(咸池)에서 물 먹임이여, 내 고삐를 부상(扶桑)에서 잡았다." 하였고, 《회남자(淮南子)》〈천문훈(天文訓)〉에 "해가 양곡(暘谷)에서 나와 함지(咸池)에서 목욕을 하고 부상(扶桑)을 스쳐간다." 하였으니, 공의 도가 해와 광채가 같음을 비유한 것이다.】

초목들도 모두 공의 찬란한 광채 입었다오　　　草木衣被昭回光

이백(李白)과 두보(杜甫)를 따라 함께 고상(翺翔)하니　　　追逐李杜參翺翔

장적(張籍)과 황보식(皇甫湜) 등은 땀을 흘리며 달리다가 넘어져　　　汗流籍湜走且僵

순식간에 지는 해 그림자 같아 바라볼 수 없었네　　　滅沒倒景不得望

【사마상여(司馬相如)의 〈대인부(大人賦)〉에 "열결(列缺)의 도영(倒景)을 꿰뚫는다." 하였다.】

글을 지어 부처를 비방하고 군왕을 비판하였으니　　　作書詆佛譏君王

남해(南海)를 구경하고 형산(衡山)과 상수(湘水) 엿보며　　　要觀南海窺衡湘

【조주(潮州)로 좌천됨을 이른다.】

순 임금이 묻힌 구의산(九疑山)을 지나 영황(英皇)에게 조문하기 위해서였네

　　　歷舜九疑弔英皇

【영황(英皇)은 아황(娥皇)과 여영(女英)이니, 순 임금의 두 비(妃)이다.】

축융(祝融, 화신(火神))은 앞에서 몰고 해약(海若, 해신(海神))은 숨으니　　　祝融先驅海若藏

악어를 묶어 놓아 양떼를 몰듯이 하였네　　　約束鮫鰐如驅羊

균천(鈞天)에 사람 없어 상제가 슬퍼하니　　　鈞天無人帝悲傷

공을 부르러 노래 부르는 무양(巫陽)을 내려보냈네　　　謳吟下招遣巫陽

【공이 죽어서 다시 하늘로 돌아감을 이르니, '죽어서 되는 바가 있다〔逝有所爲〕'는 것에 응한다.】

들소 희생을 올리고 닭뼈로 점을 치며 우리 술잔 올리니　　　犦牲雞卜羞我觴

아! 찬란하여라! 붉은 여지와 누런 향초(香蕉, 바나나)라오　　　於粲荔丹與蕉黃

【한공이 유후(柳侯)에게 제사한 글을 사용하여 공에게 제사하였다.】

공이 잠시도 머물지 않아 우리들 눈물 흘리니　　　　　　　　　　公不少留我涕滂

너울너울 머리 풀어헤치고 큰 들에 내려오시는 듯　　　　　　　翩然被髮下大荒

【한문공(韓文公)의 〈잡시(雜詩)〉에 "너울너울 날아 대황(大荒)으로 내려와서 머리를 풀어헤치고 기린을 타리라." 하였는데, 끝내 한문공의 말씀을 사용하였으니, 호방하고 초일함이 매우 마땅하다.】

전적벽부前赤壁賦

소식蘇軾 동파東坡

• 작품개요

　　이 작품은 작자가 황주(黃州)의 단련부사(團練副使)로 좌천되어 있었던 시기인 신종(神宗) 원풍(元豐) 5년(1082) 7월 16일에 '적벽(赤壁)'에서 뱃놀이하고서 지은 글이다. '황주'는 지금의 호북(湖北) 황강(黃岡)이며, '적벽'은 황주에 있는 '적비기(赤鼻磯)'라는 곳이다. 작품 속에서도 언급되는 주유(周瑜)가 조조(曹操)를 대파한 전장(戰場)으로서의 '적벽'은 현재 호북 가어현(嘉魚縣)의 동남쪽 장강(長江)의 남안(南岸)에 있는바, 양자는 서로 다른 장소이다.

　　원풍 2년(1079) 3월, 당시 43세였던 작자는 호주 지사(湖州知事)가 되자 관례적으로 《호주사상표(湖州謝上表)》라는 사표(謝表)를 올렸는데, 어사(御史) 이정(李定), 하정신(何正臣), 서단(舒亶) 등은 그 내용이 불순하다고 고발하고 이어서 작자가 읊은 시(詩)에 황제를 범하는 내용이 있다고 무함하였다. 이에 작자는 7월 28일에 체포되고 8월 18일에 어사대(御史臺)의 옥(獄)에 수감되어 갖은 고초를 겪으며 자신의 시문에 대해 일일이 해명하였고, 결국 몇 편의 시에 대해서는 조정을 비방하는 것이었음을 인정하여 사형까지 거론되었다. 이 사건을 사가(史家)들은 '오대시안(烏臺詩案)'이라고 칭한다. 그러나 그를 아끼는 많은 사람의 구명(救命)과 신종 황제의 배려로 12월 29일에 풀려나 이듬해인 원풍 3년(1080) 2월에 결재권도 없는 하급 관직인 황주단련부사로 부임하였다. 작자는 황주에서 우물을 파고 집을 짓고 황무지를 개간하고서 '동파(東坡)'라고 자호하였다. 이를 기점으로 그의 벼슬길은 역경에 접어들었으나, 소위 '황주 시기'는 작자의 문학에 있어서 새로운 도약기로 꼽힌다. 만고의 절창(絶唱)이라 불리는 이 작품을 비롯하여 〈방산자전(方山子傳)〉, 〈석종산기(石鐘山記)〉 등 주옥같은 명작들이 바로 이 시기에 지어졌기 때문이다.

이 작품은 일종의 산문부(散文賦)로, 다섯 개의 단락으로 나뉜다. '임술지추(壬戌之秋)'부터 '우화이등선(羽化而登仙)'까지의 첫 번째 단락에서는, 작자가 객(客)과 가을밤에 적벽 아래에 배를 띄운 장면을 등장시키며 신선이 되고자 하는 심경을 드러내었다. 이 단락에서는 주로 배를 띄우고 경물(景物)을 완상하는 것을 직접적으로 묘사하였는데, 경(景, 경물)을 통하여 정(情, 감정)을 드러내어 경(景)에다가 정(情)을 융합시켰다.

'어시(於是)'부터 '읍고주지리부(泣孤舟之嫠婦)'까지의 두 번째 단락에서는, 즐거움으로 인하여 뱃전을 두드리며 노래하는 장면을 등장시키는데, 노래를 통하여 작자의 심정을 드러내었다. 특히 '가왈(歌曰)' 부분은 《초사(楚辭)》〈구가(九歌) 소사명(少司命)〉의 "저 멀리 미인을 바라보나 아직 오지 않으니, 망연히 바람 맞으며 소리 높여 노래하노라.〔望美人兮未來 臨風怳兮浩歌〕"라고 한 구절을 변용한 것으로, 여기서 언급한 '미인(美人)'은 바로 작자가 지닌 이상(理想)의 화신(化身)인 셈이다. 이 단락에서는 작자의 감정이 기쁨과 즐거움을 말미암아 슬픔과 비참함으로 들어가는 급격한 변화를 맞이하기 때문에 문세 역시 곡절과 변화가 많다. 객이 부는 통소의 소리는 바로 그때 작자가 느낀 슬프고 처량한 감정을 형상화한 것이다.

'소자초연(蘇子愀然)'부터 '탁유향어비풍(托遺響於悲風)'까지의 세 번째 단락에서는, 짧고도 무상한 인생에 대하여 객이 탄식한 내용을 서술하였다. 이 단락에서는 적벽의 자연 경물로 인하여 적벽에 얽힌 역사에 대해서도 읊었다. 여기서 객의 대답은 일종의 허무주의적 인생관을 표현한 것으로, 작자가 객의 입을 빌려 자기 생각의 일부분을 드러낸 것이라고도 볼 수 있다. 즉, 작자는 객의 대답을 통하여 인생에 대한 감개(感慨)를 드러내고, 아울러 좌천된 이후 웅대한 포부를 실현하기가 어렵게 된 자신의 처지를 깊이 애달파하고 탄식한 것이다.

'소자왈(蘇子曰)'부터 '이오여자지소공락(而吾與子之所共樂)'까지의 네 번째 단락에서는, 인생에 대하여 감개하는 객의 대답에 초점을 맞추어 작자 자신의 견해를 진술함으로써 객의 마음을 풀어주고 있다. '만물은 변화하지 않는다'는 입장에서 바라본다면 이 세상 모든 것들은 전부 무궁무진한 것이 된다. 그러므로 강수(江水)·명월(明月)과 천지(天地)를 부러워할 필요도 없고, 짧고 무상한 인생에 대하여 슬퍼할 필요도 없는 것이다.

'객희이소(客喜而笑)'부터 '불지동방지기백(不知東方之旣白)'까지의 다섯 번째 단락에서는, 객이 작자의 말을 들은 뒤에 슬픔이 기쁨으로 바뀌어 마음을 열고서 실컷 술을 마시는 장면을 등장시켰다. 이는 작품의 첫 부분에 조응(照應)하여 유람의 즐거움을 기술한 것으로, 마음속에서 시비와 득실을 완전히 잊고 세속에 구애받지 않는 초연한 경계에 이르렀음을 보여준다. 특히 작자가 객에게 답한 네 번째 단락은 본 작품의 주지가 담겨 있는 부분으로, 역경 속에서 활달(豁達)·초연(超然)·

낙관(樂觀)의 정신 상태를 유지하며 인생무상의 창망함을 극복할 수 있는 방법을 제시해주고 있다.

한편 작자의 감정 기복(起伏)에 따라서 보자면, 이 작품의 내용은 다음과 같이 세 단계로 간추려 묶을 수 있다. 먼저 청풍(淸風)과 명월(明月)이 어우러진 강산의 아름다운 경치를 통하여 작자가 머무르면서 느끼는 신선 세계의 초연한 즐거움을 서술하고, 이어서 역사 인물의 흥망에 대한 감회를 통하여 인생의 고민으로 주제를 옮긴 다음, 마지막에는 눈앞의 경물을 가지고 입론(立論)하여 '변(變)'과 '불변(不變)'의 철리(哲理)에 대하여 논하고 있는 것이다.

이 작품은 표현에 있어서 풍경 묘사[寫景]·감정 표현[抒情] 및 이치에 대한 강명(講明)[說理]이 잘 융합되어 있다. 전통적인 부(賦)가 지닌 운문적 요소들을 지닌 채 산문을 흡수하였기에 문구(文句)와 성률(聲律)의 대우(對偶) 등으로부터 벗어난 산문적인 부분들이 상당한데, 이는 문장의 구사를 자유롭게 하는 장점이 있다. 아울러 첫머리의 산문구를 제외하고 작품의 끝까지 거의 압운(押韻)하였는데, 환운(換韻)이 비교적 빈번하고 환운하는 곳은 의미상 단락이 지어지는 부분이어서 송독(誦讀)에 유리한바, 이는 운문의 장점을 십분 발휘한 것이다. 또한 작품 속에서 설정된 소자와 객의 문답은 실질적으로 작자 자신의 독백(獨白)으로, 부(賦)의 전통적 수법을 운용하여 작자의 사상 및 감정을 도출하기 위한 일종의 장치이다.

작자는 이 작품을 지은 지 3개월이 지난 10월 15일에 다시 적벽에서 뱃놀이를 하면서 또 한 편의 〈적벽부〉를 지었다. 이 두 작품을 구별하기 위해 이 작품을 〈전적벽부〉라 칭한다. 〈전적벽부〉는 명문 중의 명문으로 알려져 도연명의 〈귀거래사(歸去來辭)〉와 함께 우리나라 선비들이 가장 많이 애송한 글이다.

篇題小註‥ 陳靜觀批에 二賦는 皆東坡謫黃州時作이라 是時에 放情事外하고 寄興風月하여 直將無意於人世라 是故로 皆托仙以爲言하니 前篇은 謂風月之常新을 吾亦樂之하니 亦不必 羨於仙이요 後篇은 驚江山之忽異하고 凜不可以久樂하니 又復有羨於仙矣라 二篇大意 皆倣 寓言之莊,[31] 遠遊之屈,[32] 賦鵩之賈[33]하니 未爲正論이요 但其凌厲飄逸之言이 無一句類食烟

---

31 寓言之莊:《장자》의 편명인 〈우언(寓言)〉으로, 다른 사물에 빗대어서 자신의 의견이나 교훈을 은연중에 나타내는 형식의 글이나 말을 뜻한다. 그러나 《장자》에는 이 〈우언〉뿐만 아니라 대부분의 내용이 우언 형식으로 되어 있다.

32 遠遊之屈: 굴원이 지은 《초사(楚辭)》의 편명인 〈원유부〉로, 조정에서 쫓겨나 비탄에 잠겨 세속을 하찮게 여기고 유한한 인생을 슬퍼하며 세상 밖에 노닐고 싶은 염원을 노래한 것이다.

33 賦鵩之賈: 한나라 가의(賈誼)가 지은 부(賦)인 〈복조부〉이다. 한 문제(漢文帝) 때 가의가 장사왕 태부(長沙王太傅)

‥‥ 謫 귀양갈 적 寄 붙일 기 凜 두려울 름 羨 부러워할 선 鵩 올빼미 복 凌 능멸할 릉

火人語[34]라 讀之하면 令人亦覺有登閬風, 涉蓬萊氣象[35]하니 蓋眞可與造物遊者니 非可執筆學爲如此也니라

진정관(陳靜觀)의 비평에 다음과 같이 말하였다.

"두 부(〈전적벽부〉와 〈후적벽부〉)는 모두 소동파가 황주(黃州)로 좌천되었을 때에 지은 것이다. 이때 동파는 마음을 세상 일 밖에 놓아두고 바람과 달에 흥(興)을 부쳐 장차 인간 세상에 뜻을 두려하지 않았다. 이 때문에 모두 신선에 의탁하여 말하였으니, 전편(前篇)은 바람과 달이 항상 새로움을 나 또한 즐거워하니 굳이 신선을 부러워할 것이 없음을 말하였고, 후편(後篇)은 강산이 갑자기 달라짐에 놀라 두려워서 오래 즐길 수 없었으니, 이는 또다시 신선을 부러워한 것이다.

두 편의 큰 뜻은 모두 장자(莊子)의 〈우언(寓言)〉, 굴원(屈原)의 〈원유부(遠遊賦)〉, 가의(賈誼)의 〈복조부(鵬鳥賦)〉를 모방한 것으로 정론(正論)이 되지는 못하고, 다만 능려(凌厲, 기세가 웅장함)하고 표일(飄逸)한 말은 한 구(句)도 화식(火食)을 하는 세속 사람의 말과 유사한 점이 없으니, 읽어보면 사람으로 하여금 신선이 사는 낭풍산(閬風山)에 오르고 봉래산(蓬萊山)을 건너가는 기상이 있음을 느끼게 한다. 이는 참으로 조물주와 노니는 자이니, 붓을 잡고 배워서 이와 같은 글을 지을 수 있는 것이 아니다."

○ 坡自書此賦後云 黃州少西에 山麓이 斗入江中하니 石色이 如丹이라 傳云 曹公敗處니 所謂赤壁者라하고 或曰 非也라하니라 曹公이 敗歸할새 由華容路러니 今赤壁少西對岸이 卽華容鎭이니 庶幾是也라 然이나 岳州에 復有華容縣하니 竟不知孰是로라

동파는 이 〈적벽부〉의 뒤에 스스로 쓰기를 "황주(黃州)의 서쪽에 산기슭이 강 가운데로 쑥 들어가 있는데, 돌빛이 단사(丹砂)처럼 붉다. 전해지는 말에 이르기를 조공(曹公, 조조(曹操))이 패전한 곳으로 이른바 적벽강(赤壁江)이라 하기도 하고, 혹은 아니라고도 한다. 조공이 패하고 돌아갈 적에 화용

로 좌천되었는데, 흉조(凶鳥)인 복조(부엉이)가 지붕 위에 날아와 앉았는바, 당시 민간에 전하는 말로는 복조가 지붕에 앉으면 그 집 주인이 죽는다고 하였으므로 가의가 자신의 죽음을 예견하고 슬퍼하여 〈복조부〉를 지었다.《史記 卷84 屈原賈生列傳》

34 類食烟火人語: 화식을 하는 사람은 속세의 사람을 가리킨다. 옛날 도사나 신선들은 세간의 익힌 음식을 먹지 않고 생식(生食)만 하였다.

35 覺有登閬風, 涉蓬萊氣象: 낭풍산과 봉래산은 신선이 산다는 이상의 세계를 가리킨다. 낭풍산은 곤륜산(崑崙山) 꼭대기의 신선이 산다는 곳이고, 봉래산은 발해(渤海) 가운데 있다고 하는 삼신산(三神山)의 하나로, 여기에는 신선들이 살며 불사약(不死藥)이 있다고 한다.

··· 閬 높을 랑 蓬 쑥대 봉 麓 산기슭 록 岸 언덕 안

로(華容路)로 갔었는데, 지금 적벽으로부터 좀 떨어진 서쪽 대안(對岸)이 바로 화용진(華容鎭)이니, 아마도 이곳인 듯하다. 그러나 악주(岳州)에 또 화용진이 있으니, 끝내 어느 곳이 옳은지 알 수 없다." 하였다.

○ 江夏辨疑云 江漢之間에 指赤壁者三이니 一在漢水之側, 竟陵之東하니 即今復州요 一在齊安郡之步下하니 即今黃州요 一在江夏西南二百里許하니 今屬漢陽縣이라 予謂江夏西南者는 正曹公所敗之地也라 按三國志에 劉琮이 降하니 備走夏口어늘 操自江陵征備할새 至赤壁하여 戰不利라하고 又周瑜傳에 備進住夏口어늘 權이 遺瑜하여 幷力迎操하여 遇於赤壁이라하니 夫操自江陵下하고 瑜由夏口往逆戰이면 則赤壁은 非竟陵之東者與齊安之步下者明矣[36]니라

《강하변의(江夏辨疑)》에 이르기를 "강(江) · 한(漢)의 사이에 적벽이라고 칭하는 곳이 셋인데, 하나는 한수(漢水)의 곁, 경릉(竟陵)의 동쪽에 있으니 바로 지금의 복주(復州)이고, 하나는 제안군(齊安郡)의 보하현(步下縣)에 있으니 바로 지금의 황주이며, 하나는 강하(江夏)의 서남쪽 2백 리 지점에 있으니 지금의 한양현(漢陽縣)에 속한다." 하였다. 내가(호자(胡仔)) 생각건대 강하의 서남쪽은 바로 조공(曹公)이 패전한 곳이다. 살펴보건대 《삼국지(三國志)》〈위지(魏志) 무제(武帝)〉에 "유종(劉琮)이 항복하자 유비(劉備)가 하구(夏口)로 도망하니, 조조(曹操)는 강릉(江陵)에서 유비를 공격할 적에 적벽에 이르러 싸웠으나 승리하지 못하였다." 하였고, 또 《삼국지》〈오지(吳志) 주유전(周瑜傳)〉에 "유비가 하구로 진주(進駐)하자, 손권(孫權)이 주유를 보내어 힘을 합해 조조를 맞아 싸우게 하여 적벽에서 만나 싸웠다." 하였으니, 조조가 강릉에서부터 내려왔고 주유가 하구로부터 가서 맞아 싸웠다면 〈조조가 싸웠던〉 적벽은 경릉의 동쪽과 제안의 보하에 있는 것(황주)이 아님이 분명하다.

・原文

壬戌之秋七月既望에【元豐五年, 坡年四十七.】蘇子與客泛舟하여 遊於赤壁之下하니 淸風은 徐來하고 水波는 不興이라 擧酒屬客하여 誦明月之詩하며 歌窈窕之章[37]이러니

---

36 江漢之間……之步下者明 : 이 내용은 호자(胡仔)의 《어은총화(漁隱叢話)》 후집 권28에 보인다.

37 明月之詩……窈窕之章 : '요조(窈窕)'는 요규(窈糾)로 아득히 멀어 시름에 잠겨 있는 것인바, 《시경》〈진풍(陳風) 월

竟 마칠 경 許 쯤 허 琮 옥홀 종 瑜 옥빛 유 泛 띄울 범 窈 깊을 요 窕 깊을 조 葦 갈대 위
凌 능멸할 릉 憑 의지할 빙

少焉에 月出於東山之上하여【淸風·明月, 爲後張本.】徘徊於斗牛之間하니 白露는 橫江하고 水光은 接天이라 縱一葦之所如하여 凌萬頃之茫然하니 浩浩乎如憑虛御風而不知其所止하고 飄飄乎如遺世獨立하여 羽化而登仙이라【自謂有仙意.】

임술년(壬戌年, 1082) 가을 7월 기망(旣望, 16일)에【원풍(元豐) 5년이니, 동파의 나이 47세였다.】소자(蘇子)가 객(客)과 함께 배를 띄워 적벽강(赤壁江) 아래에서 뱃놀이를 하니, 맑은 바람은 서서히 불어오고 파도는 일지 않았다. 술잔을 들어 객에게 권하고 명월시(明月詩)를 외우며 요조장(窈窕章)을 노래하였는데, 조금 있다가 달이 동산 위로 떠올라【'청풍(淸風)', '명월(明月)'은 뒤의 장본이 된다.】남두성(南斗星)과 견우성(牽牛星)의 사이에 배회하니, 흰 이슬은 강을 가로질러 있고 물빛은 하늘과 접해 있었다.

갈대만한 작은 배가 떠가는 대로 맡겨두고서 만경의 아득한 물결을 헤치고 가니, 호호(浩浩)함이 마치 허공에 의지하고 바람을 타고 가는 듯하여 그칠 바를 모르겠고, 표표(飄飄)함이 세상을 버리고 홀로 서서 깃이 달린 〈학(鶴)이 되어〉신선으로 오르는 듯하였다.【스스로 신선의 뜻이 있다고 말한 것이다.】

於是에 飮酒樂甚하여 扣舷而歌之하니 歌曰 桂棹兮蘭漿으로 擊空明兮泝流光이로다 渺渺兮余懷여 望美人兮天一方이로다 客有吹洞簫者하여【王褒有洞簫賦, 乃簫之無底者. 大者二十一管, 小者十六管.】倚歌而和之하니 其聲이 嗚嗚然하여 如怨如慕하며 如泣如訴하고 餘音嫋(뇨)嫋하여 不絶如縷하니 舞幽壑之潛蛟하고 泣孤舟之嫠婦라

이에 술을 마시며 몹시 즐거워 뱃전을 두드리고 노래하니, 그 노래에 이르기를 "계수나무 노와 목란(木蘭) 상앗대로 물속에 비치는 달그림자를 치며 흐르는 강물을 거슬러 올라간다. 아득하고 아득한 내 마음이여! 미인을 바라보니, 하늘 한 쪽에 있도다." 하였다.

객 중에 통소를 부는 자가 있어【왕포(王褒)가 지은 〈통소부(洞簫賦)〉가 있으니, 바로 소(簫) 중에 밑이 없는 것이다. 큰 것은 구멍이 21개이고 작은 것은 16개이다.】노래에 맞추어 부니, 그 소리가 오열하는 듯하여 원망하는 듯, 사모하는 듯, 우는 듯, 하소연하는 듯하고, 여운이 가냘프고 길게 이

출(月出)〉의 '달이 떠서 환하거늘 아름다운 사람 예쁘기도 하도다. 어이하면 그윽한 시름을 펼꼬. 마음에 애태우기를 심히 하노라.〔月出皎兮 佼人繚兮 舒窈糾兮 勞心悄兮〕'를 가리킨 것이라 한다.

어져 실오라기처럼 끊이지 않으니, 그윽한 강 골짝에 잠겨 있는 교룡을 춤추게 하고 외로운 배의 과부를 울게 하였다.

蘇子愀然正襟危坐而問客曰 何爲其然也오 客曰 月明星稀에 烏鵲南飛는 此非曹孟德之詩乎아【曹操詩, 見文選.】 西望夏口요【江夏縣西, 屬鄂州.】 東望武昌이라【鄂州.】 山川相繆하여 鬱乎蒼蒼하니 此非孟德之困於周郞者乎아 方其破荊州【劉琮降於操.】 下江陵하여 順流而東也에 舳艫³⁸千里요 旌旗蔽空이라 釃酒臨江하고 橫槊賦詩하니【元積云: "曹氏父子, 鞍馬間爲文, 往往橫槊賦詩."】 固一世之雄也러니 而今安在哉오 況吾與子는 漁樵於江渚之上하여 侶魚鰕而友麋鹿이라 駕一葉之扁舟하여【應舳艫千里.】 擧匏樽以相屬하니【應釃酒臨江.】 寄蜉蝣於天地요 渺滄海之一粟이라 哀吾生之須臾하고 羨長江之無窮이라 挾飛仙以遨遊하고 抱明月而長終을 知不可乎驟得일새 託遺響於悲風하노라【與前孟德一段, 小·大相形. 謂英雄如此, 今成陳迹, 況我輩哉? 恨不挾仙而游, 與長江明月相爲無盡, 蓋羨仙也.】

　　소자(蘇子)가 근심스레 옷깃을 여미고 무릎 꿇고 앉아 객에게 묻기를 "어찌하여 그렇게 슬피 퉁소를 부는가?" 하자, 객은 다음과 같이 말하였다.

　　"달이 밝고 별이 드문데 오작(烏鵲)이 남쪽으로 날아간다'는 것은 조맹덕(曹孟德, 조조(曹操))의 시(詩)가 아닌가?【조조(曹操)의 시는 《문선》〈단가행(短歌行)〉에 보인다.】 서쪽을 바라보니 하구(夏口)요【하구(夏口)는 강하현(江夏縣) 서쪽이니, 악주(鄂州)에 속하였다.】 동쪽을 바라보니 무창(武昌)이다.【무창(武昌)은 악주(鄂州)이다.】 산천(山川)이 서로 엉켜 울창하니, 이는 조맹덕이 주랑(周郞, 주유(周瑜))에게 곤궁을 당했던 곳이 아닌가? 조조가 막 형주(荊州)를 격파하고【유종(劉琮)이 조조에게 항복하였다.】 강릉(江陵)으로 내려와 물결을 따라 동쪽으로 진출할 적에 전함(戰艦)의 대열이 천 리에 뻗쳐 있고 깃발이 공중(하늘)을 가렸다. 술을 걸러 강에 임하고 창을 비껴 들고 시를 읊으니,【원진(元積)이 말하기를 "조씨 부자가 말을 타고 전쟁하는 중에 글을 지어 왕왕 창을 비껴 들고 시를 읊었다." 하였다.】 진실로 한 세상의 영웅이었는데, 지금은 어디에 있는가? 하물며 나와 그대는 강저(江渚)의 사이에서 물고기 잡고 나무하면서 물고기와 새우들과 짝하고 사슴들과 벗하고 있다. 나뭇잎처럼 작은 배를 타고서【전함(戰艦)의 대열이 천 리에 뻗쳐 있다〔舳艫千里〕】

---

38 舳艫: '축(舳)'은 배의 꼬리이고 '로(艫)'는 배의 앞부분인바, 축로는 전함(戰艦)이 앞뒤로 연결되어 있음을 가리킨다.

… 繆 얽힐 무　舳 고물 축　艫 배로 로　釃 거를 시　槊 창삭(소)　鰕 새우 하　麋 고라니 미
扁 작을 편　匏 박 포　蜉 하루살이 부　蝣 하루살이 유　遨 놀 오　驟 별안간 취　響 소리 향

는 것에 응한다.】술바가지를 들어 서로 권하니,【'술을 걸러 강에 임하였다〔釃酒臨江〕'는 것에 응한다.】천지에 하루살이가 붙어 있는 격이요 창해에 한 좁쌀알처럼 보잘것없는 존재이다. 우리 인생이 덧없이 짧음을 슬퍼하고 장강의 무궁함을 부러워하여, 날아오르는 신선을 끼고 한가로이 놀며 밝은 달을 안고 길이 마치는 것을, 갑자기 얻을 수 없는 것임을 알기에 슬픈 바람에 유향(遺響)을 의탁하는 것이다.”【앞의 맹덕(孟德)에 대한 한 단락과 작고 큼이 서로 비교가 된다. '영웅이 이와 같았는데도 지금 묵은 자취가 되었으니, 하물며 우리들은 더 말해 무엇하겠는가.' 신선을 끼고 놀아서 장강과 명월과 서로 무궁함이 되지 못함을 한하였으니, 이는 신선을 부러워한 것이다.】

蘇子曰 客亦知夫水與月乎아【就長江明月說.】逝者如斯로되【變.】而未嘗往也며【不變.】盈虛者如彼로되【變.】而卒莫消長也라【不變.】蓋將自其變者而觀之면 則天地曾不能以一瞬이요 自其不變者而觀之면 則物與我皆無盡也니 而又何羨乎리오【言不必羨仙. 謂我自有千古不朽, 與水月相爲無盡者. 由今觀之, 坡仙之名, 與天壤相弊盡. 使赤壁江山, 托蘇子以香人牙頰, 其不然哉?】且夫天地之間에 物各有主하니 苟非吾之所有인댄 雖一毫而莫取어니와 惟江上之淸風과 與山間之明月은【風·月應前.】耳得之而爲聲하고【風.】目寓之而成色하여【月.】取之無禁하고 用之不竭하니 是는 造物者之無盡藏也요 而吾與子之所共樂이니라

소자가 말하였다.

"객은 또한 저 물과 달을 아는가?【장강과 명월을 가지고 말한 것이다.】강물은 저처럼 흘러가지만【변하는 것이다.】다 흘러가 버린 적이 없으며,【변하지 않는 것이다.】달은 저처럼 찼다 기울었다 하지만【변하는 것이다.】끝내 사라지거나 자라나지 않는다.【변하지 않는 것이다.】그 변하는 입장에서 본다면 하늘과 땅도 일찍이 한 순간을 가만히 있지 못하고, 변하지 않는 입장에서 본다면 물건과 우리 인간이 모두 무궁무진한 것이니, 또 어찌 부러워할 것이 있겠는가.【굳이 신선을 부러워할 필요가 없음을 말하여 자신은 본래 천고에 불후할 문장이 있어서 강물과 달과 함께 서로 무궁무진한 자가 될 것임을 말한 것이다. 지금 보면 파선(坡仙, 동파)의 이름이 천지와 더불어 서로 다하였으나, 적벽의 강산이 소자(蘇子)에 의탁하여 사람들의 입을 향기롭게 하니, 이러한 의론이 옳다고 하지 않겠는가.】

또 저 하늘과 땅 사이에 물건은 각기 주인이 있으니, 만일 나의 소유가 아니라면 비록 한 털 끝만큼도 취하지 말아야 하지만 오직 강가에서 불어오는 시원한 바람과 산 사이의 밝은 달은【바람과 달은 앞에 응하였다.】귀로 들으면 소리가 되고【바람이다.】눈으로 만나면 색깔(달빛)을 이

루어,【달이다.】 취하여도 금하는 이가 없고 써도 다하지 않으니, 이는 조물주의 무궁무진한 보고(寶庫, 보물창고)요 나와 그대가 함께 즐겨야 할 것이다."

客이 喜而笑하고 洗盞更(경)酌하니 肴核이 旣盡이요 盃盤이 狼藉라【四字, 出史記淳于髡語.】相與枕藉乎舟中하여 不知東方之旣白이러라【朱子語錄一條, 論此賦, 見(子在川上章)[自熙寧至靖康人物],³⁹ 云: "盈虛者如代代字, 多誤作彼字, 而吾與子之所共食食字, 多誤作樂字. 嘗見東坡手本, 皆作代字·食字. 食如食邑之食.】

　객은 기뻐 웃고 잔을 씻어 번갈아 술을 따르니, 안주와 과일이 이미 다하고 술잔과 소반이 여기저기 흩어져 어지러웠다.【'배반낭자(盃盤狼藉)' 네 글자는 《사기》〈골계열전(滑稽列傳)〉 순우곤(淳于髡)의 말에서 나왔다.】배 안에서 서로 베고 깔고 누워서 동방(東方)이 이미 훤하게 밝은 줄도 알지 못하였다.【《주자어록(朱子語錄)》한 조목에 이〈적벽부〉를 논하였으니,〈자희령지정강인물(自熙寧至靖康人物)〉에 보인다. 여기에 이르기를 "영허자여대(盈虛者如代)의 '대(代)' 자를 대부분 '피(彼)' 자로 잘못 쓰고, '오여자지소공식(吾與子之所共食)'의 '식(食)' 자를 대부분 '낙(樂)' 자로 잘못 쓴다. 일찍이 동파의 수본(手本)을 보니, 모두 '대' 자와 '식' 자로 되어 있었다. '식'은 식읍(食邑)의 식(누림)과 같다." 하였다.】

---

39 (子在川上章)〔自熙寧至靖康人物〕: 저본에는 '자재천상장(子在川上章)'으로 되어 있는데, 《주자어록》을 참조하여 '자희령지정강인물(自熙寧至靖康人物)'로 바로잡았다.

후적벽부後赤壁賦

소식蘇軾

• 작품개요

　　작자는 원풍(元豐) 5년(1082) 7월 16일에 황주의 적벽을 유람하였는데, 3개월 뒤인 10월 15일에 다시 적벽을 유람하고 이 작품을 지었다. 그러므로 이 작품을 〈후적벽부〉라고 칭하는바, 이는 제갈량(諸葛亮)의 〈출사표〉를 앞의 것을 〈전출사표(前出師表)〉, 뒤의 것을 〈후출사표(後出師表)〉라 칭하는 것과 같은 뜻이다.

　　앞서 적벽을 유람하였을 적에는 초가을이었고, 두 번째 유람할 적에는 초겨울이었다. 계절이 다르기 때문에 경색(景色)도 다르고, 이에 따라 작자의 생각과 감정 역시 이전과는 다르게 표현되었다. 〈적벽부〉는 주로 감정〔情〕을 경물〔景〕에 기탁하여 심오한 도리를 논하였는데, 이 작품은 사건〔事〕을 서술하고 풍경을 묘사하여 작자의 정회(情懷)를 드러내었다.

　　작품은 세 단락으로 나뉜다. '시세시월지망(是歲十月之望)'부터 '이대자불시지수(以待子不時之須)'까지의 첫 번째 단락에서는, 주로 뱃놀이 이전의 활동을 보여주는데, 뱃놀이를 하려는 시간·행정(行程)·동행(同行) 및 뱃놀이의 제반 준비 등을 포괄적으로 담고 있다. 이 단락에서는 풍경 묘사·서사·감정 표현이 하나로 어우러져 문세에 생동감이 넘치고 다채롭다.

　　'어시(於是)'부터 '약여주이서야(掉予舟而西也)'까지의 두 번째 단락은 작품의 중심으로, 순수하게 풍경만 묘사한 부분은 "흐르는 강물 소리가 들려오고 끊긴 강안(江岸)은 천 자〔尺〕나 되었다. 산이 높고 달이 작으며 수위(水位)가 떨어져 돌이 드러났다.〔江流有聲 斷岸千尺 山高月小 水落石出〕"라는 네 구 뿐이고, 나머지는 밤중에 적벽을 노니는 의경(意境)을 적었다. 특히 '고학(孤鶴)'의 등장은 다음 단락에 나오는 꿈 이야기의 복선이 된다.

'수유객거(須臾客去)'부터 '불견기처(不見其處)'까지의 세 번째 단락에서는, 몽환적 경계를 통하여 작자의 탁 트인 흉금(胸襟)과 신선을 흠모하며 세속을 벗어나려는 생각을 표현하였다. 적벽을 노닌 뒤에 잠이 든 작자는 꿈속에서 '고학'으로 변하였던 도사(道士)를 만나보게 되는데, 이러한 '소자(蘇子)↔고학↔도사의 연결 구조는 정신적 측면에서 작자가 세상 밖으로 벗어난 은일자 쪽으로 기울어져 있음을 암시하고 있다.

전체적으로 이 작품은 〈적벽부〉와 똑같이 적벽에서의 뱃놀이를 기술하였는데, 앞의 글과 전혀 다르게 전개되어 작자의 능수능란한 문재(文才)를 마음껏 감상할 수 있는바, 〈적벽부〉의 속편이자 자매편이라고 부를 만하다. 다만 〈적벽부〉에서는 신선 역시 부러워할 것이 못된다고 보았으나, 이 작품에서는 꿈속에서 도사를 만나 이야기한 일을 서술하고 있다. 이를 통하여 도가(道家)의 신선 세계를 동경한 작자의 심정을 짐작해 볼 수 있다.

작품의 운율적 요소도 주목할 만한데, 서예나 서화에서 필봉(筆鋒)을 드러내지 않는 '장봉(藏鋒)'의 기법처럼 운자(韻字)의 뒤에 어조사를 붙여 운자를 그대로 노출시키지 않는 '장운(藏韻)'을 사용한 것이 특징이다. '장지구의(藏之久矣)'의 '구(久)'는 '아유두주(我有斗酒)'의 '주(酒)'와 압운이고, '이강산불가부식의(而江山不可復識矣)'의 '식(識)'은 '단안천척(斷岸千尺)'의 '척(尺)'과 '수락석출(水落石出)'의 '출(出)'과 압운이다. 또 '개이객지불능종언(蓋二客之不能從焉)'의 '종(從)'은 '피몽용(披蒙茸)'의 '용(茸)', '등규룡(登虯龍)'의 '룡(龍)', '부풍이지유궁(俯馮夷之幽宮)'의 '궁(宮)'과 '초목진동(草木震動)'의 '동(動)', '풍기수용(風起水涌)'의 '용(涌)', '숙연이공(肅然而恐)'의 '공(恐)'과 압운이며, '청기소지이휴언(聽其所止而休焉)'의 '휴(休)'는 '늠호기불가류야(凜乎其不可留也)'의 '류(留)', '반이등주(反而登舟)'의 '주(舟)', '방호중류(放乎中流)'의 '류(流)'와 압운이다. 본래 '부(賦)'의 고의(古義)는 '송(誦)'인바, 옛사람들은 노래 부르지 않고 송독(誦讀)하는 것을 부(賦)라고 하였다. 특히 이 작품은 송독할 적에 음율의 훌륭함을 느낄 수 있다.

·原文

是歲十月之望에 步自雪堂하여【東坡之脅作堂, 大雪中成, 因繪雪於四壁, 名雪堂.[40]】將歸于

---

40 東坡之脅作堂……名雪堂:《동파전집(東坡全集)》〈정당(亭堂)〉에 "소자(蘇子)가 폐허가 된 동산을 동파의 옆에서 얻어 담장을 둘러치고 당(堂)을 지으니, 그 정당(正堂)을 설당이라 하였다. 설당은 큰 눈이 내리는 가운데 짓고 인하여 사방 벽 사이에 눈 내리는 모습을 그렸는데 빈틈이 없었다." 하였다.

臨皐할새【亭名】二客이 從予라 過黃泥之坂하니 霜露旣降하고 木葉盡脫이라 人影在地어늘 仰見明月이라 顧而樂之하여【初見可樂.】 行歌相答이러니 已而요 歎曰 有客無酒요 有酒無肴로다 月白風淸하니 如此良夜何오 客曰 今者薄暮에 擧網得魚하니 巨口細鱗이 狀如松江之鱸라 顧安所得酒乎아 歸而謀諸婦하니【史記: "優孟請歸與婦計之."】 婦曰 我有斗酒하여 藏之久矣라 以待子不時之需로라

이해(임술년, 1082) 10월 보름에 설당(雪堂)으로부터 걸어서【동파(東坡, 언덕 이름)의 옆에다가 당을 지었는데, 큰 눈이 내리는 가운데 이루어졌으므로 인하여 사방 벽에 눈을 그리고 '설당(雪堂)'이라 이름하였다.】 임고정(臨皐亭)으로 돌아가려 할 적에【임고정은 정자 이름이다.】 두 객이 나를 따라왔다. 황니판(黃泥坂)을 지나오니, 서리가 이미 내리고 나뭇잎이 다 떨어졌으므로 사람의 그림자가 비쳐 땅에 있기에 우러러 밝은 달을 보았다.

돌아보고 즐거워하여【처음 봄에 즐거워할 만한 것이다.】 길을 걸으며 노래 불러 서로 화답하였는데, 이윽고 탄식하기를 "손님이 있으면 술이 없고 술이 있으면 안주가 없도다. 달이 밝고 바람이 시원하니, 이처럼 좋은 달밤을 어찌 한단 말인가?"라고 하자, 객이 말하기를 "오늘 저물녘에 그물을 들어 물고기를 잡았는데, 입이 크고 비늘이 가늘어 모양이 송강(松江)의 노어(鱸魚)와 같습니다. 다만 어느 곳에서 술을 구하겠습니까?" 하였다. 내가 집에 돌아가서 아내에게 상의하니,【《사기》〈골계열전(滑稽列傳)〉에 "우맹(優孟)이 돌아가서 부인과 상의할 것을 청했다."라고 하였다.】 아내가 말하기를 "내가 한 말 술을 보관해 둔 지가 오래되었습니다. 그대의 갑작스런 쓰임에 대비해둔 것입니다." 하였다.

於是에 携酒與魚하고 復遊於赤壁之下하니 江流有聲하고 斷岸千尺이라 山高月小하고 水落石出하니【景與秋景不同.】 曾日月之幾何완대 而江山을 不可復識矣라 予乃攝衣而上하여 履巉(참)巖하고 披蒙茸(용)하여 踞虎豹하고 登虯龍하여 攀棲鶻之危巢하고 俯馮夷之幽宮하니 蓋二客之不能從焉이라【坡氣超物表, 二客在下風矣.】 劃然長嘯하니 草木震動이라 山鳴谷應하고 風起水涌하니 子亦悄然而悲하고 肅然而恐하여【到此, 樂變而爲悲恐矣.】 凜乎其不可留也로라 反而登舟하여 放乎中流하여 聽其所止而休焉이러니【見豪放不凡.】 時夜將半에 四顧寂寥한대 適有孤鶴이 橫江東來하니 翅如車輪하고 玄裳縞衣로 戞(알)然長鳴하여 掠子舟而西也러라

··· 皐 언덕 고 泥 진흙 니 坂 언덕 판 網 그물 망 鱗 비늘 린 鱸 농어 로 需 쓰일 수   191
携 가질 휴 履 밟을 리 巉 가파를 참 蒙 덮일 몽 茸 우거질 용 虯 규룡 규 鶻 송골매 골   卷8
嘯 휘파람불 소 涌 솟아날 용 悄 근심 초

이에 술과 물고기를 가지고 다시 적벽(赤壁)의 아래에서 뱃놀이를 하니, 흐르는 강물 소리가 들려오고 끊긴 강안(江岸)은 천 자[尺]나 되었다. 산이 높아 달이 작고 수위(水位)가 낮아져 돌이 드러나니.【경치가 〈지난번〉 가을 경치와 똑같지 않다.】세월이 얼마나 지났다고 강산을 다시 알아볼 수가 없었다.

나는 마침내 옷자락을 걷어잡고 올라가서 높은 바위를 밟고 우거진 풀 속을 헤치고서 호랑이와 표범 모양의 바위에 걸터앉고, 뱀과 용처럼 구불구불한 나무에 올라 새매가 살고 있는 높은 둥지에 오르고 풍이(馮夷, 수신(水神))의 그윽한 집을 굽어보니, 두 객은 따라오지 못하였다.【동파의 기상이 세속을 초월하여 두 나그네가 하풍(下風, 밑)에 있었다.】휘익하고 길게 휘파람을 불자 초목이 진동하고, 산이 울림에 골짜기가 메아리치며 바람이 일고 물이 솟아오르는 듯하였다. 나 또한 초연(悄然)히 슬퍼지고 숙연(肅然)히 두려워져【이에 이르면 즐거움이 변하여 슬픔과 두려움이 된 것이다.】오래 머물 수가 없었다.

돌아와 배에 올라 중류(中流)에 이르러 배가 멈추는 대로 내버려두고 쉬었다.【호방하여 범상치 않음을 볼 수 있다.】한밤중이 될 무렵 사방을 돌아보아도 조용하기만 하였는데, 마침 외로운 학(鶴) 한 마리가 강을 가로질러 동쪽으로 오니, 나래가 수레바퀴만 하며, 검은 치마에 흰 옷을 입고는 알연(憂然)히 길게 울면서 내 배를 스쳐 서쪽으로 날아갔다.

須臾에 客去하고 子亦就睡러니 夢에 一道士羽衣翩躚(편선)하여 過臨皐之下라가 揖子而言曰 赤壁之遊樂乎아 問其姓名하니 俛(부)而不答이라 嗚呼噫嘻라 我知之矣로라 疇昔之夜에 飛鳴而過我者 非子也耶아 道士顧笑어늘 子亦驚悟하여 開戶視之하니 不見其處러라【暗用石鼎聯句序,[41] 及靑城山道士徐佐卿化鶴事.[42] ○末雖遊戲寓言, 然猶不能忘情於神仙變化之說云. ○山谷云: "爛蒸同州羊羔, 沃以杏酪, 食之以匕. 抹南京麵, 作槐葉冷淘, 糝

---

41 石鼎聯句序: 석정연구는 당나라 때 도사(道士)인 헌원미명(軒轅彌明)과 유사복(劉思服), 후희신(侯喜新)이 합작한 시를 말한다. 한유(韓愈)가 이 세 사람을 등장시켜서 〈석정연구서〉를 지었는데, 그 서문에 대략 "헌원미명이란 도사가 형산(衡山)에서 내려와 유사복의 집에서 묵고 있었다. 때마침 시로 유명한 후희신이 유사복과 담론하고 있었는데, 그들은 헌원미명을 무시하고 마구 떠들어 댔다. 이를 못마땅하게 여긴 헌원미명은 화로 위에 놓인 석정(돌솥)을 가리키며, '당신들이 시에 능하다 하니, 이 석정을 두고 나와 시를 지을 수 있겠소?' 하자, 두 사람이 냉소하고는 유사복이 먼저 쓰고 후희신도 이어 썼다. 이를 본 도사는 한바탕 웃고 나서 곧장 시를 썼는데, 그 시에 두 사람을 풍자하는 뜻이 담겨 있었다. 그들은 온갖 힘을 다했으나 도저히 도사를 당할 수 없게 되자 결국은 도사에게 무릎을 꿇었다. 새벽이 되어 물러나 모두 잠이 들었다가 깨보니 도사는 떠나가고 없었다. 두 사람이 말하길 '이곳에 일찍이 은군자(隱君子)가 있다고 들었는데, 헌원미명이 그 사람인가보다.' 했다." 하였다. 《昌黎集 卷21 石鼎聯句序》

42 靑城山道士徐佐卿化鶴事: 서좌경은 당나라 때 사람으로, 스스로 청성산 도사라 칭하였다. 천보(天寶) 13년(754)

••• 寂 고요할 적　寥 고요할 료　翅 날개 시　縞 흴 호　憂 학울음소리 알　掠 스칠 략
翩 오락가락할 편　躚 춤출 선　噫 탄식할 희　嘻 슬플 희　疇 지난번 주

以襄邑熟猪肉, 炊共城香稻, 用吳人膾松江之鱸. 既飽, 以康王谷⁴³簾泉, 烹曹溪鬪品, 少焉, 臥北窓下, 使人誦東坡赤壁二賦, 亦足快焉." 出趙德麟侯鯖錄. ⁴⁴】

　　조금 후에 객이 떠나가고 나 또한 잠이 들었는데, 꿈에 한 도사(道士)가 깃털로 만든 옷을 펄럭이면서 임고정 아래를 지나다가 나에게 읍하고 말하기를 "적벽의 뱃놀이가 즐거웠는가?"라고 하였다. 내가 그의 성명(姓名)을 물었으나 그는 고개를 숙이고 대답하지 않았다.

　　"아! 슬프다. 내 그대를 알겠노라. 어젯밤에 울면서 내 배를 스쳐 날아간 것(학)이 그대가 아닌가?" 하니, 도사가 돌아보고 웃었는데, 나 또한 놀라 잠에서 깨어 창문을 열고 보니, 어디로 갔는지 보이지 않았다.【〈석정연구서(石鼎聯句序)〉와 청성산(靑城山)의 도사(道士)인 서좌경(徐佐卿)이 학으로 변한 일을 은근히 사용하였다. ○끝부분은 비록 유희(遊戲)한 우언(寓言)이지만 오히려 신선이 변화하는 설에 대해서 미련을 버리지 못한 것이다. ○황산곡(黃山谷)이 말하였다. "동주(同州)에서 나는 양고(羊羔, 어린 양)를 푹 삶고 행락(杏酪)을 부어서 숟가락으로 먹는다. 남경(南京)의 밀가루를 반죽하여 괴엽냉도(槐葉冷淘, 냉면 이름)를 만들고 양읍(襄邑)의 익힌 돼지고기를 가지고 버무린다. 공성(共城)에서 나는 좋은 쌀로 밥을 짓고 오(吳) 지방 출신 요리사를 시켜서 송강(松江)의 농어를 회를 친다. 배불리 먹은 다음 강왕곡(康王谷) 염천(簾泉)의 물로 조계(曹溪)의 투품(鬪品, 차 이름)을 끓여 마시고는 조금 있다가 북쪽 창문 아래에 누워서 사람들로 하여금 동파의 〈적벽부〉 두 편을 외우게 하면 또한 충분히 상쾌하다." 하였는바, 이 내용은 조덕린(趙德麟)의 《후청록(侯鯖錄)》에 보인다.】

중구일(重九日)에 서좌경이 학으로 변해 사원(沙苑)에 갔다가 현종(玄宗)이 쏜 화살을 맞고 서남(西南)쪽으로 날아갔는데, 제자에게 화살을 주고 벽에 걸어두게 한 뒤 "뒤에 화살 주인이 올 테니 돌려주라." 하였다. 후일에 현종이 안녹산(安祿山)의 난을 만나 촉중(蜀中)으로 파천해 왔다가 화살을 발견하고, 자신이 그날 쏜 화살인 것을 알고 거두어 간직하였다. 《太平廣記 卷36 神仙》

43 康王谷: 《천중기(天中記)》〈계(谿)〉에 "여산(廬山)에 강왕곡이란 계곡이 있는데 옛날 진 시황이 육국(六國)을 병탄할 적에 초(楚)나라 강왕(康王)이 이곳에 숨었기 때문에 강왕곡이라 이름하였다. 안에 수렴동(水簾洞)이 있는데 송(宋)나라 왕우칭(王禹偁)이 지은 서문에 대략 이르기를 '강왕곡의 샘물이 천하의 제일이다.'라고 했다.〔廬山有康王谷 昔秦始皇幷吞六國 楚康王隱避於此 故名 內有水簾洞 宋王禹偁序署云 康王谷爲天下第一〕" 하였다.

44 趙德麟侯鯖錄: 조덕린은 조영치(趙令畤)를 가리킨 것으로 덕린은 그의 자이며, 송나라 사람이다. 《후청록》은 선배들의 고사(故事)와 시화(詩話)를 수록한 책이다.

제구양공문祭歐陽公文

소식蘇軾

• **작품개요**

　　이 작품은 북송 신종(神宗) 희령(熙寧) 5년(1072) 윤7월 23일에 당대의 저명한 정치가이자 문단의 종장인 구양수(歐陽脩)가 별세하자 작자가 그를 애도하기 위하여 지은 제문이다. 부친 소순(蘇洵)과 아우 소철(蘇轍) 및 작자는 구양수와 교의(交誼)가 있었는데, 구양수는 소씨 삼부자를 알아주고 이끌어주어 나라에 삼부자의 명성이 가득하게 되었다. 이러한 교분 탓에 소순이 죽은 뒤에 구양수는 그를 위하여 〈고패주 문안현주부 소군 묘지명(故霸州文安縣主簿蘇君墓志銘)〉을 지었고, 구양수가 죽은 뒤에 그의 아들이 소철에게 신도비를 부탁하자, 소철은 수만 자에 이르는 〈구양문충공 신도비(歐陽文忠公神道碑)〉라는 명작을 지었다.

　　구양수가 죽은 희령 5년은 바로 작자가 항주 통판(杭州通判)으로 재임한 지 2년째 되던 해였다. 부음(訃音)이 전해지자, 작자는 비통함을 이기지 못하였지만 공무에 매어 있는 몸이라서 직접 찾아가 조문하지 못하고, 고산사(孤山寺)의 승려 혜근(惠勤)과 함께 그의 승사(僧舍)에서 곡하면서 이 제문을 지어 올렸다.

　　작품은 크게 네 단락으로 나뉜다. '오호애재(嗚呼哀哉)'부터 '개불가수계이주지(蓋不可數計而周知)'까지의 첫 번째 단락에서는, 구양수의 평생 업적을 개괄적으로 서술하였다. 행문(行文)이 간략하면서도 포괄적이고 생동감이 있으며, 행간(行間)에 구양수를 존숭하는 작자의 마음이 배어 있다. '금공지몰야(今公之沒也)'부터 '무추선이호호리(舞鰍鱔而號狐狸)'까지의 두 번째 단락에서는, 구양수의 죽음이 백성과 조정, 문화와 학술에 있어서 막대한 손실임을 밝히고 있다. 이 두 단락은 '생시의 공헌'과 '사후의 손실'을 선명하게 대비함으로써 구양수의 존몰(存沒)이 국운(國運)과 민정(民情) 및 세도(世道)의 융체(隆替)에 관계됨을 드러내었다.

'공지미용야(公之未用也)'부터 '이천막지유(而天莫之遺)'까지의 세 번째 단락에서는, 필봉(筆鋒)의 방향을 바꾸어 구양수의 출처(出處)에 대하여 개괄적으로 서술하였다. 구양수가 세상에 쓰이지 않았을 때와 쓰였을 때, 지위에 있을 때와 있지 않았을 때를 가지고 대비하다가 '설문(設問)'의 수사법을 통하여 글의 분위기를 일신하고, 나라와 백성을 걱정하고 세속을 미워하는 자신의 생각을 넌지시 기탁하였다.

'석아선군(昔我先君)'부터 '이하이곡오사(而下以哭吾私)'까지의 네 번째 단락에서는, 두 대에 걸친 친분과 우의를 언급하고 아울러 작자 자신을 가르쳐 주었던 은혜에 대해 추술(追述)함으로써 한층 더 애도하였다. 작자는 가우(嘉祐) 2년(1057) 구양수가 예부(禮部)의 시험을 주관하였을 적에 급제한 이후 줄곧 스스로 구양수의 문하생으로 자처하였는바, 이 부분에서 스승을 존모하는 작자의 마음이 잘 드러나 있다.

작품은 '생(生)'과 '사(死)'라는 두 글자가 전체를 관통하고 있는바, 이것이 바로 '문안(文眼)'이라고 할 수 있다. 작자는 구양수의 생과 사가 백성과 국가, 사문(斯文)과 학자, 군자와 소인 등 전반에 관련된다고 말한 것이다. 이 작품은 변려문 속에 산문이 들어 있는 격으로 산문과 변려문의 장점을 융합하였는데, 정제(整齊)된 구식(句式)과 우미(優美)한 문사에다가 쟁쟁한 음절, 교묘한 비유를 통하여 구양수의 면모를 여실히 드러내 보여주고 있다. 아울러 귀(龜)·사(師)·위(爲)·지(知)·의(疑)·이(夷)·시(時)·리(貍) 자가 협운(叶韻)을 이루고 있어 운문적 요소까지 겸하고 있다. 특히 마지막 부분에서 "위로는 천하를 위하여 애통하고, 아래로는 저의 사사로운 정 때문에 통곡하는 것입니다.〔上以爲天下慟 而下以哭吾私〕"라는 표현은 우리나라 문인들의 제문에도 자주 인용되었던 명구이다.

篇題小註‥ 迂齋云 模寫小人情狀이 極其底蘊하니 介甫門下觀之면 能無怒乎아 然이나 歐陽公之存亡이 關於否(비)泰, 消長之運은 非東坡筆力이면 不能及也니라

우재가 말하였다. "소인의 정상을 묘사함에 그 속마음을 지극히 다하였으니, 왕개보(王介甫, 왕안석(王安石))의 문하에서 이를 본다면 노여워하지 않겠는가. 그러나 구양공의 생존과 사망이 비색하고 통태(通泰)함과 사라지고 자라나는 시운(時運)에 관계된다는 것은 동파의 필력이 아니면 미칠 수 없다."

○ 歐陽公脩는 字永叔이니 官至參政이라 以神宗熙寧五年에 薨於汝陰하니 諡文忠公이라 東坡時爲杭州倅하니 此文所以祭也라 此等祭文은 與祭泛泛之人不同하니 乃大題目이라 議論

이 貴大又貴切하니 此文이 兩得之하여 能得歐公之大者하니 施之他人이면 斷不能當也라 前敍出處는 爲天下言이요 後敍事契는 爲自身言이요 末以兩句該之하니 甚佳라

구양공 수(脩)는 자가 영숙(永叔)이니, 벼슬이 참지정사에 이르렀다. 신종(神宗) 희령(熙寧) 5년(1072)에 여음(汝陰)에서 별세하니, 시호를 문충공(文忠公)이라 하였다. 동파는 이때 항주(杭州)의 통판(通判)으로 있었으니, 이 글은 바로 그때 제사하기 위하여 지은 제문(祭文)이다. 이러한 제문은 일반인을 제사하는 제문과는 똑같지 않으니, 바로 큰 제목이다. 의론은 큼을 귀하게 여기고 또 간절함을 귀하게 여기는데, 이 글은 두 가지를 모두 얻어 구양공의 위대함에 알맞으니, 이것을 타인에게 베푼다면 결단코 합당하지 못하다. 앞에서 구양공의 출처(出處)를 서술함은 천하를 위하여 말한 것이고, 뒤에 정의(情誼)를 서술함은 자신을 위하여 말한 것인데 끝에는 두 구로써 이를 포함하였으니, 매우 아름답다.

• 原文

嗚乎哀哉라 公之生於世 六十有六年이라【生於眞宗景德四年, 卒於神宗熙寧五年.】民有父母하고 國有蓍龜[45]하며 斯文有傳하고 學者有師하며 君子有所恃而不恐하고 小人有所畏而不爲하니 譬如大川喬嶽이 雖不見其運動이나 而功利之及於物者를 蓋不可[以][46]數計而周知라【公雖退閑之久, 然公在, 好異者猶有所忌, 此譬甚當.】

아! 슬픕니다. 공(公)이 세상에 태어나신 지 66년이 되었습니다.【공은 진종(眞宗) 경덕(景德) 4년(1007)에 출생하여 신종(神宗) 희령(熙寧) 5년(1072)에 별세하였다.】〈그 동안〉 백성은 부모처럼 사랑해 주는 분이 있었고 나라에는 〈의심나는 것을 상고할〉 시귀(蓍龜)가 있었으며, 사문(斯文, 도학(道學))은 전함이 있었고 배우는 자들은 스승이 있었으며 군자(君子)들은 믿는 바가 있어 두려워하지 않고 소인(小人)들은 두려워하는 바가 있어 나쁜 짓을 하지 못하였으니, 비유하면 큰 내와 높은 산악이 비록 그 움직임을 볼 수 없으나 공(功)과 이익이 물건에 미치는 것을 숫

---

45 蓍龜: 복서(卜筮)하는 도구로, '시(蓍)'는 주역 점을 칠 때에 쓰는 시초(蓍草)이고, '귀(龜)'는 거북껍질로 역시 점을 칠 때에 사용하였다. 그러므로 의심스러운 일을 잘 결단해 주는 지혜로운 인물을 지칭하는 말로 쓰이게 되었다.

46 〔以〕: 저본에는 없으나《동파전집(東坡全集)》과《당송팔가문초(唐宋八家文抄)》에 의거하여 보충하였다.

••• 薨 죽을 훙 諡 시호 시 杭 고을이름 항 倅 고을원 쉬 蓍 시초 시 龜 거북 구(귀) 喬 높을 교

자로 계산하여 두루 알 수 없는 것과 같았습니다.【공이 비록 물러나 한가로이 있은 지가 오래되었으나 공이 살아 있으면 이단을 좋아하는 자들이 오히려 꺼리는 바가 있었으니, 이 비유가 매우 마땅하다.】

今公之沒也에【順說下.】赤子無所仰庇하고【應民有父母.】朝廷無所稽疑하며【應國有蓍龜.】斯文化爲異端하고【應斯文有傳.】[而]⁴⁷學者至於用夷하며【指王介甫, 應學者有師.】君子以爲無與爲善하고【應有所恃而不恐.】而小人沛然自以爲得時하니【指章惇·呂惠卿輩, 應有所畏而不爲.】譬如深山大澤에 龍亡而虎逝하면 則變怪百出하여 舞鰌鱓(추선)而號狐狸니이다【名狀得出, 兩譬喩亦相對.】

이제 공이 별세함에【순하게 말하여 내려갔다.】적자(赤子, 백성)들은 우러러 비호 받을 곳이 없고【백성이 부모가 있었다〔民有父母〕는 것에 응한다.】조정은 의심나는 것을 상고할 곳이 없으며,【나라에 시귀(蓍龜)가 있었다〔國有蓍龜〕는 것에 응한다.】사문이 변하여 이단(異端)이 되고【사문이 전함이 있었다〔斯文有傳〕는 것에 응한다.】배우는 자들이 오랑캐 법을 씀에 이르렀으며【왕개보(王介甫)를 가리켰으니, '배우는 자들은 스승이 있었다〔學者有師〕'는 것에 응한다.】군자들은 더불어 선(善)을 할 사람이 없다고 여기고【믿는 바가 있어서 두려워하지 않았다〔有所恃而不恐〕는 것에 응한다.】소인(小人)들은 패연(沛然)히 스스로 때를 만났다고 여기니,【소인은 장돈(章惇)과 여혜경(呂惠卿)의 무리를 가리킨 것이니, '두려워하는 바가 있어 나쁜 짓을 못하였다〔有所畏而不爲〕'는 것에 응한다.】비유하면 깊은 산과 큰 못에 용(龍)이 없어지고 범이 떠나가면 변괴(變怪)가 갖가지로 나와서 미꾸라지와 드렁허리가 춤을 추고 여우와 살쾡이가 울부짖는 것과 같습니다.【잘 형용해 내었고, 두 비유가 또 서로 대가 된다.】

公之未用也엔【又倒說轉.】天下以爲病하고 而其旣用也엔 則又以爲遲하고 及其釋位而去也엔 莫不冀其復用하고 至於請老而歸也엔 莫不悵然失望이로되 而猶庶幾於萬一者는 幸公之未衰러니【看此數轉, 多少委曲而不亂.】孰謂公無復有意於斯世也하여 奄一去而莫予追오 豈厭世之溷濁(혼탁)하여 潔身而逝乎아 將民之無祿하여 而天莫之遺잇가【詩: "不憖遺一老." ○以上, 爲天下言.】

47〔而〕: 저본에는 없으나《동파전집》과《당송팔가문초》에 의거하여 보충하였다.

… 庇 덮을 비　稽 상고할 계　沛 성할 패　鰌 미꾸라지 추　鱓 드렁허리 선　狐 여우호
狸 살쾡이 리　遲 더딜 지　悵 슬플 창　奄 문득 엄　溷 더러울 혼　憖 억지로 은

197
卷8

공이 등용되기 전에는【또다시 거꾸로 말하여 전환하였다.】천하가 공이 등용되지 않음을 나쁘게 여겼고, 이미 등용되어서는 또 늦다고 여겼으며, 지위를 내놓고 떠남에 미쳐서는 다시 등용되기를 바라지 않는 이가 없었고, 치사(致仕)할 것을 청하고 돌아감에 이르러는 서글퍼하여 실망하지 않는 이가 없었으나 그래도 만에 하나 바랐던 것은 다행히 공이 아직 노쇠하지 않은 것이었는데,【이 몇 마디 돌린 것을 보면 곡절이 많은데도 어지럽지 않다.】누가 공이 다시는 이 세상에 뜻이 없어 갑자기 끝내 떠나가 우리들이 따라갈 수 없게 될 줄을 생각하였겠습니까? 아마도 세상의 혼탁함을 싫어하여 몸을 깨끗이 하려고 떠나가셨나 봅니다. 아니면 우리 백성들이 복이 없어서 하늘이 이 분을 남겨두지 않은 것입니까?【《시경》〈소아(小雅) 시월지교(十月之交)〉에 "억지로라도 원로 한 분을 남겨 두지 않았다." 하였다. ○이상은 천하를 위하여 말한 것이다.】

昔我先君이 懷寶遯世에【以下, 爲自家言.】非公則莫能致요 而不肖無狀이 夤(因)緣出入하여 受敎[於][48]門下者 十有六年於(斯)[兹][49]라【嘉祐二年丁酉, 歐公知擧, 坡禮部第二人, 至是熙寧壬子, 凡十六年.】聞公之喪에 義當匍匐往弔어늘 而懷祿不去하니 愧古人以忸怩(육니)라 緘辭千里하여 以寓一哀而已[矣][50]니 蓋上以爲天下慟이요 而下以哭吾私니이다【公 · 私之間, 有無限情義, 兩句該盡, 有九鼎之重.】

옛날 저의 선군(先君, 선친)께서 보배(재능)를 숨기고 세상에 은둔하고 계실 적에【이하는 자신을 위하여 말한 것이다.】공이 아니었으면 초치하지 못했을 것이요, 불초무상(不肖無狀)한 저도 인연하여 출입해서 공의 문하에서 가르침을 받은 지가 지금 16년이 되었습니다.【가우(嘉祐) 2년 정유(丁酉 1057)에 구양공이 지공거(知貢擧)가 되었을 적에 동파가 예부에서 제 2인으로 급제하였는데, 이때 희령(熙寧) 임자년(壬子年, 1072)까지 모두 16년이 된다.】그러하니 공의 상을 들었을 적에 의리상 마땅히 달려가서 조문해야 하는데 녹봉에 연연하여 떠나가지 못하니, 옛날 분들에게 몹시도 부끄럽습니다. 조사(弔辭)를 천 리 먼 길에 봉함하여 저의 이 애통함을 부칠 뿐이니, 이는 위로는 천하를 위하여 애통하고, 아래로는 저의 사사로운 정 때문에 통곡하는 것입니다.【공(公)과 사(私)의 사이에 무한한 정의(情義)가 있음을 두 구로 다 말하여 구정(九鼎)의 무거움이 있다.】

---

48 〔於〕: 저본에는 없으나 《동파전집》과 《당송팔가문초》에 의거하여 보충하였다.

49 (斯)〔兹〕: 저본에는 '사(斯)'로 되어 있으나 《동파전집》과 《당송팔가문초》에 의거하여 '자(兹)'로 바로잡았다.

50 〔矣〕: 저본에는 없으나 《동파전집》과 《당송팔가문초》에 의거하여 보충하였다.

··· 遯 은둔할 둔 夤 인할 인 匍 기어갈 포 匐 기어갈 복 忸 부끄러울 뉵 怩 부끄러울 니 緘 봉할 함 慟 슬플 통

육일거사집서六一居士集序

소식蘇軾

• 작품개요

　이 작품은 구양수(歐陽脩)가 말년에 직접 편찬한 문집인《육일거사집(六一居士集)》에 대한 서문이다. '육일거사(六一居士)'란 구양수가 말년에 사용한 자호(自號)인데, 구양수는 스스로 〈육일거사전(六一居士傳)〉을 지어 "우리 집에는 장서 1만 권이 있고 삼대(三代) 이래의 금석유문집록(金石遺文集錄) 1천 권이 있으며 거문고 하나가 있고 바둑판 하나가 있고 여기에 항상 술 한 병이 있다.……내가 한 늙은이로 이 다섯 물건 가운데에서 늙고 있으니, 어찌 여섯 가지가 하나가 되지 않겠는가."라고 밝혔다.

　왕문고(王文誥)의《소문충공시편주 집성총안(蘇文忠公詩編注集成總案)》에 근거하면, 이 작품은 원우(元祐) 3년(1088) 12월에 쓰여졌다. 작품은 내용상 크게 두 부분으로 나뉜다. '부언유대이비과(夫言有大而非夸)'부터 '혹서기언(或庶幾焉)'까지의 첫 번째 부분에서는, 많은 사실을 인용하여 성인(聖人)이 사회에 끼치는 큰 작용에 대해 설명하였다. 작자는 여기서 공자와 맹자의 영향을 높이 평가하고 아울러 성인의 학설이 아니면 사회에 재앙을 가져올 수 있다고 설명하였다. 이는 공자와 맹자만을 높이고 기타 학설을 이단으로 배척하는 작자의 '정통(正統)' 사상을 잘 드러낸 것이다. 이 부분에서 성인과 현사(賢士)의 작용에 대하여 극력 말한 것은 두 번째 부분에서 구양수가 맹자에 필적할 만하다는 것을 설명하기 위한 복선인 셈이다.

　'유지후삼백유여년이후(愈之後三百有餘年而後)'부터 작품의 끝까지 두 번째 부분에서는, 구양수의 학설과 그가 사회에 끼친 지대한 영향에 대하여 서술하였다. 구양수의 출세 전과 후 및 구양수 생전과 사후의 두 현상을 대비함으로써 구양수라는 인물의 위대함과 그 문장의 훌륭함을 설명하였다. 특히 그의 시문을 평가할 적에는 구체적 기술을 지양하고 전대의 대문호인 한유·육지·사마천·이백과 비교함으로써 구양수의 문장을 부각시키는 방법을 사용하였는데, 간결한 표현에 강한 설득력이 있으며 중요한 문론(文論, 문장론)이기도 하다. 이는 구양수가 다재다능한 사람임을 뜻하기도 한다.

전체적으로 이 작품은 구양수의 생애·경력·인품·시문에만 국한되거나 표면적인 것만을 논하지 않고, 그보다 더 높은 차원에서 성인과 현사의 존재가 사회에 끼치는 중대한 영향을 가지고 구양수가 지니는 역사상의 위상과 작용을 보여주고 있다. 아울러 이를 통하여 구양수의 시문에 대한 가치도 명확하게 밝혔다.

작법에 있어서는 유추(類推)·비론(比論)을 잘 구사하였는데, 맹자와 한유를 구양수에 견준 부분에 드러난다. 또한 대비(對比)·대조(對照)의 기법을 잘 운영하였는데, 공자와 맹자 등 성인이 사회에 끼친 긍정적인 작용과 신불해와 상앙 등 형명학가들이 사회에 끼친 악영향을 대비하였고, 구양수의 출세 전과 후, 구양수의 생전과 사후, 구양수의 죽음이 출현시킨 두 종류의 다른 사회 풍조를 대조하였으며, 구양수의 시문을 평론할 적에도 구양수와 전대 문호들을 대조하였다. 이러한 대비·대조를 통하여 구양수를 성인·현사의 반열에 올렸을 뿐만 아니라 또한 문호의 반열에까지 올린 셈이니, 이렇게 되면 시문의 가치는 말하지 않는 가운데에 저절로 다 드러나게 된다.

篇題小註·· 東萊云 此篇은 曲折最多라 破頭說大故로 下面應言亦大하니 今人文字는 上面言大하면 下面은 未必言大하고 言遠하면 下面은 未必言遠하니 如此以文章配天하고 孔, 孟配禹는 果然大而非誇니라

동래가 말하였다. "이 편은 곡절이 가장 많다. 상면(上面, 첫 번째 부분)에서 큰 것을 설파하였으므로 하면(下面)에서도 응하여 말함이 또한 커야 한다. 지금 사람들의 문장은 상면에서 큰 것을 말했으면 하면에서 반드시 큰 것을 말하지는 못하고, 상면에서 원대함을 말했으면 하면에서 반드시 원대함을 말하지는 못하니, 이 글처럼 문장을 하늘에 짝하고 공(孔)·맹(孟)을 우왕(禹王)에 짝하여 말함은 과연 크면서도 과장된 것이 아니다."

○ 陳靜觀云 本意는 只是以歐公比韓子하고 以介甫新學之害比佛, 老하며 却逆推上韓子比孟子하고 孟子配禹說來하니 蓋人不知韓子之功이면 則歐公之功不明이요 人不知孔, 孟之功

斟 참작할 짐 酌 참작할 작 旁 곁 방

이면 則韓子之功不明이라 但中間於韓子配孟子處에 語有斟酌하고 而以申, 韓一段으로 旁證
孟子之功하니 尤淸切而精神이니라

진정관이 말하였다. "본의(本意)는 다만 구양공을 한자(韓子)에 비유하고 왕개보의 신학(新學)의
해로움을 불(佛)·노(老)에 비유한 것인데, 거슬러 올라가 한자를 맹자에 비유하고 맹자를 우왕(禹
王)에 짝하여 말하였으니, 사람들이 한자의 공(功)을 알지 못하면 구양공의 공이 밝혀지지 못하고,
사람들이 공(孔)·맹(孟)의 공을 알지 못하면 한자의 공이 밝혀지지 못한다. 다만 중간에 한자를 맹
자에 짝하는 부분에 말이 침작(斟酌, 참작)함이 있고, 신(申)·한(韓)의 한 단락으로 맹자의 공을 방
증(傍證)하였으니, 더욱 분명하고 간절하여 정채(精采)가 있다."

○ 此篇議論은 則是自孟子答公都子一段來[51]어늘 人但不能如此發明精神耳라 此段精神이
全在說申, 韓之禍不減洪水하여 却入楊, 墨之禍不減申, 韓處니라

이 편의 의론은 바로 맹자가 공도자(公都子)에게 답한 한 단락에서 온 것인데, 사람들은 단지 이
처럼 발명하여 정채롭게 하지 못할 뿐이다. 이 단락의 정채로움은 오로지 신(申)·한(韓)의 화(禍)가
홍수(洪水)보다 덜하지 않음을 말한 다음, 양(楊)·묵(墨)의 화가 신·한보다 덜하지 않음으로 들어
간 부분에 있다.

○ 人知洪水, 亂臣賊子, 楊, 墨, 申, 韓, 佛, 老, 新學이 等是一般禍患이라야 方知大禹, 孔, 孟,
韓, 歐是一樣功業이라 但力量有輕重하여 功業亦因之而高下하니 則公所謂孟子配禹可也와
以愈配孟子蓋庶幾焉之類 自有斟酌劑量矣니라

사람들이 홍수와 난신 적자(亂臣賊子), 양·묵과 신·한, 불·노와 신학(新學, 왕안석의 신법)이 모

---

51 自孟子答公都子一段來 : 공도자(公都子)는 맹자의 제자로, 이 내용은 《맹자》〈등문공 하(滕文公下)〉에 보인다. 공도
자가 "외부 사람들이 모두 부자(夫子)더러 변론하기를 좋아한다고 말하니, 어째서입니까?"라고 묻자, 맹자는 요·순 시대부
터 세상의 치란(治亂)을 말씀하고 "옛날에 우왕(禹王)이 홍수를 억제하자 천하가 다스려졌고, 주공(周公)이 이적(夷狄)
을 겸병하고 맹수를 몰아내자 백성들이 편안하였고, 공자가 《춘추(春秋)》를 완성하자 난신 적자(亂臣賊子)들이 두려워하
였다. 나 또한 사람들의 마음을 바로잡아서 부정한 학설을 그치게 하며 편벽된 행실을 막으며 한쪽에 치우친 음사(淫辭)를
추방하여 우왕과 주공, 공자의 세 성인(聖人)을 잇고자 하는 것이니, 내 어찌 변론하기를 좋아하겠는가. 내 부득이해서이
다."라고 하셨는바, 이 부분을 가리킨 것이다.

... 劑 한도, 약 조제할 제 量 헤아릴 량

두 다 똑같은 화환(禍患)임을 알아야 비로소 대우(大禹)와 공자·맹자·한자·구양공이 똑같은 공업(功業)임을 알게 된다. 다만 역량에 경중이 있어서 공업도 이에 따라 높고 낮으니, 그렇다면 공(公)이 말한 "맹자를 우왕에 짝하여도 괜찮다."는 것과 "한유를 맹자에게 짝함이 아마도 괜찮을 것이다."라고 말한 따위는 자연 침작함과 제량(劑量)함이 있는 것이다.

* 原文

夫言有大而非誇하니 達者는 信之하고 衆人은 疑焉이라【上句體勢重, 非下兩句, 載不起.】 孔子曰 天之將喪斯文也신댄 後死者不得與於斯文也[52]라하시고 孟子曰 禹抑洪水하시고 孔子作春秋하시고 而余距楊, 墨[53]이라하시니 蓋以是配禹也라 文章之得喪이 何與於天이완대 而禹之功이 與天地竝이어늘 孔子, 孟子以空言配之하시니 不已誇乎아【此下, 專言其非誇.】

말에는 크게 말하여도 과장이 아닌 것이 있으니, 이치를 통달한 자는 이를 믿고 중인(衆人)은 의심한다.【윗 구는 체세(體勢)가 중하여 아래의 두 구가 아니면 실을 수가 없다.】 공자(孔子)가 말씀하기를 "하늘이 장차 이 문(文, 도(道))을 망하게 하려고 하셨다면 뒤에 죽는 내가 이 문에 참여할 수 없었을 것이다." 하셨고, 맹자(孟子)가 말씀하기를 "우왕(禹王)은 홍수를 억제하셨고 공자는 《춘추(春秋)》를 지으셨고, 나는 양주(楊朱)·묵적(墨翟)을 막았다." 하셨으니, 이로써 우왕에게 짝하신 것이다. 문장의 얻고 잃음(잘하고 잘못함)이 하늘과 무슨 상관이기에, 우왕의 공(功)은 천지와 똑같은데 공자와 맹자가 빈말로써 우왕에게 짝하시니, 너무 과장된 것이 아니겠는가.【이 아래는 과장이 아님을 오로지 말하였다.】

---

52 孔子曰……不得與於斯文也 : 《논어》〈자한(子罕)〉에 "하늘이 장차 이 문(文)을 없애려 하셨다면 뒤에 죽는 사람(내)이 이 문(文)에 참여하지 못하였을 것이나 하늘이 이 문(文)을 없애려 하지 않으셨으니, 광(匡) 땅 사람들이 나를 어찌 하겠는가?〔天之將喪斯文也 後死者不得與於斯文也 天之未喪斯文也 匡人其如予何〕"라고 한 공자의 말씀이 보인다. 공자의 모습이 노나라 계씨(季氏)의 가신인 양호(陽虎)와 비슷하였는데, 양호가 광(匡) 땅에서 포학한 짓을 저지른 적이 있었다. 이때 마침 공자가 광(匡) 땅을 지나가시자, 광(匡) 땅 사람들이 공자를 양호로 오인하고 억류하니, 공자께서 제자들을 위로하기 위하여 하신 말씀이다.

53 孟子曰……而余距楊墨 : 이 내용은 《맹자》〈등문공 하(滕文公下)〉에 보이니, 여기에 "우왕(禹王)이 홍수를 억제하시자 천하가 다스려졌다.〔禹抑洪水而天下平〕", "공자가 《춘추》를 완성하자 난신 적자들이 두려워하였다.〔孔子成春秋而亂臣賊子懼〕", "능히 양·묵을 막을 것을 말하는 자는 성인의 무리이다.〔能言距楊墨者 聖人之徒也〕"라고 하였다.

··· 誇 자랑할 과 距 막을 거 趨 달려갈 추 陋 누추할 루 罔 속일 망

自春秋作而亂臣賊子懼하고【自此下, 只說配禹一節.】孟子之言行에 而楊·墨之道廢하니 天下以爲是固然이요 而不知大其功이러니 孟子旣沒에 有申·商·韓非之學[54]이 違道而趨利하고 殘民以厚(生)[主][55]하여 其說이 至陋也어늘 而士以是로 罔其上하고 上之人이 僥倖一切之功하여 靡然從之호되 而世無大人先生如孔子·孟子者 推其本末하고 權其禍福之輕重하여 以救其惑이라 故로 其學이 遂行하여 秦以是喪天下하고 陵夷至於勝·廣·劉·項[56]之禍하여 死者十八九라 天下蕭然하니【極言申·韓之禍, 所以深明孔·孟之功, 無此一節, 則孔·孟之功不顯, 所謂配禹, 亦是空言.】洪水之患이 蓋不至此也라

공자께서 《춘추》를 지은 뒤로부터 난신 적자(亂臣賊子)들이 두려워하였고【이로부터 아래는 우왕(禹王)에게 짝하는 한 절만을 말하였다.】 맹자의 말씀이 행해짐에 양·묵의 도가 폐지되었으니, 천하가 이것을 당연하다고 여기고 그 공을 위대하게 여길 줄을 알지 못하였다.

그런데 맹자가 별세하신 뒤에 신불해(申不害)·상앙(商鞅)·한비자(韓非子)의 학술이 도(道)를 어기고 이익을 따르며 백성을 해치고 군주를 후(厚)하게 하여, 그 말이 지극히 누추한데도 선비들은 이로써 그 윗사람을 속이고, 윗사람들은 일체(一切)의 공을 요행으로 바라서 바람에 쏠리듯 이를 따랐다. 그러나 이때 세상에는 본말(本末)을 미루고 화복(禍福)의 경중을 저울질하여 의혹을 바로잡아주는 공자와 맹자 같은 대인 선생(大人先生)이 없었다. 그러므로 그들의 학설이 마침내 행해져서 진(秦)나라는 이로써 천하를 잃었고, 능이(陵夷, 침체)하여 진승(陳勝)과 오광(吳廣), 유방(劉邦)과 항우(項羽)의 화에 이르러는 죽은 자가 10에 8~9가 되어 천하가 쓸쓸해졌으니,【신불해(申不害)와 한비자(韓非子)의 화를 지극히 말한 것은 공자와 맹자의 공을 깊이 밝히기 위한 것이니, 이 한 절이 없으면 공자와 맹자의 공이 드러나지 못하며, 이른바 '우왕에 짝한다[配禹]'는 것

---

54 申商韓非之學 : '신(申)'은 신불해(申不害, ?~B.C.337)이다. 정(鄭)나라 출신으로 한 소후(韓昭侯)의 재상이 되어 한(韓)나라를 부강하게 하였는데, 형(刑)과 명(名)을 중시하여 법가(法家)의 기반을 이루었다. '상(商)'은 상앙(商鞅, B.C.390~B.C.338)이다. 위(衛)나라의 공족(公族)으로, 진 효공(秦孝公)에게 등용되어 법령과 제도를 혁신하여 부국강병을 이루었다. 한비(韓非, B.C.281~B.C.233)는 한(韓)나라의 사상가로 이사(李斯)와 함께 순경(荀卿)에게 공부하였다. 뒤에 진(秦)나라에 사신으로 갔다가 이사의 무고로 옥에 갇히자 자살하였다. 저서에는 《한비자(韓非子)》가 있다.

55 (生)〔主〕: 저본에는 '생(生)'으로 되어 있으나 《소동파집(蘇東坡集)》에 의거하여 '주(主)'로 바로잡았다.

56 勝廣劉項: 승(勝)은 진승(陳勝)이고 광(廣)은 오광(吳廣)으로, 진(秦)나라의 학정(虐政)에 맨 먼저 봉기한 자들이며, 유(劉)는 유방(劉邦)으로 한(漢)나라를 일으킨 고제(高帝)의 이름이고, 항(項)은 항우(項羽)로 원래의 이름은 적(籍)인데 자(字)로 행세하였는바, 초(楚)나라 패왕(霸王)이 되어 유방과 천하를 다툰 끝에 패하여 자살하였다.

또한 빈말일 뿐이다.】 홍수의 화도 이처럼 심하지는 않았을 것이다.

方秦之未得志也에 使復有一孟子런들【前竝說孔·孟, 此下盡說孟子.】則申, 韓爲空言이니 作於其心하여 害於其事하며 作於其事하여 害於其政者⁵⁷ 必不至若是烈也리라 使楊, 墨得志於天下런들 其禍豈減於申, 韓哉리오 由此言之컨대 雖以孟子配禹라도 可也니라【此句提孟子, 乃所以獨尊孔子. 所以後面, 只說道術出於孔氏, 推韓愈·孟子, 以達於孔氏, 不以孔·孟竝說. 蓋以空言有功於天下萬世, 其源出於孔氏, 孟子亦只是學孔子.】

　　진나라가 뜻을 얻지 못하고 있을 적에 가령 맹자와 같은 분이 한 사람 더 있었더라면【앞에서는 공자와 맹자를 나란히 말하였고, 이 아래에는 모두 맹자를 말하였다.】신불해와 한비자는 빈말이 되었을 것이니, 그 마음에서 나와 일에 해를 끼치며 일에서 나와 정사를 해치는 이단의 바르지 못한 학설이 반드시 이처럼 심하지는 않았을 것이다. 그리고 가령 양주(楊朱)와 묵적(墨翟)이 천하에 뜻을 얻었더라면 그 화가 어찌 신불해와 한비자보다 적었겠는가. 이로 말미암아 말한다면 비록 맹자를 우왕에게 짝하더라도 괜찮은 것이다.【이 구에서 맹자를 제기한 것은 공자 한 분을 높이기 위한 것이다. 이 때문에 후면에 다만 도술(道術)이 공씨(孔氏, 공자)에게서 나옴을 말하였으니, 한유와 맹자를 미루어 공씨에 도달하고 공자와 맹자를 나란히 말하지 않았다. 빈말로써 천하와 만세에 공이 있는 것은 그 근원이 공씨에게서 나왔으니, 맹자 또한 다만 공자를 배운 것이다.】

太史公曰 蓋公은 言黃, 老하고 賈誼, 晁(鼂)錯는 明申, 韓⁵⁸이라하니【出太史公本傳.⁵⁹】

---

57 作於其心……害於其政者 : 이 내용은 《맹자》〈등문공 하(滕文公下)〉에 "내가 이 때문에 두려워하여 선성의 도(道)를 보호해서 양주와 묵적을 막으며 부정한 말을 추방하여 부정한 학설을 하는 자가 나오지 못하게 하는 것이다. 〈부정한 학설은〉 그 마음에서 나와 그 일에 해를 끼치며 일에서 나와 정사에 해를 끼치니, 성인이 다시 나오셔도 내 말을 바꾸지 않으실 것이다.〔吾爲此懼 閑先聖之道 距楊墨 放淫辭 邪說者不得作 作於其心 害於其事 作於其事 害於其政 聖人復起 不易吾言矣〕"라고 보인다.

58 太史公曰……賈誼鼂錯明申韓 : 태사공은 사마천(司馬遷)으로, 이 내용은 《사기(史記)》〈태사공자서(太史公自序)〉에 보인다. 갑공(蓋公)은 한(漢)나라 초기 사람으로 황로(黃老)의 무위자연을 주장하였다. 조참(曹參)이 제(齊)나라의 상(相)이 되었는데 교서(膠西)에 갑공이라는 사람이 황로의 학설을 공부하였다는 말을 듣고, 사람을 시켜 많은 폐백을 보내어 초청하였다. 갑공이 와서 "정치하는 방도는 깨끗하고 조용함을 귀하게 여기니, 이렇게 하면 백성들이 스스로 안정된다."라고 말하였다.《史記 曹相國世家》가의(賈誼)는 한 문제(漢文帝) 때의 학자이자 정치가이다. 조조(鼂錯)는 조조(晁錯)로도 표기하는바, 문제 때에 태자의 집안일을 맡아보는 영(令)이 되었는데, 지혜가 뛰어나 지낭(智囊)으로 불렸다. 뒤에 강대한 제후들의 영지를 깎을 것을 제안하였다가 오(吳)·초(楚) 등 7개국의 반란을 불러일으키고 평소 사이가 나빴던 원앙(袁盎)의 참소로 경제(景帝)에게 억울하게 죽임을 당하였다. 신한(申韓)은 신불해(申不害)와 한비(韓非)를 이르는데, 가의와 조조가 모

　·　·　·　晁 아침 조　錯 둘 조

錯는 不足道也어니와 而誼亦爲之하니 余以是로 知邪說之移人이 雖豪傑之士라도 有不免者하니 況衆人乎아 自漢以來로 道術이 不出於孔氏하여 而亂天下者多矣라 晉以老莊亡하고 梁以佛亡[60]호되 莫或正之러니【才是孟子已死, 韓子未出, 申·韓·老·佛, 便能亂秦·亂漢·亡晉·亡梁, 其禍如此, 則孟·韓之功大, 可知.】五百餘年而後에 得韓愈하니 學者以愈配孟子하니 或庶幾焉이라【語有斟酌.】

   태사공(太史公)이 말하기를 "갑공(蓋公)은 황제(黃帝)와 노자(老子)를 말하고 가의(賈誼)와 조조(鼂錯)는 신불해(申不害)와 한비자(韓非子)의 학설을 밝혔다."라고 하였으니,【이 내용은《한서》의 태사공 본전(本傳)에 나온다.】조조는 군이 말할 것이 없지만 가의 또한 이러한 일을 하였으니, 나는 이 때문에 부정한 학설이 사람을 변화시킴은 비록 호걸스런 선비라도 면할 수 없음을 아는 것이니, 하물며 보통 사람에 있어서랴.
   한(漢)나라 이래로 도술(道術)이 공씨(孔氏)에게서 나오지 않아서 천하를 어지럽힌 자가 많았다. 진(晉)나라는 노장학(老莊學)으로 망하였고 양(梁)나라는 불교로 망하였으나 이것을 혹시라도 바로잡는 이가 없었는데,【맹자는 이미 죽었고, 한자(韓子)는 아직 출현하지 않았던 상황이었기에 신(申, 신불해)·한(韓, 한비자)과 노(老)·불(佛)이 곧 진(秦)나라를 어지럽히고 한(漢)나라를 어지럽히고 진(晉)나라를 망하게 하고 양(梁)나라를 망하게 해서 그 화가 이와 같으니, 그렇다면 맹자와 한자의 공이 큼을 알 수 있는 것이다.】5백여 년이 지난 뒤에 한유(韓愈)를 얻으니, 배우는 자들이 한유를 맹자에게 짝하는바, 아마도 이것이 거의 옳을 것이다.【말에 참작함이 있다.】

愈之後三百有餘年而後에 得歐陽子하니 其學이 推韓愈, 孟子하여 以達於孔氏하고 著禮樂仁義之實하여 以合於大道라 其言이 簡而明하고 信而通하여 引物連類하여 折之於至理하여 以服人心이라 故로 天下翕然師尊之라 自歐陽子之存으로 世之不

두 정치에 있어서는 법가(法家)의 설을 주장하였으므로 '가의와 조조는 신불해와 한비자의 학설을 밝혔다'고 말한 것이다.

59 出太史公本傳: 태사공 본전은 〈사마천전(司馬遷傳)〉으로, 《한서(漢書)》권62에 실려 있다.

60 晉以老莊亡 梁以佛亡: 진(晉)나라는 노장(老莊)의 학문을 숭상하여 죽림칠현(竹林七賢) 곧 완적(阮籍)·혜강(嵇康)·산도(山濤)·상수(向秀)·유령(劉伶)·왕융(王戎)·완함(阮咸) 외에도 많은 사람들이 노장의 현리(玄理)에 대한 청담(淸談)을 숭상하였고, 밖으로는 오랑캐가 난을 일으켜 결국 망하였다. 양(梁)나라의 무제(武帝)인 소연(蕭衍)은 불법(佛法)을 매우 신봉하여 사원(寺院)을 짓고 자신의 성(姓)을 따서 소사(蕭寺)라고 이름을 붙이는 등 불교에 심취하였다가 결국 역적(逆賊) 후경(侯景)에게 포위를 당하여 굶어 죽었다. 《南史 卷7 梁本紀》

悅者 譁而攻之하여 能折困其身이로되 而不能屈其言이라 士無賢不肯히 不謀而同
曰 歐陽子는 今之韓愈也라하나니라

한유 이후로 3백여 년 뒤에 구양자(歐陽子)를 얻으니, 그 학문은 한유와 맹자를 미루어 공자
에 도달하였고, 인의(仁義)와 예악(禮樂)의 실제를 드러내어 대도(大道)에 합하였다. 그 말씀이
간략하면서도 분명하고 신실하면서도 통달하여, 인물연류(引物連類, 한 사물을 인용하여 같은 종류
를 이어 밝힘) 지극한 이치에 절충해서 사람들의 마음을 복종시켰다. 그러므로 천하에서는 흡
연(翕然)히 그를 스승으로 높였다.

구양자가 생존하였을 때에는 그를 좋아하지 않는 세상 사람들이 시끄럽게 공격하여 그 몸
을 좌절시키고 곤궁하게 하였으나 그 말씀을 굽히지는 못하였다. 그리하여 선비들은 어진이
나 불초한 이를 막론하고 상의하지 않았는데도 똑같이 "구양자는 지금의 한유이다."라고 말
하고 있다.

宋興七十餘年에 民不知兵하고 富而教之⁶¹하여 至天聖, 景祐에 極矣⁶²로되 而斯文
이 終有愧於古하고【回護.】士亦因陋守舊하여 論卑而氣弱이러니 自歐陽子出로 天下
爭自濯磨하여 以通經學古爲高하고 以救時行道爲賢하고 以犯顔敢諫爲忠하여 長
育成就하여 至嘉祐⁶³末하여【嘉祐八年, 仁宗崩, 坡時爲鳳翔判官.】號稱多士하니 歐陽子之
功이 爲多라 嗚呼라 此豈人力也哉아 非天이면 其孰能使之리오【二句喚起, 有萬鈞力.】

송(宋)나라가 일어난 지 70여 년에 백성들은 병란을 몰랐고, 백성들을 부유하게 하고 잘 가
르쳐서 인종(仁宗)의 천성(天聖)·경우(景祐) 연간에 이르러 극에 달하였으나 사문(斯文, 도학(道
學))은 끝내 옛날에 부끄러움이 있었고,【회호하였다.】선비들 또한 고루함을 따르고 옛것을 지

61　富而教之 : 이는 《논어》〈자로(子路)〉에 "공자께서 위나라에 가실 적에 제자인 염유가 수레를 몰았는데, 공자께서 위
나라에 백성들이 많은 것을 보시고 '백성들이 많구나.' 하셨다. 염유가 '이미 백성들이 많으면 또 무엇을 더하여야 합니까?'
하고 묻자, '부유하게 하여야 한다.'라고 하셨다. '이미 부유해지면 또 무엇을 더하여야 합니까?' 하고 묻자, '가르쳐야 한다.'
라고 하셨다.〔子適衛 冉有僕 子曰 庶矣哉 冉有曰 既庶矣 又何加焉 曰 富之 曰 既富矣 又何加焉 曰 教之〕"라고 한 데에서
유래한 말이다.

62　天聖景祐極矣 : 천성(天聖, 1023~1032)과 경우(景祐, 1034~1038)는 모두 인종(仁宗)의 연호로, 송(宋)나라가 이
때 가장 번성하였기 때문에 이렇게 말한 것이다.

63　가우(嘉祐) : 인종(仁宗)의 연호로 1056~1063년까지이다.

··· 詔 조칙 조 屬 권장할 려 黜 내칠 출

켜서 의론이 낮고 기개가 약하였는데, 구양자가 나옴으로부터 천하가 다투어 스스로 더러움을 깨끗이 씻고 연마하여 경서를 통달하고 옛것을 배움을 고상하게 여기며, 세상을 구제하고 도를 행함을 어질게 여기며,〈군주의 면전에서〉군주의 얼굴을 범하고 용감히 간하는 것을 충성으로 여겨,〈인재를〉장육(長育)하고 성취해서 가우(嘉祐) 말년에 이르러는【가우(嘉祐) 8년(1063)에 인종(仁宗)이 승하하였는데, 이때 동파가 봉상부 판관(鳳翔府判官)이 되었다.】선비가 많다고 알려졌으니, 구양자의 공로가 많다. 아! 이 어찌 사람의 힘이겠는가. 하늘이 아니면 그 누가 이렇게 할 수 있겠는가.【두 구로 환기한 것에 만 균의 힘이 있다.】

歐陽子沒十有餘年에【元豐間.】士始爲新學[64]하여【王介甫之學.】以佛, 老之似로 亂周, 孔之實하니 識者憂之러니 賴天子明聖하사【哲宗元祐初年.】詔修取士法하여 風厲學者하여 專治孔氏하고 黜異端하니【坡意以王氏之學爲異端.】然後에 風俗一變하여 考論師友淵源所自하여 復知誦習歐陽子之書하니라

구양자가 별세한 지 10여 년 만에【원풍(元豐), 1078~1085) 연간이다.】선비들은 비로소 신학(新學, 신법(新法))을 하여【신학(新學)은 왕개보의 학문이다.】불(佛) · 노(老)와 유사한 것을 가지고 주공(周公)과 공자의 실제를 어지럽히니, 식견이 있는 자들이 근심하고 있었는데, 천자(天子)의 밝고 성스러움을 힘입어【철종(哲宗) 원우(元祐) 초년(1086)이다.】조령을 내려 선비들을 뽑는 법을 닦아 배우는 자들을 풍려(風厲, 격려)해서 오로지 공씨의 학문을 다스리고 이단을 배척하게 하니,【동파의 뜻은 왕씨(王氏)의 학문을 이단이라 한 것이다.】그런 뒤에 풍속이 한번 변하여 사우(師友)들의 연원(淵源)이 말미암아 나온 바(유래)를 상고하고 논해서 다시 구양자의 글을 외고 익힐 줄 알게 되었다.

予得其詩文七百六十六篇於其子棐[65]하고【公四子, 發 · 奕 · 棐 · 辨.】乃次而論之曰

---

64 新學 : 새로운 학문이란 뜻으로 왕안석(王安石)이 주창한 학문을 가리킨다. 왕안석은《시경》·《서경》·《주례》를 새롭게 해석하여《삼경신의(三經新義)》를 저술하고 이를 전국의 학관(學官)에 반포하였으며, 또《자설(字說)》24권을 지은 바, 이를 '왕씨신학(王氏新學)'이라고 칭하였다.

65 其子棐 : 비(棐)는 구양수의 셋째 아들 구양비(歐陽棐, 1047~1113)로 자가 숙필(叔弼)이다. 영종(英宗) 치평(治平) 4년(1067)에 진사에 을과(乙科)로 급제하고 관직에 나아가 양주(襄州), 노주(潞州), 채주(蔡州)의 지주사(知州事)를 역임하였다.

歐陽子論大道는 似韓愈하고 論事는 似陸贄하고【唐陸贄, 字敬輿, 諡宣公, 有奏議行世.】記事는 似司馬遷하고 詩賦는 似李白이라하노니【前只說歐公論大道之功, 而序其文之意未備, 得此數語, 意方盡.】此非予言也요 天下之言也니라【豐贍不窮.】歐陽子는 諱脩요 字永叔이니 旣老에 自謂六一居士云이라【客問六一何謂? 居士曰: "吾家藏書一萬卷, 集錄三代以來金石遺文一千卷, 琴一張, 某一局, 常置酒一壺." 客曰: "此五一耳." 曰: "以吾一翁, 老於此五物之間, 豈不爲六一乎?" 見六一居士傳.】

　내가 그의 시문(詩文) 766편을 그의 아들 비(棐)에게서 얻어【공의 네 아들은 발(發), 혁(奕), 비(棐), 변(辨)이다.】차례로 엮고 논하기를 "구양자가 대도(大道)를 논함은 한유와 같고 정사(政事)를 논함은 육지(陸贄)와 같고【당나라 육지(陸贄)는 자가 경여(敬輿)이고 시호가 선공(宣公)이니, 그의 주의(奏議)를 모아 엮은 《육선공주의(陸宣公奏議)》가 세상에 유행한다.】일을 기록함은 사마천(司馬遷)과 같고 시부(詩賦)는 이백(李白)과 같다."라고 하노니,【앞은 다만 구양공이 대도(大道)를 논한 공을 말하였고 그 문장을 서술한 뜻은 미비(未備)하였는데, 이 몇 마디 말을 얻고서야 뜻이 비로소 극진히 구비되었다.】이는 내가 하는 말이 아니라 천하 사람들의 말이다.【풍부하여 궁하지 않다.】

　구양자는 휘(諱)가 수(脩)이고 자(字)가 영숙(永叔)이니, 늙어서는 스스로 '육일거사(六一居士)'라 일렀다.【객이 육일(六一)이 무슨 뜻이냐고 묻자, 거사(居士)가 대답하기를 "내 집에 장서(藏書)가 1만 권이고, 삼대(三代) 이래 금석유문(金石遺文)을 모아 기록한 것이 1천 권이고, 거문고 하나, 바둑판 하나가 있고, 항상 술 한 병을 두고 있다." 하였다. 객이 묻기를 "이는 오일(五一)일 뿐입니다." 하니, 대답하기를 "내 한 늙은이가 이 다섯 가지 물건 사이에서 늙으니, 어찌 육일이 되지 않겠는가." 하였으니, 〈육일거사전(六一居士傳)〉에 보인다.】

삼괴당명三槐堂銘

소식蘇軾

• 작품개요

　이 작품은 북송 신종(神宗) 원풍(元豐) 2년(1079), 작자가 호주(湖州)에 부임하였을 적에 학생 왕공(王鞏)의 집에 있는 삼괴당(三槐堂)을 두고 지은 명문(銘文)이다. 작자가 서주(徐州)에 있을 때에 왕공이 그와 함께 교외에서 노닐며 시를 읊은 적이 있었다. 이후 작자가 호주에 부임하자 왕공이 찾아와 만나보고 삼괴당에 제명(題銘)해줄 것을 청하였는데, 작자가 이에 응하여 이 글을 지었다.

　주(周)나라 때에 궁정 밖에 세 그루의 회화나무(홰나무)가 심겨져 있었는데, 천자를 조현(朝見)할 적에 삼공(三公)이 이 세 그루의 회화나무를 마주 대하여 서 있었다고 한다. 그리하여 《주례(周禮)》〈추관(秋官) 조사(朝士)〉에 "세 그루의 회화나무를 마주 대하는 곳이 삼공의 자리이다.〔面三槐 三公位焉〕"라고 하였다. 이에 따라 후세에는 세 그루의 회화나무로써 삼공의 높은 지위를 비유하게 되었다. 작품 속에 등장하는 왕호(王祜)가 일찍이 세 그루의 회화나무를 뜰에 심고 "내 자손 중에 반드시 삼공이 될 자가 있을 것이다."라고 한 것은 바로 이 때문이었는데, 그의 예언대로 둘째 아들인 왕단(王旦)이 과연 삼공의 지위에 올라 명재상이 되었다.

　작품은 '서(敍, 序)'와 '명(銘)'의 두 부분으로 이루어진다. '서'란 서술로 '명'의 유래에 대하여 서술한 것이며, '명'이란 바로 이 작품의 정체(正體)인바, 공덕을 찬양하는 사언시이다.

　'서'는 세 단락으로 나눌 수 있다. 기두(起頭)부터 '이자장안취충재(二者將安取衷哉)'까지의 첫 번째 단락에서는, '천도(天道)를 기필할 수 있는가'라는 의문을 던지며 작품을 시작하는데, 이는 읽는 사람을 끌어당기는 흡인력이 강하다고 하겠다. '오문지(吾聞之)'부터 '오이시지천지과가필야(吾以是知天之果可必也)'까지의 두 번째 단락에서는, 사실을 가지고 천도가 있음을 증명하고 이어서 작품 첫 부분의 의문에 답하였다. '오불급견위공(吾不及見魏公)'부터 '오시이록지(吾是以錄之)'까지의 세 번째 단락에서는, 진국공(晉國公) 왕호(王祜)의 '후시(厚施)'가 그의 손자 의민공(懿敏公) 왕소(王素)에게 보답됨을 이야기하고 왕씨 집안이 장차 크게 흥할 것에 대하여 찬양하였다.

'명'은 왕씨의 삼괴를 찬양하였는데, 왕씨의 공덕을 노래하며 찬양할 뿐만 아니라 세상의 소인배들을 향하여 훈계와 경고를 하고 있다. 아울러 국가와 백성을 근심하는 작자의 마음이 잘 드러난다.

작품의 중심 내용은 천도가 정해져 있고 인과응보가 어긋나지 않으며 선악에 대한 보답이 자손에게 반드시 미친다는 것이다. 천도가 영속불변하는 지를 가지고 입론하여 선악(善惡)의 보응(報應)과 복선화음(福善禍淫)을 긍정하고, '인자필유후(仁者必有後)'라는 관점을 제시한 뒤에 왕호가 손수 삼괴를 심은 과정 및 기대, 그리고 왕호의 자손들이 인덕(仁德)을 갖추고 현능한 사람이 많이 있다는 사실을 기술하였다.

篇題小註·· 宋太祖始欲相王晉公祜러니 公이 請以百口保符彦卿不反이라가 忤太祖意하여 遂不相[66]이라 或有惜之者한대 曰 吾雖不做나 兒子二郎必做라하니 二郎은 文正公旦也라

송 태조(宋太祖)가 처음에 진국공(晉國公) 왕호(王祜)를 재상으로 삼으려 하였는데, 공은 백 명의 식구로써 부언경(符彦卿)이 배반하지 않을 것을 보장한다고 아뢰었다가 태조의 뜻을 거슬러 마침내 재상이 되지 못하였다. 혹자가 이를 애석히 여기자, 공은 말씀하기를 "내 비록 재상이 되지 못했으나 아들 이랑(二郎, 둘째아들)이 반드시 재상이 될 것이다." 하였으니, 이랑은 문정공(文正公) 왕단(王旦)이다.

○ 此篇은 發明天人意好라

이 편은 하늘(천도(天道))과 사람(인사(人事))에 대해서 발명한 뜻이 매우 좋다.

---

66 請以百口保符彦卿不反⋯⋯遂不相: 왕호가 송 태조(宋太祖)를 섬겼는데, 부언경(符彦卿)에 대한 유언비어가 떠돌자 태조는 왕호를 보내어 부언경의 죄상을 물어 다스리게 하였다. 그러나 왕호는 횡포를 부린 부언경의 가동(家僮) 한 명을 체포하여 유배만 보내고 사건을 마무리하였다. 왕호가 조정으로 돌아오자 태조가 이 일에 대해 물었는데, 왕호가 "신의 백 명의 식구로 부언경에게 역심(逆心)이 없다는 것을 보장하겠습니다."라고 하고, 또 말하기를 "오대(五代)의 군주들은 대부분 시기심으로 인해 무고한 사람을 살해하였기 때문에 나라를 오래 유지하지 못하였습니다. 원컨대, 폐하께서는 이를 경계로 삼으소서."라고 하니, 태조가 그 말에 노하여 왕호를 폄척(貶斥)하였다.《宋史 卷 269 王祜列傳》

祜 복호 彦 클언 忤 거스를오 做 될주

○ 迂齋曰 序文은 理致甚長이나 然猶可到요 至銘詩하여는 則不可及矣라 學者看了序文하고 且掩卷黙想銘文當如何下語라가 却來看它作이면 方有長進이리라

우재가 말하였다. "서문은 이치(논리)가 매우 뛰어나나 그래도 따를 수 있지만 명시(銘詩)에 이르러는 도저히 따를 수가 없다. 배우는 자들이 서문을 보고서, 우선 책을 덮어놓고 명문(銘文)을 어떻게 쓸 것인가를 묵묵히 생각했다가, 공이 지은 명문을 읽어보면 바야흐로 장족(長足)의 진전이 있을 것이다."

• 原文

天可必乎아 賢者不必貴요 仁者不必壽니라【從史記伯夷傳來.】 天不可必乎아 仁者必有後[67]니라【含子孫意.】 二者에 將安取衷哉오

하늘(천도)을 기필할 수 있는가? 현자(賢者)가 반드시 귀하지는 못하고 인자(仁者)가 반드시 장수(長壽)하지는 못한다.【《사기》〈백이열전(伯夷列傳)〉으로부터 왔다.】 하늘을 기필할 수 없는가? 인자에게는 반드시 훌륭한 후손이 있다.【자손(子孫)의 뜻을 포함하고 있다.】 이 두 가지 중에 장차 어느 것을 취하여 절충하여야 하는가?

吾聞之하니 申包胥曰 人衆者는 勝天이요 天定이면 亦能勝人[68]이라하니【見(國語)〔史

---

67 天可必乎……仁者必有後: 천(天)은 천도(天道)로 선한 자에게 복을 내리고 악한 자에게 화를 내리는 하늘의 도를 이른다. 본문은 "복선화음(福善禍淫)의 천도가 참으로 있다고 장담할 수 있겠는가? 현자가 반드시 귀하지는 못하고, 인자가 반드시 장수하지는 못하지 않은가? 그렇다고 천도가 없다고 장담할 수 있는가? 인자에게는 반드시 훌륭한 후손이 있지 않은가?"라는 뜻이다. 그러나 낭엽(郎曄)의 《경진동파문집사략(經進東坡文集事略)》에는 '賢者不必貴 仁者不必壽'가 '賢者不必壽'로 축약되어 아래 구의 '仁者必有後'와 대(對)가 되도록 수정되어 있다. '仁者不必壽'는 《논어》〈옹야(雍也)〉에 "지자(智者)는 낙천적이고 인자(仁者)는 장수한다.〔知者樂 仁者壽〕"라는 공자의 말씀을 인용하여 뒤집어 쓴 것이다.

68 吾聞之……亦能勝人: 신포서(申包胥)는 춘추시대 초(楚)나라 대부로 성이 공손(公孫)인데 신읍(申邑)에 봉해졌기 때문에 신포서로 불렸다. 오원(伍員, 오자서(伍子胥))과 친하였는데, 오원이 형과 아버지가 무고하게 평왕(平王)에게 살해당하고 오나라로 도망갈 적에 신포서를 만나 반드시 초나라에 복수하여 멸망시킬 것을 맹세하자, 신포서가 "그대는 반드시 멸망시킬 수 있을 것이다. 그러나 나는 반드시 초나라를 부흥시키겠다."라고 하였다. 뒤에 오원이 오나라 군대를 이끌고 초나라를 공격하여 수도 영(郢)을 함락시키자, 신포서는 진(秦)나라에 가서 구원병을 요청하면서 진나라 조정에서 7일 밤낮을 통곡하니, 마침내 진나라 애공(哀公)이 그의 정성에 감동하여 진나라의 대군을 보내 초나라를 구원해주었다. 이 내용은 《춘추좌씨전》 정공(定公) 4, 5년 및 《전국책(戰國策)》, 《사기(史記)》 등에 보인다. 본문의 신포서의 말은 오원이 초나라의

記].⁶⁹⁾〕世之論天者皆不待其定而求之라 故로 以天爲茫茫하여 善者以怠하고 惡者
以肆하니 盜跖之壽와 孔, 顏之厄⁷⁰⁾은 此皆天之未定者也라 松柏이 生於山林하여
其始也에 困於蓬蒿하고 厄於牛羊이라가【未定.】而其終也에 貫四時, 閱千歲而不改
者는 其天이 定也라 善惡之報가 至於子孫이면【漸漸切.】則其定也久矣니【從申包胥天定
之說, 演出許多定字議論.】吾以所見所聞而考之컨대 其可必也審矣로다【轉入下一脚.】

　내 들으니, 신포서(申包胥)가 말하기를 "사람이 많으면 하늘을 이기고, 하늘이 정해지면 또
한 사람을 이긴다." 하였다.【《사기(史記)》〈오자서열전(伍子胥列傳)〉에 보인다.】

　세상에서 하늘을 논하는 자들은 모두 하늘이 정해지기를 기다리지 않고 구한다(찾는다). 그
러므로 하늘을 아득하다고 여겨 선한 자는 이 때문에 태만해지고 악한 자는 이 때문에 방자
해지니, 도척(盜跖)이 장수한 것과 공자(孔子)와 안자(顏子)가 곤액(困厄)을 당한 것은 모두 하
늘이 정해지지 못한 것이다.

　송백(松柏)이 산림에서 나서 그 처음엔 쑥대에게 곤궁을 당하고 소와 양에게 곤액을 당하다

수도 영에 들어가 평왕의 무덤을 파헤치고 그의 시신에 3백 대의 채찍질을 가하자, 신포서가 오원에게 사람을 보내어 전한
말로, 《사기》〈오자서열전(伍子胥列傳)〉에 "그대의 복수는 너무 심하지 않은가. 내가 들으니 '사람이 많으면 천도를 이길 수
있으나 천도가 정해지면 또한 능히 사람을 패망시킬 수 있다.'라고 하였다. 지금 그대는 평왕의 옛 신하로서 직접 북면(北面)
하여 그를 섬겼는데, 이제 죽은 임금을 이렇게 욕보이니, 이 어찌 천도를 지극히 무시하는 것이 아니겠는가?〔子之報讐 其以
甚乎 吾聞之 人衆者勝天 天定亦能破人 今子故平王之臣 親北面而事之 今至于僇死人 此豈其無天道之極乎〕라고 보인다.

69　(國語)〔史記〕: 저본에는 '국어(國語)'로 되어 있으나 전거를 확인하여 《사기》〈오자서열전〉으로 바로잡았다.

70　盜跖之壽 孔顏之厄: 도척(盜跖)은 춘추시대의 유명한 큰 도적으로 이름이 척(跖)인데 노(魯)나라의 어진 대부인 유
하혜(柳下惠)의 아우로 평생 도적 떼를 이끌고 온갖 흉악한 짓을 자행하였으나 장수하였다. 공안(孔顏)은 공자(孔子)와 안
회(顏回)이다. 공자는 세상을 구제하기 위하여 천하를 주유하였으나 끝내 뜻을 이루지 못하여, 진(陳)나라와 채(蔡)나라
사이에서는 양식이 떨어지고 광(匡) 땅에서는 포위당했으며, 송(宋)나라에서는 환퇴(桓魋)가 살해하려 하므로 미복 차림
으로 도피하는 등 많은 곤액을 겪었다. 안회는 자가 자연(子淵)으로 통상 안연(顏淵)이라 칭하였는바, 공자의 고제(高弟)로
학문을 좋아하여 누항(陋巷)에서 안빈낙도(安貧樂道)하였으나, 33세에 일찍 요절하였으므로 그 또한 곤액을 당했다고 한
것이다. 《사기》〈백이열전(伯夷列傳)〉에 "혹자가 말하기를 '천도는 일정하게 친애하는 사람이 없어서 항상 선인(善人)을 돕
는다.'라고 하였는데, 백이(伯夷)와 숙제(叔齊)로 말하면 이른바 선인이 아니겠는가? 인(仁)을 쌓고 행실을 깨끗이 함이 이
와 같았는데도 굶어 죽었다. 또 70명의 유명한 제자 가운데 중니(仲尼)께서 홀로 안연이 학문을 좋아하였다고 천거하였으
나, 안연은 집이 가난하여 자주 굶어 겨와 술지게미도 배불리 먹지 못하다가 일찍 요절하였으니, 하늘이 선인에게 보답함이
어떠한가? 그런데 도척은 날마다 죄 없는 사람을 죽여서 사람의 간을 먹고 흉악한 행실을 자행하여 수천 명의 도적 떼를 거
느리고 천하에 횡행하였는데도 끝내 장수하다가 죽었으니, 이 도척은 무슨 덕을 따른 것인가? 〈이는 천도가 맞지 않는 것
가운데〉 더욱 분명하고 밖에 드러난 것이다.……참으로 이른바 천도란 것이 있는 것인가? 없는 것인가?〔或曰 天道無親 常
與善人 若伯夷叔齊 可謂善人者非耶 積仁絜行如此 而餓死 且七十子之徒仲尼 獨薦顏淵爲好學 然回也屢空 糟糠不厭 而
卒蚤夭 天之報施善人 其何如哉 盜跖日殺不辜 肝人之肉 暴戾恣睢 聚黨數千人 橫行天下 竟以壽終 是遵何德哉 此其尤大
彰明較著者也……儻所謂天道 是耶非耶〕라고 보이는데, 동파는 여기에 입각하여 글을 쓴 것이다.

　　　　　　　　…　茫 아득할 망　跖 사람이름 척　厄 곤궁할 액　蓬 쑥 봉　蒿 쑥 호　閱 지날 열　審 분명할 심

가【아직 정해지지 않은 것이다.】그 종말에는 사시(四時)를 꿰뚫고(사시에 항상 푸르고) 천 년을 지나도 변치 않으니, 이는 그 하늘이 정해진 것이다. 선악의 보답이 자손에게 이른다면【점점 간절해졌다.】이는 그 정해짐이 오래인 것이다.【신포서(申包胥)의 '하늘이 정해진다.'는 말로부터 허다한 '정(定)' 자의 의론을 부연해내었다.】내가 보고 들은 바를 가지고 상고하건대, 하늘을 기필할 수 있음이 분명하다.【전환하여 아래 한 다리로(쪽으로) 들어갔다.】

國之將興에 必有世德之臣이 厚施而不食其報하나니【暗說王晉公.】然後에 其子孫이 能與守文太平之主로 共天下之福하나니라【暗說文正公, 義理甚長, 於王氏, 爲尤切.】故兵部侍郎晉國王公이 顯於漢, 周之餘하여 歷事太祖, 太宗하여 文武忠孝하니【厚施.】天下望以爲相이로되 而公卒以直道로 不容於時[71]하니라【不食其報.】

---

71 故兵部侍郎晉國王公……不容於時: 왕공(王公)은 왕호(王祜)로 자가 경숙(景叔)이고 대명(大名) 신현(莘縣) 사람이다. 후한(後漢)과 후주(後周)에서 벼슬하다가 송 태조(宋太祖)에게 등용되어 지제고(知制誥), 호부 원외랑(戶部員外郎) 등을 역임하였는데, 직언을 하다가 태조의 노여움을 사서 화주(華州)에 안치(安置)되었으며, 태종(太宗)이 즉위한 뒤에 병부 시랑(兵部侍郎)에 제수되었다. 본문의 내용은 북송의 학자 소백온(邵伯溫)이 지은 《소씨문견록(邵氏聞見錄)》에 "진공(晉公) 왕호가 태조를 섬겨 지제고가 되었는데, 태조가 그를 위주(魏州)로 사신 보내면서 일을 임의대로 처리하도록 맡기고, 말하기를 '경이 조정으로 돌아오면 지금 왕부(王溥)가 맡고 있는 관직을 경에게 제수하겠다.'라고 하였다. 이때 왕부는 재상을 맡고 있었다. 위주 절도사(魏州節度使) 부언경(符彦卿)은 태종의 장인이었는데, 그가 반역을 꾀한다는 유언비어가 보고되었다. 왕호가 진저(晉邸)에 가서 태종에게 하직 인사를 올렸는데, 태종이 좌우에 있는 사람들을 물리치고 그에게 청탁하기 위해 무슨 말을 하려고 하였으나, 왕호는 듣지 않고 종종걸음으로 달려나갔다. 왕호는 위주에 도착하여 세력을 믿고 방자하게 굴어온 부언경의 가동(家僮) 한 사람을 잡아서 유배 보낼 뿐이었다. 왕호가 조정으로 돌아오자, 태조가 '그대는 감히 부언경이 다른 뜻이 없음을 보장할 수 있겠는가?'라고 물으니, 왕호가 대답하기를 '신과 부언경의 집안 식구가 각각 백 명이니, 신의 집안 식구로 부언경의 집안 식구를 보장하겠습니다.'라 하고, 또 간하기를 '오대시대(五代時代)의 군주들은 시기심 때문에 무고한 자들을 죽인 경우가 많습니다. 이 때문에 나라를 오래 향유(享有)하지 못한 것입니다. 바라건대 폐하께서는 이를 경계로 삼으소서.'라고 하였다. 태조가 그의 직언에 노하여 왕호를 호국군 행군 사마(護國軍行軍司馬)로 좌천시켜 화주에 안치시키고 7년 동안 부르지 않았다. 태조는 죽고 태종이 즉위하자 병부 시랑을 제수하고 왕호를 불렀으나 왕호는 미처 황제를 알현하지 못하고 죽었다. 지난날 왕호가 좌천될 적에 친구들이 도성문 밖에서 전송하면서 왕호에게 이르기를 '그대가 왕부처럼 재상이 될 것으로 생각하였다.' 하니, 왕호가 웃으면서 '나는 재상이 되지 못했으나 나의 아들 이랑(二郎)은 반드시 재상이 될 것이다.'라고 하였는데, 이랑은 바로 문정공(文正公) 단(旦)이다. 왕호가 평소 그가 귀하게 될 것을 알고 손수 뜨락에 세 그루의 회화나무를 심으면서 말하기를 '나의 자손 중에 반드시 삼공이 되는 자가 있을 것이다.'라고 하였는데, 뒤에 과연 그러하니, 천하 사람들이 삼괴(三槐) 왕씨라고 말하곤 하였다.〔王晉公祜 事太祖爲知制誥 太祖遣使魏州 以便宜付之 告曰 使還 與卿王溥官職 時溥爲相也 蓋魏州節度使符彦卿 太宗夫人之父 有飛語聞于上 祜往別太宗於晉邸 太宗却左右 欲與之言 祜徑趨出 祜至魏 得彦卿家僮一人 挾勢恣橫 以便宜決配而已 及還朝 太祖問曰 汝敢保符彦卿無異意乎 祜曰 臣與符彦卿家各百口 願以臣之家保符彦卿家 又曰 五代之君 多因猜忌 殺無辜 故享國不長 願陛下以爲戒 帝怒其語直 貶護國軍行軍司馬 華州安置 七年不召 太宗卽位 以兵部侍郎召 不及見而薨 初 祜赴貶時 親朋送於都門外 謂祜曰 意公作王溥官職矣 祜笑曰 某不做 兒子二郎者須做 二郎乃文正公旦也 祜素知其必貴 手植三槐于庭 曰 吾子孫必有爲三公者 已而果然 天下謂之三槐王氏云〕"라고 보인다.

나라가 장차 흥하려면 반드시 대대로 덕을 쌓은 신하가 후하게 베풀기만 하고 그 보답을 먹지 못하는 이가 있으니,【왕진공(王晉公)을 은근히 말하였다.】그런 뒤에야 그 자손들이 문덕(文德)을 지키는 태평성세의 군주와 더불어 천하의 복을 함께 누린다.【문정공(文正公)을 은근히 말하여 의리가 매우 깊으니, 왕씨에게 더욱 간절함이 된다.】

고(故) 병부 시랑(兵部侍郎) 진국 왕공(晉國王公)은 후한(後漢)과 후주(後周)의 뒤에 현달하여 태조(太祖)와 태종(太宗)을 차례로 섬겨, 문무(文武)와 충효(忠孝)를 겸비하니,【후하게 베푼 것이다.】천하 사람들이 재상이 되기를 바랐으나 공은 끝내 정직한 도(道)로 세상에 용납되지 못하였다.【그 보답을 먹지 못한 것이다.】

蓋嘗手植三槐於庭하고 曰 吾子孫에 必有爲三公者라하더니【事實須明說. ○面三槐, 三公位焉.】已而요 其子魏國文正公[72]이 相眞宗皇帝於景德, 祥符[73]之間하여 朝廷淸明, 天下無事之時에 享其福祿榮名者 十有八年이라【與守文太平之主, 共天下之福.】今夫寓物於人하여 明日而取之라도 有得有否어늘 而晉公이 修德於身하여 責報於天하여 取必於數十年之後호되 如持左契하여 交手相付[74]하니 吾以是로 知天之果可必也로라【結斷前意.】

공은 일찍이 손수 세 그루의 회화나무를 뜰에 심고 말씀하기를 "내 자손 중에 반드시 삼공(三公)이 될 자가 있을 것이다." 하였다.【사실을 모름지기 분명하게 말해야 한다. ○세 회화나무를 향한 곳에 삼공의 자리가 있었다.】그런데 얼마 후 그의 아드님인 위국(魏國) 문정공(文正公)이 진종황제(眞宗皇帝)를 경덕(景德)과 상부(祥符) 연간에 도와서 조정이 청명하고 천하가 무사하던 때에 그 복록과 영화로운 명성을 누리기를 18년이나 하였다.【문덕(文德)을 지키는 태평 성세의 군주와

---

72 其子魏國文正公: 왕호의 둘째 아들 왕단(王旦)으로 자는 자명(子明)이다. 태종 태평흥국(太平興國) 5년(980)에 진사로 출사하여 진종(眞宗) 경덕(景德) 2년(1005)에 상서 좌승(尙書左丞)에 제수되고, 3년에 공부 상서(工部尙書) 중서문하 평장사(中書門下平章事)가 되어 재상의 반열에 올랐으며, 집현전 태학사(集賢殿太學士)가 되어 국사 편찬을 감수하였다. 위국공(魏國公)에 봉해졌으며 문정(文正)은 그의 시호이다. 《송사(宋史)》에 전(傳)이 있다.

73 景德, 祥符: 모두 진종의 연호로 경덕은 1004~1007년까지이고, 상부는 대중상부(大中祥符)의 줄임말로 1008~1016년까지이다.

74 如持左契 交手相付: '좌계(左契)'는 왼쪽의 문서로, 고대에 어떠한 약속이나 계약(契約)을 할 경우 그 내용을 대쪽이나 종이에 써서 좌·우 두 쪽으로 나누어 갑(甲)·을(乙)이 각각 한 쪽씩 갖고 있었다. 예를 들어 채권자(債權者)인 갑은 문서의 오른쪽을, 채무자(債務者)인 을은 문서의 왼쪽을 갖고 있다가 상환할 날짜가 되어 채무자인 을이 문서와 돈을 갖고 오면 갑이 돈을 받고 자신이 갖고 있던 오른 쪽의 문서를 을에게 줌을 이른다. '교수상부(交手相付)'는 지금의 교부(交付)라는 말과 같다.

··· 槐 회화나무 괴 享 누릴 향 寓 붙일 우 必 기필할 필 契 문서 계

천하의 복을 함께 누린 것이다.】

　　이제 남에게 물건을 맡겼다가 다음날 취하더라도 얻을 수도 있고 얻지 못할 수도 있는데, 진국공(晉國公)은 몸에 덕을 닦아 하늘의 보답을 바라 수십 년의 뒤에 기필함을 취하되, 마치 좌계(左契)를 잡고서 손을 마주 잡고 서로 주고 받듯이 하였으니, 내 이 때문에 과연 하늘을 기필할 수 있음을 아노라.【앞의 뜻을 끝맺었다.】

吾不及見魏公하고 而見其子懿敏公[75]하니 以直諫으로 事仁宗皇帝하여 出入侍從 將帥三十餘年이로되 位不滿其德하니 天將復興王氏也歟아 何其子孫之多賢也 오【德如此, 位不當止此, 而止於此, 子孫又當有如文正者出. 屬望其後, 有無盡意.】 世有以晉公으 로 比李棲筠[76]者하니【棲筠唐人, 代宗朝御史大夫.】 其雄才直氣 眞不相上下요 而棲筠之 子吉甫와【相憲宗.】 其孫德裕[77]의【又相武宗.】 功名富貴 略與王氏等이나【用事極切.】 而 忠信仁厚는 不及魏公父子하니【用事又活, 王氏德過於李氏, 而位不及李氏.】 由此觀之컨대 王氏之福이 蓋未艾也라【足卜天將復興王氏意.】 懿敏公之子鞏[78]이 與吾遊하니 好德而 文하여【德者本也.】 以世其家일새 吾是以錄之하노라

　　나는 미처 위국공(魏國公)을 뵙지 못하였고 그 아들 의민공(懿敏公, 왕소(王素))을 뵈었는데, 직간(直諫)으로 인종 황제(仁宗皇帝)를 섬겨 출입하면서 시종관(侍從官)이 되고 장수가 된 지 30

---

75 懿敏公: 왕단(王旦)의 아들 왕소(王素)로 자가 중의(仲儀)이며, 인종(仁宗) 천성(天聖) 5년(1027)에 학사원(學士院)에 응시하여 진사(進士)에 급제하고 출사하여 인종을 시종하였으며, 외직에 있으면서 선정을 베풀어 명성이 있었고 직간을 잘하였다. 뒤에 의민(懿敏)이란 시호를 받았으며 벼슬이 공부 상서(工部尙書)에 이르렀다. 《송사》에 전(傳)이 있다.

76 李棲筠: 719~776. 당(唐)나라 숙종(肅宗)과 대종(代宗) 때의 문신으로 자가 정일(貞一)이다. 현종(玄宗) 천보(天寶) 7년(748)에 진사(進士)로 출사하여 숙종 때에 급사중(給事中)에 이르렀으며, 대종이 재상으로 삼고자 하였으나 당시의 재상 원재(元載)가 시기하여 실행하지 못하였다. 시호는 문헌(文獻)이다.

77 棲筠之子吉甫 其孫德裕: 이길보(李吉甫, 758~814)는 자가 홍헌(弘憲)으로 당나라 덕종(德宗)과 헌종(憲宗) 두 조정에서 벼슬하였는데, 헌종 원화(元和) 2년(807)과 6년 두 번에 걸쳐 재상의 지위에 올랐다. 이덕유(李德裕, 787~849)는 이길보의 아들로 자가 문요(文饒)이다. 문종(文宗)과 무종(武宗) 때에 재상을 지냈으며 위국공(衛國公)에 봉해졌다. 개성(開成) 5년(840)에 무종이 즉위하자 재상이 되어 번진(藩鎭)을 억누르고 위구르를 물리치는 등 공적을 세웠으나, 이종민(李宗閔)을 축출하고 우승유(牛僧孺) 일파를 지나치게 탄압하여 당쟁을 격화시켰다. 무종이 죽고 선종(宣宗)이 즉위하여 우승유 일파가 다시 집권하게 되자, 애주 사호참군사(崖州司戶參軍事)로 좌천되었다가 그곳에서 죽었다.

78 懿敏公之子鞏: 왕공(王鞏)은 의민공(懿敏公) 왕소(王素)의 아들로 자가 정국(定國)이며 장방평(張方平)의 사위이다. 시(詩)에 뛰어났으며 그림에도 일가견이 있었다. 동파와 절친한 사이로 동파가 오대시안(烏臺詩案)으로 죄를 얻었을 적에 연좌되어 빈주(賓州)로 좌천되었다. 벼슬이 종정승(宗正丞)을 지냈으나 성품이 호탕하고 세상을 가볍게 여겨 자주 남의 비난을 받아 크게 현달하지는 못하였다.

여 년이었으나 그의 지위가 그의 덕에 차지 못하였으니, 하늘은 장차 다시 왕씨(王氏)를 일으키려는가 보다. 어쩌면 그리도 자손들 중에 어진 이가 많은가?【덕이 이와 같으니 지위가 마땅히 여기에 그쳐서는 안 되는데 여기에 그쳤으니, 자손 중에 또 마땅히 문정공과 같은 자가 나올 것이다. 그 후손에게 거는 기대가 무궁한 뜻이 있다.】

세상에서는 진국공을 당(唐)나라의 이서균(李棲筠)에 비하는 자가 있으니,【이서균은 당나라 사람이니, 대종조(代宗朝)에 어사대부(御史大夫)였다.】 그 뛰어난 재주와 정직한 기운이 참으로 서로 막상막하이며, 이서균의 아들 길보(吉甫)와【이길보는 헌종(憲宗) 때에 재상이 되었다.】 그 손자 덕유(德裕)의【이덕유가 또 무종(武宗) 때에 재상이 되었다.】 공명(功名)과 부귀(富貴)가 대략 왕씨와 비등하나【고사를 인용함이 매우 적절하다.】 충신(忠信)과 인후(仁厚)함은 위국공의 부자에게 미치지 못하니,【고사를 인용함이 또 생동감이 있으니, 왕씨(王氏)의 덕이 이씨(李氏)보다 높으나 지위는 이씨에게 미치지 못한 것이다.】 이로 말미암아 관찰하건대 왕씨의 복이 아직 다하지 않은 듯하다.【하늘이 장차 다시 왕씨를 일으키려는 뜻을 충분히 점칠 수 있다.】

의민공의 아들 공(鞏)이 나와 교유하였는데, 덕(德)을 좋아하고 문장을 잘하여【덕(德)이 근본이다.】 그 집안을 대대로 이어가므로 나는 이 때문에 기록하는 것이다.

銘曰 嗚呼休哉라 魏公之業이 與槐俱萌이로다【言種槐卽是種德.】 封植之功이 必世乃成이라 旣相眞宗하니 四方砥平이요 歸視其家하니 槐陰滿庭이로다【照應豐腴, 體狀妙.】 吾儕小人이라 朝不(謀)[及]⁷⁹夕하여 相時射利하니 皇(遑)恤厥德이리오 庶幾僥倖하여 不種而穫이라【以常人不知種德, 反形出, 極妙.】 不有君子면【接有力.】 其何能國이리오 王城之東은 晉公所廬니【首只用魏公起, 有手段, 末却用晉公照出, 不費辭而意自足矣.】 鬱鬱三槐여 惟德之符로다【符, 驗也, 此字妙不可易.】 嗚呼休哉라【此銘, 專就種槐體狀, 乃序中所未及. 不然, 亦不切於三槐堂.】

명(銘)의 내용은 다음과 같다	銘曰
아! 아름답도다	嗚呼休哉
위국공의 공업(功業)이	魏公之業

---

79 (謀)〔及〕: 저본에는 '모(謀)'로 되어 있으나 《동파전집》과 《당송팔가문초》에 의거하여 '급(及)'으로 바로잡았다.

216
古文眞寶後集 2

··· 休 아름다울 휴 萌 싹 맹 砥 숫돌 지 儕 무리 제 皇 겨를 황 廬 집 려

회화나무와 함께 싹텄도다 　　　　　　　　　　　　　　　與槐俱萌

　　【회화나무를 심음은 바로 덕(德)을 심은 것임을 말한 것이다.】

흙을 쌓고 나무를 심는 공은 　　　　　　　　　　　　　　封植之功

반드시 대(代)가 지난 뒤에야 이루어지는 법 　　　　　　必世乃成

이미 진종(眞宗)을 도우니 　　　　　　　　　　　　　　旣相眞宗

사방이 숫돌처럼 평평하였고(평안해졌고) 　　　　　　　四方砥平

돌아와 그 집안을 보니 　　　　　　　　　　　　　　　歸視其家

홰나무 그늘이 뜰에 가득하도다 　　　　　　　　　　　槐陰滿庭

　　【조응함이 풍부하고 형용하여 묘사함이 묘하다.】

우리들은 소인이라 　　　　　　　　　　　　　　　　　吾儕小人

아침에도 저녁 일에 미치지 못하여 　　　　　　　　　　朝不(謀)〔及〕夕

때를 보아 이익을 취하려 하니 　　　　　　　　　　　相時射利

어느 겨를에 그 덕을 생각하겠는가 　　　　　　　　　皇(遑)恤厥德

행여 요행을 바라 　　　　　　　　　　　　　　　　　庶幾僥倖

심지 않고 수확하려 하니 　　　　　　　　　　　　　不種而穫

　　【보통 사람들이 덕을 심을 줄 모르는 것을 뒤집어 드러내었으니, 매우 묘하다.】

군자(君子)가 있지 않다면 　　　　　　　　　　　　　不有君子

　　【접속한 것이 힘이 있다.】

어찌 나라를 다스리겠는가 　　　　　　　　　　　　其何能國

왕성(王城)의 동쪽은 　　　　　　　　　　　　　　　王城之東

진공(晉公)이 사신 곳이니 　　　　　　　　　　　　晉公所廬

　　【처음에는 다만 위공(魏公)을 가지고 일으켜서(시작해서) 수단(手段)이 있었는데, 끝부분에는 진공(晉

　　公)을 가지고 조응해 내어 말을 허비하지 않고도 뜻이 저절로 충족되었다.】

울창한 세 그루 회화나무여 　　　　　　　　　　　　鬱鬱三槐

덕의 상징이니 　　　　　　　　　　　　　　　　　　惟德之符

　　【'부(符)'는 징험(상징)이니, 이 글자는 묘하여 바꿀 수 없다.】

아! 아름답도다 　　　　　　　　　　　　　　　　　嗚呼休哉

　　【이 명(銘)은 오로지 회화나무를 심은 것을 가지고 묘사하였으니, 바로 서문(序文)에서 미치지 않은 것이

　　다. 그렇지 않다면 또한 삼괴당에 간절하지 못하게 된다.】

표충관비 | 表忠觀碑

소식 蘇軾

• **작품개요**

이 작품은 작자가 짓고 쓴 '비기(碑記)'로, 구체적인 저작 시기는 분명하지 않다. 남송의 부조(傅藻)의 《동파기년록(東坡紀年錄)》에는 저작 시기를 기두(起頭)에 보이는 희령(熙寧) 10년(1077) 10월로 보았으나, 왕문고(王文誥)는 《소문충공시편주 집성총안(蘇文忠公詩編注集成總案)》에서 "〈희령 10년 10월〉은 바로 비(碑) 가운데 기재된 조변(趙抃)이 상언(上言)한 날짜이고 비문을 지은 날짜는 아니다. 《금석수편(金石粹編)》에 의거하면 '이 글이 원풍(元豐) 원년(1078) 8월에 쓰였다.' 하였으므로, 지금 여기에 덧붙여 기재하는 것이다.〔此乃碑中所載趙抃上言月日 非撰文年月日也 據金石粹編 書于元豐元年八月 今附載于此〕"라고 주기하였다.

북송 때 항주 지사(杭州知事) 조변(趙抃)이 오월왕(吳越王) 전류(錢鏐)가 후세에 공이 있는 것에 느낀 바가 있어서 조정에 아뢰어 옥황산(玉皇山)의 한 폐사(廢寺) 터에 표충관(表忠觀)이라는 건물을 세워 전씨(錢氏)의 네 왕인 무숙왕(武肅王) 전류(錢鏐), 문목왕(文穆王) 원관(元瓘), 충헌왕(忠獻王) 홍좌(弘佐), 충의왕(忠懿王) 홍숙(弘俶)을 제사 지낼 것을 청하여 신종(神宗) 원풍(元豐) 원년에 낙성하였다. 이 건물은 청대 이후에 전왕사(錢王祠)라고 불렸다.

오월국의 삼대 전씨 왕들은, 천하가 크게 혼란하여 백성들이 안심하고 생활할 수가 없었던 오대(五代) 시기에 병란을 일으키지 않고 백성들을 편안하게 살 수 있도록 하여 결국 송(宋)나라가 개국하자 송나라에 귀부하였다.

작품을 지은 의도는 오월국왕 전류와 그의 아들, 손자로 이어지는 '삼대사왕(三代四王)'들의 공덕을 잘 드러내어 사람들에게 나라에 대한 충성을 일깨워주려는 데에 있다. 특히 앞머리의 산문으로 이루어진 서문(序文)은 처음부터 끝까지 강직하고 올바른 말을 임금께 잘하기로 유명했던 송나라 초기 조변(趙抃)의 주언(奏言)으로 채우고 있는 것이 가장 두드러진 특징이다. 이는 당(唐)나라 유종원(柳宗元)이 〈수주안풍현 효문명(壽州安豐縣孝門銘)〉에서 그 앞의 서문을 모두 수주 자사(壽州刺史)의 주언으로 채웠던 수법을 응용한 것이다. 역시 운문인 명(銘)이 붙어 있는데, 앞부분에서 오월왕 전류가 출생한 지역의 산수(山水)의 뛰어남을 말하고 이러한 정기를 받아 이인(異人)이 태어났음을 설파함으로써 한 편의 서사시(敍事詩)를 연상케 한다. 참고로 비(碑)는 원풍(元豐) 원년(1078) 8월에 완성되었는데, 특히 비문의 필체는 소식의 뛰어난 서법 수준을 보여주는 명작이다.

篇題小註‥ 王荊公云 此作이 絶似西漢이라하니 坐客이 歎譽不已어늘 公笑曰 西漢誰人可擬오 楊德逢曰 王褒라하니 蓋易之也라 公曰 不可草草니라 德逢曰 司馬相如, 揚雄之流乎아 公曰 相如賦子虛, 大人泊喻蜀文, 封禪書爾요 雄所著太玄, 法言은 以準易, 論語하니 未見其敍事典瞻이 如此也니 直須與子長馳騁上下니라 坐客이 又從而贊之한대 公曰 畢竟似子長何語오 坐客이 竦然한대 公徐曰 漢興以來諸侯王年表也[80]니라

　왕형공(王荊公, 왕안석(王安石))이 "이 작품은 서한(西漢, 전한(前漢))의 글과 매우 흡사하다." 하자, 자리에 앉아있던 객이 감탄하고 칭찬해 마지않았다. 왕형공이 웃으며 "서한의 어느 누가 이에 비견할 만한가?" 하고 묻자, 양덕봉(楊德逢)은 "왕포(王褒)입니다." 하니, 이를 하찮게 여긴 것이었다. 왕형공이 "쉽게 말할 수 없다." 하자, 양덕봉이 "사마상여(司馬相如)와 양웅(揚雄)의 부류입니까?" 하니, 왕형공은 "사마상여는 〈자허부(子虛賦)〉와 〈대인부(大人賦)〉 및 〈유촉문(喻蜀文)〉과 〈봉선서(封禪書)〉를 지었을 뿐이요, 양웅이 지은 《태현경(太玄經)》과 《법언(法言)》은 《주역》과 《논어》를 준(準, 모방)한 것이니, 일을 서술함에 전아하고 풍부함이 이와 같음을 볼 수 없다. 모름지기 사마자장(司馬子長, 사마천)과 나란히 달려 앞서거니 뒷서거니 할 수 있다." 하였다. 자리에 있던 객이 또 따라서 칭찬하자, 왕형공이 "필경 사마자장의 어느 글과 유사한가?" 하니, 객은 송연해하였다. 이에 왕형공은 천천히 말하기를 《사기》의 〈한흥이래제후왕연표(漢興以來諸侯王年表)〉이다." 하였다.

80　王荊公云……漢興以來諸侯王年表也 : 이 내용은 본래 《반자진시화(潘子眞詩話)》에 보이는 것으로, 사방득(謝枋得)의 《문장궤법(文章軌範)》 권7 〈소심문(小心文)〉을 비롯하여 왕무(王楙)의 《야객총서(野客叢書)》 권6 〈형공독소문(荊公讀蘇文)〉, 호자(胡仔)의 《어은총화(漁隱叢話)》 전집(前集) 권38 〈동파(東坡)1〉 등에도 실려 있다.

○ 迂齋云 發明吳越之功與德에 全是以它國形容하여 比竝出來하여 方見朝廷坐收土地하여 不勞兵革하니 知它是全了多少生靈이라 說墳墓尤切하여 意在言外하니 文極典雅하니라

우재가 말하였다. "오월(吳越)의 공과 덕을 발명함에 오로지 타국(他國)을 가지고 형용하여 함께 나란히 놓고 비교해서 비로소 조정(국가)이 가만히 앉아 토지(영토)를 수취하여 병혁(兵革, 전쟁)을 수고롭게 하지 않았음을 볼 수 있으니, 저 오월왕이 수많은 생령(生靈, 백성)을 온전히 하였음을 알 수 있다. 분묘(墳墓)를 말한 부분은 더욱 간절하여 뜻이 말 밖에 있으니, 문장이 지극히 전아(典雅)하다."

○ 按碑序는 全作守臣趙抃奏疏하니 此蓋法柳文壽州安豐縣孝門銘[81]也라 其文起云 壽州刺史臣承思言하노이다 九月丁亥에 安豐縣令臣某 上所部編戶甿李興云云하오니 請表其門閭云云하고 觀示後祀하여 永永無極하소서 臣昧死上請하노이다 制曰可라하다 其銘曰云云이라 하니 觀此則知坡公非創爲之矣니라

살펴보건대 이 비문의 서(序)는 완전히 수신(守臣) 조변(趙抃)이 상주(上奏)한 글로 이루어졌으니, 이는 유자후(柳子厚)의 글에 〈수주 안풍현 효문명(壽州安豐縣孝門銘)〉을 본딴 것이다. 그 글의 기구(起句)에 "수주 자사(壽州刺史) 신(臣) 승사(承思)는 아룁니다. 9월 정해일에 안풍현령(安豐縣令) 신 모(某)가 올린 바에 의하면 부내(部內)의 편호(編戶)의 백성인 이흥(李興)이 …… 청하옵건대 그 문려(門閭)에 정표(旌表)하여 …… 후사(後祀, 후손)에 보여 주어서 영원히 무궁하게 하소서. 신은 죽을죄를 무릅쓰고 청합니다.'라고 하니, 제(制)에 '가하다.'라고 하였다. 그 명(銘)은 다음과 같다. '……'" 하였으니, 이것을 보면 파공(坡公, 동파)이 맨 처음 이러한 형식의 글을 지은 것이 아님을 알 수 있다.

• 原文

熙寧十年十月戊子에 資政殿大(太)學士右諫議大夫知杭州軍事臣抃[82]은 言하

---

81 壽州安豐縣孝門銘 : 이 글은 《유종원집(柳宗元集)》 권20에 보인다.

82 資政殿大學士右諫議大夫知杭州軍事臣抃 : 지항주군주사(知杭州軍州事)는 지항 주사(知杭州事)로 간략히 칭하기도 하는데, 지(知)는 지주사(知州事)를 뜻하고 군주사(軍事)는 경략안무사(經略按撫使)를 뜻하는바, 곧 지주 겸 경략안무사(知州兼經略按撫使)의 의미이다. 조변(趙抃, 1008~1084)은 자가 열도(閱道)이고 호가 지비자(知非子)이며 구주(衢州) 서안(西安, 지금의 절강성(浙江省) 구현(衢縣)) 사람이다. 인종(仁宗) 경우(景祐) 원년(1034)에 진사(進士)로 출사하

••• 碑 비석 비 抃 손뼉칠 변 編 엮을 편 甿 백성 맹

노이다【趙淸獻公抃, 字閱道.】故吳越國王錢氏[83]墳墓와 及其父祖妃夫人子孫之墳이 在錢塘者二十有六이요 在臨安者十有一이로되 皆蕪廢不治하니 父老過之에 有流涕者니이다【歷年多, 施澤亦多. 故感之者深爾.】謹按故武肅王鏐(류)가 始以鄕兵으로 破走黃巢하여 名聞江淮[84]하고 復以八(郡)[都][85]兵으로 討劉漢宏[86]하고 幷越州하여 以奉董昌[87]而自居於杭이러니 及昌以越叛에 則誅昌而幷越하여 盡有浙東西之地하여 傳

였으며 전중시어사(殿中侍御史), 참지정사(參知政事)에 제수되어 중앙에서 주로 활약하였으나, 왕안석(王安石)의 신법(新法)을 반대하다가 외직으로 나가 여러 주(州)의 지주사를 역임하였으며, 원풍(元豐) 2년(1079) 태자소보(太子少保)로 치사(致仕)하였다. 《송사(宋史)》에 전(傳)이 있다.

83 吳越國王錢氏: 전씨(錢氏)는 오대시대(五代時代) 10국(國) 가운데 하나인 오월국(吳越國)의 전류(錢鏐)와 그 자손들을 이르는데, 항주(杭州)에 도읍하였다. 오월국은 황제를 참칭하지 않고 왕이라 칭하며 중원의 통치자에게 조공을 바치고 신하의 예를 잃지 않아 전쟁의 화를 겪지 않았으며, 전당강(錢塘江)과 서호(西湖)의 치수에 힘을 쏟아 백성들을 부유하게 하였다. 건국의 시조는 전류(852~932)로 자가 구미(具美)이고 항주 임안(臨安) 사람이다. 젊은 시절에는 무뢰한(無賴漢)이었는데, 당(唐)나라 말기 향병(鄕兵)에 투신하여 황소(黃巢)의 난을 진압하는 데 공을 세워 항주 자사(杭州刺史)에 임명되었다. 당나라가 멸망하고 후량(後梁)이 서자, 태조(太祖 주전충(朱全忠))에 의해 오월왕에 봉해졌다. 후량이 망하고 이존욱(李存勗)의 후당(後唐)이 서자 입공하여 신하의 예를 갖추어 지위를 인정받았다.

84 謹按故武肅王鏐……名聞江淮: 무숙왕(武肅王)은 전류(錢鏐)의 시호이다. 이 내용은 《오대사(五代史)》〈오월세가(吳越世家)〉에 "당 희종(唐僖宗) 건부(乾符) 2년(875)에 절서(浙西)의 비장(裨將) 왕영(王郢)이 반란을 일으키자 석감진(石鑑鎭)의 장수 동창(董昌)이 향병(鄕兵)을 모아 이들을 토벌하였는데, 이때 전류가 편장(偏將)이 되어 왕영을 격파하였다. 황소(黃巢)의 무리 수천 명이 절동(浙東)을 공격하여 노략질하고 있었는데 이들이 임안(臨安)에 이르자, 전류가 이르기를 '지금 진(鎭)에 있는 병력은 적고 도적들의 병력은 많으니, 힘으로 지키기가 어렵다. 마땅히 기병(奇兵)을 내어 기습하여야 한다.'라고 하고, 정예병 20명을 이끌고 산간 계곡에 매복하였다. 황소군의 선봉이 험한 지형을 모두 단기(單騎)로 넘어오자, 전류가 매복해 있다가 쇠뇌를 쏘아 그 장수를 죽인 다음 정예병을 이끌고 적을 유린하여 수백 명의 목을 베었다. 전류는 '이 방법은 한 번만 쓸 수 있을 뿐이다. 만약 적의 대군이 이른다면 어찌 당해낼 수 있겠는가?'라고 하였다. 이에 군대를 이끌고 팔백리(八百里)로 달려가면서(팔백리는 지명이다.) 길가의 노파에게 '누가 우리의 행방을 묻거든 팔백리에 주둔해 있다고 말해줘라.'라고 하였는데, 뒤에 노파는 황소의 무리에게 그대로 말해주었다. 황소의 무리들은 노파의 말을 듣고는 팔백리가 지명임을 알지 못하고, 모두 말하기를 '지난번에 10여 명의 군대도 우리가 당해내지 못했는데, 하물며 800리에 걸쳐 주둔한 대군을 어쩌겠는가?'라고 하고, 마침내 군대를 이끌고 떠나갔다.〔乾符二年 浙西裨將王郢作亂 石鑑鎭將董昌 募鄕兵討賊 以鏐偏將 擊郢 破之 是時黃巢衆已數千 攻掠浙東 至臨安 鏐曰 今鎭兵少而賊兵多 難以力禦 宜出奇兵邀之 乃與勁卒二十人 伏山谷中 巢先鋒度險 皆單騎 鏐伏弩 射殺其將 巢兵亂 鏐引勁卒蹂 之 斬首數百級 鏐曰 此可一用爾 若大衆至 何可敵耶 乃引兵趨八百里 八百里地名也 告道旁媼曰 後有問者 告曰 臨安兵屯八百里矣 巢衆至 聞媼語 不知其地名 皆曰 嚮十餘卒不可敵 況八百里乎 遂急引兵過〕라고 보인다.

85 (郡)〔都〕: 저본에는 '군(郡)'으로 되어 있으나 《동파전집(東坡全集)》과 《당송팔가문초(唐宋八家文抄)》에 의거하여 '도(都)'로 바로잡았다.

86 劉漢宏: ?~886. 당(唐)나라 말기 무장(武將)으로 산동(山東) 연주(兗州) 사람이다. 희종(僖宗) 건부(乾符) 6년(879)에 도통(都統) 왕탁(王鐸)에게 투항하여 숙주 자사(宿州刺史)가 되고 황소(黃巢)의 난에 월주 관찰사(越州觀察使)가 되었다. 그후 항주 자사(杭州刺史) 동창(董昌)을 공격하였다가 전류(錢鏐)에게 대패하여 포로로 잡히고 참수되었다. 《五代史 吳越世家》

87 董昌: ?~896. 당(唐)나라 말기 무장으로 항주(杭州) 임안(臨安) 사람이다. 희종(僖宗) 건부(乾符) 2년(875)에 절서

··· 墳 무덤 분 塘 못 당 蕪 거칠 무 涕 눈물 체 鏐 금류 류 巢 새집 소 淮 회수 회 宏 클 굉
幷 아우를 병 董 성 동 浙 땅이름 절

其子文穆王元瓘하고 至其孫忠(獻)[顯]王仁佐[88]하여 遂破李景兵하여 取福州[89]하고 而仁佐之弟忠懿王俶이 又大出兵攻景하여 以迎周世宗之師러니 其後에 卒以國入覲하여 三世四王이 與五代로 相終始하나이다

희령(熙寧) 10년(1077) 10월 무자일(戊子日)에 자정전 태학사(資政殿太學士) 우간의 대부(右諫議大夫) 지항주군사(知杭州軍事)인 신(臣) 조변(趙抃)은 아룁니다.【청헌공(淸獻公) 조변(趙抃)은 자(字)가 열도(閱道)이다.】

고(故) 오월국왕(吳越國王) 전씨(錢氏)의 분묘(墳墓)와 그 아버지와 할아버지, 비(妃)와 부인, 자손의 분묘로서 전당(錢塘)에 있는 것이 26개소이고 임안(臨安)에 있는 것이 11개소인데, 모두 황폐한 채로 다스려지지 않으니, 부로(父老)들이 이곳을 지날 적에 눈물을 흘리는 자들이 있습니다.【지난 햇수가 많아서 은택을 베푼 것이 또한 많다. 그러므로 그에 대한 감동이 이처럼 깊은 것이다.】

삼가 살펴보건대, 고(故) 무숙왕(武肅王) 전류(錢鏐)가 맨 처음 지방의 병사들을 이끌고 황소(黃巢)를 패주시켜 명성이 강회(江淮) 지방에 알려졌으며, 다시 팔도병(八都兵)을 이끌고 유한굉(劉漢宏)을 토벌하고 월주(越州)를 겸병한 다음 동창(董昌)을 받들고 자신은 항주 자사(杭州刺史)가 되었는데, 동창이 월주를 가지고 반란을 일으키자, 동창을 참수하고 월주를 겸병하여 절동(浙東)과 절서(浙西)의 땅을 모두 소유하였습니다. 그 아들 문목왕(文穆王) 원관(元瓘)에게 전하고, 그 손자인 충현왕(忠顯王) 인좌(仁佐)에 이르러 마침내 이경(李景)의 군대를 격파하

(浙西)의 비장(裨將) 왕영(王郢)이 반란을 일으키자, 백성들을 모아 향병(鄉兵)을 거느리고 석감진(石鑑鎮)의 진장(鎮將)이 되어 왕영을 토벌하였다. 이후 전류(錢鏐)와 함께 황소(黃巢)의 반란군에 대항하여 항주를 점령하고 항주 자사가 되었으며, 월주 관찰사(越州觀察使) 유한굉(劉漢宏)을 토벌하여 월주를 병탄하고 항주 자사의 직위를 전류에게 넘겨주었다. 동창은 이후 당나라 조정에 조공하여 농서군왕(隴西郡王)에 봉해졌으나, 소종(昭宗) 건녕(乾寧) 2년(895) 자신을 월왕(越王)으로 봉해줄 것을 조정에 청하여 받아들여지지 않자, 반란을 일으켜 국호를 대월나평국(大越羅平國)이라 칭하고 칭제(稱帝)하였다. 그러나 전류에게 토벌되고 자살하였다.《五代史 吳越世家》

88 忠(獻)[顯]王仁佐: 저본에는 '헌(獻)'으로 되어 있으나《동파전집》과《당송팔가문초》에 의거하여 '현(顯)'으로 바로잡았으며, 대본과《당송팔가문초》에 모두 인좌(仁佐)로 표기되어 있으나《오대사(五代史)》등에는 초명이 홍좌(弘佐)이고 뒤에 좌(佐)로 개명한 것으로 되어 있는바, 이들 여러 형제가 초명은 모두 '홍(弘)' 자가 들었으나 뒤에는 모두 홍 자를 뺀 것으로 되어 있으며, '인(仁)' 자는 보이지 않는다.

89 破李景兵 取福州: 이경(李景, 916~961)은 오대시대 남당(南唐)의 두 번째 군주이다. 남당은 10국 가운데 하나인 오(吳)나라를 이변(李昇)이 찬탈하여 세운 국가로 수도는 금릉(金陵 남경(南京))이었다. 이경은 945년 혼란에 빠진 민(閩)나라를 공격하여 멸망시켰으나 오월(吳越)의 충현왕(忠顯王) 전홍좌(錢弘佐)에게 패하여 복주(福州)를 내주었다. 복주는 옛 민월왕국(閩越王國)의 땅에 설치된 주(州)의 이름으로 지금의 복건성(福建省) 복주시(福州市)이다.

瓘 옥 관　俶 비로소 숙

여 복주(福州)를 점령하였으며, 인좌의 아우 충의왕(忠懿王) 숙(俶)이 또 크게 군대를 내어 이경(李景)을 공격하고는 후주(後周) 세종(世宗)의 군대를 맞이하였는데, 그 후 끝내 나라를 바치고 송(宋)나라에 들어와 조회하여 3대의 네 왕이 오대(五代)와 서로 시종을 같이하였습니다.

天下大亂에 豪傑蜂起라 方是時에 以數州之地로 盜名字者를 不可勝數[90]러니 旣覆其族하고 延及于無辜之民하여【以彼形此.】 罔有孑(혈)遺어늘 而吳越은 地方千里요 帶甲十萬이요 鑄山煮海하고 象犀珠玉之富가 甲于天下라 然이나 終不失臣節하여 貢獻이 相望於道[91]라 是以로 其民이 至於老死히 不識兵革하고 四時嬉遊하여 歌鼓之聲이 相聞하여 至于今不廢하니 其有德於斯民이 甚厚하니이다【與後有功於朝廷句, 立兩柱.】

천하가 크게 혼란하자 호걸들이 봉기하니, 이때에 몇 주(州)의 땅을 가지고 제왕(帝王)이라는 이름을 도둑질한 자들을 이루 셀 수 없었습니다. 그들은 이미 그 집안을 전복시키고 화가 죄 없는 백성들에게까지 미쳐【저것을 가지고 이것을 형용하였다.】 살아남은 자가 없었는데, 오월(吳越)은 지방이 천 리나 되고 무장한 군사가 10만이나 되며, 산에서 구리를 주조하고 바다에서 소금을 구웠으며 코끼리와 무소, 주옥의 풍부함이 천하에 으뜸이었습니다. 그러나 끝내 신하의 예절을 잃지 않아서 공물을 바치는 행렬이 길에 이어졌습니다. 이 때문에 그 백성은 늙어 죽을 때까지 병혁(兵革, 변란)을 알지 못하고 사시(四時)에 즐겁게 놀아 노래하고 북 치는 소리가 서로 들려 지금까지 그치지 않고 있는바, 그 백성에게 베푼 은덕이 매우 두텁습니다.【뒤의 '조정에 공이 있었다〔有功於朝廷〕'는 구와 함께 두 기둥으로 세웠다.】

皇宋受命에 四方僭亂이 以次削平[92]이나 西蜀, 江南은 負其險遠하여 兵至城下하여

90　方是時……不可勝數: 오대십국시대(五代十國時代)는 혼란기로, 정통을 이은 다섯 국가 외에도 작은 규모의 국가가 난립하였는데, 이들 가운데 일부는 황제를 칭하였으므로 이렇게 말한 것이다. 이무정(李茂貞)은 봉상(鳳翔) 일대를 차지하고 국호를 진(秦)이라 하였고, 양행밀(楊行密)은 회남(淮南)을 차지하고 국호를 오(吳)라 하였고, 왕심지(王審知)는 복건(福建)을 차지하고 국호를 민(閩)이라 하였고, 왕연정(王延政)은 건주(建州)를 차지하고 국호를 은(殷)이라 하였고, 유수광(劉守光)은 유주(幽州)를 차지하고 국호를 연(燕)이라 한 따위이다.

91　終不失臣節 貢獻相望於道: 전씨(錢氏)는 무숙왕(武肅王) 전류(錢鏐)가 후량(後梁)의 주전충(朱全忠, 태조(太祖))에 의해 오월국왕(吳越國王)에 봉해진 이래, 항상 중원을 차지한 국가들에게 스스로 신하를 칭하고 사신을 보내 후한 공물을 바쳤다. 그러므로 이렇게 말한 것이다. 공헌(貢獻)은 황제에게 바치는 물품을 이른다.

92　四方僭亂 以次削平: 후주(後周)의 공제(恭帝)에게서 선양을 받아 송(宋)나라를 건국한 태조(太祖, 조광윤(趙匡胤))는 바로 천하통일에 착수하였는데, 건륭(建隆) 원년(960)에 반란을 일으킨 소의 절도사(昭義節度使) 이균(李筠)을 친정

··· 蜂 벌떼 봉 覆 뒤엎을 복 辜 허물 고 孑 반쪽 혈 鑄 주조할 주 煮 끓일 자 犀 물소 서
　　 甲 으뜸 갑 嬉 즐거울 희 僭 참람할 참 削 깎을 삭

力屈勢窮然後束手⁹³하고 而河東劉氏는 百戰守死하여 以抗王師하여 積骸爲城하고 醴(시)血爲池하여 竭天下之力하여 僅乃克之⁹⁴어늘 獨吳越은 不待告命하고 封府庫, 籍郡縣하여 請吏于朝하여 視去其國을 如去傳舍하니 其有功於朝廷이 甚大하니이다

황송(皇宋)이 천명을 받아 건국되자 사방에서 참람하게 난을 일으킨 자들이 차례로 평정되었는데, 서촉(西蜀, 맹창(孟昶))과 강남(江南, 이욱(李煜))은 지역이 험하고 거리가 먼 것을 믿고는 군대가 그들의 성 밑에 이르러 힘이 다하고 세가 궁한 뒤에야 손을 묶고 항복하였으며, 하동(河東)의 유씨(劉氏, 유계원(劉繼元))는 많은 전쟁에 죽음을 마다않고 왕사(王師)에 항거해서, 해골이 쌓여 성이 되고 피가 흘러 못이 되어서 천하의 힘을 다하고서야 겨우 이겼습니다.

그런데 홀로 오월은 명령을 기다리지 않고서 부고(府庫)를 봉함하고 군현(郡縣)의 인민을 장부에 적어서 조정에 관리를 청하여, 그 나라를 버리기를 전사(傳舍, 여관방)를 떠나듯이 여겼으니, 조정에 세운 공이 매우 큽니다.

昔에 竇融이 以河西歸漢한대 光武詔右扶風하여 修理其父祖墳塋하고 祠以大(太)牢⁹⁵하니【用事切當.】今錢氏功德이 殆過於融이어늘 而未及百年에 墳墓不治하여 行道

(親征)하여 평정하였고, 건륭 4년(963)에는 형남(荊南)을 공격하여 고계충(高繼冲)의 형주(荊州) 일대를 평정하였으며, 개보(開寶) 4년(971)에는 장군 반미(潘美)로 하여금 광주(廣州)를 공격하게 하여 유창(劉鋹)의 남한(南漢)을 멸망시키고 광동(廣東) 일대를 평정하였다.

93 西蜀, 江南……力屈勢窮然後束手: 태조(太祖) 건덕(乾德) 2년(964)에 왕전빈(王全斌)에게 명하여 촉(蜀)나라를 정벌하게 해서 맹창(孟昶)의 사천(四川) 일대를 평정하였으며, 개보(開寶) 7년(974)에 조빈(曹彬)과 반미(潘美)에게 명하여 강남(江南) 일대를 정벌하게 해서 이욱(李煜)을 사로잡고 강남 일대를 평정하였는데, 이들은 모두 강력하게 저항하였으므로 이렇게 말한 것이다.

94 河東劉氏……僅乃克之: 하동(河東)의 유씨(劉氏)는 오대시대(五代時代) 10국 가운데 하나인 북한(北漢)으로 유숭(劉崇)이 태원(太原) 일대를 거점으로 건국한 나라이다. 태조(太祖) 개보(開寶) 2년(969)에 북한을 정벌하기 위해 태조가 직접 이계훈(李繼勛), 조빈(曹彬) 등의 장수들을 거느리고 친정(親征)하였으나 끝내 이기지 못하고 철군하였으며, 태평흥국(太平興國) 3년(978)에 태종(太宗)이 온 국력을 기울여 직접 정벌하고서야 비로소 북한의 군주 유계원(劉繼元)의 항복을 받아 태원(太原) 일대를 평정할 수 있었다.

95 竇融……祠以大(太)牢: 두융(竇融, B.C.16~62)은 후한(後漢) 초기의 무장(武將)으로 자가 주공(周公)이며 평릉(平陵) 사람이다. 집안 대대로 하서(河西) 지방에서 벼슬하였는데, 왕망(王莽) 때에 하서(河西)를 점거하고 오군 대장군(五郡大將軍)이라고 칭하면서 독자적인 세력을 형성하였다. 후한의 광무제(光武帝)가 천수(天水)를 점거하고 있던 외효(隗囂)와 익주(益州)를 차지하고 있던 공손술(公孫述)과 대치하고 있었는데, 두융이 하서를 가지고 광무제에게 귀순함으로써 결정적으로 세력의 균형이 깨져 광무제가 천하를 통일할 수 있었다. 두융은 이에 양주 목(涼州牧)에 제수되었으며 계속하여 광무제의 돈독한 신임을 받아 후한의 명문이 되어, 후손들이 여러 명 열후(列侯)에 봉해졌다. 태뢰(太牢)는 소와 돼지와

··· 骸 뼈 해 醴 흐를리 僅 겨우 근 傳 전할 전 竇 구멍 두 塋 무덤 영 牢 희생 뢰

傷嗟하니 甚非所以勸獎功臣, 慰答民心之義也니이다【只輕說兩三句便.】

옛날에 두융(竇融)이 하서(河西) 지방을 가지고 한(漢)나라로 귀순하자, 광무제(光武帝)는 우부풍(右扶風)에게 조령을 내려 그 부조(父祖)의 분묘를 수리하게 하고 태뢰(太牢)로 제사하게 하였습니다.【고사를 인용함이 매우 합당하다.】 이제 전씨의 공덕은 두융보다 더한데도 백 년이 되기 전에 분묘가 다스려지지 않아서 길가는 사람들이 서글퍼하고 한숨 쉬고 있으니, 심히 공신(功臣)을 권장하며 민심(民心)을 위로하고 보답하는 의리가 아닙니다.【다만 두 세 구를 가볍게 말하여 편하다.】

臣은 願以龍山廢佛寺曰妙因院者로 爲觀하고 使錢氏之孫爲道士曰自然者로 居之하여 凡墳墓之在錢塘者는 以付自然하고 其在臨安者는 以付其縣之淨土寺僧曰道微하고 歲各度⁹⁶其徒一人하여 使世掌之하고 籍其地之所入하여 以時修其祠宇하며 封植(殖)其草木호되 有不治者어든 縣令, 丞이 察之하여【西漢語.】 甚者는 易其人이면 庶幾永終不墜하여 以稱朝廷待錢氏之意리이다 臣拤은 昧死以聞하노이다 制曰可라하고 其妙因院을 改賜名曰表忠觀이라하니라

신은 원컨대, 용산(龍山)의 폐지된 불사(佛寺) 중에 묘인원(妙因院)이라는 절을 도관(道觀)으로 삼고, 전씨의 후손 중에 도사(道士)가 된 자연(自然)이라는 자로 하여금 이곳에 거주하게 하여 모든 분묘 중에 전당에 있는 것은 자연에게 맡기며, 임안에 있는 것은 임안현의 정토사(淨土寺)에 있는 승려인 도미(道微)에게 맡기고, 해마다 각각 승려 한 사람을 도첩(度牒)하여 대대로 관장하게 하소서. 그리고 그 토지의 수입을 기록하여 때때로 사우(祠宇)를 보수하며 초목을 봉식(封殖)하도록(가꾸도록) 하되 다스리지 않는 자가 있으면 현령과 승(丞)이 살펴서【서한(西漢)의 말이다.】 심한 경우 사람을 바꾸도록 한다면 아마도 영원히 실추하지 않아서 조정에서 전씨를 대하는 뜻에 걸맞게 될 것입니다. 신 조변은 죽을죄를 무릅쓰고 아룁니다.

제(制)에 "가하다."고 하시고, 묘인원을 고쳐 표충관(表忠觀)이라는 이름을 하사하였다.

양을 각 1마리씩 올리는 성대한 제수이다.

96 度 : '도(度)'는 도첩(度牒)으로 승려(僧侶)나 도사(道士)들에게 내려주는 첩(牒)인바, 이것을 받으면 모든 조세(租稅)와 부역을 면제받게 된다.

銘曰 天目之山에 菩水出焉⁹⁷하니【天目·菩水, 皆杭州之山水, 要說篤生, 故從頭說來.】龍飛鳳舞하여 萃于臨安이라 篤生異人하여 絶類離群하니 奮挺大呼에 從者如雲이라 仰天誓江하니 月星晦蒙이요【語壯.】强弩射潮⁹⁸하니 江海爲東이라【實事.】殺宏誅昌하여 奄有吳越하니 金券玉册이요 虎符龍節⁹⁹이라 大城其居하여 包絡山川¹⁰⁰하니 左江右湖하여 控引島蠻이라 歲時歸休하여 以燕父老하니 曄(엽)如神人이 玉帶毬馬¹⁰¹라 四十一年을 寅畏小心하여 厥篚相望하니 大貝南金¹⁰²이라 五朝昏亂하여 罔堪託國일새 三王相承하여 以待有德이러니【最佳, 見錢氏不歸五代而歸宋之意.】旣獲所歸하니 弗謀弗咨하고 先王之志를 我維行之라 天祚忠(厚)[孝]¹⁰³하여 世有爵邑하니 允文允武하고 子孫千億이라 帝謂守臣하사되【歸恩於上.】治其祠墳하여 毋俾樵牧하여 愧其後昆하라 龍山

---

97 天目之山 菩水出焉: 천목산은 지금의 절강성(浙江省) 임안현(臨安縣)에 있다. 동천목(東天目)과 서천목(西天目)의 두 봉우리가 있는데, 정상에 각각 못이 있어 마치 한 쌍의 눈과 같다고 하여 천목이라 불린다. 초수(菩水)는 초계(菩溪)로도 불리는데, 천목산의 동쪽에서 발원한 동계(東溪)와 서쪽에서 발원한 서계(西溪)가 합류해서 소매(小梅)를 경유하여 태호(太湖)로 들어간다.

98 仰天誓江……强弩射潮: 전류(錢鏐)는 일찍이 유한굉(劉漢宏)의 침공군을 막기 위하여 병력을 이끌고 은밀히 강을 건너려 하였으나 달빛이 너무 밝아 실행하지 못하였는데, 하늘을 우러러 맹세하자 갑자기 운무(雲霧)가 일어나 사방이 캄캄해져 무사히 강을 건넜으며, 항주(杭州)의 나찰석(羅刹石)에 거센 조수(潮水)가 물결쳐 폐해가 막심하였는데, 강한 쇠뇌로 조수를 향해 쏘니, 조수가 물러가 나찰석은 육지가 되었다 한다.

99 金券玉册 虎符龍節: '금권옥책(金券玉册)'은 금서철권(金書鐵卷)과 같은 말로 제왕이 공신(功臣)들에게 나누어주던 계권(契券)인데, 철판에 서사(誓詞)를 쓰고 금으로 입혔기 때문에 이렇게 부른 것이다. 한 고조(漢高祖)가 천하를 통일한 뒤에 공신들을 봉작(封爵)하면서 처음으로 금서철권을 내렸는데, 여기에 "황하(黃河)가 띠처럼 가늘어지고 태산이 숫돌처럼 닳는다 하더라도 나라가 영원히 보존되어, 후손에게 대대로 영화가 미치게 하리라.〔使黃河如帶 泰山若礪 國以永存 爰及苗裔〕"라고 서사를 썼다. 《史記 高祖功臣侯者年表》 '호부(虎符)'는 군대를 동원하는 병부(兵符)를 이른다. 구리로 범의 모양을 조각한 둥근 패를 주조한 다음 뒷면에 명문을 새겼는데, 반으로 나누어 오른쪽 반은 조정에서 보관하고, 왼쪽 반은 군대의 장수나 지방 장관에게 주어 군대를 동원할 적에 사자(使者)에게 이것을 보여주어 신물(信物)로 삼았다. '용절(龍節)'은 일반적으로는 황제의 사신이 가지고 가는 신물로 용을 그려 넣은 부절을 이른다.

100 大城其居 包絡山川: 나성(羅城)을 새로 쌓은 것을 이른다. 전류(錢鏐)는 당시 회남 절도사(淮南節度使)였던 양행밀(楊行密)과 소주(蘇州)를 두고 대치하였는데, 이들을 막기 위해 진망산(秦望山)에서부터 전당강(錢塘江)에 이르는 70여 리의 성을 새로 쌓았다. 《十國春秋》

101 玉帶毬馬: 이와 관련된 내용은 《십국춘추(十國春秋)》〈오월(吳越)〉에 "후량(後梁)의 태조(太祖)가 일찍이 오월국에서 진주한 사신에게 '전류(錢鏐)가 평소 좋아하는 것이 있는가?'라고 물으니, 사신이 '옥대(玉帶)와 명마(名馬)를 좋아합니다.'라고 대답하였다. 그러자 태조가 웃으면서 '진실로 영웅이로다.' 하고, 옥대 한 갑(匣)과 격구용 어마(御馬) 열 필을 하사하였다.〔太祖嘗問吳越進奏吏曰 錢鏐平生有所好乎 吏曰 好玉帶名馬 太祖笑曰 眞英雄也 乃以玉帶一匣 打毬御馬十匹賜之〕"라고 보인다.

102 大貝南金: '대패(大貝)'는 차거(車渠)로 큰 조개의 일종인바, 크기가 수레바퀴와 같다고 한다. '남금(南金)'은 형주(荊州)와 양주(揚州)에서 생산되는 동(銅)이다.

103 (厚)[孝]: 저본에는 '후(厚)'로 되어 있으나 《당송팔가문초》에 의거하여 '효(孝)'로 바로잡았다.

萃 모일 췌 挺 빼낼 정 晦 어둘 회 絡 이을 락 控 당길 공 曄 빛날 엽 毬 공 구
篚 광주리 비 堪 견딜 감 祚 복 조 允 진실로 윤 俾 하여금 비 樵 나무할 초 歸 우뚝설 귀
匣 아닐 비

之陽에 巋然新宮하니 匪私于錢이라 惟以勸忠이니라【切於觀名.】 非忠無君이요 非孝無親이니 凡百有位는 視此刻文하라

명(銘)의 내용은 다음과 같다   銘曰

천목산(天目山)에서   天目之山
초수(莒水)가 발원하니   莒水出焉

　　【천목산(天目山)과 초수(莒水)는 모두 항주(杭州)의 산과 물이니, 산천의 정기가 훌륭한 사람을 탄생시
　　킨 것을 말하려 하였으므로 시작부터 말해낸 것이다.】

〈산세가〉 용(龍)이 나는 듯 봉(鳳)이 춤추는 듯하여   龍飛鳳舞
임안에 모였네   萃于臨安
정기가 모여 이인을 탄생하니   篤生異人
보통사람보다 뛰어나고 무리에서 빼어났네   絶類離群
몸을 떨치고 일어나 크게 고함침에   奮挺大呼
따르는 자가 구름처럼 많았네   從者如雲
하늘을 우러러 강물에 맹세하니   仰天誓江
달과 별이 어두워졌고   月星晦蒙

　　【말이 웅장하다.】

강한 쇠뇌로 조수(潮水)를 쏘니   强弩射潮
강해(江海)가 동쪽으로 흘러갔네   江海爲東

　　【실제의 일이다.】

유한굉을 죽이고 동창을 참수하여   殺宏誅昌
곧바로 오월 지방을 소유하니   奄有吳越
금권(金券)과 옥책(玉册)이요   金券玉册
호부(虎符)와 용절(龍節)이었네   虎符龍節
거처하는 곳에 크게 축성하여   大城其居
산천을 에워싸니   包絡山川
왼쪽에는 전당강(錢塘江), 오른쪽에는 서호(西湖)가 있어   左江右湖
섬의 오랑캐들을 견제하였네   控引島蠻

세시(歲時)에 돌아와 쉬며	歲時歸休
부로들에게 잔치 베푸니	以燕父老
마치 신인(神人)처럼 빛나는 분이	曄如神人
옥띠를 차고 격구(擊毬)하는 말을 탔네	玉帶毬馬
사십일 년 동안	四十一年
공경하고 두려워하고 조심하여	寅畏小心
광주리에 공물이 끊임없이 이어지니	厥篚相望
대패(大貝)와 남금(南金)이었네	大貝南金
오대(五代)의 조정이 혼란하여	五朝昏亂
나라를 맡길 수가 없기에	罔堪託國
삼대에 걸쳐 왕들이 계승하여	三王相承
후덕한 분 기다렸는데	以待有德

【이 부분이 가장 아름다우니, 전씨(錢氏)가 오대(五代)에 귀의하지 않고 송(宋)나라에 귀의한 뜻을 나타내었다.】

이미 돌아갈 곳 얻으니	旣獲所歸
모의하지 않고 묻지 않고	弗謀弗咨
선왕의 뜻	先王之志
자신이 행하였네	我維行之
하늘이 충효(忠孝)한 분 도와	天祚忠孝
대대로 관작(官爵)과 읍(邑)을 소유하게 하니	世有爵邑
진실로 문(文)·무(武)를 겸하여	允文允武
자손들이 천억이나 되었네	子孫千億
황제는 이 지역을 지키는 신하에게 이르시되	帝謂守臣

【상(上)에게 은혜를 돌렸다.】

그의 사당과 분묘를 다스려	治其祠墳
나무를 하거나 가축을 먹여	毋俾樵牧
후손들에게 부끄럽지 않게 하라 하셨네	愧其後昆
용산(龍山)의 남쪽에	龍山之陽
새 사당 우뚝 솟으니	巋然新宮

전씨에게 사사로이 한 것이 아니라   匪私于錢

오직 충성을 권장하려고 해서이네   惟以勸忠

【표충관(表忠觀)의 이름에 부합한다.】

충(忠)이 아니면 군주가 없고   非忠無君

효(孝)가 아니면 어버이가 없으니   非孝無親

모든 지위에 있는 자들은   凡百有位

이 명문을 볼지어다   視此刻文

능허대기凌虛臺記

소식蘇軾

• 작품개요

　　이 작품은 봉상부(鳳翔府) 태수 진희량(陳希亮)의 능허대(凌虛臺)를 두고 지은 글이다. 왕문고(王文誥)의 《소문충공시편주집성 총안(蘇文忠公詩編注集成總案)》4권에 "가우(嘉祐) 8년(1063) 4월에 태수 진희량이 채원(菜園) 뒤에 능허대(凌虛臺)를 세우고 남산(南山)을 조망하였는데, 동파공(東坡公)에게 기문(記文)을 쓰게 하니, 공이 이를 인하여 풍자하였다."라고 한 내용이 보인다. 작자는 이때 28세의 젊은 나이로 진희량의 밑에서 첨서 판관사(簽書判官事)라는 벼슬을 하고 있었다.

　　'능허(凌虛)'는 하늘을 오른다는 뜻이다. 가우 8년 정월에 작자를 몹시 아끼던 태수 송선(宋選)이 물러나고 진희량이 부임하였는데, 진희량은 성격이 강직하여 자유분방한 작자와 여러 번 충돌이 있었다. 이 때문에 작자가 이 작품을 지으면서 은근히 태수 진희량을 풍자한 것인데, 뒤에 진희량의 진심을 알고 후회하였다고 한다. 낭엽(郎曄)의 《경진동파문집사략(經進東坡文集事略)》48권의 주(注)에 근거하면 작자가 이 작품을 지어 올리자, 진희량은 "내가 소명윤(蘇明允, 소순(蘇洵)) 보기를 아들처럼 여기고 소식(蘇軾)을 손자처럼 여긴다. 그런데 내 평일에 말소리와 얼굴빛을 너그럽게 하지 않은 까닭은, 젊은 나이에 갑자기 큰 이름을 얻으니 자만하여 감당하지 못할까 두려워해서였다. 내 이제 즐겁지 않겠는가?"라고 하고는 한 글자도 바꾸지 않고 빨리 비석에 새기라고 명하였다고 한다.

　　작자는 능허대의 승경(勝景)에 관해서는 거의 생략하고 사람이 만든 물건은 영원할 수 없는 것임을 강조하고 훌륭한 덕행이나 아름다운 문장만이 영원히 전해질 수 있음을 피력하였다. 물건이나 사람들의 일보다는 영원한 것이 있다고 하였는데, 그것은 학문이나 덕행 같은 것임을 암시한다.

　　능허대 축조 과정을 서술하며 옛날부터 지금까지 흥망과 성패의 역사를 연계시켜 인사와 만물의 변화무상함을 감탄하고, '조금이라도 얻은 바가 있으면 곧 세상에 과시하고 스스로 만족하려고 해서는 안 되고 진정으로 영구히 의지할 수 있는 것을 찾아야 함을 지적하였다.

篇題小註·· 陳希亮은 字公弼이니 剛正人也라 嘉祐中에 知鳳翔府러니 東坡初擢制科하여 簽書判官事한대 吏呼蘇賢良이어늘 公怒曰 府判官이 何賢良也오하고 杖其吏不顧하다 坡作齋醮祈禱文에 公弼이 必塗墨改定하여 數(삭)往返이러니 至爲公弼作凌虛臺記하여는 公弼이 覽之하고 笑曰 吾視蘇明允을 猶子也요 軾을 猶孫也로되 平日에 不以辭色假之者는 以其年少에 暴得大名하니 懼夫滿而不勝也러니 乃不吾樂耶아하고 不易一字하고 亟命刻之石하니라

진희량(陳希亮)은 자가 공필(公弼)이니, 강직하고 바른 사람이다. 가우(嘉祐) 연간에 봉상부(鳳翔府)를 맡았는데, 동파가 처음 제과(制科)에 급제하여 첨서 판관(簽書判官)이 되었다. 이에 아전들이 동파를 소현량(蘇賢良)이라고 높여 부르자, 진공(陳公)은 노하여 말하기를 "부(府)의 판관이 무슨 현량(賢良)인가?" 하고는 그 아전을 곤장치고 돌아보지 않았다. 동파가 〈재초기도문(齋醮祈禱文)〉을 지었을 적에 공필은 반드시 먹칠하여 고쳐서 여러 차례 오고 갔는데, 동파가 공필을 위하여 〈능허대기〉를 짓자, 공필이 이를 보고 웃으며 말하기를 "내 소명윤(蘇明允, 소순) 보기를 아들처럼 여기고 소식을 손자처럼 여긴다. 그런데 내 평소에 소식에게 말과 얼굴빛을 너그럽게 하지 않은 까닭은, 젊은 나이에 갑자기 큰 명성을 얻으니 자만(自滿)하여 감당하지 못할까 두려워해서였다. 내 이제 즐겁지 않겠는가?" 하고는 한 글자도 바꾸지 않고 급히 비석에 새기라고 명하였다.

○ 嘉祐八年癸卯는 坡時年二十八이라 作此記하니 起句는 突然하여 似乎無頭요 自起以下는 節節奇妙하니 登臺而望其東以下는 乃法習鑿齒與其弟書라 坡又作超然臺記하니 其中一段이 亦用此格調요 後又有法之者하니 汪彦章月觀記是也니 今皆附見(현)于後하노라 坡所以諷切陳公者深矣니 世有足恃者는 立德, 立功, 立言三不朽之謂乎인저 今臺必爲荒草野田이로되 而反賴坡之文章하여 以千載不朽하니 則所謂足恃者 豈不信然哉아

가우(嘉祐) 8년 계묘(1063)는 동파의 나이가 28세인 해였는데, 이때 이 기문을 지었다. 기구(起句)는 갑작스러워 기두(起頭)가 없는 듯하고, 그 이하는 구절마다 기묘하다. "누대에 올라 그 동쪽을 바라본다."의 이하는 바로 습착치(習鑿齒)가 그 아우에게 준 편지를 본딴 것이다. 동파는 또 〈초연대기(超然臺記)〉를 지었는데 이 가운데 한 단락 또한 이 격조(格調)를 사용하였고, 뒤에 또 이것을 본딴

것이 있으니 왕언장(汪彦章)의 〈월관기(月觀記)〉가 이것인바, 이제 모두 이 글 뒤에 붙인다.

　동파가 진공을 풍절(諷切, 풍간(諷諫))한 것이 깊으니, '세상에 믿을 만한 것이 있다.'라고 한 것은 입덕(立德)·입공(立功)·입언(立言)의 세 가지 불후(不朽)를 말함일 것이다. 이제 능허대는 반드시 황폐해져 잡초가 우거진 들판이 될 터인데, 도리어 동파의 문장에 힘입어 천 년 동안 불후로 남았으니, 이른바 '믿을 만하다.'는 것이 어찌 사실이 아니겠는가.

• 原文

　臺於南山之下[104]하니 宜若起居飲食이 與山接也라 四方之山이 莫高於終南이요 而都邑之最麗者 莫近於扶風이라 以至近으로 求最高면 其勢必得이어늘 而太守之居에 未嘗知有山焉하니 雖非事之所以損益이나 而物理有不當然者하니 此凌虛之所爲築也라

　남산(南山)의 아래에 대(臺)를 지으니, 마치 일어나고 앉고 마시고 먹을 때마다 산과 접할 듯하다. 사방의 산 중에 종남산(終南山)보다 더 높은 것이 없고, 도읍 중에 가장 화려한 것은 부풍(扶風, 봉상)보다 더 가까운 것이 없으니, 지극히 가까운 곳에서 가장 높은 산을 찾으면 그 형세가 반드시 얻을 수 있어야 할 터인데, 태수(太守)가 거처함에 일찍이 산이 있는지를 알지 못하였다. 이는 비록 일에 영향을 주는 것은 아니나 사물의 이치에 당연하지 않은 점이 있으니, 이것이 능허대(凌虛臺)를 쌓은 이유이다.

　方其未築也에 太守陳公이 杖屨(구)逍遙於其下라가 見山之出於林木之上者 纍纍然如人之旅行於墻外而見其髻(계)也하고 曰是必有異라하고 使工鑿其前하여 爲方池하고 以其土築臺하여 出於屋之簷而止하니 然後에 人之至於其上者 怳然不知臺之高하고 而以爲山之踊躍奮迅而出也러라 公曰 是宜名凌虛라하고 以告其從事蘇軾而俾爲之記하니라

104　臺於南山之下: '남산(南山)'은 종남산(終南山)으로 진령산맥(秦嶺山脈)의 동쪽에 있는데, 장안(長安, 지금의 섬서성(陝西省) 서안(西安))의 남쪽에 있다 하여 남산으로도 불린다.

••• 築 쌓을 축　杖 지팡이 장　屨 신 구　纍 연달 루　墻 담 장　髻 상투 계　怳 황홀할 황
迅 빠를 신

능허대를 쌓기 전에 태수(太守) 진공(陳公, 진희량(陳希亮))이 그 아래에서 지팡이를 짚고 신을 신고서 소요하다가 산이 나무 숲 위로 우뚝하게 나온 것이 올망졸망하여 마치 사람들이 담 밖을 지나갈 적에 그 상투가 보이는 것과 같음을 보시고는 '여기에는 반드시 기이한 볼거리가 있을 것이다' 하고 공인(工人)들로 하여금 그 앞을 파서 네모진 못을 만들고 여기에서 나온 흙을 가지고 대(臺)를 쌓아 〈대의 높이가〉 지붕의 처마를 솟아나오게 하고 그쳤다. 이렇게 한 뒤에는 이 대 위에 오르는 자들이 어리둥절하여 그 대가 높아진 것은 알지 못하고, 산이 솟구쳐 달려 나왔다고 여기게 되었다. 공(公)은 "이것은 마땅히 능허대(凌虛臺)라고 이름하여야 한다."라고 말씀하시고, 종사관(從事官)인 나에게 말하여 기문(記文)을 짓게 하였다.

軾이 復於公曰 物之廢興成毀를 不可得而知也라 昔者에 荒草野田이 霜露之所蒙翳요 狐虺(호훼)之所竄伏이니 方是時에 豈知有凌虛臺耶잇가 廢興成毀가 相尋於無窮하니 則臺之復爲荒草野田을 皆不可知也니이다

나는 공(公)에게 다음과 같이 아뢰었다.

"물건이 폐하고 흥하며 이루어지고 망가짐을 알 수가 없습니다. 옛날에는 황폐한 풀과 들밭이 서리와 이슬에 뒤덮여 있고 여우와 뱀이 숨어 있던 곳이었으니, 이때에 어찌 여기에 능허대가 있을 줄을 알았겠습니까? 폐하고 흥하며 이루어지고 망가짐이 서로 무궁한 세대에 이어지니, 이 대가 다시 황폐한 풀과 들밭이 될지 모두 알 수 없습니다.

嘗試與公으로 登臺而望하니 其東則秦穆公之祈年, 槖泉[105]也요 其南則漢武之長楊, 五柞[106]이요 而其北則隋之仁壽와 唐之九成[107]也라 計其一時之盛하면 宏傑詭

---

105 秦穆公之祈年槖泉: 진 목공(秦穆公, ?~B.C.621)은 성이 영(嬴)이고 이름이 임호(任好)인데 형인 성공(成公)을 이어 즉위하였다. 진나라를 강성하게 하여 중원의 강대국들과 어깨를 나란히 하여, 흔히 춘추시대(春秋時代) 오패(五霸)의 하나로 꼽힌다. '기년(祈年)'과 '탁천(槖泉)'은 모두 진나라 궁궐의 이름인데, 《한서(漢書)》〈지리지(地理志)〉에 의하면 탁천궁은 효공(孝公 B.C.362~B.C.338) 때에, 기년궁은 혜공(惠公 B.C.400~B.C.387) 때에 축조되었다고 한다.

106 漢武之長楊五柞: 한무는 한 무제(漢武帝) 유철(劉徹, B.C.156~B.C.87)인데 경제(景帝)의 11번째 아들로 즉위하고 사방을 정벌하여 한나라의 영토를 가장 크게 넓혔으며, 《사기》와 《한서》에 본기(本紀)가 있다. '장양'과 '오작'은 모두 궁궐의 이름으로 지금의 섬서성(陝西省) 주지현(盩厔縣)에 있었는데, 진(秦)나라 때에 축조된 궁궐로 무제(武帝)가 이궁(離宮)으로 사용하였다.

107 隋之仁壽 唐之九成: '인수(仁壽)'는 궁궐 이름으로 수(隋)나라 재상 양소(楊素)가 문제(文帝)를 위하여 축조하였다고 한다. 양소는 자가 처도(處道)이며 홍농(弘農) 화음(華陰) 사람인데, 아버지 양부(楊敷)는 북주(北周)의 재상이었

··· 復 아뢸 복 翳 가릴 예 狐 여우 호 虺 뱀 훼 竄 숨을 찬 槖 전대 탁 柞 갈참나무 작
詭 기괴할 궤

233
卷8

麗하고 堅固而不可動者 豈特百倍於臺而已哉잇가 然而數世之後에 欲求其彷彿이나 而破瓦頹垣이 無復存者하여 旣已化爲禾黍荊棘과 丘墟隴畝矣어든 而況於此臺歟잇가【數轉, 無限妙處.】

　내 일찍이 한번 공(公)과 대에 올라 바라보니, 동쪽은 진 목공(秦穆公)의 기년궁(祈年宮)과 탁천궁(橐泉宮)이 있었던 곳이요, 남쪽은 한 무제(漢武帝)의 장양궁(長楊宮)과 오작궁(五柞宮)이 있었던 곳이며, 그 북쪽은 수(隋)나라의 인수궁(仁壽宮)과 당(唐)나라의 구성궁(九成宮)이 있었던 곳입니다. 그 한때의 성함을 헤아려 보면 크고 웅장하며 화려하고 견고하여 동요할 수 없음이 어찌 다만 이 능허대보다 백배만 될 뿐이었겠습니까. 그런데도 몇 대가 지난 뒤에는 그 당시와 비슷한 것을 찾고자 하나 깨진 기왓장과 무너진 담장도 다시 남아 있는 것이 없어서 이미 기장밭과 가시나무와 폐허와 밭두둑으로 변해버렸으니, 하물며 이 대에 있어서이겠습니까?【몇 번 전환하여 무한한 묘함이 있는 부분이다.】

夫臺猶不足恃以長久어든 而況於人事之得喪이 忽往而忽來者歟잇가 而或者欲以夸世而自足則過矣라 蓋世有足恃者로되 而不在乎臺之存亡也니이다 旣已言於公하고 退而爲之記하노라

　저 대도 믿어 장구하다고 할 수가 없는데, 하물며 갑자기 갔다가 갑자기 오는 인사(人事)의 득실(得失)에 있어서이겠습니까? 그런데도 혹자들은 이것(부귀공명)을 세상에 과시하고 스스로 만족하고자 하니, 이는 잘못입니다. 세상에 믿을 만한 것이 있으나 대가 보존되고 없어지는데 달려 있는 것은 아닙니다."
　나는 공에게 말씀드리고 나서 물러 나와 이것을 기록하였다.

篇末小註·· 習鑿齒與其弟秘書曰 吾以去年五月三日에 來達襄陽하니 觸目悲感하여 略無

다. 양소는 북주가 북제(北齊)를 평정할 적에 공을 세워 안현공(安縣公)에 봉해졌으나, 아버지 양부가 북주의 무제(武帝)에게 숙청당하자 당시 북주의 재상으로 있던 양견(楊堅, 수 문제(隋文帝))을 도와 북주를 멸망시키고 수나라를 건국하는 데 지대한 공헌을 하여 수나라 개국 일등공신이 되고 재상이 되었다. '구성(九成)' 또한 당나라 때의 궁궐 이름인데, 《신당서》〈지리지〉에 "장안(長安)의 서쪽 5리에 구성궁이 있는데 이는 본래 수나라의 인수궁(仁壽宮)이었다."라고 보인다.

　　　··· 垣 담 원　黍 기장 서　墟 터 허　隴 밭두둑 롱　夸 과시할 과　觸 접할 촉　眺 볼 조

歡情이라 每定省家舅할새 從北門入하여 西望隆中하여 想臥龍[108]之吟하고 東眺白沙하여 思鳳雛[109]之聲하고 北臨樊墟하여 存鄧老[110]之高하고 南睠城邑하여 懷羊公[111]之風하고 縱目檀溪하여 念崔, 徐[112]之友하고 肆眺漁梁하여 追二德[113]之遠하니 未嘗不徘徊移日하여 惆悵極多云云이라 東坡密州超然臺記內에 有曰 南望馬耳, 常山에 出沒隱見(현)이 若近若遠하여 庶幾有隱君子乎로되 而其東則(盧)[盧]山이니 秦人盧敖之所從遁也요 西望穆陵[114]에 隱然如城郭하니 師尙父(보), 齊桓公之遺烈[115]이 猶有存者요 北俯灘水에 慨然太息하여 思淮陰之功而弔其不終[116]이라하니라 汪彥章이 爲劉季高하여 作鎭江月觀記하니 曰 嘗與子四顧而望之하니 其東曰

---

108 臥龍: 삼국시대 제갈량(諸葛亮)의 호로 그는 양양(襄陽)의 융중(隆中)에 은거하면서 〈양보음(梁父吟)〉 등의 시편을 읊곤 하였는데 유비(劉備)가 삼고초려(三顧草廬)하자, 세상에 나와 촉한(蜀漢)을 일으켰다.

109 鳳雛: 방통(龐統)의 호로 제갈량과는 매우 친하였으며 지모가 출중하였다. 유비(劉備)가 형주(荊州)에 있을 적에 양양(襄陽)에 은거하던 사마휘(司馬徽)를 찾아가서 인재에 대해 물어보았는데, 사마휘는 복룡(伏龍) 제갈량과 봉추 방통을 추천하였다.《三國志 卷35 蜀書 諸葛亮傳》

110 鄧老: 후한 등우(鄧禹)의 칭호이다. 등우는 번현(樊縣) 출신으로 광무제(光武帝) 유수(劉秀)에게 등용되어 후한을 일으켰다.

111 羊公: 양호(羊祜)로 진(晉)나라의 장군이었는데, 양양(襄陽)에 진주하면서 백성들에게 선정을 베풀었다. 뒤에 그가 죽자 사람들이 현산(峴山)에 있는 그의 비(碑)를 보고 모두들 눈물을 흘렸으므로 현산타루비(峴山墮淚碑)라 하여 유명한 고사가 되었다.

112 崔徐: 최주평(崔州平)과 서서(徐庶)로, 이 두 사람은 영천(潁川)의 석광원(石廣元), 여남(汝南)의 맹공위(孟公威)와 함께 제갈량과 친하게 지냈다.

113 二德: 후한 말기의 고사(高士)인 방덕공(龐德公)과 사마덕조(司馬德操)로, 덕조는 사마휘(司馬徽)의 자이다. 방덕공이 평소 큰 명망이 있으니, 사마휘는 그를 형으로 높여 섬겼으며, 제갈량이 찾아가서 홀로 평상 아래에서 절하였으나 방덕공은 만류하지 않았다. 제갈량과 함께 알려진 봉추(鳳雛) 방통(龐統)은 방덕공의 종자(從子 조카)이다. 방덕공은 일찍이 제갈량을 복룡(伏龍), 방통을 봉추, 사마휘를 수경(水鏡)이라 칭하였다.

114 穆陵: 목릉관(穆陵關)으로 교주(膠州) 서쪽에 있으니, 지금의 임구현(臨朐縣) 남쪽 대현산(大峴山) 위에 있다.

115 師尙父 齊桓公之遺烈: 사상보는 강태공(姜太公)으로, 씨가 여(呂)이고, 이름이 상(尙)이고, 자가 자아(子牙)이다. 은(殷)나라 주왕(紂王)이 무도하자, 위수(渭水)가에서 낚시질하다가 노년에 주(周)나라의 문왕(文王)을 만나 태공망(太公望)으로 높여 스승이 되었고 무왕(武王)을 도와 은나라를 멸망하고 사상보로 높여졌으며, 제(齊)나라에 봉해졌다. 제 환공(齊桓公)은 강태공의 후손으로 이름이 소백(小白)인데, 명재상인 관중(管仲)을 얻어 춘추시대 오패(五霸)의 우두머리가 되었다. '유열'은 남은 업적과 공렬(功烈)을 이른다.

116 北俯灘水 慨然太息 思淮陰之功而弔其不終: '유수'는 물 이름으로 산동성(山東省) 거현(莒縣)의 기옥산(箕屋山)에서 발원하여 고밀(高密), 안구(安丘) 등을 경유하여 창읍현(昌邑縣)에 이르러 바다로 들어간다. '회음'은 회음후(淮陰侯)로 한신(韓信)의 봉호이다. 한신은 뛰어난 병략가로 초(楚)·한(漢)이 대치해 있을 때 항우(項羽)의 장수 용저(龍且)를 유수에서 대파하고 제왕(齊王) 전광(田廣)을 사로잡고 제왕에 봉해졌으며, 초나라 항우를 멸망시키고 초왕에 봉해졌으나 한 고조(漢高祖) 유방(劉邦)으로부터 반란을 도모했다는 의심을 받고 회음후로 강등되었다가 끝내 죽임을 당했으므로 끝을 잘 마치지 못했다고 한 것이다.

海門이니 鴟夷子皮所從遁也[117]요 其西曰瓜步니 魏佛貍之所嘗至也[118]요 若其北廣陵은 則謝太傅之所築墟而居也[119]요 江中之流는 則祖豫州之所擊楫而誓也[120]라 計其一時英雄이 慷慨憤中原之未復하고 反虜之未禽하여 欲呑之以忠義之氣하니 雖狹宇宙而隘九州가 自其胸中所積이나 亦江山有以發之니 今攬而納諸數楹之地하여 使千載之事로 了然在吾目中이면 則季高之志를 可見矣라하니라

습착치가 그의 아우 비(秘)에게 준 편지에 다음과 같이 말하였다.

"내가 지난해 5월 3일에 양양(襄陽)으로 오니, 눈에 보이는 것마다 슬픈 감회가 일어서 조금도 기쁜 마음이 없다. 매양 가구(家舅, 외숙)를 문안할 적마다 북문으로 들어오면서 서쪽으로 융중(隆中)을 바라보고는 와룡(臥龍, 제갈량)의 시 읊던 것을 생각하고, 동쪽으로 백사(白沙)를 보면서 봉추(鳳雛, 방통(龐統))의 명성을 생각하며, 북쪽으로 번읍(樊邑)의 터에 임하여 등로(鄧老, 등우(鄧禹))의 고상함을 추억하고, 남쪽으로 성읍(城邑)을 바라보면서 양공(羊公, 양호(羊祜))의 풍도(風度)를 생각하며, 저 멀리 시야를 넓혀 단계(檀溪)에 눈을 돌려 최주평(崔州平)과 서서(徐庶)의 친함을 생각하고, 어량(魚梁)을 마음껏 바라다보면서 사마덕조(司馬德操, 사마휘(司馬徽))와 방덕공(龐德公)의 먼 자취를 추모하니, 배회하며 오랫동안 시간을 보내면서 슬픔이 지극하지 않은 적이 없었다."

---

117 其東曰海門 鴟夷子皮所從遁也: 치이자피는 춘추시대 월왕(越王) 구천(句踐)의 모신(謀臣)인 범려(范蠡)의 별칭이다. 범려가 일찍이 월왕을 보좌하여 오(吳)나라를 쳐서 멸망시키고는 월나라를 떠나 오호(五湖)에 배를 띄우고 돌아다니다가 제(齊)나라에 들어가서 치이자피로 성명을 바꾸고 수만금을 모아 거부(巨富)가 되었다. 《史記 卷41 越王句踐世家, 卷129 貨殖列傳》

118 其西曰瓜步 魏佛貍之所嘗至也: 불리는 불리(佛貍)로도 표기하는데 북위(北魏) 태무제(太武帝)인 척발도(拓拔燾)의 자(字)이다. 그는 최호(崔浩)와 고윤(高允) 등을 등용하여 관제(官制)를 개정하고 충량(忠良)한 인물을 발탁하였다. 태평진군(太平眞君) 11년(450)에 직접 군대를 거느리고 송(宋)을 정벌하여 곧장 과보(瓜步)로 쳐들어 간 일이 있었다. 《魏書 卷4上 帝紀第四 世祖紀》

119 若其北廣陵則謝太傅之所築墟而居也: 사태부는 동진(東晉)의 명신(名臣)인 사안(謝安)으로, 자(字)는 안석(安石), 시호는 문정(文靖)이다. 회계(會稽)의 동산(東山)에 은거하다가 나이 마흔이 넘어서야 벼슬길에 나아가 외적(外敵)을 물리치고 내정(內政)을 닦는 데 탁월한 공을 세워 벼슬이 태보(太保)에 이르렀다. 뒤에 회계왕(會稽王) 사마도자(司馬道子)가 권력을 잡았는데 간신들이 현혹시키자 자청해서 광릉(廣陵)에 출진(出鎭)하여 둑을 쌓아 식구들을 데리고 가서 거주하였다. 《晉書 卷79 謝玄列傳》

120 江中之流則祖豫州之所擊楫而誓也: 조예주는 동진(東晉)의 장군인 조적(祖逖)으로, 예주 자사(豫州刺史)를 지냈기 때문에 조예주라고 한다. 조적이 군사를 거느리고 북벌(北伐)을 나가던 차에 양자강 중류를 건너갈 적에 노로 뱃전을 두드리며 맹세하기를 "내가 중원을 깨끗이 소탕하지 않고 다시 이 강을 건너온다면 이 큰 강이 나를 지켜보리라.〔祖逖不能淸中原而復濟者 有如大江〕"라고 하였다. 《晉書 卷62 祖逖傳》

··· 隘 좁을 애 攬 잡을 람 楹 기둥 영

동파의 밀주(密州) 〈초연대기〉에 다음과 같은 내용이 있다.

"남쪽으로 마이산(馬耳山)과 상산(常山)을 바라보니 산의 모습이 출몰하여 숨었다 나타났다 하는 것이 가까운 듯, 먼 듯하여 거의 은군자(隱君子)가 있는 듯하다. 그 동쪽은 여산(廬山)이니 진(秦)나라 사람 노오(盧敖)가 은둔했던 곳이요, 서쪽으로 목릉(穆陵)을 바라보니 우뚝하여 은연히 성곽과 같은바, 사상보(師尙父, 강태공(姜太公))와 제 환공(齊桓公)의 유열(遺烈)이 아직도 남아 있으며, 북쪽으로 유수(濰水)를 굽어보고는 개연(慨然)히 크게 한숨쉬며 회음후(淮陰侯, 한신(韓信))의 공로를 생각하고 끝을 잘 마치지 못함을 서글퍼하였다."

왕언장(汪彦章)이 유계고(劉季高)를 위하여 〈금강월관기(錦江月觀記)〉를 지었는데, 여기에 다음과 같이 말하였다.

"내 일찍이 그대와 사방을 돌아보니 그 동쪽은 해문(海門)으로, 치이자피(鴟夷子皮, 범려(范蠡))가 은둔했던 곳이요, 서쪽은 과보(瓜步)로 위 불리(魏佛貍, 후위(後魏)의 태무제(太武帝))가 일찍이 이르렀던 곳이며, 그 북쪽인 광릉(廣陵)은 사태부(謝太傅, 사안(謝安))가 둑을 쌓고 거주하던 곳이요, 강중(江中)에 흐르는 물은 조예주(祖豫州, 조적(祖逖))가 노를 치며 나라에 충성할 것을 맹세하던 곳이다.

그 한때의 영웅들이 중원(中原)을 회복하지 못하고 배반한 오랑캐들을 사로잡지 못함에 비분강개하여, 충의(忠義)의 기운으로써 천하를 삼키고자 하였으니, 비록 우주를 좁게 여기고 구주(九州)를 작게 여긴 것이 본래 그 흉중에 쌓였기 때문이었으나 또한 강산의 경치가 이런 기운을 유발하였던 것이다. 이제 이런 것들을 취하여 몇 기둥 되는 곳에 넣어서 천 년 전의 일을 분명하게 내 눈 안에 있게 하니, 그렇다면 계고(季高)의 높은 뜻을 알 수 있을 것이다.

이군산방기李君山房記

소식蘇軾

● 작품개요

　　이 작품은 작자가 희령(熙寧) 9년(1076) 11월 1일에 '이군(李君)' 즉 이상(李常)을 위하여 지은 것
으로, 본래 제목은 〈이씨산방장서기(李氏山房藏書記)〉이다. 이상은 자가 공택(公擇)으로 북송 남강군
(南康軍) 건창(建昌) 마도(磨刀) 사람이다. 관직은 강주 판관(江州判官)·우정언(右正言)·지간원(知諫
院)·어사중승(御史中丞)·호주 태수(湖州太守)·제주 태수(齊州太守)를 역임하였다. 황정견(黃庭堅)의
외숙으로 작자와 매우 친밀한 관계였으며, 왕안석(王安石)의 신법을 극력 반대하였다.

　　이상은 젊었을 적에 여산(廬山) 오로봉(五老峰) 아래의 백석승사(白石僧舍)에서 글을 읽었는데,
백석암(白石菴)·백석산방(白石山房)·이씨산방(李氏山房)·상서산방(尙書山房)·공택산방(公擇山房)·백
석서원(白石書院) 등은 모두 이곳을 지칭한다. 그는 당시 소장하였던 장서 1만여 권을 전부 이곳에
그대로 두고서 후학들이 읽을 수 있도록 개방하고, 작자에게 '장서기(藏書記)'를 써 줄 것을 부탁하
였는데, 작자는 이 사실을 자세히 기록하여 책이 있어도 읽지 않고 남에게 보여주지도 않는 자들을
책망하였다.

　　작자는 이 작품을 통하여 이상의 행위를 칭송하고, 독서를 권면하는 '권학(勸學)'을 표방하였다.
독서의 중요성을 부각시키기 위하여 그 옛날 책을 구하기 어려웠던 시절의 상황을 언급하고, 선비들
이 책을 가지고 있으면서도 읽지 않는 나쁜 풍습을 비판하며 후학들을 위하여 자신의 장서를 그대
로 둔 이상의 훌륭한 마음씨를 칭찬하였는바, 어떤 측면에서 보면 이 작품은 매우 뛰어난 '권
학편(勸學篇)'일 것이다.

　　작품은 주로 의론과 서술이 결합된 표현법을 사용하였는데, 의론을 앞세운 뒤에 서술하였다. 의

론에서는 대비(對比)·배친(陪襯, 다른 사물을 사용하여 중요한 사물을 돋보이게 하는 수사법)·박증(博證)을 구사하여 문장의 생동감과 설득력을 강화하였다. 특히 기두(起頭)는 작품의 주제에서 벗어난 듯한 느낌을 주지만 이러한 서술은 바로 이상의 훌륭한 행위를 부각시키기 위한 일종의 복선인 셈이다. 또한 작자가 문장의 전후 호응에 중점을 두었기 때문에 결구(結構)가 일체감·통일성을 유지하였고, 대우(對偶)보다는 산문체를 사용하여 표현이 매우 자연스럽다.

篇題小註·· 靜觀云 有李君藏書하여 以遺後之人하고 又有東坡爲記하여 以惜有書不讀之士하니 二翁立心也 拳拳有望於學者如此어늘 彼有吝嗇其書하여 惟恐人見하고 或自有書而束之高閣者는 皆二翁之罪人也니라

진정관이 말하였다. "이군(李君)이 책을 보관하여 후세 사람들에게 남겨(물려) 주었고, 또 동파가 기문을 지어 책이 있는데도 읽지 않는 선비들을 애석히 여겼다. 두 분의 마음이 배우는 자들에게 간절하게 바라는 것이 있음이 이와 같았는데도 저 책을 아껴서 행여 다른 사람이 볼까 두려워하거나, 혹은 자기에게 책이 있는데도 높은 다락 위에 묶어 두는 자들은 모두 두 분의 죄인이다."

• 原文

象犀, 珠玉, 珍怪之物은 有悅於人之耳目이로되 而不適於用하며 金石, 草木, 絲麻, 五穀, 六材[1]는 有適於用이로되 而用之則弊하고 取之則竭하나니 悅於人之耳目而適於用하며 用之而不弊하고 取之而不竭하여 賢不肖之所得이 各因其才하고【應在後.】仁智之所見이 各隨其分하여 才分不同이나 而求無不獲者는 惟書乎인저【入書字, 不覺.】

---

1 五穀, 六材 : '오곡(五穀)'은 다섯 가지 곡식으로 벼·기장·조·보리·콩이며, '육재(六材)'는 여섯 가지 나무로 개암나무·밤나무·의(椅)나무·오동나무·가래나무·옻나무인바, 《시경》〈위풍(衛風) 정지방중(定之方中)〉에 "개암나무와 밤나무, 의나무와 오동나무, 가래나무와 옻나무를 심으니, 이것을 베어 금슬(琴瑟)을 만들도다.〔樹之榛栗椅桐梓漆 爰伐琴瑟〕"라고 보인다. 이 가운데 개암나무와 밤나무는 과목이고 나머지 네 나무는 모두 좋은 재목이다. 따라서 육재는 여섯 가지 재목이 되어야 하는데, 겨우 네 가지 뿐이라 하여 이것을 나무로 보지 않고 물건을 만드는 재료인 토(土)·금(金)·석(石)·목(木)·수(獸)·초(草)로 보기도 한다. 그러나 앞의 오곡과 맞춰 볼 때 이는 단지 《시경》에서 말한 여섯 가지 나무를 든 것으로 보는 것이 타당할 듯하다.

상아(象牙)와 서각(犀角), 주옥(珠玉)과 진귀한 물건은 사람의 이목(耳目)을 기쁘게 하나 쓰기에 적당하지는 못하고, 금석(金石), 초목(草木), 생사(生絲)와 삼, 오곡(五穀)과 육재(六材)는 쓰기에는 적당하나 쓰면 해지며 취하면 다 없어진다. 그런데 사람의 이목을 즐겁게 하면서도 쓰기에 적당하고 써도 해지지 않으며 취하여도 다하지 않아서, 어진 자와 불초한 자의 얻는 바가 각기 그 재주를 따르고【응함이 뒤에 있다.】인자(仁者)와 지자(智者)의 소견이 각기 그 분수를 따라서, 재분(才分, 타고난 재능)이 똑같지 않더라도 구함에 얻지 못하는 경우가 없는 것은 오직 서책(書册)일 것이다.【'서(書)' 자로 들어감을 깨닫지 못한다.】

自孔子聖人으로도 其學이 必始於觀書라【綴書字.】當是時하여 惟周之柱下史老聃(담)이 爲多書[2]하고 韓宣子適魯然後에 見易象與魯春秋[3]하고 季札이 聘於上國然後에 得聞詩之風, 雅, 頌[4]하고 而楚獨有左史倚相이 能讀三墳, 五典, 八索, 九丘[5]하니 士之生於是時하여 得見六經者蓋無幾라 其學이 可謂難矣로되 而皆習於禮樂하고 深於道德하여 非後世君子所及이니라【此時書未備, 倒有眞儒.】自秦, 漢以來로 作者益衆하고 紙與字畫이 日趨於簡便하여 而書益多하여 世莫不有라 然이나 學者益以苟簡은 何哉오【後來書多, 眞儒反少.】

2　周之柱下史老聃 爲多書 : '주하사(柱下史)'는 주(周)나라 왕실의 장서실(藏書室)을 관장하던 벼슬 이름이다. 노담은 춘추시대 철학가 노자(老子)로 공자와 동시대 인물인데 도가의 창시자이다. '다서(多書)'는 노담이 주하사로 주나라 왕실의 많은 서책을 관장하였기 때문에 이렇게 말한 것이다.

3　韓宣子適魯然後 見易象與魯春秋 : 한선자는 춘추시대 진(晉)나라의 대부인 한기(韓起)로, 선자는 그의 시호이다. 《춘추좌씨전》 소공(昭公) 2년에 한선자가 노(魯)나라에 빙문(聘問)을 갔다가 역상(易象)과 노나라 《춘추(春秋)》를 보고 "주나라의 예가 모두 노나라에 남아 있구나.〔周禮盡在魯矣〕"라고 감탄하였다.《春秋左氏傳 昭公2年》 역상은 《주역(周易)》 상경(上經)과 하경(下經)의 상사(象辭)이고, 노나라 《춘추》는 노나라 역사를 기록한 책이다.

4　季札……得聞詩之風, 雅, 頌 : 계찰은 춘추시대 오(吳)나라의 공자(公子)로,《춘추좌씨전》 양공(襄公) 29년에 계찰이 노나라에 빙문을 갔다가 노 양공(魯襄公)에게 주(周)나라 음악을 보여주기를 청하여 《시경》의 〈주남(周南)〉, 〈소남(召南)〉을 비롯하여 11개 국풍(國風)을 듣고서 논평한 일이 있다.《春秋左氏傳 襄公29年》 풍·아·송은 《시경》에 실린 시를 내용별로 분류한 것으로, 《시경》은 15개국의 풍(風)과 〈대아(大雅)〉과 〈소아(小雅)〉의 아(雅), 〈주송(周頌)〉·〈상송(商頌)〉·〈노송(魯頌)〉의 송(頌) 세 부분으로 구성되었다.

5　楚獨有左史倚相……九丘 : 의상은 춘추시대 초(楚)나라의 좌사(左史)로, 초나라의 《훈전(訓典)》에 정통하였다. 삼분(三墳)과 오전(五典), 팔삭(八索)과 구구(九丘)는 모두 고대의 서책으로, 삼분은 삼황(三皇, 복희(伏羲)·신농(神農)·황제(皇帝))의 글이고, 오전은 오제(五帝, 소호(少昊)·전욱(顓頊)·제곡(帝嚳)·요(堯)·순(舜))의 글이고, 팔삭은 팔괘(八卦)에 대한 책이고, 구구는 구주(九州)에 대한 책이라 한다. 《춘추좌씨전》 소공(昭公) 12년에 "초(楚)나라 좌사 의상이 지나가자 초왕이 말하기를 '저 사람은 훌륭한 사관이니, 그대는 잘 대우하라. 이 사람은 삼분·오전·팔삭·구구를 읽을 수 있다.' 하였다."라고 보인다.《春秋左氏傳 昭公12年》

••• 聃 사람이름 담　札 편지 찰　聘 빙문할 빙　墳 무덤, 책 분　索 법 삭　畫 그을 획　趨 달려갈 추

공자(孔子)는 성인(聖人)이셨는데도 그 배움이 반드시 책을 보는 데에서 시작하셨으니,【'서(書)' 자를 이었다.】이때를 당하여 오직 주(周)나라의 주하사(柱下史)인 노담(老聃)이 서책이 많았었고, 한선자(韓宣子)가 노(魯)나라에 간 뒤에 역상(易象)과 노나라 《춘추(春秋)》를 구경하였고, 계찰(季札)이 상국(上國)인 노나라로 빙문(聘問)간 뒤에 《시경(詩經)》의 풍(風)·아(雅)·송(頌)을 얻어들었고, 초(楚)나라에는 홀로 좌사(左史)인 의상(倚相)이 삼분(三墳)·오전(五典)과 팔삭(八索)·구구(九丘)를 읽었다. 이때에 태어난 선비 중에 육경(六經)을 본 자가 몇 명이 안되었으니, 그 배움이 어렵다고 이를 만하였다. 그런데도 모두 예악(禮樂)에 익숙하고 도덕(道德)에 심오하여 후세의 군자가 미칠 수 있는 바가 아니었다.【이때에는 책이 구비되지 못했으나 도리어 진유(眞儒)가 있었다.】

진(秦)·한(漢) 이래로는 작자(作者)가 더욱 많아지고 종이와 글자획이 날로 간편해져서 서책이 더욱 많아져 세상에 있지 않은 곳이 없었다. 그런데도 배우는 자가 더욱 구차해지고 간략해짐은 어째서인가?【후래에는 책이 많아졌으나 진유가 도리어 적다.】

余猶及見老儒先生이 自言 其少時에 欲求史記, 漢書而不可得이요 幸而得之하면 皆手自書하여 日夜誦讀하여 惟恐不及이러니 近世市人이 轉相模刻하여 諸子百家之書 日傳萬紙라 學者之於書에 多且易致如此하니 其文辭學術이 當倍蓰於昔人이어늘 而後生科擧之士 皆束書不觀하고【意骨在此.】 遊談無根하니 此又何也오

나도 노유 선생(老儒先生)들이 '젊었을 때에는 《사기(史記)》와 《한서(漢書)》를 구하고자 하여도 얻지 못하였고, 다행히 얻으면 모두 손수 베껴 밤낮으로 외고 읽어 행여 미치지 못할까 두려워하였다.'라고 말씀하시는 것을 직접 보았다. 근세에는 시인(市人, 상인)들이 돌려가면서 서로 모각(模刻)하여 제자백가(諸子百家)의 책이 하루에도 만 장이나 전해진다. 배우는 자들이 서책을 이처럼 많이 가지고 있는 데다가 구하기 쉬우니, 그 문사(文辭, 문장)와 학술(學術)이 옛사람보다 배가 되고 다섯 배가 되어야 할 터인데, 과거 보는 후생의 선비들이 모두 서책을 묶어두고 보지 않으며【뜻의 골자가 여기에 있다.】근거 없는 것을 멋대로 말하니, 이는 또 어째서인가?

余友李公擇이【名常, 黃山谷之母舅.】少時에 讀書於廬山五老峰下白石菴之僧舍러니 公擇旣去에 而山中之人이 思之하여 指其所居하여 爲李氏山房이라하니 藏書凡

... 模 본뜰 모 蓰 다섯배 사 廬 집 려 菴 암자 암 僧 중 승

九千餘卷이라 公擇이 旣已涉其流하고 探其源하며【文字組繪.】 採剝其華實하고 而咀嚼(저작)其膏味하여 以爲己有하여 發於文辭하고 見於行事하여 以聞名於當世矣로되 而書顧自如也하여 未嘗少損하니 將以遺來者하여 供其無窮之求하여 而各足其才分之所當得이라【應前.】 是以로 不藏於家하고 而藏於故所居之僧舍하니 此는 仁者之心也니라

나의 벗 이공택(李公擇)이【이공택은 이름이 상(常)이니, 황산곡(黃山谷)의 외숙이다.】 젊었을 때에 여산(廬山)의 오로봉(五老峰) 아래 백석암(白石菴)의 승방(僧房, 사찰)에서 책을 읽었다. 이공택이 떠나가자, 산중 사람들은 그를 그리워하여 그가 거처하던 곳을 가리켜 '이씨산방(李氏山房)'이라 하였는데, 장서(藏書)가 모두 9천여 권이었다.

이공택은 이미 그 책의 내용을 섭렵하고 그 근원을 탐구하였으며,【문자를 아름답게 꾸몄다.】 그 꽃과 열매를 채집하고 그 고미(膏味, 진미)를 저작하여 자기의 소유로 삼아, 이것을 문장에 드러내고 행사에 나타내어 당세에 이름이 알려졌다. 그러나 책은 여전히 그대로 남아 있어 조금도 훼손되지 않았으니, 장차 이것을 후생들에게 물려주어 무궁한 요구에 제공해서 각기 그 재분에 따라 마땅히 얻을 수 있는 바를 충족시키려 하였다.【앞에 응한다.】 이 때문에 자기 집에 보관하지 않고 옛날 거처하던 승방에 보관하였으니, 이는 인자(仁者)의 마음이다.

余旣衰且病하여 無所用於世하니 惟得數年之閑하여 盡讀其所未見之書요 而廬山은 固所願遊而不得者라 蓋將老焉에 盡發公擇之藏하여 拾其遺棄以自補면 庶有益乎인저【東坡猶發此言, 我輩當如何哉?】 而公擇이 求余文以爲記하니 乃爲一言하여 使來者로 知昔之君子見書之難하고 而今之學者有書而不讀이 爲可惜也하노라【結盡主意. ○按東坡與程全甫推官帖云: "兒子到此, 抄得唐書一部, 又借得前漢一部, 欲抄. 若了此二書, 便是貧兒暴富也. 老拙亦欲爲此, 而目昏心疲, 不能自苦, 故樂以此告壯者耳." 見尺牘. 觀此帖與此記所云, 可見前輩求書之勤苦類如此. 近年以來, 全史難得, 又有如東坡所云者矣. 讀此, 不勝其浩歎云.】

나는 이미 노쇠하고 또 병들어 세상에 쓰일 것이 없으니, 바라건대 몇 년의 한가로운 시간을 얻어서 아직 보지 못한 책을 다 읽었으면 하고, 여산은 진실로 유람하기를 원하였으나 유람하지 못한 곳이니, 장차 치사(致仕)함에 여산에 가서 이공택의 장서들을 모두 꺼내어 그가 버린 것들을 주워서 스스로 보탠다면, 아마도 유익함이 있을 것이다.【동파도 오히려 이러한 말을

… 涉 건널 섭 探 더듬을 탐 採 캘 채 剝 벗길 박 咀 씹을 저 嚼 씹을 작 膏 기름질 고 拾 주울 습

하였으니, 우리들은 마땅히 어떠하여야 하겠는가.】

　이공택이 나에게 기문(記文)을 지어 이 사실을 기록해 줄 것을 요구하므로, 이에 나는 한 마디 말을 하여 후생들로 하여금 옛날 군자들은 책을 보기가 어려웠고 지금의 학자들은 책이 있어도 읽지 않는 것이 애석한 일임을 알게 하노라.【주된 뜻을 다 맺었다. ○살펴보건대 동파가 추관(推官) 정전보(程全甫)에게 준 첩(帖)에 "아이가 이곳에 와서 《당서(唐書)》 한 질을 다 등초(謄抄)하였고, 또 《전한서(前漢書)》 한 질을 빌려서 등초하고자 하니, 만약 이 두 책을 다 등초하면, 이는 곧 가난한 집 아이가 갑자기 부자가 되는 것과 같다. 늙고 졸렬한 나 또한 이것을 하고 싶으나 눈이 어둡고 마음이 피곤하여 스스로를 수고롭게 하지 못한다. 그러므로 기꺼이 이를 건장한 자에게 고하는 것이다." 하였으니, 이 내용이 동파의 척독(尺牘)에 보인다. 이 첩(帖)과 이 기문에서 말한 것을 읽어보면 선배들이 책을 구함에 수고하고 애씀이 대체로 이와 같음을 볼 수 있다. 근년 이래로 전사(全史)를 얻기 어려움이 또 동파가 말한 바와 같으니, 이 글을 읽을 때 크게 탄식함을 이기지 못한다.】

희우정기 喜雨亭記

소식蘇軾

• **작품개요**

송(宋)나라 시숙(施宿)의 《동파선생연보(東坡先生年譜)》에 의하면, 작자는 북송 인종(仁宗) 가우(嘉祐) 6년(1061)에 제과(制科)에 응시하여 3등으로 급제하고 대리평사(大理評事)·첨서봉상부 절도판관(簽書鳳翔府節度判官)을 제수받고 겨울 11월에 부임하였는데, 작중의 "내가 부풍(扶風)에 부임한 다음 해[余至扶風之明年]"라는 구를 통하여 이 작품이 가우 7년(1062)에 지어졌음을 알 수 있다.

작자는 부임한 다음 해에 공관(公館)의 북쪽에 정자 하나를 축조하였다. 당시 봄가뭄이 들어 백성들이 모두 크게 걱정하고 있었는데, 정자가 완성될 때에 맞추어 한바탕 큰비가 쏟아져 가뭄을 면하게 된 백성들이 매우 기뻐하였다. 이에 작자가 이 정자를 '희우'라 명명하고 이 작품을 지었는데, '희우정'은 '비를 반기는 정자'라는 뜻도 되고, '반가운 비를 맞이하는 정자'라는 뜻도 될 것이다. 이 작품은 정자의 이름을 '희우'라 한 이유에 대하여 밝힌 글이다.

작품은 크게 세 단락으로 나뉜다. '정이우명(亭以雨名)'부터 '기시불망일야(其示不忘一也)'까지의 첫 번째 단락은 작품 전체의 중심 주제를 제시하는 '강령(綱領)'으로, 통상 전통적 작문에서 기두(起頭)에 제목의 요지를 드러내어 설명하는 부분인 '파제(破題)'라고도 할 수 있다.

'여지부풍지명년(余至扶風之明年)'부터 '이오정적성(而吾亭適成)'까지의 두 번째 단락에서는, 정자[亭]·비[雨]·기쁨[喜]에 대하여 차례대로 서술하였다. 정자를 세운 시기와 과정, 목적을 먼저 서술한 다음 가뭄과 비를 언급하고, 정자의 완성과 희우(喜雨)가 동시에 실현됨을 서술함으로써 '여민동락(與民同樂)'하려는 작자의 생각을 표명하였다.

'어시(於是)'부터 '오이명오정(吾以名吾亭)'까지의 세 번째 단락에서는, 한걸음 더 나아가 정자와 희우의 관계를 설명하고, 또 노래를 통하여 사람들이 평안히 살면서 즐겁게 일하고 먹고 입는 것이 풍족해야 한다는 작자의 생각을 드러내었다. 작자는 먼저 비가 내리지 않는 근심[憂]에 대하여 말하였는데, 이를 통하여 비가 내리는 기쁨[喜]이 부각되었다. 특히 이 단락은 정자를 명명한 뜻을 서술한 것이 주를 이루는바, '기우가망야(其又可忘耶)'는 첫 번째 단락의 '지희(志喜)'·'불망(不忘)'에 호응하여 백성을 아끼는 작자의 마음이 더욱 드러난다. 참고로 노래의 압운은 주(珠)와 유(襦), 옥(玉)과 속(粟), 수(守)와 유(有), 공(功)과 공(空), 명(名)과 정(亭)이다.

작품은 전체적으로 서술(敍述)·의론(議論)·서정(抒情)을 동시에 사용하여 문장의 변화가 다양하지만, '희우정'이라는 세 글자를 벗어나지 않았다. 구성이 매끄럽고 분위기가 활발하며 해학적인 대화 속에 함축적으로 자신의 견해를 드러내었다. 또한 정자에 대하여 기술할 적에 반드시 경치를 묘사해야 하는 진부한 투식을 완전히 걷어버리고, 새로운 풍격(風格)과 새로운 의경(意境)을 이루어내었다.

篇題小註‥ 迂齋云 蟬蛻(선세)汙濁之中하여 浮游塵埃之表하니 所謂以文爲戲者니라

우재가 말하였다. "매미가 더럽고 탁한 가운데서 껍질을 벗어 버리고서 먼지 밖에 부유(浮游)하는 듯하니, 이른바 문장으로 유희(遊戲)한다는 것이다."

○ 東坡登第初에 任鳳翔府判官하니 其年이 二十有八耳로되 筆力이 已如此라 此篇은 與凌虛臺記로 皆官鳳翔時所作이니 眞天才也로다

동파는 과거에 급제한 초기에 봉상부 판관(鳳翔府判官)에 임명되니, 이때 나이가 28세였는데도 필력(문장력)이 이미 이와 같았다. 이 편은 〈능허대기〉와 함께 모두 봉상부에서 벼슬할 때에 지은 것이니, 참으로 천재(天才)라 하겠다.

• 原文

亭以雨名은 志喜也라 古者有喜면 卽以名物하니 示不忘也라【解志喜意.】周公得禾

蟬 매미 선　蛻 허물벗을 세(태)　塵 티끌 진　埃 티끌 애　凌 능멸할 릉　志 기억할 지

247
卷9

하여 以名其書하시고【作嘉禾.】 漢武得鼎하여 以名其年하고【得鼎汾水, 改元元鼎.】 叔孫勝敵하여 以名其子[6]하니【左文十一年, 叔孫得臣獲長狄僑如, 以名子.】 其喜之大小不齊하나 其示不忘은 一也니라【照應密, 文法好.】

정자를 우(雨)로 이름한 것은 기쁜 일을 기념하기 위한 것이다. 옛날에 기쁜 일이 있으면 이 것을 가지고 물건의 이름을 지었으니, 이는 잊지 않음을 나타내려 해서이다.【'지희(志喜)'의 뜻을 해석하였다.】 주공(周公)은 좋은 벼를 얻고서 이것으로 책의 이름을 지었고,【〈가화(嘉禾)〉를 지었다.】 한 무제(漢武帝)는 보정(寶鼎)을 얻고서 이것으로 연호(年號)를 이름하였고,【〈한 무제는〉 분수(汾水) 가에서 솥을 얻고 원정(元鼎)으로 개원(改元)하였다.】 숙손(叔孫)은 적(敵)을 이기고서 이것으로 아들의 이름을 지었으니,【《춘추좌씨전》 문공(文公) 11년에 숙손득신(叔孫得臣)이 장적(長狄)의 교여(僑如)를 사로잡고서 아들 이름을 '교여'라고 지었다.】 그 기쁨의 크고 작음은 똑같지 않으나 그 잊지 않음을 나타냄은 똑같다.【조응함이 치밀하고 문법이 아름답다.】

予至扶風之明年에 始治官舍하여 爲亭於堂之北而鑿池其南하고 引流種樹하여 以爲休息之所러니 是歲之春에 雨麥於岐山之陽하니 其占이 爲有年이라 旣而요 彌月不雨하니 民方以爲憂러니 越三日乙卯에 乃雨하고 甲子에 又雨호되【書法.】 民以爲未足이라가 丁卯에 大雨하여 三日乃止라 官吏相與慶於庭하고 商賈相與歌於市하고 農夫相與抃於野하여 憂者以樂하고 病者以喜어늘 而吾亭이 適成이라【接得好.】

내가 부풍(扶風, 봉상)에 부임한 다음 해에 비로소 관사를 수리하여 당(堂, 동헌)의 북쪽에 정자를 짓고 그 남쪽에 못을 파고는 흐르는 물을 끌어오고 나무를 심어 휴식하는 장소로 삼았었다.

이해 봄에 기산(岐山)의 남쪽에 보리를 위해 비가 내리니, 그 점괘가 유년(有年, 풍년)이었다. 그리고는 한 달이 넘도록 비가 오지 않아 백성들이 막 걱정을 하고 있었는데, 3일이 지난 을

---

6 周公得禾……以名其子: 주(周)나라 성왕(成王) 때에 당(唐)에 봉해진 숙우(叔虞)가 아름다운 곡식을 바치자, 주공(周公)은 이 사실을 기록하여 〈가화(嘉禾)〉를 지었으며, 한 무제(漢武帝)는 원수(元狩) 6년(B.C. 117) 분수(汾水) 가에 있는 후토사(后土祠)에서 보정(寶鼎)을 얻고 연호를 원정(元鼎)으로 고쳤으며, 춘추시대 노(魯)나라의 숙손득신(叔孫得臣)은 장적(長狄)과 싸워 그의 두목인 교여(僑如)를 사로잡고 그 기념으로 그 해에 낳은 아들의 이름을 교여라 한 사실을 가리킨다. 현재 〈가화〉는 일실(佚失)되어 전하지 않는다.

鑿 팔 착 池 못 지 麥 보리 맥 岐 산이름 기 彌 뻗칠 미 越 넘을 월 抃 손뼉칠 변
適 마침 적

묘일(乙卯日)에 비가 왔고, 또 8일이 지난 갑자일(甲子日)에 다시 비가 내렸다.【글을 쓰는 법이다.】 그러나 백성들은 아직도 부족하게 여겼는데, 이틀이 지난 정묘일(丁卯日)에 큰비가 내려 3일 동안 내리다 그치니, 관리들은 뜰에서 서로 경하하고 상고(商賈, 상인)들은 시장에서 서로 노래를 부르고, 농부들은 들에서 서로 손뼉을 쳐서 근심하던 자들이 즐거워하고 병든 자들이 기뻐하였는데, 우리 정자가 이때 마침 완성되었다.【접속한 것이 좋다.】

於是에 擧酒於亭上하여 以屬客而告之曰 五日不雨可乎아 曰五日不雨則無麥이리라 十日不雨可乎아 曰十日不雨則無禾리라 無麥無禾하면 歲且荐饑하여 獄訟繁興하고 而盜賊滋熾하리니 則吾與二三子로 雖欲優遊以樂於此亭이나 其可得耶아 今天이 不遺斯民하사 始旱而賜之以雨하여 使吾與二三子로 得相與優遊以樂於此亭者는 皆雨之賜也니 其又可忘耶아【應示不忘.】

이에 나는 정자 위에서 술잔을 들어 손님들에게 권하며 이렇게 말하였다.
"5일 동안 비가 내리지 않아도 괜찮겠는가?"
"5일 동안 비가 내리지 않으면 보리농사가 안될 것이다."
"10일 동안 비가 내리지 않아도 괜찮겠는가?"
"10일 동안 비가 내리지 않으면 벼농사가 안될 것이다."
"비가 내리지 않아서 보리가 없고 벼가 없으면 연사(年事)가 장차 거듭 흉년이 들어 옥송(獄訟)이 빈번하게 일어나고 도적이 더욱 치성할 것이니, 내 그대들과 더불어 한가히 놀면서 이 정자에서 즐기려 하나, 이것이 가능하겠는가. 이제 하늘이 이 백성들을 버리지 않으시어 처음에 가물다가 비를 내려주셔서 나와 그대들로 하여금 서로 더불어 한가히 놀며 이 정자에서 즐기게 하였다. 이는 모두 비의 은혜이니, 이것을 잊을 수 있겠는가."【'잊지 않음을 나타낸다(示不忘)'는 것에 응한다.】

旣以名亭하고 又從而歌之曰 使天而雨珠라도 寒者不得以爲襦요 使天而雨玉이라도 飢者不得以爲粟이니 一雨三日이 伊誰之力고【此句, 已包太守·天子·造物·太空也.】 民曰太守라하니 太守不有하고 歸之天子라 天子曰不然하다하시고 歸之造物하시니 造物이 不自以爲功하고 歸之太空하니 太空은 冥冥하여 不可得而名이라 吾以名吾亭하노라【四者旣皆無所歸, 則歸之於亭名.】

이윽고 '희우'로 정자 이름을 짓고 또 따라서 다음과 같이 노래하였다.

"만일 하늘에서 진주가 쏟아지더라도 추운 자가 이것으로 저고리를 만들지 못할 것이요, 만일 하늘에서 옥(玉)이 쏟아지더라도 굶주린 자가 이것을 곡식으로 삼지 못할 것이니, 큰 비가 3일 동안 내린 것은 누구의 힘(공덕)인가?【이 구에 이미 태수(太守)와 천자(天子), 조물주와 태공(太空)을 포함하였다.】백성들이 태수라 하니, 태수는 이를 차지하지 않고 천자(天子)에게 돌렸다. 천자가 '그렇지 않다.'라고 하시고 조물주에게 돌리시니, 조물주도 스스로 공으로 여기지 않고 태공(太空, 공중)에게 돌렸다. 그러나 태공은 아득하고 아득하여 명칭할 수가 없기에 나는 이에 내 정자를 '비'라고 이름하노라."【네 가지에 이미 모두 돌릴 곳이 없으니, 정자의 이름에 공(功)을 돌린 것이다.】

사보살각기四菩薩閣記

소식蘇軾

• 작품개요

　　이 작품은 북송 신종(神宗) 희령(熙寧) 원년(1068) 10월 26일에 지어진 것으로, 당시 작자는 부친의 상(喪)을 치른 지 얼마 되지 않은 상태였다. 일찍이 작자는 생전에 그림을 좋아하셨던 부친 소순(蘇洵)을 위하여 당 현종(唐玄宗) 때의 화가 오도자(吳道子)가 그린 네 판(板)의 보살상(菩薩像)을 10만 전(錢)으로 구입하여 드렸다. 이후 영종(英宗) 치평(治平) 3년(1066) 4월 25일에 부친이 향년 58세로 별세하자 작자는 평소 교분이 있던 승려 유간(惟簡)의 권유로 부친이 가장 좋아하던 이 화판(畫板)들을 부친을 위하여 절에 시주하기로 결정하였다. 아울러 이 화판들의 보관을 각별히 부탁하자 유간은 거금을 들여 각(閣)을 만들어 화판들을 보관하고, 그 위에 부친의 화상을 그려 함께 모시게 되었다. 이에 작자가 이 작품을 통하여 각(閣)의 유래를 기록한 것이다.

　　작품의 중심 부분은, 진귀한 골동품인 네 화판을 지키는 것을 주제로 삼아 작자와 유간이 대화를 나누는 대목이다. 작자는 유간의 권유에 따라 화판들을 시주하기로 결정하며, 당 현종도 지키지 못한 이 화판들을 어떻게 지킬 것인지에 대하여 유간에게 질문한다. 유간은 자기 일신, 부처와 귀신을 통하여 지키겠다고 다짐하였으나, 작자가 질문한 의도를 간파하지 못한 대답이었기에 작자의 마음을 만족시키지 못하였다.

　　이에 작자는 천하의 모든 사람에게 부모가 있으므로 이 화판들을 시주하게 된 내력을 안다면 차마 절취(竊取)할 수 없을 것이라고 보았다. 아울러 이 화판들을 절취할 지의 여부는 유간이 관여할 바가 아니므로 그저 화판들이 절취당하지 않도록 최선을 다하여 지키는 것이 바로 그의 일임을 설명하면서 간곡히 당부하였다.

이 작품을 통하여 부친에 대한 작자의 효심이 지극하다는 것과 작자가 불교와 밀접한 관련이 있음을 알 수 있다.

篇題小註‥ 坡作僧家文字多矣어늘 今獨取此는 以後一半議論反覆之妙故也라 捨施不足信이요 而其守畫之說이 愈轉愈妙하니 吁라 吾之所以因此有所感者는 豈獨菩薩畫而已哉아

동파가 불가(佛家)에 대한 문자를 지은 것이 많은데, 이제 유독 이 글만을 취한(뽑은) 것은 후반부의 반복(反覆, 변화무쌍함)되는 의론이 묘하기 때문이다. 사시(捨施, 시주)는 믿을 것이 못되고 그림을 지킨다는 말은 더더욱 묘하다. 아! 내 이로 인하여 감동한 바가 있으니, 어찌 다만 보살각(菩薩閣)의 그림뿐이겠는가.

• 原文

始吾先君이【老泉.】於物에 無所好하여 燕居如齋하며 言笑有時로되 顧嘗嗜畫하시니 弟子門人이 無以悅之면 則爭致其所嗜하여 庶幾一解其顔이라 故로 雖爲布衣나 而致畫는 與公卿等하시니라

처음에 우리 선군(先君, 선친(先親))께서는【선군(先君)은 노천(老泉)이다.】물건에 대하여 좋아하는 것이 없으셔서 한가로이 거처하실 적에 재계하는 듯하셨으며, 말씀하고 웃으시는 것이 일정한 때가 있었으나 다만 일찍이 그림을 좋아하시니, 제자(弟子)와 문인(門人)들이 기쁘게 해드릴 것이 없으면 좋아하시는 그림을 다투어 마련하여 행여 한번 얼굴을 펴시기를 바랐었다. 그러므로 선군께서는 비록 포의(布衣, 선비)로 계셨으나 그림을 모은 것은 공경(公卿)들과 대등하셨다.

長安에 有故藏經龕[7]하니 唐明皇帝所建이라 其門이 四達八板에 皆吳道子[8]畫라【道

---

7 藏經龕 : 불경을 보관하는 감실(龕室)을 이른다. 감실은 경전이나 조상(彫像), 위패 등을 안치하는 작은 공간[室]을 이르는데, 벽감(壁龕)과 단독 감실이 있다. 벽감은 벽면이나 기둥면 등 수직면에 설치된 우묵한 공간으로, 주로 불상을 안

‥‥ 菩 보살 보 薩 보살 살 燕 한가할 연 齋 재계할 재 嗜 즐길 기 龕 감실 감 軀 몸 구
迫 핍박할 박 竅 구멍 규 荷 짐 하

子, 唐之善畫者, 極有名.】陽爲菩薩하고 陰爲天王하니 凡十有六軀라 廣明之亂⁹에【廣明,
僖宗年號, 時黃巢亂.】爲賊所焚하니 有僧忘其名이 於兵火中에 拔其四板以逃러니 旣
重不可負요 又迫於賊이라 恐不能皆全일새 遂竅其兩板以受荷하여 西奔於岐하여
而託死於烏牙之僧舍하니 板留於是가 百八十年矣라

　장안(長安)에 옛 장경감(藏經龕)이 있으니, 당(唐)나라 명황제(明皇帝, 현종)가 세운 것이었다.
그 문이 사방으로 나 있는 여덟 개의 판으로 이루어져 있는데 거기에는 모두 오도자(吳道子)
의 그림이 그려져 있었는데,【오도자(吳道子)는 당(唐)나라의 그림을 잘 그린 자로 매우 명성이 있었다.】
양(陽, 바깥쪽)은 보살(菩薩)이고 음(陰, 안쪽)은 천왕(天王)으로 모두 16구(軀)였다.

　광명(廣明)의 난리에【광명(廣明)은 희종(僖宗)의 연호이니, 이때 황소(黃巢)의 난이 일어났다.】적에
게 불태워지고 말았다. 이때, 이름을 잊은 어떤 승려가 병화(兵火) 중에 네 개의 화판(畫板)을
뽑아가지고 도망을 갔는데, 무거워 등에 짊어질 수가 없고 또 적에게 쫓겨 모두 온전히 보전
하지 못할까 두려웠다. 마침내 두 개의 화판에 구멍을 뚫어 짊어지고 서쪽 기주(岐州)로 도망
해서 오아(烏牙)의 승방(僧房)에 의탁하였다가 죽으니, 이 화판이 이곳에 180년 동안 보관되어
있었다.

客有以錢十萬으로 得之하여 以示軾者어늘 軾이 歸其直(值)而取之하여 以獻諸先
君하니 先君之所嗜가 百有餘品이러니 一旦에 以是四板爲甲이라【可想其妙.】治平四

치하는 용도로 만들어졌는데, 석굴암(石窟庵)의 말굽형(무지개형) 벽감이 유명하다. 단독 감실의 종류 중에는 정면에 문을
달고 내부에 불상을 따로 만들어 안치한 가옥형(家屋形 전각형(殿閣形))의 불감(佛龕)들이 있는데, 여기서 말한 장경감도
이러한 가옥형 불감이었으나, 다만 그 크기가 거의 전(殿)에 해당될 정도의 규모인 듯하다.

8　吳道子 :?~759. 당(唐)나라의 유명한 화가로 흔히 화성(畫聖)으로 불린다. 이름이 도현(道玄)이며 양적(陽翟, 지금의
하남성(河南省) 우주(禹州) 사람이다. 어려서 집이 가난하여 민간의 화공(畫工)으로 있다가 점차 명성을 떨쳐 연주(兗州)
하구현(瑕丘縣)의 위(尉)에 임명되었으나 사직하고, 낙양(洛陽)에 살면서 불가와 도가의 벽화를 그리는 일에 종사하였다.
개원(開元) 연간에 뛰어난 솜씨가 알려져 현종(玄宗)의 부름을 받고 궁중에 들어가 공봉(供奉)과 내교박사(內敎博士)를
역임하였다. 그는 여러 방면의 그림을 그려 많은 작품을 남겼으나, 불가와 도가의 인물화와 산수화에 발군이었으며, 벽화에
도 뛰어나 후대의 화가들에게 많은 영향을 남겼다.

9　廣明之亂 : '광명(廣明)'은 당 희종(僖宗)의 연호로 880년부터 881년까지이며, '난(亂)'은 황소(黃巢)의 난을 이른다.
황소는 중국 당나라 말기 농민 반란군의 지도자로, 소금을 밀매하던 상인이었다. 874년에 왕선지(王仙芝, ?~878)가 반란
을 일으키자 수천 명의 무리를 이끌고 호응하였다가 그가 죽은 뒤에 독립적으로 반란군을 이끌어 중국 땅 대부분을 공략
하였다. 880년에 낙양(洛陽)과 장안(長安)을 함락한 뒤 장안에 스스로 정권을 세우고 국호를 대제(大齊), 연호를 금통(金
統)이라 하였으나, 그 뒤 884년에 이극용(李克用) 등의 관군에게 패하여 자살하였다.

⋯　直 값 치　汴 물이름 변　泝 거스를 소

年에【英宗朝丁(卯)[未]¹⁰歲.】先君이 沒于京師하시니【按宮師,¹¹ 公以治平三年丙午四月, 卒于京師, 子瞻卽護喪歸葬, 熙寧元年戊申七月, 除喪, 是冬, 公出蜀. 此云治平四年, 恐誤.】軾이 自汴入淮¹²하여 泝于江하여 載是四板而歸하니라

어떤 객이 10만 전(錢)으로 이것을 구하여 나에게 보여주기에, 나는 그 값을 치르고 사서 선군에게 드렸다. 선군께서는 좋아하는 그림이 백여 가지였는데, 하루아침에 이 네 개의 화판을 으뜸으로 여기셨다.【그 묘함을 상상할 수 있다.】

치평(治平) 4년(1067)에【영종조(英宗朝) 정미년(丁未年, 1067)이다.】 선군이 경사(京師)에서 별세하시니,【살펴보건대 공(노천)이 치평(治平) 3년 병오(丙午, 1066) 4월에 경사에서 별세하니, 자첨(子瞻)이 즉시 상을 보호하여 돌아가 장례하였고, 희령(熙寧) 원년 무신(戊申, 1068) 7월에 상복을 벗었으며, 이해 겨울에 동파공이 촉(蜀)에서 나왔으니, 여기에서 '치평 4년'이라고 말한 것은 잘못인 듯하다.】 나는 변하(汴河)로부터 회수(淮水)로 들어와 양자강으로 거슬러 올라가 이 네 개의 화판을 싣고 돌아갔다.

旣免喪에 所嘗與往來浮屠人惟簡이 誦其師之言하여 敎軾爲先君捨施호되 必所甚愛와 與所不忍捨者라하여늘 軾이 用其說하여 思先君之所甚愛와 軾之所不忍捨者하니 莫若是板이라 故로 遂以與之하고 且告之曰【自此以下, 議論妙, 不可言.】此는 明皇帝之所不能守而焚於賊者也니 而況於余乎아 余視天下之蓄此者多矣로되 有能及三世者乎아 其始求之엔 若不及하고 旣得엔 惟恐失之로되 而其子孫이 不以易衣食者鮮矣라 余自度(탁)不能長守此也일새【坡之謙辭.】是以로 子子하노니 子將何以守之오

내가 상복을 벗은 뒤에, 일찍이 왕래하던 부도인(浮屠人, 승려) 유간(惟簡)이 자기 스승의 말을 외면서 나로 하여금 선군을 위해 시주하되 반드시 몹시 아끼시던 것과 차마 버리지 못하

---

10 (卯)[未]: 저본에는 '묘(卯)'로 되어 있으나 간지를 확인하여 '미(未)'로 바로잡았다.

11 宮師: 두 글자는 연문(衍文)인 듯하다.

12 自汴入淮: 변하(汴河)에서 회수(淮水)로 진입한 뒤 다시 장강(長江)을 거슬러 올라가 촉(蜀)으로 들어갔음을 이른다. '변(汴)'은 변하로 수 양제(隋煬帝)가 황하와 회수를 연결하여 만든 운하인데, 변경(汴京, 개봉(開封))을 경유한다. '회(淮)'는 회하(淮河)로 하남성(河南省) 동백산(桐柏山)에서 발원하여 동으로 흘러 안휘성(安徽省), 강소성(江蘇省) 일대를 지나 홍택호(洪澤湖)로 들어가고 다시 운하에 합해져서 고우호(高郵湖)를 지나 강도현(江都縣)에서 장강과 합류한다.

忍 차마할 인 與 줄 여 焚 불사를 분 蓄 쌓을 축 予 줄 여

는 것을 내놓게 하였다. 나는 그 말을 따라 선군이 몹시 아끼시던 것과 내가 차마 버릴 수 없는 것을 생각해 보니, 이 화판만 한 것이 없었다. 그러므로 나는 마침내 이 화판을 그에게 주고 또 그에게 다음과 같이 말하였다.【이로부터 이하는 의론이 묘하여 말할 수가 없다.】

"이것은 명황제(현종)도 지키지 못하여 적에게 불탔던 것이니, 하물며 나에게 있어서이겠는가. 내 보건대 천하에 이러한 물건을 모아놓은(보관한) 자들이 많으나 능히 3대에 미친 자가 있었는가. 처음 구할 적에는 미치지 못할 듯이 여기고 얻고나서는 행여 잃을까 두려워하였으나, 그 자손들 중에 이것을 의식(衣食)과 바꾸지(이것을 팔아먹지) 않은 자가 별로 없다. 내 생각해 보건대 이것을 장구히 지킬 수가 없다.【동파의 겸사이다.】 이 때문에 그대에게 주는 것이니, 그대는 장차 어떻게 지키려는가?"

簡曰 吾以身守之하여 吾眼은 可矐(학)이요 吾足은 可斮(착)이라도 吾畫는 不可奪이니 若是면 足以守之歟아 軾曰 未也라 足以終子之世而已니라 簡曰 吾又盟於佛而以鬼守之하여 凡取是者와 與凡以是予人者는 其罪如律케하리니 若是면 足以守之歟아 軾曰 未也라 世有無佛而蔑鬼者하니라

유간은 말하기를 "나는 몸으로 이것을 지켜서 내 눈은 뺄 수 있고 내 발은 자를 수 있어도 내 그림은 빼앗을 수 없게 할 것이니, 이와 같이 한다면 지킬 수 있겠는가?" 하였다. 이에 나는 대답하기를 "이것 가지고는 안 된다. 이는 그대의 일생 동안에만 지킬 수 있을 뿐이다." 하였다. 유간은 또 말하기를 "내 또 부처님에게 맹세하고 귀신으로 지키게 하여, 무릇 이것을 취하거나 이것을 남에게 주는 자는 법률에 의거하여 치죄할 것이니, 이와 같이 한다면 지킬 수 있겠는가?" 하였다. 나는 "이것 가지고도 안 된다. 세상에는 부처를 무시하고 귀신을 멸시하는 자가 있다." 하였다.

然則何以守之오【此句, 乃簡之問.】曰 軾之以是子子者는 凡以爲先君捨也니 天下에 豈有無父之人歟아 其誰忍取之리오【尤妙.】若其聞是而不悛(전)하여 不惟一觀而已요 將必取之然後爲快면 則其人之賢愚가 與廣明之焚此者로 一也라 全其子孫이 難矣리니 而況能久有此乎아【絕妙. 子孫二字, 愚意易以軀字如何, 同志幸商之.】且夫不可取者는 存乎子하고 取不取者는 存乎人하니 子勉之矣어다 爲子之不可取者而已니 又何知焉이리오【添此一轉, 毫髮無遺恨矣.】

유간이 "그렇다면 어떻게 지켜야 하는가?"라고 하기에,【이 구는 바로 유간이 물은 것이다.】 나는 다음과 같이 말하였다.

"내가 이것을 그대에게 준 것은 모두 선군을 위하여 시주한 것이니, 천하에 어찌 부모가 없는 사람이 있겠는가. 그 누가 차마 이것을 취하겠는가.【더욱 묘하다.】 만일 이러한 말을 듣고도 고치지 아니하여 한번 구경할 뿐만이 아니요, 장차 반드시 취한 뒤에야 만족해 한다면 그 사람의 어리석음은 광명(廣明) 연간에 이것을 불태웠던 자와 똑같다. 그 자손을 온전히 보존하기도 어려울 것이니, 하물며 오랫동안 이것을 소유할 수 있겠는가.【절묘하다. '자손(子孫)' 두 글자를, 나의 생각엔 '구(軀)' 자로 바꾸는 것이 좋을 듯하니, 동지들은 부디 헤아려보길 바란다.】 또 이것을 취할 수 없게 하는 것은 그대에게 달려 있고, 취하고 취하지 않는 것은 남에게 달려 있으니, 그대는 힘쓸지어다. 그대는 남이 이것을 취할 수 없게 할 뿐이니, 다른 것을 어찌 알겠는가."【한번 더 전환하여 털끝만큼도 남은 한이 없게 되었다.】

旣以子簡하니 簡以錢百萬으로 度(탁)爲[大][13]閣以藏之하고 且畵先君像其上이어늘 軾이 助錢二十之一하여 期以明年冬에 閣成하니라 熙寧元年十月日에 記하노라【戊申歲, 坡年三十三. ○按歐陽公有菱溪大石記, 意度與此記頗相似. 不知坡公見之而作此耶, 抑暗合也? 學者於歐記, 亦當取而參之云.】

내가 이미 유간에게 화판을 주니, 유간은 백만 전(錢)으로 헤아려 큰 보살각을 만들어 보관하고, 또 그 위에 선군의 화상(畵像)을 그렸다. 이에 나는 돈 20분의 1을 보조하여 다음 해 겨울에 보살각이 이루어지길 기약하였다.

희령(熙寧) 원년(1068) 10월 일에 기록하노라.【무신년(戊申年, 1068)은 동파의 나이가 33세였다. ○ 살펴보건대 구양공의 〈능계대석기(菱溪大石記)〉가 있는데, 의도(意度, 문장의 뜻과 태도)가 이 기(記)와 자못 유사하다. 동파공이 이것을 보고 이 글을 지었는지, 아니면 은연중 부합했는지 알 수 없다. 배우는 자는 구양공의 기문에 대하여 또한 마땅히 취하여 참고해야 할 것이다.】

---

13 〔大〕: 저본에는 없으나 《동파전집(東坡全集)》과 《당송팔가문초》에 의거하여 보충하였다.

전표성주의서田表聖奏議序

소식蘇軾

• 작품개요

    이 작품은 전표성(田表聖) 즉 전석(田錫, 940~1004)의 주의(奏議)에 대한 서문으로, 지어진 시기는 미상이다. '주의(奏議)'란 관리가 군주에게 모종의 일에 대하여 진술하고 이에 대한 자신의 의견을 논한 글을 이른다. '표성'은 전석의 자(字)로, 가주(嘉州) 홍아(洪雅) 사람이다. 북송 태종(太宗) 태평흥국(太平興國) 3년(978)에 방안(榜眼)으로 진사(進士)에 급제하여 장작감 승(將作監丞)·선주 통판(宣州通判)이 되었다가 하북 전운부사(河北轉運副使), 호부 낭중(戶部郎中), 지태 주사(知泰州事) 등 여러 관직을 역임하고, 우간의 대부(右諫議大夫)·사관 수찬(史館修撰)에 제수되었다. 성품이 강직하여 직간(直諫)을 잘하였으며 권문세가들을 두려워하지 않았으므로 진종(眞宗)으로부터 직신(直臣)이라는 평가를 받았다. 저서에 《함평집(咸平集)》 50권이 있으며, 《송사(宋史)》에 입전(立傳)되었다.

    작자는 작품의 첫머리에서 전석에 대하여 "아! 전공(田公)은 옛날의 유직(遺直)이다.〔嗚呼田公 古之遺直〕"라고 평하였는바, 여기서 '유직(遺直)'이란 정직한 도(道)를 실행하여 고인(古人)의 유풍(遺風)을 지닌 사람을 가리킨다. 전석은 태종과 진종 두 황제를 모셨는데, 두 황제는 모두 넓은 아량으로 그의 직간을 잘 받아들였다. 태종은 "전석은 문행(文行)이 있고 과감히 간언한다."라고 칭찬하였고, 진종은 전석이 죽자, "전석은 직신(直臣)인데 하늘이 어찌 이리도 서둘러 빼앗아 가는가?"라고 아쉬워하였다. 이 때문에 작자는 "태종과 진종 두 임금의 성스러움을 알겠다〔知二宗之聖也〕"라고 언급하며, 태종의 태평흥국 연간으로부터 진종의 함평 연간에 이르기까지의 기간이 '태평성세'라고 보았다.

    그러나 작자는 여기서 '설문(設問)'의 방법으로 필봉을 전환하여, 전석이 항상 측량할 수 없는 걱정거리가 조석에 닥칠 듯이 여겨서 직간하였던 이유를 탐구하고자 하였다. 전석이 그토록 전전긍긍하며 직간하였던 이유는, 명주(明主)는 다른 사람보다 뛰어난 자품이 있고 치세(治世)는 두려워할 만한 방비가 없기 때문이었다. 작자는 이를 증명할 역사적 실례로써 한(漢)나라 때 양 회왕(梁懷王)의 태부(太傅)로 있으면서 장편의 상소문을 문제(文帝)에게 올렸던 가의(賈誼)와 무제(武帝) 말년에 가의가 일찍이 건의했던 정책을 시행하여 천하를 안정시킨 주보언(主父偃)의 고사를 원용하였다. 특히 주보언을 언급함으로써 전석의 주의에 실린 주옥같은 내용이 반드시 실현되기를 바라는 작자의 마음을 기탁하였다.

특히 작중에서 "옛날의 군자들은 반드시 치세를 걱정하고 명주를 위태롭게 여겼다.〔古之君子 必憂治世而危明主〕"라는 구절은 인구에 회자되는 명언이다.

篇題小註‥ 意深切하고 文縝密하고 事的當하니 冠冕佩玉之文也니라

뜻이 깊고 간절하며 문장이 치밀하고 일이 적당하니, 관면 패옥(冠冕佩玉, 제일)의 문장이다.

• 原文

故諫議大夫贈司徒田公表聖의 奏議十篇이라 嗚呼라 田公은 古之遺直也[14]라 其盡言不諱는 蓋自敵以下受之에도 有不能堪者어든 而況於人主乎아 吾以是로 知二宗之聖也로라【太宗・眞宗, 入得好.】

〈이것은〉고(故) 간의 대부(諫議大夫)로 사도(司徒)에 추증된 전공 표성(田公表聖)의 주의(奏議) 10편이다.

아! 전공은 옛날의 유직(遺直)이다. 숨기지 않고 말을 다함은 지위가 대등한 자 이하의 사람들이 받더라도 감당하지 못할 것이 있는데 하물며 군주에 있어서이겠는가! 나는 이 때문에 태종(太宗)과 진종(眞宗) 두 임금의 성스러움을 아노라.【이종(二宗)은 태종(太宗)과 진종(眞宗)이니, 도입부가 매우 좋다.】

---

14 古之遺直也: '유직(遺直)'은 정직(正直)함을 지켜 고인(古人)의 유풍(遺風)을 지닌 사람을 이른다. 《춘추좌씨전》 소공(昭公) 14년에 "중니(仲尼)께서 말씀하시기를 '숙향(叔向)은 옛날의 유직이다.' 하셨다.〔仲尼曰 叔向古之遺直也〕"라고 보인다.

縝 고을 진　冕 면류관 면　贈 줄 증　敵 대등할 적　堪 견딜 감

自太平興國以來로 至于咸平히 可謂天下大治, 千載一時矣어늘 而田公之言이 常若有不測之憂 近在朝夕者는 何哉오 古之君子는 必憂治世而危明主하나니 明主는 有絶人之資요 而治世는 無可畏之防일새라 夫有絶人之資면 必輕其臣하고 無可畏之防이면 必易其民하나니 此君子之所甚懼者也니라【鎖得妙. 陳君擧論, 多法此.】

〈태종의〉 태평흥국(太平興國) 연간으로부터 〈진종의〉 함평(咸平) 연간에 이르기까지 천하가 크게 다스려져 천 년 만에 한 번 있는 좋은 시절이라고 이를 만하였는데도, 전공의 말씀은 항상 측량할 수 없는 우환이 가까이 조석에 있는 듯하였으니, 이는 어째서인가? 옛날의 군자(君子)들은 반드시 치세(治世)를 걱정하고 명주(明主, 현명한 군주)를 위태롭게 여겼으니, 명주는 남보다 뛰어난 자품이 있고 치세는 두려워할 만한 방비가 없기 때문이다. 남보다 뛰어난 자품이 있으면 반드시 그 신하를 가볍게 여기고(무시하고), 두려워할 만한 방비가 없으면 반드시 그 백성을 함부로 대하니, 이는 군자가 매우 두려워하는 바이다.【수습하여 끝맺음이 묘하다. 진군(陳君)이 논을 쓸 때에 대부분 이것을 본받았다.】

方漢文時에 刑措不用하고 兵革不試어늘 而賈誼之言曰 天下有可長太息者하며 有可流涕者하며 有可痛哭者[15]라호되 後世에 不以是少【下字.】漢文하고 亦不以是甚【下字.】賈誼하니 由此觀之컨댄 君子之遇治世而事明主는 法當如是也니라【好.】

한(漢)나라 문제(文帝) 때에 〈죄인이 없어서〉 형벌을 버려두고 쓰지 않았고 병혁(兵革, 병기와 갑옷)을 쓰지 않았는데도, 가의(賈誼)의 말에 이르기를 "천하에 크게 탄식할 만한 것이 있으며 눈물을 흘릴 만한 것이 있으며 통곡할 만한 것이 있다."라고 하였다. 후세에서는 이 때문에 한나라 문제를 하찮게 여기지【글자를 놓았다.】않았고, 또한 이 때문에 가의를 심하다고【글자를 놓았다.】여기지 않았으니, 이로 말미암아 살펴본다면 군자가 치세를 만나 명주를 섬길 적에는 법도가 마땅히 이와 같아야 하는 것이다.【좋다.】

---

15 賈誼之言曰……有可痛哭者: 가의(賈誼, B.C. 200~B.C. 168)는 한 문제(漢文帝) 때의 명신이다. 시문에 뛰어나고 제자백가에 정통하였으며, 20세에 문제에게 발탁되어 박사(博士)가 되었다가 태중대부(太中大夫)로 승진되었다. 정삭(正朔)과 복색(服色), 제도(制度) 등을 고치고 법률을 제정하며 예악(禮樂)을 일으키려 하였으나, 주발(周勃) 등 당시 대신들의 반대로 장사왕(長沙王)의 태부(太傅)로 좌천되었다. 4년 뒤에 돌아와 문제의 막내아들인 양회왕(梁懷王)의 태부가 되었으나 양회왕이 낙마하여 급서하자, 가의 역시 상심한 나머지 33세의 젊은 나이로 병사하였다. 가의가 양회왕의 태부로 있으면서 세칭 '가의상소(賈誼上疏)'라고 하는 장편의 상소문을 문제에게 올렸는데, 본문의 내용은 바로 이 상소문에 보인다.

···· 載 해 재 措 버려둘 조 賈 성 가 誼 옳을 의 涕 눈물 체

誼雖不遇나 而其所言이 略已施行이러니 不幸早世하여 功業이 不著於時라 然이나 誼嘗建言하여 使諸侯王子孫으로 各以次受分地[16]로되 文帝未及用이러니 歷孝景至武帝하여 而主父(보)偃이 擧行之[17]하여 漢(受)[室][18]以安이라【此意於田公奏議傳世, 尤切, 先後著高.】今公之言이 十未用五六也하니 安知來世不有若偃者 擧而行之歟아 願廣其書於世하면 必有與公合者리니 此亦忠臣孝子之志也니라【字數不多, 而議論關涉大.】

가의는 비록 불우하였으나 그가 말한 것이 대략 이미 실행되었는데, 불행히 일찍 세상을 떠나 공업(功業)이 당시에 드러나지 못하였다. 그러나 가의가 일찍이 제후왕(諸侯王)의 자손들로 하여금 각기 차례로 봉지(封地)를 나누어 받게 할 것을 건의하였으나 문제가 미처 그의 말을 쓰지 못하였는데, 경제(景帝)를 지나 무제(武帝)에 이르러 주보언(主父偃)이 거행해서 한나라 황실이 이 때문에 편안해졌다.【여기서는 전공(田公)의 주의(奏議)가 세상에 전해지기를 바라는 뜻이 더욱 간절하니, 앞과 뒤에 글자를 놓은 것이 매우 빼어나다.】

이제 공의 말씀이 열 가지 중에 5~6가지도 쓰이지 못하였으니, 후세에 이를 거행할 주보언 같은 자가 없으리라고 어찌 장담하겠는가. 원컨대 이 책을 세상에 널리 반포하면 반드시 공과 뜻이 합하는 자가 있을 것이니, 이 또한 충신(忠臣)과 효자(孝子)의 뜻인 것이다.【글자 수가 많지 않으나 의론이 세도(世道)에 크게 관계된다.】

---

16 誼嘗建言……各以次受分地: 가의가 문제에게 올린 상소문 중에 "땅을 떼어 봉분(分封)해주는 제도를 정하여 봉지(封地)의 제도가 한번 정해지면 종실(宗室)의 자손들이 왕이 되지 못함을 염려하지 않을 것입니다. 이렇게 하면 아래에서는 배반하는 마음이 없고 위에서는 주벌하려는 뜻이 없어서, 법이 확립되어 죄를 범하지 않고 명령이 시행되어 거스르지 않아서, 적자(赤子)를 천하의 위에 눕혀놓아도 편안하며 유복자(遺腹子)를 세우고 선제(先帝)가 남기신 갖옷에 조회하게 하더라도 천하가 어지럽지 않을 것이니, 폐하께서는 무엇을 꺼리시어 오랫동안 이것을 행하지 않으십니까?〔割地定制 地制一定 宗室子孫 莫慮不王 下無背畔之心 上無誅伐之志 法立而不犯 令行而不逆 臥赤子天下之上而安 植遺腹 朝委裘 而天下不亂 陛下誰憚而久不爲此〕"라고 보인다.

17 主父偃擧行之: 주보언(主父偃, ?~B.C. 126)은 한 무제(漢武帝) 때의 문신으로, '주보'는 복성이고 '언'은 이름이다. 출신이 미천하였으나 총명하여 어려서 종횡가(縱橫家)를 배우고 뒤에 《주례(周禮)》와 《춘추(春秋)》 및 백가(百家)의 학설을 두루 익혔다. 여러 제후국을 주류하면서 유세하였으나 등용되지 못하자, 원광(元光) 원년(B.C. 134)에 직접 무제에게 글을 올려 인정을 받고 낭중(郎中)에 제수되었는데, 이후 무제의 신임이 두터워져 승진을 거듭하여 중대부(中大夫)에 이르고 무제의 중요한 참모가 되었다. 무제는 주보언의 건의에 따라 가의의 정책을 써서 원칙적으로 적장자에게만 상속되던 제후왕들의 영지를 다른 아들들에게도 분봉(分封)할 수 있도록 하였다. 이에 날이 갈수록 제후들의 영지는 축소되고 이에 따라 군현제(郡縣制)가 완전히 자리잡게 되었다.

18 (受)〔室〕: 저본에는 '수(受)'로 되어 있으나 《동파전집(東坡全集)》과 《당송팔대가문초》에 의거하여 '실(室)'로 바로잡았다.

··· 歷 지날 역 父 남자의미칭 보 偃 누울 언

전당근상인시집서錢塘勤上人詩集序

소식蘇軾

• 작품개요

　이 작품은 희령(熙寧) 7년(1074), 작자가 항주 통판(杭州通判)에서 지밀 주사(知密州事)로 부임할 적에 승려 혜근(惠勤)이 그 시집에 서문을 써주기를 요구하므로 지은 것이다. '전당(錢塘)'은 항주(杭州)를 이르고, '근상인(勤上人)'은 바로 작자의 벗인 승려 혜근으로, '상인(上人)'은 승려를 높여 이르는 말이다.

　《동파지림(東坡志林)》에 "처음 내가 구양공(歐陽公)을 알지 못하였을 적에 이미 그의 시(詩)를 본 적이 있었는데, 그 뒤에 자주 구양공을 뵈면서 혜근의 사람됨을 알게 되었다. 그러나 아직 혜근을 제대로 알지는 못하였는데, 희령 4년 신해(辛亥)에 항주로 부임한 지 한 달이 되기 전인 섣달 그믐날에 혜근을 고산(孤山) 아래에서 만나보았으니, 이때 내가 지은 시에 이른바 '외로운 산에 외로이 떨어져서 누구를 그리워하는가? 도인(道人)은 도(道)가 있으니, 마음이 외롭지 않아라.'라는 구절이 이것을 읊은 것이다. 다음 해 윤7월에 구양공이 여음(汝陰)에서 돌아가시자 혜근 또한 고산 아래에 은거하고 다시는 나다니지 않았다.〔始余未識歐公 則已見其詩矣 其後屢見公 得勤之爲人 然猶未識勤也 熙寧四年辛亥 到官不及月 以臘日見勤于孤山下 則余詩所謂 孤山孤絶誰肯廬 道人有道心不孤者也 其明年閏七月 公薨于汝(陽)〔陰〕[19] 而勤亦退老于孤山下 不復出游矣〕"라는 내용이 보인다.

　혜근은 구양수(歐陽脩)와 30여 년 동안 종유하여 매우 잘 아는 사이였으나 작자는 그 동안 줄곧 이 시승(詩僧)과 교분을 쌓지 못하였다. 희령 4년에 작자는 항주의 임소로 부임하는 도중에 영주(穎州)에 가서 구양수를 배알하였는데, 구양수는 작자에게 혜근의 인품과 학문을 칭찬하며 그

19　(陽)〔陰〕: 저본에는 '陽'으로 되어 있으나 뒤의 원문에 근거하여 '陰'으로 수정하였다.

를 만나볼 것을 권하였다. 이에 작자는 부임한 지 3일 만에 서호(西湖)의 고산(孤山)으로 혜근을 방문하였고 〈납월유고산 방혜근혜사이승(臘月游孤山訪惠勤惠思二僧)〉이라는 시를 지었다.

그 다음 해인 희령 5년(1072) 윤7월 23일에 구양수가 병으로 세상을 떠나자, 스승이 세상을 떠난 것에 대하여 애달파하는 감정은 작자와 혜근의 마음을 단단히 연결시켜 주었다. 구양수에 대한 혜근의 변치 않는 감정은 작자에게 매우 잊기 어려운 인상을 심어주었다. 그래서 작자는 혜근의 시를 읽고서 그의 고상한 인품과 절조에 감동하고, 또 혜근을 통하여 현사(賢士)를 좋아하고 우대하였던 구양수에 대한 생각이 일어났기 때문에 이 서문에서 자기의 내심 깊은 곳의 감동과 감개를 드러내었다. 결과적으로 서문을 통하여 구양수와 혜근에 관한 한 편의 '소전(小傳)'을 완성한 셈인데, 이러한 새로운 형식은 일반적인 서문과 차이가 있다.

송대 문인들은 서문을 지을 적에 통상 구체적인 시(詩)·문(文)을 가지고 논하였다. 그러나 이 작품은 이러한 상투적 격식을 타파하였다. 작품 속에는 혜근의 시에 대한 평론이 전혀 없고, 가장 마지막 부분에 가서야 비로소 간략하게 혜근의 시집을 언급하였을 뿐이다. 혜근의 훌륭한 인품을 드러내는 데에 주력하였고, 혜근을 논하기에 앞서 혜근이 가장 존숭한 스승 구양수의 도덕을 먼저 논하였다.

작품 전체는 '현(賢)'이라는 한 글자에 착안하여 구양수와 혜근의 어짊을 칭송하였다. '석적공파정위(昔翟公罷廷尉)'부터 '독불위소재(獨不爲小哉)'까지의 첫 번째 단락에서는, '적공(翟公)'이라는 역사적 인물과 고사를 거론함으로써 다음 단락에 등장하는 구양수를 부각시키는 역할을 하였다. '고태자태사구양공(故太子太師歐陽公)'부터 '현어고인원의(賢於古人遠矣)'까지의 두 번째 단락에서는, 앞 단락을 이어받아 자연스럽게 구양수를 언급하였는데 적공과 대비하여 구양수의 '현'을 표현하며 개괄적인 서술과 구체적인 언행을 결합시켰다. '공불희불로(公不喜佛老)'부터 '막지전야(莫之傳也)'까지의 세 번째 단락에서는, 혜근의 '현'에 대하여 표현하였는데, 구양수가 그에게 끼친 은덕이 없는데도 구양수가 세상을 떠난 뒤에 구양수를 잊지 못하는 그의 태도를 이야기함으로써 스승에 대한 충심을 매우 감동적으로 표현하였다.

작품 전체는 서사와 의론이 적절히 섞인 채 전후(前後)·수미(首尾)가 서로 호응하여 긴밀하게 연결되면서도 서술이 자연스럽고 유창하다. 겨우 500여 자인 짧은 편폭에 17개의 '어(於)' 자를 사용하였고, 또한 '독불위소재(獨不爲小哉)', '현어고인원의(賢於古人遠矣)' 등 영탄(詠嘆)의 표현을 구사함으로써 감개와 탄식의 정조(情調)를 더하였다.

이 작품은 구양수와 혜근의 순수하고 진지한 우의에 대하여 서술하고, 고결한 정신적 경계에 대하여 이야기하였다. 문장 곳곳에 구양수와 혜근에 대한 작자의 존경과 흠모, 그리움과 찬탄 등 깊은 정회가 배어 있어 읽는 이의 심금을 울린다.

篇題小註‥ 西湖僧惠勤이 長於詩하여 見知於歐陽公이라 公이 嘗作山中樂(락)三章하여 贈
之러니 熙寧四年에 坡公이 通判杭州할새 見公於汝陰之南하니 公謂坡曰 子求人於湖山間而
不可得이어든 則往從勤乎인저하니 坡到官三日에 卽訪之하니라 明年에 歐公卒이어늘 坡哭之於
勤舍러니 七年에 坡除知密州한대 勤이 以其詩求序하니라 此序前一大截은 全不及勤하고 末漸
漸引上하여 以勤之生死不忘公으로 而知其能不負公하고 以勤之不負公으로 而媿士之負公
者하니 乃是先有末後一段意思하여 而遂立前一段議論也라 若其詩則不甚言之하니 則人之
賢如此하면 詩는 不言可知矣라 甚文而長於詩는 又見於六一泉銘²⁰云이라

서호(西湖, 전당호(錢塘湖))의 승려인 혜근(惠勤)은 시(詩)를 잘하여 구양공에게 인정을 받았다. 구
양공이 일찍이 〈산중락(山中樂)〉세 장(章)을 지어서 그에게 주었었는데, 희령(熙寧) 4년(1071)에 파공(坡
公, 소동파)이 항주 통판(杭州通判)으로 있을 적에 구양공을 여음(汝陰)의 남쪽에서 뵈니, 구양공은 파
공에게 이르기를 "자네가 호산(湖山) 사이에서 훌륭한 사람을 찾다가 얻지 못하거든 혜근을 찾아가
라." 하니, 파공은 부임한 지 3일 만에 즉시 그를 방문하였다.

다음 해에 구양공이 별세하였으므로 파공은 혜근의 집에서 곡(哭)을 하였는데, 희령 7년(1074)에
파공이 지밀 주사(知密州事)로 제수되자 혜근은 자기의 시집에 서문을 써 줄 것을 요구하였다.

이 서문의 앞의 큰 절(節)은 전혀 혜근을 언급하지 않고, 끝으로 갈수록 점점 끌어올려서 혜근이
사생간(死生間)에 구양공을 잊지 않음으로써 구양공을 저버리지 않았음을 알고, 혜근이 구양공을
저버리지 않음으로써 구양공을 저버린 선비들을 부끄럽게 하였으니, 이는 바로 먼저(미리) 끝의 한
단락의 의사(意思)를 두고서 마침내 앞의 한 단락의 의론을 세운 것이다. 그의 시에 대해서는 그다
지 말하지 않았으니 사람의 어짊이 이와 같다면 시는 굳이 말하지 않아도 알 수 있기 때문이다. 혜
근이 문장을 잘하고 시에 뛰어난 것은 〈육일천명(六一泉銘)〉에서도 알 수 있다.

• 原文

昔에 翟(적)公이 罷廷尉에 賓客이 無一人至者러니 其後復用에 賓客이 欲往이어늘 翟

---

20 六一泉銘: 소식은 혜근이 구양공을 저버리지 않고서 돌아가신 뒤에도 살아 계실 때처럼 섬기는 것을 가상하게 여겼
다. 뒤에 혜근의 집 아래에서 샘물이 흘러나왔는데 물이 매우 깨끗하고 맛이 달아 이곳에 바위를 뚫고 돌을 얹어 집을 만들
었다. 이에 소식이 혜근의 뜻을 미루어 육일천(六一泉)이라 이름을 짓고 〈육일천명〉을 지었다. 《東坡全集 卷96 六一泉銘》
육일천은 육일거사(六一居士)인 구양수의 샘물이란 뜻이다.

公이 大書其門曰 一死一生에 乃知交情이요 一貧一富에 乃知交態요 一貴一賤에 交情乃見[21](현)이라하니 世以爲口實이라 然이나 余嘗薄其爲人하여 以爲客則陋矣어니와 而公之所以待客者는 獨不爲小哉아호라

옛날(한대(漢代))에 적공(翟公)이 정위(廷尉)라는 벼슬을 그만두자 찾아오는 빈객이 한 사람도 없었는데, 그 후 다시 등용되자 빈객들이 다시 찾아가려고 하였다. 적공은 그의 문에 크게 써 붙이기를 "한 번 죽고 한 번 삶에 사귀는 정을 알 수 있고, 한 번 가난하고 한 번 부유함에 사귀는 태도를 알 수 있고, 한 번 귀하고 한 번 천함에 사귀는 정이 나타난다."라고 하니, 세상에서는 이것을 구실(얘깃거리)로 삼고 있다. 그러나 나는 일찍이 적공의 사람됨을 박(薄)하게 여겨 '빈객들은 비루하지만 적공이 빈객을 대한 것도 어찌 덕량(德量)이 작은 것이 아니겠는가?'라고 생각하였다.

故太子太師歐陽公[22]이 好士하여 爲天下第一이라 士有一言中於道면 不遠千里而求之하여 甚於士之求公이라 以故로 盡致天下豪傑하여 自庸衆人으로 以顯於世者 固多矣라 然이나 士之負公者亦時有之라 蓋嘗慨然太息하여 以人之難知로 爲好士者之戒하시니 意公之於士에 自是小倦이러니 而其退老於潁水之上[23]할새 余往見之하니 則猶論士之賢者하여 惟恐其不聞於世也하고 至於負[己][24]者하여는 則曰 是

---

21 昔翟公罷廷尉……交情乃見 : 적공은 전한(前漢) 무제(武帝) 때 문신으로 규현(邽縣, 지금의 섬서성(陝西省) 위남시(渭南市)) 사람인데 이름은 자세하지 않다. 무제 원광(元光) 연간에 정위 벼슬에 올랐는데, 정위는 한나라 관직 가운데 고위직인 구경(九卿)의 하나로 법률을 담당하였다. 이 내용은 《사기(史記)》〈급정열전(汲鄭列傳)〉에 "급암(汲黯)과 정당시(鄭當時)의 어짊으로도 권세가 있으면 빈객이 열 배가 되고 권세가 없으면 빈객이 없었는데, 하물며 보통 사람에 있어서이겠는가. 하규(下邽)의 적공에 대하여 전하는 말이 있다. 처음 적공이 정위가 되었을 적에는 빈객들이 문전에 넘쳐났으나 정위에서 파직되자 빈객들이 한 사람도 찾아오는 자가 없어 문밖에 참새 그물을 칠 수 있을 정도였는데, 그 후 다시 등용되자 빈객들이 다시 찾아오려고 하였다. 이에 적공은 그의 문에 크게 써 붙이기를 '한 번 죽고 한 번 삶에 사귀는 정을 알 수 있고, 한 번 가난하고 한 번 부유함에 사귀는 태도를 알 수 있고, 한 번 귀하고 한 번 천함에 사귀는 정이 나타난다.'라고 하였다.〔夫以汲鄭之賢 有勢則賓客十倍 無勢則否 況衆人乎 下邽翟公有言 始翟公爲廷尉 賓客闐門 及廢 門外可設雀羅 翟公復爲廷尉 賓客欲往 翟公乃大署其門曰 一死一生 乃知交情 一貧一富 乃知交態 一貴一賤 交情乃見〕"라고 보인다.

22 故太子太師歐陽公 : 구양수는 희령 4년(1071)에 태자소사(太子少師)로 치사(致仕)하고 다음 해에 죽었는데, 곧바로 태자태사로 추증되었다.

23 其退老於潁水之上 : '영수(潁水)'는 회하(淮河)의 가장 큰 지류로 안휘성(安徽省) 서북부와 하남성(河南省) 동부에 걸쳐 흐른다. 구양수는 치사한 뒤에 영주(潁州, 지금의 안휘성 부양현(阜陽縣))에서 여생을 보냈다.

24 〔己〕: 저본에는 없으나 《동파전집》과 《당송팔가문초》에 의거하여 보충하였다.

··· 態 태도 태 薄 박할 박 陋 더러울 루 衆 무리 중 倦 게으를 권 潁 물이름 영 叛 배반할 반
瞬 눈깜짝할 순 俄 잠깐 아 際 즈음 제

罪在我요 非其過라하시니라 翟公之客은 負公於死生貴賤之間이요 而公之士는 叛公於瞬息俄頃之際어늘 翟公은 罪客호되 而公은 罪己하여 與士益厚하니 賢於古人이 遠矣라

고(故) 태자 태사(太子太師)인 구양공(歐陽公)은 선비를 좋아하여 천하의 제일이 되었다. 선비 중에 한마디 말이라도 도(道)에 맞는 것이 있으면 천 리를 멀다고 여기지 않고 찾아가서, 선비들이 공을 찾는 것보다도 심하게 하였다. 이 때문에 천하의 호걸들을 모두 초치하여 용렬한 중인(衆人)으로부터 세상에 드러난 자에 이르기까지 진실로 많았다. 그러나 선비 중에 공을 저버린 자도 때로 있었다. 공은 일찍이 개연(慨然)히 크게 탄식하면서 사람은 알기 어렵다는 말씀으로 선비를 좋아하는 자들의 경계로 삼으셨다.

나는 생각하기를 공이 선비에 대하여 좋아하는 마음이 이후로는 다소 시들해질 것이라고 여겼었는데, 물러가 영수(潁水)가에서 늙으실 적에 내가 찾아가 뵈니, 여전히 선비들 중의 어진 자를 논하면서 행여 그 사람이 세상에 알려지지 않을까 염려하셨고, 자신을 저버린 자에 이르러는 말씀하시기를 "이는 책임이 나에게 있고 그의 잘못이 아니다."라고 하셨다.

적공의 문객(門客)들은 적공을 사생(死生)과 귀천(貴賤)의 사이에서 저버렸고, 구양공의 선비들은 구양공을 눈 깜짝할 사이에 배반하였는데, 적공은 문객들을 나무랐으나 구양공은 자기에게 죄를 돌리고 선비들과 더욱 친후하였으니, 옛사람보다 훨씬 뛰어나다.

公不喜佛, 老로되 其徒有治詩書, 學仁義之說者면 必引而進之라 佛者惠勤이 從公遊三十餘年이러니 公이 嘗稱之爲聰明才智有學問者요 尤長於詩라 公이 薨於汝陰이어시늘 余哭之於其室하고 其後見之에 語及於公이면 未嘗不涕泣也라 勤은 固無求於世요 而公은 又非有德於勤者니 其所以涕泣不忘이 豈爲利[也]²⁵哉아 余然後에 益知勤之賢하니 使其得列於士大夫之間하여 而從事於功名이면 其不負公也審矣로라【一篇都結, 在此一句.】

공은 불(佛)·노(老)를 좋아하지 않았으나 그 무리 중에 시서(詩書)를 전공하고 인의(仁義)의 말을 배우는 자가 있으면 반드시 이끌어 나오게 하셨다. 불자(佛者)인 혜근(惠勤)이 공을

---

25 〔也〕: 저본에는 없으나 《동파전집》과 《당송팔가문초》에 의거하여 보충하였다.

따라 교유한 지가 30여 년이었는데, 공은 일찍이 그를 총명하고 재주 있으며 학문이 있는 자로, 특히 시(詩)를 잘한다고 칭찬하셨다. 공이 여음(汝陰)에서 별세하시자 나는 혜근의 방으로 찾아가 곡(哭)하였고, 그 후 혜근을 만나 볼 적에 말이 공에게 미치면 혜근은 일찍이 눈물을 흘리시 않는 적이 없었다.

혜근은 진실로 세상에 바라는 것이 없고 공은 또 혜근에게 은덕이 있는 분이 아니니, 그가 눈물을 흘리며 잊지 못하는 것이 어찌 이익 때문이겠는가. 나는 그런 뒤에야 더욱 혜근의 어짊을 알게 되었으니, 만일 그가 사대부(士大夫)의 사이에 서서 공명(功名)에 종사하였다면 공을 저버리지 않을 것이 분명하다.【한 편의 결론이 이 한 구에 있다.】

熙寧七年에 予自錢塘으로 將赴高密[26]할새 勤이 出其詩若干篇하여 求予文以傳於世하니 余以爲 詩는 非待文而傳者也어니와 若其爲人之大略은 則非斯文이면 莫之傳也라하노라

희령(熙寧) 7년(1074)에 내가 전당(錢塘)에서 고밀(高密)로 부임하려 할 적에 혜근은 자신이 지은 시(詩) 약간 편을 내놓고 나에게 서문을 요구하여 세상에 전하려 하였다. 내가 생각건대 그의 시는 나의 글을 기다려(필요로 하여) 전해지는 것이 아니지만, 그의 사람됨의 대략으로 말하면 이 글이 아니면 전할 수 없다고 여기노라.

---

26 熙寧七年……將赴高密 : '고밀(高密)'은 밀주(密州)로 지금의 산동성(山東省)에 있었다. 소동파는 희령 7년에 항주 통판(杭州通判)에서 지밀 주사(知密州事)로 임명되었다.

••• 赴 달려갈 부

가설 송동년장호稼說送同年張琥

소식蘇軾

• 작품개요

　이 작품은 '잡설(雜說)'이자, 친한 벗 '장호(張琥)'에게 써준 '증서(贈序)'이기도 하다. 본래 제목은 〈가설 송장호(稼說送張琥)〉이며, 지어진 시기는 자세하지 않다. 하지만 작중의 내용으로 짐작하면, 희령(熙寧) 초나 혹은 원우(元祐) 초에 작자가 조정에 있으면서 쓴 것으로 보인다.

　'가설(稼說)'은 농사짓는 방법을 설명한 것이며, '동년(同年)'은 동방급제(同榜及第)를 이른다. 장호는 자가 자엄(子嚴)이고, 상덕(商德) 사람으로, 북송 인종(仁宗) 가우(嘉祐) 2년(1057)에 진사로 출사하여 감재관(監宰官)이 되었으며, 태주(台州) 등 여러 고을의 지주사(知州事)를 역임하였는데 가는 곳마다 선정(善政)을 베풀어 명성이 있었다.

　작자는 당시 사대부들이 목전의 성공과 이익에만 급급하여 천박하고 경솔한 풍조가 만연한 것에 대하여 느낀 바가 있었다. 이에 특별히 이 작품을 지어 장호에게 주고 서로 격려한 것이다.

　작품은 비유로 시작한다. 먼저 질문을 던진 뒤에 부유한 사람과 가난한 사람의 각기 다른 경작(耕作) 방법이 가져오는 각기 다른 효과를 생동감 있고 구체적으로 이야기하였다. 아울러 고인(古人)과 금인(今人)을 대비하여 재능과 학문을 너무 성급하게 성취하려고 해서는 안 되고, 반드시 오랫동안 축적하여 부지런히 힘쓰고 수양해야 한다는 결론을 도출하였다. 가장 마지막 부분에서 작자는 장호에게 이러한 자신의 의견을 그의 아우 소철(蘇轍)에게 전해 줄 것을 부탁한다. 이 부분은 언뜻 보기에 마치 주제와 무관한 듯하지만 작자의 친아우를 언급함으로써 작자의 말이 마음속에서 우러나온 참된 것임을 드러내 보이려고 의도한 것이다.

　농사를 짓는 것과 학문을 하는 것은 본래 별개의 일이다. 그러나 작자는 자연스럽고 긴밀하게 하나로 연결시켜 양자간에 동일한 규율성이 있음을 설명함으로써 알기쉬운 비유로 탈바꿈시켰는 바, 이 작품은 작자의 뛰어난 표현 기교와 자신만의 특색을 갖춘 문장 풍격을 잘 드러낸 수작이라고 하겠다.

篇題小註·· 迂齋云 觀公此說하면 豈以一世盛名自居者리오 其朋友兄弟之相切磋如此하니 所以名益盛而學益進也니라

우재가 말하였다. "공의 이 말을 보면 공이 어찌 한 세상 훌륭한 명성으로 자처한 자였겠는가. 붕우간과 형제간에 서로 절차탁마(切磋琢磨)함이 이와 같았으니, 이 때문에 명성이 더욱 성대하고 학문이 더욱 진전된 것이다."

- **原文**

蓋【一作曷.】嘗觀於富人之稼乎아 其田이 美而多하고 其食이 足而有餘하니 其田이 美而多면 則可以更(경)休하여 而地力得完이요 其食이 足而有餘면 則種之常不後時하고 而斂之常及其熟이라 故로 富人之稼는 常美하여 少秕而多實하고 久藏而不腐하나니라【以上, 譬古人才.】

【'개(蓋)'는 일본에는 '갈(曷)'로 되어 있다.】 일찍이 부자의 농사를 보았는가? 그 토지가 비옥하고 많으며 그 양식이 풍족하고 여유가 있으니, 토지가 비옥하고 많으면 땅을 교대로 놀릴 수 있어서 지력이 완전해지고, 양식이 풍족하고 여유가 있으면 항상 제때에 심고 잘 익었을 때에 맞춰 수확하게 된다. 그러므로 부자의 농사는 항상 아름다워 쭉정이가 적고 영근 것이 많아서, 오랫동안 보관하여도 썩지 않는다.【이상은 옛날 사람의 재주를 비유하였다.】

今吾는 十口之家而共百畝之田하여 寸寸而取之하고 日夜而望之하여 鋤穓銍艾(서우질예) 相尋於其上者 如魚鱗而地力竭矣요 種之常不及時하고 而斂之常不待其熟하니 此豈能復有美稼哉아【以上, 譬今之人才.】

··· 磋 갈 차 稼 농사지을 가 更 번갈아 경 斂 거둘 렴 秕 쭉정이 비 腐 썩을 부 鋤 호미 서 穓 곰방메 우 銍 낫 질 艾 벨 예 尋 찾을 심 鱗 비늘 린

지금 〈가난한〉 나는 열 식구의 집안으로 백무(百畝)의 토지를 함께 경작하여 한 치의 땅에서도 취하고 밤낮으로 그것만을 바라보면서 그 밭에서 파종하고 낫질하고 베는 일이 마치 물고기의 비늘처럼 계속 이어져서 지력이 고갈되며, 항상 제때에 맞춰 심지 못하고 또 잘 익기도 전에 수확하니, 이 어찌 다시 아름다운 농사가 있을 수 있겠는가.【이상은 지금 사람의 재주를 비유하였다.】

古之人이【引歸人才. 但自此以下, 全無一字及稼, 略不照應貫串關鎖, 似亦一欠.】其才非有大過今之人也라 其平居에 所以自養而不敢輕用하여 以待其成者 閔閔焉如嬰兒之望長也하여 弱者를 養之하여 以至於剛하고 虛者를 養之하여 以至於充하여 三十而後仕하고 五十而後爵이라 伸於久屈之中하고 而用於至足之後하며 流於旣溢【水.】之餘하고 而發於持滿【弓. 弩.】之末하니 此古人之所以大過人이요 而今之君子所以不及也니라

옛사람들이【사람의 재주를 끌고 들어왔다. 다만 이로부터 이하는 한 글자도 '가(稼)'를 언급함이 없어서 조응하고 앞뒤를 관통하여 끝맺음이 전혀 없으니, 또한 한 흠일 듯하다.】 그 재주가 지금 사람들보다 크게 뛰어남이 있었던 것이 아니다. 평소에 스스로 기르고 감히 가볍게 쓰지 않아서 완성되기를 기다리는 것이 답답하고 답답하여 마치 어린 아이가 자라기를 기다리는 것과 같아서, 약한 자를 길러 강하게 하고 허(虛)한 자를 길러 충실하게 하여, 30세가 된 뒤에 벼슬하고 50세가 된 뒤에 관작(작위)을 받았다. 그리하여 오랫동안 굽힌 가운데 펴고 지극히 풍족한 뒤에 쓰며, 이미 넘친 뒤에 흘려보내고【물이다.】 가득 잡아당긴 끝에 활을 발사하듯【활과 쇠뇌이다.】 하였다. 이것이 옛사람들이 보통 사람들보다 크게 뛰어났던 이유이고, 지금의 군자(君子)가 미치지 못하는 까닭이다.

吾少也에【引歸自己.】有志於學이러니 不幸而早得與吾子同年하니 吾子之得이 亦不可謂不早矣라【前輩以少年登科, 爲一不幸.[27] 坡丙子生, 嘉祐二年丁酉, 年二十二, 子由己卯生, 同

---

27 前輩以少年登科 爲一不幸 : 《소학》〈가언(嘉言)〉에 "이천(伊川) 선생이 말씀하기를 '사람에게는 세 가지 불행이 있으니, 소년으로 고과(高科)에 오르는 것이 첫 번째 불행이요, 부형의 권세를 빌려 좋은 벼슬을 하는 것이 두 번째 불행이요, 높은 재주가 있어 문장을 잘하는 것이 세 번째 불행이다.'라고 하였다.〔伊川先生言 人有三不幸 少年登高科 一不幸 席父兄之勢爲美官 二不幸 有高才能文章 三不幸也〕"라는 내용이 보인다.

年登科, 年十九. 張琥雖少長, 亦必少年, 所以坡相愛而相勉, 亦以自勉也.】吾今雖欲自以爲不
足이나 而衆且妄推之矣라 嗚呼라 吾子其去此而務學也哉인저【親切優游, 甚於激切.】
博觀而約取하고 厚積而薄發이니 吾告吾子 止於此矣로라 子歸過京師而問焉이면
有曰轍子由者하리니 吾弟也니 其亦以是語之하라【尤見公拳拳愛弟之意.】

내가 젊었을 때에【자신을 끌고 돌아왔다.】학문에 뜻을 두었는데, 불행히 일찍 오자(吾子, 그대)
와 함께 동년(同年)에 급제하였으니, 오자가 급제한 것 또한 이르지 않다고 할 수가 없다.【선
배들이 소년에 등과(登科)하는 것을 한 불행이라 하였다. 동파는 병자생(丙子生, 1036)이니, 가우(嘉祐) 2년
정유(丁酉, 1057)에는 나이 22세였고, 자유(子由)는 기묘생(己卯生, 1039)이니, 동년에 과거에 급제하였는바
나이가 19세였다. 장호(張琥) 또한 비록 나이가 조금 많다 하더라도 반드시 소년일 것이니, 이 때문에 동파가
서로 사랑하고 서로 권면한 것이고 또한 스스로 권면한 것이다.】내 이제 비록 스스로 부족하다고 여기
고자 하나 여러 사람들은 함부로 추대하려 한다.

아! 오자는 이곳을 떠나 학문에 힘쓸지어다.【친절하고 우유(優游, 여유로움)함이 격절(激切)보다
심하다.】널리 보고서 조금만 취하고 많이 쌓고서 조금만 나타내야 하니, 내가 오자에게 고할
것은 이뿐이다.

그대가 돌아가는 길에 경사(京師)를 지나다가 물으면 철(轍) 자유(子由)라는 자가 있을 것인
데, 그는 나의 아우이니 그에게도 이 말을 전해 주어라.【공이 마음을 다해 아우를 사랑하는 뜻을 더
욱 볼 수 있다.】

왕자불치이적론王者不治夷狄論

소식蘇軾

• 작품개요

　　《당송팔대가문초(唐宋八大家文抄)》의 〈왕자불치이적론(王者不治夷狄論)〉의 주(注)에 "이하 6수 (首)는 모두 비각(秘閣, 학사원(學士院))의 시험에 제출한 것이다."라고 하였는바, 여기에 근거하면 이 작품은 작자가 30세이던 치평(治平) 2년(1065)에 지은 것이다. 작자는 치평 2년에 봉상(鳳翔)에서 개 봉부(開封府)로 돌아와 전중승(殿中丞)·판등문고원(判登聞鼓院)을 제수받고 학사원의 시험을 거쳐 직사관(直史館)에 임명되었다.

　　당시 시험 문제 중 하나가 '왕자불치이적(王者不治夷狄)'을 논하라'는 것이었다. '왕자는 오랑캐를 다스리지 않는다'는 의미의 이 구절은,《춘추(春秋)》은공(隱公) 2년(B.C. 721)에 "은공이 융(戎)과 잠 (潛)에서 회합하였다.〔公會戎于潛〕"라는 경문에 대한《공양전(公羊傳)》의 하휴(何休)의 〈해고(解詁)〉 에 보이는 글이다. 원칙적으로는 제후들끼리 어떤 일이 있어 협의하기 위하여 모이는 것을 '회(會)'라 고 하는데, 여기서는 중원의 제후가 아닌 이적(夷狄)의 군주와 만난 것을 '회'라 하였으니, 틀림없이 잘못된 것인데도 왜 이렇게 썼는가에 대한 이유를 추구하여 밝히고 있다.

　　작자는 이적을 금수(禽獸)로 간주하여 중국, 즉 중화 문명국을 다스리는 방법으로 다스려서는 안 된다고 파제(破題)하고, 이어서 세상에서 가장 엄격하고 가장 상세하게 법을 적용한 것이 바로 《춘추》라고 보았다. 특히《춘추》에서는 제(齊)나라와 진(晉)나라의 군주는 허여하고 진(秦)나라와 초 (楚)나라 군주는 허여하지 않았는데, 이는 사적으로 친애하거나 미워한 것이 아니라 조금이라도 중 화의 문명을 버리고 이적의 야만을 지향해서는 안 되기 때문이며, 이적인 융이 회합을 알고 중화의 노나라에 이를 행하고자 한 것은 가상하게 여길 만하다고 보았다. 마지막에 작자는,《춘추》는 중화

문명의 사람이 이적의 야만을 지향한 것을 미워한 것이라는 결론을 내렸다.

작자는 주어진 논제에 맞춰 매우 논리적으로 문장을 전개하였는바, 이 작품을 통하여 중국의 중화사상(中華思想)과 아울러 '미언대의(微言大義)'를 탐구하는 작자의 《춘추》에 대한 연구 태도를 엿볼 수 있다.

篇題小註‥ 嘉祐六年에 命翰林吳奎等하여 就秘閣하여 考試制科한대 奎等이 上王介, 蘇軾, 轍論各六首하니 此篇이 其一也라

가우(嘉祐) 6년(1061)에 한림(翰林) 오규(吳奎) 등에게 명하여 비각(秘閣)에서 제과(制科)를 고시(考試)하게 하니, 오규 등은 왕개(王介)·소식·소철의 논문(論文)을 각기 6수(首)씩 뽑아 올렸는바, 이 편은 그 중의 하나이다.

○ 東萊云 統體好라 前面閑說長하고 後正說甚短하나 讀之하면 全不覺長短하니 蓋後面一句轉一句故也니라

동래가 말하였다. "통체(統體, 전체)가 좋다. 전면의 한만(閑漫)한 말은 길고 후면의 올바른 말은 매우 짧으나 읽으면 길고 짧음을 전혀 느끼지 못하니, 이는 후면의 한 구가 한 구를 돌렸기 때문이다."

• 原文

論曰 夷狄은 不可以中國之治治也라【起有力.】譬若禽獸然하여 求其大治면 必至於大亂하나니 先王이 知其然이라 是故로 以不治治之하시니 治之以不治者 乃所以深治之也니라【鎖有力, 亦得體.】春秋에 書公會戎于潛[28]이라하니【擧題.】何休曰 王者不治夷狄하니 錄戎은 來者不拒요 去者不追也[29]라하니라

---

28 春秋 書公會戎於潛 : 이 내용은 《춘추》 은공(隱公) 2년에 보인다.

29 何休……去者不追也 : 하휴(129~182)는 후한(後漢)의 학자로 자가 소공(邵公)이며 임성(任城) 사람이다. 육경을 정밀히 연구하였으며, 특히 《춘추공양전》을 깊이 연구하고 《춘추공양전해고(春秋公羊傳解詁)》를 저술하여, 훗날 청나라의 공양학파가 일어나게 하는 기초를 마련하였다. 위의 내용은 《춘추공양전주소(春秋公羊傳注疏)》에 보이니, 내용은 다음과

··· 祐 도울 우 奎 별이름 규 介 낄 개 狄 오랑캐 적 譬 비유할 비 戎 서쪽오랑캐 융 潛 잠길 잠 錄 기록할 록

다음과 같이 논한다.

이적(夷狄)은 중국(中國)을 다스리는 방식으로 다스려서는 안 된다.【기구(起句)가 힘이 있다.】 〈이적은〉 비유하면 금수(禽獸)와 같아서 크게 다스려지기를 바라면 반드시 큰 혼란에 이르게 된다. 선왕(先王)은 그러하다는 것을 아셨기 때문에 다스리지 않음으로써 다스렸으니, 다스리지 않음으로써 다스림이 바로 깊이 다스리는 것이다.【끝맺음이 힘이 있고 또한 체제에 맞는다.】

《춘추(春秋)》에 "공(公)이 융(戎)과 잠(潛)땅에서 회합(會合)했다."라고 썼는데,【제목을 들었다.】 하휴(何休)가 말하기를 "왕자(王者)는 이적을 다스리지 않으니, 여기에서 융과 화합한 것을 기록함은 오는 자를 막지 않고 가는 자를 쫓지 않은 것이다."라고 하였다.

夫天下之至嚴而用法之至詳者 莫過於春秋하니 凡春秋之書公, 書侯, 書字, 書名하여【閑說.】 其君이 得爲諸侯하고 其臣이 得爲大夫者는 擧皆齊, 晉也요 不然則齊, 晉之與國也며【如宋·衛·陳·鄭.】 其書州, 書國, 書氏, 書人하여 其君이 不得爲諸侯하고 其臣이 不得爲大夫者는 擧皆秦, 楚也요 不然則秦, 楚之與國也라【如崇·介·江·黃.】

저 천하에서 지극히 엄격하고 법을 적용하기를 지극히 상세히 한 것은 《춘추》보다 더한 것이 없으니, 무릇 《춘추》에 공(公)이라고 쓰고 후(侯)라고 쓰고 자(字)를 쓰고 이름을 써서【한가로이 말하였다.】 그 군주가 제후(諸侯)가 될 수 있고 그 신하가 대부(大夫)가 될 수 있는 것은 모두 제(齊)나라와 진(晉)나라이고, 그렇지 않으면 제나라와 진나라의 동맹국이다.【송(宋), 위(衛), 진(陳), 정(鄭)과 같은 나라이다.】 주(州)라고 쓰고 국(國)이라고 쓰고 씨(氏)를 쓰고 인(人)을 써서 그 군주가 제후가 될 수 없고 그 신하가 대부가 될 수 없는 것은 모두 진(秦)나라와 초(楚)나라이고, 그렇지 않으면 진나라와 초나라의 동맹국이었다.【숭(崇), 개(介), 강(江), 황(黃)과 같은 나라이다.】

같다. "무릇 회합을 기록한 것은 나라 안의 정무를 비워두고 바깥 우호를 믿는 것을 미워한 것이다. 옛날에 제후는 조회할 때가 아니면 국경을 넘어가지 않았다. 전해들은 앞 세대에는 밖의 회맹에 대해서는 기록하지 않고 국내의 회맹에 대해서는 기록한 것은 《춘추》에서는 노(魯)나라를 왕으로 높이기 때문이니, 마땅히 먼저 스스로 상세하고 정확하게 하여 자신을 책망하기를 후하게 하고 남을 책망하기를 박하게 하기 때문에 밖의 일에 대해서는 간략히 한 것이다. 왕자는 이적을 다스리지 않으니, 여기에서 융과 화합한 것을 기록함은 오는 자를 막지 않고 가는 자를 쫓지 않은 것이다.〔凡書會者 惡其虛內務恃外好也 古者諸侯非朝時不得踰竟 所傳聞之世 外離會不書 書內離會者 春秋王魯 明當先自詳正 躬自厚而薄責於人 故略外也 王者不治夷狄 錄戎者 來者勿拒 去者勿追〕"

... 侯 제후 후 擁 낄 옹 衛 호위할 위 冒 무릅쓸 모 肆 멋대로 사

夫齊, 晉之君이 所以治其國家, 擁衛天子而愛養百姓者 豈能盡如古法哉아
蓋亦出於詐力而參之以仁義하니 是齊, 晉亦未能純爲中國也라 秦, 楚者亦非
獨貪冒無恥하여 肆行而不顧也요 蓋亦有秉道行義之君焉하니 是秦, 楚亦未至
於純爲夷狄也라

　저 제(齊)나라와 진(晉)나라의 군주가 국가를 다스리고 천자를 보호하며 백성들을 사랑하여
기른 것이 어찌 모두 옛날 법칙대로 할 수 있었겠는가? 이들 또한 속임수와 무력에서 나오면
서 인의(仁義)를 곁들인 것이니, 제나라와 진나라도 순수하게 중국이 될 수 없는 것이다.
진(秦)나라와 초(楚)나라 또한 홀로 탐욕스럽고 염치가 없어 제멋대로 행동하고 예의(禮義)를
돌아보지 않았던 것이 아니라 이들 나라에도 도(道)를 지키고 의(義)를 행한 군주가 있었으니,
진나라와 초나라도 순수하게 이적이 됨에는 이르지 않은 것이다.

　齊, 晉之君이 不能純爲中國이어늘 而春秋之所與者常嚮焉하여 有善則汲汲而書
之하여 惟恐其不得聞於後世하고【如書齊桓召陵之盟, 晉文城濮之戰之類.[30]】有過則多方
而開赦之하여 惟恐其不得爲君子하며【如齊桓滅項, 則曰 '師滅項', 晉文召王, 則曰 '王狩' 之
類.[31]】秦, 楚之君이 未至於純爲夷狄이어늘 而春秋之所不與者常在焉하여 有善則
累而後進하고【如荊入蔡伐鄭, 則以州稱, 至來聘, 則曰 '荊人'.[32]】有惡則略而不錄하여 以爲

30　如書齊桓召陵之盟 晉文城濮之戰之類: 《춘추》 희공(僖公) 4년에는 "소릉(召陵)에서 맹약하였다.〔盟于召陵〕"라고 보
이고, 희공 28년에는 "진후(晉侯)·제사(齊師)·송사(宋師)·진사(秦師)가 초인(楚人)과 성복(城濮)에서 전투하였는데 초
사가 크게 패하였다.〔晉侯齊師宋師秦師及楚人戰于城濮 楚師敗績〕"라고 보인다. 이 두 사건은 제 환공과 진 문공이 패자
(霸者)가 되어 제후들을 거느리고 복종하지 않는 자들을 토벌하여 천자를 높인 중요한 일이므로 특별히 기록한 것이다.

31　如齊桓滅項……則曰王狩之類: 이 두 사건은 《춘추》 희공(僖公) 17년과 희공(僖公) 28년에 각각 보이는바, 희공
17년 제나라가 항나라를 멸망시킨 것은 잘못이므로 이를 곧바로 쓰지 않고 "군대가 항나라를 멸했다."라고 쓰고, 희공
28년 제후인 진 문공이 천자인 왕을 부른 것 역시 잘못이지만 뜻은 순종하였기 때문에 "천왕(天王)이 하양(河陽)에 순수
(巡狩)하였다.〔天王狩于河陽〕"라고 쓴 것이다. 항나라를 멸망시킨 일은 원래 노나라가 주관한 일인데 제 환공이라고 쓴 것
은 주석을 낸 자가 착각하지 않았나 생각된다.

32　如荊入蔡伐鄭……則曰荊人: 형(荊)은 초(楚)의 이칭이다. 《춘추》 장공(莊公) 14년에 "형(荊)이 채(蔡)나라로 쳐들
어갔다.〔荊入蔡〕"라고 보이고, 장공 16년에 "형이 정(鄭)나라를 쳤다.〔荊伐鄭〕"라고 보이고, 환공(桓公) 23년에 "형인(荊人)
이 노나라에 와서 빙문(聘問)하였다.〔荊人來聘〕"라고 보인다. 초나라가 잘못을 저지른 채나라와 정나라를 정벌하고, 노(魯)
나라에 와서 빙문한 것은 잘한 일인데도 《춘추》에 이를 자세히 기록하지 않고, 주(州) 또는 형나라 사람이라고 얼버무렸음
을 말한 것이다.

… 嚮 향할 향 汲 물길을, 급급할 급 赦 용서할 사 偏 치우칠 편 疾 미워할 질 背 등질 배
褒 기릴 포 貶 깎을 폄

不足錄也하니【如商臣弑其君頵, 止書'楚子卒'. [33]】 是는 非獨私於齊, 晉而偏疾於秦, 楚也라 以見(현)中國之不可以一日背요 而夷狄之不可以一日嚮也니라 其不純者도 不足以寄其褒貶이면【結鎖有力.】 則其純者는 可知矣라【幹下意.】 故로 曰天下之至嚴而用法之至詳者 莫如春秋라하노라

제(齊)나라와 진(晉)나라의 군주가 순수하게 중국이 되지 못하였는데도, 《춘추》에서 허여(인정)한 것은 항상 이들을 향하여, 선(善)한 일이 있으면 급급히 기록하여 행여 그들이 후세에 알려지지 못할까 두려워하고,【제 환공(齊桓公)의 소릉(召陵)의 맹약과 진 문공(晉文公)의 성복(城濮)의 전쟁을 쓴 것과 같은 따위이다.】 잘못이 있으면 여러 방면으로 너그럽게 용서하여 행여 그들이 군자(君子)가 되지 못할까 두려워하였다.【예컨대 제 환공이 항(項)나라를 멸하면 "군대가 항나라를 멸했다."라고 하고, 진 문공이 왕을 부르면 "왕이 순수(巡狩)했다."라고 한 따위와 같은 것이다.】

그리고 진(秦)나라와 초(楚)나라의 군주가 순수하게 이적이 되지 않았는데도, 《춘추》에서 허여하지 않은 것은 항상 이들에게 있어서, 잘한 일이 있으면 여러 번 잘한 뒤에야 올려주고,【형(荊, 초)나라가 채(蔡)나라로 쳐들어가고 정(鄭)나라를 정벌하면 형나라를 '주(州)'라고 칭하고, 노(魯)나라에 와서 빙문하면 '형인(荊人)'이라고 쓴 것과 같은 따위이다.】 잘못한 일이 있으면 생략하고 기록하지 않아서 굳이 기록할 것이 못된다고 여겼으니,【초나라의 세자 상신(商臣)이 그 군주 군(頵)을 시해했을 적에 다만 "초자(楚子) 졸(卒)"이라고 쓴 것과 같은 따위이다.】 이것은 유독 제나라와 진나라를 사사로이 두둔하고 진나라와 초나라를 편벽되게 미워해서가 아니다. 이로써 중국을 하루라도 저버려서는 안되고 이적을 하루라도 향해서는 안 됨을 보여준 것이다.

순수하게 이적이 되지 않은 자들도 굳이 포폄(褒貶)을 붙일 것이 못된다고 여겼으니,【끝맺음이 힘이 있다.】 그렇다면 그 순수하게 이적이 된 자는 말하지 않아도 알 수 있는 것이다.【아래의 뜻으로 돌렸다.】 그러므로 말하기를 "천하에서 지극히 엄격하고 법을 적용하기를 지극히 상세히 한 것이 《춘추》보다 더한 것이 없다."라고 하는 것이다.

---

33 如商臣弑其君頵 止書楚子卒 : 상신(商臣)은 뒤에 목왕(穆王)이 되었고 군(頵)은 성왕(成王)의 이름인바, 이 사건은 《춘추》 문공(文公) 원년에 "초나라 세자 상신이 그 군주 군을 시해하였다.〔楚世子商臣弑其君頵〕"라고 보이는데, 《춘추좌씨전(春秋左氏傳)》 선공(宣公) 4년에 "임금의 시해를 기록함에 있어 임금의 이름을 칭한 것은 임금이 무도(無道)했기 때문임을 말한 것이고, 시해한 신하의 이름을 칭한 것은 신하의 죄임을 말한 것이다."라고 하였다.

夫戎者는 豈特如秦, 楚之流入於(夷)[戎]³⁴狄而已哉리오 然而春秋書之曰 公會
戎于潛이라하여 公無所貶而戎爲可會는 是獨何歟오【正說.】夫戎之不能以會禮會
公이 亦明矣니 此學者之所以深疑而求其說也라 故로 曰 王者不治夷狄하니【再擧
題.】錄戎은 來者不拒요 去者不追也라하노라

　저 융(戎)은 어찌 다만 융적(戎狄)으로 흘러 들어간 진나라, 초나라와 같을 뿐이겠는가. 그런
데도 《춘추》에 쓰기를 "공이 융과 잠(潛) 땅에서 회합했다."라고 하여, 공을 폄하한 바가 없고
융을 회합할 수 있다고 여겼으니, 이는 유독 어째서인가?【바로 말하였다.】저 융이 회합(會合)하
는 예(禮)로 공과 회합하지 못했을 것이 또한 분명하니, 이 때문에 배우는 자들이 깊이 의심하
여 그 이유를 찾는 것이다. 그러므로 말하기를 "왕자는 이적을 다스리지 않으니,【다시 제목을
들었다.】융을 기록한 것은 오는 자를 막지 않고 가는 자를 쫓지 않은 것이다."라고 한 것이다.

夫以戎之不可以化誨懷服也로 彼其不悍然執兵以與我從事於邊鄙도 固亦幸
矣어늘 又況知有所謂會者而欲行之하니 是豈不足以深嘉其意乎아【彼自中國流入夷
狄, 此自夷狄知慕中國.】不然이요 將深責其禮면 彼將有所不堪하여 而發其暴(폭)
怒하리니 則其禍大矣라 仲尼深憂之하사 故로 因其來而書之以會하사 曰若是足矣라하시니
是는 將以不治深治之也라 由是觀之컨대 春秋之疾戎狄者는 非疾純戎狄也요 疾
其以中國而流入於戎狄者也니라【結有力, 一篇意全結, 在此二句上. ○此初年程試, 論之體
面平正者. 諸論它不暇盡選, 更於晩年論中, 選范增一篇云.】

　저 융은 교화하여 가르치고 회유하여 복종시킬 수 없는 자들로서, 저들이 사납게 병기를 잡
고 우리와 변방에서 전쟁하지 않는 것만도 다행이다. 그런데 또 하물며 이른바 회합이라는
것이 있음을 알고서 이것을 행하고자 하였으니, 어찌 그 뜻을 깊이 가상히 여기지 않을 수 있
겠는가.【저들(진나라와 초나라)은 중국에서 이적(夷狄)으로 흘러 들어갔고, 이들(융)은 이적에서 중국을 사
모할 줄 안 것이다.】그렇지 않고서 장차 융에게 예(禮)를 심하게 바란다면 저들은 장차 감당하지
못하고서 그 사나움과 노여움을 터뜨릴 것이니, 〈이렇게 되면〉 그 화가 크게 된다.
　중니(仲尼, 공자)께서는 이를 깊이 근심하셨기 때문에 그들이 온 것을 인하여 '회합하였다.'

---

34 (夷)〔戎〕: 저본에는 '이(夷)'로 되어 있으나 《동파전집》에 의거하여 '융(戎)'으로 바로잡았다.

　　··· 拒 막을 거 誨 가르칠 회 悍 사나울 한 鄙 변방, 들 비 嘉 아름다울 가 堪 견딜 감
疾 미워할 질

라고 쓰시고 "이와 같이 하면 충분하다."라고 하신 것이니, 이는 장차 다스리지 않음으로써 깊이 다스리고자 하신 것이다.

이것을 가지고 관찰하건대, 《춘추》에 융적(戎狄)을 미워한 것은 순수한 융적을 미워한 것이 아니요, 중국으로서 융적으로 흘러 들어간 자들을 미워한 것이다.【끝맺음이 힘이 있으니, 한 편의 뜻을 완전히 끝맺은 것이 이 두 구에 있다. ○이는 동파의 초년 시절의 정시(程試)[35]이니, 논(論) 중에 체면(體面, 체재)이 평정(平正)한 것이다. 여러 논을 다 선발할 겨를이 없고 다시 말년의 논 가운데에서 〈범증론(范增論)〉 한 편을 선발하였다.】

---

35 정시(程試): 일정한 방식으로 시험을 보이는 것을 이르는바, 과문(科文)을 가리킨 것으로 보인다.

범증론范增論

소식蘇軾

• 작품개요

　　이　작품은《문장궤범》에　보이는〈조조론(晁錯論)〉·〈유후론(留侯論)〉·〈순경론(荀卿論)〉과　함께
《사기(史記)》에 등장하는 인물에 관한 평론이자 일종의 '사론(史論)'이라 할 수 있는바, 작자가 노년
에 지은 것으로 보인다.

　　범증(范增, B.C.227~B.C.204)은 초 패왕(楚霸王) 항우(項羽)의 군사(軍師)로 거소(居鄛) 사람이다.
나이 70세가 되도록 향리에 은거하고 있으면서 기이한 계책을 내는 것을 좋아하였다. 진(秦)나라 이
세 황제(二世皇帝) 때에 천하가 혼란에 빠지자, 항우의 숙부인 항량(項梁)을 따라 거병(擧兵)하였다
가 항량이 죽자 항우를 섬겼는데, 항우는 그를 아부(亞父)라고 부르며 존경하였으며, 자신이 초 패
왕이 되자 역양후(歷陽侯)에 봉하였다. 범증이 한 고조(漢高祖) 유방(劉邦)의 위인을 알아보고 홍문
(鴻門)의 연회에서 유방을 죽이려 하였으나 유방의 인품을 아낀 항백(項伯)의 방해로 실패하였다.
유방은 형양(滎陽)의 싸움에서 진평(陳平)의 반간계(反間計)를 써서 항우로 하여금 범증을 의심하여
제거하게 하였는데, 이로부터 전세는 한(漢)나라로 기울게 되었다.

　　이러한 사실(史實)을 두고서 작자는, 범증이 항우의 곁을 떠나간 것은 참으로 잘한 일로, 그가
더 일찍 떠나가지 못한 것에 대하여 아쉬움을 표현하였다. 작자는 한걸음 더 나아가 차장(次將)이었
던 항우가 초나라의 상장군(上將軍) 송의(宋義)를 죽였을 적에 의제(義帝)를 시해할 조짐이 이미 드
러났기 때문에 범증은 바로 그때 항우의 곁을 떠나갔어야만 했다고 생각하였다.

　　일찍이 항량이 거병한 뒤에, 초나라 사람들이 진(秦)나라에서 죽은 회왕(懷王)을 애틋하게 생각
하는 마음을 이용하기 위해 회왕의 손자 웅심(熊心)을 찾아 초왕(楚王)으로 세우고, 왕의 칭호도 그

대로 사용하였다. 항우가 경자관군(卿子冠軍) 송의를 죽이고 병권을 잡은 다음 함양(咸陽)으로 쳐들어가 진나라를 멸망시키고 회왕을 높여 의제라고 칭하였지만, 실제로는 그의 명령을 받지 않다가 뒤에 장사(長沙)의 침현(郴縣)으로 옮기고 영포(英布)를 시켜 시해하였다.

작자의 이러한 논리에 근거하면, 범증에 대한 항우의 의심은 범증이 세운 의제를 시해한 데에서 비롯한 것이기에 내홍(內訌)의 요인이 내재한 상태에서 진평의 이간질이 개입할 여지가 있었던 것이 된다. 작자는 또한 당시 70세 이상의 고령인 범증이 항우에게 의지하여 공명을 이루고자 한 태도에 대하여 비루하다는 혹독한 평가를 내렸다. 하지만 바로 뒤이어 한 고조가 존경하였다는 사실을 언급하며 그가 항우의 곁을 지켰다면 항우는 반드시 건재하였을 것이라는 결론을 도출함으로써 걸출한 인물〔人傑〕이라고 평가하였다.

작품은 전체적으로 작가의 논리적 서술이 두드러진다. 특히 다방면으로 증명하고 추측과 착상을 반복함으로써 점차 깊이 파고들어가는 논리가 엄격하고 치밀하여, 후대의 응시 문장 체재에 큰 영향을 끼쳤다.

篇題小註‥ 迂齋云 宋義는 是義帝所命이요 義帝는 是范增所立[36]이니 三人死生, 存亡, 去就最相關涉이라 此坡公海外文字니 筆力老健이라

우재가 말하였다. "송의(宋義)는 바로 의제(義帝)가 임명한 자요 의제는 바로 범증(范增)이 옹립한 자이니, 이 세 사람의 사생과 존망(存亡)과 거취가 가장 서로 관련된다. 이는 파공(坡公)이 해외(海外, 먼 변방)에 있을 때에 지은 문자인데, 필력이 노련하고 굳세다."

○ 靜觀云 增當去於羽殺宋義之時니 此是一篇本意라 但有難看者하니 若把殺宋義爲弒義

---

36 宋義……是范增所立 : 진(秦)나라의 학정을 감내하지 못하고 진승(陳勝)과 오광(吳廣)이 봉기하자, 각처에서 이에 찬동하여 멸망한 육국(六國)의 잔존세력들이 함께 기병(起兵)하였다. 이때 초(楚)나라의 항량(項梁)이 조카인 항우(項羽)와 함께 군대를 일으키자, 범증(范增)은 당시 나이가 많았는데도 모사(謀士)가 되어 항량을 설득해서 초나라 회왕(懷王)의 손자인 웅심(熊心)을 찾아내어 군주로 추대하고 그 역시 회왕이라 칭하였는데, 뒤에 항우가 의제(義帝)로 높였다. 당시 진나라가 조(趙)나라를 공격하자, 회왕은 송의(宋義)를 상장군(上將軍)으로, 항우를 부장군(副將軍)으로 임명하여 조나라를 구원하게 하였다. 이때 마침 항량이 진나라 장수 장감(章邯)과 싸우다가 패하여 죽자, 항우는 복수심에 불타 급히 진나라를 공격하려 하였으나 송의는 머뭇거리고 진격하지 않았다. 이에 항우는 회왕의 명을 사칭하고 송의를 죽인 다음 스스로 상장군이 되었으며, 뒤에는 스스로 서초패왕(西楚霸王)이 되고 끝내 의제를 시해하였다.

‥‥ 把 잡을 파 弒 시해할 시 曉 깨달을 효

帝之兆하고 弑義帝爲疑增之本이라 此處는 道增不曉此不得이요 只是看項羽不破니 有依羽
成功之心하여 所以一齊昏了니라

진정관이 평하였다. "범증은 마땅히 항우(項羽)가 송의를 살해하던 때에 떠나갔어야 하니, 이것이
바로 이 한 편의 본의이다. 다만 보기 어려운 부분이 있으니, 예컨대 송의를 죽인 것을 가지고 의제
를 시해할 조짐으로 삼고 의제를 시해한 것을 가지고 범증을 의심하는 근본으로 삼은 것과 같은 따
위이다. 이 부분은 범증이 이것을 깨닫지 못했다고 말할 수는 없고, 다만 항우를 제대로 간파하지
못해서이다. 범증이 항우에게 의지하여 공을 이루려는 마음이 있었기 때문에 이에 대하여 모두 어
두워졌던 것이다."

○ 責增에 全說興楚면 不可無義帝하니 羽決不可自有爲라 若增此處識得分明斬截이면 則當
羽殺宋義時에 有廢主自爲之意하니 便當決策이요 不誅之則去之니 失處全在此하니라

범증을 책하되 초(楚)나라를 일으키려면 의제가 없을 수 없으니, 항우는 결코 스스로 무슨 일을
할 수 없었는데, 만약 범증이 이 부분을 분명하게 알아 결단하였더라면, 항우가 송의를 살해할 때에
군주를 폐출하고 자신이 군주가 되려는 뜻이 있었으니, 범증은 이때 마땅히 계책을 내어 항우를 주
살할 것이요, 주살할 수 없으면 떠나갔어야 하니, 범증이 잘못한 부분은 전적으로 여기에 있음을 온전
히 말하였다.

· 原文
漢用陳平計하여 間疏楚君臣하니 項羽疑范增與漢有私하여 稍奪其權한대 增이 大
怒曰 天下事大定矣니 君王은 自爲之하라 願賜骸骨歸卒伍라하더니 未至彭城하여
疽發背死[37]하니라【漢三年, 楚急擊, 絕漢甬道, 圍漢王於滎陽城, 漢王用陳平謀, 出黃金四萬斤子平,

---

37 漢用陳平計……疽發背死 : 진평은 양무(陽武) 사람으로 한 고조(漢高祖)의 책사가 되어 여섯 번이나 기이한 계책을
내어 고조를 위기에서 구출한 인물이다. 유방이 항우에게 연전연패하다가 진평에게 계책을 물으니, 진평은 대답하기를 "항
우의 꼿꼿한 신하는 아부(亞父)인 범증과 종리매(鍾離昧), 용저(龍且), 주은(周殷)의 등속으로 몇 명에 불과합니다. 대왕
께서 진실로 수만 근의 황금(황동(黃銅))을 내놓으시어 반간(反間)의 계책을 써서 저 초나라의 군주와 신하들을 이간질한
다면, 항우는 의심이 많은 인물이므로 반드시 남의 모함하는 말을 듣고 그들을 제거할 것이니, 이 틈을 타서 우리가 공격하
면 틀림없이 초나라를 격파할 것입니다."라고 하였다. 이에 유방은 황금 4만 근을 내어 진평에게 주고 출납을 일절 묻지 않

··· 截 끊을 절 間 이간질할 간 疏 멀 소 稍 점점 초 骸 해골 해 伍 항오 오 彭 땅이름 팽
疽 등창 저

爲間於楚. 宣言曰: "諸將鍾離眛等, 爲項王將, 功多矣, 然終不得裂地而王, 欲與漢爲一, 以滅項氏, 分王其地." 項王果疑之. 使使至漢, 漢爲大牢之具, 舉進, 見楚使, 則陽驚曰: "以爲亞父使, 乃項王使也." 復去, 以惡草具進. 楚使使歸, 具以報項羽, 果大疑亞父. 亞父欲急擊下滎陽城, 項王不聽, 亞父怒, 乞骸骨云云.】

한(漢)나라가 진평(陳平)의 계책을 따라 초(楚)나라의 군주와 신하들을 이간하여 소원하게 하니, 항우(項羽)는 범증(范增)이 한나라와 내통함이 있는가 의심하여 차츰 그의 권한을 빼앗았다. 그러자 범증은 크게 노하여 말하기를 "천하의 일이 크게 결정되었으니, 군왕은 스스로 하소서. 해골(骸骨)을 돌려받아 졸오(卒伍, 졸병(卒兵))로 돌아가기를 원합니다."라고 하였는데, 도성인 팽성(彭城)에 이르기 전에 등창이 나서 죽었다.【한(漢)나라 3년(B.C.204)에 초(楚)나라가 급히 한나라를 공격하여 한나라의 군량수송로인 용도(甬道)를 차단하고 한왕(漢王, 유방)을 형양성(滎陽城)에서 포위하자, 한왕이 진평(陳平)의 계책을 따라 황금 4만 근을 내어 진평에게 주어서 초나라에 이간질하게 하였다. 진평은 크게 소문내기를 "초나라의 여러 장수인 종리매(鍾離眛) 등이 항왕(項王, 항우(項羽))의 장수가 되어 공이 많으나 끝내 땅을 나누어 왕이 되지 못하였으므로 한나라와 연합하여 하나가 되어서 항씨를 멸하고 그 땅을 나누어 왕노릇 하고자 한다." 하니, 항왕이 과연 이들을 의심하였다. 항왕이 사신을 보내어 한나라에 이르자, 한나라에서는 태뢰(太牢, 소, 양, 돼지)의 성찬을 장만하여 들어 올리다가 초나라 사신을 보고는 거짓 놀란 체하며 말하기를 "아부(亞父, 범증)의 사자라고 여겼더니 바로 항왕의 사자이다." 하고는, 다시 성찬을 가지고 가서 변변찮은 채소를 장만하여 올렸다. 초나라 사신이 돌아가서 이 사실을 자세히 항우에게 보고하니, 항우는 과연 아부를 크게 의심하였다. 아부가 형양성을 급히 공격하여 함락하고자 하였으나 항왕이 듣지 않으니, 아부는 노하여 해골(사직(辭職))을 청하면서, "……"라고 하였다.】

았다. 진평은 이 황금을 가지고 수많은 첩자들을 매수하여 초나라에 소문을 퍼뜨리기를 "종리매 등은 항왕의 장수가 되어 많은 공을 세웠으나 지금까지 봉지를 받아 왕이 되지 못하였다. 이 때문에 한나라와 은밀히 연합하여 항씨(項氏)를 멸망하고 그 땅을 나누어 가지려 한다."라고 하였다. 항왕은 그 말을 듣고 종리매 등을 의심하기 시작하였다. 또 항우와 범증을 이간하기 위하여 항우의 사자가 한왕(漢王)의 진영에 당도했을 때 태뢰(太牢)의 예(禮)로 성대하게 음식을 준비하게 했다가, 이윽고 사자가 연회석에 당도하자 한왕이 갑자기 거짓 놀라는 체하며, '나는 범아부(范亞父)의 사자인 줄 알았더니 뜻밖에 항왕의 사자였구려!'라고 하고, 시자들을 불러 들여오던 음식상을 가져가고, 항왕의 사자를 위해서 간단하게 차린 음식상을 들여오도록 명하였다. 사자가 돌아가 이 일을 고하자, 항왕은 범증이 한나라와 비밀리에 내통하고 있지 않은가 의심하여 범증의 권력을 서서히 빼앗았다. 이에 범증은 화가 나서 벼슬자리를 내놓고 "천하의 일이 크게 정해졌으니, 대왕께서 직접 하소서."라고 하고 떠나가다가 팽성(彭城)에 이르기 전에 등에 등창이 나서 죽었다. 항우는 이후 모사(謀士)다운 모사가 없어 더욱 고립되었으며, 또 종리매 등의 장수들까지 제거하여 결국 멸망에 이르렀다. 《史記 陳平列傳》

蘇子曰 增之去 善矣라 不去면 羽必殺增하리니 獨恨其不蚤耳로라 然則當以何事
去오 增이 勸羽殺沛公이어늘 羽不聽하여 終以此失天下하니 當於是去邪아 曰 否라
增之欲殺沛公은 人臣之分也요 羽之不殺은 猶有君人之度也니 增이 曷爲以此
去哉리오【漸次引入, 無此一節則直了.】易曰 知幾其神乎인저하고 詩曰 相彼雨雪컨대 先
集維霰이라하니 增之去는 當於羽殺卿子冠軍[38]時也니라【宋義方說出.】

소자(蘇子)는 다음과 같이 논한다.

범증이 떠나간 것은 잘한 일이다. 떠나가지 않았으면 항우는 반드시 범증을 죽였을 것이니,
다만 일찍 떠나가지 않은 것이 한스러울 뿐이다. 그렇다면 무슨 일로 떠났어야 하는가? 범증
이 항우에게 패공(沛公, 유방(劉邦))을 죽이라고 권하였으나 항우가 듣지 않아서 마침내 이 때문
에 천하를 잃었으니, 마땅히 이때에 떠났어야 하는가? 아니다. 범증이 패공을 죽이고자 한 것
은 신하의 직분이요. 항우가 패공을 죽이지 않은 것은 그래도 인군의 도량이 있는 것이니, 범
증이 어찌 이 때문에 떠나가겠는가.【점차 끌고 들어갔으니, 이 한 절이 없으면 너무 직절(直截)하다.】

《주역(周易)》〈계사전 하(繫辭傳下)〉에 "기미를 앎이 신묘(神妙)하다."라고 하였으며,《시경(詩
經)》〈소아(小雅) 기변(頍弁)〉에 "저 우설(雨雪, 함박눈)이 내리는 것을 보건대 먼저 싸락눈이 모
인다."라고 하였으니, 범증은 마땅히 항우가 경자관군(卿子冠軍, 송의)을 죽였을 때에 떠나갔어
야 했다.【송의(宋義)를 비로소 말하였다.】

陳涉之得民也는 以項燕, 扶蘇[39]요 項氏之興也는 以立楚懷王孫心[40]이며【義帝.】而

---

38 卿子冠軍 : 진(秦)나라 말기 봉기한 의병들이 송의(宋義)의 군(軍)을 높여 부른 칭호로, '경자(卿子)'는 송의에 대한
경칭이고 '관군(冠軍)'은 으뜸 군(軍)이라는 뜻이다. 그러나 여기서는 직접 송의를 지칭하였다. 진나라 이세 황제(二世皇帝)
때에 천하가 혼란에 빠지자, 항량(項梁)이 조카인 항우(項羽)와 함께 거병하였는데, 범증(范增)의 계책을 따라 초 회왕의
손자인 심(心)을 찾아 회왕(懷王, 나중의 의제(義帝))으로 세워 대세를 장악하였다. 그러나 승리에 도취되어 교만해진 항량
이 패전하여 죽자, 회왕이 전열을 정비한 다음 송의를 상장(上將)으로, 항우를 차장(次將)으로, 범증을 말장(末將)으로 임
명하여 북쪽으로 나아가 조(趙)나라를 구원하게 하였으나, 송의가 형세를 관망하느라 진격하지 않는 것을 빌미로 항우가
송의를 죽였다.《史記 卷7 項羽本紀》

39 陳涉之得民也 以項燕扶蘇 : 진섭(陳涉)은 진승(陳勝)으로 섭(涉)은 그의 자(字)이다. 진승은 진(秦)나라 이세(二世)
때에 어양(漁陽)으로 수자리를 가다가 큰 비가 와서 기한 안에 당도하지 못해 참형(斬刑)을 당하게 되자 오광(吳廣)과 함
께 반기를 들고 일어났다. 이때 진 시황의 장자인 공자 부소(扶蘇)와 초(楚)나라 장수 항연(項燕)이 이미 죽었는데, 백성들
이 이 사실을 제대로 알지 못하였다. 이에 이들은 부소와 항연을 사칭하여 백성들의 호응을 얻었다. 항연은 육국(六國)시대
초나라의 장수로 진나라 장수 왕전(王翦)에게 죽임을 당하였는바, 항우의 할아버지이다. 진섭이 항연과 부소를 내세운 일
은《사기(史記)》〈진섭세가(陳涉世家)〉에 다음과 같이 보인다. "진승과 오광은 이세 황제(二世皇帝) 때 부역 가는 병졸들을

••• 涉 건널 섭 項 목 항

諸侯叛之也는 以弑義帝라【此是說羽決不可以自有爲, 增看不破處.】且義帝之立에 增爲謀主矣니 義帝之存亡이 豈獨爲楚之盛衰리오 亦增之所與同禍福也니【此增元曉得底, 後來昏了.】未有義帝亡而增獨能久存者也니라【無陳涉之得民以下, 便說羽殺宋義事, 則文字無曲折, 而失之直矣.】

진섭(陳涉, 진승(陳勝))이 민심을 얻은 것은 항연(項燕)과 부소(扶蘇)를 칭하였기 때문이요, 항씨(項氏)가 흥왕(興旺)한 것은 초 회왕(楚懷王)의 손자인 웅심(熊心)【의제(義帝)이다.】을 세웠기 때문이요, 제후(諸侯)들이 항우를 배반한 것은 의제(義帝)를 시해하였기 때문이었다.【이는 항우가 결코 스스로 무슨 일을 할 수 없음을 말한 것이니, 범증이 간파하지 못한 부분이다.】

또 의제가 즉위할 적에 범증이 모주(謀主)가 되었으니, 의제의 존망이 어찌 다만 초(楚)나라의 성쇠(盛衰)가 될 뿐이었겠는가? 또한 범증이 그와 더불어 화복(禍福)을 함께하는 바였으니,【이것은 범증이 원래 깨닫고 있었는데, 뒤에 어두워진 것이다.】의제가 죽었는데 범증만이 홀로 오래 보존될 수는 없는 것이다.【진섭(陳涉)이 민심을 얻은 이하의 글이 없고, 곧바로 항우가 송의를 죽인 일을 말했으면 문자에 곡절이 없어서 잘못되어 너무 직절(直截)해진다.】

羽之殺卿子冠軍也는 是弑義帝之兆也요 其弑義帝는 則疑增之本也니 豈必待陳平哉아 物必先腐也而後에 蟲生之하고 人必先疑也而後에 讒入之하나니【又著此語, 則文字優游不迫, 與前面引詩‧易同類.】陳平이 雖智나 安能間無疑之主哉리오

항우가 경자관군을 죽인 것은 바로 의제를 시해할 조짐이요, 의제를 시해한 것은 범증을

거느리고 난을 일으키며 이르기를 '천하가 진나라의 학정에 오래도록 시달려왔다. 듣자 하니 이세 황제는 시황제의 작은 아들이라 하니, 마땅히 황제가 되어야 할 사람은 장자 부소이다. 부소가 자주 직간하다가 시황제의 노여움을 사서 밖으로 쫓겨났는데 죄없이 이세 황제에게 죽임을 당하였다. 그러나 백성들은 부소가 어질다는 소문만 들었지 참으로 죽었는지는 알지 못한다. 또 초나라 장군 항연은 여러 차례 공을 세우고 병졸들을 사랑하다가 싸움터에서 죽어 초나라 사람들이 매우 안타깝게 생각하고 있다. 초나라 사람들 가운데에는 항연이 죽지 않고 도망쳐 숨어 살고 있다고 생각하는 자도 많다. 이제 우리가 공자(公子) 부소와 항연이라고 자칭하여 사람들을 속인다면 천하가 모두 호응하여 따르는 자가 많을 것이다.'라고 하고, 스스로 자신이 부소라고 소문을 내었다."

40 楚懷王孫心: 초 회왕(楚懷王)은 전국시대 초(楚)의 군주인 웅괴(熊槐)인데, 진왕(秦王)의 꼬임에 빠져 진나라에 들어갔다가 억류되어 돌아오지 못하고 죽었다. 그 후 초나라는 멸망하였는데, 이때 의병들은 백성들이 모두 초 회왕을 가엾게 여긴다 하여 그의 손자인 웅심(熊心)을 왕으로 추대하고 또한 회왕(懷王)이라 칭하였다. 그 후 웅심은 항우(項羽)에 의해 의제(義帝)로 추대되었다가 시해당하였다.

의심하게 된 장본이니, 어찌 반드시 진평(陳平)의 이간질을 기다리겠는가. 물건은 반드시 먼저 썩은 뒤에 벌레(구더기)가 생기고, 사람은 반드시 먼저 의심한 뒤에 참소가 먹혀드는 것이다.【또다시 이 말을 하였으니, 문자가 우유(優游, 여유로움)하여 직절하지 않은바, 전면에 인용한 《시경》과 《주역》과 같은 류이다.】진평이 비록 지혜로우나 어찌 의심이 없는 임금을 이간질할 수 있었겠는가.

吾嘗論 義帝는 天下之賢主也라 獨遣沛公入關而不遣項羽[41]하고【義帝識羽, 增識不破.】識卿子冠軍於稠(조)人之中하여 而擢以爲上將하니 不賢而能如是乎아 羽旣矯殺卿子冠軍하니 義帝必不能堪하리니 非羽弑帝면 則帝殺羽는【應殺冠軍爲弑義帝之兆一句.】不待智者而後知也라【增豈不曉得.】增이 始勸項梁立義帝하여 諸侯以此服從하니 中道而弑之는 非增之意也라 夫豈獨非其意리오 將必力爭而不聽也리라【文字要用無作有.】不用其言而殺其所立하니 羽之疑增이 必自此始矣리라【應弑義帝爲疑增之本一句.】

내 일찍이 논하건대 의제는 천하의 어진 군주였다. 홀로 패공을 보내어 관중(關中, 진나라의 수도인 함양(咸陽))에 들어가게 하고 항우를 보내지 않았으며,【의제(義帝)는 항우의 사람됨을 알았으나 범증은 항우의 진면목을 알아채지 못하였다.】경자관군을 여러 사람들 가운데서 알아보고 발탁하여 상장군(上將軍)으로 삼았으니, 어질지 않고 이와 같을 수 있었겠는가. 항우가 〈의제의 조령(詔令)을〉 거짓으로 꾸며 경자관군을 죽였으니, 의제는 반드시 견뎌내지 못했을 것이다. 항우가 의제를 시해하지 않았으면 의제가 항우를 죽였을 것은【경자관군을 죽인 것은 의제를 시해할 조짐이 된다〔殺冠軍 爲弑義帝之兆〕는 한 구에 응하였다.】지혜로운 자를 기다리지 않고서도 알 수 있는 것이다.【범증이 어찌 깨닫지 못했겠는가.】

범증이 처음 항량(項梁)에게 권하여 의제를 세우게 하여 제후들이 이 때문에 복종하였으니, 중도에 의제를 시해한 것은 범증의 본의가 아니다. 어찌 다만 본의가 아닐 뿐이겠는가? 아마도 반드시 강력히 간쟁하여도 항우가 듣지 않았을 것이다.【문자는 요컨대 무(無)를 가지고 유(有)

---

41 獨遣沛公入關而不遣項羽: 처음에 초나라 회왕(懷王)은 먼저 진(秦)나라의 도성인 관중(關中, 함양)에 들어가 진나라를 평정하는 자를 왕으로 봉하겠다고 장수들과 약속하였다. 그러나 이때 진나라 군대가 아직도 강성하였기 때문에 장수들이 먼저 관중으로 들어가려 하지 않았는데, 오직 항우는 숙부인 항량이 진나라에게 죽임을 당한 것을 원망하여 패공과 함께 먼저 관중에 들어갈 것을 자원하였다. 그러나 회왕은 항우의 성급하고 사나운 성격을 염려하여 그를 보내지 않고 관후(寬厚)한 패공을 보내 진나라를 점령하게 하였다. 그 결과 B.C.207년 10월에 패공은 관중에 입성하여 진나라 왕 자영(子嬰)으로부터 항복을 받아냈다.《史記 卷8 高祖本紀》

⋯ 稠 빽빽할 조 擢 뽑을 탁 矯 속일 교 梁 다리 량 肩 어깨 견 毅 굳셀 의 陋 더러울 루

를 만들어야 한다.】항우가 범증의 말을 따르지 않고 범증이 세운 임금을 시해하였으니, 항우가 범증을 의심한 것은 반드시 이로부터 비롯되었을 것이다.【'의제를 시해한 것은 범증을 의심한 장본이 된다〔弒義帝 爲疑增之本〕'는 한 구에 응한다.】

方羽殺卿子冠軍에 增與羽比肩而事義帝하여 君臣之分이 未定也하니 爲增計者컨대 力能誅羽則誅之요 不能則去之면【二句妙.】豈不毅然大丈夫也哉아 增이 年已七十이라 合則留요 不合則去어늘 不以此時明去就之分하고 而欲依羽以成功名하니 陋矣로다【增只是此處看不破, 倂前曉得底, 都昏了.】雖然이나 增은 高帝之所畏也라 增이 不去면 項羽不亡하리니 嗚呼라 增亦人傑也哉인저【前深抑之, 此處揚之, 操縱法. 大凡作漢 · 唐君臣文字, 前說它好, 後須說些不好處, 前說它不好, 後面須放它出一線路.】

　항우가 막 경자관군을 죽였을 적에 범증은 항우와 어깨를 나란히 하고 의제를 섬겨〈항우와 범증 사이에〉군신(君臣)간의 신분이 아직 정해지지 않았으니, 범증을 위해 헤아려보건대 자기 힘이 항우를 주살(誅殺)할 만하면 주살하고 그렇지 못하면 떠나갔더라면,【두 구가 묘하다.】어찌 의연한 대장부가 아니겠는가.
　범증은 이때 나이가 이미 70세였다. 뜻이 합하면 머물고 합하지 않으면 떠나갔어야 하는데, 이때에 거취(去就)의 구분을 밝히지 않고 항우에 의지하여 공명(功名)을 이루려고 하였으니, 비루하다.【범증은 다만 이 부분을 간파하지 못하여 앞에 깨달은 것까지 아울러 모두 어둡게 되었다.】
　그러나 범증은 고제(高帝, 유방)가 두려워하는 존재였다. 범증이 떠나가지 않았으면 항우가 망하지 않았을 것이니, 아! 범증은 또한 걸출한 인물이라 하겠다.【앞에서는 범증을 심하게 폄하하고 여기서 칭찬한 것은 조종(操縱)하는 문장법이다. 대체로 한(漢)·당(唐)의 군신의 문자를 지을 적에 앞에서 그의 좋은 부분을 말했으면 뒤에서는 모름지기 좋지 못한 부분을 조금 말하고, 앞에서 그의 좋지 못한 부분을 말했으면 뒤에서는 모름지기 그가 탈출할 한 가닥의 길을 열어놓았다.】

상추밀한태위서上樞密韓太尉書

소철蘇轍 자유子由

• 작가소개

    소철(蘇轍, 1039~1112)은 자가 자유(子由)·동숙(同叔)이고, 호가 난성(欒城)이며, 만년의 호는 영빈유로(潁濱遺老)이다. 미주(眉州) 미산(眉山) 사람으로 북송의 문학가이자 재상이며, '당송팔대가' 중의 한 사람이다. 가우(嘉祐) 2년(1057)에 예부(禮部)의 회시(會試)에 참가하였는데, 당시 지공거(知貢擧) 구양수(歐陽脩)가 소철을 오갑(五甲)으로 선발하였다. 소철은 급제한 뒤에 당시 추밀사(樞密使) 한기(韓琦)에게 편지를 올렸는바, 바로 본서에 실린 〈상추밀한태위서(上樞密韓太尉書)〉이다. 가우 6년(1061) 8월에 전시(殿試)에 참여하여 시비서성 교서랑(試秘書省校書郞)·상주 군사추관(商州軍事推官)이 되었다.

    신종(神宗) 때에는 왕안석(王安石)의 신법(新法)에 반대하다가 노여움을 사서 희령(熙寧) 2년(1069) 8월 하남 유수추관(河南留守推官)으로 좌천되었다. 이후로 장방평(張方平)·문언박(文彦博) 등을 따라서 지방 관직을 전전하였는데, 희령 3년(1070) 2월, 장방평이 지진주(知陳州)가 되자 소철을 불러 진주 교수(陳州敎授)로 삼았고, 희령 6년(1073) 4월, 수사도 겸 시중(守司徒兼侍中)인 문언박이 하양군(河陽軍)을 다스리게 되자 소철을 불러 학관(學官)으로 삼았다. 희령 8년(1075) 제주장서기(齊州掌書記)에 이어, 희령 10년(1077)에는 저작 좌랑(著作佐郞)이 되었고 또 남경 유수(南京留守) 장방평을 따라 첨서응천부 판관(簽書應天府判官)이 되었다.

    철종(哲宗)이 즉위하자 조정으로 복귀하여 우사간(右司諫)·어사중승(御史中丞)·상서 우승(尚書右丞)·문하시랑(門下侍郞) 등을 역임하였는데, 원우(元祐) 8년(1093)에 철종이 친정을 시작하자 신법파가 다시 득세하여 소성(紹聖) 원년(1094)에는 문하시랑(門下侍郞) 이청신(李淸臣)이 과거를 주관하면서 원우 연간의 정사에 대하여 비판하는 시제(試題)를 내었다. 이에 소철이 글을 올려 희령 연간의 신법을 회복하는 것에 대하여 반대하는 글을 올렸다가 지여주(知汝州)로 좌천되었다. 연이은 좌천으로 결국에는 태중대부(太中大夫)로 치사하여 허주(許州)에 거처를 마련하고 지내다가 정화(政和) 2년(1112)에 향년 74세로 별세하였다. 사후에 단명전 학사(端明殿學士)·선봉대부(宣奉大夫)로 추복(追復)되었고, 고종(高宗) 때에는 태사(太師)·위국공(魏國公)으로 추증되었으며, 효종(孝宗) 때에는 '문정(文定)'으로 추시(追諡)되었다.

소철은 부친 소순(蘇洵), 형 소식(蘇軾)과 함께 '삼소(三蘇)'로 일컬어진다. 그의 평생 학문은 부친과 형의 영향을 크게 받았다. 산문에 뛰어난 것으로 유명하였는데, 특히 정론(政論)과 사론(史論)은 그 수준이 탁월하다. 시(詩)에 있어서는 형 소식을 모범으로 삼아 그 풍격이 순박하고 부화(浮華)함이 없지만 문채(文采)는 좀 떨어진다. 저술로는 문집인 《난성집(欒城集)》이 전한다.

• 작품개요

이 작품은 작자가 북송 인종(仁宗) 가우(嘉祐) 2년(1057) 진사에 급제한 뒤 당시 추밀원사(樞密院使)였던 한기(韓琦)에게 올린 간알문(干謁文)이다. '추밀원(樞密院)'은 군사와 국방에 관한 업무를 담당하는 곳이고, '태위(太尉)'는 진(秦)·한(漢) 시대 군정(軍政)의 수뇌로 지위가 승상(丞相)과 같은 벼슬이었다. '한태위(韓太尉)'는 한기(韓琦, 1008~1075)를 가리키며, 그가 나라의 최고 군사 책임자인 당시의 추밀사(樞密使)였으므로 그렇게 부른 것이다. 한기는 서북 변경을 담당하여 큰 공을 세워 사람들에게 추앙받았는바, 범중엄(范仲淹)과 함께 '한범(韓范)'으로 병칭된 인물이다.

이 작품은 작자가 19세 때 지은 것으로, 자신을 천거해줄 것을 청하는 내용인데, 직접적으로 자신의 재능을 드러내지 않고 작문과 양기(養氣)에 대한 소회로 시작하여 '지기(志氣)를 격발시킨다.〔激發其志氣〕'는 주제 아래 작자의 본뜻으로 귀결시켰다. 작자는 작품의 서두에서 "문장이란 것은 기의 표현이지만, 문장은 배워서 능할 수 없고, 기는 길러서 이룰 수 있다〔文者氣之所形 然文不可以學而能 氣可以養而致〕"라는 관점을 바로 제시한 뒤에 자신의 양기(養氣) 방법을 이야기하고, 매우 자연스럽게 한태위를 알현하려는 것을 담론의 화제에 집어넣은 다음 태위가 자신을 만나주기를 희망하는 의사를 드러내었다. 작품의 내용과 어조가 부친 소순(蘇洵)의 〈상구양내한서(上歐陽內翰書)〉와 흡사하면서도 기세의 웅혼함은 그보다 나은 점이 있다. 이 때문에 부친인 노천의 대작으로 보기도 한다.

작품은 네 단락으로 나뉜다. '철생호위문(轍生好爲文)'부터 '이불자지야(而不自知也)'까지의 첫 번째 단락에서는, 양기(養氣)와 작문(作文)의 관계에 대한 작자 자신의 관점을 제기하고 아울러 맹자와 사마천을 가지고 내심의 수양과 외재적 경험의 예증으로 삼았다. '철생십유구년의(轍生十有九年矣)'부터 '이철야미지견언(而轍也未之見焉)'까지의 두 번째 단락에서는, 작자 자신이 주람(周覽)과 교유(交游)라는 두 가지 경로를 통하여 기(氣)를 기르는데, 아직 태위를 만나뵙지 못한 것이 매우 애석한 일임을 서술하였다. '차부인지학야(且夫人之學也)'부터 '가이진천하지대관이무감의(可以盡天下之大觀而無憾矣)'까지의 세 번째 단락에서는, '큰 것에 뜻을 두지 않는다면[不志其大]'이라는 가설(假設)로부터 태위를 만나 뵈려고 하는 종지(宗旨)를 확정하였다. '철년소(轍年少)'부터 '우행의(又幸矣)'까지의 마지막 단락은, 태위를 만나뵈려고 하는 결어(結語, 맺는 말)이다.

이 작품은 "문장이란 것은 기의 표현이다.[文者氣之所形]"라는 자기의 문학적 주장에 중점을 두어 상세히 밝힘과 동시에 한기를 앙모하는 마음과 만나 뵙고 싶다는 뜻을 드러내었다. 그러나 한기에 대한 앙모를 표현할 때에 작자는 문장 속에서 권세 있는 자에게 빌붙어 높은 관직에 오르기를 구하는 뜻을 전혀 내비치지 않았고, 다만 인격이 높은 훌륭한 사람을 만나 뵙고자 하는 마음이 간절할 뿐이었다. 훌륭한 분의 가르침을 간절히 바라는 것은 양기의 목적을 달성하려는 내심을 드러낸 것으로 매우 간절하고 뛰어난 문재(文才)가 남김없이 드러난 작품이다.

篇題小註·· 迂齋云 胸臆之談의 筆勢規模 從司馬子長自序中來라 從歐陽公하여 轉韓太尉身上하니 可謂奇險라 子由時年十九歲니 或云老泉代作이라하니라

우재가 말하였다. "흉억(胸臆, 가슴 속)을 넓힌다는 말의 필세(筆勢)와 규모는 사마자장(司馬子長, 사마천)의 〈태사공자서(太史公自序)〉로부터 온 것이다. 구양공으로부터 한태위의 신상으로 돌렸으니, 기이하고 난삽하다고 이를 만하다. 자유(子由)는 이때 나이가 19세였으니, 혹자는 '노천(老泉, 소순(蘇洵))이 대작(代作)하였다.' 한다."

○ 按此篇은 雄健恢疎하니 眞老泉之作이라 子由는 文平正純熟하니 不類此也라 其後에 馬存子長遊一篇[42]이 意實出於此로되 但不用其文耳라

---

42 馬存子長遊一篇: 마존(馬存)의 〈자장유 증갑방식(子長遊贈蓋邦式)〉으로, 사마천의 유람에 관한 글을 갑방식에게 준 글인바, 아래 권10에 실려 있다.

··· 胸 가슴 흉 臆 가슴 억 恢 넓을 회

살펴보건대, 이 편은 웅건하고 회소(恢疎, 광대(廣大))하니, 참으로 노천이 지은 것이다. 자유는 문장이 평정(平正)하고 순숙(純熟)하니, 이와 유사하지 않다. 그 뒤에 마존(馬存)의 〈자장유(子長遊)〉 한 편은 뜻이 여기에서 나왔으나, 다만 이 문자를 그대로 쓰지 않았을 뿐이다.

· 原文

轍이 生好爲文하여 思之至深하여 以爲文者는 氣之所形이라 然이나 文不可以學而能이요 氣可以養而致니이다 孟子曰 我는 善養吾浩然之氣[43]라하시니 今觀其文章이 寬厚宏博하여 充乎天地之間하여 稱其氣之小大하며 太史公은 行天下하여 周覽四海名山大川하고 與燕, 趙間豪俊交遊라 故로 其文이 疏蕩하여 頗有奇氣하니 此二子者 豈嘗執筆하여 學爲如此之文哉리오 其氣充乎其中而溢乎其貌하며 動乎其言而見(현)乎其文이로되 而不自知也하나이다

저는 태어나면서부터 문장 짓기를 좋아하였는데, 깊이 생각하여 "문장은 기(氣, 기운)가 나타나는 것이다. 그러나 문장은 배워서 능할 수가 없고 기운은 길러서 이룰 수가 있다."라고 여겼습니다. 맹자(孟子)가 말씀하시기를 "나는 나의 호연지기(浩然之氣)를 잘 기른다."라고 하셨는데, 이제 그의 문장을 보면 너그럽고 후덕하고 크고 넓어서 천지(天地)의 사이에 충만하여 그 기운의 크기에 걸맞으며, 태사공(太史公, 사마천(史馬遷))은 천하를 돌아다니면서 사해의 명산(名山)과 대천(大川)을 두루 구경하고 연(燕)나라와 조(趙)나라 지방의 재주와 지혜가 뛰어난 사람들과 교유하였기 때문에 그 문장이 소탕하여 자못 기이한 기운이 있으니, 이 두 분들이 어찌 일찍이 붓을 잡고서 이와 같은 문장을 짓는 것을 배웠겠습니까? 그 기운이 가슴속에 충만하여 그 용모에 넘치며 그 말에 동하여 그 문장에 나타나는데도 스스로 알지 못하였던 것입니다.

轍은 生十有九年矣라 其所居家與遊者 不過其隣里鄕黨之人이요 所見이 不過

---

43 孟子曰 我善養吾浩然之氣: 《맹자》〈공손추 상(公孫丑上)〉에 보이는 말로, '호연지기'는 천지 사이에 성대히 유행하는 정기(正氣)를 말한다. 공손추가 호연지기에 대해 묻자, 맹자가 "그 기는 지극히 크고 지극히 강하니, 정직함으로써 잘 기르고 해침이 없으면 천지의 사이에 충만하게 된다.〔其爲氣也 至大至剛 以直養而無害 則塞于天地之間〕"라고 하였다.

··· 轍 수레바퀴자국 철 形 나타날 형 宏 클 굉 豪 뛰어날 호 蕩 넓을 탕 頗 자못 파 溢 넘칠 일
見 나타날 현 隣 이웃 린 登 오를 등

數百里之間이라 無高山大野可登覽以自廣이요 百氏之書를 雖無所不讀이나 然皆古人之陳迹이니 不足[以][44]激發其志氣일새 恐遂汨沒이라 故로 決然捨去하고 求天下之奇聞壯觀하여 以知天地之廣大하니이다

저는 태어난 지 19년이 되었습니다. 집안에서 거처하면서 교유한 대상은 이웃과 향당(鄉黨)의 사람에 지나지 않으며, 본 것은 수백 리의 사이를 넘지 않습니다. 올라가 바라보면서 저의 포부를 넓힐 만한 높은 산과 큰 들도 없으며, 백가(百家)의 글을 비록 읽지 않은 것이 없으나 모두 뜻과 기운을 격발시킬 수가 없는 옛사람의 묵은 자취이니, 마침내 현재에 골몰할까 두려웠습니다. 그러므로 결연히 고향을 버리고 천하의 기이한 소문과 장관(壯觀)을 찾아서 천지(天地)의 광대함을 알게 되었습니다.

過秦, 漢之故都하여 恣觀終南, 嵩, 華之高하고 北顧黃河之奔流하여 慨然想見古人之豪傑하며 至京師하여 仰觀天子宮闕之壯과 與倉廩, 府庫, 城池, 苑囿之富且大也하고 而後에 知天下之巨麗요 見翰林歐陽公하여 聽其議論之宏辨하고【上說終南·嵩·華·黃河, 下以歐公配之, 則人物可想矣.】觀其容貌之秀偉하며 與其門人賢士大夫遊【曾子固, 梅聖俞, 蘇子美之徒.】而後에 知天下之文章이 聚乎此也로이다 太尉以才略으로 冠天下하니 天下之所恃以無憂요 四夷之所憚而不敢發이라 入則周公, 召公이요 出則方叔, 召虎[45]어늘【壯.】而轍也未之見焉이로이다

진(秦)나라와 한(漢)나라의 옛 도읍지(관중(關中)인 함양(咸陽)과 장안(長安))를 방문하여 높은 종남산(終南山)과 숭산(嵩山)·화산(華山)을 마음껏 구경하고, 북쪽으로 치달려 흐르는 황하(黃河)를 돌아보고서 개연(慨然)히 옛날 호걸들을 상상해 보았으며, 경사(京師)에 이르러 천자의 궁궐의 장엄함과 창름(倉廩)·부고(府庫)와 성지(城池)·원유(苑囿)의 풍부하고도 거대함을 우러러보고 그런 뒤에야 천하의 크고 화려함을 알았으며, 한림(翰林) 구양공(歐陽公, 구양수(歐陽脩))을 뵙고서 크고 명료한 그 의론을 듣고【위에서 종남산과 숭산, 화산과 황하를 말하고 아래에서 구양공

---

44 〔以〕: 저본에는 없으나《난성집(欒城集)》과《당송팔가문초》에 의거하여 보충하였다.

45 入則……方叔召虎: 출장입상(出將入相)을 이른다. 주공(周公)은 주 무왕(周武王)의 아우로 이름이 단(旦)이며 소공(召公) 또한 주나라 종실(宗室)로 이름이 석(奭)인데, 모두 무왕(武王)과 성왕(成王)을 보필하였다. 방숙(方叔)과 소호(召虎)는 주 선왕(周宣王) 때에 형만(荊蠻)과 회이(淮夷)를 토벌하여 큰 공을 세운 인물이다.

⋯ 陳 묵을 진 汨 빠질 골 恣 멋대로할 자 嵩 높을 숭 慨 슬퍼할 개 廩 곳집 름 苑 동산 원 囿 동산 유 聚 모을 취

을 이것들에 짝하였으니, 구양공의 인물을 상상해 알 수 있다.】빼어나고 위대한 그 용모를 보고 그 문인(門人) 중에 어진 사대부들과 교유한【어진 사대부는 증자고(曾子固, 증공(曾鞏))와 매성유(梅聖俞, 매요신(梅堯臣)), 소자미(蘇子美, 소순흠(蘇舜欽))의 무리이다.】뒤에야 천하의 문장이 이곳에 모여 있음을 알았습니다.

태위(太尉)께서는 재주와 지략으로 천하에 으뜸이 되시니, 천하 사람들은 믿어서 근심이 없고, 사방의 오랑캐들은 두려워하여 감히 발동하지 못합니다. 조정에 들어가면 주공(周公)과 소공(召公)과 같은 어진 재상이고, 나가면 방숙(方叔)과 소호(召虎)와 같은 훌륭한 장수인데,【웅장하다.】저는 아직 뵙지 못하였습니다.

且夫人之學也에 不志其大면 雖多而奚爲리오 轍之來也에 於山에 見終南, 嵩, 華之高하고 於水에 見黃河之大且深하고 於人에 見歐陽公이로되 而猶以未見太尉也라【入得妙, 此等最是緊要盤錯處. 着上面說歐公處, 更無別人, 却只一句, 幹得轉, 此所謂筆力扛九鼎.[46]】故로 願得觀賢人之光耀하여 聞一言以自壯하니 然後에 可以盡天下之大觀而無憾者矣리이다

또 사람이 학문할 적에 큰 것에 뜻을 두지 않으면 비록 많이 안들 어디에 쓰겠습니까. 제가 이곳에 올 적에 산은 높고 높은 종남산과 숭산·화산을 보았고, 물은 크고 또 깊은 황하를 보았고, 인물로는 구양공을 뵈었으나 태위는 아직도 뵙지 못하였습니다.【들어감이 묘하니, 이런 부분이 가장 긴요하고 반착(盤錯, 복잡함)한 부분이다. 위에서 구양공을 말한 부분을 보면 다시 특별한 사람이 없었는데, 이 한 구에서 돌려 옮겨갔으니, 이것이 이른바 '필력이 구정(九鼎)을 든다'는 것이다.】그러므로 현인(賢人)의 광채를 얻어 보아 한 말씀을 들어서 스스로 뜻을 키우기를 원하오니, 그런 뒤에야 천하의 대관(大觀, 큰 구경거리)을 다 구경하여 유감이 없을 것입니다.

轍이 年少하여 未能通習吏事라 嚮之來는 非有取於升斗之祿이러니 偶然得之하니 非其所樂이라 然이나 幸得賜歸待選하여 使得優游數年之間하면 將以益治其文하고 且學爲政하리니 太尉苟以爲可教而辱教之하시면 又幸矣리이다

---

46 筆力扛九鼎: '구정(九鼎)'은 하(夏)나라 우왕(禹王)이 구주(九州)의 쇠를 모아 만들었다는 솥으로 역대 국가의 보물이 되어 귀중한 물건의 대명사가 되었는바, 필력이 힘참을 비유한 것이다.

저는 나이가 적어 아직 관리의 일에 숙달하지 못하니, 지난번 온 것은 한 되나 한 말의 적은 녹봉을 얻으려고 온 것이 아니었습니다. 그런데 우연히 녹봉을 얻게 되었으니, 즐거워하는 바가 아닙니다. 그러나 다행히 고향으로 돌아가 선발되기를 기다려서 수년간 한가로이 공부하게 해주신다면, 장차 문장을 더욱 다스리고 또 정사하는 방법을 배울 것입니다. 태위께서 진실로 가르칠 만하다고 여기시어 욕되이(외람되이) 가르쳐 주신다면 더욱 다행이겠습니다.

원주학기 袁州學記

이구李覯 태백泰伯

- 작가소개

　　이구(李覯, 1009~1059)는 자가 태백(泰伯)이며, 북송 건창군(建昌軍) 남성(南城) 사람이다. 어려서부터 매우 총명하고 배우기를 좋아하여 20세 이후에는 문장으로 점차 이름을 얻었다. 경우(景祐) 연간에 경사인 변량(汴梁)에 가서 벼슬할 방법을 강구하였으나 아무런 소득이 없었고, 그 이듬해에 향거(鄕擧)에 응시하였으나 낙방하였다. 경력(慶曆) 원년(1041)에 무재이등과(茂才異等科)에 응시하였으나 낙방하자 벼슬에 뜻을 접고 은거하며 저술 활동을 하였는데, 남성의 군수가 학교를 세우고서 그를 군학(郡學)의 선생으로 초빙하였다. 그는 또 우강서원(盱江書院)을 세워 학생들을 가르치며 생계를 유지하였는데, 가르침을 청하는 자가 항상 수백 명이었다. 그는 '우강 선생(盱江先生)'으로 불렸는데, 증공(曾鞏)·등윤보(鄧潤甫)는 그의 고제(高弟)이다. 우강은 일명 우수(盱水)로 남성에 있는 물 이름인데, 바로 여수(汝水)이다.

　　황우(皇祐) 원년(1049)에 범중엄(范仲淹)이 글을 올려 이구를 조정에 추천하였는데, 이후 범중엄·여정(余靖) 등의 거듭된 천거로 태학 조교(太學助敎)가 되었고, 태학 설서(太學設書)·해문 주부(海門主簿)·태학 직강(太學直講) 등을 역임하였다. 가우(嘉祐) 4년(1059) 권동관구태학(權同管句太學)이 되었으나 조모를 천장(遷葬)하는 문제로 말미를 얻어 고향으로 돌아갔다가 8월에 집에서 병으로 별세하였는바, 향년 51세이다. 저서로 《우강집(盱江集)》이 있다.

- 작품개요

　　이 작품의 본래 제목은 〈원주주학기(袁州州學記)〉로, '원주(袁州)'는 현재 강서(江西) 의춘(宜春)에 해당한다. 일찍이 북송 인종(仁宗)은 즉위한 지 23년에 각 주현(州縣)에 조서를 내려 학궁(學宮)을 세우게 하였지만, 이 일은 제대로 실행되지 않고 있었다. 인종 32년에 조무택(祖無擇)이 원주 지주(袁州知州)가 되어 원주의 학궁이 퇴락하고 공자를 모신 사당이 협소한 것을 보고, 이에 새로운 학궁을 세우고 아울러 제례를 거행하였다.

작자는 이 작품을 통하여 원주의 주학(州學)이 세워진 과정을 기술하고 이어서 학교를 운영·관리하는 데에 힘을 쓰지 않는 지방관들을 비판함으로써 학교를 세우고 운영·관리하는 것의 중대한 의의에 대하여 기술하였다. 특히 진 시황이 유가의 '인의도덕'을 포기하여 단기간에 멸망하였고, 한(漢)나라의 효무제(孝武帝)와 광무제는 성인의 학설을 따라서 천하를 통치하였다고 주장하여, 원주의 독서인들(선비들)에게 힘써 성인의 예절을 배우고 그저 부귀와 공명만을 추구해서는 안 된다고 권면하였다.

작품은 크게 세 단락으로 나뉜다. '황제이십유삼년(皇帝二十有三年)'부터 '교닐불행(敎尼不行)'까지의 첫 번째 단락에서는, 학교의 설립과 관리·운영에 대한 지방 관원들의 각기 다른 태도를 기술하여 작품 전체의 주지를 끌어내었으니, 다음 단락에서 조무택이 적극적으로 학교를 관리·운영하는 행위를 부각시키기 위한 복선의 역할을 한다.

'삼십유이년(三十有二年)'부터 '사채차유일(舍菜且有日)'까지의 두 번째 단락에서는, 원주의 주학을 세우고 관리·운영하는 일련의 과정을 서술하였다. 주학의 터를 선정하고, 건축 재료를 준비하고, 건물의 구조·장식·도장 등 각각의 부분에 대하여 분별하여 서술하였는바, 이를 통하여 조무택이 준비·실행에 있어서 빈틈이 없었음을 알 수 있다. 작자는 표면적으로 지나치게 많은 분량으로 이를 칭찬하지 않았지만, 이러한 기술 자체가 읽는 사람으로 하여금 조무택의 진심을 알 수 있도록 해준다.

'우강이구(旴江李覯)'부터 '억역위국자지우(抑亦爲國者之憂)'까지의 세 번째 단락은 작자의 주요 관점이 집중되어 있다. 작자는 먼저 역사상의 경험과 교훈을 이야기하고 교육이란 확실히 국가의 흥망성쇠에 관계된 중대한 사안임을 설명하였다. 이어서 '현실'로 방향을 바꾸어, 조정이 학교를 세우고 관리·운영하는 것을 창도하는 주요 취지에 대하여 지적하였다. 뒤에는 필묵을 희롱하여 이익과 영달만을 추구하는 사람에 대해 엄격하고 매서운 비평을 하고 작품은 끝을 맺는다. 여기까지 읽게 되면, 독자는 자연스럽게 조무택의 관심 하에 원주의 주학이 활발하게 관리·운영되어 당시의 모범이 되었을 것을 연상할 수 있다. 앞서 작자는 주학의 설립과 관리·운영의 모든 과정에 대해 남김없이 소개하였으나 '사대지학(四代之學)'의 구체적인 실행 방법에 대해서는 유가(儒家)의 경전(經典)에 이미 자세히 기록되어 있기 때문에 이를 생략하고 언급하지 않았는바, 자칫 번쇄(煩瑣)해질 수 있는 문장을 간결하고 정제되게 만들었다.

전체적으로 볼 때, 이 작품은 원주의 주학에 관한 '기(記)'이지만 실제 그 내용은 '의(議)'이다. 아울러 소재의 선정과 문장의 조리가 모두 적확하고 분명한 점과 서술의 상략(詳略)도 적절한 점이 바로 이 작품의 장점이라고 하겠다.

篇題小註‥ 迂齋云 議論이 關涉世敎하고 筆力老健하니라

우재가 말하였다. "의론이 세교(世敎)에 관계되며 필력이 노련하고 굳세다."

○ 學記多矣나 意正說嚴하고 文老氣壯이 未有過此者라 明倫而敦忠孝는 此學之大本이요 爲文以徼(요)利達은 此學之流弊니 一勸一戒에 凜凜如秋霜烈日이로다

학교에 대한 기문이 많으나 뜻이 바르고 말이 엄정하며 문장이 노련하고 기운이 건장한 것은 이보다 더한 것이 없다. 윤리를 밝혀 충효를 돈독히 함은 학문의 큰 근본이요, 문장을 지어서 이달(利達, 이익과 영달)을 요구함은 학문의 유폐(流弊)이니, 한편으로 권면하고 한편으로 경계함에 늠름함이 추상 열일(秋霜烈日, 가을 서리와 뜨거운 햇볕)과 같다.

• **原文**

皇帝二十有三年에【仁宗慶曆四年.】制詔州縣立學하시니 惟時守令이 有哲有愚라 有屈力殫慮하여 祗順德意하고 有假宮借師하여 苟具文書하여 或連數城에 亡(무)誦絃聲하니 倡而不和하여 敎尼(닐)不行하니라

황제께서 즉위한 지 23년에【인종(仁宗) 경력(慶曆) 4년(1044)이다.】각 주(州)·현(縣)에 제조(制詔, 조령)를 내려 학궁(學宮, 학교)을 세우게 하시니, 이 당시 수령들이 현철(賢哲)한 이도 있고 어리석은 이도 있었다. 그리하여 힘을 다하고 생각을 다하여 황제의 덕스러운 뜻을 공경히 순종한 자가 있었고, 학궁을 빌리고 스승을 고용하여 구차히 문서(형식)만을 갖추어 혹 몇몇 성(城)에서는 글을 읽고 현악기를 타는 소리가 없기도 하니, 〈황제께서〉선창을 하는데도 〈수령들이〉화답하지 않아 가르침이 중지되고 행해지지 못하였다.

三十有二年에【至和元年.】范陽祖君無擇이 知袁州라 始至에 進諸生하여 知學宮闕
狀하고 大懼人材放失하고 儒效闊疏하여 無以稱上意旨러니 通判穎川陳君佑이 聞
而是之하여 議以克合이라 相舊夫子廟하니 陿隘하여 不足改爲일새 乃營治之東하니
厥土燥剛하고 厥位面陽하고 厥材孔良하며 瓦甓黝堊(와벽유악)丹漆이 擧以法故하고
殿堂室房廡門이 各得其度라 生師有舍하고 庖廩有次하며 百爾器備를 竝手偕作
하니 工善吏勤하여 晨夜展力하여 越明年에 成하여 舍菜[47]且有日하니라

32년에【이때는 지화(至和) 원년(1054)이다.】 범양(范陽) 조군 무택(祖君無擇)이 원주(袁州)를 맡았
다. 그는 처음 부임해서 여러 생도들을 나오게 하여 학궁의 변변찮은 상황을 알고는 인재가
방실(放失)되고 유교(儒敎)의 효험이 쇠퇴해져 성상(聖上)의 뜻에 부응하지 못할까 크게 두려워
하였다.

영천 통판(穎川通判)으로 있는 진군 신(陳君佑)은 이 말을 듣고 옳게 여겨 의론이 서로 부합
하였다. 옛 부자(夫子, 공자(孔子))의 사당을 살펴보니, 너무 좁고 누추하여 고쳐서 지을 수가 없
으므로 마침내 치소(治所, 읍내)의 동쪽에 새 터를 경영하니, 토지가 건조하고 단단하며 위치가
양지바르고 재목이 매우 좋으며, 기와와 벽돌, 검은 흙과 흰 흙을 바르는 것과 단청과 옻칠이
모두 옛 것을 따랐고, 전당(殿堂)과 실방(室房)과 행랑채와 문이 각각 법도에 맞았다. 생도들과
스승이 머무를 집이 있고 부엌과 창고가 다음으로 지어졌으며, 온갖 기물과 비품들을 함께
손대어 만들었는데, 목공들은 일을 잘하고 관리들은 부지런히 감독하여 새벽부터 밤늦도록
힘써 일하였다. 그리하여 다음 해에 사당을 완성하여 사채(舍菜)를 올릴 날이 가까워졌다.

盱江李覯 諗(심)于衆曰 惟四代之學은【虞·夏·商·周.[48]】考諸經이면 可見已라【只
一句說過便了.】秦以山西로 鏖(오)【下字.】六國하여 欲帝萬世러니 劉氏一呼에 而關門
不守하여【語壯.】武夫健將이 賣降(항)恐後는 何耶오 詩書之道廢하여 人惟見利而不
聞義焉耳일새라【此廢學之禍.】孝武乘豐富하고 世祖出戎行(항)하여 皆孶孶學術하니
俗化之厚가 延于靈, 獻하여 草茅危言者 折首而不悔하고 功烈震主者 聞命而釋

---

47 舍菜: 일명 석채(釋菜)로 공자(孔子)의 사당에 채소를 올려 제사함을 이르는바, 석전(釋奠)보다 간략하다.

48 虞, 夏, 商, 周: 네 왕조를 이르는바, 각 왕조의 학교 이름이 《예기》〈왕제(王制)〉에 보인다.

••• 袁 옷깃 원 穎 물이름 영 佑 떼지어갈 신 陿 좁을 협 隘 좁을 애 甓 벽돌 벽 黝 검을 유
堊 백토 악 廡 행랑 무 廩 곳집 름 偕 함께 해 盱 물이름 우 覯 만날 구 諗 고할 심
鏖 죽일 오 孶 부지런할 자

兵하여 群雄이 相視하여 不敢去臣位를 尚數十年[49]하니 敎道之結人心이 如此라【此興學之功.】

우강(盱江) 이구(李覯)는 여러 사람들에게 다음과 같이 말하였다.

"사대(四代)의 학교는【사대는 우(虞), 하(夏), 상(商), 주(周)이다.】여러 경전(經典)을 참고하면 볼 수 있다.【다만 한 구에서 말이 곧 끝났다.】진(秦)나라는 산서(山西)지방의 나라로서 육국(六國)을 멸망시켜【글자를 놓았다.】만세토록 황제 노릇을 하고자 하였는데, 유씨(劉氏, 유방(劉邦))가 한번 고함치자, 관문을 지키지 못하여【말이 웅장하다.】진나라의 무부(武夫)와 건장한 장수들이 남보다 뒤질세라 나라를 팔아먹고 항복했던 것은 어째서인가? 시(詩)·서(書)의 도(道)가 폐해져서 사람들이 오직 이익만 보고 의리(義理)를 듣지 못하였기 때문이었다.【이것은 학교를 폐한 화(禍)이다.】

〈한(漢)나라의〉 효무제(孝武帝)는 풍부(부유)함을 타고 세조(世祖, 광무제(光武帝))는 융항(戎行, 군대의 항렬)에서 나와 모두 부지런히 학술에 힘썼다. 그리하여 풍속과 교화의 후(厚)함이 영제(靈帝)·헌제(獻帝)에까지 뻗쳐 초야에서 바른 말을 하는 자들이 머리가 잘려도 후회하지 않았고, 공열(功烈)이 군주를 진동하는 자들이 황제의 명령을 듣고 병권을 풀어놓아 군웅(群雄)들이 서로 바라보면서 감히 신하의 지위를 버리지 못한 지가 오히려 수십 년이었으니, 가르치는 도(道)가 인심을 결속시킴이 이와 같은 것이다.【이것은 학교를 일으킨 공(功)이다.】

今代遭聖神하고 爾袁이 得賢君하여 俾爾由庠序하여 踐古人之迹하니 天下治則譚禮樂하여 以陶吾民이요 一有不幸이면 尤當仗大節하여 爲臣死忠하고 爲子死孝하여【學之設, 蓋爲此.】使人有所賴하고 且有所法이니 是惟朝家敎學之意라 若其弄筆墨하여 以徼(요)利達而已인댄【學之設, 豈爲此?】豈徒二三子之羞리오 抑亦爲國者之憂니라【辭嚴義正, 斬截有法.】

---

49 草茅危言者……尚數十年: '초모(草茅)'는 초야(草野)와 같으며 '절수(折首)'는 목이 잘리는 것으로, 영제(靈帝) 때에 당고(黨錮)에 연루된 범방(范滂) 등은 태학생(太學生)의 신분으로 정론(正論)을 펴다가 처형되었다. '군웅(群雄)'은 헌제(獻帝) 초기의 군벌인 원소(袁紹)·원술(袁術)·조조(曹操)·손권(孫權) 등을 이르는바, 특히 조조는 막강한 권력을 지녔음에도 불구하고 당시의 여론을 두려워하여 헌제를 천자로 받들고 위왕(魏王)에 머물렀는데, 그의 아들 조비(曹丕)에 이르러 비로소 제위(帝位)를 찬탈하였다.

••• 延 뻗칠 연 茅 띠 모 危 높을 위 折 꺾을 절 俾 하여금 비 庠 학교이름 상 序 학교이름 서
譚 말할 담 仗 잡을 장 徼 구할 요 羞 부끄러울 수

지금 시대가 성신(聖神, 성군(聖君))을 만나고 너희 원주 지역이 어진 사군(使君, 사또)을 얻어서 너희들로 하여금 상서(庠序, 학교)로 말미암아 고인(古人)의 자취를 밟게 하니, 천하가 다스려지면 예악(禮樂)을 말하여 우리 백성을 도야할 것이요, 한번 불행한 일이 있으면(혼란해지면) 더욱 대절(大節)을 잡아 지켜 신하가 되어서는 충성을 바치다가 죽고 자식이 되어서는 효도를 다하다가 죽어서【학교를 설치함은 이 때문이다.】 사람들로 하여금 의뢰하는 바가 있고 또 본받는 바가 있게 하여야 할 것이니, 이것이 조가(朝家, 조정)에서 백성을 가르치고 배우게 하는 의의(意義)이다. 만약 붓과 먹을 희롱하여 〈과거에 급제해서〉 이익과 영달을 구할 뿐이라면【학교를 설치함이 어찌 이것을 위해서이겠는가.】 어찌 다만 이삼자(二三子, 여러분)의 수치일 뿐이겠는가? 또한 나라를 다스리는 자의 걱정거리인 것이다."【말이 엄정하고 의리가 바르며 참절함(끊음)이 법도가 있다.】

약계藥戒

장뢰張耒 문잠文潛

• 작가소개

장뢰(張耒, 1054~1114)는 자가 문잠(文潛)이고 호가 가산(柯山)이다. 본적은 박주(亳州) 초현(譙縣)으로, 뒤에 회안(淮安) 초주(楚州)로 이거하였다. 17세에 〈함관부(函關賦)〉를 지어 문재(文才)로 사람들의 입에 오르내렸다. 이후 진주(陳州)에 가서 당시 그곳의 학궁(學宮)을 주관하던 소철(蘇轍)에게 가르침을 받았다. 희령(熙寧) 4년(1071), 소식(蘇軾)이 항주 통판(杭州通判)으로 부임하기 전에 아우 소철과 작별 인사를 나누기 위하여 진주에 왔었는데, 이때 소식을 배알하여 크게 인정을 받고 그의 추천으로 고소(姑蘇)에서 과거에 응시하였다. 20세이던 희령 6년(1073), 신종(神宗)이 직접 주관한 책문(策問)으로 진사(進士)가 되어 임회 주부(臨淮主簿)로 벼슬살이를 시작하였다. 이때부터 원풍(元豐) 8년(1085)까지 안휘(安徽)·하남(河南) 등의 지역에서 현위(縣尉)·현승(縣丞) 등의 지방관을 역임하였는데, 박봉과 청렴한 관직 생활로 인하여 생활이 매우 곤궁하였다.

원풍 8년에 신종이 붕어하고 나이 어린 철종(哲宗)이 등극하자 신법(新法)을 반대하던 고태후(高太后)가 수렴청정을 시작하며 사마광·소식·소철 등을 기용(起用)하였다. 원우(元祐) 원년(1086), 대신 범순인(范純仁)이 장뢰를 천거하여 태학(太學) 학사원(學士院)의 시험에 응시하게 하였는데, 한림학사 소식이 출제하였고 황정견(黃庭堅)·조보지(晁補之)와 함께 발탁되어 비서성 정자(秘書省正字)에 임명되었다. 이후로 저작좌랑(著作佐郞)·비서승(秘書丞)·사관 검토(史館檢討)·기거 사인(起居舍人) 등을 역임하였다. 원우 2년(1087)에는 소식이 주관한 예부(禮部)의 공거(貢擧)에 독권관(讀卷官)으로 뽑혔다.

그러나 철종이 친정(親政)을 시작하자 신법당이 다시 득세하여 원우 연간의 신하들이 핍박을 받았는데, 소식은 좌천되고 그 제자들 역시 연루되어서 고난을 겪었다. 소성(紹聖) 원년(1094), 장뢰는 직용도각(直龍圖閣)으로서 지윤주(知潤州)가 되어 부임하던 도중에 지선주(知宣州)로 옮겨졌고, 소성 4년(1097)에는 황주(黃州)의 주세감독(酒稅監督)으로 좌천되었고 다시 복주(復州)의 감경릉군주세(監竟陵郡酒稅)로 좌천되었다.

원부(元符) 2년(1099) 황주 통판(黃州通判)으로 기용되어, 이듬해에 휘종(徽宗)이 즉위하자 대상소경(太常少卿)이 되었고 이후 연주(兗州)·영주(潁州)의 지주(知州)가 되었다. 숭녕(崇寧) 원년(1102)에 방주별가(房州別駕)로 좌천되어 황주(黃州)에 안치되었다. 축신(逐臣)의 신분이라 관사(官舍)나 불사(佛寺)에는 거처할 수가 없었고 가산(柯山) 근방에 다른 사람의 집을 빌려서 머물렀기 때문에 호를 '가산'이라고 하였다. 이후 숭년 5년(1106)에 일체 당금(黨禁)을 해제하는 조서가 내리자 비로소 마음대로 거주할 수 있게 되어 여생을 진주(陳州)에서 보냈다.

장뢰는 진관(秦觀), 황정견, 조보지와 함께 '소문사학사(蘇門四學士)'라 일컬어진다. 그의 시는 당나라의 백거이(白居易)와 장적(張籍)을 모범으로 삼아 평이함을 추구하고 조탁(彫琢)을 숭상하지 않았다. 사(詞)는 현재 남아있는 분량이 매우 적지만 문사가 완곡하고 함축적인바, 풍격이 류영(柳永)·진관과 유사하다. 산문에 있어서도 시에서 추구한 것처럼 기이함을 반대하고 평이함을 제창하였다. 특히 내용의 곡회(曲晦)를 반대하고 창달(暢達)를 주장하며, 조탁을 반대하고 자연스러움과 직서(直敍)를 주장하였다. 또 사람들에게 작문하는 방법을 가르칠 적에 의리를 위주로 하였다.

평생을 곤궁하게 살았으나 절대로 가난함을 말하지 않았으며 절도를 더욱 굳게 지켰다. 저서에 《완구집(宛邱集)》 등이 있다.

• 작품개요

이 작품의 제목인 '약계'는 '복약(服藥)에 대한 경계'라는 뜻이다. 그 내용은 대체로 복약을 통하여 얻은 교훈이지만 그 이면에는 치국(治國)의 요법(要法)이 담겨있는바, 의술을 가지고 정치에 대하여 풍자한 작품인 셈이다. 작품의 내용은 대략 다음과 같다.

어떤 사람[客]이 뱃속에 체증이 해소되지 않는 증상인 '비(痞)'가 있어서 의원을 찾아가 진료를 받았는데, 그 의원은 약 처방을 내려 체증을 단숨에 해소해 주었다. 그러나 이후로 체증은 계속하여 다시 발생하였고 한 달 사이에 다섯 차례나 같은 처방으로 체증을 해소하였다. 그 사람은 전보다 야위지는 않았으나 기운이 몹시 쇠약해져 한번 말할 때에도 세 번 늘여 빼고, 수고롭지 않아도 몸에서 땀이 나며, 걷지 않아도 다리가 떨려서 속은 피폐하게 되었다. 이에 초(楚)나라 남쪽에 훌륭한 의원이 있다는 소문을 듣고 찾아가서 자신의 병증(病症)과 겪었던 상황에 대하여 말하고 치료해줄 것을 요청하였다. 그 의원은, 체증을 단숨에 해소하는 치료 방법은 사람의 원기를 함께 손상시킨다고 하면서 석 달 동안 쉬어 원기를 회복시킨 다음 약 처방을 내려 복용하게 하였다. 그러자 석 달 만에 조금 낫고, 다시 석 달이 지나 조금 편안해졌으며, 그해가 다 지나가자 결국 완쾌되었다.

목전의 효험에 과도하게 집착하여 자신의 몸에 있는 병을 너무 빨리 고치려면, 그 병이 당장 고쳐지는 효과를 볼지 모르겠지만, 그로 인한 부작용 때문에 또 다른 부분에 병이 생기고 만다. 이러한 이치는 나라를 다스리는 일에서도 마찬가지인데, 작자는 작품 속에서는 '양의(良醫)'의 말을 빌려서 자신의 견해를 피력하였다. 이는 또한 당시 급진 개혁을 주장하던 왕안석(王安石)의 일파를 비판한 것으로도 보인다.

즉, 진(秦)나라의 백성이 게으르고 방탕하며 법을 두려워하지 않는 것을 진나라 백성들이 '비(痺)'가 든 것으로 비유하고, 상앙(商鞅)이 법을 엄하게 하여 이들을 다스린 것을 '비(痺)'에 대한 약을 쓴 것으로 비유하여, 상앙이 법을 엄하게 하여 진나라의 '비(痺)'를 치료하기는 하였으나 끝내는 그것으로 인하여 진나라가 망하였다는 내용을 기술하였다. 이를 통하여 잘못된 일을 바로잡으려면 서서히 해야지 너무 급하게 서두르면 또 다른 실수를 초래하여 혼란을 가중시킨다는 교훈을 주고 있는 것이다. 무슨 일이든 서둘러 급히 하는 것보다 서서히 완전을 추구하며 해나가는 것이 확실한 성공의 길임을 명심해야 할 것이다.

전체적으로 이 작품은 서술이 주가 되어 의론을 겸하고 있는데, 서술은 생동감이 있고 문장의 논리가 매우 타당하다. 작자는 문장뿐만 아니라 의약에 관해서도 해박하여 적잖은 의약 관련 저술이 있었다고 전한다. 그 대표작으로는 《치풍방(治風方)》 1권이 있는데, 현재는 전하지 않는다. 《송사》에는 이러한 기술이 부족하지만, 지방지(地方志)와 의학사적(醫學史籍)에는 그의 뛰어난 의술에 관한 언급이 많이 보이며, 최근 이일안(李逸安) 등이 편집한 《장뢰집(張耒集)》에는 의약과 관련된 시가들이 적잖이 수록되어 있다. 이 작품은 뛰어난 문재(文才)에다 해박한 의약 지식을 지닌 작자에 의해 창작된 수작이라 할 것이다.

篇題小註·· (義)[議]⁵⁰論闊大하고 文意紆餘하니 醫國者固所當知요 醫身者亦不可不知也니라

의론이 광대하고 글 뜻이 여유가 있으니, 나라를 다스리는 자는 진실로 마땅히 알아야 할 것이요, 몸을 치료하는 자도 또한 알지 않으면 안된다.

---

50 (義)[議]: 저본에는 '의(義)'로 되어 있으나 문리에 의거하여 '의(議)'로 바로잡았다.

• **原文**

客有病痞(비)⁵¹하여【腹內結痛.】積於其中者 伏而不能下하고 自外至者 捍而不得納이라 從醫而問之하니 曰 非下之면 不可라하여늘 歸而飮其藥하니 旣飮而暴(폭)下하여 不終日에 而向之伏者 散而無餘하고 向之捍者 柔而不支하여 焦鬲이 導達하고 呼吸이 開利하여 快然若未始有疾者러라 不數日에 痞復作이어늘 投以故藥하니 其快然也亦如初러라

객(客) 중에 비병(痞病)을 앓는 자가 있어,【'비(痞)'는 뱃속에 맺힌 것이 있어 아픈 것이다.】 그 뱃속에 쌓인 것이 엎드려(숨어) 있어서 내려가지 않고 밖으로부터 이르는 음식물이 막혀 들어가지 않았다. 의원을 찾아가 물어보니, 말하기를 〈약을 먹어〉 내리지 않으면 안된다.' 하므로 돌아와 그 약을 마시니, 마시자마자 대번에 내려가서 하루가 지나지 않아 지난번에 뱃속에 머물러 있던 것들이 흩어져 남음이 없고 지난번에 막혔던 것들이 부드러워 걸리지 않아, 초격(焦鬲, 가슴)이 시원하게 뚫리고 호흡이 편안하게 열려서 상쾌하여 일찍이 병이 있지 않았던 듯하였다. 그런데 며칠이 못되어 비병이 다시 일어나므로 도로(다시) 옛 약을 먹으니, 그 상쾌함이 처음 약을 먹었을 때와 같았다.

自是로 不逾月而痞五作五下하여 每下輒愈라 然이나 客之氣一語而三引하며 體不勞而汗하고 股不步而慄하여 膚革은 無所耗於前이로되 而其中은 苶(날)然하여 莫知其所來하니 嗟夫라 心痞는 非下면 不可已니 子從而下之가 術未爽也어늘 苶然은 獨何歟오

이로부터 한 달이 되지 않아 비병이 다섯 번 일어났는데, 다섯 번 모두 약을 먹어 비증을 내렸다. 내릴 때마다 곧 병이 낫곤 하였으나 객은 기운이 〈몹시 쇠약하여〉 한번 말할 때에도 세 번 늘여빼며 수고롭지 않아도 몸에서 땀이 나고 걷지 않아도 다리가 떨려서, 살과 가죽은 예전보다 야위지 않았으나 그 속은 피폐한데도 그 유래(이유)를 알 수가 없었다. 아, 뱃속의 비병은 내리지 않으면 고칠 수가 없으니, 내가 의원의 처방을 따라서 내린 것은 치료하는 방법이 틀리지 않았는데, 속이 피폐한 것은 어째서인가?

---

51 痞病: 흉부와 복부 안이 막혀서 식적(食積)이나 담적(痰積) 등이 생겨 답답한 병이다.

… 痞 뱃속결릴 비 捍 막을 한 暴 갑자기 폭 焦 태울 초 鬲 가슴 격 逾 넘을 유 愈 나을 유 股 다리 고 慄 떨릴 률 耗 소모할 모 苶 파리할 날 爽 잘못될 상

聞楚之南에 有良醫焉하고 往而問之한대 醫曰 子無歎是然者也어다 凡子之術이 固爲是荼然也니라 坐하라 吾語女호리라 天下之理 有甚快於予心者면 其末에 必有 傷이니 求無傷於終者인댄 則初無望於快吾心이니라【上議論. 應在後.】夫陰伏而陽蓄 하여 氣與血이 不運而爲痞하여 橫乎子之胸中者 其累大矣라 擊而去之호되 不須 臾而除甚大之累는 和平之物이 不能爲也요 必將擊搏震撓而後에 可리라

초(楚) 지방 남쪽에 양의(良醫, 명의(名醫))가 있다는 말을 듣고 찾아가 물으니, 그 의원은 다음과 같이 말하였다.

"그대는 이것을 한탄하지 말지어다. 무릇 그대의 치료 방법이 진실로 몸을 이처럼 피폐하게 만든 것이다. 앉으라. 내 그대에게 말해 주겠다. 천하의 이치가 내 마음에 심히 상쾌한 것은 그 종말에 반드시 손상이 있기 마련이니, 종말에 손상이 없기를 바란다면 애당초 내 마음에 상쾌하기를 바라지 말아야 한다.【위 의론은 응함이 뒤에 있다.】음(陰)이 엎드리고 양(陽)이 쌓여서 기(氣)와 혈(血)이 운행되지 않아 비병이 되어서 그대의 흉중(胸中)에 가로막힌 것이 그처럼 누(累, 쌓임)가 컸다. 이것을 쳐서 제거하는데, 잠시도 못되어 크나큰 누를 제거하는 것은 화평한 약물로는 할 수가 없고, 반드시 공격하고 요동시키는 물건을 사용한 뒤에야 가능할 것이다.

夫人之和氣 沖然而甚微하여 泊(迫)乎其易危하니 擊搏震撓之功이 未成에 而子 之和 蓋已病矣라 由是觀之컨댄 則子之痞 凡一快者면 子之和 一傷矣니 不終月 而快者五면 則子之和平之氣 不旣索(삭)乎아 故로 膚不勞而汗하고 股不步而慄하 여 荼然如不可終日也니라 蓋將去子之痞而無害於和乎인댄 子歸하여 燕居三月 而後에 子之藥을 可爲也리라

사람의 화기(和氣, 화평한 기운)는 충연(沖然)히 매우 작아서 급박하여 위태롭기가 쉬우니, 공격하고 요동시키는 공효가 이루어지기 전에 그대의 화기가 이미 병들었다. 이로 말미암아 보건대, 그대의 비병이 한번 상쾌해질 때마다 그대의 화기가 한번 손상된 것이니, 한 달이 못되어 다섯 번 상쾌해졌다면 그대의 화평한 기운이 이미 쇠진하지 않았겠는가. 그러므로 수고롭지 않아도 피부에서 땀이 나오고 걷지 않아도 다리가 떨려서 마치 하루를 마치지 못할 것처럼 피폐한 것이다. 장차 그대의 비병을 제거하면서도 화기를 해치지 않고자 한다면 그대는 돌아가서 3개월 동안 한가로이 거처해야하니, 그런 뒤에야 나의 약을 쓸 수 있을 것이다."

客歸하여 燕居三月에 齋戒而復請之한대 醫曰 子之氣少復(복)矣라하고 取藥而授之曰 服之三月而病少平하고 又三月而少康하고 終是年而復常하리라 且飲藥에 不得亟(극)進하라 客이 歸而行其說이나 然其初에 使人懣然遲之하여 蓋三投藥而三反之也하니라 然이나 日不見其所攻之效로되 較則月異而時不同이러니 蓋終歲에 疾平하니라

객이 돌아와서 편안히 거처한 지 3개월 만에 재계하고 다시 의원에게 청하니, 의원은 "그대의 기운이 다소 회복되었다." 하고는, 약을 가져다 주면서 말하기를 "복용한 지 3개월이 지나면 병이 다소 낫고, 또 3개월이 지나면 조금 편안해지고, 이해를 마치면 정상으로 돌아갈 것이다. 또 약을 마실 때에 빨리 마시지 말라." 하였다.

객이 돌아와서 그 말대로 시행하였다. 그러나 처음에는 사람이 답답하게 약효가 더뎌서 세 번이나 약을 던져버렸다가 세 번 다시 갖다가 먹었다. 그러나 날로는 병이 나아지는 효험을 볼 수가 없었으나 비교해 보면 다달이 달라지고 철로 차이가 나더니, 해를 마치자 병이 치료되었다.

客이 謁醫하여 再拜而謝之하고 坐而問其故한대 醫曰 是醫國之說也니 豈特醫之於疾哉리오 子獨不見夫秦之治乎아 民이 悍而不聽令하며 惰而不勤事하며 放而不畏法하여 令之不聽하고 治之不變하니 則秦之民이 嘗痞矣라

객이 의원을 뵙고 재배하고 사례한 다음 앉아서 그 이유를 묻자, 의원은 다음과 같이 말하였다.

"이것은 나라를 치료하는 말(이론)이니, 어찌 다만 의원의 병 치료에만 해당되겠는가. 그대는 홀로 진(秦)나라의 정치를 보지 못했는가? 진나라 백성들이 사나워 명령을 듣지 않고 게을러 일을 부지런히 하지 않으며 방탕하여 법을 두려워하지 않았다. 그리하여 명령해도 듣지 않고 다스려도 변하지 않았으니, 진나라 백성들이 일찍이 비병이 든 것이다.

商君[52]이 見其痞也하고 厲以刑法하며 威以斬伐하여 悍戾猛鷙하여 不貸毫髮하고 痛

---

52 商君 : 전국시대 위(衛)나라의 공족(公族) 출신의 정치가인 상앙(商鞅)으로 위앙(衛鞅) 또는 공손앙(公孫鞅)으로

懣 번민할 만 較 비교할 교 謁 뵐 알 悍 사나울 한 戾 어그러질 려 猛 사나울 맹
鷙 사나울 지 貸 용서할 대

剗而力鋤之하니 於是乎秦之政이 如建瓴하여 流蕩四達하여 無敢或拒하니 而秦之痏 嘗一快矣라 自孝公으로 以至二世也에 凡幾痏而幾快矣乎아 頑者已圮(비)하고 强者已柔나 而秦之民이 無歡心矣라 故로 猛政一快者는 懽心一亡이니 積快而不已에 而秦之四支枵(효)然하여 徒有其物而已라 民心日離하여 而君孤立於上이라 故로 匹夫大呼[53]에 不終日而百病皆起하니 秦欲運其手足肩膂나 而漠然不我應矣라 故로 秦之亡者는 是好爲快者之過也니라

　　상군(商君, 상앙(商鞅))은 비병이 든 것을 보고는 형법(刑法)으로 엄하게 다스리며 참벌(斬伐)로 위엄을 보여 사납고 표독하여 털끝만큼도 용서해 주지 않고는 통렬히 깎아내고 힘껏 제거하였다. 이에 진나라의 정치가 물병을 거꾸로 세워놓은 듯 막힘없이 사방으로 통하여 감히 혹시라도 항거하는 자가 없었으니, 진나라의 비병이 한번 상쾌해진 것이다. 효공(孝公)으로부터 이세 황제(二世皇帝)에 이르기까지 모두 몇 번이나 비병이 들었다가 몇 번이나 상쾌해졌는가? 완강한 자가 이미 무너지고 굳센 자가 이미 부드러워졌으나 진나라의 백성들은 기쁜 마음이 없어지게 되었다. 그러므로 사나운 정사가 한번 상쾌해지면 기쁜 마음이 한번 없어지는 것이다. 상쾌함이 연이어 쌓이면서 진나라의 사지(四肢)가 텅 비어서 한갓 물건(형체)만 소유하고 있을 뿐, 민심이 날로 이반(離叛)하여 군주가 위에 고립되었다. 그러므로 필부(匹夫)가 크게 고함치자, 하루도 못되어 온갖 병이 일어났으니, 진나라가 그 수족과 어깨와 척추를 움직이고자 하였으나 막연히 자신의 뜻에 응하지 않았다. 그러므로 진나라가 망한 것은 이 상쾌하기를 좋아한 자들의 잘못인 것이다.

　　昔先王之民이 其初亦嘗痏矣니 先王이 豈不知鬒(획)然擊去之以爲速也리오마는

────────────

불렀다. 형명학(刑名學)을 하였으나 위나라에서 등용해주지 않자, 진(秦)나라에 들어가 효공(孝公)에게 등용되었다. 이에 법치주의로 부국강병을 이루어 진나라를 천하의 강대국으로 만들고 상오(商於)라는 곳에 봉해져 상앙(商鞅) 또는 상군(商君)이라고 칭해졌다. 효공이 죽은 다음 진나라에서 죽임을 당하였으며, 저서에 《상자(商子)》 5권이 있다.

53 匹夫大呼 : '필부(匹夫)'는 일개 하찮은 남자란 뜻으로 진(秦)나라 말기 부역가는 사람들을 선동하여 반란을 일으킨 진승(陳勝) 오광(吳廣) 등을 가리킨다. 진승은 진(秦)나라 양성(陽城) 사람으로 자(字)가 섭(涉)이며, 오광은 양하(陽夏) 사람으로 자가 숙(叔)이다. 진나라 이세 황제(二世皇帝) 때에 진승과 오광이 수졸(戍卒)들을 거느리고 어양(漁陽)으로 수자리 살러 가다가 큰 비가 와서 길이 막혀 도착 시기를 놓쳤다. 진나라의 법은 시기를 놓치면 이유를 불문하고 목을 베게 되어 있었으므로 이들은 "지금은 도망가도 죽고 거사를 도모해도 죽을 것이니, 이러나저러나 죽을 바에야 거사하는 것이 낫다."라고 하고는 도위(都尉)를 죽이고 군대를 일으켜 진나라에 대항하니, 진나라의 학정(虐政)에 시달리던 백성들이 크게 동조하여 결국 진나라는 멸망하게 되었다.《史記 卷48 陳涉世家》

惟其有懼於終也라 故로 不敢求快於吾心이요 優柔而撫存之하여 敎以仁義하고 導
以禮樂하여 陰解其亂而除去其滯하여 使其悠然自趨於平安而不自知하니 方其
未也에 旁視而懣然者 有之矣라 然이나 月計之하고 歲察之하면 前歲之俗이 非今歲
之俗也라 不擊不搏하여 無所忤逆하니 是以로 日去其戾氣로되 而不嬰其歡心이라
於是에 政成敎達하여 安樂悠久而無後患矣니라

　　옛날 선왕(先王)의 백성들도 처음에는 일찍이 비병이 들었었다. 선왕이 어찌 확연(恝然)히
쳐버려서 신속히 다스릴 줄을 몰랐겠는가마는 그 종말을 두려워하는 바가 있었기 때문에 감
히 자신의 마음에 상쾌함을 구하지 않고 여유롭게 어루만지며 인의(仁義)로 가르치고 예악(禮
樂)으로 인도하여, 은근히 혼란을 풀어주고 막힌 것을 제거하여 그들로 하여금 유유하게 스
스로 편안한 데로 나아가면서도 스스로 알지 못하게 하였다.
　　아직 다스려지기 전에는 옆에서 보고 답답히 여기는 자가 있었으나 달로 계산해 보고 해로
살펴보면 지난해의 풍속이 금년의 풍속이 아니었다.(조금씩 차츰 나아졌다.) 공격하지 않고 치지
않아서 거스르는 바가 없었으니, 이 때문에 날마다 나쁜 기운을 제거하면서도 기뻐하는 마음
을 해치지 않았다. 이에 정사가 이루어지고 가르침이 통달하여 후환이 없이 안락하고 유구하
였던 것이다.

是以로 三代之治는 皆更(경)數聖人하여 歷數百年而後에 俗成하니 則子之藥이 終
年而愈疾이 蓋無足怪니라 故로 曰天下之理 有甚快於吾心者는 其末也에 必有
傷이니 求無傷於其終인댄 則初無望於快吾心이라하노라【應前.】雖然이나 豈獨於治天
下哉리오 客이 再拜而記其說하니라

　　이러므로 삼대(三代)의 정치는 모두 몇 분의 성인(聖人)을 거치고 수백 년을 지난 뒤에야 아
름다운 풍속이 이루어졌던 것이니, 나의 약이 1년을 마치고서야 병을 낫게 한 것은 이상할 것
이 없다. 그러므로 말하기를 '천하의 이치가 내 마음에 심히 상쾌한 것은 그 종말에 반드시 손
상이 있기 마련이니, 그 종말에 손상이 없기를 바란다면 애당초 내 마음에 상쾌하기를 바라
지 말라.'라고 한 것이다.【앞에 응한다.】그러나 어찌 다만 천하를 다스림에만 해당되겠는가?"
　　객은 재배하고 그 말을 기록하였다.

　　　　••• 搏 칠박 忤 거스를 오 嬰 병에걸릴 영 更 지날 경

송진소장서 送秦少章序

장뢰張耒

• 작품개요

　　이 작품은 진소장(秦少章)이 임안 주부(臨安主簿)에 조용(調用)되어 가는 것을 전송하며 써 준 '증서(贈序)'인바, 원우(元祐) 7년(1092) 2월 11일에 지어졌다. 작자의 문집인 《가산집(柯山集)》에는 '송진소장부임안부서(送秦少章赴臨安簿序)'라는 제목으로 실려 있다.

　　'소장(少章)'은 진적(秦覿)의 자(字)로, 양주(揚州) 고우(高郵, 지금의 강소성(江蘇省) 고우현(高郵縣)) 사람이다. 원우 6년(1091)에 진사로 출사하여 임안현의 주부를 역임하였으며, 시문에 능하여 명성이 있었다. 형 진소유(秦少游, 진관(秦觀))와 함께 소식(蘇軾)을 사사(師事)하였다.

　　작품은 크게 두 부분으로 나뉜다. '시불운호(詩不云乎)'부터 '학지이락자시야(虐之而樂者是也)'까지의 첫 번째 부분에서는, 《시경(詩經)》의 〈진풍(秦風) 겸가(蒹葭)〉를 인용하고 "물건은 변고(變故)를 받지 않으면 재목을 이루지 못하고, 사람은 어려움을 겪지 않으면 지혜가 밝아지지 못한다[夫物不受變則材不成 人不涉難則智不明]"라는 작자의 견해를 전제(前提)로 문장을 논리정연하게 전개해 나간다. 계추(季秋)에 된서리를 겪으면서 단단해지고 튼실해져 훌륭한 재목으로 탈바꿈하는 깊은 산의 큰 나무에 대한 서술은, 두 번째 부분에 인용한 중이(重耳)·오자서(伍子胥)의 고사와 서로 호응(呼應)함으로써 강한 설득력을 지니고 있다.

　　'오당유진소장자(吾黨有秦少章者)'부터 '비인지복야(非人之福也)'까지의 두 번째 부분에서는, 작자와 진소장의 대화를 통하여 작품의 주지(主旨)를 드러내었다. 작자가 태학(太學)의 관원으로 있을 적부터 진소장은 자신이 지은 문장을 보여주며, 과거(科擧)를 위하여 짓는 글보다 자기 뜻에 따라 시장(詩章)과 고문(古文)을 짓는 것이 훨씬 낫다는 본심을 토로하였다. 이후 진사가 되어 임안 주부에 임명되었는데도 이를 즐거워하지 않는 진소장을 이상하게 여긴 작자의 물음에, 진소장은 벼슬살이로 인하여 '모두 자신을 잃고 오직 남에게 응하게 된 상황〔皆失己而惟物之應〕'과 '처자(妻子)들이 나에게 의지하여 먹고 있어〔婦子仰食於我〕' 부득불 벼슬을 그만둘 수 없는 처지를 말하였다.

진소장의 대답을 들은 작자는, 진소장이 벼슬하기 전 상황을 '봄과 여름의 초목〔春夏之草木〕'에 비유하고, 벼슬살이로 어려움을 겪는 현재 상황을 '갈대가 서리를 맞는 것〔蒹葭之霜〕'에 비유하며 "편안함이란 천하의 큰 병통이다.〔夫安者天下之大患也〕"라고 하였는바, 이는 자기의 뜻에 원하는 대로 되기만을 바라는 진소장을 경계한 것이다. 이어서 국외에서 19년 동안 고생한 뒤 패업(霸業)을 이룬 진 공자(晉公子) 중이(重耳)와 오(吳)나라로 도망갔다가 초나라 수도 영(郢)으로 쳐들어와 복수를 이룬 오자서(伍子胥)를 실례로 거론하였다. 이들은 모두 자기 나라를 떠나 도망하여 온갖 고난과 시련을 겪은 뒤에야 비로소 대업을 성취하였던 인물로, 벼슬살이에서 겪게 되는 어려움은 미래 진소장의 발전을 위하여 필요한 자양분이 된다는 것을 말한 것이다.

작중의 언급처럼, 사람은 안일만을 추구하려고 한다. 그러나 결과적으로 근심·걱정을 하는 사람은 부지런히 살게 되어 제대로 된 생활을 영위하게 되지만 안일을 추구하는 사람은 게으름을 피우게 되어 제대로 된 생활을 영위할 수 없게 된다. 사람은 편안한 처지에 있을 때에도 위험할 때의 일을 미리 생각하고 경계하는 의식을 가지고 부단히 자기 자신을 연마하고 단련해야 한다.

특히 기두(起頭)에서 언급한 "물건은 변고를 받지 않으면 재목을 이루지 못하고, 사람은 어려움을 겪지 않으면 지혜가 밝아지지 못한다〔夫物不受變則材不成 人不涉難則智不明〕"라는 문장은 고난과 시련이 사람에게 있어 자신을 수양할 수 있는 훌륭한 기회임을 알려주는 경구(警句)라고 하겠다.

篇題小註‥ 秦(覯)〔覯〕[1]은 字少章이요 兄觀은 字少游라

진적(秦覯)은 자가 소장(少章)이고 형 관(觀)은 자가 소유(少游)이다.

○ 迂齋云 老於世故之後라야 方有此等議論이니 凡學者當知此理니라

우재가 말하였다. "세상 연고에 노련한 뒤에야 비로소 이러한 의론이 있을 수 있으니, 모든 배우는 자들은 이 이치를 알아야 한다."

---

1 (覯)〔覯〕: 저본에는 '구(覯)'로 되어있으나 《송사(宋史)》 〈진관열전(秦觀列傳)〉에 의거하여 '적(覯)'으로 바로잡았다.

詩不云乎아 蒹葭蒼蒼하니 白露爲霜이라하니 夫物不受變則材不成하고 人不涉難則智不明하나니라【立議論, 作兩柱, 照應在後, 妙.】季秋之月에 天地始肅하여 寒氣欲至하니 方是時하여 天地之間에 凡植物이 出於春夏雨露之餘하여 華澤充溢하고 支(枝)節美茂라가 及繁霜夜零에 旦起而視之하면 如戰敗之軍이 卷旗棄鼓하고【譬佳.】裹瘡而馳하여 吏士無人色하니 豈特如是而已리오 於是에 天地閉塞而成冬이면 則摧敗拉(랍)毁之者過半이니 其爲變이 亦酷矣라

《시경(詩經)》〈진풍(秦風) 겸가(蒹葭)〉에 이르지 않았는가? "갈대 잎이 창창하니(빛이 바래어 창백해지니), 흰 이슬이 서리가 된다." 하였다. 물건은 변고(變故)를 받지 않으면 재목이 이루어지지 못하고, 사람은 어려움을 겪지 않으면 지혜가 밝아지지 못한다.【의론을 세울 적에 두 기둥으로 만들고 조응함이 뒤에 있으니, 묘하다.】

계추(季秋, 음력 9월)의 달에 천지가 비로소 추워져 한기(寒氣)가 이르려 하니, 이때를 당하여 천지의 사이에 모든 식물들이 봄과 여름의 우로(雨露)를 맞은 뒤에 나와서 화려함과 윤택함이 충만하고, 가지와 마디가 아름답고 무성하다가, 된서리가 밤에 내림에 아침에 일어나 보면 마치 패전한 군사들이 깃발을 말고 북을 버리고서【비유가 아름답다.】상처를 싸매고 달아나 군리(軍吏)와 군사들이 사람의 기색이 없는 것과 같으니, 어찌 다만 이와 같을 뿐이겠는가? 이에 천지가 폐색(閉塞)되어 겨울이 되면 꺾이고 훼손되는 것이 반이 넘으니, 그 변고됨이 또한 혹독하다.

然이나 自是로 弱者堅하고 虛者實하고 津者燥하여 皆斂其英華於腹心而各效其成하나니 深山之木이 上撓靑雲하고 下庇千人者도 莫不病焉이어든 況所謂蒹葭者乎아 然이나 匠石操斧하여 以遊山林이라가 一擧而盡之하여 以充棟, 梁, 桷(각), 杙(익), 輪, 輿, 輹(복), 輻(복)하여 巨細, 强弱이 無不勝其任者하니 此之謂損之而益이요 敗之而成이요 虐之而樂者 是也라

그러나 이로부터 약한 것이 단단해지고 허한 것이 충실해지고 진액이 건조해져 모두 그 영화(꽃과 잎의 화려함)를 배와 심장에 거두어 각각 완성을 이룬다. 깊은 산의 나무가 위로는 푸른 구름을 헤치고 솟아오르고 아래로는 천 명의 사람을 가릴 수 있는 것도 폐해를 받지 않음

••• 蒹 갈대 겸 葭 갈대 가 涉 건널 섭 零 떨어질 령 卷 말 권 裹 쌀 과 瘡 상처 창 摧 꺾을 최 拉 꺾을 랍 庇 덮을 비 匠 목수 장 輿 수레 여 梁 들보 량 桷 서까래 각 杙 말뚝 익 輹 당토 복 輻 바퀴살 복 勝 감당할 승

이 없거든, 하물며 이른바 갈대야 어떠하겠는가. 그러나 장석(匠石, 목수인 석)이 도끼를 잡고 산림(山林)을 돌아다니다가 일거에 모두 베어서 기둥과 들보, 서까래와 말뚝, 수레바퀴와 수레판, 당토(當兎)와 바퀴살로 충당하여, 크고 작은 것과 강하고 약한 것이 그 임무를 감당하지 못함이 없으니, 이것이 바로 덜어내지만 유익하고 해치지만 이루어지고 모질게 굴지만 즐겁다는 것이다.

吾黨에 有秦少章者하니 自余爲大(太)學官時로 以其文章示余하고 愀然告我曰 余家貧하여 奉命大人而勉爲科擧之文也러니 異時에 率其意하여 爲詩章古文하니 往往淸麗奇偉하여 工於擧業이 百倍라하니라

　우리 당(黨, 무리)에 진소장(秦少章)이라는 자가 있으니, 내가 태학(太學)의 관원으로 있을 때부터 자기의 문장을 나에게 보여주고 서글피 나에게 말하기를 "나는 집이 가난하여 대인(大人, 부친)의 명을 받들어 억지로 과거(科擧)의 글을 지었는데, 다른 날 내 뜻에 따라 시장(詩章)과 고문(古文)을 지어 보니, 왕왕 문장이 청려(淸麗)하고 기위(奇偉)하여 과거 공부보다 백 배나 나았습니다." 하였다.

元祐六年에 及第하여 調臨安主簿하니 擧子中第가 可少樂矣로되 而秦子每見余에 輒不樂이어늘 余問其故한대 秦子曰 余는 世之介士也라 性所不樂을 不能爲하고 言所不合을 不能交하고 飮食起居와 動靜百爲를 不能勉以隨人이어늘 今一爲吏에 皆失己而惟物之應하여 少自偃蹇이면 悔禍響至라 異時엔 一身이 資養於父母러니 今則婦子仰食於我하니 欲不爲吏나 又不可得이니 自今以往으로는 如沐漆而求解矣리라

　원우(元祐) 6년(1091)에 급제하여 임안 주부(臨安主簿)에 조용(調用)되니, 거자(擧子, 과거(科擧)를 보는 사람)가 과거에 급제하는 것은 다소나마 즐거워할 만한 일인데, 진자(秦子)는 나를 볼 때마다 번번이 즐거워하지 않았다. 내가 그 이유를 묻자, 진자는 다음과 같이 말하였다.
　"나는 세상의 곧은(꼬장꼬장한) 선비이다. 성품에 즐거워하지 않는 바를 하지 못하고, 말이 부합하지 않는 사람을 사귀지 못하고, 음식과 기거(起居), 동정(動靜)과 온갖 행위를 억지로 남을 따라하지 못한다. 그런데 이제 한번 관리가 됨에 기거동작이 모두 자신을 잃고 오직 남에게 응하니, 조금이라도 스스로 언건(偃蹇, 내 마음대로 함)하면 후회와 앙화가 메아리처럼 바로

닥쳐온다. 예전에는 한 몸이 부모에게 의뢰하여 길러졌는데, 지금은 처자(妻子)들이 나에게 의지하여 먹고 있으니, 내 관리를 하지 않으려 하나 또 그럴 수가 없다. 지금부터 이후로는 옻칠로 머리를 감고서 풀리기를 구하는 것과 같을 것이다."

余解之曰 子之前日은 春夏之草木也요 今日之病子者는 蒹葭之霜也라【當如此照應.】 凡人性이 惟安之求하나니 夫安者는 天下之大患也니 能遷之爲貴라 重耳不十九年於外면 則歸不能霸요【晉獻公之子重耳, 公使居蒲城. 後公使寺人披伐蒲, 重耳曰: "君父之命, 不校." 遂出奔狄, 適齊, 過曹, 過宋及鄭及楚而之秦, 在外凡十九年. 秦穆公納之於晉, 殺懷公於高梁, 而重耳立焉, 是爲文公. 卒繼齊桓, 霸諸侯.[2]】 子胥不奔이면 則不能入郢하리니【楚平王殺伍奢, 奢子員奔吳, 說吳王闔廬, 興師伐楚, 以報父之仇. 吳師入郢, 時楚平王已死, 子胥遂發其冢, 出其尸, 鞭之三百.[3]】 二子者 方其羈(기)窮憂患之時하여 陰益其所短而進其所不能者 非如學於口耳者之淺淺也니라

이에 나는 다음과 같이 풀어 주었다.

"그대의 지난날은 비유하면 봄과 여름의 초목이요, 오늘날 그대를 괴롭히는 것은 비유하면 갈대가 서리를 맞는 것과 같다.【마땅히 이와 같이 조응하여야 한다.】 무릇 사람의 성품은 오직 편안함을 추구하는데, 편안함은 천하의 큰 병통이니, 능히 옮기는 것이 귀하다. 중이(重耳)가 국외에서 19년을 고생하지 않았으면 돌아와서 패자(霸者)가 되지 못했을 것이요,【진 헌공(晉獻公)의 아들이 중이(重耳)였는데, 헌공이 중이로 하여금 포성(蒲城)에 거주하게 하였다. 뒤에 헌공이 시인(寺人)인 피(披)로 하여금 포성을 공격하게 하자, 중이가 말하기를 "군부(君父)의 명은 옳고 그름을 따지지 않는

---

2 晉獻公之子重耳……霸諸侯: 진 헌공(晉獻公)에게는 태자(太子) 신생(申生)과 중이(重耳)·이오(夷吾) 세 아들이 있었고, 또 여희(驪姬)가 낳은 해제(奚齊)와 그녀의 여동생이 낳은 탁자(卓子)가 있었는데, 헌공은 여희를 몹시 사랑하였다. 여희는 자신의 아들을 후계자로 세우기 위해 태자 신생을 모함하여 죽게 하였고, 중이와 이오를 모함하여 외국으로 달아나게 하였다. 헌공이 죽자, 해제와 탁자가 차례로 즉위하였으나 모두 대부(大夫) 이극(里克)에게 죽임을 당하였다. 이때 중이는 진(秦)나라에 있었는데, 진 목공(秦穆公)이 그에게 빨리 본국으로 돌아가 제후의 자리를 차지하라고 권하였으나 중이는 "아버지의 상(喪)을 이용하여 자리를 다투는 것은 옳지 않다." 하고 거절하였다. 그리하여 이오가 즉위하니 이가 바로 혜공(惠公)이고, 혜공이 죽자 아들 어(圉)가 즉위하니 이가 바로 회공(懷公)이다. 회공이 실정(失政)을 거듭하자, 중이가 진(秦)나라의 지원을 받고 회공을 공격하여 죽인 다음 자신이 즉위하니, 이가 바로 문공(文公)이다. 중이는 19년 동안 온갖 고생을 하며 망명생활을 한 끝에 즉위하고 나라를 잘 다스려 패자가 되었다.

3 楚平王……鞭之三百: 자서(子胥)는 오원(伍員)의 자(字)이다. 춘추시대 초(楚)나라 사람으로 아버지 오사(伍奢)와 형 오상(伍尙)이 초 평왕(楚平王)에게 억울하게 죽임을 당하자, 오(吳)나라로 망명하여 오왕 합려(闔廬)에게 등용되어 복수전을 전개한 끝에 초나라의 도성인 영(郢) 땅을 함락하고 평왕의 묘를 발굴하여 그의 시신에 매질을 하였다.

⋯ 霸 으뜸 패 郢 초나라서울 영 羈 나그네 기 淺 얕을 천

다." 하고, 마침내 나가 적(狄)으로 도망하였다가 제(齊)나라로 가고 조(曹)나라를 지나가고 송(宋)·정(鄭)·초(楚)를 거쳐 진(秦)나라로 가서 국외에 있은 지가 모두 19년이었다. 진 목공(秦穆公)이 그를 진(晉)나라로 들여보내자, 고량(高梁)에서 진(晉)나라의 군주인 회공(懷公)을 공격하여 죽이고 중이가 즉위하니, 이가 문공(文公)이다. 끝내 제 환공(齊桓公)을 이어 제후의 패자(霸者)가 되었다.】 자서(子胥)가 오(吳)나라로 도망하지 않았으면 초(楚)나라의 수도인 영(郢) 땅으로 쳐들어가지 못했을 것이다.【초 평왕(楚平王)이 오사(伍奢)를 죽이니, 오사의 아들 오원(伍員, 자서)이 오(吳)나라로 달아나서 오왕 합려(闔廬)를 설득하여 군대를 일으켜 초나라를 쳐서 아비의 원수를 갚았다. 오나라 군대가 초나라의 도성인 영(郢) 땅으로 쳐들어가니, 이때 초 평왕은 이미 죽었으므로 자서(子胥, 오원)가 마침내 그 무덤을 파서 그 시신을 꺼내어 삼백 번을 채찍질하였다.】 이 두 사람은 객지 생활을 하면서 환난을 당할 때에 은근히 부족한 바를 보충하고 능하지 못한 바를 진전시켰으니, 이는 입과 귀로 배운 자의 얕은 것과는 같지 않았다.

自今으로 吾子思前之所爲하면 其可悔者衆矣요 其所知益加多矣리니 反身而安之면 則行於天下에 無可憚者矣리라 能推食(퇴사)與人者는 常飢者也요 賜之車馬而辭者는 不畏徒步者也라 苟畏飢而惡步면 則將有苟得之心하리니 爲害不旣多乎아 故로 隕霜不殺者는 物之災也요 逸樂終身者는 非人之福也니라 元祐七年仲春十一日에 書하노라【結尾又照應前譬喻, 結法當如是也. 由此而觀東坡稼說, 則欠處見矣.】

지금부터 오자(吾子, 그대)가 지난날의 행실을 생각해 보면 후회스러운 일이 많을 것이요 아는 바가 더욱 많아질 것이니, 몸에 돌이켜 편안히 여기면 천하에서 행함에 두려워할 만한 것이 없을 것이다. 밥을 밀쳐 남에게 줄 수 있는 자는 항상 굶주린 자요, 수레와 말을 주어도 사양할 수 있는 자는 도보(徒步)로 걷는 것을 두려워하지 않는 자이니, 만일 굶주림을 두려워하고 도보로 걷는 것을 싫어한다면 장차 구차히 얻으려는 마음이 있을 것이니, 해(害)가 됨이 많지 않겠는가. 그러므로 서리가 내려 죽어보지 않는 것은 물건(식물)의 재앙이요, 안일과 즐거움으로 몸을 마치는 것은 사람의 복이 아닌 것이다."

원우(元祐) 7년(1092) 중춘(仲春, 2월) 11일에 쓰노라.【끝맺으면서 또 앞을 조응하여 비유하였으니, 끝맺는 방법이 마땅히 이와 같아야 한다. 이것을 가지고 동파가 지은 〈가설(稼說)〉에 견주어 보면 〈가설〉에 부족한 부분이 드러난다.】

서오대곽숭도전후書五代郭崇韜傳後

장뢰張耒

• 작품개요

　　이 작품은《가산집(柯山集)》권44에 '서오대곽숭도권후(書五代郭崇韜卷後)'라는 제목으로 실려 있는바, 작자가《오대사(五代史)》의 〈곽숭도전(郭崇韜傳)〉을 읽고 감상을 적은 것이다.

　　곽숭도(?~926)는 자가 안시(安時)로, 대주(代州) 안문(雁門) 사람이다. 오대십국(五代十國)시대 후당(後唐)의 장상(將相)을 겸한 중신(重臣)이다. 천우(天佑) 20년(923)에 이존욱(李存勖)이 칭제(稱帝)하고 후당을 건립하자 병부 상서(兵部尙書)·추밀사(樞密使)에 제수되었다. 같은 해에 변주(汴州)를 기습하는 계책을 올려 8일만에 후량(後梁)을 멸망시켜 '좌명지신(佐命之臣)'의 공훈으로 시중(侍中)·기주 절도사(冀州節度使)에 제수되고, 조군공(趙郡公)에 봉해지며 2천 호의 식읍과 철권(鐵券)을 하사받았다. 동광(同光) 3년(925)에는 초토사(招討使)가 되어 6만의 군사를 이끌고 전촉(前蜀)을 토벌하여 11월 26일에 멸망시켰다. 그러나 환관 이종습(李從襲)·상연사(向延嗣)·마언규(馬彦珪)와 신민경황후(神閔敬皇后) 유씨(劉氏)가 결탁·공모하여 이들에게 죽음을 당하였다.

　　이 작품은 크게 두 부분으로 나뉜다. '자고대신(自古大臣)'부터 '황계지자현호(況繼之者賢乎)'까지의 첫 번째 부분에서는, '훗날 발생하는 화근'과 '정도(正道)'에 관한 범론(泛論)이 주를 이룬다. 권세와 부귀를 모두 구비하여 더 이상 바랄 것이 없는 '대신(大臣)'이라면, 으레 그 자리에서 물러나 자신에 대한 생각을 하기 마련이다. 그들은 소기의 목적을 달성하기 위하여 계획을 세우는데, '지극히 깊고도 공교한[至深至工]' 계책은 왕왕 그들에게 훗날의 화근을 야기시키는 주요 원인이 된다. 이는 두 번째 부분에서 거론할 곽숭도 사례의 복선이 된다. 작자는 직설적이면서 간명하게 '정도로 하는 것[以正]'이 가장 훌륭한 해결책임을 제시하였다. 그 이유는, 갖고 있는 방법이 간략하면서도 완벽하고[操術簡而周] 계모(計謀)를 일삼을 것이 없고[無所事計] 당연한 바를 행하여[行所當然] 원수지간이라도 비평할 여지가 없기 때문이다.

'곽숭도(郭崇韜)'부터 '기사려능구지재(豈思慮能究之哉)'까지의 두 번째 부분에서는, 이 작품의 중심 소재인 '곽숭도'에 대하여 본격적으로 논하였다. 곽숭도는 후당을 위하여 큰 공을 세우고 높이 등용된 뒤에 장종(莊宗)이 총애하는 유씨(劉氏)를 이용하여 자신의 입지를 공고하게 할 방책으로 그녀를 황후가 되게 밀어주지만 결국은 자신이 그녀에게 죽임을 당하게 된다. 곽숭도의 입장에서 보자면 황후 유씨에게 은인이 된 셈이고, 장종이 유씨의 말만 듣게 되었는바 매우 훌륭한 계획이었다. 이를 통하여 작자는, 화복(禍福)에 집착하여 자신에게 유리한 것만 취하려는 말단적 술수인 지모(智謀)와 언변(言辯)의 한계성을 보여주고, 동시에 근본적인 '도덕(道德)'의 우월성을 강조하면서 작품을 끝맺었다.

이 작품은 뛰어난 지략이나 언변보다는 언제나 올바르고 당당한 방법으로 살아가야 한다는 교훈을 준다. 작자가 언급한 '정도'와 '도덕'은 바로 '인성(人性)의 수양'을 제창한 것이기도 하다. 작자는, 곽숭도에 대하여 '총명하고 권모와 지혜가 있는[聰明權智]' 인물이라고 평가하였지만 결국 그 몸을 온전히 보존하지 못한 원인은 바로 정도로써 하지 못한 데에 있다는 점을 지적하였다. 옛말에 '욕교반졸(欲巧反拙)'이란 말이 있다. 잘하려다가 도리어 잘못한다는 뜻이다. 권모와 술수는 오래가지 못한다는 사실을 역사를 통하여 가르쳐주며, 일신을 온전히 보전하는 방도를 알려주는 교훈적인 작품이라 하겠다.

篇題小註‥ 迂齋曰 說盡固位吝權者之情狀하니 思深計工이 反成淺拙이라 論極有理하고 氣味深長이니라

우재가 말하였다. "지위를 견고히 하고 권력에 집착하는 자들의 정상을 다 말하였으니, 생각이 깊고 계책이 공교로움이 도리어 얕고 졸렬함을 이룬다. 의론이 지극히 논리적이고 의미가 심장하다."

○ 崇韜는 後唐莊宗之相也라

곽숭도(郭崇韜)는 후당(後唐) 장종(莊宗)의 정승이다.

自古大臣이 權勢已隆極하고 富貴已亢滿하여 前無所希하면 則退爲身慮하나니 自
非大姦雄包異志와 與夫甚庸駑昏闒茸(탑용)이면 鮮有不然者라 其爲謀實難하니
不憂思之不深, 計之不工이라 然이나 異日釁(흔)之所起는 往往自夫至深至工하나
니【警策.】 是故로 莫若以正이라 夫正者는 操術이 簡而周하고 智者는 爲緖多而拙하니
夫正者는 無所事計也요 行所當然하여 雖怨讐라도 不敢議之어든 況繼之者賢乎아
【言不必爲去位後之計.】

　　예로부터 대신(大臣)들이 권세도 높고 지극하며 부귀도 가득하여 앞으로 바랄 것이 없으면
물러나 자신에 대한 생각을 하니, 만일 큰 간웅(姦雄)으로 딴 마음을 품은 자와 심히 용렬하
고 노둔하여 어리석고 저열한 자가 아니라면 그렇지 않는 이가 드물다. 그 계책을 세움이 실
로 어려우니, 생각이 깊지 않고 지모(智謀)가 공교하지 않음을 걱정할 것이 없다. 그러나 후
일에 혼단(釁端, 화근)이 일어나는 바는 왕왕 지극히 깊고 지극히 공교한 계책으로부터 시작된
다.【경책한 것이다.】 이 때문에 정도(正道)로 하는 것만 못한 것이다.
　　정도로 하는 자는 지니고 있는 방법이 간략하나 완벽하고, 지혜로운 자는 계책을 세움이 많
으나 졸렬하다. 정도로 하는 자는 계모(計謀)를 일삼을 것이 없고 당연한 바를 행하여 비록 원
수지간이라도 감히 비평할 수가 없는데, 하물며 그의 뒤를 잇는 자가 어짊에 있어서랴!【지위
를 떠나간 뒤의 계책을 할 필요가 없음을 말한 것이다.】

郭崇韜는 於五代에【五代史有傳.】 亦聰明權智之士也라 佐莊宗하여 決策滅梁하고 遂
一天下러니 自見功高權重하여 姦人議己하고【原崇韜之情, 與發頭數語相應.】 而莊宗之
昏이 爲不足賴也라하여 乃爲自安之計라【思之深.】 時에 劉氏有寵하여 莊宗이 嬖(폐)
之라 因請立爲后하여 而中莊宗之欲하고【計之工.】 又結劉氏之援하니【至深至工.】 此
於劉氏에 爲莫大之恩이요 而莊宗이 日以昏酒하여 內聽婦言하니 其爲計가 宜無如
是之良者라【崇韜以爲良.】 然이나 卒之殺崇韜者는 劉氏也라【釁起於至深至工. ○莊宗遣崇
韜伐蜀, 劉氏密令魏王繼岌殺之, 族其家.】

　　곽숭도(郭崇韜)는 오대(五代)시대에【《오대사(五代史)》에 곽숭도(郭崇韜)의 전(傳)이 있다.】 총명하
고 권모와 지혜가 있는 인사였다. 장종(莊宗)을 도와 계책을 결단하여 양(梁)나라를 멸망시키

　　⋯　亢 높을 항　庸 용렬할 용　駑 노둔할 노　闒 천할 탑　茸 미련할 용　釁 재앙 흔　緖 실마리 서
　　　　嬖 사랑할 폐　酒 빠질 면

고 마침내 천하를 통일하였는데, 공(功)이 높고 권세가 중하여 간신들이 자기를 의론(비난)함을 직접 보고,【곽숭도의 심정을 근원하여 말하였으니, 앞머리에서 말한 몇 마디와 서로 응한다.】 장종의 혼우(昏愚)함이 족히 의뢰할(믿을) 수 없다고 생각하여 마침내 스스로 편안히 할 계책을 세웠다.【생각이 깊다.】 이때 유씨(劉氏)가 총애를 받아 장종이 그를 사랑하였다. 곽숭도는 인하여 그녀를 황후로 세울 것을 청하여 장종의 욕망을 채워주고【계책이 공교하다.】 또 유씨와의 지원을 다졌다.【지극히 깊고 지극히 공교하다.】 이는 유씨에게 있어 막대한 은혜가 되고, 장종이 날로 어둡고 술에 빠져 안으로 부인의 말을 들었으니, 그 계책은 마땅히 이보다 좋음이 없을 듯하였다.【곽숭도는 이것을 좋은 계책이라고 여겼다.】 그러나 끝내 곽숭도를 죽인 자는 유씨였다.【화(禍)는 지극히 깊고 지극히 공교한 데서 일어난다. ○장종(莊宗)이 곽숭도를 보내어 촉(蜀)을 정벌하게 하였는데, 유씨(劉氏)가 은밀히 위왕(魏王) 계급(繼岌)으로 하여금 그를 죽이고 그 집안을 멸족하게 하였다.】

使崇韜謬計라도【謬計, 乃是正理.】 不過劉氏不能有所助而已니【又反說, 以極乎其情狀, 妙甚.】 豈知身死其手哉아【至深至工, 乃是至淺至拙.】 好謀之士는 敗於謀하고 好辯之士는 敗於辯호되 惟道德之士는 爲無窮하나니【道德之士, 卽所謂正也. ○應莫若以正一句.】 而禍福之變을 豈思慮能究之哉아【議論關涉, 可爲法.】

가령 곽숭도가 계책을 잘못 세웠다고 하더라도【잘못된 계책이 바로 바른 도리이다.】 유씨가 도와주는 바가 없음에 불과할 뿐이니,【또다시 뒤집어 말하여 그 정상(情狀)을 다하였으니, 매우 묘하다.】 어찌 자신이 그의 손에 죽을 줄을 알았겠는가.【지극히 깊고 지극히 공교한 것이 바로 지극히 얕고 지극히 졸렬한 것이다.】

지모를 좋아하는 사람은 지모에 패망하고, 언변을 좋아하는 사람은 언변에 패망하나 오직 도덕의 선비만은 무궁하니,【도덕의 선비는 바로 이른바 정도로 한다는 것이다. ○정도로 하는 것만 못하다(莫若以正)는 한 구에 응한다.】 화복(禍福)의 변을 어찌 사려(思慮)로써 궁구할 수 있겠는가.【의론이 세도(世道)와 관계되어 법이 될 만하다.】

답이추관서答李推官書

장뢰張耒

• 작품개요

　이 작품은 작자가 '이추관(李推官)'이라는 인물에게 답한 편지이다. '추관'이란 본래 당(唐)나라 때의 관직명으로, 절도사(節度使)나 관찰사(觀察使)의 속관이었다. 송(宋)나라 역시 그 제도를 계승하였는데 실제로는 군좌(郡佐, 군승(郡丞))의 역할로, 주로 형옥(刑獄)의 일을 관장하며 시비를 판결하는 일종의 검찰관(檢察官)이었다. 여기서 '이추관'은 누구인지 자세하지 않다. 내용으로 미루어 보면, 작자가 만년에 황주(黃州)로 폄적되었을 적에 이추관이 편지와 함께 그가 지은 〈병서부(病暑賦)〉 및 여러 편의 시들을 보내면서 평가를 부탁하자 작자가 이에 응하여 지은 것으로 보이는바, 그의 문학 이론을 엿볼 수 있는 대표작이다.

　작품의 주된 내용은 '문장〔文〕'에 관한 작자의 견해를 피력하며 이추관의 부와 시가 '기이함〔奇〕'을 추구한 것에 대하여 비평한 것이다. 작자는 '문장'에 대하여 기본적으로 '이치를 담는 도구〔寓理之具〕'라고 생각하였는데, 성인(聖人)이 문장을 중시한 것은 다름 아닌 '문장을 잘함〔能文〕'과 '말이 공교함〔言工〕'으로 말미암아 이치가 더욱 밝아지는 연쇄적 작용 때문이라고 보았다. 즉, 문장의 가치란 '이치를 밝힘〔明理〕'에 있다고 주장한 것이다. 그러기에 그 문장이 훌륭한가의 여부는 '이치〔理〕'에 달려 있으며, 문장을 지을 줄 알면서 이치를 힘쓰지 않고 문장이 공교하기를 구하는 것은 세상에 있을 수 없는 일이라고 말하였다.

　작자는 더 나아가 '강회(江淮)'와 '하해(河海)'의 물을 가지고 '이치에 통달한 글〔理達之文〕'에 비유하고, 언어와 구두(句讀)로서 기이한 문장을 짓고자 하는 것〔欲以言語句讀爲奇之文〕은 작은 도랑을 격동하여 물의 기이함을 구하는 격〔激溝瀆而求水之奇〕이라고 폄하하였다. 이 부분은 비유를 통하여 문세를 묘사·서술하였는데, 작중에서 매우 훌륭하며 아름다운 부분이라고 이를 만하다. 여기서 작자는 강하(江河)와 회해(淮海)의 물이 도도히 흘러 온갖 변화가 무궁무진한 것을 잘 분석하였는데 '강하회해지수(江河淮海之水)'를 가지고 문장에 이치가 담겨져 있으면 자연히 문세가 통창해지고 변화와 곡절이 끊임없음을 비유하고, 이어서 매우 고심하며 기이함만을 추구하고 아무런 사상과 내용이 없는 문학을 반대하는 견해를 드러내었다. 이 비유 부분은 문장의 기세가 웅건하고 상상력이 풍부하여 문학적 언어를 능숙하게 구사하는 작자의 뛰어난 문재(文才)가 가감없이 드러난다.

작자는 이 작품을 통하여 표현과 형식에만 치중하고 내용이 없는 글을 혹독하게 비판하였는바, '문이재도(文以載道)'라는 고문가들의 문학 의식을 대표한다. 진정한 문장이란 표현이 아름답고 기이하기 보다는 글의 뜻이 조리 있고 도덕과 연관이 되어야 한다는 가르침을 얻을 수 있다.

篇題小註·· 迂齋云 曲盡作文之妙라

우재가 말하였다. "작문(作文)의 묘(妙)를 곡진히 다하였다."

• 原文

南來多事하여 久廢讀書러니 昨送簡人還에 忽辱惠及所作病暑賦及雜詩하니 誦詠愛歎하여 旣有以起竭涸(갈학)之思하고 而又喜世之學者 比來稍稍追古人之文章하여 述作體製가 往往已有所到也로라

남쪽 지방으로 오자 일이 많아 오랫동안 독서를 폐지하였는데, 어제 보내었던 편지를 전하는 사람이 돌아오는 편에 문득 지으신 〈병서부(病暑賦)〉 및 〈잡시(雜詩)〉를 욕되게(외람되게) 보내주시니, 외고 읊으며 사모하고 감탄하여 고갈되었던 생각이 일어나고, 또 세상에 배우는 자들이 근래에 차츰 고인(古人)의 문장을 따라서 술작(述作)하는 체제가 왕왕 〈고인의 경지에〉 이르게 된 것을 기뻐하였습니다.

耒不才라 少時에 喜爲文辭하고 與人遊에 又喜論文字하니 謂之嗜好則可어니와 以爲能文則世自有人하니 決不在我라 足下與耒로 平居飮食笑語에 忘去屑屑이러니

而忽持大軸하여 細書題官位姓名하여 如卑賤之見(현)尊貴하니 此何爲者오 豈妄
以耒爲知文이라하여 謬爲恭敬若請敎者乎아【無緊要言語中, 自有無限曲折.】欲持納而
貪於愛玩하여 勢不可得捨하니【自此以下, 凡四轉, 言語少而變態多, 最可觀.】雖怛然不以
自寧이나 而旣辱勤厚일새 不敢隱其所知於左右也로라

　저는 재주가 없습니다. 젊었을 때에 문장을 짓기 좋아하였고 남들과 교유할 적에 또 문자를
논하는 것을 좋아하였으니, 문장을 좋아한다고 말하는 것은 괜찮지만, 문장에 능하다고 하는
것은 세상에 따로 잘하는 사람이 있으니, 결코 저에게 해당되지 않습니다.
　족하(足下)는 나와 더불어 평소 먹고 마시고 웃고 말할 적에 설설함(자질구레한 예절)을 잊어
버렸는데, 갑자기 큰 축(軸, 두루마리)을 가지고 작은 글씨로 관위(官位)와 성명(姓名)을 써서 마
치 비천한 자가 존귀한 자를 만나보는 것처럼 하였으니, 이는 어째서입니까? 어쩌면 망령되
이 제가 문장을 안다고 여겨서, 그릇되게(지나치게) 공경하여 마치 가르침을 청하듯이 하는 것
입니까?【긴요한 언어가 없는 가운데 절로 무한한 곡절이 있다.】보내주신 시문을 가져다가 돌려드리
고자 하나 좋아하여 읽어보고 싶은 마음에 형편상 버릴 수가 없으니,【이로부터 이하는 모두 네 번
전환함에 언어가 간략하면서도 변화한 모습이 많아 가장 볼만하다.】비록 놀라 스스로 편안히 있을 수
가 없으나 이미 간곡한 후의를 받았으므로 감히 아는 바를 좌우(左右, 그대)에게 숨길 수가 없
습니다.

足下之文이【先立此一句.】可謂奇矣라【揚中之抑.】捐去文墨常體하고 力爲壞(괴)奇險
怪하여 務欲使人讀之에 如見數千歲前科斗(과두)鳥跡所記'絃匏之歌, 鍾鼎之
文也라【雖揚實抑.】足下之所嗜者如此하니 固無不善者로되 抑耒之所聞所謂能文
者 豈謂其能奇哉리오【反上一句.】能文者는 固不以能奇爲主也니라

　족하의 문장은【먼저 이 한 구를 세웠다.】기이하다고 이를 만합니다.【칭찬하는 가운데 폄하한 것이
다.】문묵(文墨, 문장)의 평상적인 체제를 떨쳐버리고 힘써 진기(珍奇)하고 험괴(險怪)하게 하여

4　數千歲前科斗鳥跡所記: 수천 년 전의 알아보기 힘든 고문(古文)을 말한다. '과두(科斗)'는 과두(蝌蚪)로도 표기하는
바, 필획의 첫머리가 둥글고 차차 가늘어져 올챙이 모양을 한 고대 문자 형태의 하나이다. '조적(鳥跡)'은 새 발자국 모양의
서체로 조전(鳥篆)이라고도 하는데, 창힐(蒼頡)이 새의 발자국을 보고 처음으로 문자를 만들었다고 한다.

　　　　… 耒 쟁기자루 뢰 屑 자질구레할 설 軸 굴대 축 持 잡을 지 玩 완미할 완 怛 슬플 달
　　　　捐 버릴 연 壞 진기할 괴 蝌 올챙이 과 蚪 올챙이 두 匏 박 포 嗜 즐길 기

되도록 사람들로 하여금 글을 읽어보면 수천 년 전의 과두문자(科斗文字)와 새발자국의 문자로 기록한 현악기와 박으로 만든 악기의 노래와 종(鍾)이나 솥에 새긴 명문(銘文)의 글을 보는 것처럼 하려고 하였습니다.【비록 칭찬하였으나 실제는 폄하한 것이다.】 족하의 기호가 이와 같으니, 진실로 나쁠 것이 없으나 다만 내가 들은 바에 의하면 이른바 문장에 능하다는 것이 어찌 기이한 문장에 능함을 말하는 것이겠습니까.【위의 한 구를 뒤집은 것이다.】 문장을 잘하는 자는 진실로 기이한 문장을 잘하는 것을 주장하지 않습니다.

夫文은 何爲而設也오 不知理者는 不能言이요 世之能言者多矣로되 而文者獨傳하니 豈獨傳哉리오 因其能文也하여 而言益工하고 因其言工也하여 而理益明이라 是以로 聖人貴之하시니 自六經으로 下至于諸子百氏, 騷人辯士論述히 大抵皆將以爲寓理之具也라

문장은 어찌하여 만들어졌습니까? 이치를 알지 못하는 자는 말을 잘할 수가 없고, 세상에 말을 잘하는 자는 많으나 문장가만이 홀로 전해집니다. 어찌 다만 전해질 뿐이겠습니까. 문장을 잘함으로 인하여 그 말이 더욱 공교해지고, 말이 공교함으로 인하여 이치가 더욱 밝아집니다. 이 때문에 성인(聖人)이 문장을 귀하게 여기신 것이니, 육경(六經)으로부터 아래로 제자 백가(諸子百家)와 소인(騷人, 시인(詩人)), 변사(辯士)들이 논술한 것에 이르기까지 대저 모두 장차 이치를 붙이는(담는) 도구로 삼으려고 한 것입니다.

是故로 理勝者는 文不期工而工하고 理媿(괴)者는 巧於粉澤而間隙百出하나니 此猶兩人이 持牒而訟에 直者는 操筆하여 不待累累로되 讀之如破竹하여 橫斜反覆이 自中節目하고 曲者는 雖使假辭於子貢하고 問字於揚雄[5]이라도 如列五味而不能調和하여 食之於口에 無一可愜(협)하니 何況使人玩味之乎아 故로 學文之端은 急於明理하니 夫不知爲文者는 無所復道어니와 如知文而不務理하고 求文之工은 世未嘗有是也니라

---

5 假辭於子貢 問字於揚雄 : 자공(子貢)은 공자(孔子)의 제자로, 《논어》〈선진(先進)〉에 공자 문하의 제자들을 덕행·언어·정사·문학 네 분야로 나누었는데, 자공은 언어에 뛰어난 자로 꼽혔다. 양웅(揚雄)은 전한(前漢)의 학자로, 자(字)는 자운(子雲)이며 성도(成都) 사람이다. 젊어서부터 학문을 좋아하고 사부(詞賦)와 문자학에 뛰어나 평생 저술에 힘을 쏟았다.

이 때문에 이치에 밝은 자는 문장이 공교하기를 기약하지 않아도 공교해지고, 이치에 어두운 자는 수식을 공교하게 하여도 빈틈이 갖가지로 나오는 것입니다. 이는 마치 두 사람이 문서를 잡고 송사를 할 적에, 논리가 곧은 자는 붓을 잡고서 굳이 누누이 말하지 않더라도 글을 읽어보면 대나무를 쪼개는 것과 같아서 횡사(橫斜)와 반복이 저절로 절목(節目)에 맞고, 논리가 굽히는 자는 비록 자공(子貢)에게 말을 빌리고 양웅(揚雄)에게 문자를 묻더라도 마치 오미(五味)를 진열하였으나 조화(調和)를 이루지 못하여 입에 넣고 먹어보면 하나도 만족할 만한 것이 없는 것과 같으니, 하물며 사람들로 하여금 완미(玩味)하게 할 수 있겠습니까. 그러므로 글을 배우는 단서는 이치를 밝힘을 우선으로 하는 것입니다.

문장을 지을 줄 모르는 자는 다시 말할 것이 없지만, 문장을 지을 줄 알면서도 이치를 힘쓰지 않고 문장이 공교하기를 구하는 것은 세상에 일찍이 이런 일이 있지 않았습니다.

夫決水於江河, 淮海하면 水順道而行하여 滔滔, 汨汨하여 日夜不止하여 衝砥柱하며 絶呂梁[6]하여 放於江湖而納之海하나니 其舒爲淪漣하고 鼓爲濤波하고 激之爲風飇(표)하고 怒之爲雷霆하여 蛟龍魚黿이 噴薄出沒이 是水之奇變也나 而水初豈如此리오 順道而決之하여 因其所遇而變生焉일새니라

물을 강(江)·하(河)와 회(淮)·해(海)로 터놓으면 물이 물길을 따라 흘러가는데, 분탕질을 치며 콸콸 흘러 밤낮으로 그치지 않아 지주(砥柱)를 충돌하고 여량(呂梁)을 끊어놓고 강호(江湖)에 이르러 바다로 들어가는데, 그 퍼져서 잔물결이 되고 물결이 쳐서 파도가 되고, 격동하여 회오리바람이 되고 성내어 우레소리가 되어, 교룡과 물고기와 자라들이 분박(噴薄, 뿜어 댐)하고 출몰하니, 이것이 물의 기이한 변화입니다. 그러나 물이 어찌 애당초 이와 같았겠습니까. 물길을 따라 흘러가면서 만나는 바에 따라 변화가 생기는 것입니다.

溝瀆은 東決而西竭하고 下滿而上虛하니 日夜激之하여 欲見其奇나 彼其所至者는 蛙蛭(와질)之玩耳라 江淮, 河海之水는 理達之文也니 不求奇而奇至矣요 激溝瀆

---

6 衝砥柱 絶呂梁 : '지주(砥柱)'와 '여량(呂梁)'은 모두 산 이름인데, 지주는 지주(底柱)로도 쓰는바, 황하(黃河)의 중류에 있다. 주위지역이 모두 황하에 침식되었으나 오직 이 석산(石山)만이 우뚝이 기둥처럼 남아있어 붙여진 이름이다. 여량은 용문산(龍門山)과 인접해 있는바, 우(禹) 임금이 홍수를 다스릴 때에 이 산중턱을 끊어 물길을 내었다 한다.

··· 滔 도도히흐를 도 汨 흐를 골 衝 찌를 충 砥 숫돌 지 淪 잔물결 륜 飇 폭풍 표 霆 우레 정 黿 큰자라 원 噴 뿜을 분 溝 도랑 구 瀆 도랑 독 蛙 개구리 와 蛭 거머리 질

而求水之奇는 此無見於理하고 而欲以言語句讀爲奇之文也니라

구독(溝瀆, 작은 개천이나 도랑)은 동쪽으로 터놓으면 서쪽이 마르고 아래가 차면 위가 비니, 밤 낮으로 격동하여 그 기이함을 보고자 하나 저 이르는 것은 개구리나 거머리들의 구경거리일 뿐입니다.

강·회와 하·해의 물은 비유하면 이치에 통달한 글이니, 기이함을 구하지 않아도 기이함 이 지극합니다. 구독을 격동하여 물의 기이함을 구한다면, 이는 이치를 보지 못하고서 언어 와 구두(句讀)로서 기이한 문장을 짓고자 하는 것입니다.

六經之文이 莫奇於易하고 莫簡於春秋하니 夫豈以奇與簡爲務哉리오 勢自然耳라 傳曰 吉人之辭는 寡[7]라하니 彼豈惡(오)繁而好寡哉아 雖欲爲繁而不可得也일새라

육경(六經)의 글 중에 《주역(周易)》보다 기이한 것이 없고 《춘추(春秋)》보다 간략한 것이 없으 니, 두 경(經)이 어찌 기이함과 간략함을 힘써서이겠습니까? 형세가 저절로 그렇게 된 것입니 다. 전(傳, 옛 책)에 이르기를 "길한 사람의 말은 적다." 하였으니, 저 길한 사람이 어찌 말이 많 음을 싫어하고 말이 적음을 좋아한 것이겠습니까. 비록 많이 하려고 하여도 그럴 수가 없는 것입니다.

自唐以來至今에 文人好奇者不一이라 甚者는 或爲缺句斷章하여 使脈理不屬하고 又取古人訓詁의 希(稀)於見聞者하여 衣被而綴合之하여 或得其字하고 不得其句 하며 或得其句하고 不得其章하여 反覆咀嚼(저작)이라도 卒亦無有하니 此最文之陋也 라 足下之文이 雖不若此나 然其意靡靡하여 似主於奇矣라 故로 預爲足下陳之하노 니 願無以僕之言質俚而不省也하라

당(唐)나라로부터 이래로 지금에 이르기까지 문인(文人) 중에 기이함을 좋아하는 자가 한두

---

7 傳曰 吉人之辭寡: 전(傳)은 옛 책을 가리키는바, 이 내용은 《주역(周易)》〈계사전 하(繫辭傳下)〉에 "장차 배반할 자는 그 말이 부끄럽고, 중심(中心)이 의심스러운 자는 그 말이 산만하고, 길(吉)한 사람의 말은 적고, 조급한 사람의 말은 많고, 선(善)을 모함하는 사람은 그 말이 왔다갔다 하고, 그 지킴을 잃은 자는 그 말이 굽힌다.〔將叛者 其辭慙 中心疑者 其辭枝 吉人之辭寡 躁人之辭多 誣善之人 其辭游 失其守者 其辭屈〕"라고 보인다.

명이 아니어서, 심한 자는 혹 글귀를 빼버리고 문장을 잘라놓아 문맥과 조리가 이어지지 않게 하고, 또 고인(古人)의 훈고(訓詁) 중에 보고 듣기 어려운 것을 취하여 옷을 입히고 엮어 모아서 혹 그 글자만 알고 그 글귀를 알지 못하며 혹 그 글귀만 알고 그 문장을 알지 못하여, 반복해서 저작(咀嚼)하여도 끝내 아무것도 없으니, 이것이 가장 누추한 문장입니다.

족하의 문장이 비록 이와 같지는 않으나 그 뜻이 미미(靡靡, 화려함)하여 기이함을 주장하는 듯하므로 미리 족하를 위하여 말하는 것이니, 원컨대 저의 말을 질박하고 속되다 하여 살피지 않지 마셨으면 합니다.

여진소유서與秦少游書

진사도陳師道 무기無己

• 작가소개

진사도(陳師道, 1053~1102)는 자가 이상(履常)·무기(無己)이며, 호는 후산거사(後山居士)이다. 16세에 증공(曾鞏)을 찾아 뵙고 스승으로 모셨다. 북송 원우(元祐) 2년(1087)에 한림학사 소식(蘇軾) 및 부요유(傅堯俞)·손각(孫覺) 등의 추천으로 서주(徐州) 주학(州學)의 교수(敎授)가 되었다. 원우 4년에 소식이 항주(杭州)의 태수(太守)로 부임하는 길에 남경(南京) 응천부(應天府)를 경유하게 되었는데, 진사도가 남경까지 와서 소식을 전송하다가 직무(職務)를 이탈하였다고 하여 탄핵을 받아 파직당하였다. 이후 오래지 않아 영주 교수(穎州敎授)가 되었는데, 이때 영주의 태수였던 소식이 진사도를 제자로 받고자 하였으나 진사도는 스승인 증공을 위해 완곡하게 사양하였다. 소식은 이에 대하여 노여워하지 않고 진사도를 여전히 지도하였다. 소성(紹聖) 원년(1094)에 소식의 여당(餘黨)으로 지목되어 파직되었다가 원부(元符) 3년(1100)에 체주 교수(棣州敎授)가 되어 임소로 가던 도중에 다시 비서성 정자(秘書省正字)에 제수되었는데, 부임하기 전인 숭녕(崇寧) 원년(1102)에 병으로 서거하였다.

진사도는 인품이 고결하여 안빈낙도(安貧樂道)하였으며, 문학에 있어서 두드러진 성취가 있었다. 특히 시(詩)에 있어서는 황정견(黃庭堅)의 영향을 크게 받았는데, 여기서 멈추지 않고 더 나아가 두보(杜甫)의 시풍을 배우는 데에 진력하여 일정한 경지에 도달함으로써 황정견의 추중(推重)을 받았다. 이 때문에 소위 '강서시파(江西詩派)'에서는 황정견·진사도·진여의(陳與義)를 '삼종(三宗)'으로 숭상하였다.

진사도의 시문관(詩文觀)은 교(巧)·화(華)·약(弱)·속(俗)을 지양하고 졸(拙)·박(樸)·추(粗)·벽(僻)

을 그보다 우위(優位)에 두었으며,[8] 또한 작문에 있어 기(奇)와 정(正)에 대하여 논한 것이 매우 탁월하다.[9]

저서로는 문집인 《후산집(後山集)》과 《시화(詩話)》, 《담총(談叢)》 등이 있다. 《상설고문진보대전》 후집(後集)에는 그의 작품이 소순(蘇洵) 다음으로 많이 실려 있다.

● 작품개요

이 작품은 작자가 진소유(秦少游)에게 준 편지이다. '소유'는 북송대의 저명한 문장가이자 학자인 진관(秦觀, 1049~1100)의 자로, 호는 태허(太虛), 별호는 한구거사(邗溝居士)이며, 회남(淮南) 고우(高郵) 사람이다. 벼슬은 태학 박사(太學博士)·국사관 편수(國史館編修)에 이르렀다. 동파(東坡) 소식(蘇軾)의 문인으로 '소문사학사(蘇門四學士)'의 한 명이다.

당시 왕안석(王安石)의 개혁파 중의 한 사람으로 집정대신(執政大臣)이었던 장돈(章惇)이 진관을 통하여 작자에게 만나줄 것을 청하고 아울러 그를 천거하려고 준비하고 있었다. 그러나 작자는 이 짧막한 편지를 통하여 예(禮)를 내세워 그의 요청을 단호히 거절하였다.

특히 "선비가 폐백을 올려 신하가 되지 않으면 왕공(王公)을 뵙지 않는 법이다.〔士不傳贄爲臣 則不見於王公〕"라는 선왕(先王)의 제도〔先王之制〕를 언급하며 예법상의 당위성을 거론한 것과 장돈이 일을 그만두고 물러나면 작자가 직접 관단(款段)이라는 조랑말을 몰고 하택(下澤)이라는 나쁜 수레를 타고 가서 상동문(上東門, 동대문(東大門)) 밖에서 만나보겠다고 밝힌 것이 개결(介潔)한 작자의 성품을 잘 드러내고 있는바, 작중의 백미(白眉)라고 하겠다.

篇題小註‥ 迂齋曰 委曲而不失正하고 嚴厲而不傷和하니 深得不惡而嚴之道[10]하니라

---

8 진사도의……두었으며 : 이는 《후산집(後山集)》 권23 〈시화(詩話)〉에 "차라리 고졸(古拙)할지언정 공교하지 말며, 차라리 질박할지언정 화려하지 말며, 차라리 거칠지언정 약하지 말며, 차라리 궁벽할지언정 속되지 말아야 하니, 시와 문이 모두 그러하다.〔寧拙毋巧 寧樸毋華 寧粗毋弱 寧僻毋俗 詩文皆然〕"라고 보인다.

9 작문에……탁월하다 : 이는 《후산집》 권23 〈시화〉에 "문장을 잘하는 자는 일을 인하여 기이함을 내니, 강하가 흘러감에 물길을 따라 순히 내려갈 뿐인데, 그러다가 산을 부딪히고 골짝으로 달려가며 바람이 몰아치고 물건이 격동한 뒤에 천하의 변화를 다한다.〔善爲文者 因事以出奇 河江之行 順下而已 至其觸山赴谷 風搏物激 然後盡天下之變〕"라고 보인다.

10 不惡而嚴之道 : 소인(小人)을 대함에 나쁜 말을 하지 않고 또한 엄격히 간격을 두어 가까이 하지 않는 것으로 《주역》 〈돈괘(遯卦)〉 상전(象傳)〉에 보인다.

우재가 말하였다. "곡진하면서도 바름을 잃지 않았고 엄격하면서도 화(和)함을 상하지 않았으니, 나쁜 말을 하지 않고도 엄격히 대하는 도(道)를 깊이 얻었다."

○ 後山이 平生守道固窮하여 卓然莫奪을 此書可見이라 趙挺之聞其貧하고 懷銀欲濟之라가 聽其議論하고 竟不敢出하며 末焉에 不肯衣趙家衣하여 寧忍凍以死[11]하여 進退取予之不苟如此하니 巍乎高哉라 平生不輕見一人하니 其肯見章子厚乎아 此書纔二百許字로되 而有無限折轉하니 不特文字之妙不可言이라 其氣節이 亦可以廉頑立懦焉하니 每一讀之에 不勝敬歎이로라

후산(後山, 진사도(陳師道))이 평생 도를 지키고 곤궁함을 굳게 지켜서 의지가 드높아 빼앗을 수 없음을 이 편지에서 볼 수 있다. 조정지(趙挺之)는 그가 가난하다는 말을 듣고 은자(銀子)를 품고 가서 구제하려다가 그의 의론을 듣고는 끝내 은자를 내놓지 못하였으며, 말년(末年)에 후산은 조가(趙家)의 옷을 입으려 하지 않아 끝내 추위를 견디지 못하여 죽었다. 그리하여 나아가고 물러나며 주고받음에 구차하지 않음이 이와 같았으니, 아! 외연(巍然)히 높다.

후산은 평소에 한 사람도 가벼이 만나보지 않았으니, 장자후(章子厚, 장돈(章惇))를 즐겨 만나려 했겠는가. 이 편지는 겨우 2백 자 정도인데 무한한 절전(折轉, 꺾어 돌림)이 있으니, 비단 문자의 묘함을 다 형언할 수 없을 뿐만 아니라, 그 기절(氣節)이 또한 완악한 자를 청렴하게 하고 나약한 자를 뜻을 세우게 하니, 매양 읽을 때마다 존경과 감탄을 이기지 못한다.

• 原文

辱書에 喻以章公[12]이【惇, 字子厚.】 降屈年德하여 以禮見招라하니 不佞이 何以得此오

---

11 末焉……寧忍凍以死 : 조가(趙家)는 진사도와 동서간인 조정지(趙挺之)를 가리키는데, 진사도는 조정지가 탐욕스럽다 하여 미워하였다. 하루는 진사도가 휘종(徽宗)을 따라 교사(郊祀)에 참여하였는데 날씨가 갑자기 추워지자 그의 아내가 조정지의 집에 가서 갖옷을 얻어다가 입으라고 하였으나 진사도는 물리치고 입지 않다가 감기에 걸려 죽었다. 《宋史 卷 444 陳師道列傳》

12 章公 : 북송(北宋)의 문신 장돈(章惇)으로, 포성(蒲城) 사람인데 소주(蘇州)로 이거(移居)하였다. 성품이 호걸스럽고 박학하였으며, 문장을 잘하였다. 왕안석(王安石)이 그의 재주를 아껴 등용하였으나 신종(神宗)이 죽은 뒤에 좌천되었다. 그 후 고황후(高皇后)가 죽자 다시 상서 복야 겸 문하시랑(尚書僕射兼門下侍郎)이 되어 자기의 당파인 채경(蔡京), 채변(蔡卞) 등을 등용하여 다시 신법(新法)을 회복하고 구법당(舊法黨)인 원우당인(元祐黨人)을 강력히 배척하여 소인(小人)

豈侯嘗欺之耶아【轉.】公卿不下士 尙矣어늘 乃特見於今而親於其身하니 幸孰大
焉고 愚雖不足以齒士나 猶當從侯之後하여 順下風而成公之名이로다【又轉.】

보내주신 편지에 이르기를 "상공(章公)이【장돈(章惇)이니, 자가 자후(子厚)이다.】 연치(年齒)와 덕
을 낮추고 굽혀 예우(禮遇)하여 초청해 주신다." 하니, 불녕(不佞, 불초)이 어떻게 이런 대접을
받는단 말입니까? 아마도 후(侯)가 한번 〈진사도가 훌륭한 사람이라고〉 그를 속이셨는가 봅
니다.【전환하였다.】

공경(公卿)들이 선비에게 몸을 낮추지 않은 지가 오래되었는데, 특별히 지금 세상에서 보고
직접 제 자신이 겪으니, 이보다 큰 다행이 어디 있겠습니까. 어리석은 저는 비록 선비들 축에
끼지 못하나 그래도 마땅히 후(侯)의 뒤를 좇아 하풍(下風, 높으신 덕)을 순히 따라 공(公)의 명성
을 이루어야 할 것입니다.【또다시 전환하였다.】

然이나 先王之制에 士不傳贄爲臣이면 則不見於王公하나니 夫相見은 所以成禮로되
而其弊必至於自鬻(육)이라【好議論.】故로 先王이 謹其始하여 以爲之防하여 而爲士
者世守焉이니라【其嚴如此.】

그러나 선왕(先王)의 제도에 따르면 선비가 폐백을 올려 신하가 되지 않으면 왕공(王公)을
뵙지 않습니다. 서로 만나보는 것은 예를 이루는 것인데, 그 폐단은 반드시 자신을 자랑하여
뽐내는데 이릅니다.【의론이 좋다.】그러므로 선왕이 처음 만날 때를 삼가 예법을 만들어서 선
비된 자들이 대대로 지켜오고 있습니다.【그 엄함이 이와 같다.】

師道於公에 前有貴賤之嫌하고 後無平生之舊하니 公雖可見이나 禮可去乎아【又
轉.】且公之見招는 公豈以能守區區之禮乎아 若冒昧法義하고 聞命走門이면 則
失其所以見招니【委曲.】公又何取焉이리오【又轉.】雖然이나 有一於此하니 幸公之他
日에 成功謝事하고 幅巾東歸어든 師道當御款段하고 乘下澤하여【御欵段指馬, 乘下澤指
車.[13]】候公於上東門外하리니 尙未晚也리라【此轉尤佳, 乃不絶之絶.】

───────────

으로 알려졌다. 휘종(徽宗) 초년에 목주(睦州)로 좌천되어 죽었는바, 이후 북송(北宋)은 크게 쇠약해졌다.

13 御欵段 指馬 乘下澤 指車 : '관단(款段)'은 조랑말이고 '하택(下澤)'은 나쁜 수레이다.

··· 齒 낄 치 贄 폐백 지 鬻 팔 육 嫌 혐의할 혐 區 구역 구 幅 폭 폭 款 말파리할 관
段 조각 단 候 기다릴 후

저는 장공에 대하여 앞에는 귀천의 신분이 다른 혐의가 있고 뒤에는 평소의 구면(舊面)이 없으니, 장공을 비록 만나 뵐 수 있으나 예를 버릴 수 있겠습니까.【또다시 전환하였다.】

또 장공이 저를 초청해 주신 것은 공께서 아마도 제가 구구한 예를 잘 지킨다고 여겨서일 것입니다. 그런데 만일 예법과 의리를 무릅쓰고 명령을 듣고 장공의 문으로 달려간다면 초청하신 이유를 잃는 것이니,【위곡(委曲, 곡진)하다.】 장공이 저에게서 무엇을 취하시겠습니까.【또다시 전환하였다.】

그러나 여기에 한 가지 방법이 있으니, 다행히 장공이 후일에 공을 이루고 사직하신 뒤에 폭건(幅巾)을 쓰고 동쪽으로 돌아오게 되시면 저는 마땅히 관단마(款段馬)를 몰고 하택거(下澤車)를 타고 가서【관단(款段)을 몬다는 것은 말을 가리킨 것이고, 하택(下澤)을 탄다는 것은 수레를 가리킨 것이다.】 장공을 상동문(上東門, 동대문) 밖에서 기다릴 것이니, 그때에 만나도 늦지 않을 것입니다.【이 전환이 더욱 아름다우니, 곧바로 끊지 않는 끊음이다.】

상임수주서 上林秀州書

진사도 陳師道

• **작품개요**

　　이 작품은 작자가 스승 증공(曾鞏)의 소개로 임수주(林秀州)에게 찾아뵙기를 청하며 올린 서신(書信)인바, 일종의 '배알문(拜謁文)'이다. '임수주'는 당시 지수주사(知秀州事)를 맡고 있던 임희(林希)라고 전하는데, 자는 자중(子中)으로, 보문각 직학사(寶文閣直學士)·성도 지부(成都知府)·자정전학사(資政殿學士)·동지추밀원사(同知樞密院事) 등을 역임하였으며 증공과 매우 돈독하게 교유하였고 소식·소철 형제와도 상당히 친밀한 관계를 유지하였다.

　　작품 전반에 걸쳐 '사(士)가 대부(大夫)·경(卿)·공(公)을 만나볼 때[士見于大夫卿公]'와 '사(士)가 서로 만나 볼 때[士之相見]'의 예법에 관한 논의가 골자를 이루는데, 이는 작자가 경학(經學)·예학(禮學)에 조예가 깊다는 방증이다. 실제 이 작품은 양복(楊復)이 편찬한 《의례도(儀禮圖)》에도 실려 후대에 예문(禮文)을 말하는 전범(典範)이 되었다. 즉, 이 작품 자체로 훌륭한 예론(禮論)이 되는 셈이다.

　　전체적으로 이 작품은 스승과 교분이 두터운 존장에게 올린 서신이기 때문에 문세가 매우 신중하고 장중하며 표현이 상당히 전아(典雅)하다. 특히 기두(起頭)부터 줄곧 논한 예법에 대하여 마무리 지은 다음에 "저는 비루한 사람입니다.……삼가 남풍 선생을 인하여 청하는 것입니다.[師道鄙人也……謹因先生而請焉]"라는 말로 내용을 끝맺으며 비로소 서신을 올린 본래 목적을 간략하게 언급한 작법(作法)을 통하여, 스승의 소개를 받고도 자신의 체통을 지키기 위하여 예법을 논하는 작자의 개결(介潔)하고도 주도면밀한 성품이 잘 드러난다고 하겠다.

篇題小註‥ 迂齋云 讀儀禮熟故로 其區別精하니 非特議論好라 讀其文하면 氣正辭嚴하여 凜然有自重難進不可回撓之節하니 此後山所以爲後山이요 而曾子宣, 章子厚諸公이 欲羅致而不可得也니라

우재가 말하였다. "《의례(儀禮)》를 익숙히 읽었기 때문에 그 구별이 정밀한 것이니, 단지 의론이 좋을 뿐만 아니라, 그 글을 읽어보면 기운이 바르고 문장이 엄정해서 늠연히 자신을 소중히 여기고 나아감을 어렵게 여겨 굴복시킬 수 없는 절개가 있으니, 이는 후산(後山)이 후산이 된 이유이고, 증자선(曾子宣, 증포(曾布))과 장자후(章子厚, 장돈(章惇)) 등 여러 사람들이 초치하고자 하였으나 초치하지 못한 이유이다."

○ 此篇은 當與答少游書로 參看이니 此是後山所求見者也요 彼是欲後山來見而不肯見者也니 二人之賢否를 可知矣니라

이 편은 마땅히 진소유(秦少游)에게 답한 편지(〈여진소유서(與秦少游書)〉)와 참고하여 보아야 하니, 이 글은 후산이 임수주(임희)를 만나보기를 구한 것이고, 저 진소유에게 답한 편지는, 〈진소유가〉 후산이 장돈을 찾아가 만나보기를 바랐으나 후산이 만나보려하지 않은 것이니, 두 사람의 어질고 어질지 못함을 알 수 있다.

· **原文**

宗周之制에 士見(현)于大夫, 卿, 公에 介以厚其別하며 詞以正其名하며 贄以效其情하며 儀以致其敬하여【立四柱, 應在後.】 四者備矣라야 謂之禮成이니이다 士之相見이 如女之從人하여 有願見之心이나 而無自行之義하여 必有紹介爲之前焉하니 所以別嫌而愼微也라 故로 曰 介以厚其別이라하니이다 名以舉事하고 詞以道名하나니 名者는 先王所以定民分也니 名正則詞不悖하고 分定則民不犯이라 故로 曰 詞以正其名이라하니이다

종주(宗周, 주(周)나라)의 제도에 사(士)가 대부(大夫)와 경(卿)·공(公)을 만나볼 적에 소개하는

사람을 통해 그 분별을 후(厚)하게 하고 글로써 그 명분을 바르게 하고 폐백으로써 그 정을 바치고 의식으로써 그 공경을 지극히 하여【네 개의 기둥을 세웠으니, 응함이 뒤에 있다.】네 가지가 구비되어야 예(禮)가 이루어졌다고 하였습니다.

선비가 서로 만나보는 것은 여자(처녀)가 사람(남자)을 따르는 것과 같아서 만나보기를 원하는 마음이 있어도 스스로 찾아가는 의(義)가 없습니다. 그리하여 반드시 앞에 소개가 있어야하니, 이는 혐의를 분별하고 은미한 것을 삼가는 것입니다. 그러므로 '소개하는 사람을 통해 그 분별을 후하게 한다'고 한 것입니다.

명분(명칭)으로써 일을 거행하고 글로써 명분을 말하니, 선왕께서는 명분으로 백성(사람)의 분수를 정한 것입니다. 명분이 바르면 글이 도리에 어긋나지 않고 분수가 정해지면 백성들이 잘못을 범하지 않습니다. 그러므로 '글로써 그 명분을 바로잡는다'고 한 것입니다.

言不足以盡意요 名不可以過情일새 又爲之贄하여 以成其終이라 故로 授受焉에 介以通名하고 擯以將命하니 勤亦至矣로되 然因人而後達也니 禮莫重於自盡이라 故로 祭主於盥하고 婚主於迎하고 賓主於贄라 故曰 贄以效其情이라하니이다 誠發于心而諭于身하고 達于容色이라 故로 又有儀焉하니 詞以三請하고 贄以三獻하며 三揖而升하고 三拜而出이니 禮繁則泰요 簡則野니 三者는 禮之中也라 故曰 儀以致其敬이라하니이다

말로는 뜻을 다할 수 없고 명분은 정(情)을 넘을 수 없음으로 또다시 폐백을 만들어 그 끝마침을 이루었습니다. 그러므로 폐백을 주고받을 때에 소개하는 사람으로 명분을 통하고 빈(擯, 명령을 전달하는 자)으로써 명령을 전달하여 부지런(간곡)함이 또한 지극하나 남을 통한 뒤에야도달하는 것입니다. 예는 스스로 정성을 다하는 것보다 중함이 없습니다. 그러므로 제사는 손을 씻고 올리는 것을 주장하고, 혼인은 친영(親迎)을 주장하고, 손님은 폐백을 전달하는 것을 주장하는 것입니다. 그러므로 '폐백으로써 그 정을 바친다'고 한 것입니다.

정성은 마음에서 나와 몸에 나타나고 용색(容色)에 도달하기 때문에 또 의식(儀式, 예의, 예법)이 있는 것입니다. 그리하여 글로써 세 번 청하고 폐백으로써 세 번 올리며, 세 번 읍하고 올라가며 세 번 절하고 나오니, 예는 너무 번거로우면 지나치고 너무 간략하면 촌스러운바, 세 번은 예의 적절한 것입니다. 그러므로 '의식으로써 그 공경을 지극히 한다'고 한 것입니다.

··· 擯 손님맞는사람 빈 盥 세수할 관 諭 깨우칠 유 揖 읍할 읍 泰 사치할 태 援 끌어당길 원

是以로 貴不陵賤하고 下不援上하여 謹其分守하고 順于時命하여 志不屈而身不辱하여 以成其善하나니 當是之世하여 豈特士之自賢이리오 蓋亦有禮爲之節也일새니이다

이 때문에 귀한 자가 천한 자를 능멸하지 않고 아랫사람이 윗사람을 끌어당기지 않아서, 그 분수를 삼가고 때와 운명을 순히 따릅니다. 그리하여 뜻이 굽혀지지 않고 몸이 욕되지 않아서 그 선(善)을 이루었던 것이니, 이 당시에 어찌 다만 선비가 스스로 어질어서일뿐이겠습니까. 또한 예로써 조절함이 있었기 때문입니다.

夫周之制禮는 其所爲防이 至矣로되 及其晚世하여는 禮存而俗變하여 猶自市而失身이어든 況於禮之亡乎잇가【前敍古禮甚詳, 後敍禮亡與今見林, 頗略. 然簡嚴婉曲, 辭(須)[雖]¹⁴略而意甚詳也, 妙在言外.】自周之禮亡으로 士知免者寡矣라 世無君子明禮以正之하여 旣相循以爲常하고 而史官이 又載其事라 故로 其弊 習而不自知也하나니라

주(周)나라에서 예를 만듦은 그 방비함이 지극하였는데, 만세(晚世, 후대)에 미쳐서는 예가 남아 있어도 풍속이 변하여 자신의 재주를 팔아(자랑하여) 몸의 지조를 잃는데, 하물며 예가 없어짐에 있어서이겠습니까.【앞에서는 옛날의 예(禮)를 서술하기를 매우 자세히 하였고, 뒤에서는 예가 없어짐과 지금 임수주(林秀州)를 만나봄을 서술한 것이 매우 간략하다. 그러나 간엄(簡嚴)하고 완곡(婉曲)하여 말은 비록 간략하나 뜻이 매우 자세하니, 묘함이 말 밖에 있다.】주나라의 예가 없어짐으로부터 선비들 중에 무례함을 면한 자가 적습니다. 세상에 예를 밝혀서 바로잡는 군자가 없어서 서로 따르면서 무례를 평상적인 것으로 여기고, 사관(史官)은 또 이 일을 〈역사책에〉 기재하였습니다. 그러므로 그 폐단이 익숙해져 스스로 알지 못하는 것입니다.

師道는 鄙人也라 然이나 有聞於南豐先生하니【曾鞏, 字子固, 南豐人.】不敢不勉也로라 先生이 謂師道曰 子見林秀州乎아 曰未也로이다 先生曰 行矣어다하시니 師道承命以來하여 謹因先生而請焉하노이다【曰有聞於南豐先生, 則前所擧四說, 皆南豐敎也. 以南豐敎人不苟如此, 則使之來見, 必其人之可見也. 南豐爲之介, 則有詞矣, 而詩文又以爲贄, 至於交接以禮, 則彼

---

14 (須)[雖]: 저본에는 '수(須)'로 되어 있으나, 문리를 살펴 '수(雖)'로 바로잡았다.

此(事)[盡]¹⁵也. 前面所稱如此, 而後面略擧者, 蓋包四者在其中矣. 林秀州, 當是林子中.】

　　저(사도(師道))는 비루한 사람입니다. 그러나 남풍 선생(南豐先生)께 들은 바가 있으니,【남풍 선생은 증공(曾鞏)이니, 자는 자고(子固)이고 남풍(南豐) 사람이다.】 깊이 힘쓰지 않을 수가 없습니다. 선생께서 저에게 이르시기를 "그대는 임수주(林秀州)를 만나보았는가?" 하셨습니다. "아직 못 뵈었습니다."라고 말씀드리자, 선생께서는 "가 뵈어라." 하셨습니다. 이에 저는 명령을 받들고 와서 삼가 선생을 통하여 뵙기를 청하는 것입니다.【'남풍 선생께 들은 바가 있다'라고 말했으면 앞에서 든 네 가지 말은 모두 남풍의 가르침인 것이다. 남풍이 사람을 가르치기를 구차히 하지 않음이 이와 같았으니, 진사도에게 임수주를 찾아가 만나보게 하였다면 반드시 그 인물이 만나볼 만한 사람이었을 것이다. 남풍이 소개를 하였으면 소개한 말(글)이 있었을 것인데, 시문(詩文)으로 또 폐백을 삼고 사귀고 접(接)하기를 예로써 하기까지 하였으니, 피차가 다하였다. 전면에는 칭한 바가 이와 같이 자세하나 후면에서는 대략 든 것은 네 가지가 이 가운데 포함되어 있기 때문이다. 임수주는 응당 임자중(林子中)일 것이다.】

---

15 (事)[盡]: 저본에는 '사(事)'로 되어 있으나, 문리를 살펴 '진(盡)'으로 바로잡았다.

왕평보문집후서王平甫文集後序

진사도陳師道

• 작품개요

이 작품은 왕평보(王平甫)의 문집 뒤에 쓴 서문(序文)이다. '평보'는 왕안석(王安石)의 아우인 왕안국(王安國, 1028~1074)의 자이며, '후서(後序)'란 곧 발문(跋文)인바,《후산거사문집(後山居士文集)》에 실려 있는 11편의 서문 중에 하나이다.

작자는 기두(起頭)에서 구양수가 매요신(梅堯臣)을 두고 '세상에서는 시(詩)가 사람을 곤궁하게 한다고 말하나 시가 사람을 곤궁하게 하는 것이 아니라, 곤궁하면 시가 훌륭해진다.〔世謂詩能窮人 非詩之窮 窮則工也〕'[16]라고 한 평가를 작품 전체의 전제(前提)로 삼아, 시(詩)와 사람(人), 곤궁함〔窮〕과 훌륭함〔工〕의 관계를 가지고 논리를 전개해 나갔다. 문재(文才)가 있으나 곤궁하였던 두 사람의 공통점을 가지고 대조적으로 서술함으로써 '사람이 곤궁한 뒤에야 글이 공교로워진다는 것'이 거짓은 아니지만 문재와 부귀(富貴)는 겸할 수 없기 때문에 '시(詩)가 사람을 곤궁하게 한다는 것' 역시 사실이라고 보았다. 여기서 작자는 생각을 한 번 더 전환하여, 왕평보는 문재로 유명하게 되었기 때문에 '시(詩)는 능히 사람을 영달하게 하는 것'이라는 결론을 도출하였다.

그러나 작자는 궁(窮)과 달(達)을 넘어서 '전해지는 바를 논할 뿐〔論其所傳而已〕'이라고 선언하고, 더 나아가 왕평보는 훌륭한 문장들이 전해질 뿐만아니라 실제 생활에서 훌륭한 행실이 있었음을 거론하였다. 즉, 작자는 행실이 문장의 근본이 된다고 여긴 것이다. 이어서 언행이 일치하지 않으

---

16 작자는……훌륭해진다: 본래 구양수의 평가는《문충집(文忠集)》권42〈매성유시집서(梅聖兪詩集序)〉에 "대체로 시는 궁할수록 더욱 훌륭해지니, 그렇다면 시가 사람을 곤궁하게 만드는 것이 아니라, 사람이 곤궁해진 뒤에야 시가 훌륭해지는 것이다.〔蓋愈窮則愈工 然則非詩之能窮人 殆窮者而後工也〕"라고 하였다.

면 학문과 명성을 한꺼번에 잃게 된다고 기술하고 '사람들이 이롭게 여기는 것을 뒤로 하고 사람들이 버리는 것을 높임〔後其所利而隆其所棄〕'을 강조하였는데, '버리는 것'이란 훌륭한 행실, 바로 '덕행'인 것이다.

일반적으로 송대 문인들은 '의론(議論)'을 중시하는 경향이 있어서 시문에서도 의론의 분량이 상당하다. 그러나 작자는 이와 다르게 '일을 서술함〔敍事〕'과 '사람에 대한 기술〔記人〕'에 있어서 전기적(傳奇的) 표현법을 사용하여 필치가 독특하고 생동감이 넘친다. 아울러 형식에 구애받지 않아 문세가 유연하고 탄력적이며, 서술과 의론을 적절히 섞어 쓰기도 하였다. 이 작품 역시 작자의 이러한 특징을 십분 발현하고 있다.

작자는 평생 동안 학문과 문장에 많은 공력을 쏟았다. 그는 대부분의 시간을 독서와 작문 속에서 보냈는데, 인생의 의의를 '문(文, 문장, 문학)'에서 정하고 서슴없이 시인(詩人)으로 자처하였다. 이 작품에서 "선비가 세상에 행함에 곤궁함과 영달함은 족히 논할 것이 못되니, 그 전하는 바를 논할 뿐이다.〔士之行世 窮達不足論 論其所傳而已〕"라고 선언한 것을 통하여 문학에 대한 간절한 마음에 개결한 성품이 더해져 구체적이고 엄격함을 추구하는 작자의 창작 정신과 진지한 태도를 읽어낼 수 있다.

篇題小註‥ 迂齋云 豈特文字之妙리오 其發明平甫平生所以自守與其所以可傳者하니 可以勵後之人이요 後山亦因以自見(현)也라

우재가 말하였다. "어찌 다만 문장의 묘함뿐이겠는가. 평보(平甫)가 평생 스스로 지조를 지킨 것과 후세에 전할 만한 것을 발명하였으니, 이로써 후세 사람들을 격려할 수 있고, 후산 또한 이것을 통하여 스스로를 나타내었다."

○ 王平甫는 名安國이니 荊公弟也라 所守正大하여 甚非其兄하니 寧坎壈(감람)以終其身이언정 夫豈借兄之勢하여 以自進者리오 所以後山之序에 亦無半字及其兄云이라

왕평보(王平甫)는 이름이 안국(安國)이니, 형공(荊公, 왕안석(王安石))의 아우이다. 지킨 바가 정대(正大)하여 그 형을 매우 비판하였으니, 차라리 불우하게 몸을 마칠지언정 어찌 형의 세력을 빌어 벼슬을 도모한 자였겠는가. 이 때문에 후산의 서문에 반 글자도 그 형을 언급함이 없는 것이다.

‥‥ 勵 권면할 려 荊 가시나무 형 坎 구덩이 감 壈 불우할람 借 빌릴 차

- **原文**

歐陽永叔이 謂梅聖俞曰 世謂詩能窮人이라하나 非詩之窮이요 窮則工也라하니라【見歐公所作聖俞集序.】聖俞以詩名家로되 仕不前人하고 年不後人하니 可謂窮矣라 其同時에 有王平甫者하니 臨川【撫州.】人也라【自聖俞, 過接平甫, 只牽綴下來, 全然不覺.】年過四十에 始名薦書하여 群下士러니 歷年未幾에 復解章綬하고 歸田里하니 其窮이 甚矣로되 而文義蔚然하고 又能於詩라 惟其窮愈甚故로 其得愈多하니 信所謂人窮而後工也로다

구양영숙(歐陽永叔)이 매성유(梅聖俞, 매요신(梅堯臣))를 두고 말씀하기를 "세상에서는 '시(詩)가 사람을 곤궁하게 한다.'라고 말하나 시가 사람을 곤궁하게 하는 것이 아니라, 곤궁하면 공교로워진다."라고 하였다.【이 내용은 구양공이 지은 〈매성유시집서(梅聖俞詩集序)〉에 보인다.】매성유는 시로써 명가(名家)가 되었으나 벼슬이 남보다 앞서지 못하고 수명이 남보다 뒤지지 못하였으니, 곤궁하다고 이를 만하다.

동시대에 왕평보(王平甫)라는 자가 있었으니, 임천(臨川)【임천은 무주(撫州)이다.】사람이다.【매성유로부터 왕평보로 이어감에 다만 그대로 끌어와서 전연 깨닫지 못하게 하였다.】나이가 40이 넘어서야 비로소 추천하는 글에 이름이 올려져 하사(下士)들과 무리지어 있었는데, 몇 년이 지나지 않아 다시 인수(印綬)를 풀고서 전리(田里)로 돌아오니, 그 곤궁함이 심하였으나 글 뜻은 풍성하였고 또 시를 잘하였다. 곤궁함이 더욱 심하였기 때문에 얻음이 더욱 많았으니, 진실로 이른바 '사람이 곤궁한 뒤에야 글이 공교로워진다.'는 것이다.

雖然이나 天之命物에 用之不全하여 實者는 不華하고 淵者는 不陸하니 物之不全은 物之理也라 盡天下之美면【文章.】則於富貴에 不得兼而有也니 詩之窮人을 又可信矣로다

그러나 하늘이 만물에 명해줄 적에 씀이 완전하지 못하여, 열매가 열리는 것은 꽃이 화려하지 못하고 못에 사는 것은 육지에 살지 못하니, 물건이 완전하지 못함은 물건의 이치인 것이다. 천하의 아름다움【문장이다.】을 다했다면 부귀는 겸하여 소유할 수가 없는 것이니, 시가 사람을 곤궁하게 한다는 것을 또 믿을 수 있는 것이다.

··· 俞 맑을 유 綬 인끈 수 蔚 성할 울 淵 못 연

方平甫之時에 其志抑而不伸하고 其才積而不發하여 其號位勢力이 不足動人이로되【窮.】而人聞其聲하고 家有其書하여 旁行於一時하고 而下達於千世하여【十分達.】雖其怨敵이라도 不敢議也하니 則詩能達人矣요 未見其窮也로다【此轉尤佳, 廣歐公所未發.】

평보의 당시에 뜻은 억눌려 펴지 못하였고 재주는 쌓아둔 채 펴지 못하여 그 이름과 지위와 세력이 족히 사람을 움직일(놀랍게 하고 두렵게 함) 수 없었으나,【곤궁함이다.】사람마다 그의 명성을 들어 알고 집집마다 그의 책을 소유하여 일시(一時, 당세)에 널리 유행되고 아래로 천세(千世)에 도달하게 되어【십분 영달하였다.】비록 원수와 적이라도 감히 비난하지 못하니, 그렇다면 시는 능히 사람을 영달하게 하는 것이요, 곤궁하게 함을 볼 수가 없는 것이다.【이 전환이 더욱 아름다워서 구양공이 발명하지 못한 것을 넓혔다.】

夫士之行世에 窮達은 不足論이니【文勢首尾相生, 無間斷.】論其所傳而已라 平甫孝悌于家하고 信于友하고 勇於義而好仁하니 不特文之可傳也라【行爲文之本, 可傳之實, 乃在此.】向使平甫用力于世하여【此轉益佳.】薦聲詩于郊廟하고 施典策於朝廷이라도 而事負其言하고 後戾其前이런들【此一轉, 似隱然指荊公.】則幷其可傳而棄之리니【行不足, 則文雖可傳, 亦不足傳矣.】平生之學이 可謂勤矣요 天下之譽가 可謂盛矣어늘 一朝而失之하면 豈不哀哉아

선비가 세상에 행함에(살아감에) 곤궁함과 영달함은 굳이 논할 것이 못되니,【문세가 앞뒤가 상생하여 간단(間斷)함이 없다.】그 전하는 바를 논할 뿐이다. 평보가 집안에서 효도하고 공경하며 벗에게 신의가 있었으며, 의(義)에 용감하고 인(仁)을 좋아하였으니, 그의 문장만 전해질 만한 것이 아니다.【행실은 문장의 근본이 되니, 전할 만한 실제가 바로 여기에 있는 것이다.】

만일 평보가 세상에 힘(권력)을 써서【이 전환이 더욱 아름답다.】성시(聲詩, 운문(韻文))를 교묘(郊廟, 천지(天地)의 신에게 제사 지내는 교궁(郊宮)과 선조에게 제사 지내는 종묘(宗廟))에 올리고 전책(典策, 계책)을 조정에 시행했다 하더라도, 일이 그 말과 어긋나고 앞뒤가 모순되었더라면【이 한 번의 전환은 은연히 형공(荊公, 왕안석)을 가리킨 듯하다.】그 전할 만한 것(문장)까지 함께 버려졌을 것이니,【행실이 부족하면 문장이 비록 전할 만하더라도 전할 것이 못되는 것이다.】평생의 학문이 수고롭다고 이를 만하고 천하의 명예가 성하다고 이를 만한데, 하루아침에 잃는다면 어찌 애처롭지 않겠

··· 抑 누를 억 伸 펼 신 旁 너를 방 薦 올릴 천 戾 어그러질 려

는가.

南豐先生이 旣敍其文하여 以詔學者러니 先生之沒에 彭城陳師道 因而伸之하여
以通于世라 誠愚不敏하니 其能使人後其所利【利達.】而隆其所棄【德行.】者耶아
因先生之言하여 以致其志하고 又以自勵云爾라

　남풍 선생(南豐先生)이 이미 그 문집에 서문을 써서 후세의 학자들을 일깨워주셨는데, 선생
이 별세하자 팽성(彭城)의 진사도(陳師道)가 선생의 글을 이어 펴서 세상에 알려지게 하였다.
나는 진실로 어리석고 불민하니, 능히 사람들로 하여금 이롭게 여기는 것【이달(利達)이다.】을
뒤로 하고 버리는 것【덕행이다.】을 높이게 할 수 있겠는가. 선생의 말씀을 인하여 그 뜻을 지극
히 하고 또 스스로 권면하는 바이다.

사정기思亭記

진사도陳師道

• 작품개요

　　이 작품은 진씨(甄氏) 집안의 정자인 '사정(思亭)'에 대한 기문(記文)으로, 원우(元祐) 7년(1092) 8월 3일에 지어진 것이다.

　　작품의 주된 내용은, '명경과(明經科)'로 교수가 된 진군(甄君)이 어버이의 무덤 곁에 일종의 재실(齋室)을 짓고서 작자에게 명명해 줄 것을 요청하자, 작자가 '그 어버이를 생각해야 한다'는 뜻으로 '사정'이라 명명하고 이에 대하여 부연한 것이다.

　　진군의 집안은 원래 서주(徐州)의 부호였으나 그 대(代)에 이르러 가난해졌다. 그래서 어버이와 형제가 죽어도 장례를 치르지 못하는 형편이라 마을 사람들의 도움을 받아 간신히 장사를 치르고 무덤가에 건물을 지었다. 작자는 이 건물에 대하여 '사정'으로 명명하기를 권하고, 자식의 입장에서 교외에 무덤을 만들고 집안에 사당을 만드는 것은 어버이란 잊을 수 없는 존재이기 때문이라고 설명하였다. 아울러 진군이 이 건물을 지은 것 역시 결국 어버이를 잊지 않으려는 효심(孝心)의 발로이며, 이를 통하여 후대 자손들에게 자신과 똑같은 효심을 흥기시키려는 목적임을 드러내었다.

　　하지만 작자는 진군의 자손들이 모두 어질지는 못할 것이라고 지적하고, 이 말을 들은 진군은 눈물을 흘리고 만다. 작자는 진군의 근심 걱정을 풀어주기 위하여, '사정'의 유래를 기록한 자신의 글을 진군의 자손에게 숙지시키면 선산의 나무와 분묘를 잘 지켜서 유지할 수 있을 것이라고 위로하며 글을 끝맺었다.

　　작품은 전체적으로 한 개인이 어버이를 생각하는 개체적(個體的) 소재를 통하여 사람이라면 기본적으로 공유하는 '인정(人情)'을 잘 드러내었다. 특히 형식이 엄격하게 정제되었는바, 전통적 기문의 체재를 매우 충실하게 추구하였음을 알 수 있다. 작자는 경관과 사물을 묘사하고 형상하는 것보다 명칭의 유래에 중점을 두어 함의(含意)를 심도 있게 분석하고 이에 대한 자신의 생각을 피력하였는데, 이러한 부분은 소식(蘇軾)의 산문 표현 방법과 상당히 유사하다고 하겠다.

篇題小註‥ 迂齋曰 節奏相生하고 血脈相續하여 無窮之意 見(현)於言外라

우재가 말하였다. "절주(節奏, 리듬)가 상생을 하고 혈맥(문맥)이 서로 이어져서 무궁한 뜻이 말 밖에 나타난다."

○ 此篇은 可爲不肖子孫之戒니 有補世敎之文也라

이 편은 불초한 자손들의 경계가 될 만하니, 세교(世敎)에 보탬이 있는 문장이다

• 原文

甄은 故徐富家러니 至甄君하여 始以明經敎授하여 鄕稱善人이로되 而家益貧하여 更(경)數十歲에 不克葬하고 乞貸邑里하여 葬其父母兄弟凡幾喪하니 邑人이 憐之하여 多助之者라 旣葬에 益樹以木하고【爲後思以爲材薪張本.】作室其旁하고 而問名於余라 余以謂目之所視而思從之하나니 視干戈則思鬪하며【詳言所思不同.】視刀鋸則思懼하며 視廟社則思敬하며 視第家則思安하나니 夫人이 存好惡喜懼之心하여【皆謂思觸於視而生.】物至而思는 固其理也라【前泛言思, 此一節, 引視墟墓而思親上來.】今夫升高而望松梓하고 下丘壟而行墟墓之間하여 荊棘이 莽然하고 狐兔之迹이 交道하면 其有不思其親者乎아 請名之曰思亭이라하노라

진씨(甄氏)는 옛날 서주(徐州)의 부호가(富豪家)였는데, 진군(甄君)에 이르러 비로소(처음으로) 명경과(明經科)로 교수가 되니, 지방에서는 선인(善人)이라고 칭하였다. 그러나 집안이 더욱 가난해져서 수십 년이 지나도록 장례를 지내지 못하고는 향리의 사람들에게 빌어서 부모와 형제의 여러 초상을 장례하니, 고을 사람들이 가엾게 여겨 도와준 자가 많았다. 장례를 마친

‥ 甄 질그릇 견, 성 진 乞 빌 걸 貸 빌릴 대 憐 가엾을 련 樹 나무 수 鋸 톱 거 梓 가래나무 재
壟 언덕 롱 墟 터 허 荊 가시나무 형 棘 가시나무 극 莽 거칠 망 狐 여우 호 兔 토끼 토

다음 나무를 더 심고【〈나무를 더 심었다는 것으로써〉 뒤에 재목과 섶을 채취할 것을 생각하는 장본으로 삼았다.】 그 옆에 집(재실)을 짓고 나에게 재실 이름을 물었으므로 나는 다음과 같이 말하였다.

"사람은 눈으로 보면 생각이 뒤따른다. 창과 방패를 보면 전쟁을 생각하고【생각하는 바가 똑같지 않음을 자세히 말하였다.】 칼과 톱을 보면 두려움을 생각하고 사당과 신사(神祀)를 보면 공경함을 생각하고 집을 보면 평안함을 생각하게 된다. 사람은 좋아하고 미워하고 기뻐하고 두려워하는 마음을 보존하고 있으므로【모두 생각이 시각(視覺)에 촉동(觸動, 자극을 받아 움직임)되어 생겨남을 말하였다.】 물건이 이르면 생각이 나는 것은 진실로 당연한 이치이다.【앞에서는 생각함을 범연히 말하였고, 이 한 절은 허묘(墟墓, 묘지)를 보고 어버이를 생각하는 것을 이끌어 왔다.】 이제 저 높은 곳에 올라 〈묘소에 심겨져 있는〉 소나무와 가래나무를 바라보며 구릉으로 내려가 허묘(墟墓, 묘소) 사이를 다닐 적에 가시나무가 무성하고 여우와 토끼의 자취가 길에 섞여 있으면 어찌 자기 어버이를 생각하지 않는 자가 있겠는가. 나는 재실 이름을 '사정(思亭)'이라고 할 것을 청하노라.

親者는 人之所不忘也니 而君子愼之라 故로 爲墓於郊而封溝之하며【皆思之具, 不止墟墓而已.】 爲廟於家而嘗禘[17]之하며 爲衰(최)爲忌而悲哀之하나니 所以存其思也라 其可忘乎아 雖然이나【倒說轉.】 自親而下로 至于服盡[18]하니 服盡則情盡이요 情盡則忘之矣라 夫自吾之親而至于忘之者는 遠故也니 此亭之所以作也라【作亭之意, 恐子孫以遠而忘其思耳.】 凡君之子孫登斯亭者 其有忘乎아 因其親하여 以廣其思하면 其有不興乎아

어버이는 사람들이 잊지 못하는 분이니, 군자가 삼간다. 그러므로 교외에 무덤을 만들어 봉분하고 도랑을 쳐주며,【모두 생각하는 도구이니, 허묘에 그칠 뿐이 아니다.】 집안에 사당을 만들어 상(嘗)제사와 체(禘)제사를 지내며, 상복을 입고 기제(忌祭)를 지내 슬퍼하니, 이는 그 생각을 보존하기 위함이다. 어찌 잊을 수 있겠는가.

그러나【거꾸로(뒤집어) 말하여 전환하였다.】 어버이로부터 내려와 복(服)이 다함에 이르니, 복이

---

17 嘗禘: '상(嘗)'은 가을 제사이고 '체(禘)'는 여름 제사로, 상과 체는 천자와 제후의 종묘(宗廟) 제사인데, 여기서는 모든 제사를 범칭한 것이다.

18 服盡: 복(服)이 다하는 것으로 위로 고조(高祖), 아래로 고손(高孫)까지는 삼월복(三月服)을 입는데, 그 이상은 친진(親盡)이라 하여 복을 입지 않으므로 말한 것이다.

… 封 봉분할 봉 溝 도랑 구 嘗 가을제사이름 상 禘 제사이름 체 衰 상복 최

다하면 정이 다하고, 정이 다하면 잊게 된다. 나의 어버이로부터〈점점 내려와〉잊게 되는 것은 멀기 때문이니, 이것이 정자(재실)를 짓게 된 이유이다.【정자를 지은 뜻이, 자손들이 멀어져서 그 생각을 잊을까 염려한 것이다.】무릇 이 정자에 오르는 군(君)의 자손 중에 어찌 선조를 잊는 자가 있겠는가. 자기의 어버이를 인하여 생각을 넓힌다면 효심(孝心)을 일으키지 않는 이가 있겠는가."

君曰 博哉라 子之言也여 吾其庶乎인저 曰 未也라【更進深意在此.】賢不肖異思하니 後豈不有望其木하고 思以爲材하며 視其榛棘하고 思以爲薪하며 登其丘墓하여 思發其所藏者乎아 於是에 遽然流涕以泣이어늘 曰 未也라【百尺竿頭. 進步.】吾爲君記之하여 使君之子孫誦斯文者로 視其美以爲勸하고 視其惡以爲戒하면 其可免乎인저 君이 攬涕而謝曰 免矣라하니 遂爲之記하노라

군은 말하기를 "넓습니다. 그대의 말씀이여! 내 거의 잘 지켜갈 것입니다." 하였다. 이에 나는 다음과 같이 말하였다.

"아직 안 된다.【다시 깊은 뜻으로 나아감이 여기에 있다.】어진 자와 불초한 자의 생각이 다르니, 뒤에 어찌 그 나무를 바라보고는 베어서 재목을 만들 것을 생각하며, 그 개암나무와 가시나무를 보고는 나무 섶을 채취할 것을 생각하며, 그 분묘에 올라가 부장(附葬)한 물건을 꺼낼 것을 생각할 자가 있지 않겠는가."

이에 진군은 갑자기 눈물을 흘리며 흐느꼈다. 나는 말하기를 "그럴 것이 없다.【백척간두에 진일보한 것이다.】내가 군을 위하여 이 내용을 기록해서 군의 자손 중에 이 글을 외는 자들로 하여금 아름다운 행실을 보고 권면하며 나쁜 행실을 보고 경계하게 한다면, 아마도 이러한 잘못을 면할 수 있을 것이다." 하였다. 이에 군은 눈물을 훔치고 사례하기를 "불효를 면할 수 있게 되었습니다." 하므로, 마침내 이것을 기록하는 바이다.

··· 榛 개암나무 진 棘 가시나무 극 遽 갑자기 거 涕 눈물 체 攬 잡을 람

진소유자서秦少游字敍

진사도陳師道

• 작품개요

　이 작품은 북송의 저명한 문학가 진관(秦觀, 1049~1100)의 자(字)를 두고 그 의미에 대하여 부연한 것으로, 원우(元祐) 원년(1086) 2월 1일에 지어졌다. 소식(蘇軾)이 서주(徐州)에 부임한 희령(熙寧) 10년(1078)에 진관은 소식을 배알하고, 이듬해에는 〈황루부(黃樓賦)〉를 지어 소식에게 크게 인정을 받았다. 이후 소식의 격려와 지원을 받으며 원풍(元豐) 8년(1085)에 진사가 되어 정해 주부(定海主簿)·채주 교수(蔡州敎授)에 제수되었고, 원우(元祐) 2년(1087)에는 소식의 천거로 태학박사(太學博士)에 제수되었다가 비서성 정자(秘書省正字) 겸 국사원 편수관(兼國史院編修官)이 되었다. 이 작품에서 진관에 대한 묘사는 상당히 변화가 많고 생동적이다. 소식이 연회를 열어 진관을 초청하였는데 작자는 병으로 인하여 그를 만나볼 수 없었기에 제삼자의 말을 빌려서 '준걸스러운 선비〔傑士〕'인 진관의 호방한 기상을 표현하였다. 작자 역시 광릉(廣陵)의 여관에서 진관을 만나보고 후일 만리 밖에서 후(侯)에 봉해질 큰 공을 세울 인물이라고 생각하였다. 이 부분에서는 청년 시기의 진관이 웅대한 포부를 품고 있었던 것에 대하여 잘 드러내었는바, 작자의 호감과 칭찬이 가득하다.

　이후 원풍 말년에 작자는 동도(東都, 낙양)에서 진관과 다시 만나게 되었는데, 그 행동이 중후해지고 말수가 적어 전과는 다른 모습이었다. 이를 이상하게 여긴 작자의 물음에 진관은 "젊었을 적의 웅대한 포부를 드러내고자 하여 자를 '태허(太虛)'라고 하였으나 점점 나이가 들어감에 따라 생각이 바뀌어 후회하는 일이 생기기 때문에 자를 '소유'라고 함으로써 이전의 잘못을 표시하고 반성하고자 하는 뜻을 내비추었다."고 하였다. 태허는 하늘과 우주를 가리킨 것으로 자신의 광활한 포부를 나타낸 것이다. 여기서 역사적 인물인 두목과 마소유를 인용해 비유함으로써 '태허'와 '소유'의 함의를 선명하게 대비하였다.

진관이 '소유'로 자를 바꾼 것은 이미 수년이 지나버린 지금 세상이 험난하고 운명이 순탄치 못하여 이룬 바가 없으므로 전원으로 돌아가 은거하려는 의도로 일종의 자조적인 태도인 셈이다. 실망하여 의기소침한 진관을 보고 작자는 "어찌 지나치게 곧게 하여 굽음을 바로잡으려 하는가〔豈過直以矯曲耶〕"라고 말하여 진관의 자포자기한 심정을 지적하고, 세상 사람들의 시선으로 "그대의 뛰어난 재주로 세상에 바치지 않으려 하더라도 세상에서 그대를 버리지 않을 것이다〔以子之才 雖不效於世 世不捨子〕"라고 설득하였다. 작자는 진관과 같은 유능한 인물은 시골에 묻힐 생각을 하지 않고 나라를 위하여 공헌해야 함을 강조하였는바, 이는 작자가 그의 포부를 잘 알기 때문이었다.

이 작품은 작자의 서문 중에서 감정적 색채가 농후한 작품으로, 인정과 도리를 통하여 상대방을 일깨우고 위로함으로써 자신감을 회복할 수 있기를 바란 것이다. 특히 '인물에 관한 기술〔記人〕'과 사건 서술〔敍事〕에 적용시킨 전기적(傳奇的) 표현 방법은 기세가 드높고 의기양양한 진관의 면모를 충분히 드러내어 깊은 인상을 남겨 준다.

篇題小註‥ 迂齋曰 有意氣而不越(蠅)〔繩〕[19]尺하고 守規矩而不失窘步를 可兼之矣라

우재가 말하였다. "의기(意氣)가 있으면서도 승척(繩尺, 법도(法度))을 넘지 않고, 규구(規矩, 법도)를 지키면서도 한 걸음도 궁색하지 않음을 겸하였다고 할 수 있다."

○ 秦觀은 先字太虛러니 後改字少游하니 高郵人이라 娶徐氏하고 子湛이라

진관(秦觀)은 먼저는 자를 '태허(太虛)'라 하였는데 뒤에 자를 '소유'로 고쳤으니, 고우(高郵) 사람이다. 서씨(徐氏)에게 장가들었고 아들은 담(湛)이다.

• 原文

熙寧. 元豐[20]之間에 眉蘇公之守徐에【彭城.】余以民事太守하여【後山. 彭城人.】間見

---

19 (蠅)〔繩〕: 저본에는 '승(蠅)'으로 되어있으나 《숭고문결(崇古文訣)》에 의거하여 '승(繩)'으로 바로잡았다.

20 熙寧元豐: 희령(熙寧, 1068~1077)과 원풍(元豐, 1078~1085)은 송(宋)나라 신종(神宗)의 연호이다.

如客하니 揚秦子過焉이면 置醴備樂하여 如師弟子라 其時에【第一節.】 余病臥旅中하여 聞其行道雍容하여 逆者旋目하고 論說偉辨(辯)하여 坐者屬耳라하니 世以此奇之요 而亦以此疑之호되 惟公이 以爲傑士라 是後數歲에【第二節.】 從吾歸하여 見于廣陵【揚州.】逆旅之家러니 夜半語未卒에 別去하니 余亦以爲當建侯萬里外也로라【所以期少游如此.】

희령(熙寧)과 원풍(元豐) 연간에 미주(眉州)의 소공(蘇公, 소식(蘇軾))이 서주(徐州)【서주는 팽성(彭城)이다.】를 맡았을 적에, 나는 백성으로서 태수(太守, 소식)를 섬겨【후산(後山)은 팽성 사람이다.】간간이 손님처럼 뵙곤하였는데 양주(揚州)의 진자(秦子, 진관(秦觀))가 방문하면 태수는 단술을 마련하고 풍악을 구비하여 스승과 제자의 사이와 같았다.

그때에【첫 번째 절이다.】 나는 병으로 여관에 누워서 들으니, 그의 행차가 옹용(雍容, 여유있고 화평함)하여 맞이하는 자들이 눈을 돌려 바라보았으며, 논설이 훌륭하고 논리적이어서 자리에 앉은 자들이 귀를 기울이고 들었다 하니, 세상에서는 이 때문에 그를 기이하게 여기면서도 이 때문에 그를 의심하였으나, 오직 소공만은 준걸스러운 선비라고 하였다.

이후 몇 년 만에【두 번째 절이다.】 진자는 나를 따라 돌아와서 광릉(廣陵)【광릉은 양주(揚州)이다.】의 역려(逆旅, 여관)의 집에서 만났는데, 한밤중 말을 마치기 전에 작별하고 떠나가니, 나는 또한 생각하기를 '마땅히 만 리 밖에서 큰 공(功)을 세워 후(侯)에 봉해질 것'이라고 여겼었다.【소유(少游)에게 기대한 바가 이와 같은 것이다.】

元豐之末에【第三節.】 余客東都러니 秦子從東來하니 別數歲矣라 其容充然하고 其口隱然이어늘【歷敍三節, 見少游每見愈進.】 余驚焉以問하니 秦子曰 往吾少時에 如杜牧之[21]하여 彊志盛氣하여 好大而見(현)奇라 讀兵家書하고 乃與意合하여 謂功譽可立致요 而天下無難事라 顧今二虜【遼·夏.[22]】有可勝之勢하니 願效至計하여 以行天誅하여 回幽·夏之故墟하고 弔唐·晉之遺人하여 流聲無窮하고 爲計不朽면 豈不偉哉아 於是에 字以太虛하여 以遺吾志러니 今吾年至而慮易하여 不待蹈險而悔及之

---

21 杜牧之: 두목(杜牧, 803~852)으로, 목지는 그의 자이다. 만당(晚唐)의 시인으로 시를 잘하여 두보(杜甫)를 노두(老杜), 두목을 소두(小杜)라 칭하였으며, 미목(眉目)이 수려하기로 이름났다. 젊어서부터 벼슬하여 중서사인(中書舍人)에 이르렀고, 풍류를 즐겼다. 저서로 《번천집(樊川集)》이 있다.

22 遼夏: 송(宋)나라의 서북 지역에 있던 요(遼, 거란(契丹))와 서하(西夏)를 가리킨다.

··· 醴 단술 례 雍 화락할 옹 旋 돌릴 선 立 곧 립 虜 오랑캐 로 墟 빈터 허 朽 썩을 후
蹈 밟을 도

하니 願還四方之事²³하고 歸老邑里를 如馬少游²⁴라 於是에 字以少游하여 以識(지)吾
過로라 嘗試以語公에 又以爲可하시니 於子에 何如오

원풍 말년에【세 번째 절이다.】 나는 동도(東都, 낙양)에 머물러 있었는데, 진자가 동쪽에서 찾아
오니, 작별한 지가 몇 년 만이었다. 용모가 충연(充然, 후중)하고 입이 묵직해졌으므로【세 절을
차례로 서술하였으니, 소유가 매번 볼 때마다 더욱 진전됨을 나타내었다.】 내가 놀라서 물어보니, 진자는
다음과 같이 말하였다.

"지난번 내가 젊었을 때에는 두목지(杜牧之, 두목(杜牧))와 같아서 뜻이 굳세고 기개(氣槪)가
성하여, 큰 것을 좋아하고 기이한 것을 나타내었다. 병가(兵家)의 책을 읽고는 뜻이 합하여 생
각하기를 '공업(功業)과 명예(名譽)를 당장에 이룰 수 있으며, 천하에 어려운 일이 없다. 돌아
보건대, 이제 두 오랑캐를【두 오랑캐는 요(遼)와 하(夏)이다.】 이길 만한 형세가 있으니, 〈조정에〉
지극한 계책을 바쳐서 (올려서) 하늘의 토벌을 행하여 거란이 점령하고 있는 유주(幽州)와 서
하(西夏)의 옛 땅을 회복하고, 후당(後唐)과 후진(後晉)의 유민(遺民)들을 위로하여 명성을 무궁
한 후세에 남기고 불후의 계책을 세운다면 어찌 위대하지 않겠는가.'라고 여겼다. 이에 자(字)
를 '태허(太虛)'라고 하여 내 뜻을 표시하였었는데, 이제 나는 나이가 많아짐에 생각이 바뀌어
험한 일을 겪지 않고도 후회가 미치니, 나는 사방을 평정하는 일을 되돌리고 읍리(邑里)로 돌
아가 마소유(馬少游)처럼 늙고자 한다. 이에 자를 '소유(少游)'라고 하여 나의 허물을 표시하려
한다. 내 일찍이 한번 이것을 소공에게 말씀드렸더니 소공도 괜찮다고 하셨다. 그대의 생각
은 어떠한가?"

余以謂取善於人하여 以成其身을 君子偉之라 且夫二子 或進以經世하고【杜牧之.】
或退以存身하니【馬少游.】 可與爲仁矣라 然이나 行者는 難工하고 處者는 易持하니 牧
之之智得이 不若少游之拙失矣라 子以倍人之材로 學益明矣어늘【姑順其意而爲之發
明.】 猶屈意於少游하니 豈過直以矯曲耶아 子年益高, 德益大하면 余將屢驚焉하여
【應前驚字.】 不一再而已也리라 雖然이나 以子之才로 雖不效於世라도 世不捨子하리니

---

23 四方之事: 천하를 경략(經略)하고 사방을 평정(平定)하는 일을 이른다.

24 馬少游: 후한(後漢) 광무제(光武帝) 때 많은 공을 세워 유명한 마원(馬援)의 종제(從弟)로, 마원과 달리 출세하지 않
고 평생을 고향 마을에서 깨끗하게 살았다. 일찍이 마원에게 이르기를 "선비는 세상에서 의식(衣食)이 풍족하고 향리(鄕
里)에서 선인(善人)이라 칭해지면 만족합니다."라고 하였다.

余意子終有萬里行也로라【終反其意而期之以遠大.】

　나는 다음과 같이 말하였다.

　"내 생각건대, 타인에게서 선(善)을 취하여 자기 몸을 이루는 것을 군자는 위대하게 여긴다. 또 〈두목지와 마소유〉 두 사람은 혹은 나아가 세상을 다스리고【두목지이다.】 혹은 물러나 몸을 보존하였으니,【마소유이다.】 더불어 인(仁)을 할 수 있는 인물이다. 그러나 세상에 나가 출세하는 자는 잘하기가 어렵고 은둔하는 자는 유지하기가 쉬우니, 두목지의 지혜로 잘하는 것이 마소유의 졸렬함으로 잘못함만 못하다. 그대는 남보다 배(倍)나 되는 재주로 학문이 더욱 밝은데도【우선 그의 뜻을 순히 따라 발명하였다.】 오히려 마소유에게 뜻을 굽혀 배우려 하니, 어찌 지나치게 곧게 하여 굽은 것을 바로잡으려 하는 것이 아니겠는가? 그대는 나이가 더욱 높아지고 덕이 더욱 커지면 내 장차 여러 번 놀라서【앞의 '경(驚)' 자에 응한다.】 한두 번에 그치지 않을 것이다. 그러나 그대의 뛰어난 재주로는 비록 세상에 재주를 바치려 하지 않더라도 세상에서 그대를 놓아주지 않을 것이니, 내 생각건대 그대는 끝내 만 리 먼 길을 가게 될 것이다.【끝내 그의 뜻을 뒤집어 원대함으로써 기약하였다.】

如愚之愚는 莫宜於世하니【斡歸妙, 卒取其所願者而反之於己.】 乃當守丘墓, 保田里하여 力農以奉公上하며 謹身以訓閭巷하여 生稱善人하고 死表於道曰處士陳君之墓니【學曹操語.[25]】 或者天祚以年하여 見子功遂名成하고【足前期之之意.】 奉身以還에 王侯, 將相이 高車大馬로 祖行帳飮이어든 於是에 乘庳【應高車.】御駕하고【應大馬.】候子上東門外라가 擧酒相屬하리니 成公【東坡.】知人之名하고【應起頭公以爲傑士句.】 以爲子【少游.】賀가 蓋自此始리라【結得斬截. ○後山之文, 如其詩, 味悠然以長, 色幽然以光, 不一索而竭, 而亦初不自表襮也. 故其詩其文, 皆不易看, 所選後山文, 它篇皆然. 唯此篇, 文氣壯浪, 雄偉秀傑, 殆不可掩. 此公之文, 能讀而眞嗜之, 則見亦長一格矣.】

　나처럼 어리석은 자는 세상에 합하는 것이 없으니,【돌림이 묘하니, 끝내 그가 원하는 것을 취하여 자기에게 돌린 것이다.】 마땅히 구묘(丘墓, 선영)를 지키고 전리(田里)를 보전하면서 농사에 힘써

---

25 學曹操語: 조조(曹操)가 일찍이 말하기를 "내가 죽은 뒤에 묘도(墓道)에 '한나라 고 정서장군 조후의 묘【漢故征西將軍曹侯之墓】'라고 쓰는 것이 나의 평소 뜻(소원)이었다."라고 하였으므로 말한 것이다.

… 閭 마을 려　祚 복 조　祖 길제사 조　庳 낮을 비　駕 노둔할 노　候 기다릴 후　屬 권할 촉

공상(公上, 국가)을 받들고 몸을 삼가 여항(閭巷)을 가르쳐, 살아서는 선인(善人)이라 불리고 죽어서는 묘도(墓道)에 표하기를 '처사(處士) 진군(陳君)의 묘'라고 하면 된다.【조조(曹操)의 말을 배웠다.】혹 하늘이 연수(年數, 수명)를 내려주어서 그대가 공을 이루고 명성을 이루고서【앞에서 기대한 뜻을 충족하였다.】몸을 받들어 돌아올 적에 왕후(王侯)와 장상(將相)들이 높은 수레와 큰 말로 노제(路祭)를 지내며 장막을 쳐놓고 전별(餞別)하는 술을 마시는 것을 보게 된다면, 이때 나는 낮은 수레를 타고【높은 수레〔高車〕에 응한다.】노둔한 말을 몰고서【큰 말〔大馬〕에 응한다.】그대를 상동문(上東門, 동대문) 밖에서 기다리고 있다가 술잔을 들어 서로 권하려 하노니, 공【공(公)은 동파(東坡)이다.】께서 사람을 잘 알아보는 명성을 이루어 주고【기두의 '공이 준걸스러운 선비라고 했다〔公以爲傑士〕'라는 구에 응한다.】그대【소유(少游)이다.】를 위해 축하하는 것이 이때로부터 비롯될 것이다."【끝맺음이 참절하다. ○ 후산(後山)의 문장(산문)은 그 시와 똑같아서 맛이 유연(悠然)히 길고 색채가 은은하게 빛나서 한 번 찾으면 고갈되지 않는데, 또한 애당초 스스로 드러내지 않았다. 그러므로 그 시와 그 문을 모두 쉽게 볼 수 없으니, 여기에 뽑은 후산의 글은 다른 편도 다 그러하다. 오직 이 편은 문장의 기운이 웅장하고 파란이 있어서 위대하고 걸출하여 자못 엄폐할 수 없으니, 이 진공(진사도)의 글을 제대로 읽고 참으로 좋아한다면 견해 또한 한 격(格)이 진전될 것이다.】

자장유 증갑방식子長遊贈蓋邦式

마존馬存 자재子才

• **작가소개**

　　마존(馬存, ?~1096)은 자가 자재(子才)로, 낙평(樂平) 사람이다. 일찍이 태학(太學)에 유학하였다가 다시 서적(徐積, 1028~1103)을 사사하였다. 당시 선비들의 추세가 천착(穿鑿)과 방탄(放誕)함을 숭상하였으나 마존은 일체 물든 바가 없어서, 문장이 웅혼(雄渾)하고 솔직하며 시 역시 호방한 풍격을 지녔다. 원우(元祐) 3년(1088)에 진사가 되었는데, 당시 고관(考官)이었던 소식(蘇軾)에게 인정을 받아 문재(文才)로 경사(京師)에서 이름을 떨쳤다. 진남 절도추관(鎭南節度推官)에 제수되었다가 다시 월주 관찰추관(越州觀察推官)이 되었다. 소성(紹聖) 3년(1096)에 벼슬자리에 있으면서 졸(卒)하였다. 저서에는 문집인《마자재집(馬子才集)》20권이 있었다고 하나, 현재는 전하지 않는다.

• **작품개요**

　　이 작품은 작자가 자신의 벗 갑방식(蓋邦式)을 위하여 사마천(司馬遷)의 유람에 관한 내용을 적어 준 것이다. '개(蓋)'는 옛날에는 성(姓)이나 지명에 '합'으로 읽었는데, 지금은 대체로 '개' 또는 '갑'으로 읽는다.

　　작자는 사마천의 문장에 기이하고 위대한 기상[奇偉氣]이 있는 것에 대하여 "사마천의 훌륭한 문장은 글에 있지 않다.[子長之文章 不在書]"라고 말하고, "나의《사기》한 질이 명산 대천의 장대하고 괴이한 곳에 있으니 자네와 두루 노닐며 일일이 유람한다면 아마 이런 문장을 알 수 있을 것일세.[子有史記一部 在名山大川壯麗可怪之處 將與子周遊而歷覽之 庶幾乎可以知此文矣]"라고 말하여, 사마천의 뛰어난 문장이 천하를 유람한 기운에서 나온 것임을 말하였다.

이어서 사마천이 유람하였던 곳들을 일일이 거론하며 상세하게 묘사하였다. 장회(長淮), 대강(大江, 장강), 운몽택(雲夢澤), 동정호(洞庭湖), 팽려(彭蠡), 구의산(九疑山), 무산(巫山), 양대(陽臺), 창오산(蒼梧山), 원수(沅水), 상수(湘水), 대량(大梁), 초(楚)·한(漢)의 전장, 용문(龍門), 파촉(巴蜀), 검각(劍閣)의 조도(鳥道), 제(齊)·노(魯)의 도읍, 추역(鄒嶧), 문양(汶陽)과 수사(洙泗) 등등 사방에 산재한 명승과 유적을 유람한 사마천의 행적을 언급하며 각처의 풍광·경물의 특징 및 기상을 묘사한 다음 사마천의 문장이 지닌 특징과 결부시켜 서술하였다. 이후 "나는 자장(子長)의 문장을 배우고자 한다면, 먼저 그 유람을 배우는 것이 옳다고 생각한다.〔子謂欲學子長之爲文 先學其遊可也〕"라는 자신의 견해를 다시 한번 피력하였는바, 이는 작품의 서두에서 언급한 작자의 주장과 조응한다.

마지막에는 당 현종(唐玄宗) 때 칼춤을 잘 추던 공손대랑(公孫大娘)으로부터 초서(草書)의 묘리를 터득한 초성(草聖) 장욱(張旭)과 칼을 잘 운용하는 포정(庖丁)으로부터 양생(養生)의 묘리를 터득한 문혜군(文惠君, 위혜왕(魏惠王))을 인용함으로써, 단순히 책을 통해서가 아니라 유람을 통하여 진정한 문장을 체득할 것을 재차 강조하였다. 즉, 자연의 경관을 유람함으로써 얻어진 기이하고 광대한 기상은 자연 문장에 나타나게 마련이니, 작자는 좋은 글을 짓기 위해서는 여러 가지 지리의 역사와 자연의 변화를 직접 경험하여 장대한 기상을 기를 것을 권하고 있다.

篇題小註·· 盡天下之大觀以助吾氣는 此一篇骨子니 意實自子由上韓太尉書來요 中間鋪敍司馬遷所嘗遊는 蓋本太史公自序也라 子才는 名存이니 有集行于世요 嘗有書見東坡云이라

'천하의 큰 구경거리를 다하여 내 기운을 돕는다.'는 것이 이 한 편의 골자이니, 이 뜻은 실로 자유(子由, 소철)가 한태위(韓太尉)에게 올린 편지에서 온 것이며, 중간에 사마천이 일찍이 천하를 유람했던 것을 서술한 부분은 《사기》의 〈태사공자서(太史公自序)〉에 근본한 것이다. 자재(子才)는 이름이 존(存)이니, 문집이 세상에 유행하며 일찍이 동파에게 올린 편지가 《동파집(東坡集)》에 보인다.

○ 太史公自序曰 遷이 生龍門하여 耕牧河山之陽이러니 年十歲에 則通古文하고 二十而南遊江淮하여 上會稽하여 探禹穴[26]하며 窺九疑하고 浮沅, 湘하며 北涉汶, 泗하여 講業齊, 魯之都하여

---

26 禹穴 : 지금의 절강성(浙江省) 소흥현(紹興縣)에 있는 회계산(會稽山)의 한 봉우리로 완위산(宛委山), 또는 옥사산(玉笥山), 석정산(石箐山)이라고 한다. 우정(禹井)이라고도 하며, 이곳에 우왕(禹王)의 무덤이 있다고도 한다.

··· 鋪 펼 포 敍 펼 서 牧 기를 목

觀夫子遺風하고 鄕射鄒嶧(추역)하며 阨困鄱(파), 薛, 彭城하고 過梁, 楚以歸라 於是에 遷이 仕爲郎中하여 奉使西征巴蜀以南하고 略邛(공), 筰(착), 昆明하여 還報命하다. 是歲에 天子始建漢家之封이로되 而太史公이 留滯周南하여 不得與從事라 子遷이 適[使]²⁷返하여 見父於河洛之間이라하니라

〈태사공 자서〉에 말하였다. "천(遷, 나)은 용문(龍門)에서 태어나 하산(河山)의 남쪽에서 농사짓고 짐승을 길렀는데, 10세에 고문(古文)을 통달하고 20세에 남쪽으로 강(江)·회(淮)를 유람하여 회계산(會稽山)에 올라가 우혈(禹穴)을 탐사하고 구의산(九疑山)을 엿보고, 원수(沅水)와 상수(湘水)에 배를 띄웠으며, 북쪽으로 문수(汶水)와 사수(泗水)를 건너 제(齊)·노(魯)의 도읍터에서 학업을 강론하여 부자(夫子, 공자)의 유풍을 보고 추역산(鄒嶧山)에서 향사례(鄕射禮)를 행하였으며, 파(鄱)·설(薛)과 팽성(彭城)에서 곤액을 당하고 초(楚)·양(梁) 지방을 지나 돌아왔다. 이에 나는 벼슬하여 낭중(郎中)이 되어 사명(使命)을 받들고 서쪽으로 파촉(巴蜀) 이남 지방을 정벌하였으며, 공(邛)·착(筰)·곤명(昆明)을 공략하고 돌아와 보명(報命, 복명(復命))하였다. 이해에 천자가 처음으로 한(漢)나라의 봉선(封禪)하는 의식을 거행하였는데, 부친인 태사공(太史公, 사마담(司馬談))은 주남(周南)에 체류하여 여기에 종사하시지 못하였다. 아들 천(遷)이 사신으로 갔다가 마침 돌아와 아버지를 하수(河水)와 낙수(洛水)의 사이에서 뵈었다."

• 原文

子友蓋邦式이 嘗爲子言호되 司馬子長之文章이 有奇偉氣라 切有志於斯文也하노니 子其爲說以贈我하라

나의 벗인 갑방식(蓋邦式)이 일찍이 나에게 말하기를 "사마자장(司馬子長, 사마천)의 문장은 기이하고 위대한 기운이 있다. 나는 이 글에 간절히 뜻이 있으니, 자네는 말(글)을 지어 나에게 달라." 하였다.

子謂子長之文章이 不在書하니 學者每以書求之면 則終身不知其奇하리라 子有

---

27 [使]: 저본에는 없으나 《사기》 〈태사공자서〉에 의거하여 보충하였다.

··· 沅 물이름 원 汶 물이름 문 嶧 산이름 역 鄱 고을이름 파 邛 오랑캐 공 筰 좁을 착
滯 머무를 체 適 마침 적

史記一部 在名山大川壯麗可怪之處하니 將與子周遊而歷覽之하면 庶幾乎可以知此文矣리라 子長이 平生喜遊하여 方少年自負之時에 足跡이 不肯一日休하니 非直爲景物役也라 將以盡天下之大觀하여 以助吾氣然後에 吐而爲書하니 今於其書觀之하면 則平生之所嘗遊者 皆在焉이라

나는 다음과 같이 말하였다.

"자장(子長)의 훌륭한 문장은 글에 있지 않으니, 배우는 자가 매양 글에서 찾으면 종신토록 그 기이함을 알지 못할 것이다. 나의《사기(史記)》한 질이 명산 대천의 웅장하고 화려하여 놀랄 만한 곳에 있으니, 장차 자네와 두루 노닐며 일일이 유람한다면 거의 사마천의 문장을 알게 될 것이다. 자장은 평소 유람하기를 좋아하여 소년시절 문장을 잘한다고 자부(自負)할 때에 발자취가 하루도 끊기지 않았으니, 이는 다만 경물(景物, 자연의 풍경)에 얽매인 것이 아니라, 장차 천하의 큰 볼거리를 모두 구경하여 자신의 기(氣)를 도운 뒤에 토해내어 글을 지으려고 해서였으니, 이제 그 글에서 보면 평소에 일찍이 유람한 것이 다 들어 있다.

南浮長淮하고 泝大江하여 見狂瀾驚波와 陰風怒號하여 逆走而橫擊이라 故로 其文이 奔放而浩漫하며 望雲夢, 洞庭之陂와 彭蠡之瀦가 涵混太虛하고 呼吸萬壑하여 而不見介量이라 故로 其文이 淳滀(정축)而淵深하며 見九疑之邈綿과 巫山之嵯峨(차아)와 陽臺朝雲과 蒼梧暮煙이 態度無定하여 靡曼綽約(미만작약)하니 春粧은 如濃이요 秋飾은 如薄이라 故로 其文이 姸媚而蔚紆하며 泛沅渡湘하여 弔大夫之魂하고 悼妃子之恨하니 竹上에 猶有斑斑이요 而不知魚腹之骨이 尙無恙乎[28]아 故로 其文이 感憤而傷激이라

남쪽으로 장회(長淮, 길게 흐르는 회수)에 배를 띄우고 대강(大江, 양자강)을 거슬러 올라가서 미

---

28 泛沅渡湘 ……尙無恙乎 : '대부(大夫)'는 삼려대부(三閭大夫)인 굴원(屈原)을 가리키며, '비자(妃子)'는 순(舜) 임금의 두 비(妃)인 아황(娥皇)과 여영(女英)을 가리킨다. 굴원은 초왕(楚王)이 간언(諫言)을 듣지 않아서 나라가 장차 망하는 것을 차마 볼 수 없다 하여 상강(湘江)의 지류인 멱라수(汨羅水)에 빠져 죽었으므로 '물고기 뱃속에 있는 뼈가 아직도 탈이 없는지 알 수 없다.'라고 한 것이다. 순 임금이 남쪽 지방을 순수(巡狩)하다가 별세하자, 아황과 여영은 소상강(瀟湘江)을 건너가지 못하고 통곡하다가 죽었다. 이때 아황과 여영이 소상강가에 자라는 대나무에 눈물을 뿌렸는데, 이후로 이곳에 자라는 대나무에는 눈물자국이 그려진 무늬가 있었는바, 이것을 소상반죽(瀟湘斑竹)이라 하므로 '대나무 위에 아직도 아롱진 눈물 흔적이 남아 있다.'라고 한 것이다.

··· 覽 볼 람 吐 토할 토 泝 거스를 소 瀾 물결 란 漫 아득할 만 蠡 달팽이 려 瀦 웅덩이 저
涵 담글 함 壑 골짜기 학 淳 물고일 정 滀 물모일 축 邈 멀 막 綿 아득할 면 嵯 우뚝솟을 차
峨 높을 아 靡 화려할 미 曼 아름다울 만 綽 얌전할 작 粧 단장할 장 濃 짙을 농 媚 예쁠 미

친 여울과 놀란 파도와 음풍(陰風, 북풍)이 성나 울부짖으며 거슬러 달리고 이리저리 휘몰아치는 것을 보았다. 그러므로 그 문장이 분방(奔放)하면서도 광대하다.

운몽택(雲夢澤)과 동정호(洞庭湖)의 제방과 팽려(彭蠡)의 저수지가 태허(太虛, 하늘)를 머금고 있고 수많은 골짝의 물을 흡수하여 끝이 없는 모습을 바라보았다. 그러므로 그 문장이 함축되고 깊이가 있다.

구의산(九疑山)의 아득함과 무산(巫山)의 드높음과 양대(陽臺)의 아침 구름과 창오산(蒼梧山)의 저녁 연기가 일정한 태도가 없어서 자태가 변화무쌍하고 화려하고 고와서 짙게 봄 단장을 한 듯하고 옅게 가을 단장을 한 듯한 모습을 보았다. 그러므로 그 문장이 아름답고 성대하다.

원수(沅水)에 배를 띄우고 상강(湘江)을 건너면서 대부(大夫)의 넋을 위로하고 비자(妃子)의 한을 슬퍼하니, 대나무 위에 아직도 아롱진 눈물 흔적이 남아있는데, 물고기 뱃속에 있는 뼈는 아직도 탈이 없는지 알 수 없다. 그러므로 그 문장이 비분강개하고 몹시 서글프다.

北過大梁之墟하여 觀楚. 漢之戰場하여 想見項羽之喑啞(음아)[29]와 高帝之慢罵가 龍跳虎躍하고 千兵萬馬와 大弓長戟이 俱遊而齊呼라 故로 其文이 雄勇猛健하여 使人心悸(계)而膽慄(담율)하며 世家龍門[30]하여 念神禹之鬼功하고 西使巴蜀하여 跨劍閣之鳥道하니 上有摩雲之崖요 不見斧鑿(착)之痕이라 故로 其文이 斬截(절)峻拔而不可援躋하며 講業齊. 魯之都하여 觀夫子之遺風하고 鄕射鄒嶧하여 彷徨乎汶陽. 洙. 泗之上이라 故로 其文이 典重溫雅하여 有似乎正人君子之容貌라【獨留此一著在後, 收拾前數者, 皆歸于正也. 體當如此, 使雜於數者之中, 則非矣.】

북쪽으로 대량(大梁)의 옛터를 지나 초(楚)·한(漢)이 싸운 장소를 보고서 항우(項羽)가 노하여 울부짖는 소리와 고제(高帝, 유방(劉邦))가 거만스레 꾸짖는 소리가 용이 뛰어오르는 듯 범이 뛰는 듯하며, 천군 만마와 큰 화살, 긴 창이 함께 놀고 일제히 고함침을 상상해 보았다. 그러므로 그 문장이 웅용(雄勇)하고 맹건(猛健)하여 사람으로 하여금 마음이 떨리고 간담이 서늘하

---

29 喑啞: 음아질타(喑啞叱咤)의 줄임말로 노기(怒氣)를 띠어 꾸짖는 것인바, 한신(韓信)은 일찍이 항우(項羽)를 평하여 "항우가 큰 소리로 꾸짖으면 천 명의 사람이 모두 쓰러져 일어나지 못했다.[項王喑啞叱咤 千人皆廢]"라고 하였다.

30 龍門: 산서성(山西省) 하진현(河津縣) 서북쪽과 섬서성(陝西省) 한성현(韓城縣) 동북쪽에 위치해 있는데, 황하(黃河)가 두 절벽 사이로 급류(急流)를 이루며 흐른다. 본래 산이었는데 옛날 우(禹) 임금이 도끼로 산허리를 찍어 물길을 내었다 한다.

··· 沅 물이름 원 斑 아롱질 반 恙 병양 喑 소리지를 음 啞 벙어리 아 躍 뛸 약 悸 두려울 계 膽 쓸개 담 跨 올라탈 과 鑿 뚫을 착 痕 흔적 흔 截 끊을 절 躋 오를 제 觀 볼 도 雅 단아할 아

게 한다.

대대로 용문(龍門)에 살아 신우(神禹, 우 임금)의 귀신 같은 공(功)을 생각하고, 서쪽으로 파촉(巴蜀)에 사신 가서 검각(劍閣)의 조도(鳥道, 험준하고 좁은 길)를 지났는데, 위에는 구름을 만질 수 있는 벼랑이 있고 도끼로 판 흔적을 볼 수 없었다. 그러므로 그 문장이 깎아지른 듯하고 크게 빼어나 오를 수가 없다.

제(齊)·노(魯)의 도읍터에서 학업을 강습하여 부자(夫子, 공자)의 유풍(遺風)을 보고, 추역산(鄒嶧山)에서 향사례(鄉射禮)를 행하고서 문양(汶陽)과 수수(洙水)·사수(泗水) 가에서 배회하였다. 그러므로 그 문장이 전중(典重)하고 온아(溫雅)하여 정인 군자(正人君子)의 용모와 유사함이 있는 것이다.【유독 이 한 부분을 뒤에 남겨두어 전면의 몇 가지를 수습해서 모두 바름으로 돌아가게 하였다. 문체는 마땅히 이와 같아야 하니, 만일 이것을 몇 가지 가운데에 뒤섞여 있게 하면 옳지 못하다.】

凡天地之間萬物之變에 可驚可愕하며 可以娛心하며 使人憂, 使人悲者를 子長이 盡取而爲文章이라 是以로 變化出沒하여 如萬象供四時而無窮하니 今於其書而觀之하면 豈不信哉아 子謂欲學子長之爲文인댄 先學其遊可也니 不知學遊以采奇하고 而欲操觚(고)弄墨하여 組綴腐熟者는 乃其常常耳라

그리하여 무릇 천지의 사이에 만물의 변화로서 경악할 만하고 마음을 기쁘게 할 만하며 사람으로 하여금 근심하게 하고 슬퍼하게 하는 것들을 자장이 모두 취하여 문장을 지었다. 이 때문에 〈문장에〉 변화가 출몰하여 마치 온갖 형상이 사시(四時)에 나타나 다함이 없는 것과 같으니, 이제 그 글에서 본다면 어찌 진실(사실)이 아니겠는가. 나는 생각건대 자장의 문장을 배우고자 한다면 먼저 그 유람을 배우는 것이 옳다고 여긴다. 유람을 배워 기이함을 채취할 줄을 모르고, 붓을 잡고 먹을 희롱하여 진부한 말을 엮고자 하는 자는 바로 보통에 불과할 뿐이다.

昔에 公孫氏善舞劍에 而學書者得之하여 乃入於神하고【杜詩序: "張旭善草書, 嘗於鄴縣, 見公孫大娘舞西河劍器, 自此草書長進."[31]】庖丁氏善操刀에 而養生者得之하여 乃極其妙

---

31 張旭……自此草書長進: 공손씨는 당 현종(唐玄宗) 때 칼춤을 잘 추던 공손대랑(公孫大娘)이다. 초서(草書)를 잘 써 초성(草聖)으로 알려진 장욱(張旭)은 공손대랑의 서하검기(西河劍器)라는 칼춤을 보고 초서(草書)의 묘리를 터득했다

하니【莊子養生篇: "庖丁善藏其刀, 文惠君得養生焉."³²】事固有殊類而相感者는 其意同故
也라 今天下之絶蹤詭(궤)觀이 何以異於昔이리오 子果能爲我遊者乎아 吾欲觀子
矣로라 醉把杯酒하여 可以呑江南, 吳, 越之淸風하고 拂劍長嘯하여 可以吸燕, 趙,
秦, 隴之勁氣然後에 歸而治文著書하면 子畏子長乎아 子長畏子乎아 不然하여 斷
編敗册을 朝吟而暮誦之하면 吾不知所得矣로라【後生當活看可也. 以遊廢書, 是癡人前說夢
之弊矣.】

　　옛날에 공손씨(公孫氏)가 칼춤을 잘 추었는데 글씨를 배우는 자가 보고 터득하여 마침내 신
(神)의 경지에 들어갔고,【두시(杜詩)의 서에 "장욱(張旭)이 초서를 잘 썼는데, 일찍이 업현(鄴縣)에서 공
손대랑(公孫大娘)이 서하검기(西河劍器)를 추는 것을 보고는 이로부터 초서가 크게 진전되었다." 하였다.】
포정씨(庖丁氏)가 칼 잡기를(칼질을) 잘하였는데 양생(養生)하는 자가 보고 터득하여 마침내 그
묘한 경지에 이르게 되었으니,【《장자》〈양생주(養生主)〉에 "포정(庖丁)이 자기가 사용하는 칼을 잘 보관
하니, 문혜군(文惠君)이 여기에서 양생하는 방법을 얻었다." 하였다.】 일이 진실로 종류가 다른데도 서
로 감동함이 있는 것은 그 뜻이 같기 때문이다.

　　지금 천하의 뛰어난 자취와 기이한 구경거리가 어찌 옛날과 다르겠는가. 자네가 과연 나를
위하여 유람을 하겠는가. 내 그대를 두고 보려 하노라. 술에 취하여 술잔을 잡고서 강남(江
南)과 오(吳)·월(越) 지방의 깨끗한 바람을 삼키고, 검(劍)을 잡고 길게 휘파람 불면서 연(燕)
·조(趙)와 진(秦)·농(隴) 지방의 굳센 기운을 호흡할 수 있어야 한다. 그런 뒤에 돌아와 글을
쓰고 책을 짓는다면, 자네가 자장을 두려워하겠는가, 자장이 자네를 두려워하겠는가. 이렇게
하지 않고 잘리고 찢겨 온전치 않은 책을 아침에 읊고 저녁에 외운다면, 나는 소득이 있을 줄
을 알지 못하노라."【후생들은 마땅히 이 글을 활간(活看, 글을 좁게 보지 않고 넓게 보는 것)하는 것이 옳
을 것이다. 유람으로써 독서를 폐하면 이것은 바보 앞에서 꿈을 얘기하는 병폐이다.】

한다.

32　莊子養生篇……文惠君得養生焉: 포정(庖丁)은 푸줏간의 백정으로 이 내용은《장자(莊子)》〈양생주(養生主)〉에 보
이는바, 문혜군(文惠君, 위 혜왕(魏惠王))은 포정이 소를 잡을 적에 칼을 함부로 쓰지 않고 뼈나 힘줄이 없는 부분을 골라
사용하기 때문에 칼이 부러지거나 무뎌지지 않음을 보고, 사람 역시 몸과 정신을 적절히 운용함으로써 천수(天壽)를 누릴
수 있음을 알았다 한다.

　　··· 蹤 자취 종　詭 괴이할 궤　把 잡을 파　呑 삼킬 탄　拂 떨칠 불　嘯 휘파람 소　隴 땅이름 롱
　　　　勁 굳셀 경

가장고연명家藏古硯銘

당경唐庚 자서子西

• 작가소개

　　당경(唐庚, 1071~1120)은 자가 자서(子西)로, 미주(眉州) 단릉(丹稜) 당하향(唐河鄉) 사람이다. 백호(伯虎)의 아우로 세상에서 노국 선생(魯國先生)이라 칭하였다. 송 철종(宋哲宗) 소성(紹聖) 원년(1094)에 진사가 되어 휘종(徽宗) 대관(大觀) 연간에 종자박사(宗子博士)가 되었다. 재상 장상영(張商英)의 추천으로 제거경기상평(提擧京畿常平)에 제수되었는데 장상영이 파직되자 혜주(惠州)에 안치되었다. 이후 사면되어 승의랑(承議郎)으로 관직을 회복하고 제거상청태평궁(提擧上清太平宮)에 제수되었다. 이후 촉(蜀)으로 돌아가던 도중에 병으로 졸하였는바, 향년 51세이다. 그의 문장은 정밀(精密)하다는 평을 받는다. 저서에 문집인《당자서집(唐子西集)》20권이 있다.

• 작품개요

　　이 작품은 집에 소장한 옛 벼루에 대한 명문(銘文)으로, 벼루와 붓과 먹의 체질과 수명에 대해 논하였다. 본래 붓[筆]·먹[墨]·종이[紙]·벼루[硯]는 예로부터 '문방사보(文房四寶)'라 일컬어지며 문인아사(文人雅士)들의 사랑을 받았는데, 이 가운데 벼루는 더욱 많은 사랑을 받았다. 북송의 소이간(蘇易簡)은《문방사보(文房四譜)》에서 "문방사보 중에서 벼루가 으뜸이 된다.[四寶硯爲首]"라고 하였는바, 고대 문인들은 벼루를 종신토록 함께하는 지기(知己)로 여겼기 때문에 벼루를 아끼고[愛硯], 벼루를 감상하며[賞硯], 벼루를 잘 보관하는[藏硯] 일화들을 많이 남겼다. 동시에 역대의 문인들 또한 벼루를 대상으로 시를 읊고[詠硯], 벼루에 대하여 찬을 지으며[贊硯], 벼루를 대상으로 명을 짓는[銘硯] 등 수많은 시·문을 남겼다. 당경의 이 작품은 그중에 비교적 특색을 갖추고 있다.

작품은 서문(序文)과 명문(銘文)으로 구분된다. 서문에서는, 벼루와 붓과 먹의 체질과 수명에 대하여 논하였다. 벼루와 붓과 먹은 서로 기맥이 맞는 벗이지만 장수하고 요절하는 것이 각자 다름을 언급하고, "붓의 수명은 날짜로 계산하고 먹의 수명은 달수로 계산하고 벼루의 수명은 세(世)로 계산한다.〔筆之壽 以日計 墨之壽 以月計 硯之壽 以世計〕"라고 밀하였다. 이어서 벼루가 장수할 수 있는 원인이 둔함〔鈍〕을 체(體)로 삼고 고요함〔靜〕을 용(用)으로 삼고 있기 때문이라는 결론을 도출하고, 작자 자신의 삶의 지향을 '벼루'로 설정하였음을 천명하였다.

벼루와 붓과 먹의 공용(功用)과 수명의 장단이 똑같지 않은 원인에 대하여 분석해 논술한 서문을 이어받은 명문에서는, 둔하고 고요할수록 장수를 누린다고 하여 벼루를 찬양하였다. 특히 "인하여 정(靜)을 용(用)으로 삼는다. 이러하기 때문에 오래 갈 수 있는 것이다.〔因以靜爲用 惟其然 是以能永年〕"라는 구절은 양생(養生)의 도리이자 훌륭한 처세법이기도 하다. 이는 노장(老莊)의 '대지약우(大智若愚)'와 상통하는 측면이 있는바, 재간과 예기(銳氣)를 남김없이 다 드러내어서는 안 됨을 말하였다.

篇題小註‥ 庖丁이 善藏其刀에 而文惠君이 得養生焉하니 吾於此銘에 亦云하노니 自王者所當勿忘也니라

포정(庖丁)이 그 칼을 잘 보관하는 것을 보고 문혜군(文惠君)이 양생술(養生術)을 터득하였는바, 나는 이 명문(銘文)에 또한 이렇게 말하노니, 스스로 기운을 왕성하게 하려는 자는 마땅히 잊지 말아야 할 것이다.

• 原文

硯與筆, 墨은 蓋氣類也라 出處相近하고 任用寵遇相近也로되 獨壽夭不相近也하여 筆之壽는 以日計하고 墨之壽는 以月計하고 硯之壽는 以世計하니 其故는 何也오 其爲體也筆最銳하고 墨次之하고 硯은 鈍者也니【未有人如此發明.】豈非鈍者壽而銳者夭乎아 其爲用也筆最動하고 墨次之하고 硯은 靜者也니 豈非靜者壽而動者夭乎아 吾於是에 得養生焉호니 以鈍爲體하고 以靜爲用이니라

‥‥ 硯 벼루 연 寵 사랑할 총 銳 뾰족할 예 鈍 무딜 둔

벼루와 붓과 먹은 기(氣)가 같은 동류이다. 출처(出處)가 서로 비슷하고 임용되어 대우받는 것이 서로 비슷하나 다만 장수하고 요절함이 서로 똑같지 않아 붓의 수명은 날짜로 계산하고 먹의 수명은 달로 계산하고 벼루의 수명은 대(代)로 계산하니, 그 이유는 어째서인가? 그 형체로 말하면, 붓이 가장 예리하고 먹이 그 다음이고 벼루는 둔한 자이니,【이와 같이 발명한 사람이 아직 없다.】 어찌 둔한 자가 장수하고 예리한 자가 요절하는 것이 아니겠는가. 그 쓰임으로 말하면, 붓이 가장 많이 움직이고 먹이 그 다음이고 벼루는 정(靜)한 자이니, 어찌 정한 자가 장수하고 움직이는 자가 요절하는 것이 아니겠는가. 나는 여기에서 양생술(養生術)을 얻었으니, 둔(鈍)함을 체로 삼고 정(靜)함을 용으로 삼겠노라.

或曰 壽夭는 數也니【難亦好.】 非鈍銳, 動靜所制라 借令筆不銳不動이라도 吾知其不能與硯久遠矣로라 雖然이나 寧爲此언정 勿爲彼也로라【應只平淡, 尤好. ○語斬截, 意含畜, 文省冗, 詞最高, 使它人爲之, 多百十字矣.】

혹자는 말하기를 "장수하고 요절하는 것은 운수이니,【힐난함이 또한 좋다.】 둔(鈍)·예(銳)와 동(動)·정(靜)이 제어할 바가 아니다. 가령 붓이 예리하지 않고 움직이지 않더라도 나는 붓이 벼루처럼 오래가지 못할 줄을 아노라" 하였다. 그러나 나는 차라리 이것(벼루)이 될지언정 저것(붓)이 되지 않으리라.【응대함이 다만 평담(平淡)하여 더욱 좋다. ○말이 참절(斬截, 간단명료)하면서도 뜻이 함축되었으며 문장이 쓸데없는 말이 생략되어 글이 가장 고상하니, 다른 사람이 지었으면 글자 수가 훨씬 더 많았을 것이다.】

銘曰 不能銳라 因以鈍爲體하고 不能動이라 因以靜爲用하나니 惟其然이라 是以能永年이니라【銘摠括大意, 又好.】

다음과 같이 명(銘)한다	銘曰
예리하지 못하므로	不能銳
인하여 둔함을 체로 삼고	因以鈍爲體
움직이지 못하므로	不能動
인하여 정(靜)을 용으로 삼는다	因以靜爲用

이러하기 때문에   惟其然

오래 갈 수 있는 것이다   是以能永年

【명(銘)은 대의를 총괄하여 더욱 좋다.】

상석시랑서上席侍郎書

당경唐庚

• **작품개요**

　　이 작품은 작자가 자신의 상관인 석시랑(席侍郎)이 조정으로 영전(榮轉)할 적에 올린 서신이다. 석시랑은 석익(席益)이란 사람인 듯하나 확실하지 않다.

　　작자는 서신을 올려 조정으로 떠나가는 석시랑에게 석별의 마음을 표하는 한편 경사(經史)의 서적을 통하여 자신이 고인(古人)에게서 터득한 바를 개진하였다. 작자는 처음에 '옛날 성현들은 으레 공명을 세우려 하였다[古之聖賢 例須建立功名]'라고 잘못 생각하였다가 더욱 정밀하게 독서한 뒤에야 '그 상황에 맞추어 공을 세운 것[因時立功]'임을 알게 되었다. 배, 촛불, 약, 두레, 창과 쇠뇌, 칼과 창, 임거(臨車)와 충거(衝車), 투구 등 모든 물건은 부득이하여 그 역할, 즉 공(功, 공효, 효험)이 있기 마련으로, 각각 필요한 상황에 응하여 제작되어 공효를 발휘한다. 이는 우왕(禹王), 익(益), 직(稷), 설(契), 고요(皐陶) 등 성현들 역시 마찬가지이다. 다시 말해, 공(功) 자체가 목적이 된 것은 아니라는 것이다.

　　작자는 여기서 더 나아가 공(功)을 세우는 방법에 대하여 논하였는데 '공이 없는 것이 공이 됨[無功之爲功]'을 주장하였다. 의도하고 공을 세움을 목적으로 삼는 것은 성현의 본래 뜻이 아니기 때문이다. 그 실례로 은나라 때 태무(太戊)를 보좌한 이척(伊陟)·신호(臣扈)·무함(巫咸)과 조을(祖乙)·무정(武丁)을 보좌한 무현(巫賢)·감반(甘盤)·부열(傅說) 및 주나라 때 성왕(成王)을 보좌한 군진(君陳), 강왕(康王)을 보좌한 필공(畢公) 등을 거론하여 자신의 입론에 근거를 명확하게 제시하였는데, 이들은 모두 두드러진 공이 없이 군주를 잘 보좌하여 태평성세를 구가한 인물들이다.

　　이어서 마지막에는 서신을 올린 작자의 의도를 드러내었다. 요점은 조정에서 세로운 제도를 만들어 공을 세우려 하지 말고 옛 제도를 잘 지키며 무위(無爲)로 나라를 다스려야 정치가 안정되고 백성들이 편안하다는 것이다. 이는 당시 왕안석(王安石)의 뒤를 이은 부류들이 신법(新法)을 시행하여 정치를 개혁하려다가 오히려 큰 혼란만을 야기시킨 잘못을 경계로 삼은 것이다.

篇題小註·· 迂齋云 古人이 未嘗鑿事以爲功이라 故로 有功不爲誇하고 無功不爲慊(겸)하니 若恥於無功이면 則不安於無事矣라 發明甚佳하니 此是規諷宣政間紛紜制作之病[33]이라 何丞相은 何㮚(율)也니 此言用이면 倘可以救後來之禍乎인저 未幾에 蔡京,王黼之徒 開邊求功하여 而靖康之禍[34]不忍言矣니 何文(縝)〔縝〕[35]은 則丁其變者也라 席侍郞은 當是席益이니 字大光이라

우재가 말하였다. "옛사람은 일찍이 일을 천착(穿鑿)하여 공(功)으로 삼으려 하지 않았다. 그러므로 공이 있어도 과시하지 않고 공이 없어도 부족하게 여기지 않았으니, 만약 공이 없음을 부끄러워한다면 일이 없음을 편안하게 여기지 못할 것이다. 발명함이 매우 아름다우니, 이는 정화(政和)와 선화(宣和) 연간에 분분하게 제작(制作)한 병폐를 타이르고 풍자한 것이다. 하승상(何丞相)은 하율(何㮚)이다." 이 말이 쓰여졌다면 혹 후래(後來)의 화(禍)를 막을 수 있었을 것이다. 얼마 안 있다가 채경(蔡京)과 왕보(王黼)의 무리가 변경(邊境)을 정벌하여 공을 세우려하다가 정강(靖康)의 화가 차마 말할 수 없는 지경에 이르렀으니, 하문정(何文縝, 하율)은 그 변을 당한 자이다. 석시랑은 마땅히 석익(席益)일 것이니, 자는 대광(大光)이다.

---

33 宣政間紛紜制作之病: '선정(宣政)'은 송나라 휘종(徽宗)의 연호로 정화(政和, 1111~1117)와 선화(宣和, 1119~1125)의 병칭이다. '분분하게 제작한 병폐'란 이때 송나라가 여러 가지 제도를 바꾸며 금(金)나라와 우호 관계를 맺고 요(遼)나라를 공격한 등의 일을 가리킨다. 그러나 송나라는 결국 역효과가 나서, 1126년 흠종(欽宗)이 즉위하였으나 다음 해 4월 금군(金軍)의 침입으로 휘종과 흠종이 북쪽으로 잡혀가고 고종(高宗)이 남경(南京)에서 즉위하니, 이것이 남송(南宋)이다.

34 靖康之禍: '정강(靖康)'은 송나라 흠종(欽宗)의 연호로, 휘종과 흠종이 차례로 금나라에 잡혀가 죽은 일을 가리킨다. 송나라는 당초 요(遼)나라와 우호 관계를 맺어 상당 기간 무사하였으나 뒤에 금나라가 신흥국(新興國)으로 부상하자, 채경(蔡京) 등은 금나라와 협력하여 요나라를 정벌하고 실지(失地)를 되찾을 것을 주장하여 요나라를 멸망시켰다. 그 후 금나라가 송나라에 대한 공세를 강화하자, 송나라는 마침내 북쪽 지역을 모두 잃고 남쪽으로 천도하여 남송(南宋)이 되었다.

35 (縝)〔縝〕: 저본에는 '진(縝)'으로 되어 있으나 《송사(宋史)》 권353 〈하율열전(何㮚列傳)〉에 의거하여 '정(縝)'으로 바로잡았다.

··· 鑿 뚫을 착 誇 과시할 과 慊 부족할 겸 㮚 밤 률 倘 혹시 당 黼 보불 보 縝 붉은색 정 丁 당할 정

某備員學校가 三載于此라 在輩流中에 年齒最爲老大하고 詞氣學術이 最爲淺陋하고 敎養訓導之方이 最爲疏拙이로되 所以未卽遠去는 正賴主人以爲重이러니 今閤下還朝하여 曉夕大用하여 爲執政, 爲宰相, 爲公, 爲師리니 此誠門下小子之所願聞이라 然이나 孤宦小官이 遽奪所依하니 此其胸中에 不能無介然者라 日夜思慮하여 求所以補報萬一이로되 而書生門戶에 無有他技일새 因效其所得於古人者하니 惟閤下裁擇하라

제가 학교에 직원이 된 지가 지금 3년이 되었는데, 연배 중에 나이가 가장 많고 문장과 학술이 가장 천루(淺陋)하며, 학생들을 교양하고 훈도하는 방법이 가장 엉성하고 졸렬한데도 즉시 떠나가지 않은 까닭은, 바로 주인을 의지하여 중해지려 했기 때문이었습니다. 그런데 이제 합하(閤下)께서는 조정으로 돌아가 아침저녁으로 크게 등용되시어 집정(執政)이 되고 재상이 되고 공(公)이 되고 사부(師傅)가 될 것이니, 이는 진실로 문하에 있는 소자(小子)들이 듣기를 원하는 바입니다. 그러나 저와 같은 외롭고 낮은 관원이 갑자기 의지할 곳을 빼앗기게 되니, 이 가슴속에 개연(介然, 서운)함이 없지 못합니다. 밤낮으로 생각하여 만분의 일이라도 보답할 방법을 찾았으나 서생(書生)의 문호에는 다른 재주가 없으므로, 이에 고인(古人)에게서 얻은 것을 바치니, 부디 합하께서는 헤아려 거두어주시기 바랍니다.

某初讀書時에 未習時事라 意謂古之聖賢이 例須建立功名이러니 其後에 涉世益深하고 更(경)事益多하며 攷論前代經史하여 益見首尾하니 乃知古人之心이 本不如此로라

제가 처음 책을 읽을 적에는 세상의 일을 익히지 못하여 '옛날 성현들은 으레 공명을 세우려하였다.'라고 여겼는데, 그 후에 더욱 깊이 세상을 겪고 더욱 많이 일을 경험하며, 전대(前代)의 경(經)·사(史)를 상고하고 논하여 수말(首末, 자초지종)을 더욱 보니, 비로소 옛사람의 마음이 본래 이와 같지 않음을 알게 되었습니다.

舟遇險則有功하고【以物喩.】燭遇夜則有功하고 藥遇病則有功하고 桔橰遇旱則有功하고 戈弩, 劍戟, 臨衝, 兜鍪(두무) 遇戰鬪則有功하니 凡物有功이 悉非得已라【結

… 載 해 재 陋 누추할 루 閤 협문 합 曉 새벽 효 宦 벼슬 환 遽 갑자기 거 效 바칠 효
裁 헤아릴 재 更 지날 경 攷 상고할 고 燭 촛불 촉 桔 두레 길 橰 두레 고 弩 쇠뇌 노
戟 창 극 兜 투구 두(도) 鍪 투구 무 粒 낱알 립 稷 피 직

363
卷10

上生下.】龍蛇雜處而禹有功하고 草木障塞而益有功하고 民不粒食而稷有功하고 天理人倫이 顚倒失次而契(설)有功하고 夷蠻賊寇가 干紀亂治而皐陶(요)有功[36]하니【說契·皐, 下語皆太過, 唐·虞時豈眞如此?】自此以降으로 不可勝擧라 然이나 皆因時立功이요 非聖賢本意라

배는 험한 곳(강과 바다)을 만나면 공(功, 효험)이 있고(드러나고)【물건을 가지고 비유하였다.】촛불은 밤을 만나면 공이 있고 약은 병을 만나면 공이 있고 길고(桔橰, 두레)는 가뭄을 만나면 공이 있고 창과 쇠뇌, 검과 창, 임거(臨車)와 충거(衝車), 투구는 전투를 만나면 공이 있으니, 모든 물건이 공이 있는 것은 다 부득이해서입니다.【위를 맺고 아래를 만들어 내었다.】용과 뱀이 사람과 뒤섞여 살았으므로 우(禹)가 공이 있었고 초목이 우거져 막고 있었으므로 익(益)이 공이 있었으며, 백성들이 곡식을 먹지 못하였으므로 직(稷)이 공이 있었고 천리(天理)와 인륜이 전도되어 차례를 잃었으므로 설(契)이 공이 있었으며, 오랑캐와 도적들이 기강을 범하고 다스림을 어지럽혔으므로 고요(皐陶)가 공이 있었으니,【설(契)과 고요(皐陶)를 말한 것은 말한 내용이 모두 너무 지나치니, 당(唐)·우(虞) 시대에 어찌 참으로 이와 같았겠는가.】이로부터 이하로 이루 다 열거할 수가 없습니다. 그러나 모두 때에 따라 공을 세운 것이요, 성현의 본래의 뜻이 아닙니다.

伊陟, 臣扈, 巫咸이 相太戊에 無他奇功하고 以格上帝, 乂(예)王家爲功하며 巫賢, 甘盤, 傅說(부열)이 相祖乙, 相武丁에 不聞有功이요 以保乂有商爲功[37]하며 君陳이

---

36 龍蛇雜處而禹有功……干紀亂治而皐陶有功: 요(堯) 임금 때에 9년의 홍수로 초목이 우거지자, 금수(禽獸)와 용과 뱀이 득실거려 사람이 살 수가 없었다. 이에 요 임금을 대신하여 섭정하던 순(舜) 임금이 우왕(禹王)으로 하여금 홍수를 다스리게 하니, 우왕은 익(益)으로 하여금 산과 늪지대에 불을 놓아 금수와 용, 뱀을 몰아내고 홍수를 다스려 사람들을 평지에 거처하게 하였으며, 직(稷)으로 하여금 곡식을 파종하게 하였는바, 이 내용은 《서경(書經)》의 〈익직(益稷)〉과 《맹자(孟子)》의 〈등문공 상(滕文公上)〉에 보인다. 순 임금은 설(契)을 교육을 맡은 사도(司徒)로, 고요(皐陶)를 법관인 사(士)로 임명하면서 훈계하기를 "설(契)아! 백성이 친애하지 않고 오품(五品, 오륜)이 순하지 않으므로 너를 사도(司徒)로 삼으니, 공경히 오륜의 다섯 가지 가르침을 펴되 너그러움에 있게 하라. 고요(皐陶)야! 오랑캐가 중하(中夏)를 어지럽히며 약탈하고 죽이며 밖을 어지럽히고 안을 어지럽히므로 너를 사(士)로 삼으니, 오형(五刑)에 복죄(服罪)하게 하되 오형의 복죄를 세 곳에 나아가게 하며, 다섯 가지 유형(流刑)에 머무는 곳이 있게 하되 다섯 가지 머무는 곳에 세 등급으로 거처하게 할 것이니, 밝게 살펴야 백성들이 믿을 것이다.〔契 百姓不親 五品不遜 汝作司徒 敬敷五敎 在寬 皐陶 蠻夷猾夏 寇賊姦宄 汝作士 五刑有服 五服三就 五流有宅 五宅三居 惟明克允〕" 하였다. 《書經 舜典》

37 伊陟……以保乂有商爲功: 이척(伊陟)은 이윤(伊尹)의 아들이고 태무(太戊)는 태갑(太甲)의 손자이며, 조을(祖乙)은 태무의 손자이고 무현(巫賢)은 무함(巫咸)의 아들이며, 무정(武丁)은 고종(高宗)이고 감반(甘盤)은 무정의 어릴 적 스승이다. 《서경》〈군석(君奭)〉에 주공(周公)의 말씀 중에 "옛날 성탕(成湯)이 천명(天命)을 받았을 때에는 이윤이 황천(皇

··· 顚 넘어질 전 陟 오를 척 扈 따를 호 格 감동할 격 乂 다스릴 예

相成王하고 畢公이 相康王[38]에 不自立功하고 以循周公之業爲功이어늘【使禹‧益諸人處陟‧扈諸人時, 功業亦只得如此, 使此數人者, 當禹‧益之時, 則不容無功矣, 易地皆然耳.】後世는 知有功之爲功하고 而不知無功之爲功하니【佳.】其去道已遠이요 至謂聖賢有心於功名이라하니 其探聖賢이 亦淺矣라

이척(伊陟)과 신호(臣扈)와 무함(巫咸)이 〈정승이 되어〉 태무(太戊)를 도울 적에 다른 기이한 공이 없었고 상제(上帝)를 감동시키고 왕실을 다스리는 것을 공으로 삼았으며, 무현(巫賢)과 감반(甘盤)과 부열(傅說)이 조을(祖乙)을 돕고 무정(武丁)을 도울 적에 다른 공이 있었다는 말을 듣지 못하였고 상(商)나라를 잘 보전하여 다스리는 것을 공으로 삼았으며, 군진(君陳)이 성왕(成王)을 돕고 필공(畢公)이 강왕(康王)을 도울 적에 스스로 공을 세우지 않고 주공(周公)의 유업을 따르는 것을 공으로 삼았습니다.【만약 우왕(禹王)과 익(益) 등의 여러 사람이 이척(伊陟)과 신호(臣扈) 등 여러 사람의 때에 처했으면 그들의 공업 또한 다만 이와 같았을 것이요, 만일 이 몇 사람이 우왕과 익의 때를 만났으면 공이 없지 않았을 것이니, 처지를 바꾸면 다 그러한 것이다.】그런데 후세에서는 공이 있는 것이 공이 됨만을 알고 공이 없는 것이 공이 되는 줄을 알지 못하니,【아름답다.】도(道)와 거리가 너무 멀며, 심지어는 성현(聖賢)이 공명에 마음을 두었다고까지 말하니, 성현에 대한 이해 또한 천근합니다.

天下承平日久하여【入事.】綱紀文章이 纖悉備具하여 無有毫髮未盡未便하니 一部周禮를 擧行略遍이요 但不姓姬耳[39]라【此是說荊公行新法以來, 已如此, 禍根自此起了.】竊謂今日에 正當持循法度요 不宜復有增廣建置니【主意在此.】歌呼於吏舍者를 勿問하

天)을 감동시켰으며, 태갑 때에는 보형(保衡, 이윤) 같은 이가 있었으며, 태무 때에는 이척과 신호(臣扈)가 상제(上帝)를 감동시켰고 무함이 왕가를 다스렸으며, 조을 때에는 무현이 있었고, 무정 때에는 감반이 있었다.〔在昔成湯 旣受命時 則有若伊尹 格于皇天 在太甲時 則有若保衡 在太戊時 則有若伊陟臣扈格于上帝 巫咸乂王家 在祖乙時 則有若巫賢 在武丁時 則有若甘盤〕"라고 보인다.

38 君陳……相康王: 군진(君陳)은 성왕(成王)의 신하이고 필공(畢公)은 강왕(康王)의 신하인바, 《서경》〈군진〉은 주공(周公)이 별세하자 성왕이 군진에게 주공을 대신하여 은(殷)나라의 완악한 백성을 감시하게 하면서 명한 글이고, 〈필명(畢命)〉은 강왕이 필공에게 성주(成周)의 백성을 보호하여 다스리게 하면서 명한 글이다.

39 一部周禮……但不姓姬耳: 《주례(周禮)》는 주(周)나라 때의 관직제도(官職制度)를 기록한 책이며, '희(姬)'는 주(周)나라의 국성(國姓)이다. 이는 당시 송(宋)나라의 모든 제도가 주나라 때처럼 잘 갖추어졌고 다만 주나라 성이 아님을 말한 것이다.

··· 探 더듬을 탐 纖 가늘 섬 遍 두루미칠 편(변) 茵 자리 인 醇 전국술 순 誼 옳을 의

고 醉吐於車茵者를 勿逐하며 客至에 欲有所開說者어든 飮以醇酒하고 勿聽하며【謂當以曹參·丙吉[40]爲法.】擇士에 唯取通大體, 知古誼者하여 用之하면 雖不立功이나 功在其中矣라【斡旋佳.】某之所得於古人者如此하니 不知其當否也로라 閣下倘以爲然이어든 歸見何丞相하고 其亦以此說告之하라【宋朝自王介甫以前, 諸賢皆謹守祖宗法度, 以與天下相安, 至介甫出, 變法開邊, 而良法美意蕩然矣. 自此以後, 諸小人接踵, 邀功生事, 橫挑强敵, 卒釀成宣和·靖康之禍.[41] 哀哉! 此篇, 議論好, 關涉大, 不可不讀.】

지금 천하는 승평(承平, 태평)한 지가 오래되어【사실로 들어갔다.】기강과 문장이 모두 구비되어 털끝만큼도 미진하거나 불편한 것이 없으니, 한 권의 《주례(周禮)》를 거행하여 거의 다 실현하고 있는데, 다만 성(姓)이 〈주나라의〉 희성(姬姓)이 아닐 뿐입니다.【이것은 바로 형공(荊公, 왕안석)이 신법을 시행한 이래로 이미 이와 같음을 말하였으니, 화근이 이로부터 시작된 것이다.】

생각하건대, 지금은 바로 법도를 지켜 따를 것이요 다시 더하거나 늘려 세워서는 안 되니,【주된 뜻이 여기에 있다.】이사(吏舍, 관청)에서 노래 부르고 고함치는 자를 묻지 말며 수레 자리에서 취하여 토하는 자를 쫓지 말며, 객이 이르러 정사를 말하려 하면 독한 술을 마시게 하고 듣지 말며【마땅히 조참(曹參)과 병길(丙吉)을 법으로 삼아야 함을 말하였다.】선비를 가려 뽑을 적에 오직 대체를 통달하고 옛 의(義)를 아는 자를 취하여 등용한다면, 비록 공을 세우지 않더라도 공이 이 가운데 있는 것입니다.【전환이 아름답다.】

제가 옛사람에게서 얻어 들은 것이 이와 같으니, 이것이 마땅한지 마땅하지 않은지는 모르겠습니다. 합하께서 만일 옳다고 여기시면 돌아가 하승상(何丞相)을 만나 보시고 이 말을 그에게도 전하여 주십시오.

【송(宋)나라 조정은 왕개보(王介甫, 왕안석) 이전에는 제현들이 모두 조종(祖宗)의 법도를 삼가 지켜서 천

---

40 曹參丙吉 : 조참은 한 고조(漢高祖)를 보좌한 개국 공신으로 한나라 혜제(惠帝) 때에 소하(蕭何)를 이어 상국(相國)이 되었는데, 소하의 정책을 그대로 따랐다. 상사(相舍, 상국의 공청)의 후원(後園)이 이사(吏舍)와 가까웠는데 이사에서 아전들이 날마다 술을 마시고 큰 소리로 노래를 부르곤 하였으므로, 조참을 수행하던 아전이 이것을 좋게 여기지 않았다. 어느 날 일부러 조참을 후원에 나가게 해서 이 노랫소리를 듣게 하였는데, 조참은 도리어 술을 가져오게 하더니 자리를 펴고 앉아서 술을 마시고 서로 창화(唱和)하기까지 하였으며, 손님이 와서 정사를 말하려 하면 독한 술을 주어 취해서 말하지 못하게 하였다. 병길은 선제(宣帝) 때 상승(丞相)으로, 마부(馬夫)가 일찍이 병길을 수행하여 나갔다가 술에 취해 승상의 수레 자리에 토를 하는 실수를 범했으나 병길은 그를 문책하지 않았다. 《史記 卷54 曹相國世家》《漢書 卷74 丙吉傳》

41 宣和靖康之禍 : 선화(宣和)와 정강(靖康)의 연간에 금(金)나라가 남하(南下)하여 송나라 수도 변경(汴京)을 함락하고 휘종(徽宗) 및 흠종(欽宗)과 후비(后妃) 등 3천여 명을 붙잡아 간 일을 말한 것이다.

하와 함께 서로 편안하였는데, 왕개보가 나오자 법을 바꾸고 변경(邊境)을 정벌하여 좋은 법과 아름다운 뜻이 다 무너졌다. 이후로 여러 소인들이 뒤따라 나와서 공(功)을 바라고 일을 만들어내어 강한 적에게 멋대로 도전해서 끝내 선화(宣和)와 정강(靖康)의 화를 만들어냈으니, 슬프다. 이 편은 의론이 좋고 세도에 관계됨이 크니, 읽지 않으면 안 된다.】

서낙양명원기후書洛陽名園記後

이격비李格非 문숙文叔

• 작가소개

　　이격비(李格非, 약1045~약1105)는 자가 문숙(文叔)으로, 제주(齊州) 장구(章丘) 사람이다. 어렸을 때부터 매우 총명하였으며, 경학(經學)에 정통하였고 문장에 능하였다. 북송 신종(神宗) 희령(熙寧) 9년(1076)에 진사가 되어 기주사호 참군(冀州司戶參軍)·시학관(試學官)에 제수되었고, 이후 운주 교수(鄆州教授)가 되었다. 소성(紹聖) 4년(1097)에는 예부 원외랑(禮部員外郞)이 되었다. 휘종(徽宗) 숭녕(崇寧) 원년(1102)에는 원우당(元祐黨)으로 지목되어 파직되었는데, 숭녕 5년(1106) 정월에 대사령으로 복직하였으나 '감묘(監廟)'라는 한직이었기 때문에 원적지(原籍地)에서 그대로 머물렀다. 졸년은 자세하지 않으나 《송사(宋史)》 〈이격비전(李格非傳)〉에 의하면 향년 61세이다. 저서로 《예기설(禮記說)》과 《낙양명원기(洛陽名園記)》가 있다. 유명한 여류 사인(詞人) 이청조(李淸照)의 부친이다.

• 작품개요

　　작자는 북송 철종(哲宗) 소성(紹聖) 2년(1095)에 《낙양명원기(洛陽名園記)》를 지어 그가 직접 유람한 원림(園林) 19개 처소에 대하여 기술하였다. 여기에는 여러 원림의 구성적 특징과 산·못·꽃·나무와 건축·경관 등이 구체적으로 묘사되어 있는바, 이 작품은 《낙양명원기》의 뒤에 적은 발문(跋文)인 셈이다.

　　이 작품의 주된 내용은, 낙양의 성쇠를 통하여 천하의 치란(治亂)을 볼 수 있고, 낙양 원림의 흥폐(興廢)를 통하여 낙양의 성쇠를 볼 수 있음을 논증하였다.

　　작품은 낙양이 천하의 험요(險要)한 자리에 위치한 것으로부터 시작한다. 낙양은 중원(中原)에 위치하여 효산(崤山)·민지(澠池)의 험준한 지세에 의지하였는데, 진(秦)·농(隴)과 조(趙)·위(魏)의 요도(要道)로, 병가(兵家)에서 반드시 다투는 땅이다. 이를 서술함으로써 낙양의 성쇠가 천하 치란의 표준이자 상징임을 강조하였다. 이어서 당나라 정관(貞觀)·개원(開元) 연간에 고관 귀족(高官貴族)들이 무려 천여 개소에 달하는 명원(名園)을 만들었던 역사적 사실을 가지고 원유(園囿)의 흥하고 폐함은 낙양의 성쇠의 징후라고 논술하였다. 맨 마지막에는 한 걸음 더 나아가, 낙양의 성쇠가 천하의 치란을 알 수 있는 지표라고 추론하였다.

이 작품의 특징은, 원림이라는 작은 소재를 통하여 천하의 치란이라는 큰 주제를 거론한 것인데, 논지를 전개하는 방향은 작은 부분을 말미암아 큰 부분에 이르렀다. 낙양과 천하 사이의 관계를 먼저 논하고 나아가 원유와 낙양 사이의 관계를 논하였다. 그러한 뒤에 이 글을 지은 목적과 공경대부들에 대한 경계를 제시하였다. 점층적 추론과 엄격한 논리 전개는 문세와 언어구사를 유창하고 힘차게 하였다.

아울러 이 작품은 형식상 발문에 속하지만 우환의식(憂患意識)이 담겨 있는 일종의 '정치평론문'이라고 할 수 있다. 본래 유람거리에 불과한 원림이 작자의 안목에서는 그것의 흥폐가 도시의 성쇠와 국운의 치란에 관계된 것인바, 매우 중대하다. 이에 전대의 참혹한 역사적 사실을 가지고 향락에만 빠져있는 공경대부들에게 경계하고 있다. 작자는 목전의 위태로운 국세에 대해 뚜렷한 인식과 매우 깊은 근심을 가지고 있다. 실제로 20여년 뒤에 북송은 멸망하여 낙양 부근에 있던 변경(汴京)이 함락되어 아름다운 원림들은 모두 파괴되고 불에 타 재가 되었다.

참고로 낙양 건축의 성쇠로부터 국가의 흥망을 예측한 것은 이 작품에서 처음으로 시작된 관점은 아니다. 북조(北朝) 양현지(楊衒之)의 《낙양가람기(洛陽伽藍記)》에서 벌써 사묘(寺廟)의 흥폐를 빌어 옛 조정의 붕괴에 대한 애도를 기탁하였다. 그러나 양현지는 난리 후에 스러지고 훼손된 낙양에 대해 이전의 성대함을 추억하여 기록한 것이고, 이격비는 성대한 낙양에 대해 그 뒷일을 예측한 것이다. 두 사람의 작품은 방법은 다르지만 같은 효과를 내는데, 모두 낙양이 국운의 성쇠를 상징한다는 역사적 의의를 부여하고 있다.

篇題小註·· 迂齋曰 苑囿何關於世道輕重이리오마는 所以然者는 興廢可以占盛衰요 盛衰可以占治亂이니 盛衰는 不過洛陽이나 而治亂은 關於天下라 斯文之作은 爲洛陽이요 非爲苑囿며 爲天下요 非爲洛陽也라 文字不過二百字로되 而其中에 該括無限盛衰之變하여 意有含畜하고 事存鑒戒하니 讀之에 令人感歎이로다

우재가 말하였다. "원유(苑囿)가 어찌 세도(世道)의 경중에 관계되겠는가마는 그러한 까닭은 원유의 홍폐(興廢)로써 낙양의 성쇠(盛衰)를 점칠 수 있고, 낙양의 성쇠로써 천하의 치란(治亂)을 점칠 수 있기 때문이니, 성쇠는 낙양에 지나지 않으나 치란은 천하에 관계된다. 이 글을 지은 것은 낙양을 위한 것이요 원유를 위한 것이 아니며, 천하를 위한 것이요 낙양을 위한 것이 아니다. 문자가 2백 자에 불과한데 이 가운데 무한한 성쇠의 변화를 다 포괄하여, 뜻이 함축성이 있고 일이 감계(鑑戒)를 보존하고 있으니, 읽으면 사람으로 하여금 감탄하게 한다."

* 原文

洛陽이 處天下之中하여【先說洛陽形勢起.】挾殽, 黽(민)之阻하고 當秦, 隴之襟喉⁴²하여 而趙, 魏走集하니 蓋四方必爭之地也라【受兵之原.】天下當無事【治.】則已어니와 有事【亂.】則洛陽이 必先受兵이라【有力.】余故로 嘗曰 洛陽之盛衰者는 天下治亂之候也라하노라【以近占遠.】

낙양(洛陽)은 천하의 중앙에 위치하여【먼저 낙양의 형세를 말하였다.】효산(殽山)·민지(黽池)의 험한 곳을 끼고 진(秦)·농(隴) 지방의 금후(襟喉, 요충지)에 해당하여 조(趙)·위(魏) 지방에서 모여드니, 사방에서 반드시 서로 다투는 지역이다.【병란을 받는 근원이다.】천하가 다툴 일이 없으면【다스려짐이다.】모르지만, 일이 있으면【혼란함이다.】낙양이 반드시 먼저 병난을 받게 된다.【힘이 있다.】나는 이 때문에 일찍이 말하기를 "낙양의 성쇠는 천하의 치란(治亂)의 징후이다."라고 한 것이다.【가까운 것을 가지고 먼 것을 점쳤다.】

方唐貞觀, 開元之間하여 公卿, 貴戚이 開館列第於東都者 號千有餘邸러니【盛.】及其亂離에 繼以五季之酷⁴³하여 其池塘, 竹樹를 兵車蹂踐하여 廢而爲丘墟하고 高

---

42 挾殽黽之阻 當秦隴之襟喉: '효(殽)'는 효산(殽山)으로 하남성 낙녕현(洛寧縣) 북쪽에 있는 요새이며, '민(黽)'은 민지(黽池) 또는 민지(澠池)로도 쓰는데, 하남성에 있는 지명이다. '진(秦)'은 지금의 섬서성(陝西省) 지역이고 '농(隴)'은 감숙성(甘肅省) 지역이다. '금후(襟喉)'는 옷깃과 목구멍으로 중요한 관문이나 요충지를 이른다.

43 繼以五季之酷: '오계(五季)'는 오대(五代)시대의 후량(後梁)·후당(後唐)·후진(後晉)·후한(後漢)·후주(後周)로, 907년 당(唐)나라가 망하고 960년 북송(北宋)이 세워지기 이전까지의 50여 년간에 명멸했던 나라들이다. 계(季)는 말세란 뜻으로 오대시대에는 혼란이 심하여 찬탈과 시해가 반복되어 왕조가 자주 바뀐 시기이다.

··· 該 모두 해 挾 낄 협 殽 안주 효 黽 땅이름 면(민) 隴 고개이름 롱 襟 옷깃 금 喉 목구멍 후 邸 집 저

亭, 大樹를 煙火焚燎하여 化而爲灰燼하여 與唐共滅而俱亡하여 無餘處矣라【衰.】
余故嘗曰 園囿之興廢는 洛陽盛衰之候也라하노라【以小占大.】

　　당(唐)나라 정관(貞觀)·개원(開元) 연간을 당하여 공경(公卿)과 귀척(貴戚)들이 동도(東都)인 낙양에 관사(館舍)를 열고 집을 나열한 것이 천여 채가 된다고 이름났었는데,【성함이다.】 난리가 나자 오계(五季, 오대(五代))의 혹독함이 이어져 못과 대나무와 나무들을 병거(兵車)가 유린하고 짓밟아서 무너져 빈터가 되고, 높은 정자와 큰 누대를 전화(戰火)로 불타 잿더미로 변하여 당나라와 함께 멸망하여 남은 곳이 없다.【쇠함이다.】 나는 이 때문에 일찍이 말하기를 "원유(園囿)의 흥폐(興廢)는 낙양의 성쇠의 징후이다."라고 한 것이다.【작은 것을 가지고 큰 것을 점쳤다.】

且天下之治亂을 候於洛陽之盛衰而知하고【前兩候字在下, 此兩候字在上, 乃變換之活處.】洛陽之盛衰를 候於園囿之興廢而得하니【關鍵好, 收拾盡.】則名園記之作이 予豈徒然哉아 嗚呼라 公卿大夫方進於朝에【此一節, 鑑戒之辭, 意味深長而文字益婉.】放乎以一己之私自爲하여 而忘天下之治忽하고 欲退享此면 得乎아【不能先天下之憂而憂, 安能後天下之樂而樂? 此與岳陽樓記, 結尾相似.⁴⁴】唐之末路是已니라【一句收拾, 簡而盡. ○洛陽名園記, 本紀花卉池臺游觀之繁華, 今乃發出此一段大議論, 關治忽, 寓警戒, 妙甚.】

　　또 천하의 치란(治亂)을 낙양의 성쇠(盛衰)에서 살펴 알 수 있고,【앞의 두 '후(候)' 자는 아래에 있고 이 두 '후(候)' 자는 위에 있으니, 바로 변환이 활발한 곳이다.】 낙양의 성쇠를 원유의 흥폐에서 살펴 알 수 있으니,【관건(關鍵, 끝맺음)이 좋고 수습함이 극진하다.】〈낙양명원기(洛陽名園記)〉를 지은 것이 내 어찌 공연히 그러한 것이겠는가.
　　아! 슬프다. 공경과 대부들이 조정에 나아가 벼슬할 적에【이 한 절은 감계(鑑戒)하는 말이니, 의미가 심장하고 문자가 더욱 완곡하다.】 한 개인의 사사로움을 따라 스스로 행동하여 천하의 다스려짐과 혼란함을 잊고서 물러나 이러한 것들을 누리고자 한다면, 되겠는가.【천하 사람보다 앞서서 근심하지 못하면 어찌 천하 사람들이 즐거워한 뒤에 즐거워할 수 있겠는가. 이는 〈악양루기(岳陽樓記)〉와 끝

44　此與岳陽樓記 結尾相似: 〈악양루기〉의 끝맺음에 "그렇다면 어느 때에나 즐거워할 수 있는가? 반드시 천하 사람들이 근심하기에 앞서 근심하고 천하 사람들이 즐거워한 뒤에 즐거워할 것이다.〔然則何時而樂耶 其必曰 先天下之憂而憂 後天下之樂而樂歟〕"라고 보인다.

맺음이 서로 유사하다.】당나라의 말로가 바로 이것이다.【한 구로 수습함이 간략하면서도 극진하다. ○ 〈낙양명원기(洛陽名園記)〉는 본래 화훼(花卉)와 지대(池臺), 놀고 구경하는 번화(繁華)함을 기록하였는데, 지금 마침내 이 한 단락의 큰 의론을 끄집어내어 치란(治亂)에 연관시켜 경계하는 뜻을 붙였으니, 매우 묘하다.】

애련설愛蓮說

주돈이周敦頤 무숙茂叔

• 작가소개

    주돈이(周敦頤, 1017~1073)는 초명이 돈실(敦實)이었는데 영종(英宗)의 이름인 종실(宗實)을 휘하여 돈이로 고쳤으며, 자가 무숙(茂叔)으로 도주(道州)의 영도(營道) 사람이다. 영도 30리 지점에 염계(濂溪)라는 한 촌락이 있는데 주씨들이 대대로 거주하였는바, 주돈이가 만년에 여산(廬山)에 집터를 잡아 살면서 물가에 집을 짓고 이곳을 염계라고 하여 배우는 자들이 염계 선생이라 이름하였다. 송대(宋代) 성리학(性理學)의 원조로 '북송 오자(北宋五子)'의 한 사람이다. 명도(明道) 정호(程顥)와 이천(伊川) 정이(程頤)를 문하에서 배출하였으며, 우주만물의 원리를 밝힌 태극도(太極圖)와 이에 대한 해설인 〈태극설(太極說)〉을 지었고, 저서에 《통서(通書)》와 《주염계집(周濂溪集)》이 있다. 북송오자는 주돈이, 명도, 이천, 횡거(橫渠) 장재(張載), 강절(康節) 소옹(邵雍)을 이른다.

• 작품개요

    청나라 등현학(鄧顯鶴)이 편찬한 《주자전서(周子全書)》 〈연보(年譜)〉에 의하면 이 작품은 작자가 47세인 가우(嘉祐) 8년(1063) 5월에 지었다고 한다. 또한 《공주부지(贛州府志)》에 의하면 작자는 가우 6년(1061)부터 치평(治平) 원년(1064)까지 건주 통판(虔州通判)으로 재직하면서 연지(蓮池)를 만들고 가우 8년 5월에 이 작품을 지었다고 한다.

    이 작품은 연(蓮)에 대한 형상화와 그 품질에 대한 묘사를 통하여 연(蓮)의 견정(堅貞)한 성품을 찬양하고, 세속에 물들지 않고 자신의 순수함을 지키는 작자의 고결한 인격을 표현하였다. 작품은 명확하게 두 부분으로 구별된다. 앞부분에서는 고결한 연(蓮)의 형상에 대하여 아름답게 묘사하였고, 뒷부분에서는 연(蓮)이 지닌 비유적 의미를 보여주며 세 가지 꽃을 나누어 평가하고 아울러 연(蓮)으로 자신을 견주어 작자의 내심을 드러내었다.

이 작품은 사물에 의탁하여 자신의 뜻을 표현하고, 간략하고 간절하며, 다양한 표현법을 구사한 것이 특성인데, 연꽃이 시닌 기품과 빼어난 자세 등을 묘사함으로써 이상적인 인격에 대한 작자의 긍정과 추구를 부쳤고, 부귀를 탐하고 명리를 추구하는 세태를 비루하게 여기는 심리와 세속에 물들지 않고 자신의 고결함을 지키려는 작자의 정서를 반영하였다.

작품은 150자도 안되는 매우 짧은 편폭이지만 내용은 상당히 풍부하다. 작중에는 꽃을 사랑한 역사에 대한 개술, 연꽃에 대한 묘사, 꽃들에 대한 품평, 작자 자신의 감정 표현이 다 들어 있다. 이 모든 것들이 '애련'이라는 주지(主旨)를 부각시키기 위한 장치로, 대략 편폭의 3분의 1을 차지한다.

작자는 의인화 수법을 아주 능숙하게 사용하여 꽃들에게 각자 다른 사상·성격과 품성·정서를 부여하였는데, 국화는 은일자를, 모란은 부귀자를 형상화한 것이고, 연은 훌륭하고 아름다운 이상의 화신(化身)이다. 또한 대비의 수법도 잘 활용하였다. 작자가 작품 속에서 찬양하는 것은 연(蓮)인데 고립적이고 정지된 묘사를 한 것은 아니다. 대비적인 묘사 속에서 연(蓮)의 고상하고 출중한 면모를 드러내었다. 모란을 대비하여 연(蓮)을 부각시켰고 국화를 대비하여 오탁악세(汚濁惡世) 속에서도 고결함을 잃지 않는 연이 훨씬 더 우위에 있음을 말하였다. 국화·모란·연(蓮) 세 종류 꽃의 덕성과 품격에 대한 묘사를 통해 자연스럽게 연꽃의 아름다움이 형상화되었다. 여기에서 서술(敍述)·묘사(描寫)·의론(議論)·서정(抒情)이 서로 녹아 들어가 하나가 되는 뛰어난 필치를 엿볼 수 있다.

篇題小註·· 周子는 名惇頤요 字茂叔이니 道州人이라 晚家廬山之麓하여 名其水曰濂溪라하니 世因號濂溪先生이라 卒에 諡元公이라

주자(周子)는 이름이 돈이(惇頤)이고 자가 무숙(茂叔)이니, 도주(道州) 사람이다. 말년에 여산(廬山)의 기슭에 집을 짓고 그 물을 이름하여 '염계(濂溪)'라 하니, 세상에서는 인하여 염계 선생(濂溪先生)이라 호하였다. 별세하자, 시호를 원공(元公)이라 하였다.

○濂溪非剋意於文章者로되 學識理趣之高라 故로 文章이 不期而造極焉이라 如此說者는 命意的하고 託興深하고 措辭簡하니 雖古今以文名家者라도 何能加諸리오 以隱逸, 君子, 富貴로 名三花하니 不可易也라 濂溪非徒愛蓮이요 愛君子耳니라

··· 惇 도타울 돈 頤 기를 이 廬 집 려 麓 산기슭 록 濂 물이름 렴

염계는 문장에 뜻을 둔 자가 아니었으나 학식과 이취(理趣)가 높았기 때문에 문장을 잘하려고 노력하지 않아도 지극한 경지에 나아간 것이다. 이 〈애련설〉과 같은 것은 뜻을 나타냄이 정확하고 흥을 가탁함이 깊고 글을 씀이 간결하니, 아무리 고금에 문장가로 이름난 자라도 어찌 이보다 더하겠는가. 은일(隱逸)과 군자와 부귀로써 세 꽃을 이름하였으니, 바꿀 수 없다. 염계는 단지 연꽃을 사랑한 것이 아니라 군자를 사랑한 것이다.

• 原文

水陸草木之花 可愛者甚蕃이로되【該盡.】 晉陶淵明은 獨愛菊하고【陶潛雜詩, 有採菊東籬下之句, 又歸去來辭云: "三徑就荒, 松菊猶存."】 自李唐來로 世人이 甚愛牧丹호되【唐舒元興牡丹賦序云: "天后之鄕, 西河也. 精舍下, 有牡丹種, 其花特異, 天后命移植上苑, 由此京國牡丹, 日月寢盛云云."】 子獨愛蓮之出(於)[45]淤泥而不染하고【句句以蓮花, 比德於君子.】 濯淸漣而不夭하며 中通外直하고 不蔓不枝하며 香遠益淸하고 亭亭淨植하여 可遠觀而不可褻翫焉이라【說盡蓮花好處, 甚正大.】

물이나 육지에서 자라는 풀과 나무의 꽃 중에는 사랑스러운 것이 매우 많은데,【다 포함하였다.】 진(晉)나라의 도연명(陶淵明)은 오직 국화를 좋아하였고,【도잠(陶潛, 도연명)의 〈잡시(雜詩)〉에 "동쪽 울타리 밑에서 국화를 딴다."는 시구가 있고, 또 〈귀거래사(歸去來辭)〉에 "세 오솔길은 황폐해졌으나 소나무와 국화는 그대로 있다." 하였다.】 이당(李唐, 이씨 당나라) 이래로 세상 사람들은 목단(牧丹, 모란)을 매우 좋아하였다.【당나라 서원여(舒元興)의 〈목단부(牡丹賦)〉 서문에 이르기를 "천후(天后, 측천무후)의 고향은 서하(西河)이다. 정사(精舍) 아래에 꽃이 특이한 목단의 종류가 있었는데, 천후가 명하여 상림원(上林苑)으로 옮겨 심게 하니, 이로부터 경사(장안)에 목단꽃이 날과 달로 점점 성해졌다." 하였다.】 나는 홀로 연꽃을 좋아하는데, 연꽃은 진흙에서 나왔으면서도 물들지 않고【글귀마다 연꽃을 가지고 군자의 덕을 비유하였다.】 맑은 물결에 씻기면서도 요염하지 않으며, 속이 비어 있고 겉이 곧으며, 덩굴 뻗지 않고 가지 치지 않으며, 향기가 멀리 갈수록 더욱 맑고 우뚝하고 깨끗하게 서 있어 멀리서 바라볼 수는 있으나 함부로 가지고 놀 수 없음을 사랑한다.【연꽃의 좋은 부분을 모두 말하였으

---

45 (於): 저본뿐만 아니라 다른 본에도 있으나,《주원공집(周元公集)》등에 의거하여 삭제하였다. 이는 '出淤泥而不染'과 '濯淸漣而不夭'가 대구(對句)가 되기 때문이다.

••• 蕃 많을 번　菊 국화 국　淤 진흙 어　泥 진흙 니　漣 잔물결 련　蔓 넝쿨 만　褻 설만할 설
翫 장난할 완

니 매우 정대(正大)하다】

予謂菊은 花之隱逸者也요 牧丹은 花之富貴者也요 蓮은 花之君子者也라하노라【比喻妙. ○應前三段, 次序亦順.】噫라 菊之愛는 陶後에 鮮有聞이요【愛隱逸者, 少也.】蓮之愛는 同予者何人고【愛君子者, 尤少也.】牧丹之愛는 宜乎衆矣로다【愛富貴者, 宜其衆也. 此一結深遠, 意在言外, 且次序與上少異, 文法也.】

　나는 생각건대, 국화는 꽃 중에 은일(隱逸)인 자이고, 목단은 꽃 중에 부귀한 자이고, 연꽃은 꽃 중에 군자(君子)라고 여긴다.【비유한 것이 묘하다. ○앞의 세 단락에 응하니, 차례 또한 순하다.】
　아! 국화를 사랑하는 이는 도연명 이후에 〈또 있다는 말을〉 들은 적이 드물며,【은일(隱逸)을 좋아하는 자가 적은 것이다.】연꽃을 사랑하는 이는 나와 같은 자가 몇이나 되는가.【군자를 사랑하는 자는 더욱 적은 것이다.】목단을 사랑하는 이는 당연히 많을 것이다.【부귀를 좋아하는 자는 마땅히 많은 것이다. 이 한 맺음은 의미가 심원하여 뜻이 말 밖에 있고 또 차서가 위와 조금 다르니, 이는 문장을 짓는 법이다.】

태극도설太極圖說

주돈이周敦頤

- **작품개요**

　　이 작품은 〈태극도(太極圖)〉에 대한 설명으로, 전체 249자로 구성되어 있다. '태극'이란 우주의 본원(진리)이다. 사람과 만물은 모두 음(陰)·양(陽)이라는 기(氣)와 수(水)·화(火)·목(木)·금(金)·토(土)라는 오행(五行)의 상호 작용으로 구성된 것인데, 오행은 음양으로, 음양은 태극으로 통일된다.

　　작품은 두 부분으로 나뉘는데, 처음부터 '변화무궁언(變化無窮焉)'까지의 첫 번째 부분에서는 우주생성론에 대하여 말하였다. 기두(起頭)에 언급된 '무극(無極)'은 작자의 철학 체계에 있어 시발점이자 귀결점이다. '무극이태극(無極而太極)'이란 형체가 없는 극이면서 가장 큰 극이란 뜻으로, 무형무위(無形無爲)의 입장에서 보면 무극이고, 모든 만물의 본체가 되는 입장에서 보면 태극인바, 태극 외에 또다시 무극이 있는 것은 아니다. '태극'은 동(動)과 정(靜)의 이치를 모두 구비하고 있다. '태극'의 끊임없는 동과 정으로 말미암아 음·양이 나오게 되는데 이것이 곧 양의(兩儀)이다. 양의 변화와 음의 합일이 수·화·목·금·토라는 오행을 파생하는데, 무극의 진리(眞理)와 오행의 정기(精氣)가 남·녀를 낳고 만물을 화생한다. 이러한 구조 속에서 '무극'은 작자가 설정한 최고의 범주로, 우주 만물의 본원이다.

　　'유인야(惟人也)'부터 마지막까지의 두 번째 부분에서는 도덕윤리사상에 대하여 말하였다. 특히 사람의 가치와 작용을 부각시켜 "오직 인간은 그 빼어난 기운을 얻어 가장 영특하다"라고 정의하고, 또 특별히 성인의 가치와 작용을 부각시켜 "성인(聖人)은 중(中)·정(正)·인(仁)·의(義)로써 정하되 정(靜)을 주장하시어 사람의 극(極, 표준인 법(法))을 세우셨다."라고 선언한 대목이 주목할 만하다. 이는 첫 번째 부분에서 언급한 '무극'을 이어받아 인류 사회의 최고 윤리 원칙으로 체현한 것이다.

작자는 자연·사회·개인을 통일된 하나의 체계 속으로 집어넣어, '무극'·'태극'이라는 매우 고원(高遠)한 개념을 '일용(日用)'과 통일시켰고, 신비화되어 있던 음양 오행의 학설을 유가의 인·의·예·지 등과 결합시켰다. 그 형식이 간명하고 논리가 매우 합리적이며, 말은 간략하지만 담겨 있는 뜻은 참으로 심오하다.

이 작품은 후대에 지대한 영향을 끼쳐 판본도 여러 종류가 있고, 주희(朱熹)의 《근사록(近思錄)》과 황종희(黃宗羲) 등이 편찬한 《송원학안(宋元學案)》 등 저명한 성리학 관련 서적에는 거의 모두 빠짐없이 수록되어 있다.

〈태극도〉는 작자가 독창적으로 만든 것이 아니라, 《도장(道藏)》에 있는 〈태극선천지도(太極先天之圖)〉를 기저로 선사(禪師)들의 〈아뢰야식도(阿賴耶識圖)〉를 흡수하고 진단(陳摶)의 〈무극도(無極圖)〉를 참고하여 만든 것이다. 이는 유(儒)·불(佛)·도(道) 삼교가 합일되는 당시의 추세 및 작자가 불교와 도교에도 상당한 조예가 있었다는 사실을 반영한다.

참고로 《송사(宋史)》에 작자를 입전(立傳)하면서 이 작품을 실었는데, 원문의 '무극이태극(無極而太極)'에다 '자(自)' 자와 '위(爲)' 자를 보태어 '자무극이위태극(自無極而爲太極)'으로 만들었다. 주희는 이에 원문이 이미 분명하고 완전하니, 선현에게 누를 끼치고 후학들에게 의구심을 불러일으키게 해서는 안 된다고 하여 두 글자의 삭제를 요구하였다.[46] 육구연(陸九淵)은 주돈이의 '무극(無極)'이 노자(老子)의 글에서 나왔다고 비판하였고, 또 '무극이태극'을 '무극으로부터 태극이 되다.〔自無極而爲太極〕'라고 해석하는 사람들이 있었기 때문에 이렇게 말한 것이다.[47]

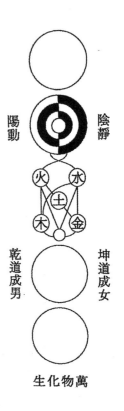

篇題小註‥ 太極者는 其本體也요 陽動者는 太極之用이요 陰靜者는 太極之體니 陽變而陰合이라 水·金은 陰也라 居右하고 火·木은 陽也라 居左하며 土沖氣故로 居中이라 陰根陽하고 陽根陰하며 二五合하여 萬物生이니라

---

46 주희는……요구하였다: 이 내용은 《회암집(晦菴集)》 권71 〈기렴계전(記濂溪傳)〉에 보인다.

47 육구연(陸九淵)은……것이다: 이 내용은 《주자대전(朱子大全)》 권36 〈답육자정(答陸子靜)〉에 보인다.

··· 冲 온화할 충

태극(太極)은 그 본체이며, 양(陽)이 동(動)함은 태극의 용(用)이고 음(陰)이 정(靜)함은 태극의 체(體)이니, 양이 변하고 음이 합한다. 수(水)와 금(金)은 음으로서 오른쪽에 있고 화(火)와 목(木)은 양으로서 왼쪽에 있으며, 토(土)는 충화(冲和, 중화(中和))의 기운이므로 중앙에 있다. 음은 양에 뿌리하고 양은 음에 뿌리하며, 이기(二氣, 음·양)와 오행(五行)이 합하여 만물(萬物)이 생겨난다.

* 原文

無極而太極이니 太極이 動而生陽하여 動極而靜하고 靜而生陰하여 靜極復動이라 一動一靜이 互爲其根하여 分陰分陽에 兩儀立焉이니라 陽變陰合하여 而生水火木金土하여 五氣順布에 四時行焉이니라 五行은 一陰陽也요 陰陽은 一太極也요 太極은 本無極也라 五行之生也에 各一其性이니【各一其性, 則渾然太極之全體, 無不各具於一物之中.】無極之眞과【理】二五之精이【氣】妙合而凝하여 乾道成男하고 坤道成女하여 二氣交感하여 化生萬物하니 萬物生生而變化無窮焉이니라【自男女而觀, 男女各一其性而男女一太極也; 自萬物而觀, 萬物各一其性而萬物一太極也, 合而言之, 萬物統體一太極; 分而言之, 一物各具一太極也.】

무극(無極)이면서 태극(太極)이니, 태극이 동(動)하여 양(陽)을 낳아 동이 극에 달하면 정(靜)하고, 정하여 음(陰)을 낳아 정이 극에 달하면 다시 동한다. 한번 동하고 한번 정함이 서로 그 뿌리가 되어, 음으로 나뉘고 양으로 나뉨에 양의(兩儀, 음·양)가 서게 되었다. 양이 변하고 음이 합하여 수(水), 화(火), 목(木), 금(金), 토(土)를 낳아 오행(五行)의 기운이 순차적으로 펴짐에 사시(四時)가 행해진다. 오행은 한 음·양이요 음·양은 한 태극이요, 태극은 본래 무극이었다.

오행이 생겨날 적에 각기 그 성(性)을 하나씩 간직하였으니,【각각 그 성(性)을 하나씩 간직하였으면 혼연한 태극(太極)의 전체가 한 물건의 가운데에 각각 갖추어지지 않음이 없는 것이다.】무극의 진리(眞理)【이치이다.】와 이기(二氣)·오행의 정기(精氣)【기운이다.】가 묘하게 합하고 엉기어, 건도(乾道)는 남(男, 수컷)을 이루고 곤도(坤道)는 여(女, 암컷)를 이루어, 두 기운이 교감하여 만물을 화생(化生)하니, 만물이 낳고 낳아 변화가 무궁하게 된다.【남녀의 입장에서 관찰하면 남녀가 각각 그 성(性)을 하나씩 간직하여 남녀가 한 태극인 것이요, 만물의 입장에서 관찰하면 만물이 각각 그 성을 하나씩 간직하여 만물이 한 태극인 것이니, 합하여 말하면 만물이 한 태극을 통체(統體)하였고, 나누어 말하면 한 물건에 각각 하나의 태극을 갖추고 있는 것이다.】

惟人也得其秀而最靈하니 形旣生矣에 神發知(智)矣라 五性感動하여 而善惡分하고 萬事出矣니라【言衆人具動靜之理, 而常失之於動.】 聖人이 定之以中正仁義[48]而主靜하사【周子元注: "無欲故靜."】 立人極焉하시니 故로 聖人은 與天地合其德하며 日月合其明하며 四時合其序하며 鬼神合其吉凶하나니【言聖人全動靜之德而常本之於靜.】 君子는 修之라 吉하고 小人은 悖之라 凶이니라【聖人全體太極, 不假修爲, 君子則未至此而修之者也. 修之·悖之, 敬肆之間而已. 敬則欲寡理明, 寡之又寡, 以至於無, 則靜虛動直而聖可學矣.】 故로 曰 立天之道는 曰陰與陽이요 立地之道는 曰柔與剛이요 立人之道는 曰仁與義[49]라하고 又曰 原始反終이라 故로 知死生之說이라하니 大哉라 易也여 斯其至矣[50]로다【二程學于周子, 周子手是圖以授之, 程子之言性與天道, 多出於此. ○已上細注, 竝朱文公解. 就君子修之吉, 提出敬字. 此朱子示學者以希聖之門, 乃爲人最切處. 聖人無欲, 不待敬以寡之. 故自能無欲而主於靜, 此聖人所以立人極也. 君子未能無欲, 故必待敬以寡之, 始能無欲以至於靜, 此君子所以希聖人, 以共扶植此人極也. 朱子添一敬字, 以補周子之所未發, 其有望於學者, 至矣哉!】

　　오직 사람(인간)은 그 빼어난 기운을 얻어 가장 영특하니, 형체가 이미 생김에 신(神)이 지혜를 발한다. 그리하여 오성(五性)이 감동되어 선(善)·악(惡)이 나뉘고, 만사가 나온다.【중인(衆人)은 동(動)·정(靜)의 이치를 갖추고 있으나 항상 동(動)에서 잃음을 말하였다.】 성인(聖人)은 중(中)·정(正)·인(仁)·의(義)로써 정하되 정(靜)을 주장하여【주자(周子)의 원주(元注)에 "욕심이 없기 때문에 고요하다." 하였다.】 사람의 극(極, 표준인 법)을 세우셨다.

　　그러므로 성인은 천지(天地)와 더불어 덕이 합하며(덕이 천지와 똑같으며) 일월(日月)과 더불어 밝음이 합하며(밝음이 일월과 똑같으며) 사시(四時)와 더불어 차례가 합하며(차례가 사시와 같으며) 귀신과 더불어 길흉이 합하는 것이니(길흉의 판단이 귀신과 똑같으니),【성인은 동·정의 덕을 온전히 하였으나 항상 정(靜)에 근본함을 말하였다.】 군자는 이것을 닦기 때문에 길하고, 소인은 어기기 때문에 흉하다.【성인은 태극의 전체를 온전히 체행하여서 수위(修爲, 닦고 행함)할 필요가 없고, 군자는 이 경지에

48　五性感動……定之以中正仁義: '오성(五性)'은 인(仁)·의(義)·예(禮)·지(智)·신(信)의 다섯 가지 본성인데, 정주학(程朱學)에서는 '성이 발하여 정이 된다.[性發爲情]' 하여 마음이 감동되면 희(喜)·노(怒)·애(哀)·락(樂)·애(愛)·오(惡)·욕(欲)의 칠정(七情)이 나온다 한다. 뒤의 중(中)·정(正)은 예(禮)·지(智)를 가리킨다.

49　立天之道……曰仁與義: 이 내용은 《주역》〈설괘전(說卦傳)〉에 보이는바, 음·양은 기(氣)로 말하였고, 강(剛)·유(柔)는 질(質)로 말하였고 인(仁)·의(義)는 덕(德)으로 말한 것이다.

50　原始反終 故知死生之說: 이 내용은 《주역》〈계사전 상(繫辭傳上)〉에 보인다.

　　　　　　　　…　悖 거스를 패

이르지 못하여 닦는 자이니, 닦느냐 어기느냐는 공경과 방사(放肆)의 사이일 뿐이다. 공경하면 욕심이 적어져서 이치가 밝아지니, 욕심을 적게 하고 또 적게 하여 욕심이 없는 데에 이르면 고요할 때 마음이 비워지고 동할 때 곧아져서 성인을 배울 수 있는 것이다.】그러므로 말하기를 '하늘의 도를 세움은 음과 양이요, 땅의 도를 세움은 유(柔)와 강(剛)이요, 사람의 도를 세움은 인(仁)과 의(義)이다.' 하였고, 또 말하기를 '시(始)를 근원하고 종(終)으로 돌아간다(시를 알고 종을 안다). 그러므로 사생(死生)의 말(이론)을 안다.' 하였으니, 위대하다. 《주역(周易)》이여! 이것이 지극하도다.【이정(二程, 명도(明道)와 이천(伊川))이 주자(周子)에게 배울 적에 주자가 손수 이 그림을 그려서 전수하였으니, 정자(程子)가 성(性)과 천도를 말씀한 것이 대부분 여기에서 나왔다. ○이상의 세주(細注)는 모두 주문공(朱文公)의 해석이다. '군자는 이것을 닦기 때문에 길하다〔君子 修之吉〕'는 것에 나아가서 '경(敬)'자를 제기해 내었다. 이는 주자(朱子)가 배우는 자들에게 성인을 바라는 문(門)을 보여준 것이니, 바로 사람을 위하신 가장 간절한 부분이다. 성인은 욕심이 없어서 굳이 공경하여 욕심을 적게 할 필요가 없으므로 저절로 욕심이 없어서 고요함을 위주로 하니, 이 때문에 성인이 인극(人極, 인간의 표준)을 세우시는 것이다. 군자는 욕심이 없지 못하기 때문에 반드시 공경하여 욕심을 적게 해야 비로소 욕심이 없어서 고요함에 이를 수 있으니, 이 때문에 군자가 성인을 바라서 함께 이 인극을 붙들어 세우는 것이다. 주자가 '경(敬)' 한 글자를 더하여 주자(周子)가 발명하지 못하신 것을 보충하였으니, 배우는 자에게 바람(기대함)이 있음이 지극하다.】

篇末小註‥ 千古道統이 自堯, 舜傳至孔, 孟이러니 孟之歿에 其傳이 遂絕하니 漢之董子와 唐之韓子는 雖能著衛道之功於一時나 而無以任傳道之責於萬世하니 傳千載之絕學者는 周子也라 由周而程, 張하고 由程, 張하여 又數傳而朱子하여 道學淵源이 上泝洙泗하니 盛矣哉라 此篇은 周子所自著道學之精語也니 不特道理淵永이요 文亦簡重正大하여 粹然聖經賢訓之文焉이라 今選古文而終之以太極, 西銘二篇이 豈無意者리오 蓋文章, 道理 實非二致니 欲學者由韓, 柳, 歐, 蘇詞章之文하여 進而粹之以周, 程, 張, 朱理學之文也라 以道理로 深其淵源하고 以詞章으로 壯其氣骨이면 文於是乎無弊矣리니 此愚詮次之深意也라 朱子於太極, 西銘에 注釋精詳이나 今不暇盡錄하니 學者欲觀其詳인댄 宜自於朱子之書求之云이라 新安陳櫟은 謹書하노라

천고(千古)의 도통(道統)이 요(堯)·순(舜)으로부터 전해져 공자(孔子)·맹자(孟子)에 이르렀는데, 맹자가 별세함에 그 전함이 마침내 끊겼다. 한(漢)나라의 동자(董子, 동중서(董仲舒))와 당(唐)나라의

한자(韓子, 한유(韓愈))는 비록 한때에 도(道)를 호위하는 공을 드러냈으나 만대(萬代)에 도를 전하는 책임을 맡지는 못하였으니, 천 년 동안 끊긴 학문을 전한 자는 주자(周子)이다. 주자로부터 정자(程子)·장자(張子)에 이어지고, 정자·장자로부터 또 몇 번 전하여 주자(朱子)에 이르러서 도학의 연원(淵源)이 위로 수사(洙泗, 공자)에 거슬러 올라갔으니, 아! 훌륭하다.

이 편은 주자(周子)가 스스로 도학(道學)을 저술한 정밀(精密)한 말씀이니, 단지 도리가 깊고 원대할 뿐만 아니요, 문장 또한 장엄하고 후중하고 정대(正大)하여 순수한 성경 현훈(聖經賢訓)의 글이다. 이제 고문을 뽑으면서 〈태극도설〉과 〈서명(西銘)〉 두 편으로써 끝을 마치는 것이 어찌 뜻이 없겠는가.

문장과 도리는 실로 두 가지가 아니니, 배우는 자로 하여금 한유(韓愈)·유종원(柳宗元)·구양수(歐陽脩)·소식(蘇軾)의 사장(詞章)의 글에서 나아가 주자(周子)·정자(程子)·장자(張子, 장횡거(張橫渠))·주자(朱子)의 이학(理學)의 글로써 순수하게 하고자 한 것이다. 도리로써 연원(淵源)을 깊게 하고 사장(詞章)으로써 기골(氣骨)을 건장하게 한다면 문장이 이에 병폐가 없을 것이니, 이것이 내가 이 책을 차례로 엮은 깊은 뜻이다.

주자(朱子)가 〈태극도설〉과 〈서명〉에 주석을 정밀하고 상세히 내셨으나 이제 다 기록할 겨를이 없으니, 배우는 자가 상세한 내용을 보고자 한다면 마땅히 따로 주자의 책에서 찾아야 할 것이다.

신안(新安) 진력(陳櫟)은 삼가 쓰다.

사물잠四勿箴

정이程頤 정숙正叔

• 작가소개

　　정이(程頤, 1033~1107)는 자가 정숙(正叔)이다. 그의 집안은 본래 중산(中山) 박야현(博野縣)에 세거(世居)하였는데, 고조 정우(程羽)가 경사(京師) 개봉부(開封府)에 거주하다가 증조 정희진(程希振)이 하남부(河南府) 이천현(伊川縣)에 정착하게 되었다. 이 때문에 배우는 자들이 이천 선생(伊川先生)이라 칭하였다. 명도(明道) 정호(程顥)의 아우로, 형과 함께 주돈이(周敦頤)를 사사하여 소위 '낙학(洛學)'을 창도하고 성리학의 기초를 다졌는데, '이정(二程)' 또는 '양정(兩程)'으로 불리었다. 원풍(元豊) 8년(1085)에 사마광(司馬光), 여공저(呂公著) 등의 추천으로 여주 단련추관(汝州團練推官), 서경 국자감 교수(西京國子監敎授)를 역임하고, 원우(元祐) 원년(1086)에 비서성 교서랑(秘書省校書郎), 숭정전 설서(崇政殿說書)에 제수되어 성심을 다해 철종(哲宗)을 보도하였다. 그러나 간의 대부(諫議大夫) 공문중(孔文仲)의 탄핵을 받아 파직되었고, 소성(紹聖) 3년(1096)에는 재집권한 신당(新黨)에 의하여 간당(奸黨)으로 지목되어 사천(四川) 부주(涪州)로 귀양 갔다. 원부(元符) 원년(1100)에 휘종(徽宗)이 즉위하여 잠시 관직을 회복하였으나, 숭녕(崇寧) 원년(1102)에 신법을 회복한 휘종이 그의 모든 저작을 없애도록 명을 내렸고 아울러 다시 관직을 빼앗기게 되었다. 향년은 75세이다. 그의 학설은 '궁리(窮理)'를 주로 하여 '존천리(存天理), 거인욕(去人欲)'을 목표로 삼았다. 저술로는 《유서(遺書)》, 《역전(易傳)》, 《경설(經說)》 등이 있으며, 명나라 후기에 형 정호의 저술과 합편한 《이정전서(二程全書)》가 전한다.

• 작품개요

　　이 작품은 작자가 스스로 경계하는 뜻으로 지은 '잠(箴)'이다. '잠(箴)'이란 원래 침(針)과 통용되는 자로, 침은 사람의 경락(經絡)을 통하게 하여 병을 고치는 좋은 방편인바, 교훈이 될 만한 글인 잠 역시 사람의 잘못(병통)을 경계하여 고친다 하여 붙여진 이름이다. 그리하여 '잠(箴)' 자를 '침'으로 읽기도 한다.

　　'사물(四勿)'이란 '네 가지 하지 말아야 할 것'으로, 《논어(論語)》〈안연(顏淵)〉에 공자의 제자 안연(顏淵)이 인(仁)을 이루는 '극기복례(克己復禮)'의 구체적인 조목에 대하여 묻자, 공자가 "예가 아니면 보지 말며, 예가 아니면 듣지 말며, 예가 아니면 말하지 말며, 예가 아니면 동하지 말라.[非禮勿視 非禮勿聽 非禮勿言 非禮勿動]"라고 말씀하신 내용이 보인다.

　　작자는 공자의 말씀인 '사물'에 느낀 바가 있어 스스로 경계하기 위하여 〈시잠(視箴)〉, 〈청잠(聽箴)〉, 〈언잠(言箴)〉, 〈동잠(動箴)〉을 지은 것이다. 이 작품 앞에는 본래 다음과 같은 병서(幷序)가 붙어 있다. "안연이 극기복례의 조목을 묻자, 공자가 '예가 아니면 보지 말며, 예가 아니면 듣지 말며, 예가 아니면 말하지 말며, 예가 아니면 동하지 말아야 한다.'라고 말씀하셨다. 〈시(視)·청(聽)·언(言)·동(動)〉 이 네 가지는 몸의 용(用)이다. 마음으로 말미암아 밖에 응하니, 밖을 제재함은 그 마음을 기르는 것이다. 안연이 이 말씀에 종사하였으니, 이 때문에 성인에 나아간 것이다. 후세에 성인을 배우는 자들은 마땅히 이것을 가슴속에 새겨두고 잃지 말아야 할 것이다. 인하여 잠을 지어서 스스로 경계하노라.[顏淵問克己復禮之目 夫子曰 非禮勿視 非禮勿聽 非禮勿言 非禮勿動 四者身之用也 由乎中而應乎外 制於外 所以養其中也 顏淵請事斯語 所以進於聖人 後之學聖人者 宜服膺而勿失也 因箴以自警]" 이 병서는 《논어》〈안연〉의 첫 번째 장인 극기복례(克己復禮)장 장하주(章下註)와 《소학(小學)》의 〈가언(嘉言)〉에도 그대로 실려 있다.

• 시잠(視箴)

　　心兮本虛하니 應物無迹이라 操之有要하니【操存亦有其要.】視爲之則(칙)이라【目之所視, 乃有準則.】蔽交於前하면 其中則遷하나니【物欲交蔽, 變亂此心.】制之於外하여 以安其內니라 克己復禮하면 久而誠矣리라【克去己私, 復還天理, 而見本心之誠矣.】

　　마음이여! 본래 허하니　　　　　　　　　　　　　　　　　　　　心兮本虛

　　외물을 응함에 자취가 없다　　　　　　　　　　　　　　　　　　應物無迹

　　　　　　　　⋯ 迹 자취 적　制 제어할 제

마음을 잡는 데에 요점이 있으니 　　　　　　　　　　操之有要

【잡아 보존함에 또한 그 요점이 있는 것이다.】

보는 것이 법칙이 된다 　　　　　　　　　　　　視爲之則

【눈으로 보는 바에 바로 준칙이 있는 것이다.】

외물이 가리워 눈앞에서 교차하면 　　　　　　　蔽交於前

그 마음이 옮겨가니 　　　　　　　　　　　　　其中則遷

【물욕이 교차하여 가려서 이 마음을 변란(變亂)시키는 것이다.】

밖(보는 것)에서 제재하여 　　　　　　　　　　制之於外

그 안(마음)을 편안히 해야 한다 　　　　　　　以安其內

사욕을 이겨 예(禮)로 돌아가면 　　　　　　　克己復禮

오래할 경우 자연스럽게 될 것이다 　　　　　久而誠矣

【자신의 사욕을 이겨 버려서 다시 천리(天理)로 돌아오면 본심의 성실함을 볼 수 있다.】

• 청잠(聽箴)

人有秉彝[51]는 本乎天性이언마는 知誘物化[52]하여【知, 猶欲也, 誘, 猶導也‧引也.】遂亡其正하나니라 卓彼先覺은 知止有定이라【知止於善, 有所安定.】閑邪存誠하여【閑其外邪, 存其誠心.】非禮勿聽하나니라

사람이 병이(秉彝)의 마음을 가지고 있음은 　　　人有秉彝

천성에 근본하였지만 　　　　　　　　　　　　本乎天性

앎(욕심)이 외물에 유인되어 　　　　　　　　　知誘物化

【'지(知)'는 욕(欲)과 같고, '유(誘)'는 도(導), 인(引)과 같다.】

마침내 올바름을 잃게 된다 　　　　　　　　　遂亡其正

드높은 저 선각자(先覺者)들은 　　　　　　　卓彼先覺

---

51 秉彝: 사람이 간직하고 있는 떳떳한 본성으로, 인(仁)·의(義)·예(禮)·지(智)·신(信)의 오성(五性)을 이르기도 하고, 애친(愛親)·경형(敬兄)·충군(忠君)·제장(悌長)의 도리를 이르기도 한다.

52 知誘物化: 《예기(禮記)》〈악기(樂記)〉에 보이는 내용으로, 지(知)가 물건에 유혹당하는 것으로 해석하기도 하고, 지가 유혹하고 물건이 화(化)하는 것으로 해석하기도 한다. 지(知)는 좋은 물건을 좋아할 줄 아는 것으로 욕심을 이른다.

⋯ 彝 떳떳할 이　誘 꾈 유　閑 막을 한

그칠 곳을 알아 안정함이 있다   知止有定

【선(善)에 그칠 줄 알면 마음이 안정되는 바가 있게 된다.】

사(邪)를 막고 성(誠)을 보존하여   閑邪存誠

【밖의 간사함을 막아서 그 성실한 마음을 보존하는 것이다.】

예(禮)가 아니면 듣지 않는다   非禮勿聽

• 언잠(言箴)

人心之動이 因言以宣하나니 發禁躁妄이라야【躁, 急也, 妄, 誕也, 言發而在所禁.】內斯靜專하나니라 矧是樞機라【言‧行, 君子之樞機.[53]】興戎出好[54]하나니【或言出而興兵戎, 或好言而爲讒佞.】吉凶, 榮辱이 惟其所召니라 傷易則誕하고【言語輕易, 則流於虛誕.】傷煩則支하며【言語太多, 則支離不可曉.】己肆物忤[55]하고【於己則縱肆, 於物則違忤.】出悖來違하나니【其出言悖逆而背於理, 故答者亦違背之.】非法不道하여 欽哉訓辭하라

사람의 마음이 동함은   人心之動

말로 인하여 베풀어지니   因言以宣

발설할 때에 조급함과 경망함을 금하여야   發禁躁妄

【'조(躁)'는 급함이고 '망(妄)'은 허탄함이니, 말을 할 때에 이 두 가지를 금해야 하는 것이다.】

마음이 고요하고 전일하게 된다   內斯靜專

하물며 말은 중요한 추기(樞機, 관건)여서   矧是樞機

【말과 행실은 군자의 추기(樞機)이다.】

전쟁을 일으키기도 하고 우호를 내기도 하니   興戎出好

【혹은 말이 나오면 전쟁을 일으키고, 혹은 듣기 좋은 말을 하여 남을 참소하고 아첨하는 것이다.】

---

53 言行 君子之樞機 : 이 내용은 《주역》〈계사전(繫辭傳)〉에 보인다.

54 興戎出好 : 주(註)에는 '호(好)'를 남이 듣기 좋아하는 아첨으로 보았으나 번역에는 이를 따르지 않았음을 밝혀둔다.

55 己肆物忤 : 주(註)에는 자기에게는 말을 함부로 하고 남에게는 거슬러 어기는 것으로 해석하였으나, 번역에서는 아래 구(句)와 상대되는 것으로 보아 이를 따르지 않았음을 밝혀둔다.

躁 조급할 조　矧 하물며 신　樞 지도리 추　戎 싸움 융　誕 허탄할 탄　煩 번거로울 번
肆 함부로할 사　忤 거스를 오　悖 어그러질 패

길(吉)과 흉(凶), 영(榮)과 욕(辱)이 　　　　　　　　　　　　　　　　　吉凶榮辱

오직 말이 부르는 바이다 　　　　　　　　　　　　　　　　　　　　　惟其所召

말을 너무 쉽게 하면 허탄하고 　　　　　　　　　　　　　　　　　　傷易則誕

　　【말을 쉽게 하고 함부로 하면 허탄함으로 흐른다.】

너무 번거로움에 잘못하면 지루하며 　　　　　　　　　　　　　　　傷煩則支

　　【말을 너무 많이 하면 지리(支離)하여 이해할 수가 없다.】

자기가 함부로 하면 남도 거스르고 　　　　　　　　　　　　　　　己肆物忤

　　【자기에게는 방종하고 남에게는 거슬러 어기는 것이다.】

나가는 말이 이치에 어긋나면 들어오는 말도 도리를 어기니 　　　出悖來違

　　【그 말을 냄이 어그러져 이치에 위배되기 때문에 답하는 자 또한 이치를 위배하는 것이다.】

예법에 맞지 않으면 말하지 말아 　　　　　　　　　　　　　　　　非法不道

훈계 말씀을 공경히 받들지어다 　　　　　　　　　　　　　　　　欽哉訓辭

- 동잠(動箴)

哲人은 知幾하여【幾者, 動之微.】 誠之於思하고 志士는 勵行하여【有志之士, 其行不可不勵.】 守之於爲하나니【有爲, 必守其正理也.】 順理則裕요【順於理而有餘.】 從欲惟危니【從欲而動, 必至於危.】 造次克念하여【造次倉卒, 亦念此理.】 戰兢自持하라【戰戰兢兢, 當以自持.】 習與性成하면【習慣自然, 合於天理.】 聖賢同歸하리라【與聖賢人, 同歸一揆.】

철인(哲人)은 기미(幾微)를 알아서 　　　　　　　　　　　　　　　哲人知機

　　【기미(幾微)는 동함의 은미함이다.】

생각함에 성실히 하고 　　　　　　　　　　　　　　　　　　　　　誠之於思

지사(志士)는 행실을 힘써 　　　　　　　　　　　　　　　　　　　志士勵行

　　【뜻이 있는 선비는 행실을 힘쓰지 않을 수 없는 것이다.】

하는 일에 지키니 　　　　　　　　　　　　　　　　　　　　　　　守之於爲

　　【무슨 일을 할 적에 반드시 그 정리(正理)를 지키는 것이다.】

이치를 순종하면 여유롭고 　　　　　　　　　　　　　　　　　　　順理則裕

　　【이치에 순종하여 여유가 있는 것이다.】

욕심을 따르면 위태롭다   從欲惟危

【욕심을 따라 동하면 반드시 위태로움에 이르는 것이다.】

조차(造次)라도 능히 생각하여   造次克念

【조차(造次)와 장졸(倉卒)간에도 이 이치를 생각하는 것이다.】

전전긍긍하여 스스로 잡아 지키라   戰兢自持

【전전긍긍하여 마땅히 스스로 몸을 지켜야 한다.】

습관이 천성처럼 이루어지면   習與性成

【습관이 오래되어 자연스러워지면 천리에 부합한다.】

성현(聖賢)과 함께 돌아가리라   聖賢同歸

【성현과 함께 한 법도로 돌아간다.】

서명西銘

장재張載 자후子厚

• 작가소개

　　장재(張載, 1020~1077)는 자가 자후(子厚)로, 이름과 자는《주역(周易)》〈곤괘(坤卦)〉의 '후덕재물(厚德載物)'에서 유래하였다. 봉상(鳳翔) 미현(郿縣) 횡거진(橫渠鎭) 출신이라서 '횡거 선생'으로 일컬어지며 장자(張子)로 존칭된다. 젊어서는 병법을 좋아하여 21세이던 경력(慶曆) 원년(1041)에 〈변의구조(邊議九條)〉를 지어 섬서경략 안무부사(陝西經略安撫副使) 범중엄(范仲淹)에게 올렸다. 이를 계기로 범중엄을 만났는데, 학자로서 대성할 자질을 간파한 범중엄이《중용(中庸)》을 읽도록 권하였다. 이에 장재는 10여년 동안 유학 공부에 매진하였다. 38세이던 가우(嘉祐) 2년(1057)에 변경(汴京)으로 가서 과거에 응시하였는데, 당시 주고관(主考官) 구양수(歐陽脩)에 의하여 소식·소철 형제와 함께 진사에 급제하였다. 관직에 제수되기를 기다리면서 재상 문언박(文彦博)의 지원을 받아 개봉(開封) 상국사(相國寺)에서 고비(皐比, 호피(虎皮))를 깐 의자에 앉아《주역》을 강의하였다. 이후 기주 사법참군(祁州司法參軍), 운암 현령(雲岩縣令), 저작 좌랑(著作佐郎), 첨서위주 군사판관(簽書渭州軍事判官) 등을 역임하였다. 희령(熙寧) 2년(1069)에는 신종(神宗)의 총애를 받으며 숭문원 교서(崇文院校書)에 제수되었으나 왕안석(王安石)의 신법에 반대하여 벼슬을 그만두고 횡거로 돌아와 강학과 독서에 힘썼다. 희령(熙寧) 10년(1077)에는 동지태상예원사(同知太常禮院事)가 되었으나 이윽고 그만두고 돌아오던 도중 10월 17일 임동(臨潼)의 역사(驛舍)에서 58세로 졸하였다. 남송 영종(寧宗) 가정(嘉定) 13년(1220)에 '명공(明公)'이란 시호를 내리고, 이종(理宗) 순우(淳祐) 원년(1241)에 미백(郿伯)에 봉해졌다.

　　주돈이(周敦頤)·소옹(邵雍)·정이(程頤)·정호(程顥)와 '북송오자(北宋五子)'로 불린다. 특히 관중(關中)에서 강학함으로써 관학(關學)이라는 학파를 창도하였다. 저술에는《정몽(正蒙)》,《횡거역설(橫

渠易說)》,《경학리굴(經學理窟)》,《장자어록(張子語錄)》 등이 있으며, 문집인 《숭문집(崇文集)》 10권이 있었다고 하나 현재는 전하지 않는다.

- 작품개요

이 작품은 작자가 학당의 서쪽 창문에 걸어두었던 일종의 '좌우명(座右銘)'이자 배우는 자들을 훈계하는 글로, 본래 《정몽(正蒙)》〈건칭편(乾稱篇)〉의 일부분이다.

희령(熙寧) 연간에 왕안석(王安石)이 신법(新法)을 시행하자 감찰어사(監察御史)이던 아우 장전(張戩)은 신법을 반대하여 왕안석과 심한 마찰을 빚다가 지공안현(知公安縣)으로 좌천되었다. 이에 작자는 벼슬을 그만두고 고향으로 돌아와 저서를 찬하여 학설을 세우는 데에 전념하였다.

그는 자신의 학당 양쪽 창문에 명(銘)을 써서 걸었는데, 동쪽의 것을 〈폄우(砭愚, 어리석음을 고침)〉라 하고 서쪽의 것을 〈정완(訂頑, 완악함을 고침)〉이라 하였는바, 〈정완〉은 이 작품의 본래 이름이다. 그러나 이를 본 정이(程頤)가 "이런 이름은 사람들의 논쟁의 실마리가 될 수 있으니 차라리 그냥 동명(東銘)·서명이라 하는 것이 어떻겠는가."라고 지적하였고, 작자가 이를 흔쾌히 받아들여 명칭을 고친 것이다.

작품의 요지는 하늘을 아버지로 여기고 땅을 어머니로 여겨 사람은 모두 나의 동포로 여겨야 한다는 것이다. 작품 속에서 제시한 "백성(사람)들은 나의 동포요, 물건은 나와 함께 있는 자(동무)들이다.〔民吾同胞 物吾與也〕"라는 선언은 우주를 하나의 대가족으로 간주하여 개인의 도덕적 의무를 설명하고, 말미에 "생존하면 내 하늘을 순히 섬기고 죽으면 내 편안하다.〔存吾順事 沒吾寧也〕"라는 선언은 낙천순명(樂天順命)의 사상을 표방하였다.

겨우 250여 자 밖에 되지 않는 짧은 편폭이지만 한 편 전체가 철학적 담론이다. 작자의 철학적 체계는, 불교와 도교를 비판하고 사회의 실제상에 입각하여 유학을 가치의 본위로 삼는 '천인합일(天人合一)'이 이론적 특색인데, 이 작품은 바로 작자의 철학 사상과 가치 이념이 집중적으로 표현된 작품이라고 하겠다. 작자의 철학적 관점에서는 자신, 가족, 사회, 자연 등 모든 존재에 대한 무한하고 보편적인 관심과 사랑이 바로 '인(仁)'으로 간주된다. 자연에 근원을 두어 본심에서 우러나온 참된 감정인 '인(仁)'을 사회 속 모든 사람들과 우주의 만물에게까지 미치도록 하는 것이 작자가 지닌 가치 이념의 기본적 지향이라고 할 수 있다. 우주의 질서와 사회의 질서가 가정 질서와 일맥상통하여 일체를 이루고 있다.

정이는 이 작품에 대하여 〈원도(原道)〉의 종조(宗祖)이고 맹자(孟子) 이후에 이러한 글을 본 적이 없으며, 전대 성인이 발명하지 못한 바를 확장하였기 때문에 성선(性善)과 양기(養氣)를 주장한 맹

자와 그 공이 동등하다고 평가하였다.[56]

　이 작품은 천지와 사람과 만물이 '이치는 하나이나(똑같으나) 나뉨(직분)이 다름[理一而分殊]'을 밝힌 명문으로, 옛날 우리나라 선비들은 주돈이의 〈태극도설(太極圖說)〉, 정이의 〈사물잠(四勿箴)〉과 함께 매일 아침 낭송하였다. 하늘은 아버지, 땅은 어머니, 사람들은 형제, 물건들은 우리의 친구이니, 몸을 잘 보전하고 형제와 친구들을 보살펴야 천지의 효자가 될 수 있다는 내용이 참으로 흥미롭다.

　篇題小註‥ 此篇은 初名訂頑이러니 程子勉其改曰西銘이라하시니라.

　이 편은 처음에는 '정완(訂頑)'이라고 이름하였는데, 정자가 권면하여 '서명'으로 고치게 하였다.

● 原文

　乾稱父요 坤稱母라 子茲藐焉이 乃混然中處로다 故로 天地之塞이【氣.】吾其體요 天地之帥【理.】吾其性이니 民吾同胞요 物吾與也라 大君者는 吾父母宗子요 其大臣은 宗子之家相也라 尊高年은 所以長其長이요 慈孤弱은 所以幼吾幼니 聖其合德이요 賢其秀者也며 凡天下疲癃(륭)殘疾惸(경)獨鰥寡는 皆吾兄弟之顚連而無告者也니라

　건(乾)을 아버지라 칭하고 곤(坤)을 어머니라 칭하니, 내 이 작은 몸이 마침내 천지의 중간에 섞여 있도다. 그러므로 천지의 사이에 가득한 것【기(氣)이다.】은 나의 형체가 되었고, 천지의 장수【이(理)이다.】는 나의 성(性)이 되었으니, 백성(사람)들은 나의 동포요, 물건은 나와 함께 있는 자(동무)들이다.

　군주는 우리 부모의 종자(宗子)이고, 대신(大臣)은 종자의 가상(家相, 가신(家臣)의 우두머리)이다. 연세가 높은 분을 존경함은 나의 어른을 어른으로 섬기는 것이요, 고아와 약한(어린) 자를 사랑함은 나의 어린이를 사랑하는 것이니, 성인(聖人)은 천지와 덕(德)이 합하고 현인(賢人)은 그 빼어난 자이며, 무릇 천하에 늙고 병든 자와 불구자와 외로운 자와 홀아비·과부는 모두

---

56 정이는……평가하였다: 이 내용은 《장자전서(張子全書)》 권15 〈부록(附錄)〉에 보인다.

‥‥ 藐 작을 묘 混 뒤섞일 혼 塞 가득할 색 胞 태 포 疲 파리할 피 癃 파리할 륭 惸 외로울 경 鰥 홀아비 환 寡 과부 과 顚 넘어질 전

우리 형제 중에 전련(顚連, 가난하고 의지할 곳이 없음)하여 하소연할 곳이 없는 자들이다.

于時保之는 子之翼【敬】也요 樂且不憂는 純乎孝者也라【畏天以自保者, 由其敬親之至; 樂天而不憂者, 由其愛親之純.】違曰悖德이요 害仁曰賊이며 濟惡者는 不才요 其踐形[57]은 惟肖者也라 知化則善述其事요 窮神則善繼其志라【二者, 皆樂天踐形之事.】不愧屋漏爲無忝[58]이요 存心養性爲匪懈라【二者, 畏天之事, 君子所以求踐夫形者也.】

이에 몸을 잘 보전함은 자식이 공경함이요,【'익(翼)'은 공경함이다.】천리를 즐거워하여 근심하지 않음은 효도에 순실한 자이다.【하늘을 두려워하여 스스로 보존하는 것은 그 어버이를 지극히 공경함에서 연유하고, 천리를 즐거워하여 근심하지 않는 것은 그 어버이를 순수하게 사랑함에 연유한다.】이것을 어기는 것을 패덕(悖德)이라 하고 인(仁)을 해치는 것을 적(賊)이라 하며, 악을 이루는 자는 훌륭한 인재가 아니고, 자신의 형체(천성)를 잘 실천하는 것이 오직 어진 자이다. 천지의 조화를 알면 그 일을 잘 잇고, 신명(神明)의 덕을 연구하면 그 뜻을 잘 계승한다.【이 두 가지는 다 천리를 즐거워하고 형체를 실천하는 일이다.】방의 귀퉁이에도 부끄럽지 않게 함은 부모를 욕되지 않게 하는 것이요, 마음을 보존하여 성(性)을 기름은 게을리 하지 않는 것이다.【이 두 가지는 하늘을 두려워하는 일이니, 군자로서 그 형체를 실천하기를 바라는 자이다.】

惡(오)旨酒는 崇伯子[59]之顧養이요 育英才는 潁封人之錫類[60]라 不弛勞而底(지)豫는

---

57 踐形 : 사람이 하늘로부터 받은 천성(天性)을 그대로 실천하는 것으로, 《맹자》〈진심 상(盡心上)〉에 "형색(形色)은 천성이니 오직 성인이라야 천형할 수 있다.〔形色 天性也 惟聖人然後 可以踐形〕" 하였다.

58 不愧屋漏爲無忝 : '옥루'는 안방의 한 중앙이라 하기도 하고 집안에서 가장 깊숙하여 사람의 눈에 잘 띄지 않는 곳이라 하기도 하는바, 《시경》〈대아(大雅) 억(抑)〉에 "네가 네 집에 있을 때에 보니 옥루에 있을 때에도 부끄러움이 없네.〔相在爾室 尙不愧于屋漏〕"라는 내용에서 유래하였다. '무첨'은 부모를 욕되지 않게 한다는 뜻으로, 《시경》〈소아(小雅) 소완(小宛)〉에 "일찍 일어나고 밤늦게 잠자면서 너를 낳아주신 부모를 욕되지 않게 하라.〔夙興夜寐 無忝爾所生〕"는 내용에서 유래하였다.

59 崇伯子 : '숭(崇)'은 국명(國名)이고 '백(伯)'은 작위(爵位)로 '숭백'은 요(堯) 임금 때 사흉(四凶)의 하나인 곤(鯀)이며 그 아들은 우왕(禹王)이다. 우왕은 아버지를 이어 홍수를 다스렸으며 의적(儀狄)이 술을 만들어 올리자, 이것을 마셔보고 "후세에 반드시 이 술 때문에 나라를 잃는 자가 있을 것이다." 하고 다시는 술을 입에 대지 않았다.

60 潁封人之錫類 : '봉인(封人)'은 국경을 지키는 관원으로 영곡(潁谷)의 봉인인 영고숙(潁考叔)을 이른다. '석류(錫類)'는 족류(族類, 자손)를 주는 것이라 하기도 하고 선(善)한 자손을 주는 것이라 하기도 한다. 춘추시대 정(鄭)나라의 장공(莊公)은 어머니 장강(莊姜)과 사이가 나빴다. 이에 효자로 알려진 영고숙은 장공을 설득하여 장강을 잘 받들도록 하였다. 그리하여 《춘추좌씨전》 은공(隱公) 원년(元年)에 군자(君子)는 이 사실을 평하여 "영고숙은 순효(純孝)이다. 자기 어머니

翼 공경할 익 愧 부끄러울 괴 漏 서북모퉁이 루 忝 욕될 첨 懈 게으를 해 顧 돌아볼 고
潁 물이름 영 錫 줄 석 類 착할 류 底 이를 지 豫 기쁠 예

舜其功也⁶¹요 無所逃而待烹은 申生⁶²其恭也라 體其受而歸全者는 參⁶³乎요 勇於從而順令者는 伯奇⁶⁴也라 富貴福澤은 將厚吾之生也요 貧賤憂戚은 庸玉汝於成也⁶⁵니 存吾順事요 沒吾寧也니라【文公解夕死可矣, 有生順死安之語, 卽用此兩句.⁶⁶】

　　맛있는 술을 싫어함은 숭백(崇伯)의 아들인 우왕(禹王)이 부모의 봉양을 돌아봄이요, 영재(英才)를 기름은 영봉인(潁封人)이 선(善)을 남에게 가르쳐 준 것이다. 수고로움을 게을리하지 않아 기쁨을 이룬 것은 순(舜) 임금의 공이요, 도망하지 않고 팽형(烹刑)을 기다린 것은 신생(申生)의 공손함이다. 부모에게서 받은 몸을 온전히 하여 돌아간(죽은) 자는 증삼(曾參)이요, 부모

를 사랑하는 효성을 미루어 넓혀 장공에게 영향을 끼쳤으니, 《시경》에 '효자의 효심은 끝이 없어서 영원히 너의 동류에게 영향을 끼친다.'라고 한 것이 아마도 이를 이른 듯하다.〔潁考叔純孝也 愛其母 施及莊公 詩曰 孝子不匱 永錫爾類 其是之謂乎〕라 하였다. '효자의 효심은 끝이 없어서 영원히 너의 동류에게 영향을 끼친다.'는 것은 《시경》〈대아(大雅) 기취(旣醉)〉에 보이는 내용으로, 효자의 효행이 다하지 않아 이 효도를 그 자손에게 물려주는 것이다.

61 不弛勞而底豫 舜其功也 : 순 임금의 아버지 고수(瞽瞍)는 성질이 완악하여 《맹자(孟子)》〈만장 상(萬章上)〉에 의하면 아들인 순을 죽이려고 창고를 손질하게 하고는 사다리를 치우고 불을 지르고, 우물을 파게 하고는 못나오도록 흙을 덮는 등 그 처사가 옳지 못하였다. 그럼에도 순 임금은 50세가 되도록 효성을 다해 고수를 섬겼으므로, 《맹자》〈이루 상(離婁上)〉에 "순 임금이 어버이 섬기는 도리를 다함에 고수가 기뻐함에 이르렀으니, 고수가 기뻐함에 이르자 천하가 교화되었으며, 고수가 기뻐함에 이르자 천하의 부자(父子)된 자가 안정되었으니, 이를 일러 대효(大孝)라 한다.〔舜盡事親之道而瞽瞍底豫 瞽瞍底豫而天下化 瞽瞍底豫而天下之爲父子者定 此之謂大孝〕" 하였다.

62 申生 : 춘추시대 진 헌공(晉獻公)의 세자(世子)였는데 헌공의 애첩인 여희(驪姬)의 참소를 받아 죽을죄에 빠졌다. 신생은 자신의 무죄를 밝힐 경우 부왕(父王)이 사랑하는 여희가 죄를 받아 부왕의 마음을 상할 것을 우려하여 도망하라는 주위의 권고를 물리치고 그대로 죽었는바, 혹은 팽형(烹刑)을 당하였다 하고 혹은 목을 매달아 죽었다 한다. 《史記 卷39 晉世家》

63 參 : 공자(孔子)의 제자인 증자(曾子)의 이름이다. 효행(孝行)이 뛰어났으며 평소 "부모가 온전히 이 몸을 낳아주셨으니, 자식이 온전히 보전하여 돌아가야 효라 할 수 있다." 하여, 별세할 때에 제자들을 불러 자신의 수족(手足)을 보여주었다. '자식이 온전히 보전하여 돌아간다' 함은 행실을 바르게 하여 부모를 욕되지 않게 하고 몸을 잘 간수함을 이른다. 《禮記 祭義》, 《論語 泰伯》

64 伯奇 : 주(周)나라 선왕(宣王) 때의 중신(重臣)인 윤길보(尹吉甫)의 큰아들이다. 모친이 죽은 뒤에 후모(後母)를 지성으로 섬겼는데, 후모는 자신의 아들인 백봉(伯封)을 후계자로 삼고자 백기를 참소하기 위해 벌을 잡아다가 독침을 뽑고 옷깃에 붙여 두었다. 이에 백기가 계모에게 다가가 벌을 잡으려 하자, 계모는 큰 소리로 "백기가 나를 끌어당긴다."라고 외치니, 아버지 윤길보가 이 광경을 보고 노하여 백기를 쫓아냈으나, 백기는 아버지의 명령을 순종하였다. 《太平御覽 卷950 蟲豸 蜂》

65 庸玉汝於成也 : 박옥(璞玉)을 갈고 연마해야 좋은 옥이 되듯이 사람도 고난과 역경을 통해 훌륭한 인물이 됨을 말한 것이다. 《시경》〈대아(大雅) 민로(民勞)〉에 "왕이 너를 옥으로 만들고자 하시기에, 이 때문에 크게 간하노라.〔王欲玉女 是用大諫〕"라고 보인다.

66 文公解夕死可矣……卽用此兩句 : 《논어》〈이인(里仁)〉에 공자께서 "아침에 도(道)를 들으면 저녁에 죽어도 괜찮다.〔朝聞道 夕死可矣〕"라고 하셨는데, 이 말에 대해서 주자는 "도는 사물의 당연한 이치이니, 참으로 이것을 얻어 듣는다면, 살아서는 하늘을 순히 섬기고 죽어서는 편안하여 다시 남은 한이 없을 것이다.〔道者事物當然之理 苟得聞之 則生順死安 無復遺恨矣〕"라고 해설하였는데, 여기에 나오는 '生順死安'은 장횡거의 말씀과 궤(軌)를 같이한다.

의 뜻을 따름에 용감하고 명령을 순종한 자는 백기(伯奇)이다. 부귀(富貴)와 복택(福澤)은 하늘이 장차 나의 삶을 풍부하게 해주려는 것이요, 빈천과 걱정은 너를 옥(玉)처럼 갈고 연마하여 완성시키려는 것이다. 살아있으면 내 하늘을 순히 섬기고 죽으면 내 편안하다.【주문공(朱文公)이 《논어》의 '석사가의(夕死可矣)'를 해석하면서 '생순사안(生順死安)'이라는 말을 하였으니, 바로 이 두 구를 원용한 것이다.】

【○楊龜山曰: "西銘理一而分殊, 知其理一, 所以爲仁; 知其分殊, 所以爲義." ○朱子曰: "程子以爲: '明理一而分殊.' 可謂一言以蔽之矣. 蓋以乾爲父, 坤爲母, 有生之類, 無物不然, 所謂理一也. 而人物之生, 血脈之屬, 各親其親, 各子其子, 其分安得不殊哉? 一統而萬殊, 則雖天下一家, 中國一人, 而不流於兼愛之蔽; 萬殊而一貫, 則雖親疏異情, 貴賤異等, 而不梏於爲我之私,[67] 此西銘大旨也." ○橫渠, 名載, 字子厚, 大梁人. 記曰: "仁人之事親也, 如事天, 事天如事親." 此實發明事親如事天之意.】

【○양귀산(楊龜山, 양시(楊時))이 말하였다. "〈서명(西銘)〉은 이치가 하나이나 분(分, 신분에 따라 직분이 나뉨)이 다르니, 그 이치가 하나임을 아는 것은 인(仁)이고, 그 분이 다름을 아는 것은 의(義)이다." ○주자(朱子)가 말씀하였다. "정자(程子)가 '이 〈서명〉은 이치는 하나이나 분이 다름을 밝혔다.' 하셨으니, 한마디 말씀으로 전체의 뜻을 덮었다고 이를 만하다. '건(乾)'을 아버지라 하고 '곤(坤)'을 어머니라 함은 생명이 있는 부류라면 그렇지 않은 물건(사람과 동물)이 없으니, 이른바 '이치가 하나'라는 것이다. 사람과 물건이 태어날 적에 혈맥이 있는 종류는 각각 그 어버이를 친애하고 각각 그 자식을 사랑하니, 그 분(分)이 어찌 다르지 않을 수 있겠는가. 하나로 통합되었으면서 만 가지로 다르면 비록 천하가 한 집안이고 중국이 한 사람이라도 겸애(兼愛)하는 폐단에 흐르지 않을 것이요, 만 가지로 다르면서 일관(一貫)이 되면 비록 친소(親疏)의 정이 다르고 귀천(貴賤)의 등급이 다르더라도 위아(爲我)의 사사로움에 얽매이지 않을 것이니, 이는 〈서명〉의 큰 뜻이다." ○횡거(橫渠)는 이름이 재(載)이고 자가 자후(子厚)이니, 대량(大梁) 사람이다. 《예기(禮記)》〈애공문(哀公問)〉에 "어진 사람은 어버이 섬기기를 하늘을 섬기는 것처럼 하고 하늘 섬기기를 어버이를 섬기는 것처럼 한다." 하였으니, 이 〈서명〉은 실로 어버이를 섬기는 것을 하늘을 섬기는 것과 같이 한다는 뜻을 발명한 것이다.】

---

67 雖天下一家……而不梏於爲我之私: '겸애(兼愛)'와 '위아(爲我)'는 양주(楊朱)의 위아설(爲我說)과 묵적(墨翟)의 겸애설(兼愛說)을 말한다. 《맹자》〈진심 상(盡心上)〉에 "양자는 위아를 취하였으니 자신의 한 털을 뽑아서 천하가 이롭더라도 하지 않았고, 묵자는 겸애를 취하였으니 이마를 갈아 발꿈치에 이르더라도 천하에 이로우면 하였다.〔楊子取爲我 拔一毛 而利天下 不爲也 墨子兼愛 摩頂放踵 利天下 爲之〕"라고 보인다. 겸애는 타인을 자신의 친족처럼 똑같이 사랑하는 것이고, 위아는 자신의 지조를 지키기 위하여 행동함을 이른다.

동명東銘

장재張載

• 작품개요

　　이 작품은 원래 명칭이 〈편우(砭愚)〉로, 100여 자에 불과한 짧은 편폭이다. 주요 내용은 '희(戲)'와 '과(過)'에 대하여 논한 것인데 '언(言)'과 '동(動)'을 가장 많이 언급하였는바, 수양 공부로 귀결된다. 이 작품은 〈서명〉에 비하여 그렇게 많은 관심을 받지는 못하였는데, 〈서명〉의 웅대한 기상과 풍부한 내용에 미치지 못할 뿐만 아니라 정자와 주자가 이 작품을 상대적으로 소홀히 여겼기 때문이다. 하지만 여기에 담겨 있는 내용은 진학성덕(進學成德)에 있어 필수불가결한 것들로, 작자는 심(心)으로부터 나온 '언'과 '동'에 대하여 논함으로써 배우는 자들에게 바르게 살 것을 요구하는데, 특히 예(禮)를 중시한 '궁행실천(躬行實踐)' 사상이 그 기저에 깔려 있다. 〈서명〉과 함께 호응하여 천도(天道)와 인도(人道)가 합일된 '천인합일'의 완정한 철학 체계를 구성하고, 아울러 '성성(成聖)'의 문로(門路)'를 이루었다고 하겠다.

　　篇題小註‥ 一依平巖之葉采注解라

　　한결같이 평암(平巖) 섭채(葉采)의 《근사록(近思錄)》 주해를 따랐다.

• 原文

　　戲言은 出於思也요 戲動은 作於謀也라 發於聲하며 見(현)乎四肢어늘 謂非己心이면

不明也요欲人無己疑면不能也니라【言雖戲, 必以思而出也; 動雖戲, 必以謀而作也. 戲言發於聲, 戲動見乎四肢, 謂非本於吾之心, 是惑也; 本於吾意而欲人之不我疑, 不可得也.】過言은非心也요過動은非誠也라失於聲하며繆迷其四體어늘謂己當然이면自誣也요欲他人己從이면誣人也니라【言之過者, 非其心之本然也; 動之過者, 非其誠之實然也. 失於聲而爲過言, 繆迷其四體而爲過動, 謂之過者, 皆誤而非故也. 或者吝於改過, 遂以爲己之當然, 是自誣其心也; 旣憚改而自誣, 又欲人之從之, 是誣人也. 此夫子所謂'小人之過也必文', 孟子所謂'過則順之, 又從而爲之辭'.[68]】

　　희롱하는 말(농담)은 생각에서 나오고 희롱하는 행동(장난)은 도모(의도)에서 나온다. 〈농담은〉 목소리에서 나오고 〈장난은〉 사지(四肢)에 나타나는데, 자기 마음이 아니라고 하면 지혜가 밝지 못한 것이고, 남이 자기를 의심하지 않기를 바란다면 될 수 없는 것이다.【희롱하는 말이라 하더라도 반드시 생각하여 나오고, 희롱하는 행동이라 하더라도 반드시 도모하여 일어나는 것이다. 희롱하는 말은 목소리에서 나오고 희롱하는 행동은 사지에 나타나니, 나의 마음에 근본한 것이 아니라고 하면 이는 혹(惑, 지혜가 밝지 못함)인 것이요, 나의 뜻에 근본하고서 남이 나를 의심하지 않기를 바라면 될 수 없는 것이다.】

　　잘못된 말은 진심이 아니고 잘못된 행동은 성심(진심)이 아니다. 목소리를 잘못 내고 그 사체(四體, 사지)를 잘못 움직였는데, 자기가 당연하다고 한다면 자신을 속이는 것이요, 타인이 자기를 따르기를 바란다면 남을 속이는 것이다.【말의 잘못은 마음의 본연(本然)이 아니고, 행동의 잘못은 성실함의 진실이 아니다. 목소리를 잘못 내어 잘못된 말이 되고, 사지를 잘못 움직여 잘못된 행동이 되니, 이것을 '과(過)'라고 하는바, 모두 모르고 잘못한 것이요 고의가 아니다. 그런데 혹 허물을 고치는 데 인색하여 마침내 이것을 자신의 당연한 말과 행동이라고 강변하면 이는 스스로 자기 마음을 속이는 것이요, 고치기를 꺼려 스스로를 속이고 또 남이 따르기를 바란다면 이는 남을 속이는 것이다. 이는 부자(夫子)의 이른바 '소인은 허물이 있으면 반드시 문식한다.'는 것이요, 맹자의 이른바 '허물이 있으면 그것을 이루고 또 따라서 변명한다.'는 것이다.】

68　此夫子所謂小人之過也必文……又從而爲之辭:《논어》〈자장(子張)〉에 자하(子夏)가 말하기를 "소인(小人)들은 허물이 있으면 반드시 문식(文飾)한다.〔小人之過也 必文〕"라고 보이는바, 자하의 이 말을 공자의 말씀으로 본 것이다.《맹자》〈공손추 하(公孫丑下)〉에 "옛날의 군자(정치가)들은 잘못이 있으면 고쳤는데, 지금의 군자들은 잘못이 있으면 그것을 이루는구나! 옛날의 군자들은 그 잘못이 해와 달의 일식(日蝕)·월식(月蝕)과 같아서 백성들이 다 그것을 보았고, 잘못을 고침에 미쳐서는 백성들이 다 우러러보았는데, 지금의 군자들은 어찌 다만 이룰 뿐이겠는가. 또 따라서 변명을 하는구나!〔且古之君子 過則改之 今之君子 過則順之 古之君子 其過也 如日月之食 民皆見之 及其更也 民皆仰之 今之君子 豈徒順之 又從而爲之辭〕"라고 보인다. 위에서 말한 군자는 높은 지위에 있는 자를 이른 것이다.

　　　　　…　繆 그릇될 류(무) 迷 혼미할 미 誣 속일 무

或者謂出於心者를 歸咎爲己戲하고 失於思者를 自誣爲己誠하여 不知戒其出汝者하고 反歸咎其不出汝者하여 長傲且遂非하니 不知(智)孰甚焉고【戲謔, 出於心思, 乃故爲也, 不知所當戒, 徒歸咎以爲戲, 則長傲而慢愈滋矣. 過誤, 不出於心思, 乃偶失耳, 不歸咎於偶失, 反自誣以爲實然, 則遂非而過不改矣.】

혹자는 진심에서 나온 것을 허물을 돌려 자기의 희롱이라 하고, 생각에 잘못된 것을 스스로 속여 자기의 진심이라 하여, 너(자신)에게서 나온 것(농담과 장난)을 경계할 줄 모르고, 도리어 너에게서 나오지 않은 것(과오)에 허물을 돌려 오만함을 조장하고 또 비행(非行, 그름)을 이루니, 지혜롭지 못함이 무엇이 이보다 심하겠는가.【희학(戲謔)은 자기 마음에서 나왔으니 바로 고의로 한 것인데, 마땅히 경계해야할 바를 알지 못하고 한갓 허물을 돌려 희롱이라 하면 오만함을 조장하여 불경함이 더욱 자라난다. 과오(過誤)는 자기 마음에서 나오지 않았으니 바로 우연히 잘못한 것인데, 우연히 잘못함에 허물을 돌리지 않고 도리어 스스로 속여서 실제로 한 것이라고 강변하면 비행을 이루어서 허물을 고치지 못하게 된다.】

극기명克己銘

여대림呂大臨 여숙與叔

• 작가소개

　　여대림(呂大臨, 1044~1091)은 자가 여숙(與叔)이고 남전(藍田) 사람으로 여대방(呂大防)의 아우이다. 처음에는 장재(張載)를 사사하다가 그가 별세하자 이정(二程)을 사사하여 사량좌(謝良佐), 유초(游酢), 양시(楊時)와 함께 '정문사현(程門四賢)'으로 일컬어졌다. 박학하고 문장을 잘하였으며, 원우(元祐) 연간에 비서성 정자(秘書省正字)가 되었다.

　　주요 저술로는 《예기해(禮記解)》, 《대학해(大學解)》, 《여씨가훈(呂氏家禮)》, 《고고도(考古圖)》, 《대학설(大學說)》, 《옥계선생집(玉溪先生集)》 등이 있다.

• 작품개요

　　이 작품은 '자신의 사욕을 이겨야 함'을 주제로 한 명문(銘文)이다. 《논어(論語)》〈안연(顔淵)〉에 나오는 '극기복례(克己復禮)'를 작품의 골자로 삼아, 안연(顔淵)처럼 부단히 '인(仁)'을 추구하여 자신의 사욕을 극복하고 본성(本性)을 회복하여야 참다운 인간이 될 수 있다는 유가(儒家)의 기본 사상을 논리 정연하게 전개하고 있다.

　　篇題小註‥ 勝己之私之謂克이니 蓋謂克去己私하여 復還天理也라 篇中에 多用將帥卒徒寇讐臣僕等字하여 分八節하니 每四句에 一換韻하니라

자기의 사욕을 이김을 극(克)이라 이르니, 자기의 사욕을 이겨 제거해서 천리(天理)로 다시 돌아감을 말한다. 편 가운데 장수(將帥)와 졸도(卒徒), 구수(寇讐)와 신복(臣僕) 등의 글자를 많이 사용하여 8절(節)로 나누었는데, 매 4구마다 한 번씩 운자(韻字)를 바꾸었다.

• 原文

凡厥有生이 均氣同體어늘【此兩句起, 謂人生同一本原.】 胡爲不仁고 我則有己일새니라 物我既立에 私爲町畦(정휴)하여【町, 田區也. 畦, 田隴也.】 勝心橫發하여 擾擾不齊니라【此第二節, 論私心之擾擾.】 大人存誠하여 心見帝則하니 初無吝驕가 作我蟊賊이라【蟲食根曰蟊, 食節曰賊.】 志以爲帥요 氣爲卒徒라【孟子: "夫志, 氣之帥也."】 奉辭于天이어니 誰敢侮子아 且戰且徠하여 勝私窒慾하니【此第三節, 論存誠可以閑邪.】 昔爲寇讐러니 今則臣僕이라 方其未克엔 窋吾室廬하여 婦姑勃磎(혜)[69]어니【婦, 媳婦也. 姑, 宅母也. 勃, 爭也. 磎, 石之碍也. 事出莊子. ○一字之中, 私意起伏.】 安取厥餘리오【此第五節, 未克之私.】 亦既克之면 皇皇四達하여 洞然八荒[70]이 皆在我闥이니라 孰曰天下 不歸吾仁고【第六節, 言克己爲仁.】 癢痾(양아)疾痛이 擧切吾身이니【第七節, 論人物一體, 照起句.】 一日至焉이면 莫非吾事라 顏何人哉오 希之則是니라【揚子學行篇: "希顏之人, 亦顏之徒." ○第八節, 因顏之克己以自勵.】

| 모든 생명을 가진 사람들이 | 凡厥有生 |
| 기(氣)를 똑같이 받아 형체를 함께하였는데 | 均氣同體 |

【이 두 구는 기구(起句)이니, 사람이 태어날 때 본원(本原)이 동일함을 말하였다.】

어찌하여 불인(不仁)한 짓을 하는가	胡爲不仁
내 마음에 사욕이 있기 때문이다	我則有己
남과 내가 이미 성립되면	物我既立
사사로이 정휴(한계, 간격)를 두어	私爲町畦

---

69 婦姑勃磎: '발계(勃磎)'는 서로 다투는 것으로,《장자》〈외물〉에 "방에 공간의 여유가 없으면 며느리와 시어머니가 다투고, 마음에 자연의 노닒이 없으면 〈눈, 귀, 코 등〉 여섯 개의 감각을 담당하는 기관이 서로 다투게 된다.〔室無空虛 則婦姑勃磎 心無天遊 則六鑿相攘〕"라고 보인다.

70 八荒: 황은 황원(荒遠)의 뜻으로 팔황은 먼 팔방(八方)을 가리킨다.

••• 町 경계 정 畦 밭두둑 휴 擾 어지러울 요 吝 인색할 린 驕 교만할 교 蟊 해충 모 徠 올 래
窋 막을 질 窋 군색할 군 勃 다툴 발 磎 다툴 계, 혜 皇 너를 황 闥 문지방 달 癢 가려울 양
痾 숙병 아

【'정(町)'은 밭의 구역이고, '휴(畦)'는 밭의 두둑이다.】

남을 이기려는 마음이 멋대로 나와 　　　　　　　　勝心橫發

분분하여 가지런하지 못하다 　　　　　　　　擾擾不齊

　　【이는 두 번째 절이니, 사심(私心)이 분분함을 논하였다.】

대인(大人)은 성(誠)을 보존하여 　　　　　　　　大人存誠

마음에 상제의 법칙을 보니 　　　　　　　　心見帝則

애당초 인색함과 교만함이 　　　　　　　　初無吝驕

나의 모적(蟊賊, 해침)이 되는 일이 없다 　　　　　　　　作我蟊賊

　　【벌레 중에 곡식의 뿌리를 먹는 것을 '모(蟊)'라 하고, 곡식의 마디를 먹는 것을 '적(賊)'이라 한다.】

뜻을 장수로 삼고 　　　　　　　　志以爲帥

기(氣)를 졸도(卒徒, 졸개)로 삼아 　　　　　　　　氣爲卒徒

　　【《맹자》〈공손추 상(公孫丑上)〉에 "뜻은 기운의 장수이다." 하였다.】

하늘의 말씀을 받드니 　　　　　　　　奉辭于天

누가 감히 나를 업신여기겠는가 　　　　　　　　誰敢侮予

한편으로는 싸우고 한편으로는 회유하여 　　　　　　　　且戰且徠

사욕을 이기고 욕심을 막으니 　　　　　　　　勝私窒慾

　　【이는 세 번째 절이니, 성실함을 보존하면 사(邪)를 막을 수 있음을 논하였다.】

옛날엔 적과 원수였는데 　　　　　　　　昔爲寇讐

지금은 신하와 종이 되었도다 　　　　　　　　今則臣僕

사욕을 이기기 전에는 　　　　　　　　方其未克

내 집에서 군색하여 　　　　　　　　窘吾室廬

며느리와 시어머니가 다투듯 하였으니 　　　　　　　　婦姑勃谿

　　【'부(婦)'는 며느리이고 '고(姑)'는 시어머니이다. '발(勃)'은 다툼이고 '계(谿)'는 돌이 뾰족한 것이니, 이 일이 《장자》〈외물(外物)〉에 나온다. ○ 한 글자 가운데에 사사로운 뜻이 일어나고 숨는 것이다.】

어찌 그 나머지를 취하겠는가(논하겠는가) 　　　　　　　　安取厥餘

　　【이는 다섯 번째 절이니, 이기지 못한 사사로움이다.】

이미 사욕을 이기고 나면 　　　　　　　　亦旣克之

드넓게 사방으로 통달하여 　　　　　　　　皇皇四達

환하게 팔황(八荒)이 　　　　　　　　洞然八荒

모두 내 문지방 안에 있게 된다　　　　　　　　　　　　　皆在我闈

누가 천하가　　　　　　　　　　　　　　　　　　　　　　孰曰天下

나의 인(仁)을 허여하지 않는다고 말하는가　　　　　　　　不歸吾仁

　　【여섯 번째 절이니, 자신의 사욕을 이겨 인(仁)을 함을 말하였다.】

남의 가려움과 아픔이　　　　　　　　　　　　　　　　　癢痾疾痛

모두 내 몸에 간절하다　　　　　　　　　　　　　　　　　擧切吾身

　　【일곱 번째 절이니, 사람과 물건이 일체임을 논하여 기구(起句)에 응하였다.】

하루라도 인(仁)에 이르면　　　　　　　　　　　　　　　一日至焉

나의 일 아님이 없으니　　　　　　　　　　　　　　　　　莫非吾事

안연(顔淵)은 어떤 분인가?　　　　　　　　　　　　　　　顔何人哉

바라면 그렇게 되느니라　　　　　　　　　　　　　　　　希之則是

　　【《양자법언(揚子法言)》〈학행(學行)〉에 "안자(顔子)를 바라는 사람은 또한 안자의 무리이다." 하였다. ○

　　여덟 번째 절이니, 안자의 극기(克己)를 인하여 스스로 면려한 것이다.】

文章
軌範

疊山先生謝枋得君直編次

첩산 선생 사방득 군직이 편차하였다.

眞寶. 軌範은 世間竝行之書也라 軌範은 凡七篇이니 以侯王將相有種乎七字爲號하
니 其文이 共六十九篇이로되 而四十二則眞寶中已錄이라 故로 其餘二十七篇을 今附
刊於眞寶之末하고 因書軌範目錄於下하여 以便參考云이라

《고문진보》와 《문장궤범》은 세상에 함께 유행하는 글이다. 《문장궤범》은 모두 일곱 편(篇)이니, 후(侯)
·왕(王)·장(將)·상(相)·유(有)·종(種)·호(乎)의 일곱 글자를 가지고 편명(篇名)을 삼았다. 그 글이 모
두 69편인데, 42편은 《고문진보》가운데 이미 수록하였다. 그러므로 그 나머지 27편을 이제 《고문진보》의
끝에 붙여 간행하고, 인하여 《문장궤범》의 목록을 아래에 써서 참고에 편리하게 하였다.

【문장궤범 원목차】

권1 방담문(放膽文)
  1. 여우양양서(與于襄陽書)
  2. 상재상제삼서(上宰相第三書) - 고문진보 4권에 보임
  3. 대장적여이절동서(代張籍與李浙東書)
  4. 상장복야서(上張僕射書) - 고문진보 2권에 보임
  5. 여진급사서(與陳給事書)
  6. 상재상제이서(上宰相第二書)
  7. 응과목시여인서(應科目時與人書)
  8. 답진상서(答陳商書) - 고문진보 2권에 보임

9. 송석홍처사서(送石洪處士序) – 고문진보 3권에 보임

10. 송온조처사서(送溫造處士序) 고문진보 3권에 보임

11. 송양거원소윤서(送楊巨源少尹序) – 고문진보 3권에 보임

12. 송고한상인서(送高閑上人序)

13. 송은원외사회골서(送殷員外使回鶻序)

14. 원훼(原毁)

권2 방담문(放膽文)

1. 쟁신론(爭臣論) – 고문진보 3권에 보임

2. 휘변(諱辯) – 고문진보 4권에 보임

3. 동엽봉제변(桐葉封弟辨) – 고문진보 5권에 보임

4. 여한유논사서(與韓愈論史書) – 고문진보 5권에 보임

5. 진문공수원의(晉門公守原議) – 고문진보 5권에 보임

6. 붕당론(朋黨論) – 고문진보 7권에 보임

7. 종수론(縱囚論) – 고문진보 7권에 보임

8. 춘추론(春秋論)

권3 소심문(小心文)

1. 관중론(管仲論) – 고문진보 7권에 보임

2. 고조론(高祖論) – 고문진보 7권에 보임

3. 춘추론(春秋論)

4. 범증론(范增論) – 고문진보 9권에 보임

5. 조조론(鼂錯論)

6. 유후론(留侯論)

7. 진시황부소론(秦始皇扶蘇論)

8. 왕자불치이적론(王者不治夷狄論) – 고문진보 9권에 보임

9. 순경론(荀卿論)

권4 소심문(小心文)

1.원도(原道) – 고문진보 2권에 보임

2. 여맹간상서서(與孟簡尙書書) – 고문진보 2권에 보임

3. 상고종봉사(上高宗封事)

4. 조주한문공묘비(潮州韓文公廟碑) – 고문진보 8권에 보임

5. 상전추밀서(上田樞密書) – 고문진보 7권에 보임

6. 상범사간서(上范司諫書) – 고문진보 6권에 보임

권5 소심문(小心文)

  1. 사설(師說) - 고문진보 4권에 보임

  2. 획린해(獲麟解)

  3. 잡설 상(雜說上)

  4. 잡설 하(雜說下) - 고문진보 4권에 보임

  5. 송설존의서(送薛存義序) - 고문진보 5권에 보임

  6. 송동소남서(送董邵南序)

  7. 송왕함수재서(送王含秀才序)

  8. 답이수재서(答李秀才書)

  9. 송허영주서(送許郢州序)

  10. 증최복주서(贈崔復州序)

  11. 독이고문(讀李翶文)

  12. 독맹상군전(讀孟嘗君傳) - 고문진보 6권에 보임

권6 소심문(小心文)

  1. 전출사표(前出師表) - 고문진보 1권에 보임

  2. 송부도문창사서(送浮屠文暢師序) - 고문진보 2권에 보임

  3. 유자후묘지명(柳子厚墓誌銘)

  4. 대당중흥송서(大唐中興頌序) - 고문진보 2권에 보임

  5. 서기자묘비음(書箕子廟碑陰)

  6. 엄선생사당기(嚴先生祠堂記) - 고문진보 6권에 보임

  7. 발소흥신사친정조초(跋紹興辛己親征詔草)

  8. 원주학기(袁州學記) - 고문진보 9권에 보임

  9. 서낙양명원기(書洛陽名園記) - 고문진보 10권에 보임

  10. 악양루기(岳陽樓記) - 고문진보 6권에 보임

권7 소심문(小心文)

  1. 제전횡문(祭田橫文)

  2. 상매직강서(上梅直講書)

  3. 삼괴당명(三槐堂銘) - 고문진보 8권에 보임

  4. 표충관비(表忠觀碑) - 고문진보 8권에 보임

  5. 송맹동야서(送孟東野序) - 고문진보 3권에 보임

  6. 전적벽부(前赤壁賦) - 고문진보 8권에 보임

  7. 후적벽부(後赤壁賦) - 고문진보 8권에 보임

  8. 아방궁부(阿房宮賦) - 고문진보 5권에 보임

  9. 송이원귀반곡서(送李愿歸盤谷序) - 고문진보 4권에 보임

  10. 귀거래사(歸去來辭) - 고문진보 1권에 보임

방담문放膽文

凡學文에 初要膽大하고 終要心小하여 由麤入細하고 由俗入雅하고 由繁入簡하고 由豪蕩入純粹하니 此集은 皆麤枝大葉之文이라 本於禮義하고 老於世事하고 合於人情하니 初學熟之면 開廣其胸襟하고 發舒其志氣하여 但見文之易하고 不見文之難하여 必能放言高論하여 筆端이 不窘束矣리라

무릇 문장을 배울 적에 처음에는 담대(膽大)하여야 하고 끝에는 소심(小心)하여야 한다. 그리하여 거칢으로부터 세밀함에 들어가고, 속됨으로부터 고아(高雅)함에 들어가고, 번잡함으로부터 간략함에 들어가고, 호탕(豪蕩)함으로부터 순수(純粹)함에 들어가야 하니, 이 〈후자집(侯字集)〉은 모두 가지가 굵고 잎이 큰 문장이다. 예의(禮義)에 근본하고 세상의 일에 노련하고 인정에 부합하니, 초학자(初學者)가 익숙히 읽으면 흉금을 열어 넓히고 뜻과 기운을 펴서 단지 문장을 짓기 쉬움만 보고 문장을 짓기 어려움은 보지 못해서 반드시 큰 소리치고 고담준론(高談峻論)하여 붓끝이 곤궁하거나 속박되지 않을 것이다.

···　放 클 방　膽 쓸개 담　麤 거칠 추　雅 바를 아　繁 많을 번　蕩 호탕할 탕　襟 흉금 금
　　　窘 군색할 군

여우양양서 與于襄陽書

한유韓愈 한문공韓文公

• 작품개요

　이 작품은 일종의 구천서(求薦書)이다. '우양양(于襄陽)'은 우적(于頔, ?~818)으로 자는 윤원(允元)이며 하남(河南) 낙양(洛陽) 사람이다. 작자는 덕종(德宗) 정원(貞元) 18년(802)에 국자감(國子監)의 사문박사(四門博士)가 되었었는데 한직(閑職)인데다 박봉으로 인하여 생활이 빈곤하였다. 이 때문에 당시 산남동도 절도관찰사(山南東道節度觀察使)로서 양양(襄陽)에 주절(駐節)하고 있던 우적에게 도움을 받고자 정원 18년 7월 3일에 이 서신을 써서 올린 것이다.

　작품은 총 세 단락으로 구성된다. 기구(起句)부터 '미상감이문어인(未嘗敢以聞於人)'까지의 첫 번째 단락은, 선달지사(先達之士)와 후진지사(後進之士)의 의존적 관계를 통하여 '선비로서 큰 명성을 누리고 당세에 드러난 자[士之能享大名顯當世者]'의 원인에 대하여 해석하고, '아래에 있는 사람은 재능을 자부하여 윗사람에게 아첨하기를 즐기지 않고, 윗사람은 지위를 자부하여 아랫사람을 돌아보기를 좋아하지 않음[下之人負其能 不肯諂其上 上之人負其位 不肯顧其下]'을 가지고서 '높은 재주가 척척(戚戚, 근심함)한 곤궁함이 많고, 성대한 지위가 혁혁한 빛남이 없는 것[高材多戚戚之窮 盛位無赫赫之光]'의 중요한 이유로 삼았다. '측문(側聞)'부터 '청자외시(請自隗始)'까지의 두 번째 단락은, '불세지재(不世之才)'를 지닌 우적에게 "후진의 선비들이 좌우(左右)에게 인정을 받아 문하에서 예우를 받은 자가 있다는 말을 듣지 못하였다.[未聞後進之士 有遇知於左右 獲禮於門下者]"라고 말하며, 이어지는 질문을 통하여 은근히 작자 자신을 추천하였다. '유금자(愈今者)'부터 말구(末句)까지의 세 번째 단락은, 작자 자신이 처한 곤궁한 상황을 직접 언급하며 우적에게 도움을 요청하였다. 특히 이 단락의 "세상에 작은 일에 얽매이는 자들은 굳이 말할 것이 없다.[世之齷齪者 旣不足以

語之〕"는 것은 첫 번째 단락의 "일찍이 감히 남에게 말하지 못하였다.〔未嘗敢以聞於人〕"에 호응하는바, 말 밖에 무궁무진한 뜻을 품고 있으니, 스스로를 지나치게 낮추거나 상대방을 과도하게 높이지 않았다고 하겠다.

또한 내용상 작품의 전체 구소를 선반부와 후반부로 나누어 볼 수도 있다. 전반부에서는 재주를 가진 자와 지위를 가진 자의 상호 관계를 일반적인 관점에서 서술하였고, 후반부에서는 전반부의 의론을 작자 자신의 경우에 적용시켜 자신을 등용해 주기를 간청하였는바, '일반'과 '특수'의 구조가 이 작품의 골자인 셈이다. 작자는 이 작품에서 '선달지사(先達之士)' 즉 '상지인(上之人)'인 상대방 우적과 '후진지사(後進之士)' 즉 '하지인(下之人)'인 작자 자신은 불가분의 관계임을 잘 드러냈다. 양자 간의 상호 필요성을 부각하기 위하여 작자는 정확하게 대응이 되는 내용을 정확하게 대응이 되는 문장으로 표현하였다. 이러한 서술 기법은 양자의 관계가 대등함을 표출한 것이다. 이를 바탕으로 상대방을 뛰어난 선배로 자리매김함과 동시에 작자 자신을 뛰어난 후배로 자리매김하였다.

작품의 전반부에서 상대방이 수긍할 만한 일반적인 예를 서술하였다면, 후반부에서는 이를 바탕으로 삼아 상대방과 자신을 대입시켰다. 후반부의 내용 역시 상대방과 자신이 뛰어난 선배이자 후배임을 드러내는 것인데, 상대방이 작자를 아직까지 등용하지 못하여 작자가 등용되지 못하고 있음을 우회적으로 은근하게 서술하였다. 이러한 서술은 상대방에 대한 최소한의 예를 갖춤과 동시에 작자의 존재를 헤아리지 못한 상대방을 깨닫게 하는 효과를 가져온다고 하겠다.

• 原文

七月三日에 將仕郎守國子四門博士[1] 韓愈는 謹奉書尙書閣下하노이다 士之能享大名, 顯當世者는【此輕.】莫不有先達之士負天下之望者 爲之前焉이요【隱然許于公.】士之能垂休光, 照後世者는【此重.】亦莫不有後進之士負天下之望者 爲之後焉이니【隱然自許.】莫爲之前이면 雖美而不彰하고 莫爲之後면 雖盛而不傳이라 是二人者 未始不相須也로되 然而千百載에 乃一相遇焉하니 豈上之人이 無可援하고 下之人이 無可推歟아 何其相須之殷而相遇之疎也오 其故는 在下之人은 負其

---

1 將仕郎守國子四門博士: 장사랑(將仕郎)은 문관(文官)의 산직(散職)이며, 국자 사문박사(國子四門博士)는 국자감(國子監) 사문박사(四門博士)를 이른다. 당대(唐代)에는 국자감 밑에 국자학(國子學), 태학(太學), 사문관(四門館) 등의 관학(官學)이 있었는데, 그곳에 모두 박사가 있었다. '수(守)'는 품계(品階)는 낮은데 직책이 높은 것을 이른다. 장사랑은 종9품이고, 사문박사는 종7품이기 때문에 '수'라고 한 것이다.

••• 閤 협문 합 享 누릴 향 彰 드러날 창

能하여 不肯諂其上하고 上之人은 負其位하여 不肯顧其下일새라 故로 高材多戚戚之
窮하고 盛位無赫赫之光하니 是二人者之所爲는 皆過也라 未嘗干之언정 不可謂上
無其人이요 未嘗求之언정 不可謂下無其人이니 愈之誦此言이 久矣로되 未嘗敢以
聞於人이로이다

7월 3일에 장사랑(將仕郎) 수국자 사문박사(守國子四門博士)인 한유(韓愈)는 삼가 상서합하(尙書閣下)께 글을 받들어 올립니다. 선비로서 큰 명성을 누리고 당세에 드러난 자는【이는 가벼운 것이다.】천하의 명망을 지니고 있는 현달한 선배가 앞에서 주선해 주지 않은 경우가 없고,【은근히 우공(于公)을 허여하였다.】선비로서 아름다운 광채를 남겨 후세를 비추는 자들은【이는 중(重)한 것이다.】또한 천하의 명망을 지니고 있는 후진(後進)의 선비가 뒤에서 주선해 주지 않은 경우가 없으니,【은근히 자신을 허여하였다.】만일 앞에서 주선해 주는 이가 없으면 비록 아름다우나 드러나지 못하고, 뒤에서 주선해 주는 이가 없으면 비록 성대하나 전해지지 못합니다.

이 두 사람은 일찍이 서로 필요로 하지 않은 적이 없으나 천백 년 만에야 한번 서로 만나니, 어찌 윗사람에게 이끌어줄 만한 아랫사람이 없고, 아랫사람에게 밀어줄 만한 윗사람이 없어서이겠습니까. 서로 필요로 함이 지극한데 어쩌면 그리도 서로 만남이 드물단 말입니까? 그 이유는 아래에 있는 사람은 재능을 자부하여 윗사람에게 아첨하려 하지 않고, 윗사람은 지위를 자부하여 아랫사람을 돌아보려 하지 않기 때문입니다. 그러므로 높은 재주를 가진 사람은 척척(戚戚, 근심함)한 곤궁함이 많고, 성대한 지위에 있는 사람은 혁혁한 빛남이 없는 것이니, 이 두 사람의 하는 바는 모두 잘못입니다.

일찍이 구하지 않아서 그렇지 위에 그러한 사람이 없다고 말할 수는 없으며, 일찍이 구하지 않아서 그렇지 아래에 그러한 사람이 없다고 말할 수는 없으니, 저는 이 말을 외운 지가 오래되었으나 일찍이 감히 남에게 말하지 못하였습니다.

側聞閣下抱不世之材하여 特立而獨行하고 道方而事實하며 卷舒不隨于時하고 文
武惟其所用이라하니 豈愈所謂其人哉아【文婉曲有味.】抑未聞後進之士 有遇知於
左右하여 獲禮於門下者하니 豈求之而未得邪아【文婉曲有味.】將志存乎立功而事
專乎報主하여 雖遇其人이나 未暇禮邪아【文婉曲有味.】何其宜聞而久不聞也오 愈
雖不材나 其自處 不敢後於常人하니 閣下將求之而未得歟아【文婉曲有味.】古人有

言호되 請自隗始라하니이다【史記郭隗曰：“王欲致士, 先自隗始.”[2]】

　전하는 말을 듣건대 합하(閤下)는 불세출(不世出)의 재주를 품고서 특립독행(特立獨行, 뜻과 행실이 고결하여 시류(時流)에 휩쓸리지 않음)하며 도(道)가 방정하고 일이 진실하며 진퇴(進退)에 세속을 따르지 않고 문무(文武)의 인재를 오직 필요에 따라 쓰신다고 하니, 아마도 제가 말한 그러한 사람이 아니겠습니까.【문장이 완곡하여 재미가 있다.】 그런데 후진의 선비들 중에 좌우(左右, 그대)에게 인정을 받아 문하(門下)에서 예우(禮遇)를 받는 자가 있다는 말을 듣지 못하였으니, 아마도 구했으나 얻지 못한 것입니까?【문장이 완곡하여 재미가 있다.】 아니면 공(功)을 세우는 데 뜻이 있고 군주에게 보답하는 일에 전일(專一)하여 비록 그런 사람을 만났으나 예우할 겨를이 없어서입니까?【문장이 완곡하여 재미가 있다.】

　〈후진의 선비를 만났다는 말이〉 마땅히 알려져야 할텐데, 어쩌면 그리도 오래도록 들리지 않습니까? 저는 비록 재주가 없으나 자처하기를 감히 보통사람보다 뒤지려 하지 않으니, 합하께서는 아마도 구했으나 얻지 못하신 듯합니다.【문장이 완곡하여 재미가 있다.】 고인(古人)이 말하기를 “곽외(郭隗)로부터 시작하라.” 하였습니다.【《사기(史記)》에 곽외가 말하기를 “왕께서 선비를 초치하려 하신다면 먼저 이 곽외로부터 시작하십시오.”라고 하였다.】

愈今者에 惟朝夕芻米僕賃之資 是急하니 不過廢閤下一朝之享而足也라 如曰吾志存乎立功而事專乎報主하여 雖遇其人이나 未暇禮焉이라하면 則非愈之所敢知也로이다【文婉曲有味.】 世之齪(착)齪者는 旣不足以語之요 磊(뢰)落奇偉之人이 又不能聽焉이면 則信乎命之窮也라 謹獻舊所爲文一十八首하오니 如賜覽觀이면 亦足知其志之所存이리이다【結得健.】 愈는 恐懼再拜하노이다

　저는 지금 아침저녁(당장)에 쓸 꼴과 쌀과 마부의 품삯에 필요한 재물이 시급한데, 이는 합하가 하루아침에 누리는 것을 폐하는 것만으로도 충분합니다.

2　史記郭隗曰：王欲致士 先自隗始：곽외(郭隗)는 전국시대 연(燕)나라 사람으로, 소왕(昭王)이 현자(賢者)를 초치(招致)하면 중용(重用)하겠다고 말하자, “왕께서 참으로 현자를 초치하려 하신다면 이 곽외로부터 시작하십시오. 그렇게 하신다면 저보다 어진 자가 어찌 천리(千里)를 멀리 여기고 오지 않겠습니까.” 하였다. 이에 소왕은 그를 위해 황금으로 꾸민 집을 지어주고 스승으로 섬겼는데, 그의 말대로 악의(樂毅)·극신(劇辛) 등의 인물이 몰려왔으며 소왕은 이들을 등용하여 부국강병(富國强兵)을 이룩하고 제(齊)나라에 대한 복수전을 전개하여 옛날 제나라에게 패하였던 치욕을 깨끗이 씻었다.《史記 卷34 燕昭王世家》

··· 隗 높을 외　芻 꼴 추　僕 마부 복　賃 품삯 임　齪 작을 착　磊 뜻클 뢰

만일 '나는 공을 세우는데 뜻이 있고 군주에게 보답하는 일에 전일(專一)하여 비록 그런 사람을 만나더라도 예우할 겨를이 없다.'라고 하신다면, 감히 제가 알 바가 아닙니다.【문장이 완곡하여 재미가 있다.】세상에 작은 일에 얽매이는 자들은 굳이 말할 것이 없고 흉금이 탁 트여 기특하고 위대한 사람이 또 제 말을 들어주지 못한다면, 진실로 저의 운명이 곤궁한 것입니다.

예전에 지었던 글 18편을 삼가 올리니, 만일 보아주신다면 또한 제 뜻이 있는 바를 충분히 아실 것입니다.【끝맺음이 굳세다.】한유는 두려워하며 두 번 절합니다.

대장적여이절동서 代張籍與李浙東書

한유 韓愈

• 작품개요

　　이 작품은 당 헌종(唐憲宗) 원화(元和) 5년(810)에 작자가 눈병을 앓고 있는 장적(張籍, 약766~약830)을 대신해 작성하여 당시 월주 자사(越州刺史)로서 어사중승(御史中丞)·절동 도단련관찰사(浙東都團練觀察使)를 겸하고 있던 이손(李遜, 761~823)에게 보낸 서신이다. 장적은 자가 문창(文昌)으로, 작자의 벗이자 제자이다. 장적은 수도 장안(長安)에서 태상시 대축(太常寺大祝)으로 있었지만 박봉으로 몹시 가난한데다 눈병마저 앓아 거의 실명에 이르렀다. 이때 장안으로 돌아온 벗 이고(李翶)를 통하여 이손에 대해 듣고서 그에게 의탁하고자 하여, 작자에게 대신 서신을 써줄 것을 부탁한 것이다.

　　이 작품은 일종의 대인작(代人作)인 '구관자천서(求官自薦書)'로, 크게는 상대방에 대한 칭송과 자신의 처지에 대한 비탄을 주된 내용으로 하는 전반부와 자신을 스스로 천거하는 내용을 담은 후반부로 구분된다. 또한 내용상으로는 다섯 부분으로 나누어 볼 수 있는데, 첫 번째는 관찰사 이손에 대한 세간의 평가, 두 번째는 벗 이고로부터 전해들은 이손에 관한 이야기, 세 번째는 자신의 처지와 현재 상황으로 인한 비탄 및 이손이 자신을 알아줄 것이라는 낙관적인 전망과 태도, 네 번째는 고시(古詩)에 대한 자부, 다섯 번째는 감은(感恩)에 대한 다짐이다.

　　이 작품은 당시로서는 매우 흔한 구관자천서인데다가 대인작인바, 이러한 종류의 글은 그 특성상 상투적이거나 지루하기 십상이다. 그러나 작자는 장적의 눈병에 착안하여 '맹(盲)'이라는 문안(文眼)을 가지고 전체를 이끌어가며 내용을 적절하게 안배함으로써 설득력을 높이는 데에 성공하였다. 특히 중요한 부분은, 눈[目]의 맹(盲)과 마음[心]의 맹(盲)을 대조함으로써 마음의 맹(盲)이 다수인

가운데에 ─이 부분은 당시 세태에 대한 한유의 비판적 의식이 반영되어 있다.─ 자신은 비록 눈은 보이지 않으나 시비를 올바르게 가릴 수 있는 마음을 지니고 있음을 강조하는 대목이다. 맹(盲)을 통하여 자신의 심목(心目)과 지견(知見)을 부각시키는 부분이 전체의 관건이다.

명(明)나라 당순지(唐順之, 1507~1560)는 이 작품에 대해 '직(直)'이라는 한 글자를 가지고 평가하였는바, 이는 문장이 한 기운으로 이어져 통창(通暢)하다는 뜻이자 작자 자신의 생각을 직설(直說)하였다는 뜻이다.

• 原文

月日에 前某官某는 謹東向再拜하고 寓書浙東觀察使中丞李公閤下하노이다 籍은 聞議論者皆云 方今에 居方伯, 連帥(수)之職하여 坐一方하여 得專制於其境內者는【起句不凡不弱.】 惟閤下心事犖(락)犖하여 與俗輩不同이라하니 籍이 固以藏之胸中矣로이다

모월(某月) 모일(某日)에 전모관(前某官) 모(某)는 삼가 동향하여 재배하고 절동 관찰사 중승(浙東觀察使中丞)인 이공(李公) 합하(閤下)에게 글을 올립니다.

저 장적(張籍)은 듣건대 의론하는 자들이 모두 이르기를 "지금에 방백(方伯, 관찰사)과 연수(連帥, 절도사(節度使))의 관직에 거하여 한 지방에 앉아서 그 경내를 오로지 통제할 수 있는 자로는【기구(起句)가 범상하지 않고 약하지 않다.】 오직 합하만이 심사(心事)가 우뚝하여 시속의 무리들과 똑같지 않다."라고 하니, 저는 진실로 가슴속에 이 말을 깊이 간직하고 있었습니다.

近者에 閤下從事李協律翶가 到京師하니 籍於李君에 友也라 不見이 六七年이러니 聞其至하고 馳往省之하여 問無恙外에 不暇出一言하고 且先賀其得賢主人한대 李君曰 子豈盡知之乎아 吾將盡言之호리라 數日에 籍이 益聞所不聞하고 籍이 私獨喜하여 常以爲自今已後로 不復有如古人者러니 於今에 忽有之라호이다

그런데 근자에 합하의 종사관(從事官)인 협율(協律) 이고(李翶)가 경사(京師)에 왔는데, 저는 이군(李君)과 친구간으로 만나보지 못한 지가 6, 7년이 되었습니다. 그가 왔다는 말을 듣고 달려가서 안부를 살펴 병이 없는가를 물은 외엔 다른 말은 한 마디도 꺼낼 겨를이 없이 우선 어

진 주인을 만난 것을 축하하였더니, 이군은 말하기를 "자네가 어찌 다 알겠는가. 내 장차 다 말하여 주겠네." 하였습니다.

수일 후에 저는 그동안 듣지 못했던 바를 더 듣고 사사로이 홀로 기뻐하여 이르기를 "내 항상 이제 다시는 고인(古人)과 같은 자가 없을 것이라고 여겼었는데, 지금 갑자기 그런 분이 나타났구나." 하였습니다.

退自悲호되 不幸兩目不見物하니 無用於天下라 胸中에 雖有知識이나 家無錢財하여 寸步를 不能自致하니 今去李中丞이 五千里라 何有致其身於其人之側하여 開口一吐出胸中之奇乎아하고 因飮泣不能語러니 旣數日에 復自奮曰【一轉.】無所能人은 乃宜以盲廢어니와 有所能人은 雖盲이나 當廢於俗輩요 不當廢於行古人之道者라【此一轉巧.】浙水東七州에【二轉.】戶不下數十萬이니 不盲者何限이리오 李中丞取人에 固當問其賢不賢이요 不當計其盲與不盲也라【此一轉又巧.】當今에 盲於心者皆是로되【三轉.】若籍은 自謂獨盲於目爾요 其心則能別是非하니 若賜之坐而問之면 其口固能言也라 幸未死에 實欲一吐出心中平生所知見하노니 閣下能信而致之於門邪잇가

그러나 저는 물러나와 스스로 슬퍼하기를 "불행히 두 눈이 멀어 물건을 보지 못하니, 천하에 쓸모가 없다. 가슴 속에 비록 지식이 있으나 집에 돈과 재물이 없어 한 걸음도 스스로 갈 수가 없는데, 이제 이중승(李中丞)과의 거리가 5천 리나 되니, 무슨 방법으로 이 몸을 그분 곁에 이르게 하여 입을 열어 가슴속의 기이함을 한번 토로할 수 있겠는가?" 하고는 눈물을 삼키며 제대로 말을 하지 못하였습니다.

며칠이 지난 뒤에 저는 다시 스스로 분발하여 이르기를【한번 전환하였다.】"재능이 없는 사람은 마땅히 봉사로써 버려져야 하겠지만, 재능이 있는 사람은 비록 봉사라도 세속의 무리에게 버려질 뿐, 고인(古人)의 도(道)를 행하는 분에게는 버려지지 않을 것이다.【이 한 번의 전환이 교묘하다.】절수(浙水)의 동쪽 7개 주(州)에는【두 번 전환하였다.】가호가 수십만을 밑돌지 않으니, 봉사가 아닌 자가 얼마나 많겠는가. 이 중승이 사람을 취할 적에 진실로 그 사람이 어진가 어질지 않은가를 물을 것이요, 봉사인가 봉사가 아닌가를 따지지 않을 것이다.【이 한 번의 전환이 더욱 교묘하다.】지금은 모두가 마음이 눈먼 자인데,【세 번 전환하였다.】나로 말하면 스스로 생각하기를 '나는 오직 눈만 멀었고 그 마음인즉 시비(是非)를 잘 분별한다.'라고 여기니, 만일 자

··· 泣 울읍 奮 떨칠분 盲 소경맹 廢 버려질폐

리를 주어 물으신다면 그 입은 진실로 말할 수 있을 것이다."라고 하였습니다. 다행히 죽기 전에 진실로 심중에 간직하고 있는 평소의 지식과 견해를 한 번 토로하고자 하니, 합하께서 는 제 말을 믿고 문하(門下)로 불러 주시겠습니까?

籍이 又善於古詩하니 使其心不以憂衣食亂하고【句健.】 閣下無事時에 一致之座側 하여 使跪進其所有하고 閣下憑几而聽之하면 未必不如聽吹竹, 彈絲, 敲金, 擊石 也리이다

　저는 또 고시(古詩)를 잘하니, 만일 의식(衣食) 걱정으로 마음을 어지럽히지 않게 하고,【글귀 가 힘차다.】 합하께서 일이 없을 때에 한번 자리 곁으로 불러 저로 하여금 무릎을 꿇고서 가지 고 있는 시(詩)를 올리게 하고, 합하께서 궤(几)에 기대어 들으신다면, 반드시 관악기(管樂器) 를 불고 현악기(絃樂器)를 타며 쇠붙이를 두들기고 석경(石磬)을 치는 소리를 듣는 것보다 못 하지 않을 것입니다.

夫盲者는 業專하여 於藝必精이라 故로 樂工皆盲이니 籍이 倘可與此輩比竝乎인저 使籍誠不以蓄妻子·憂飢寒亂心하고【此一轉妙.】 有錢以濟醫藥이면 其盲이 未甚하여 庶幾復見天地日月하리니 因得不廢면 則自今至死之年은 皆閣下之賜라 閣下濟 之以已絶之年하고 賜之以旣盲之視면【句法妙.】 其恩輕重大小를 籍宜如何報也리 오【結得妙.】 閣下는 裁之度(탁)之하라 籍은 慙靦(참전)再拜하노이다

　봉사는 직업이 전일하여 예술에 반드시 정(精)합니다. 그러므로 악공(樂工)들은 모두 봉사이 니, 저는 진실로 이들과 함께 나란히 설 수 있을 것입니다. 만일 제가 진실로 처자(妻子)를 기 르고 기한(飢寒)을 걱정하는 일로 마음을 어지럽히지 않고,【이 한 번의 전환이 묘하다.】 돈이 있어 의약(醫藥)으로 치료한다면 눈먼 것이 그리 심하지 않아 아마도 다시 천지(天地)와 일월(日月) 을 볼 수 있을 것이니, 이로 인하여 세상에 버려지지 않는다면 지금부터 죽기까지의 수명은 모두 합하의 은혜인 것입니다.
　합하께서 이미 끊어진 수명을 구제해 주고 이미 눈먼 자에게 시력을 내려주신다면【구법(句 法)이 묘하다.】 그 중하고도 큰 은혜를 제가 마땅히 어떻게 갚아야하겠습니까.【끝맺음이 묘하다.】 합하는 생각하고 헤아리소서. 저는 부끄러워하며 두 번 절합니다.

여진급사서與陳給事書

한유韓愈

• **작품개요**

　　이 작품은 본래 《창려선생문집(昌黎先生文集)》에 실려 있는 것으로, 《문장궤범》에는 그중 일부분인 첫 번째 단락만 발췌되었다. 이에 본서에서는 전편(全篇)을 수록하되 원문에 〈 〉을 표시하고 번역하였는바, 아래에도 이와 같은 경우가 여러 편임을 밝혀 둔다.

　　'진급사(陳給事)'는 진경(陳京)으로 자가 경복(慶復)이며 사상(泗上) 사람이다. 당 대종(唐代宗) 대력(大曆) 원년(766)에 진사시에 합격하였고, 덕종(德宗) 장원(貞元) 19년(803)에 급사중(給事中)으로 승천(升遷)하였다. 급사중이란 문하성(門下省)의 요직으로 정령(政令)의 위실(違失)을 논박해 바로잡는 임무를 맡고 있다. 작자는 정원 19년에 양산 령(陽山令)으로 좌천되었는데, 이 서신은 진경이 급사중으로 승천한 뒤에 보낸 것이다.

　　작품 전체는 세 단락으로 나눌 수 있는데, 모두 '견(見)' 자에 초점이 맞추어져 있다. '유재배(愈再拜)'부터 '무유지적의(無愈之迹矣)'까지의 첫 번째 단락은, 두 사람의 교유가 소원하게 된 원인을 추론하였는데, 먼저 예전에 서로 만났던 것을 추억하면서 작자 자신은 빈천함으로 곤란을 겪고 시기하는 자들이 훼방하기 때문에 상대방을 만나고 싶었으나 만날 수 없었고, 상대방은 지위가 더욱 높아져 '문과 담장에서 안후(安候)를 살피는 자들이 날로 더욱 많아짐〔伺候於門牆者日益進〕' 때문에 더욱 소원해지게 된 것이라고 진단하였다. '거년춘(去年春)'부터 '불감부진(不敢復進)'까지의 두 번째 단락은, 두 차례 진경을 만났을 적에 그 태도의 차이를 통하여 자기의 '감히 다시 나아가 뵙지 못함〔不敢復進〕'의 원인을 설명하였다. '금즉(今則)'부터 '유공구재배(愈恐懼再拜)'까지의 세 번째 단락은, 진경의 태도가 냉담한 것은 실로 작자 자신이 다시 이어서 만나지 못하였기 때문임을 말하고, 더 나아가 최근 지은 작품들을 삼가 드리면서 '급하게 스스로 변해(辯解)하고 사죄함[急於自解而謝]'의 심정을 드러내었다.

이 작품은 정밀하고 뛰어난 구사(構思)로 '견(見)' 자를 관건으로 삼아 대비를 사용하여 각각 다른 심리적 태도를 부각시키고 아울러 작자 자신의 복잡한 감정을 함축적으로 드러내보였다. 즉, 상대방에게 양해를 구하는 한편 작자 자신의 흉중에 있는 불만도 표출한 셈이다. 이렇듯 작자는 진경과의 왕래를 서술함으로써 사도(仕途)에서 도움을 받고자 하는 의도를 완곡하게 표현하였다. 이를 통해 매우 절실하게 벼슬을 구하고자 하였던 심정과 당시 현요(顯要)에 대한 불만을 알 수 있겠다.

篇題小註‥ 陳立齋作論에 雙關文法[3]이 皆本於此라

진입제(陳立齋)가 논(論)을 지을 적에 쌍관(雙關)으로 쓴 문법은 모두 여기에 근본하였다.

• 原文

愈는 再拜하노이다 愈之獲見於閣下 有年矣라 始者에 亦嘗辱一言之譽러니 貧賤也일새 衣食於奔走하여【頓挫.】 不得朝夕繼見하고【句法.】 其後에 閣下位益尊하여 伺候於門墻者 日益進하니 夫位益尊이면 則賤者日隔하고 伺候於門墻者 日益進이면 則愛博而情不專이라 愈也는 道不加修로되 而文日益有名하니 夫道不加修면 則賢者不與하고 文日益有名이면 則同進者忌하나니 始之以日隔之疏하고 加之以不專之望하며 以不與者之心으로 而聽忌者之說이라 由是로 閣下之庭에 無愈之迹矣니이다

한유는 재배하고 올립니다. 제가 합하를 만나본 지가 여러 해가 되었습니다. 처음에는 일찍이 한 마디 말씀의 칭찬을 받았었는데, 신분이 빈천하므로 먹고 살기에 바빠【기복(起伏)이 있

---

3 雙關文法 : 문장법(文章法)의 한 가지로, 겉과 속에 두 가지 뜻이 있어 겉으로는 이것을 말한 듯하나 실제는 저것을 말한 것을 이른다. 예를 들면 고시에 '동산(東山)에는 해 뜨고 서산(西山)에는 비오니, 갠 곳이 없다고 말하나 도리어 갠 곳이 있네.〔東山日出西山雨 道是無晴却有晴〕' 한 내용이 있는데, 청(晴)은 정(情)의 뜻을 품고 있어 '무정(無情)하다고 말하나 도리어 유정(有情)하네.'의 뜻인 경우라 한다.

다.〕조석으로 이어서 찾아뵙지 못하였고,〔구법(句法)이다.〕그 후에는 합하의 지위가 더욱 높아져 문과 담장에서 안후(安候)를 살피는 자들이 날로 더욱 많아졌습니다. 지위가 더욱 높아지면 천한 자가 날로 멀어지고, 문과 담장에서 안후를 살피는 자가 날로 더욱 많아지면 여러 사람을 누루 사랑하게 되어 성(情)이 선일(專一)하지 못합니다.

저〔愈〕는 도(道)는 닦여지지 못하였는데도 문장은 날로 더욱 이름나니, 도를 닦지 않으면 현자(賢者)가 가까이 하지 않고, 문장이 날로 이름나면 함께 나아가는 자들이 시기하는 법입니다. 처음에는 날로 멀어지는 소원함이 있었고 여기에다가 정이 전일하지 않은 원망을 더하였으며, 가까이 하지 않는 자(현자)의 마음으로 시기하는 자(함께 나아가는 자)들의 말을 들으셨습니다. 이 때문에 합하의 뜰에 저의 발자취가 없었던 것입니다.

〈去年春에 亦嘗一進謁於左右矣러니 溫乎其容이 若(加)〔嘉〕⁴其新也요 屬乎其言이 若閔其窮也일새 退而喜也하여 以告於人이로이다 其後에 如東京取妻子하여 又不得朝夕繼見하고 及其還也에 亦嘗一進謁於左右矣러니 邈乎其容이 若不察其愚也하고 悄乎其言이 若不接其情也일새 退而懼也하여 不敢復進이로이다

작년 봄에도 한 번 가서 합하를 알현하였는데, 온화하신 용모는 제가 처음 찾아온 것을 가상히 여기시는 듯하였고, 계속 이어지는 말씀은 저의 곤궁함을 가엾게 여기시는 듯하였습니다. 그러므로 저는 물러나온 뒤에 기뻐서 남들에게 말하였습니다. 그런데 그 뒤에 동경(東京)으로 가서 처자를 데려오는 일로 인해 또 조석으로 계속해 찾아뵙지 못하였습니다. 돌아온 뒤에도 한 번 가서 합하를 알현하였더니, 냉담한 모습은 제 마음을 살피지 않으시는 듯하였고, 조용하신 말씀은 저의 정을 받아들이지 않으시는 듯하였습니다. 그러므로 물러나온 뒤에 두려워서 감히 다시 나아가 뵙지 못하였습니다.

今則釋然悟하고 翻然悔하여 曰 其邈也는 乃所以怒其來之不繼也요 其悄也는 乃所以示其意也라 不敏之誅를 無所逃避일새 不敢遂進하고 輒自疏其所以하고 幷獻近所爲復志賦已下十首爲一卷하니 卷有標軸이요 送孟郊序一首는 生紙寫하고

---

4 (加)〔嘉〕:《창려선생집》과 《당송팔가문초》에는 '가(加)'로 되어 있으나 《한문고이(韓文考異)》에 "'가(加)'는 '가(嘉)'가 되어야 아래 글의 '민(閔)' 자와 대가 된다."라고 한 것에 의거하여 '가(嘉)'로 바로잡아 번역하였다.

··· 謁 뵐 알 邈 아득할 막 悄 슬플 초 翻 뒤집힐 번 標 표할 표 軸 사축 축 裝 단장할 장
揩 지울 개 竢 기다릴 사

不加裝飾하니 皆有揩字, 注字處라 急於自解而謝하여 不能竢更寫하니 閣下取其
意而略其禮可也니이다 愈恐懼再拜하노이다〉

　그런데 이제는 석연(釋然)히 깨닫고서 속히 생각을 바꾸어 후회하게 되었으니, 냉담하셨던
모습은 제가 계속해 찾아가 뵙지 않은 것에 노하신 것이고, 조용하셨던 말씀은 저에게 의중
을 보여주신 것이었습니다. 불민한 죄를 피할 길이 없기에 감히 나아가 뵙지 못하고 스스로
그간의 사유를 진술한 이 편지와 함께 근래에 지은 〈복지부(復志賦)〉 이하 10편을 한 두루마
리로 만들어 올립니다. 두루마리에는 표제(標題)를 붙였으며, 〈송맹교서(送孟郊序)〉 한 편은 생
지(生紙)에 쓰고 꾸미지 않았는데, 모두 글자를 지우고 첨가한 곳이 있으니, 이는 스스로 해명
하여 사죄하기에 급하여 다시 정서(淨書)하기를 기다릴 수 없어서입니다. 합하께서는 저의 뜻
만을 취하시고 저의 실례는 가벼이 보아주소서. 저는 두려워하며 재배하고 올립니다.

상재상제이서上宰相第二書

한유韓愈

• 작품개요

　　이 작품은《당송팔대가문초(唐宋八大家文抄)》에〈19일 뒤에 다시 올린 편지[後十九日復上書]〉로 실려 있다. 앞서 작자는 재상(宰相)에게 첫 번째 서신을 올리고 19일을 기다렸지만 아무런 답이 없자 이 서신을 써 올려서 곤궁한 자신의 처지를 구제해주기를 청하였다. 그리고 세 번째 편지는《고문진보》권4에 실려 있다. 작자는 덕종(德宗) 정원(貞元) 8년(729)에 네 차례 응시 끝에 진사에 급제한 다음, 9년부터 11년까지 3년 동안 이부(吏部)가 주관하는 박학굉사과(博學宏詞科)에 연이어 응시하였으나 번번이 낙방하고서, 정원 11년 정월 27일부터 시작하여 총 세 차례에 걸쳐 서신을 보내었는바, 이 작품은 두 번째 서신이다. 당대(唐代)의 제도는 진사에 급제한 뒤에 반드시 이부의 시험에 합격해야 실제 벼슬살이를 할 수 있었다. 그렇지 않으면 오직 대신(大臣)-재상이나 번진(藩鎭)-이 발탁해 등용하는 한 가지 방법 밖에는 없었다. 당시의 재상은 조경(趙憬)·가탐(賈耽)·노매(盧邁)였는데, 작자가 서신을 올린 대상은 자세하지 않다.

　　이 작품은 네 단락으로 나눌 수 있다. 모두(冒頭)의 '이월십육일(二月十六日)'부터 '청명어좌우(請命於左右)'까지의 첫 번째 단락은, 서신을 보내게 된 이유에 대해 밝혔다. '유문지(愈聞之)'부터 '기정성가비야(其情誠可悲也)'까지의 두 번째 단락은, '물이나 불 속에 빠진 자가 다른 사람에게 구원해주기를 구하는 경우[蹈水火者之求免於人]'를 비유로 삼아 '세(勢)'와 '정(情)'을 가지고 구원을 바라는 자와 구원을 베푸는 자의 심리 상태를 분석하였다. '유지강학력행(愈之彊學力行)'부터 '비천지소위야(非天之所爲也)'까지의 세 번째 단락은, 작자 자신이 현재 처한 상황을 되돌아보며 재상이 작자의 위태로움을 알면서도 구제해 주지 않음은 불인(不仁)함을 면치 못함을 넌지시 말하는 한편 '시(時)'

자를 끄집어내어 시운이 따라주지 않음을 감개하였다. '전오륙년시(前五六年時)'부터 말구(末句)까지의 마지막 단락은, 천거되기를 바라는 작자의 강렬한 갈망을 표출하여 재위자(在位者)에게 인재를 발탁해 등용하도록 바라고 있다.

이 작품은 첫 번째 서신과는 다르게 오로지 작자 자신의 입장에서 진술하였다. 작품 전체는 600여 자 밖에 되지 않으나 문장의 변화가 다채롭다. 작자는 자신이 처한 상황을 깊은 물과 뜨거운 불에 빠져있는 것에 비유하여 몹시도 어려운 처지임을 부각시킴으로써 재상의 마음을 움직이고자 시도하였다. 특히 '세(勢)'와 '시(時)'를 긴밀하게 연결시켜 내용을 전개하며 비유·설문(設問)·반박(反駁) 등의 기법을 마음껏 사용하여 개인의 생각을 당당한 태도로 변화무쌍하게 써내려갔다. 작자가 강구한 행문(行文)의 변화와 간절한 언사는 절박한 심정을 남김없이 다 드러냄과 동시에 재상에게 격식에 구애되지 말고 인재를 선발할 것을 바라는 진정이 제대로 전달되는 효과를 준다고 하겠다.

• 原文

〈二月十六日에 前鄕貢進士韓愈는 謹再拜言相公閣下하노이다 向上書及所著文後에 待命이 凡十有九日이로되 不得命하니 恐懼하여 不敢逃遯하고 不知所爲하여 乃復敢自納於不測之誅하여 以求畢其說하여 而請命於左右하노이다〉

2월 16일에 전향공진사(前鄕貢進士) 한유(韓愈)는 삼가 재배하고 상공 합하(相公閣下)께 아룁니다. 지난번에 편지와 그동안 지은 글을 올린 뒤에 명(命)을 기다린 지가 19일이 지났으나 아직도 명을 받지 못하니, 두려워 감히 달아나 숨지 못하고 어찌할 바를 몰라 이에 다시 감히 스스로 헤아릴 수 없는 죄를 무릅쓰고 제 견해를 다 말씀드려 좌우에게 명을 청합니다.

愈聞之호니 蹈水火者之求免於人也에【字法.】不惟其父兄子弟之慈愛然後에 呼而望之也라【字法.】將有介於其側者면 雖其所憎怨이라도 苟不至乎欲其死者인댄 則將大其聲하여 疾呼而望其仁之也하며【字法.】彼介於其側者 聞其聲而見其事하면 不惟其父兄子弟之慈愛然後에 往而全之也라 雖有所憎怨이라도 苟不至乎欲其死者인댄 則將狂奔盡氣하여【句法.】濡手足,【句法.】焦毛髮하여【句法.】救之而不辭也라하나이다 若是者는 何哉오 其勢誠急而其情誠可悲也일새니이다【章法.】

제가 들으니, 물이나 불 속에 빠진 자가 다른 사람에게 구원해 주기를 바랄 적에【자법(字法)이다.】 단지 자기의 자애로운 부형과 자제라야 불러 구원해 주기를 바라는 것이 아니라,【자법이다.】 만일 그 옆에 서 있는 자가 있으면 비록 자기가 미워하고 원망하는 자라도 만일 자기가 죽기를 바라지 않는 자라면 장차 목소리를 크게 하여 나급하게 불러서 그가 인자하게 구원해 주기를 바라며,【자법이다.】 그 옆에 서있던 자도 그 목소리를 듣고 그 일을 보게 되면 단지 자애로운 부형과 자제라야 달려가서 온전하게 구원해주는 것이 아니라, 비록 자기가 미워하고 원망하는 바가 있더라도 만일 그가 죽기를 바라지 않는 자라면 장차 미친 듯이 달려가서 기운을 다하여【구법(句法)이다.】 손발을 물에 적시고【구법이다.】 모발을 불에 태워가며【구법이다.】 구원하기를 마다하지 않는다 하였습니다. 이와 같이 하는 것은 어째서입니까? 그 형세가 참으로 급박하고 그 정상이 참으로 슬퍼할 만하기 때문입니다.【장법(章法)이다.】

愈之彊學(立)[力]⁵行이【字法.】 有年矣라 愚不惟道【字法.】之險夷하고 行且不息하여【字法.】 以蹈於窮餓之水火하여【以蹈水火, 譬喻遂下力行. 愚不惟道之險夷, 行且不息, 此是下字巧處.】 其旣危且亟(극)矣라 大其聲而疾呼矣로니 閣下其亦聞而見之矣리니 其將往而全之歟잇가 抑將安而不救歟잇가 有來言於閣下者曰【句法.】 有觀溺於水而蒸於火者하고 有可救之道로되 而終莫之救也라하면【章法.】 閣下且以爲仁人乎哉잇가【章法.】 不然인댄 若愈者는 亦君子之所宜動心者也니이다 或謂愈호되 子言則然矣요 宰相則知子矣로되 如時不可何오하니 愈竊謂之不知言者라하노이다 誠其材能이 不足當吾賢相之擧爾언정 若所謂時者는 固在上位者之爲爾요 非天之所爲也니이다【此卽賈誼云. 非天之所爲, 人之所設也.】

제가 애써 배우고 힘써 행한 지【자법이다.】 여러 해가 되었습니다. 어리석어 도(道)를 행하는 것이【자법이다.】 험난하다는 것을 생각하지 않고서 쉬지 않고 행해서【자법이다.】 곤궁함과 굶주림의 물과 불 속에 빠져【물·불 속에 빠지는 것으로 비유하고 마침내 '힘써 행함〔力行〕'이라는 말을 놓았는데, '도를 행하는 것이 험난하다는 것을 생각하지 않아서 쉬지 않고 행한다.〔不惟道之險夷 行且不息〕'라고 하였으니, 이 부분이 이 글자를 가장 잘 놓은 곳이다.】 위태롭고 또 급박합니다. 그리하여 목소리를 크게 하여 다급하게 불렀으니, 합하께서도 듣고 보셨을 것입니다. 장차 달려와서 온전하게

---

5 (立)〔力〕: 저본에는 '입(立)'으로 되어 있으나 《창려선생집》과 《당송팔가문초》에 의거하여 '력(力)'으로 바로잡았다.

··· 險 험할 험 夷 평탄할 이 蹈 밟을 도 餓 굶주릴 아 亟 빠를 극 溺 빠질 닉 蒸 불사를 설 竊 저으기 절

구원하여 주시겠습니까? 아니면 장차 그대로 편안하게 여기고 구원해 주지 않으시겠습니까?

합하에게 찾아와서 말하는 자가 이르기를【구법이다.】"물에 빠지고 불에 타 죽는 자를 보았는데 구원해줄 만한 방법이 있었으나 끝내 구원해 주지 않았다."라고 한다면【장법이다.】합하는 장차 그를 인인(仁人)이라고 여기시겠습니까?【장법이다.】그렇지 않다면, 저와 같은 자 또한 군자가 마땅히 마음을 움직여 구원해야 할 대상입니다.

혹자는 저에게 이르기를 "그대 말이 옳으며 재상도 그대의 사정을 알고 있으나 때가 불가함에야 어찌하겠는가?"라고 합니다.

그러나 저는 적이 이는 말(이치)을 알지 못하는 자라고 여깁니다. 진실로 저의 재능이 우리어진 재상의 천거에 합당하지 못할지언정, 이른바 '때'라는 것은 진실로 윗자리에 있는 자가하기에 달려 있는 것이요 하늘이 하는 바가 아닙니다.【이는 바로 가의(賈誼)가 말한 '하늘이 하는 바가 아니라 사람이 베푸는 바이다.'라는 것이다.】

前五六年時에 宰相薦聞하여 尙有自布衣蒙抽擢者하니 與今豈異時哉리오 且今節度, 觀察使及防禦, 營田諸小使等이 尙得自擧判官하여 無間於已仕未仕者하니【字法.】況在宰相하여는 吾君所尊敬者어늘 而曰不可乎잇가 古之進人者 或取於盜하고 或擧於管庫하니 今布衣雖賤이나 猶足以方於此라 情隘辭蹙하여【句法.】不知所裁하오니 亦惟少垂憐焉하소서【此書譬喩格, 從孟子來.】

지난 5, 6년 전에는 그래도 재상이 천거하여 아뢰어 포의(布衣)로서 발탁된 자가 있었으니, 지금과 어찌 때가 달랐겠습니까?

또 지금 절도사(節度使)와 관찰사(觀察使) 및 방어사(防禦使)·영전사(營田使) 등 여러 소사(小使)들도 오히려 스스로 판관(判官)을 천거하여 이미 벼슬한 자와 벼슬하지 않은 자를 관계치 않으니,【자법이다.】하물며 재상에 있어서는 우리 군주께서 존경하는 분이신데, 때가 불가하다고 하시겠습니까.

옛날에 인재를 등용하는 자는 혹은 도둑에서 취하고 혹은 창고지기에서 들어 썼으니, 지금 포의가 비록 천하나 그래도 이들과 비견될 수 있을 것입니다. 사정이 곤궁하고 말이 군색하여【구법이다.】제재할 바를 알지 못하니, 또한 다소나마 가엾게 여겨주소서.【이 글의 비유하는 격식은《맹자(孟子)》에서 왔다.】

응과목시여인서應科目時與人書

한유韓愈

• 작품개요

　　당대(唐代)의 과거(科擧)는 과(科)를 나누어 인재를 선발하였는데 갖가지 명목(名目)이 있었는바, 이를 '과목(科目)'이라고 하였다. 예컨대, 예부(禮部)가 주관한 진사(進士)·명경(明經)·수재(秀才) 및 이부(吏部)가 주관한 박학굉사(博學宏詞)·발췌(拔萃) 따위가 모두 과목이다. 당대의 제도에 의하면, 진사 급제 이후에 이부가 주관하는 시험에 합격해야 비로소 정식으로 관직이 부여되었다. 작자는 덕종(德宗) 정원(貞元) 8년(792)에 진사가 되어 다음해인 정원 9년(793)에 이부의 박학굉사과에 응시하였는데 응시하기 전에 이 서신을 써서 추천해 줄 것을 구하였는바, 그 사람은 위(韋) 씨이며 중서성(中書省) 사인(舍人)이었다. 이 작품은 《오백가주창려문집(五百家注昌黎文集)》에는 '과목에 응할 때에 여사인에게 보낸 편지[應科目時與韋舍人書]'라는 제목으로 실려 있다.

　　작품 전체는 네 단락으로 나눌 수 있다. 기구(起句)부터 '품휘필주야(品彙匹儔也)'까지의 첫 번째 단락은, 범상(凡常)한 물고기나 개충(介蟲)의 무리의 짝이 아닌 '괴물(怪物)'-교룡(蛟龍)-로 작자 자신을 비유하였다. '기득수(其得水)'부터 '일투족지로야(一投足之勞也)'까지의 두 번째 단락은, 이 괴물이 물을 얻고 얻지 못한 것을 가지고 사람이 만나는 기회나 경우를 비교·대조하였다. '연시물야(然是物也)'부터 '전지청파호(轉之淸波乎)'까지의 세 번째 단락은, 괴물이 항상 물이 말라버림으로 곤궁하여 작은 수달한테조차 비웃음을 사게 됨을 말함으로써 작자 자신이 다른 사람의 추천이 필요하다는 것을 암시하였다. 괴물이 고고(孤高)하게 자부하는 형상을 가지고 작자 자신의 견개(狷介)한 품격과 기개를 표현하는 한편 도움의 손길을 기다리며 노심초사하는 심정도 드러내보였다. '기애지(其哀之)'부터 '기역련찰지(其亦憐察之)'까지의 네 번째 단락은, 제우(際遇, 제회(際會))를 천명(天命)으로 귀결시키고 불쌍히 여겨 살펴주기를 갈망하는 주지를 게시하였다.

　작자는 생동감 있고 적절한 비유를 통하여 자신이 처한 상황과 심리 상태 등을 구체적이면서도 세밀하게 드러내면서, 훌륭한 재주를 품고서도 크게 쓰이지 못함에 대한 억울한 감정을 토로하였다. 작품은 전체적으로 우언(寓言)과 비유가 뛰어나다. 이러한 우언과 비유의 방법은 직설적으로 말하는 것보다 훨씬 더 강한 설득력을 지닌다. 이는《장자(莊子)》의 우언과 유사한 풍격 및 색채를 빌려서 기발한 구상을 한 것으로, 서신체(書信體)와 우언을 하나로 녹여낸 것이라고 하겠다. 아울러 구사(構思)가 교묘하며 생동감 있고 활발하며 문장의 기세가 왕성하여 변화가 매우 다채롭다. 스스로 비범함을 자부하는 작자의 꼿꼿함과 강개하고 늠연한 기개가 잘 드러난다.

・原文

月日에 愈는 再拜하노라 天池之濱과 大江之濆 (분)에 曰有怪物焉하니 蓋非常鱗凡介之品彙匹儔也라 其得水엔 變化風雨하여 上下于天이 不難也로되 其不及水엔 蓋尋常尺寸之間[6]耳요 無高山, 大陵, 曠塗, 絶險이 爲之關隔也언마는【譬喻應宏詞科.】 然其窮涸(학)하여 不能自致乎水하여 爲獱獺(빈달)之笑者 蓋十八九矣라 如有力者 哀其窮而運轉之하면 蓋一擧手, 一投足之勞也라

　모월(某月) 모일(某日)에 한유는 재배하고 올립니다. 천지(天池)의 가와 대강(大江)의 가에 괴물이 있는데, 이는 범상(凡常)한 물고기나 개충(介蟲)의 종류가 아닙니다.

　이 괴물이 물을 만나 변화하여 바람과 비를 일으켜 하늘에 오르내리는 것도 어렵지 않으나, 물을 만나지 못했을 때에는 심상(尋常)과 척촌(尺寸)의 사이에 불과하고 높은 산과 큰 구릉, 먼 길과 매우 험한 것에 가로막힘이 없지만【굉사과(宏詞科)에 응시하는 것을 비유하였다.】 물이 다 말라 스스로 물에 가지 못하여 수달의 비웃음을 받는 것이 십중팔구입니다. 만일 힘이 있는 자가 그의 곤궁함을 애처롭게 여겨 물로 옮겨 놓아주려 한다면, 이는 한번 손을 들고 한번 발을 옮겨놓는 수고로움에 불과합니다.

---

6 尋常尺寸之間: '심(尋)'은 한 길로 8척(尺)이고 '상(常)'은 2배인 1장(丈) 6척이며, '척촌(尺寸)'은 1척·1촌으로 매우 짧은 거리를 말한다.

然이나 是物也 負其異於衆也하여 且曰 爛死於沙泥를 吾寧樂之언정 若俛(부)首帖
耳搖尾而乞憐者는 非我之志也라하니 是以로 有力者遇之에 熟視之호되 若無覩也
하나니 其死其生을 固不可知也라 今又有有力者 當其前矣일새 聊試仰首一鳴號
焉호니 庸詎知有力者不哀其窮而忘一舉手, 一投足之勞하여 而轉之淸波乎아

　그러나 이 괴물은 자기가 보통 물건과 다름을 자부하여 또 생각하기를 "모래와 진흙 속에서
말라 죽는 것을 내 차라리 즐거워할지언정, 머리를 숙이고 귀를 붙이고 꼬리를 흔들며 동정
을 구걸하는 것은 나의 뜻이 아니다."라고 합니다. 이 때문에 힘 있는 자가 이 괴물을 만나면
익숙히 보고도 못 본 듯이 여기니, 이 괴물이 죽을지 살지를 진실로 알 수 없습니다.
　이제 또 힘 있는 자가 그 앞에 당도하였기에 애오라지 머리를 들어 한번 울부짖는 것이니,
힘이 있는 자가 그의 곤궁함을 가엾게 여겨 한번 손을 들고 한번 발을 옮겨놓는 수고로움을
잊고서 맑은 물로 옮겨 놓아주지 않을 줄을 어찌 알겠습니까.

其哀之도 命也요 其不哀之도 命也며 知其在命而且鳴號之者도 亦命也라 愈今者
에 實有類於是일새【一篇皆是譬喩, 只一句'愈今者實有類於是', 收拾, 此文法最妙.】是以로 忘
其疎愚之罪하고 而有是說焉하니 閤下는 其亦憐察之하라

　힘이 있는 자가 가엾게 여기는 것도 명(命)이요, 가엾게 여기지 않는 것도 명이며, 명에 있
음을 알면서도 울부짖는 것 또한 명입니다. 지금 저는 실로 이 괴물과 유사함이 있으므로【한
편이 모두 비유인데, 다만 '저는 지금에 실로 이 괴물과 유사함이 있다.'라는 한 구로 수습하였으니, 이 문법이
가장 묘하다.】저의 엉성하고 어리석은 죄를 잊고 이러한 말씀을 올리니, 합하는 부디 가엾게
여겨 살펴 주소서.

… 爛 문드러질 란　泥 진흙 니　俛 숙일 부　帖 붙일 첩　搖 흔들 요　覩 볼 도　聊 애오라지 료
詎 어찌 거　類 비슷할 류

송고한상인서送高閑上人序

한유韓愈

- 작품개요

　이 작품은 작자가 고한상인(高閑上人)과 헤어질 적에 지어 준 송서(送序, 증서(贈序))이다. '상인'은 승려에 대한 존칭이다. 고한상인은 당 선종(唐宣宗) 때까지 살아 있었던 승려로 선종이 그를 불러서 만난 적이 있었다. 선종이 즉위한 846년은 작자가 세상을 떠난 해인 824년으로부터 22년이 지난 뒤이므로 이 작품은 응당 작자의 만년 작품이 될 것이다.

　작품은 크게 세 단락으로 나눌 수 있다. '구가이우기교지(苟可以寓其巧智)'부터 '불제기자야야(不嚌其藏者也)'까지의 첫 번째 단락에서는, 크게는 천하를 다스림과 작게는 활쏘기·소를 잡는 방법, 음악·병 따위를 다스리는 것 모두가 생각을 집중하고 정력을 분산시키지 않아야 성공할 수 있다고 설명하였다. 이 부분은 고한상인과 그다지 관계가 있지는 않아 보인다. 그러나 아래 단락에서 초서(草書)를 논한 것과 연계시켜보면, 이 단락의 언외지의(言外之意)는 고한상인이 이미 초서를 배웠음에도 불구하고 또 불교를 배웠으니 전심치지(專心致志)할 수가 없었는바, 그의 초서 역시 틀림없이 제대로 배우지 못하였다는 것이다. '왕시(往時)'부터 '명후세(名後世)'까지의 두 번째 단락에서는, 초성(草聖) 장욱(張旭)을 예로 들어서 그가 초서에 매우 뛰어났던 것은 다른 재주를 익히지 않았기 때문임을 말하였다. 장욱이 이룩한 초서의 경지가 다른 사람을 놀라게 할 정도로 높은 수준이었던 것은 '다른 재주를 익히지 않았던 것[不治他技]' 때문이라고 정면으로 논술하였으니, 고한상인이 불교를 배운 것이 초서를 배우는 데에 불리하다는 것은 굳이 언급하지 않아도 알 수 있다. '금한지어초서(今閑之於草書)'부터 '오불능지의(吾不能知矣)'까지의 세 번째 단락에서는, 비로소 고한상인이 초서를 배우는 것에 대해 언급하고 이어서 장욱을 그 기준으로 삼았다. 이를 기준으로 삼아 불교를 배우는 고한상인을 가늠해 본다면, 그의 초서는 장욱의 경지에 도달할 수가 없다는 것이다.

승려를 전송하며 준 서(序)에서 그가 초서를 배운 것을 빌려서 불교를 배척한 것은 아무리 조사(措辭)가 완곡하고 에둘러서 말하였더라도 결국에는 무례함이 되기 때문에 이에 대한 보완으로 낸 마지막에 "그러나 내 들으니, 부도인(浮屠人)은 환(幻, 변화)을 질하여 기예와 재능이 많다고 하니, 한상인이 만일 그 재주를 통한다면 나는 알 수 없노라.〔然吾聞浮屠人善幻 多技能 閑如通其術 則吾不能知矣〕"라는 몇 마디를 덧붙임으로 자신의 주장을 절대화하지 않고 유보적인 태도를 지켰다.

작자가 적극 강조한 것은, 초서를 쓰는 사람은 현실에 관심을 두어 그 초서로 하여금 '감정의 외화(外化)'와 '인격의 재현(再現)'이 되도록 해야 하는데, 불교를 공부하는 승려처럼 세상과 거리를 두고 모든 외계의 사물에 대해 감정을 일으키지 않는 것은 초서를 포함한 예술 창작에 매우 불리하다는 것이다.

이 작품은 '송서'의 형식이지만 내용은 의론문이라고 해도 무방하다. 특히 작품 속에서 '요(堯)·순(舜)·우(禹)·탕(湯)이 천하를 다스림〔堯舜禹湯治天下〕'과 '양숙(養叔)이 활쏘기를 다스림〔養叔治射〕'과 '포정(庖丁)이 소를 다스림〔庖丁解牛〕' 등 일관성 있는 한 계열의 예증을 가지고 분석해 설명함으로써 논리적 전개와 사실적 논증이 융합되었는바, 작자의 엄격하고 신중한 구사(構思)가 체현된 수작이라고 하겠다.

篇題小註‥ 此序는 詼詭放蕩하니 雖學莊子文이나 無一句蹈襲하니라

이 서(序)는 해학적이고 괴이하며 방탕하니, 비록 《장자(莊子)》의 문장을 배웠으나 한 구도 답습한 것이 없다.

• 原文

苟可以寓其巧智하여 使機應於心하고 不挫於氣하면 則神完而守固하여 雖外物至라도 不膠於其心하나니 堯, 舜, 禹, 湯治天下와 養叔治射와 庖丁治牛와 師曠治音聲

---

7 養叔治射 …… 扁鵲治病: 양숙은 양유기(養由基)로 춘추시대 초(楚)나라 사람인데 활을 잘 쏘아 백발백중하였으며, 포정(庖丁)은 푸줏간의 백정으로 소를 잘 해체하였는바, 《장자》〈양생주(養生主)〉에 보이며, 사광(師曠)은 춘추시대 진

… 詼 해학 회 詭 괴이할 괴 蹈 밟을 도 襲 인습할 습 寓 붙일 우 挫 꺾을 좌 膠 집착할 교 庖 푸주간 포 曠 빌 광

과 扁鵲治病[7]과 僚之於丸과 秋之於奕과 伯倫之於酒[8]에 樂之終身不厭하니 奚暇外慕리오 夫外慕徙業者는 皆不造其堂하고 不嚌(제)其胾(자)者也라

만일 그 기교와 지혜를 붙여 기(機)가 마음에 응하고 기운에 꺾이지 않게 하면, 정신이 완전하고 지조가 견고하여 비록 외물(外物)이 이르더라도 그 마음을 교착시키지 못한다. 요(堯)·순(舜)·우(禹)·탕(湯)이 천하를 다스리고 양숙(養叔)이 활쏘기를 다스리고 포정(庖丁)이 소를 다스리고 사광(師曠)이 음악을 다스리고 편작(扁鵲)이 병을 다스리고 웅의료(熊宜僚)가 탄환(彈丸)을 잘 놀리고 혁추(奕秋)가 바둑을 잘 두고 유백륜(劉伯倫)이 술을 좋아해서 그것을 즐거워하여 종신토록 싫어하지 않았으니, 어느 겨를에 저 외물을 사모하겠는가. 저 외물을 사모하여 본업에 전심하지 못하는 자는 모두 그 당(堂)에 오르지 못하고 그 고기를 먹어보지 못하는 자이다.

往時에 張旭이 善草書하여 不治他技하고 喜怒, 窘窮, 憂悲, 愉佚, 怨恨, 思慕, 酣醉, 無聊, 不平이 有動於心이면 必於草書焉發之하며 觀於物에 見山水, 崖谷, 鳥獸, 蟲魚, 草木之花實과 日月, 列星, 風雨, 水火, 雷霆, 霹靂, 歌舞, 戰鬪天地事物之變의 可喜可愕이면 一寓於書라 故로 旭之書 變動이 猶鬼神하여 不可端倪(예)하여 以此로 終其身而名後世하니라

옛날에 장욱(張旭)이 초서(草書)를 잘 써서 다른 기예는 다스리지 않았다. 희노(喜怒)와 곤궁(困窮), 우비(憂悲)와 유일(愉佚, 유쾌함), 원망과 사모함과 감취(酣醉), 무료함과 불평이 심중에 움직임이 있으면 반드시 초서에 나타냈으며, 물건을 볼 적에 산과 물, 벼랑과 골짝, 새와 짐승, 초목의 꽃과 열매, 일월(日月)과 열성(列星), 풍우(風雨)와 수화(水火), 전정(電霆)과 벽력(霹靂), 가무(歌舞)와 전투(戰鬪) 등 천지 사물의 변화로서 기뻐할 만하고 놀랄 만한 것을 보면 한결같이 글씨에 붙였다. 그러므로 장욱의 글씨는 변화무쌍함이 귀신과 같아 단서를 측량

(晉)나라의 악사(樂師)로 음률을 잘 알았으며, 편작(扁鵲)은 옛날의 명의(名醫)로 사람의 질병을 잘 치료하였다.

8 僚之於丸 …… 伯倫之於酒 : 요(僚)는 웅의료(熊宜僚)로 춘추시대 초나라의 용사(勇士)인데 탄환(彈丸)을 잘 놀려 3개의 탄환을 손으로 교대로 돌리고 땅에 떨어뜨리지 않았다. 추(秋)는 옛날에 바둑을 잘 둔 사람으로 보통 혁추(奕秋)라고 칭하는바 《맹자》〈고자 상(告子上)〉에 보이며, 백륜(伯倫)은 유령(劉伶)의 자로 술을 좋아하여 〈주덕송(酒德頌)〉을 지은 인물이다.

할 수가 없었다. 그리하여 이로써 그 몸을 마쳐 후세에 이름이 난 것이다.

今閑之於草書에 有旭之心哉인저 不得其心이요 而逐其跡이면 未見其能旭也리라 爲旭이 有道하니 利害必明하여 無遺錙銖(치수)하고 情炎于中하여 利欲鬪進하여 有得有喪에 勃然不釋이니 然後에 一決於書而後에 旭을 可幾也리라 今閑은 師浮屠氏하여 一死生하고 解外膠하니 是其爲心이 必泊然無所起요 其於世에 必淡然無所嗜하리니 泊與淡이 相遭하여 頹墮委靡⁹하여 潰敗不可收拾이면 則其於書에 得無象之然乎아 然이나 吾聞浮屠人은 善幻하여 多技能이라하니【此轉妙.】閑이 如通其術이면 則吾不能知矣로라

이제 한상인(閑上人)은 초서에 대해 장욱과 같은 마음을 가지고 있는가? 〈그러나〉 그 마음은 얻지 못하고 그 자취만 쫓는다면 장욱처럼 초서를 잘 쓰는 것을 보지 못할 것이다. 장욱처럼 되는데 방도가 있으니, 이해(利害)를 반드시 밝혀서 사소한 것도 빠뜨리지 말고 정(情)을 심중에 불태워 이욕과 싸우고 나가듯 하여 얻음이 있든 잃음이 있든 〈거기에 관심을 두지 말고〉 발연(勃然)히 글씨 쓰는 일을 놓지 말 것이니, 그런 다음 한결같이 글씨에 결단한 뒤에야 장욱을 거의 바랄 수 있을 것이다.

이제 한상인은 부도씨(浮屠氏, 부처)를 스승삼아 사생(死生)을 하나로 여기고 외물에 대한 집착을 버렸으니, 그의 마음 씀이 반드시 고요하여 동요하는 바가 없고, 세상에 대해서도 반드시 담담하여 즐기는 바가 없을 것이다. 고요함과 담담함이 서로 만나서 해이하고 느른해진 나머지 무너져 수습할 수 없다면, 그 글씨에 있어서도 어찌 형상이 그러하지 않겠는가.

그러나 내 들으니, 부도인(浮屠人)은 환(幻, 변화)을 잘하여 기예와 재능이 많다고 하니,【이 전환이 묘하다.】 한상인이 만일 그 재주를 통달한다면 〈성취가 얼마나 될지를〉 나는 알 수 없노라.

---

9 頹墮委靡: 무너지고 쓰러지는 것으로, 사물에 담박하여 강한 의지가 없음을 말한 것이다.

··· 跡 자취 적 錙 저울눈 치 銖 저울눈 수 勃 일어날 발 膠 교착할 교 泊 담담할 박
淡 담박할 담 嗜 즐길 기 頹 쓰러질 퇴 墮 떨어질 타 靡 쓰러질 미 潰 흩어질 궤 幻 변할 환

송은원외사회골서送殷員外使回鶻序

한유韓愈

• 작품개요

　이 작품은, 당 헌종(唐憲宗) 원화(元和) 12년(817)에 우부 원외랑(虞部員外郎) 은유(殷侑)가 회골(回鶻)로 사신 가는 것을 전송한 '송서(送序)'이다. '회골'은 지금의 위구르를 지칭한다. 은유는 부직(副職)으로서 종정 소경(宗正少卿) 이효성(李孝誠)이 회골로 출사(出使)하는 것을 돕게 되었는데, 조정에서는 이 출사를 매우 중시하여 대부분의 신료들이 전별연에 참석하였다. 이때 작자 역시 연석에 참석하여 이 작품을 지었던 것이다.

　회골은 당조(唐朝)의 안위와 매우 밀접한 관계가 있는 부족이었는데, 일찍이 당을 도와서 안사(安史)의 난을 평정하기도 하였다. 이에 숙종(肅宗)은 영국공주(寧國公主)를 갈륵카칸(葛勒可汗)에게 시집보냈고, 덕종(德宗)은 함안공주(咸安公主)를 무의성공카칸(武義成功可汗)에게 시집보냈다. 이 때문에 작중에서 "당나라와 가장 친하고 직책을 받들기를 더욱 삼간다.〔於唐最親 奉職尤謹〕"라고 언급한 것이다. 즉, 은유의 이 사행은 양국의 우호 관계를 공고하게 다지기 위한 것으로, 당시 당나라 조정은 회골이 당의 통일과 안정을 유지하는 데에 큰 도움이 되어주기를 희망하고 있었던 것이다.

　작품의 전체 분량은 300자가 채 되지 않는 짧은 편폭이다. 하지만 문장의 기세가 드높고 웅장하여 생동감을 체현해냈는바, 증서체 산문의 전범이라고 이를 만하다. 작자는 소인과 대장부라는 두 종류의 인물을 생동감 있고 핍진하게 형상화하였는데, 자기 자신을 가벼이 여기고 국가를 중시하는 늠름한 대장부를 찬양하고, 처자식에 연연하고 집안과 목숨을 아끼는 하찮은 소인을 경멸하였다.

　작품 전체를 훑어보면 은유를 표면적으로 형상화한 부분은 실제로 한 곳도 없다. 그러나 자세히 음미해보면 작품 전체가 온통 은유를 형상화한 것이다. 헌종의 조서는 당과 회골과의 특수한 관계를 말하였고 또한 사신의 규격과 인선(人選)의 조건을 제시하였는데, 이 부분은 은유를 등장시키기 위한 일종의 복선이 된다. 가장 마지막 부분에서는 '소인'을 사용하여 은유를 더욱 돋보이게 하는 대비를 구사하였다.

아울러 작품 전체에는 작자의 감정[情]이 녹아들어가 있다. 배경과 상황을 설명하는 가운데에 작자 스스로 호방한 감정을 느낄 수 있고, 작자의 치사(致辭)에서 소인을 증오하고 군자를 흠모하는 감정을 느낄 수 있다. 선명한 사상과 완미한 예술성이 이 작품을 증서체 산문에 있어서 최고의 반열에 올려놓은 것이다.

• **原文**

唐受天命爲天子하시니 凡四方萬國이 不問海內外하고 無小大히 咸臣順於朝하여 時節에 貢水土百物하니 大者는 特來하고 小者는 附集이라 元和睿聖文武皇帝[10]既嗣位하사 悉治方內하여 就法度러시니 十二年에 詔曰 四方萬國에 惟回鶻이 於唐最親하고 奉職尤謹하니【尊中國得體.】丞相은 其選宗室四品一人하여 持節往賜君長하여 告之朕意하고【尊中國得體.】又選學有經法通知時事者一人하여 與之爲貳하라하시니 由是로 殷侯侑 自太常博士로 遷尙書虞部員外郎兼侍御史하여 朱衣象笏로 承命以行하니 朝之大夫 莫不出餞하니라

당(唐)나라가 천명(天命)을 받아 천자(天子)가 되시니, 모든 사방의 만국(萬國)이 해내와 해외를 불문(不問)하고 작은 나라와 큰 나라를 따지지 않고 모두 조정에 신하로 순종하여 시절마다 물과 육지에서 생산되는 온갖 물건을 바치니, 큰 나라는 특별히 직접 오고 작은 나라는 큰 나라에 붙어 모여 왔다.

원화예성문무황제(元和睿聖文武皇帝)가 즉위하시어 방내(方內, 천하)를 모두 다스려 법도에 맞게 하셨는데, 12년에 조칙을 내리시기를 "사방의 만국 가운데 회골(回鶻)이 당나라와 가장 친하고 직책을 받들기를 더욱 삼가니,【중국을 높여 체통을 얻었다.】승상(丞相)은 종실(宗室) 중에 4

---

10 元和睿聖文武皇帝: '예성문무황제(睿聖文武皇帝)'는 당나라 헌종(憲宗)의 존호(尊號)이며 원화(元和)는 그의 연호(年號)이다.

睿 밝을 예 嗣 이을 사 鶻 송골매 골 朕 나 짐 侑 도울 유 虞 편안할 우 笏 홀 홀
餞 전송할 전

품 한 사람을 뽑아서 절월(節鉞)을 가지고 가서 회골의 군장(君長)에게 하사하여 짐(朕)의 뜻을 알리며,【중국을 높여 체통을 얻었다.】 또 학문에 경법(經法)이 있고 세상일을 통달하여 아는 자 한 사람을 뽑아 부이(副貳. 부사)로 삼으라." 하셨다.

이 때문에 은후 유(殷侯侑)가 태상박사(太常博士)로 있다가 상서우부원외랑 겸 시어사(尚書虞部員外郎兼侍御史)로 승진하여, 붉은 옷과 상아(象牙) 홀(笏)로 명령을 받들어 길을 떠나니, 조정의 대부들이 모두 나와 전송하였다.

酒半에 右庶子韓愈 執盞言曰 殷大夫아 今人이 適數百里에도 出門惘惘하여 有離別可憐之色하고 持被入直三省[11]에도 丁寧顧婢子하여 語刺(랄)刺不能休어늘 今子 使萬里外國호되 獨無幾微出於言面하니 豈不眞知輕重大丈夫哉아【只語此一段.】 丞相이 以子應詔하니 眞誠知人矣요 士不通經이면 果不足用이로다 於是에 相屬爲詩하여 以道其行云이로라

술자리가 중반에 접어들자, 우서자(右庶子) 한유(韓愈)가 잔을 잡고 말하기를 "은대부(殷大夫)야! 지금 사람들은 수백 리 길을 갈 때에도 문을 나서면 망연자실하여 이별을 슬퍼하는 기색이 있으며, 이불을 가지고 삼성(三省)에 들어가 숙직할 때에도 계집종을 돌아보며 시시콜콜 당부하여 마지않는데, 이제 그대는 만 리의 외국에 사신을 가면서도 홀로 말소리와 얼굴에 염려하는 기미를 나타냄이 없으니, 어찌 참으로 경중(輕重)을 아는 대장부(大丈夫)가 아니겠는가.【다만 이 한 단락만을 말하였다.】 승상이 자네를 조명(詔命)에 응하여 천거하였으니 참으로 인물을 안다고 할 것이요, 선비가 경학(經學)을 통달하지 못하면 과연 세상에 쓰여질 수가 없는 것이다." 하였다. 이에 서로 이어 시를 지어 그의 떠남을 말하였다.

---

11 三省: 세 성으로 중서성(中書省)과 문하성(門下省), 상서성(尚書省)을 가리킨다.

원훼原毁

한유韓愈

• 작품개요

　'원(原)'은 근원(본원)을 탐구하는 것으로, '원훼(原毁)'는 '훼방(毁謗)의 근원을 탐구한다'는 뜻이다. 이 작품은 '오원(五原)'을 구성하는 한 편으로, '오원'은 이 작품 및 〈원도(原道)〉·〈원성(原性)〉·〈원인(原人)〉·〈원귀(原鬼)〉의 다섯 편을 가리키는데, 육경(六經)의 취지(趣旨)를 요약하여 지은 작자의 대표작으로 작자의 철학적·정치적 관점이 집중적으로 드러나 있다. 《상설고문진보대전》 권2에는 〈원인〉과 〈원도〉가 연달아 실려 있다.

　이 작품의 주지는 훼방[毁]이 생겨나게 되는 원인을 탐구하는 데에 있다. 작자는 그 근원이 사람 마음속의 '태(怠)'와 '기(忌)'에 있다고 여겨서 지위에 있는 자[在位者]라면 응당 이러한 현상에 대해 자세히 살펴야 비로소 국가를 제대로 다스릴 수 있다고 주장하였다.

　작품은 세 단락으로 나눌 수 있다. '고지군자(古之君子)'부터 '경이약호(輕以約乎)'까지의 첫 번째 단락은, 순(舜)과 주공(周公)을 흠모해 배우는 것을 예로 들어서 '옛날의 군자들[古之君子]', 즉 위정자(爲政者)들이 엄격함으로 자신을 다스리고 관대함으로 타인을 대하는 훌륭한 품격을 갖추었음을 말하였다. '금지군자(今之君子)'부터 '오미견기존기야(吾未見其尊己也)'까지의 두 번째 단락은, 오늘날의 군자들에 대해 "남에게 요구하는 것은 상세하고 자기 자신을 대함은 간략하다.[其責人也詳 其對己也廉]"라고 말하여 앞 단락에서 언급한 '고지군자(古之君子)'와 강렬한 대비를 형성하였다. '수연(雖然)'부터 말구(末句)까지의 세 번째 단락은, '훼(毁)'의 근원이 '태(怠)'와 '기(忌)'에 있음을 궁구하고, 이어서 두 가지의 '시험해 보는 말[試語]'을 통하여 그 말을 듣는 사람이 친소와 이해의 관계가 똑같지 않음으로 인해 똑같지 않은 반응을 보이는 현상을 알게 되었다. 아울러 이러한 현상을 통하여 '일(행실)이 닦여지면 비방이 일어나고, 덕이 높아지면 훼방이 오는 것[事修而謗興 德高而毁來]'이 우연이 아니라 원인이 있음을 체득하였다. 그리고 마지막으로 훼방하는 나쁜 풍조가 바뀌기를 간절히 기대하는 작자의 바람을 표명하였다.

작자의 의론문은 대체적으로 엄격한 짜임새·투철한 논리·치밀한 분석을 특징으로 삼고 있는데, 이 작품 역시 그러하다. 작자는 '책기(責己)'와 '대인(待人)'이라는 두 가지 측면에서 고(古)와 금(今)을 대비함으로써 당시 사회 풍조가 훼방이 매우 많음을 지적하고, 그 원인이 태(怠)와 기(忌)에 있음을 분석하였다. 특히 이 작품은 작자의 개인적 불만을 표출하는 가운데에 인재를 아끼고 존중해야 '사람들이 선(善)을 행하기를 좋아하게 된다〔人樂爲善〕'는 이치를 말하였다. 행문(行文)이 엄숙하면서도 간절하고 문장의 구조가 정제된 가운데에 변화가 있으며 언사가 생동감 있게 형상화하여 그 필력과 의론이 강건하고 예리하다.

篇題小註‥ 此篇은 曲盡人情하니 巧處妙處 在假託他人之言辭하여 摸寫世俗之情狀이니라

이 편은 인정(人情)을 곡진히 다하였으니, 가장 공교하고 묘한 부분은 타인의 말을 가탁하여 세속의 정상(情狀)을 모사(摸寫)함에 있다.

• 原文

古之君子는 其責己也重以周하고 其待人也輕以約하니 重以周 故로 不怠하고 輕以約故로 人樂爲善하나니라 聞古之人에 有舜者하니 其爲人也 仁義人也라 求其所以爲舜者하여 責於己曰 彼도 人也며 子도 人也어늘 彼能是而我乃不能是아하여 早夜以思하여 去其不如舜者하고 就其如舜者하며 聞古之人에 有周公者하니 其爲人也 多才與藝人也라 求其所以爲周公者하여 責於己曰 彼도 人也며 子도 人也어늘 彼能是而我乃不能是아하여 早夜以思하여 去其不如周公者하고 就其如周公者하나니 舜은 大聖人也라 後世無及焉이요 周公도 大聖人也라 後世無及焉이어늘 是人也 乃曰 不如舜, 不如周公이 吾之病也라하니 是不亦責於己者重以周乎아

옛날의 군자(君子, 정치가)들은 자신을 책함은 무겁고 철저하며 남에게 책함은 가볍고 간략

하였으니, 〈자신을 책함이〉 무겁고 철저하기 때문에 태만하지 않고, 〈남에게 책함이〉 가볍고 간략하기 때문에 사람들이 선(善)을 하기를 좋아한 것이다. 내 들으니, 옛사람 중에 순(舜) 임금이라는 분이 계셨는데, 그 사람됨이 인의(仁義)의 사람이라 한다. 그리하여 〈순 임금이〉 순임금이 되신 이유를 찾아서 자기 몸에 책하기를 "지(순 임금)도 사람이요 나도 사람인데, 저는 이를 잘하셨는데 나는 이를 능히 하지 못하는가?" 하여, 이른 아침부터 밤늦도록 생각해서 순 임금과 같지 않은 것을 버리고 순 임금과 같은 데로 나아갔다. 내 들으니, 옛 사람 중에 주공(周公)이란 분이 계셨는데, 그 사람됨이 재주와 기예가 많은 분이라 한다. 그리하여 〈주공이〉 주공이 된 이유를 찾아서 자기 몸에 책하기를 "저(주공)도 사람이요 나도 사람인데, 저는 이를 잘하셨는데 나는 이를 능히 하지 못하는가?" 하여, 이른 아침부터 밤늦도록 생각해서 주공과 같지 않은 것을 버리고 주공과 같은 데로 나아갔다.

　순 임금은 큰 성인이어서 후세에 따라갈 만한 사람이 없고, 주공도 큰 성인이어서 후세에 따라갈 만한 사람이 없는데도, 이 사람이 마침내 말하기를 "순 임금과 같지 못하고 주공과 같지 못함이 나의 병통이다."라고 하니, 이는 자기 몸에 책함이 무겁고 철저한 것이 아니겠는가.

其於人也에 曰 彼人也能有是하니 是足爲良士矣요 能善是하니 是足爲藝人矣라 하여 取其一하고 不責其二하며 卽其新하고 不究其舊하여 恐恐然惟懼其人之不得 爲善之利하나니 一善은 易修也요 一藝는 易能也어늘 其於人也에 乃曰 能有是하니 是亦足矣라하고 曰 能善是하니 是亦足矣라하니 是不亦待於人者輕以約乎아

　남에 대해서는 말하기를 "저 사람은 능히 이러한 좋은 점이 있으니 충분히 어진 선비가 될 만하고, 능히 이것을 잘하니 충분히 재주 있는 사람이 될 수 있다."라고 하여, 그 한 가지 좋은 점만을 취하고 두 가지를 요구하지 않으며, 새롭게 한 것을 인정하고 옛날의 잘못을 따지지 아니해서 조심하고 조심하여 행여 그 사람이 선(善)을 행한 이익을 얻지 못할까 두려워한다. 한 가지 선행(善行)은 닦기가 쉽고 한 가지 재주는 능하기가 쉬운데, 남에 대하여는 마침내 말하기를 "능히 이런 선행이 있으니 이 또한 충분하다."라고 하고, "능히 이것을 잘하니 이 또한 충분하다."라고 하니, 이는 남을 책함이 가볍고 간략한 것이 아니겠는가.

今之君子則不然하여 其責人也詳하고 其待己也廉하니 詳故로 人難於爲善하고 廉 故로 自取也少니라 己未有善이어늘 曰 我善是하니 是亦足矣라하며 己未有能이어늘

… 究 연구할 구　廉 간략할 렴

曰 我能是_{하니}是亦足矣_{라하여}外以欺於人_{하고}內以欺於心_{하여}未少有得而止矣_{하니}是不亦待於己者已廉乎_아

지금의 군자들은 그렇지 않아서 남에게 책하는 것은 상세하고 자기에게 책함은 소략하니, 〈남에게 책함이〉 상세하기 때문에 사람들이 선(善)을 하기가 어렵고, 〈자기에게 책함은〉 소략하기 때문에 스스로 취함이 적은 것이다. 자기에게 아직 잘하는 것이 없는데도 말하기를 "내 이것을 잘하니 이 또한 충분하다." 하며, 자기에게 아직 능한 것이 없는데도 "내 이것을 능히 하니 이 또한 충분하다." 하여, 밖으로는 남을 속이고 안으로는 자신의 마음을 속여 조금도 얻음이 있지 못하고 그치니, 이는 자신을 대하는 것이 너무 소략한 것이 아니겠는가.

其於人也_에曰 彼雖能是_나其人_을不足稱也_요彼雖善是_나其用_을不足稱也_{라하}_여舉其一_{하고}不計其十_{하며}究其舊_{하고}不圖其新_{하여}恐恐然惟懼其人之有聞也_{하나니}是不亦責於人者已詳乎_아夫是之謂不以衆人待其身_{하고}而以聖人望於人_{이니}吾未見其尊己也_{로라}

남에 대해서는 말하기를 "저가 비록 이것을 능히 하나 그 사람(인품)은 족히 칭찬할 것이 못되고, 저가 비록 이것을 잘하나 그 재능을 족히 칭찬할 것이 못된다." 하여, 그 한 가지만 들고 열 가지를 헤아리지 않으며, 그 옛날 잘못한 것만 따지고 새롭게 한 것을 생각하지 아니해서 조심하고 조심하여 행여 그 사람이 알려지게 될까 두려워하니, 이는 남에게 책함이 너무 상세한 것이 아니겠는가. 이것을 일러 '중인(衆人)으로써 자신을 대하지 않고 성인으로써 남에게 바란다.'는 것이니, 나는 그 자신을 높이는 것임을 보지 못하노라.

雖然_{이나}爲是者有本有原_{하니}怠與忌之謂也_라怠者_는不能修_{하고}而忌者_는畏人修_{하나니}吾嘗試之矣_{로라}嘗試語於衆曰 某良士_요某良士_{라하니}其應者_는必其人之與也_요不然則其所疎遠_{하여}不與同其利者也_요不然則其畏也_며不若是_면强者_는必怒於言_{하고}懦者_는必怒於色矣_라又嘗語於衆曰 某非良士_요某非良士_라_{하니}其不應者_는必其人之與也_요不然則其所疎遠_{하여}不與同其利者也_요不然則其畏也_며不若是_면强者_는必說(열)於言_{하고}懦者_는必說於色矣_라是故_로事修而謗興_{하고}德高而毀來_{하나니라}嗚乎_라士之處此世而望名譽之光, 道德之行_이

難已로다 將有作於上者 得吾說而存之하면 其國家를 可幾而理矣리라【熟於此文, 必能作論.】

　그러나 이렇게 하는 데에는 본래 근원이 있으니, 태만함[怠]과 시기[忌]가 그것이다. 태만한 자는 능히 행실을 닦지 못하고 시기하는 자는 남이 행실을 닦는 것을 두려워하니, 내 일찍이 시험하여 보았노라.

　내 일찍이 사람들에게 시험삼아 말하기를 "아무개가 훌륭한 선비이고, 아무개가 훌륭한 선비이다."라고 하였더니, 이에 호응하는 자는 반드시 그 사람의 당여(黨與)이고 그렇지 않으면 소원하여 이익을 함께하지 않는 자이고 그렇지 않으면 그를 두려워하는 자였다. 이와 같지 않으면(이 말에 호응하지 않으면) 강한 자는 반드시 말에 노여운 뜻을 표하고 유약한 자는 반드시 얼굴빛에 노여운 기색을 나타내었다.

　또 내 일찍이 사람들에게 말하기를 "아무개는 훌륭한 선비가 아니고 아무개는 훌륭한 선비가 아니다."라고 하였더니, 이에 호응하지 않는 자는 반드시 그 사람의 당여이고, 그렇지 않으면 소원하여 이익을 함께하지 않는 자이고 그렇지 않으면 그를 두려워하는 자였다. 이와 같지 않으면(이 말에 호응하면) 강한 자는 반드시 말에 기쁜 뜻을 표하고 유약한 자는 반드시 얼굴빛에 기쁜 기색을 나타낸다. 이 때문에 행실이 닦여지면 비방이 일어나고, 덕이 높아지면 훼방이 오는 것이다.

　슬프다! 선비가 이 세상에 살면서 명예가 빛나고 도덕이 행해지기를 바라는 것이 어렵도다. 장차 위에서 흥기하는 자가 있어 내 말을 얻어 잘 기억하여 둔다면 국가를 거의 잘 다스릴 수 있을 것이다.【이 글을 익숙히 읽는다면 반드시 논을 잘 지을 것이다.】

방담문

辭難攻擊之文은 雖厲聲色하고 雖露鋒鋩이나 然氣力雄健하고 光燄長遠하여 讀之에 令人意 强而神爽하니 初學熟此면 必雄於文이라 千萬人場屋中에 有司亦當刮目이리라

　변론(辭論)하고 공격하는 문장은 비록 목소리와 얼굴빛을 엄하게 하고 날카로운 칼날을 드러내 나, 기력(氣力)이 웅건(雄健)하고 광채가 길고 멀어서 읽으면 사람들로 하여금 의지가 강해지고 정 신이 상쾌하게 하니, 초학자(初學者)가 이 글을 익숙히 읽으면 반드시 문장에 웅건해질 것이다. 그리 하여 천만인이 모여 있는 장옥(場屋, 과장) 가운데에서 유사(有司)들도 마땅히 눈을 씻고 대할 것이다.

··· 厲 엄할 려 鋒 칼날 봉 鋩 칼날 망 燄 불꽃 염 爽 상쾌할 상 刮 비빌 괄

춘추론春秋論

구양수歐陽脩

• 작품개요

이 작품은 《문충집(文忠集)》 권18 〈경지(經旨)〉 11수(首) 가운데 실려 있다. 〈춘추론〉은 상·중·하의 세 편이 있는데, 이 작품은 그중 하편이다. 작자는 춘추시대 진(晉)나라의 대부 조돈(趙盾)에 관한 고사(故事)를 중심으로 의론을 전개하였는데, 《춘추좌씨전(春秋左氏傳)》 선공(宣公) 2년(B.C.607)에 보이는 고사의 내용은 다음과 같다. 진나라 영공(靈公)은 조돈에 의해 옹립되었으나 성질이 포악하여 무도한 짓을 자행하고 조돈을 죽이려 하였다. 이에 조돈이 망명하고자 국경으로 갔다. 이때 그의 일가인 조천(趙穿)이 영공을 시해하자, 조돈은 국경을 넘지 않고 돌아와 성공(成公)을 옹립하였는데, 태사(太史) 동호(董狐)가 사책(史冊)에다 "조돈이 그 군주를 시해하였다.〔趙盾弑其君〕"라고 쓴 다음 조정의 신하들에게 보였다. 조돈이 자신이 시해하지 않았음을 항변하자, 동호는 "그대가 정경(正卿)으로서 도망을 갔으나 국경을 넘어가지 않았고 돌아와서는 역적을 토벌하지 않았으니, 그대가 시해한 것이 아니라면 누가 했단 말인가?〔子爲正卿 亡不越竟 反不討賊 非子而誰〕"라고 꾸짖었다. 이에 대해 공자는 "동호는 옛날의 어진 사관이었기에 법에 의거해 곧바로 쓰고 숨기지 않았다.〔董狐 古之良史也 書法不隱〕"라고 칭찬하였으며, "조돈은 옛날의 어진 대부이니, 법을 위하여 악명(惡名)을 받았다. 애석하다! 조돈이 국경을 넘어갔더라면 군주를 시해했다는 악명을 면했을 것이다.〔趙宣子 古之良大夫也 爲法受惡 惜也 越竟乃免〕"라고 조돈을 두둔하였다.

작품의 모두(冒頭)에서 작자는 《춘추》의 서법(書法, 사실(史實)을 기록하는 법)에 신중하고 근엄한 특징이 있음을 명확하게 밝혔다. 이어서 조돈의 고사에 대한 삼전(三傳)의 해설들이 모순이라는 것을 낱낱이 논증하여 "이는 곧 죄를 가하였다가 곧 용서해준 것이다.〔是輒加之而輒赦之〕"라는 주장을 뒷받침하고, "공자가 즐겨 이것을 따르고 아름다움을 칭찬하며 또 사람들에게 국경을 넘어 죄를 피하라고 가르치셨겠는가?[其肯從而稱美 又敎人以越境逃惡乎]"라고 반문함으로써 삼전의 해설 태도가 《춘추》 본연의 서법과는 결코 일치하지 않음을 강조하였고, 이를 통하여 "조돈이 역적을 토벌하지 않았기 때문에 대악을 가하였고, 조돈이 실지로 시해한 것이 아니므로 또다시 경문(經文)에 나타내어 조돈의 무죄함을 밝혔다.[趙盾以不討賊故 加之大惡 而以盾非實弑 則又復見乎經 以明盾之無罪]"라는 삼전의 관점이 성립할 수 없음을 증명하였다.

또한 후반부에서는 네 개의 층차로 진일보한 논석(論析)을 진행하였다. '난자(難者, 논란하는 자)'-즉 문자(問者, 묻는 자)-가 문난(問難)하는 형식을 사용하여 순서에 따라 '조돈이 군주를 시해한 것', '성인이 가르침을 남긴 것이 이처럼 우활하지는 않았을 것[聖人垂敎不如是之迂]', '군주를 시해한 신하가 경문에 보이지 않는다는 것[弑君之臣不見經]'은 삼전의 억측, '전문(傳聞)을 가벼이 믿어서는 안 됨' 따위를 밝히면서 다방면으로 삼전이 《춘추》의 경문을 어지럽힌 것에 대해 규명하였다.

작품 전체의 짜임새가 엄격하고 정제되어 있으며 논박함이 매우 합당하고 적절하다. 작자는 학술적 성격을 띤 '논(論)'에서 대비(對比)·유비(類比) 등의 수법을 사용함으로써 작품에 생기를 불어넣었다. 이러한 측면은 선진(先秦)의 제자(諸子) 중 《순자(荀子)》의 문풍(文風)에 영향을 받았을 것으로 추측된다. 청대(淸代) 방포(方苞, 1668~1749)는 〈춘추론 하〉에서 구양공의 서사는 《사기》를 본떴고 제반 체재는 한유의 문장을 본받았으며, 논변은 《순자》를 본보기로 삼았으니, 그 반복해 뜻을 다한 것과 중첩한 부분이 모두 유사하다.[春秋論下 歐公敍事倣史記 諸體效韓文 而論辯法荀子 其反復盡意反復疊處皆似]"라고 지적하였다. 작자의 의론에 '반복진의(反復盡意)'하는 특징이 있는데, 이는 확실하게 그의 논문 중에 대량으로 구사된 대비·유비 등의 수사법과 관련이 있다.

아울러 심덕잠(沈德潛, 1673~1769)은 "이 작품의 전반부는 조돈이 실제로 군주를 시해한 것에 대해 논하였고, 후반부는 허 세자(許世子) 지(止)가 약을 맛보지 않은 것이 아님에 대해 거듭 논하여서 수편(首篇)의 조돈과 허 세자의 두 가지 일에 대해 해설하였다. 필봉이 이르는 바에 갈등(葛藤, 지저분한 역설)을 모조리 다 끊어버려 이미 죽어버린 난적(亂賊)을 주벌한 것이 바로 이 글에 갖추어져 있다고 하겠다.……논하는 글을 지을 적에는 곧장 그 마음을 찔러야 비로소 통쾌함이 된다.[春秋論下 前半論趙盾實弑君 後半論許世子非不嘗藥 申解首篇趙盾許世子二事 筆鋒所到 斬盡葛藤 誅亂賊於旣死 此文有焉……作論須直刺其心 方爲痛快]"라고 상당히 높게 평가하였다.

篇題小註‥ 春秋에 書趙盾(돈)弑其君夷皐어늘 左傳에 謂趙穿弑靈公하니 趙盾이 爲其卿하여 亡不越境하고 入不討賊이라 故로 董狐書曰趙盾弑其君이라하니라

••• 盾 사람이름 돈 弑 시해할 시 皐 언덕 고 穿 뚫을 천 越 넘을 월 董 성 동 狐 여우 호

《춘추(春秋)》에 "조돈(趙盾)이 그 군주 이고(夷皐, 영공(靈公))를 시해하였다."라고 썼는데, 《춘추좌씨전(春秋左氏傳)》에 "조천(趙穿)이 영공을 시해하니 조돈이 이때 경(卿)이 되어 도망하였으나 국경을 넘어가지 않았고, 국내로 들어와서는 역적을 토벌하지 않았다. 이 때문에 사관(史官)인 동호(董狐)가 '조돈이 그 군주를 시해하였다.'라고 쓴 것이다." 하였다.

左傳에 又曰 仲尼曰 董狐는 古之良史也니 書法不隱하고 趙宣子는 古之良大夫也니 爲法受惡이로다 惜也라 越境乃免이라하니라

《춘추좌씨전》에 또 다음과 같이 말하였다. "중니(仲尼)는 평하시기를 '동호는 옛날의 훌륭한 사관이니 법(法)대로 쓰고 숨기지 않았으며, 조선자(趙宣子, 조돈)는 옛날의 어진 대부(大夫)이니 법을 위하여 악명(惡名)을 받았다. 애석하다! 조돈이 국경을 넘어갔더라면 군주를 시해했다는 악명을 면했을 것이다.'"

• 原文

弑逆은 大惡也니 其爲罪也莫贖이요 其於人也에 不容이요 其在法也에 無赦라 法施於人에 雖小나 必謹이어든 況擧大法而加大惡乎아 旣輒加之하고 又輒赦之하면 則自侮其法而人不畏하리니 春秋用法이 不如是之輕易也리라

시역(弑逆)은 큰 죄악이니, 그 죄를 속죄할 수 없고 사람들에게는 용서를 받지 못하고 법에 있어서는 사면을 받을 수가 없다. 법을 사람에게 시행할 적에는 비록 작은 것이라도 반드시 삼가야 할 텐데, 하물며 대법(大法)을 들어 대악(大惡)을 가함에 있어서랴. 이미 죄를 가하고 또 곧 사면해준다면 스스로 그 법을 업신여겨 사람들이 두려워하지 않을 것이니, 《춘추(春秋)》의 필법(筆法)이 이와 같이 가볍고 신중하지 못하지는 않았을 것이다.

三子說春秋에【左丘明·公羊高·穀梁赤.[1]】書趙盾以不討賊故로 加之大惡하고 而以

---

1 左丘明, 公羊高, 穀梁赤: 《춘추》를 해설한 세 사람으로, 좌구명은 《춘추(春秋)》의 〈좌씨전(左氏傳)〉을 지었고, 공양고는 〈공양전(公羊傳)〉을 지었으며, 곡량적은 〈곡량전(穀梁傳)〉을 지었다. 그리하여 이것을 춘추(春秋)의 삼전(三傳)이라 한다.

••• 贖 속죄할 속 赦 용서할 사

盾非實弑일새 則又復見(현)乎經하여 以明盾之無罪²라하니 是는 輒加之而輒赦之爾라 以盾爲無弑心乎인댄 其可輕以大惡加之며 以盾不討賊이 情可責而宜加之乎인댄 則其後頑然未嘗討賊하여 旣不改過以自(續)[贖]³이어늘 何爲遽赦하여 使同無罪之人이리오 其於進退에 皆不可하니 此非春秋意也니라 趙穿은 弑君하니 大惡也요 盾은 不討賊하여 不能復讐하여 而失刑於下하니 二者輕重을 不較可知라 就使盾爲可責이나 然穿焉得免也리오 今免首罪爲善人하고 使無辜者로 受大惡하니 此는 決知其不然也로라

삼자(三子)가 《춘추》를 해설하면서【삼자는 좌구명(左丘明), 공양고(公羊高), 곡량적(穀梁赤)이다.】 "조돈(趙盾)이 역적을 토벌하지 않았기 때문에 그에게 대악을 가하였고, 조돈이 실지로 시해한 것이 아니므로 또다시 경문(經文)에 나타내어 조돈의 무죄함을 밝혔다."라고 기록하였으니, 이는 곧 죄를 가하였다가 곧 사면해준 것이다. 조돈이 시해할 마음이 없었다고 한다면 어찌 가볍게 대악을 가할 수 있겠는가. 또 조돈이 역적을 토벌하지 않은 것이 정리(情理)상 꾸짖을 만하여 마땅히 죄를 가해야 한다면, 그 후에 완연(頑然)히 역적을 토벌하지 않아 잘못을 고쳐 스스로 속죄하지 않았는데, 어찌하여 대번에 사면해주어 무죄한 사람과 똑같게 할 수 있겠는가. 앞으로 보나 뒤로 보나 모두 불가하니, 이는 《춘추》의 본의가 아니다.

조천(趙穿)은 군주를 시해하였으니 큰 죄악이고, 조돈은 역적을 토벌하지 않아 복수하지 못하여 아랫사람에게 형벌을 제대로 시행하지 않았으니, 두 사람의 죄의 경중(輕重)은 비교하지 않고도 알 수 있는 것이다. 가령 조돈에게 죄의 책임을 물을 수 있다 하더라도 조천이 어찌 죄를 면할 수 있겠는가. 이제 수죄(首罪, 죄악의 괴수인 조천)를 면하게 하여 선(善)한 사람으로 만들고, 죄가 없는 자(조돈)에게는 대악을 받게 하였으니, 이는 결코 그 옳지 않음을 아노라.

---

2 盾非實弑……以明盾之無罪 : 《춘추》 선공(宣公) 6년에 "진(晉)나라 조돈과 위(衛)나라 손면(孫免)이 진(陳)나라를 침공하였다.〔晉趙盾衛孫免侵陳〕"라고 보이는바, 〈공양전〉에 "조돈은 앞에서 '그 군주 이고(夷皐)를 시해하였다.'라고 기록하였는데, 여기에 다시 그 이름이 보임은 어째서인가? 직접 군주를 시해한 자는 조천(趙穿)이요 조돈이 아니기 때문이다. 직접 시해한 자가 조천이라면 어찌하여 조돈에게 '군주를 시해했다'는 죄를 가하였는가? 조돈이 역적인 조천을 토벌하지 않았기 때문이다." 하였다. 이는 《춘추》의 삼전(三傳)을 지은 세 사람이 군주를 시해한 역적은 경문에 그 이름을 다시 드러내지 않는 것이 《춘추》의 필법(筆法)이라고 주장했기 때문에 말한 것이다.

3 (續)〔贖〕: 저본에는 '속(續)'으로 되어 있으나 《구양문충집(歐陽文忠集)》과 《당송팔가문초》에 의거하여 '속(贖)'으로 바로잡았다.

••• 頑 완악할 완 遽 별안간 거 讐 원수 수 就 가령 취 焉 어찌 언 辜 죄 고

春秋之法은 使爲惡者로 不得幸免하고 疑似者로 有所辨明하니 此所謂是非之公
也라 據三子之說인댄 初에 靈公이 欲殺盾한대 盾이 走而免이러니 穿은 盾族也라 遂弑
公이어늘 而盾不討하여 其迹이 涉於與弑矣라하니 此는 疑似難明之事라 聖人이 尤當
求情責實而明白之하시리니 使盾果有弑心乎인댄 則自然罪在盾矣니 不得曰爲
法受惡而稱其賢也요 使果無弑心乎인댄 則當爲之辨明하여 必先正穿之惡하여
使有所歸하고 然後에 責盾縱賊이면 則穿之大惡이 不可幸而免이며 盾疑似之迹이
獲辨이요 而不討之責도 亦不得辭하리라 如此則是非善惡이 明矣어늘 今에 爲惡者
獲免하고 而疑似之人이 陷于大惡하니 此決知其不然也로라

《춘추》의 필법은 악행을 한 자로 하여금 요행으로 죄를 면하지 못하게 하고, 유사하여 혐의
쩍은 자로 하여금 변명할 바가 있게 하였으니, 이것이 이른바 시비(是非)의 공정함이란 것이
다. 삼자의 말을 근거하면 "처음에 영공(靈公)이 조돈을 죽이려 하자, 조돈이 도망하여 죽음을
면하였는데, 조천은 조돈의 집안이었다. 조천이 마침내 영공을 시해하였는데, 조돈은 그를
토벌하지 않아 그 행적이 시해에 참여한 듯하다." 하였으니, 이는 혐의쩍어 밝히기 어려운 일
이다. 성인(聖人)은 더욱 마땅히 그 실정을 찾아 명백히 밝히셨을 것이다.

가령 조돈이 과연 시해할 마음이 있었다면 자연 죄가 조돈에게 있으니, '법을 위하여 악명
을 받았다'고 하여 그의 어짊을 칭찬할 수가 없으며, 과연 시해할 마음이 없었다면 마땅히 그
를 위해 변명하여 반드시 먼저 조천의 죄악을 바로잡아 죄악이 돌아갈 곳이 있게 하고, 그런
뒤에 조돈이 역적을 놓아준 죄를 책한다면 조천의 대악이 요행으로 면할 수 없을 것이고, 조
돈의 혐의쩍은 행적이 밝혀질 것이며, 토벌하지 않은 책임도 사양할(피할) 수가 없을 것이니,
이와 같이 하면 시비와 선악이 명백해질 것이다. 그런데 지금 악행을 한 자는 죄를 면하고 유
사하여 혐의쩍은 자는 대악에 빠졌으니, 이는 결코 그 옳지 않음을 아노라.

若曰 盾不討賊하여 有幸弑之心하니 與自弑同이라 故로 寧捨穿而罪盾이라하면 此乃
逆詐用情之吏 矯激之爲爾요 非孔子忠恕와 春秋以王道治人之法也라 孔子患
舊史是非錯亂而善惡不明일새 所以修春秋하시니 就令舊史如此라도 其肯從而不
正之乎아 其肯從而稱美하고 又敎人以越境逃惡乎아 此可知其謬傳也니라

만약 이르기를 "조돈은 역적을 토벌하지 않아 영공이 시해된 것을 요행으로 여기는 마음이

幸 요행 행 據 의거할 거 涉 관계될 섭 使 가령 사 縱 놓아줄 종 寧 차라리 녕 捨 놓을 사
逆 미리 역 詐 속일 사 矯 속일 교 錯 어긋날 착 謬 잘못될 류(무)

있었으니, 직접 시해함과 같다. 그러므로 차라리 조천을 놓아두고 조돈을 죄준 것이다."라고 한다면, 이것은 바로 속일 것을 미리 생각하여 사정(私情)을 쓰는 옥리(獄吏)의 교격(矯激)한 행위이고, 공자(孔子)의 충서(忠恕)와 왕도(王道)로써 사람을 다스리는 《춘추》의 필법이 아니다.

공자는 옛날 사책(史冊)에 시비가 어지러이 뒤섞여 선악이 분명하지 못함을 걱정하셨기에 이 때문에 《춘추》를 편찬하신 것이니, 가령 옛날의 사책이 이와 같더라도 어찌 즐겨 이것을 따르고 바로잡지 않으셨겠는가? 어찌 즐겨 이것을 따르고 아름다움을 칭찬하며 또 사람들에게 국경을 넘어 죄를 피하라고 가르치셨겠는가? 이는 그 잘못 전해짐을 알 수 있는 것이다.

問者曰 然則夷皐는 孰弑之오 曰 孔子所書是矣시니 趙盾이 弑其君也니라 今有一人焉하니 父病에 躬進藥而不嘗하고 又有一人焉하니 父病而不躬進藥하여 而二父皆死하며 又有一人焉하니 操刀以殺其父어든 使吏治之하면 是三人者 其罪同乎아 曰 雖庸吏라도 猶知其不可同也라 躬藥而不嘗者는 有愛父之心이나 而不習於禮니 是可哀也니 無罪之人爾요 不躬進藥者는 誠不孝矣라 雖無愛親之心이나 然未有弑父之意하니 使善治獄者蔽之면 猶當與操刀殊科하리니 況以躬藥之孝로 反與操刀者同其罪乎아 此는 庸吏之所不爲也라 然則許世子止 "實不嘗藥인댄 則孔子決不書曰弑君이요 孔子書弑君인댄 則止決非不嘗藥이니라

묻는 자가 말하기를 "그렇다면 이고(夷皐, 영공)는 누가 시해한 것입니까?" 하기에 나는 다음과 같이 말하였다.

"공자가 쓰신 것이 옳으니, 조돈이 군주를 시해한 것이다. 여기에 한 사람이 있는데 아버지 병환에 몸소 약을 올렸으나 약을 먼저 맛보지 않아 아버지가 죽었고, 또 한 사람이 있는데 아버지 병환에 몸소 약을 올리지 아니하여 아버지가 죽었으며, 또 한 사람이 있는데 칼을 잡고 그 아버지를 죽였다. 이럴 경우 법을 맡은 관리가 이들을 다스린다면 이 세 사람의 죄가 똑같겠는가. 비록 용렬한 관리라 하더라도 똑같이 처벌할 수 없음을 알 것이다.

---

4 許世子止: 지(止)는 허(許)나라 도공(悼公)의 태자(太子)인바, 《춘추》 소공(昭公) 19년에 "허나라 세자 지가 그 군주 매(買, 도공의 이름)를 시해하였다."라고 보인다. 이에 대하여 《춘추좌씨전》에 "학질(瘧疾)에 걸린 도공이 태자 지가 올린 약을 먹고 죽었으므로 태자가 진(晉)나라로 도망하였는데, 경문에 '그가 군주를 시해하였다.'라고 쓴 것이다. 이는 군주나 아버지가 병이 있어 약을 먹게 되면 신하나 자식이 먼저 그 약을 맛보아 독성이 있는지를 확인한 다음 올려야 하는데, 세자 지는 그렇게 하지 않았으므로 이렇게 쓴 것이다." 하였다.

몸소 약을 올렸으나 미리 약을 맛보지 않은 자는 아버지를 사랑하는 마음이 있으나 예(禮)를 익히지 못한 것으로, 이는 애처롭게 여길 만한 일이니 죄가 없는 사람이다. 또 몸소 약을 올리지 않은 자는 진실로 불효이지만, 어버이를 사랑하는 마음이 없더라도 아버지를 시해하려는 뜻(생각)은 없는 것이니, 옥사를 잘 다스리는 자가 판결한다면 오히려 칼날을 잡고 시해한 자와 죄과(罪科)를 달리할 것이다. 하물며 몸소 약을 올린 효행을 도리어 칼날을 잡고서 시해한 자와 그 죄를 똑같게 하겠는가. 이는 용렬한 관리도 하지 않는 것이다. 그렇다면 허(許)나라 세자(世子) 지(止)가 실제로 약을 맛보지 않았다면 공자가 결코 '군주를 시해했다.'고 쓰시지 않았을 것이요, 공자가 '군주를 시해했다.'고 쓰셨다면 지(止)는 결코 약을 맛보지 않은 것이 아니다."

難者曰 聖人이 借止以垂敎爾시니라 對曰 不然하다 夫所謂借止垂敎者는 不過欲人之知嘗藥爾니 聖人이 一言明以告人이시면 則萬世法也어늘 何必加孝子以大惡之名이시리오 又嘗藥之事 卒不見(현)於文하여 使後世로 但知止爲弑君하고 而莫知藥之當嘗也하여 敎未可垂하고 而已陷人於大惡矣니 聖人垂敎가 不如是之迂也요 果曰罪止라도 不如是之刻也시리라

논란하는 자가 말하기를 "성인이 지(止)를 빌려 후세에 가르침을 남기신 것이다." 하기에 나는 다음과 같이 말하였다.

"그렇지 않다. 이른바 '지를 빌려 후세에 가르침을 남긴다'는 것은 사람들이 약을 미리 맛보아야 함을 알게 하고자 함에 불과할 뿐이니, 성인이 한 말씀으로 분명하게 사람들에게 말씀하시면 만세(萬世)의 법이 될 수 있는데, 어찌 굳이 효자에게 대악의 이름을 가하셨겠는가. 또 약을 맛보는 일이 마침내 경문(經文)에 보이지 않아서 후세로 하여금 단지 지(止)가 군주를 시해한 줄만 알고 약을 마땅히 맛보아야 함을 알지 못하게 하여, 가르침을 남기지 못하고 이미 사람을 대악에 빠뜨렸으니, 성인이 가르침을 남긴 것이 이처럼 우활하지 않을 것이며, 과연 지를 죄준다고 하더라도 이처럼 심하지는 않으실 것이다."

難者曰 羯爲盾復見于經이며 許悼公을 羯爲書葬⁵고 曰 弑君之臣이 不見經은 此

---

5 許悼公曰羯爲書葬: 《춘추좌씨전》소공 19년 경문에 "겨울에 허 도공을 장례하였다."는 기록이 보이는바, 전(傳)에 "군주

··· 難 논란할 난 借 빌릴 차 迂 우활할 우 刻 심할 각 羯 어찌 갈

自三子說爾니 果聖人法乎아 悼公之葬에 且安知其不討賊而書葬也리오 自止以弒見經으로 後四(十)⁶年에 吳敗許師하고 又十有八年에 當魯定公之四年하여 許男이 始見於經而不名하니 許之書於經者略矣라 止之事跡을 不可得而知也니라

논란하는 자가 말하기를 "어찌하여 조돈이 다시 경문에 보이며, 어찌하여 허 도공(許悼公)을 장례하였다고 썼습니까?"라고 하기에 나는 다음과 같이 대답하였다.

"군주를 시해한 신하가 경문에 보이지 않는다는 것은 이는 본래 삼자(三子)의 말일 뿐이니, 과연 성인의 법이라 하겠는가. 도공의 장례에 또 역적을 토벌하지 않고 장례하였다고 쓴 것인지 어찌 알겠는가? 지(止)가 군주를 시해한 일로 허(許)나라가 경문에 보인 뒤로부터 4년 뒤에 오(吳)나라가 허나라 군대를 패퇴시켰고, 또 18년 뒤인 노(魯)나라 정공(定公) 4년을 당하여 허남(許男)이 비로소 경문에 보이는데 이름을 쓰지 않았으니, 허나라가 경문에 기록된 경우가 소략하다. 그러므로 지의 사적을 알 수 없는 것이다."

難者曰 三子之說이 非其臆出也라 其得於所傳이 如此하니 然則所傳者를 皆不可信乎아 曰 傳聞을 何可盡信이리오 公羊, 穀梁은 以尹氏卒로 爲正卿이어늘 左氏는 以尹氏卒로 爲隱母하여 一以爲男子하고 一以爲婦人하니 得於所傳者蓋如此라 是可盡信乎아

논란하는 자가 말하기를 "삼자의 말은 그들이 억측으로 지어낸 말이 아니요, 전해오는 말에서 얻어 들은 것이 이와 같은 것이니, 그렇다면 전해오는 말을 모두 믿을 수가 없단 말입니까?" 하기에 나는 다음과 같이 대답하였다.

"전하여 들은 것을 어찌 다 믿겠는가. 《공양전(公羊傳)》과 《곡량전(穀梁傳)》은 죽은 윤씨(尹氏)를 정경(正卿)이라 하였으나, 《좌씨전(左氏傳)》에서는 죽은 윤씨를 은공(隱公)의 어머니라고 하여 하나는 남자라 하고 하나는 부인이라고 하였다. 전해오는 말에서 얻어 들은 것이 이와 같으니, 이것을 모두 믿을 수 있겠는가?"

가 시해를 당했을 경우 군주를 시해한 역적을 토벌하지 않았으면 장례한 사실을 기록하지 않는 것이 《춘추》의 필법인데, 세자 지는 실제로 군주를 시해한 것이 아니라 단지 독성이 있는 약을 미리 맛보지 않고 그대로 올려 죽게 하였기 때문에 세자 지를 처형하지 않았는데도 경문에 장례한 사실을 기록한 것이다." 하였으므로 말한 것이다.

6 (十) : 저본에는 '사십(四十)'으로 되어 있으나 《구양문충집》과 《당송팔가문초》에 의거하여 '십(十)'을 빼고 번역하였다.

卷之三. 將字集

소심문小心文

議論이 精明而斷制하고 文勢圓活而婉曲하여 有抑揚하고 有頓挫하고 有擒縱하니 場屋程文論은 當用此樣文法이라 先暗記侯王兩集하여 下筆無滯礙하면 便當讀此니라

의론이 정명(精明)하면서도 결단(決斷)이 있고, 문세(文勢)가 원활하면서도 완곡(婉曲)하여 억양(抑揚)이 있고 돈좌(頓挫, 억제함)가 있고 조종(操縱)이 있으니, 과장(科場)에서의 고시문(考試文)의 논은 마땅히 이러한 문장법을 써야 한다. 먼저《후자집(侯字集)》과《왕자집(王字集)》두 편을 암기하여 글을 씀에 막힘이 없게 되면, 곧 이《장자집(將字集)》을 읽어야 한다.

··· 活 살 활 婉 완곡할 완 頓 무너질 돈 挫 꺾일 좌 擒 사로잡을 금 縱 풀어놓을 종 樣 모양 양
   滯 막힐 체 礙 막힐 애

춘추론春秋論

소순蘇洵 소노천蘇老泉

• 작품개요

　이 작품은 《가우집(嘉祐集)》권6 〈육경론(六經論)〉에 실려 있다. 작자는 촉(蜀) 지역을 떠나기 전에 유가(儒家)의 육경(六經)에 관한 여섯 편의 논(論)을 지었는데, 바로 〈역론(易論)〉·〈예론(禮論)〉·〈시론(詩論)〉·〈악론(樂論)〉·〈서론(書論)〉·〈춘추론(春秋論)〉의 〈육경론〉으로, 하나의 체계 안에서 각 편이 서로 의존하여 서로 유기적인 일체(一體)를 구성하고 있다. 특히 이 작품은 논리정연하고 체계적이다. 내용 전개는 상벌(賞罰)의 문제를 가지고 일일이 지적하여 주제를 명확하게 밝히는 것이 골자를 이루는데, '문제의 연쇄(連鎖)' 안에서 완성되었다고 말할 수 있겠다. 이러한 연쇄적 짜임새는 상당히 자연스러워 인위적인 느낌이 조금도 없기에 명대(明代)의 당순지(唐順之)는 이 작품에 대해 "단지 한 가지 문답이 작품의 끝까지 서로 연결되어 있다.〔只是一事問答纒聯到底〕"라고 칭찬하였다.

　이기경(李耆卿)은 《문장정의(文章精義)》에서 "《노자》와 《손자병법》은 일구(一句)와 일어(一語)가 여덟 가지 진기한 보배를 하나로 이어 놓아 서로 뒤섞여 있으면서 끊이지 않은 것과 같아서 문자를 배우기가 지극히 어려운데, 오직 소노천의 글 몇 편이 여기에 가깝다.-〈심술〉과 〈춘추론〉 따위가 바로 여기에 해당한다.-〔老子孫武子 一句一語 如串八寶珍瑰 間錯而不斷 文字極難學 惟蘇老泉數篇近之 -心術春秋論之類是也-〕"라고 말하고 있는데, 이 작품이 병서(兵書)의 체재와 흡사하다고 여긴 것이다. 작자는 문장과 학문에 대해서 자신만의 독특한 견지(見地)를 지니고 있었다. 행문에 있어서도 이와 마찬가지로 자신만의 체계를 이루었는데 관점이 분명하고 논리가 신중하고도 엄격하다. 얼핏 보기에는 작중의 각 단락이 하나의 항목을 이루어 서로 무관해 보이지만 모두 작중에서 각자의 역할을 수행함과 동시에 밀접한 관련을 지니고 있다. 작자는 맨 처음 자신의 관점을 제시하고, 이어서 설문(設問)·반문(反問)의 형식을 사용하여 단락과 단락 사이의 연계를 긴밀하게 하였다. 이는 그가 병서로부터 체득한 기법으로, 여타 의견이 끼어들 틈을 주지 않을 정도로 치밀한 짜임새와 논리를 지니고 있다. 그러나 이로 인하여 문장가들과 평론가들에게 부자연스럽고 인위적으로 조탁하려 한 점이 있다는 비판을 받기도 하였다.

篇題小註‥ 此文은 有法度하고 有氣力하고 有精神하고 有光焰하니 謹嚴而華藻者也라 讀得孟子熟이라야 方有此文章이니라

이 글은 법도가 있고 기력이 있고 정채가 있고 광채가 있으니, 근엄하면서도 화려하다. 《맹자(孟子)》를 익숙히 읽어야 비로소 이러한 문장이 나올 수 있는 것이다.

• **原文**

賞罰者는 天下之公也요 是非者는 一人之私也라 位之所在에 則聖人이 以其權으로 爲天下之公하여 而天下以懲以勸하고 道之所在에 則聖人이 以其權으로 爲一人之私하며 而天下以榮以辱하나니라

周之衰也에 位不在夫子而道在焉하니 夫子以其權是非天下는 可也어니와 而春秋엔 賞人之功하고 赦人之罪하며 去人之族하고 絶人之國하고 貶人之爵하여 諸侯而或書其名하고 大夫而或書其字하여 不惟其法이라 惟其意요 不徒曰此是此非라 而賞罰加焉하니 則夫子固曰 我可以賞罰人矣시니라【設難.】

상(賞)과 벌(罰)은 천하의 공적인 일이요, 옳은 것을 옳다 하고 그른 것을 그르다 함은 한 사람의 사적인 일이다. 지위가 있으면 성인(聖人)이 그 권세를 천하의 공(公)으로 삼아 천하가 이로써 징계되고 이로써 권면되며, 도(道)가 있으면 성인이 그 권세를 한 사람의 사(私)로 삼아 천하가 이로써 영화롭게 되고 이로써 치욕을 당한다.

주(周)나라가 쇠할 때에 부자(夫子, 공자)에게 지위는 없고 도(道)만 있었으니, 부자가 그 권세를 가지고 천하를 옳다 하고 그르다함은 괜찮지만, 《춘추(春秋)》에서는 남의 공을 상주고 남의 죄를 사면하며, 남의 집안을 없애 버리고 남의 나라를 끊으며, 남의 관작을 폄하하여 제후

··· 焰 불꽃 염 藻 마름 조 懲 징계할 징 貶 깎을 폄

(諸侯)에게 혹 그 이름을 쓰기도 하고 대부에게 혹 그 자(字)를 쓰기도 하여 법대로만 한 것이 아니라 오직 뜻대로 하였고, 이것이 옳고 이것이 그르다 할 뿐만 아니라 상·벌을 가하였으니, 그렇다면 부자께서 진실로 생각하시기를 "내 남을 상 줄 수 있고 남을 벌 줄 수 있다."라고 여기신 것이다.【논란하였다.】

賞罰人者는 天子, 諸侯事也니 夫子病天下之諸侯, 大夫 僭天子, 諸侯之事而作春秋어시늘 而己則爲之하시면 其何以責天下리오 位는 公也요 道는 私也라 私不勝公일새 則道不勝位하나니 位之權은 得以賞罰이나 而道之權은 不過於是非라 道在我矣로되 而不得爲有位者之事면 則天下皆曰位之不可僭也如此라하리라 不然이면 天下其誰不曰道在我리오 則是道者는 位之賊也니라

　남을 상 주고 벌 주는 것은 천자와 제후가 하는 일이니, 부자는 천하의 제후와 대부들이 참람하게 천자와 제후의 일을 하는 것을 나쁘게 여겨 《춘추》를 지으셨는데, 자신이 이러한 짓을 하신다면 어떻게 천하를 꾸짖을 수 있겠는가. 지위는 공(公)이고 도(道)는 사(私)이다. 사는 공을 이기지 못하므로 도는 지위를 이기지 못하니, 지위의 권세는 남을 상 주고 벌 줄 수 있으나 도의 권세는 옳다 하고 그르다 함에 불과한 것이다. 도가 내 몸에 있으나 지위 있는 자의 일을 할 수가 없다면, 천하가 모두 말하기를 "지위를 참람하게 차지할 수 없음이 이와 같다."라고 할 것이다. 그렇지 않다면 천하에 그 누가 "도가 나에게 있다."고 말하지 않겠는가. 그렇다면 이 도는 지위의 적(賊)이 되는 것이다.

曰 夫子豈誠賞罰之耶아 徒曰賞罰之耳시니 庸何傷이리오【一解.】 曰 我非君也요 非吏也어늘 執塗之人而告之曰 某爲善, 某爲惡은 可也어니와 繼之曰 某爲善일새 吾賞之하고 某爲惡일새 吾誅之라하면 則人有不笑我者乎아【二難.】 夫子之賞罰이 何以異此리오 然則何足以爲夫子며 何足以爲春秋리오

　말하기를 "부자(夫子)가 어찌 참으로 남을 상 주시고 벌 주셨겠는가? 다만 글로 상 주고 벌 주셨을 뿐이니, 어찌 나쁘겠는가." 하였다.【첫 번째 해명이다.】 이에 나는 다음과 같이 말하였다.
　"내가 군주가 아니고 관리가 아니면서 길가는 사람을 붙잡고 말하기를 '아무개가 선행을 하고 아무개가 악행을 한다.'라고 하는 것은 괜찮지만, 뒤이어 말하기를 '아무개가 선행을 하므

로 내가 그에게 상을 주고 아무개가 악행을 하므로 내가 그에게 벌을 준다.'라고 한다면, 나를 비웃지 않는 자가 있겠는가.【두 번째 논란이다.】부자의 상·벌이 어찌 이와 다르겠는가. 그렇다면 어떻게 부자가 될 수 있으며, 또 어떻게 《춘추》가 될 수 있겠는가.

曰 夫子之作春秋也는 非曰孔氏之書也요 又非曰我作之也라 賞罰之權을 不得以自與也일새 曰 此魯之書也요 魯作之也라【二解.】有善而賞之에 曰魯賞之也라하시고 有惡而罰之에 曰魯罰之也라하시니라【一篇主意, 正在此.】何以知之오 曰 夫子繫易을 謂之繫辭요 言孝를 謂之孝經이라하사 皆自名之하시니 則夫子私之也요 而春秋者는 魯之所以名史어늘 而夫子託焉하시니 則夫子公之也시니 公之以魯史之名에 而賞罰之權이 固在魯矣라 春秋之賞罰이 自魯而及于天下하니 天子之權也니라

부자가 《춘추》를 지으신 것은 '공씨(孔氏)의 책'이라고 여기신 것이 아니고, 또 '내가 지었다'라고 말씀한 것이 아니다. 상·벌의 권한을 자신에게 줄 수가 없으므로 '《춘추》는 노(魯)나라의 역사책이고, 노나라가 지은 것이다.'라고 하여【두 번째 해명이다.】선행이 있어 상을 줄 때에는 노나라가 상 준 것으로 하고, 악행이 있어 벌을 줄 때에는 노나라가 벌 준 것으로 하신 것이다.【한 편의 주된 뜻이 바로 여기에 있다.】

무엇을 가지고 알 수 있는가? 부자께서 《주역》에 설명을 단 것을 〈계사(繫辭)〉라 이르고, 효(孝)를 말씀한 것을 《효경(孝經)》이라 이르시어 모두 스스로 이름하셨으니, 이것은 부자께서 《계사》와 《효경》을 사적(私的)인 것으로 여기신 것이다. 《춘추》는 노나라에서 이름 붙인 사책(史冊)인데 부자께서 여기에 의탁하셨으니, 그렇다면 부자께서 《《춘추》를》 공적(公的)인 것으로 여기신 것이다. 노나라의 사책의 이름을 공적인 것으로 여기심에 상·벌의 권한이 진실로 노나라에 있게 된 것이다. 그리하여 《춘추》의 상·벌이 노나라로부터 천하에 미쳤으니, 이는 천자의 권한이다.

魯之賞罰은 不出境이어늘 而以天子之權與之는 何也오【三難.】曰 天子之權이 在周어늘 夫子不得已而以與魯也시니라 武王之崩也에 天子之位 當在成王이로되 而成王幼하니 周公以爲天下에 不可以無賞罰이라 故로 不得已而攝天子之位하사 以賞罰天下하여 以存周室하시니라 周之東遷也에 天子之權이 當在平王이로되 平王昏亂이라 故로 夫子亦曰 天下에 不可以無賞罰이요 而魯는 周公之國也니 居魯之地

… 繫 맬 계 境 국경 경 崩 죽을 붕 攝 대리할 섭

하여 宜如周公不得已而假天子之權하여 以賞罰天下하여 以尊周室이라 故로 以天子之權與之也시니라【三解.】

노(魯)나라의 상·벌은 국경을 벗어나지 않는데 천자의 권한을 노나라에 주신 것은 어째서인가?【세 번째 논란이다.】 천자의 권한이 주나라에 있었으나 부자께서 부득이하여 노나라에 주신 것이다. 무왕(武王)이 별세하심에 천자의 지위가 마땅히 성왕(成王)에게 있어야 하지만 성왕이 어리니, 주공(周公)은 천하에 상·벌이 없을 수 없다고 여기셨으므로 부득이 천자의 지위를 섭행(攝行)하시어 천하를 상 주고 벌 주어 주(周)나라의 왕실을 보존하셨다.

주나라가 동쪽으로 천도(遷都)함에 천자의 권한이 마땅히 평왕(平王)에게 있어야 하지만 평왕이 용렬하고 혼란하므로 부자께서 또한 생각하시기를 '천하에 상·벌이 없을 수 없으며 노나라는 주공의 나라이다. 노나라 땅에 살면서 마땅히 주공처럼 부득이 천자의 권한을 빌려 천하를 상 주고 벌 주어서 주나라 왕실을 높여야 한다.'라고 여기셨다. 그러므로 천자의 권한을 노나라에 주신 것이다.【세 번째 해명이다.】

然則假天子之權은 宜如何오 曰 如齊桓, 晉文이 可也니라 夫子欲魯如齊桓, 晉文이로되 而不遂以天子之權與齊, 晉은 何也오 齊桓, 晉文은 陽爲尊周로되 而實欲富彊其國이라 故로 夫子與其事而不與其心하시고 周公은 心存王室하시니 雖其子孫이 不能繼나 而夫子思周公而許其假天子之權하여 以賞罰天下하시니 其意曰 有周公之心而後에 可以行桓, 文之事라 此其所以不與齊, 晉而與魯也시니라【又生一段講論.】 夫子亦知魯君之才 不足以行周公之事矣로되 顧其心에 以爲今之天下에 無周公故로 至此라하사 是故로 以天子之權으로 與其子孫하시니 所以見思周公之意也시니라【此一段, 直是識得痛快感動人.】

그렇다면 천자의 권한을 빌리는 것은 마땅히 어떻게 해야 하는가? 제 환공(齊桓公)과 진 문공(晉文公)처럼 함이 옳다. 부자께서 노나라가 제 환공과 진 문공처럼 하기를 바라셨으나 마침내 천자의 권한을 제나라와 진나라에 주지 않으심은 어째서인가? 제 환공과 진 문공은 겉으로는 주나라를 높인다 하였으나, 실제로는 자기 나라만 부강(富强)하고자 하였으므로 부자는 그 일만 허여하고 그 마음은 허여하지 않으셨다. 주공은 마음이 왕실에 있었으니, 비록 그 자손들이 주공을 계승하지 못하고 있으나, 부자는 주공을 생각하여 〈노나라가〉 천자의 권한을 빌려 천하를 상 주고 벌 줌을 허여하셨으니, 그 뜻은 '주공의 마음이 있은 뒤에야 제 환공과 진 문공의 일을 행할 수 있다.'라고 여기신 것이다. 이 때문에 제나라와 진나라에 권한을 주지 않고 노나라에 주신 것이다.【또다시 한 단락의 강론(講論)을 만들어 내었다.】

부자(夫子) 또한 노나라 군주의 재주가 주공의 일을 행할 수 없음을 아셨으나 나만 그 마음에 생각하시기를 '오늘날 천하에 주공이 없으므로 이 지경에 이르렀다.'라고 여기셨다. 이 때문에 천자의 권한을 그 자손에게 주신 것이니, 주공을 생각하는 뜻을 나타내신 것이다."【이 한 단락은 곧바로 통쾌하여 사람을 감동시킴을 알 수 있다.】

吾觀春秋之法이 皆周公之法이요 而又詳內而略外하니 此其意欲魯法周公之所爲요 且先自治而後治人也明矣라 夫子嘆禮樂征伐이 自諸侯出이로되 而田恒弑其君에 則沐浴而請討[1]하시니 然則天子之權을 夫子固明以與魯矣시니라

내가 보건대, 《춘추》의 법은 모두 주공의 법이고, 또 안(중국)을 상세히 하고 밖(오랑캐)을 간략히 하였으니, 이는 그 뜻이 노나라가 주공의 하신 바를 본받고 또 먼저 자신을 다스린 뒤에 남을 다스리기를 바라신 것이 분명하다. 부자는 예악(禮樂)과 정벌(征伐)이 제후로부터 나오는 것을 탄식하셨으나 전항(田恒)이 그 군주를 시해하자 목욕하고서 토벌할 것을 청하셨으니, 그렇다면 부자께서는 진실로 분명하게 천자의 권한을 노나라에 주신 것이다.

子貢之徒 不達夫子之意하고 續經而書孔丘卒[2]하니 夫子旣告老矣라 大夫告老而卒이면 不書어늘 而夫子獨書하니 夫子作春秋는 以公天下시니 而豈私一孔丘哉시리오 嗚呼라 夫子以爲魯國之書어늘 而子貢之徒 以爲孔氏之書也歟인저

자공(子貢)의 무리들은 부자의 뜻을 알지 못하고, 《춘추》의 경문(經文)을 이어서 '공구졸(孔丘

---

1 田恒弑其君 則沐浴而請討 : 전항(田恒)은 제나라의 대부인 진성자(陳成子)로 뒤에 성을 전(田)으로 고쳤는데, 군주인 간공(簡公)을 시해하였다. 이에 공자는 목욕재계하고 그를 토벌할 것을 청하였는바, 《논어(論語)》 〈헌문(憲問)〉에 "진성자(陳成子)가 간공(簡公)을 시해하자, 공자가 목욕하고 조회하시어 애공(哀公)에게 아뢰셨다. '진항(陳恒)이 그 군주를 시해하였으니, 토벌하소서.'[陳成子弑簡公 孔子淋浴而朝 告於哀公曰 陳恒弑其君 請討之]"라고 보인다.

2 子貢之徒 …… 書孔丘卒 : 공자가 지은 것으로 알려져 있는 《춘추》의 경문은 '노애공십사년서수획린(魯哀公十四年西狩獲麟)'까지인데, 2년 후에 공자가 별세하자, 자공 등은 경문을 더 이어서 '십육년하사월기축공구졸(十六年夏四月己丑孔丘卒)'까지로 연장하였으므로 말한 것이다.

征 칠정 沐 머리감을 목 浴 목욕할 욕

卒)'이라고 썼다. 부자는 이미 고로(告老, 치사(致仕))하셨으니, 대부(大夫)가 고로하고 죽으면 역사책에 쓰지 않는 법인데, 부자만이 홀로 쓰여 있다. 부자께서 《춘추》를 지으신 것은 천하를 공적(公的)으로 여기신 것이니, 어찌 공구(孔丘) 한 개인을 사사로이 하셨겠는가. 슬프다. 부자는 《춘추》를 노나라의 책으로 삼으셨는데, 자공의 무리들은 공씨(孔氏)의 사사로운 글로 삼았구나!

遷, 固之史는 有是非而無賞罰하니 彼亦史臣之體宜爾也라【結尾.】後之效孔子作春秋者는 吾惑焉이로라【呂氏春秋 · 吳越春秋.】春秋에 有天子之權하니 天下有君이면 則春秋를 不當作이요 天下無君이면 則天子之權을 吾不知其誰與로니 天下之人이 烏有如周公之後之可與者리오 與之而不得其人則亂이요 不與人而自與則僭이요 不與人, 不自與하여 而無所與則散이니 嗚呼라 後之春秋는 亂邪아 僭邪아 散邪아

사마천(司馬遷)과 반고(班固)의 사책(史册)들은 옳다 그르다 함만 있고 상ㆍ벌을 준 것은 없으니, 저 사책들은 사신(史臣)의 문체로 마땅히 그래야 한다.【결미(結尾, 끝맺음)이다.】그러나 후세에 공자를 본받아 《춘추》를 지은 자들에 대해서는 내 의혹하노라.【《여씨춘추(呂氏春秋)》와 《오월춘추(吳越春秋)》이다.】《춘추》에는 천자의 권한이 있으니, 천하에 〈훌륭한〉 군주가 있으면 《춘추》를 지어서는 안 되고, 천하에 〈훌륭한〉 군주가 없으면 천자의 권한을 그 누구에게 주어야 할지 모르니, 천하의 사람 중에 그 권한을 줄 만한 자로 주공의 후손과 같은 자가 있겠는가?
주면서도 적당한 사람을 얻지 못하면 난(亂)이 되고, 남에게 주지 않고 자신에게 주면 참람함이 되고, 남에게 주지도 않고 자신에게 주지도 않아 주는 바가 없으면 산만해지니, 슬프다, 후세의 《춘추》는 난인가? 참람함인가? 산만함인가?"

조조론晁錯論

소식蘇軾 소동파蘇東坡

• 작품개요

　　이 작품은 사론(史論)으로 역사 인물에 관한 일종의 평론문(評論文)이다. 창작된 시기에 대해서
는 제과(制科)를 치르기 이전인 송 인종(宋仁宗) 가우(嘉佑) 5년(1060)에 지어서 올린 〈진론(進論)〉
25편 중의 하나라고 보는 견해와 가우 6년에 제과에 응시하여 지어서 올린 글이라고 보는 견해가
있다.

　　조조(晁錯)는 조조(鼌錯)로도 표기하는바, 한(漢)나라 문제(文帝)·경제(景帝) 때의 문신으로 영천(穎
川) 사람이다. 지읍(軹邑)의 장회(張恢)로부터 신불해(申不害)와 상앙(商鞅) 등의 형명학(刑名學)을 배
우고 출사하여 벼슬이 어사대부(御史大夫)에 이르렀다. 그는 성품이 강하고 위엄을 앞세웠으며 각박
하고 비정했으나 재주와 식견이 뛰어나 좋은 계책을 많이 내었다. 문제 때에 후일 경제가 된 태자의
사인(舍人)으로 있다가 가령(家令)이 되어 태자의 두터운 신임을 받았으나, 각박한 성품 때문에 사람
들의 미움을 받았다. 경제가 즉위하자, 내사(內史)에 임명되고 자주 경제와 독대하여 자신의 계책을
실현하였으며, 어사대부가 되자 제후들의 세력이 너무 강성해서 장차 나라의 큰 우환이 될 것을 우
려하여 봉지를 삭감하고 휘하의 군현을 조정에서 환수해야 한다고 '삭번(削藩)' 정책을 주장하고, 이
를 실천에 옮겼다. 이에 오(吳)·초(楚) 등 7국이 간신 조조를 처단한다는 명분을 내걸고 반란을 일
으켰다. 조조가 반란의 소식을 듣고 경제와 함께 이들을 토벌할 계책을 논의하고 있었는데, 두영(竇
嬰)과 원앙(袁盎)이 입궐하여 경제에게 조조를 처형하면 제후들이 반란을 그칠 것이라고 진언하자,
전쟁을 두려워한 경제가 이를 받아들여 동상(東廂)에 물러나 있던 그에게 저자를 순행하라고 속여
동시(東市)에 보내 처형하게 하니, 조조는 조의(朝衣)를 입은 채로 영문도 모른 채 참수되었다.

이 작품은 크게 다섯 단락으로 나눌 수 있다. '천하지환(天下之患)'부터 '필집어아(必集於我)'까지의 첫 번째 단락은, 조조를 직접적으로 언급하지 않았지만 오히려 조조에 대한 작자의 전체적인 평가를 포함하고 있는바, 이는 곧 작품 전체의 주요 논거이다. '석자(昔者)'부터 '유이취지야(有以取之也)'까지의 두 번째 단락은, 조조가 주살된 과정에 대해 분명히 기술하였다. 이 단락은, 앞 단락의 역사에 관한 추상적인 개설로부터 구체적인 사실(史實)에 관한 논술로 넘어가는 부분이다. 경제가 조조의 건의를 받아들여 7국의 반란이 일어났는데, 참소하는 말로 조조가 죽임을 당하자 후대 사람들은 조조가 충성을 다하다가 살해당했다고 슬퍼하였다. 그러나 작자는 여기서 전통적인 논조를 한번 뒤집어서 조조가 살해된 것은 '화를 자초한 점이 있음〔有以取之也〕' 때문이라고 주장하였다. 이는 앞 단락의 의론을 구체화한 것으로 중심 논점이 된다. '고지립대사자(古之立大事者)'부터 '득지어성공(得至於成功)'까지의 세 번째 단락은, 대우(大禹)의 치수(治水)를 예로 들어 큰일을 추진하는 사람은 '견인(堅忍)하여 뽑을 수 없는 의지〔堅忍不拔之志〕'가 있어야 함을 설명하였다. 특히 '일이 닥쳐도 두려워하지 않고 서서히 도모해야〔事至而不懼 徐爲之圖〕' 비로소 큰일을 성공할 수 있음을 제시하였는데, 이는 은연중에 조조의 태도에 대해 지적한 것이다. '부이칠국지강(夫以七國之强)'부터 '가득이간재(可得而間哉)'까지의 네 번째 단락은, 작품 전체의 중심으로 조조가 7국이 반란을 일으켰을 때에 취하였던 언행을 구체적으로 분석하고 그 책임을 전부 조조 일신으로 귀결시켰는바, 의론과 행문의 변화가 다채롭다. 작자는, 응당 점진적으로 진행해야 하는 '삭번'을 대번에 실시하여 결국 7국의 반란을 야기하였으며, 더구나 조조는 이때 그 책임을 스스로 담당하지 않았다고 보았다. '차부(嗟夫)'부터 말구(末句)까지의 다섯 번째 단락은, 조조에 대한 전면적인 평가로 돌아왔다. 조조가 삭번을 건의한 것에 대해 '비상지공(非常之功)'이라고 긍정하는 한편, 조조의 '스스로 온전히 하는 계책〔爲自全之計〕'과 '스스로 그 몸을 견고히 하고자 함〔欲自固其身〕'을 비평하고, 간신이 참소하는 말에 의해 살해된 것에 대해 애석함을 표현하였다. 이 단락은, 입론이 독특하고 참신할 경우에 쉽사리 야기되는 '논리적 정합성의 결여'와 '과격하고 극단적인 논조' 등의 병폐를 극복하기 위한 장치인 셈이다. 작자는, 조조가 만일 오·초 등 7국의 난에 자신이 직접 앞장서서 스스로 장수의 직임을 담당하여 반란을 토벌하였다면 반드시 실패하지는 않았을 것인바, 100명의 원앙이 있더라도 이간할 수가 없었을 것이라고 주장한다. 이러한 논조는 작품으로 하여금 비교적 강한 설득력을 지니게 해준다.

작품은 전체적으로 완만함과 긴밀함이 유기적으로 융합되어 한 덩어리를 이루고 있다. 특히 조조에 대한 후대의 평가를 번안(翻案)하여 자신만의 독특한 시각으로 그가 화를 당한 원인을 분명하게 밝히고, '오직 인인(仁人)·군자와 호걸(豪傑)의 선비들은 능히 몸을 빼내어 천하를 위해 대난(大難)

을 범하여 대공(大功)을 이루려고 한다.〔惟仁人君子豪傑之士 爲能出身 爲天下犯大難 以求成大功〕라는 견해를 제시한 점은 이 작품의 장처(長處)라고 하겠다.

篇題小註‥ 此論은 先立冒頭하고 然後入事하니 又是一格이라 老於世故하고 明於人情하여 有憂深思遠之智하고 有排難解紛之勇하니 不特文章之工也라

이 논은 먼저 모두(冒頭, 기두(起頭))를 세운 다음 사건으로 들어갔으니, 이는 또 다른 한 격식이다. 세상의 연고에 노련하고 인정에 밝아서, 근심이 깊고 생각이 원대한 지혜가 있으며, 어려움을 물리 치고 어지러움을 해결하는 용맹이 있으니, 비단 문장이 공교할 뿐만이 아니다.

• 原文

天下之患이 最不可爲者는 名爲治平無事나 而其實은 有不測之憂니【暗說景帝時諸侯强大, 削亦叛, 不削亦叛. ○此如破題.】 坐觀其變而不爲之所면 則恐至於不可救요 起而强爲之면 則天下狃(뉴)於治平之安하여 而不吾信이니라【此如破題.】 惟仁人, 君子, 豪傑之士는 爲能出身하여 爲天下犯大難하여 以求成大功하나니 此固非勉强朞月之間하여 而苟以求名之所能也라【暗說晁錯削七國事.[3]】 天下治平이어늘【暗說景帝時.】 無故而發大難之端인맨【暗說削七國.】 吾發之하고 吾能收之然後에 有辭於天下니【暗說七國反.】 事至而循循焉欲去之하고 使他人任其責이면【暗說晁錯欲使天子自將而己居守.】 則天下之禍 必集於我하나니라【此袁盎所以進斬晁錯之說.】

천하의 우환 중에 가장 다스릴 수 없는 것은 이름은 치평(治平)하여 무사(無事)하다고 하나

---

3 暗說晁錯削七國事: '7국(七國)'은 한(漢)나라의 제후국인 오(吳)·초(楚)·조(趙)·교서(膠西)·제남(濟南)·치천(菑川)·교동(膠東)을 가리킨다. 고조(高祖)인 유방(劉邦)은 천하를 처음 평정한 뒤에 형제가 적고 아들들이 나이가 어리다 하여 동성(同姓)을 크게 봉하였는데, 제후들이 뒤에 자신들의 강성함을 믿고 황명에 순종하지 않았다. 경제(景帝)가 즉위 하자, 조조(晁錯)는 이들의 세력을 약화시키고자 제후들의 잘못을 찾아내어 봉지를 축소하였다. 이에 오·초가 주동이 되 어 제후들을 선동해서 조조를 주살한다는 명분으로 반란을 일으켰다. 이때 오나라의 정승인 원앙(袁盎)이 조조만 죽이면 7국이 물러갈 것이라고 건의하여 조조는 결국 죽임을 당하였다. 제후들은 끝내 반란을 일으켰다가 주아부(周亞夫)의 토벌 을 받고 모두 죽거나 처벌되었다.

‥‥ 冒 무릅쓸 모 排 물리칠 배 特 다만 특 狃 익숙할 뉴 豪 호걸 호 朞 돌 기 循 따를 순

그 실제는 측량할 수 없는 우환이 있는 경우이니,【경제(景帝) 때에 제후가 강대(强大)하여 땅을 떼어내도 반란하고 떼어내지 않더라도 반란한 일을 은근히 말하였다. ○이는 파제(破題, 제목의 요지를 드러냄)와 같다.】 앉아서 그 변고를 보기만 하고 대처하지 않으면 구원할 수 없는 지경에 이를까 두렵고, 일어나 억지로 다스리면 천하 사람들이 치평(治平)의 편안함에 익숙하여 나를 믿지 않게 된다.【이는 파제와 같다.】 오직 인인(仁人)·군자와 호걸(豪傑)의 선비들은 능히 자기 몸을 빼내어 천하를 위해 대난(大難)을 무릅쓰고 대공(大功)을 이루려고 하니, 이는 진실로 기월(朞月, 1년)의 사이에 억지로 힘써서 구차히 명예를 구하려고 하는 자가 능히 할 수 있는 것이 아니다.【조조가 7국의 봉지(封地)를 떼어낸 일을 은근히 말하였다.】

천하가 치평한데【경제 때를 은근히 말하였다.】 까닭 없이 대난의 단서를 만든다면,【7국의 봉지를 떼어낸 것을 은근히 말하였다.】 자신이 이것을 만들고 자신이 능히 이것을 수습한 뒤에야 천하에 할 말이 있는 것이다.【7국이 배반한 일을 은근히 말하였다.】 그런데 일이 닥쳐오자 주저하면서 떠나려하고 다른 사람으로 하여금 그 책임을 맡게 한다면【조조가 천자로 하여금 직접 군대를 거느리고 출정하게 하고 자신은 도성에 남아 지키고자 한 것을 은근히 말하였다. 】 천하의 화가 반드시 자신에게 모이게 된다.【이는 원앙(袁盎)이 조조를 참수해야 한다는 말을 올린 이유이다.】

昔者에 晁錯盡忠爲漢하여 謀弱山東之諸侯한대 山東諸侯竝起하여 以誅錯爲名이어늘 而天子不之察하고 以錯爲之說하니 天下悲錯之以忠而受禍하고 不知錯有以取之也하나니라

옛날에 조조(晁錯)가 충성을 다하여 한(漢)나라를 위해 산동(山東)의 제후들을 약화시킬 것을 도모하자, 산동의 제후들이 함께 일어나 조조를 죽이는 것으로 명분을 삼았는데, 천자가 이것을 살피지 않고 조조를 죽여 제후들에게 변명하는 자료로 삼으니, 천하 사람들은 조조가 충성을 하다가 화를 당한 것만을 슬퍼하고, 조조가 화를 자초한 점이 있음은 알지 못한다.

古之立大事者는 不惟有超世之才요 亦必有堅忍不拔之志하니라 昔禹之治水에 鑿(착)龍門大河而放之海하시니 方其功之未成也엔 蓋亦有潰冒衝突可畏之患이로되 唯能前知其當然일새 事至不懼하고 而徐爲之圖라 是以로 得至於成功이니라【用

大禹治水事, 必是學司馬相如難蜀父老文.[4]】

옛날에 큰일을 성취한 자들은 세상에 뛰어난 재주가 있을 뿐만 아니라 또한 반드시 견인(堅忍)하여 뽑을 수 없는 의지가 있다. 옛날 우왕(禹王)이 홍수를 다스릴 적에 용문산(龍門山)을 뚫고 대하(大河)를 터놓아 바다로 이르게 하시니, 막 그 일이 성공하기 전에는 또한 홍수가 범람하고 충돌해서 두려워할 만한 걱정이 있었으나, 우왕은 미리 그러할 것을 알았기에 일이 닥쳐도 두려워하지 않고 서서히 도모하셨다. 이 때문에 성공에 이르게 된 것이다.【대우(大禹, 우왕)가 홍수를 다스린 일을 인용하였으니, 반드시 사마상여(司馬相如)의 〈난촉부로(難蜀父老)〉의 문장을 배운 것이리라.】

夫以七國之强而驟削之하니 其爲變이 豈足怪哉리오 錯不於此時에 捐其身하여 爲天下當大難之衝하여 而制吳, 楚之命하고 乃爲自全之計하여【帝之怒錯, 錯之受禍, 果是因此, 非假設之辭.】欲使天子自將而已居守하니라【主意在此.】且夫發七國之難者誰乎아 已欲求其名인댄 安所逃其患이리오 以自將之至危와 與居守之至安으로 己爲難首하여 擇其至安하고 而遺天子以其至危하니 此忠臣義士所以憤怨而不平者也라【此一段, 判斷晁錯之罪, 至公至平, 錯聞之, 亦必心服.】當此之時하여 雖無袁盎이나 錯亦未免於禍리라 何者오 己欲居守하고 而使人主自將하니 以情而言이면 天子固已難之矣로되 而重違其議라 是以로 袁盎之說이 得行於其間하니라 使吳, 楚反에 錯以身任其危하여 日夜淬礪(쉬려)하여 東向而待之하여 使不至於累其君이런들 則天子將恃之以爲無恐이니 雖有百盎이나 可得而間哉아【此一段, 最妙, 乃是無中生有, 死中求活, 方成議論.】

저 강성한 7국에게서 갑자기 봉지를 떼어내었으니, 그들이 변란을 일으킴이 어찌 이상할 것이 있겠는가. 조조는 이때에 자신의 몸을 버려 천하를 위해 목전(目前)의 대난(大難)을 담당해서 오(吳)·초(楚)의 운명을 제어하지 않고, 마침내 자신을 온전히 할 계책을 세워【경제가 조조를 노여워한 것과 조조가 화를 당한 것은 과연 이 때문이었으니, 가설한 말이 아니다.】천자로 하여금 직

---

4 司馬相如難蜀父老: 사마상여는 전한(前漢) 무제(武帝) 때의 문인이며 '난촉부로문(難蜀父老文)'은 촉 지방의 부로들에게 힐난한 글로, '유촉문(喩蜀文)'을 가리킨 것이다.

··· 驟 별안간 취 削 깎을 삭 捐 버릴 연 憤 성낼 분 袁 옷깃 원 盎 동이 앙 淬 담글 쉬
礪 숫돌 려 累 누끼칠 루 恃 믿을 시

접 군대를 거느리고 출정하게 하고 자신은 도성에 남아 지키고자 하였다.【주된 뜻이 여기에 있다.】

또 저 7국의 난을 유발한 자가 누구인가? 이미 그 명예를 구하고자 하였다면 어찌 그 화를 피한단 말인가. 직접 군대를 거느리고 출정하는 지극히 위험한 일과 도성에 머물며 지키는 지극히 편안한 일 중에, 자신이 대난의 단서를 열었으면서도 자신은 지극히 편안한 일을 선택하고 천자에게 지극히 위험한 일을 넘겨 주었으니, 이는 충신(忠臣)과 의사(義士)들이 분노하고 원망하여 불평하는 이유이다.【이 한 단락은 조조의 죄를 단정한 것이 지극히 공정하고 지극히 공평하니, 조조가 이 말을 들었다면 또한 반드시 심복(心服)했을 것이다.】

이때를 당하여 비록 원앙(袁盎)이 없었더라도 조조는 화를 면치 못했을 것이다. 왜냐하면 자기는 도성에 남아 지키려 하고 군주로 하여금 직접 군대를 거느리고 출정하게 하였으니, 인정으로 말한다면 천자도 진실로 이미 출정을 어렵게 여겼으나 그의 의론을 어기기 어려웠을 뿐이다. 이 때문에 원앙의 말이 그 사이에 행해진(먹혀든)것이다.

가령 오·초가 반란을 일으켰을 적에 조조가 자신이 직접 그 위태로움을 맡아 밤낮으로 애쓰고 분발하여 동향(東向)하고 제후들을 상대하여 군주에게 누를 끼치지 않게 하였더라면 천자는 장차 그를 믿어 두려워할 것이 없다고 여겼을 것이니, 비록 백 명의 원앙이 있은들 이간질할 수 있었겠는가.【이 한 단락이 가장 묘하니, 무(無)에서 유(有)를 만들고 죽음 가운데 삶을 찾은 것인바, 비로소 훌륭한 의론을 이루었다.】

嗟夫라 世之君子 欲求非常之功인대 則無務爲自全之計라 使錯自將而討吳, 楚라도 未必無功이어늘【此是高見遠識, 深謀至論.】惟其欲自固其身하여 而天子不悅일새 奸臣이 得以乘其隙하니 錯之所以自全者는 乃其所以自禍歟인저

아! 슬프다. 세상의 군자들이 비상한 공을 구하고자 하면 자신을 온전히 하려는 계책을 힘쓰지 말지어다. 가령 조조가 직접 군대를 거느리고 오·초를 토벌하였더라도 반드시 공이 없지는 않았을 것인데,【이는 높고 원대한 식견이며 깊고 지극한 의론이다.】스스로 자기 몸을 견고히 하고자 하여 천자가 기뻐하지 않았다. 이 때문에 간신이 그 틈을 탈 수 있었던 것이니, 조조가 자신을 온전히 하려 했던 것은 바로 자신에게 화를 끼치게 한 원인이 된 것이다.

유후론留侯論

소식蘇軾

• 작품개요

　　이 작품은 작자가 20대 중반 무렵에 지은 것이다. 송 인종(宋仁宗) 가우(嘉祐) 5년(1060)에 작자는 정구품(正九品)인 하남(河南) 복창현(福昌縣)의 주부(主簿)로 임명되었는데, 부임하기 전에 구양수(歐陽脩)와 양전(楊畋) 등의 추천을 받아 회원역(懷遠驛)에 머물면서 제과(制科) 준비에 전력하였다. 이 시험을 치르기 전에 작자는 양전과 부필(富弼) 등에게 25편의 〈진책(進策)〉과 25편의 〈진론(進論)〉을 올렸는데, 이 작품은 바로 〈진론〉 중의 한 편이다. 유후(留侯)는 한(漢)나라의 개국공신(開國功臣)인 장량(張良)의 봉호(封號)로 자는 자방(子房)이고 시호는 문성(文成)이다. 일찍이 부(父)·조(祖) 이상이 정승이 되어 한(韓)나라의 다섯 군주를 섬겼는데, 한나라가 진 시황(秦始皇)에게 멸망되자, 이를 복수하기 위해 역사(力士)를 구하여 박랑사(博浪沙)에서 진 시황을 저격하였으나 실패하고 성명(姓名)을 바꾸어 겨우 화를 면하였다. 그 후 다리 위에서 한 노인을 만났는데, 신발을 다리 밑으로 떨어뜨리고는 두 번이나 장량에게 주워오게 하였다. 장량이 그의 지시를 공손히 따르자, 그 노인은 새벽 오경(五更)에 다리 위에서 다시 만나기로 약속하였는데, 장량이 좀 늦게 도착하자 크게 꾸짖고 마침내 태공(太公)의 병법(兵法)을 전수해 주었다. 그 노인은 뒤에 누런 돌로 변하였으므로 황석공(黃石公)이라 칭하며 그가 전수한 책은 태공의 병법인 《소서(素書)》와 《음부경(陰符經)》이라 한다.

　　작자는 장량의 일생과 공업에 대해 전면적으로 평론하지 않고, 《사기(史記)》〈유후세가(留侯世家)〉에 기재된 장량의 고사-즉 장량이 어떤 노인을 위해 떨어트린 신발을 갖다 주어 신겨주고서 기서(奇書)를 얻게 된 한 가지 일-에 근거하여 평설하였는데, 장량이 한 고조(漢高祖)를 보좌하여 대업을 이룰 수 있었던 것은 '능히 인내할 수 있음[能忍]'에 그 관건이 있었음을 천명하여 '인(忍)' 자를 중심으로 의론을 전개하였다. 이를 통하여 '작은 분노를 참아 큰 계책을 성취함[忍小忿而就大謀]'과 '그 온전한 칼날을 길러 상대방이 피폐해지기를 기다림[養其全鋒而待其敝]'의 중요성을 논증하였다. 이는 기존의 관점을 탈피한 것으로 작자만의 독특한 견해이다.

작품은 내용상 다섯 단락으로 나눌 수 있다. '고지소위호걸지사(古之所謂豪傑之士)'부터 '기지심원야(其志甚遠也)'까지의 첫 번째 단락은, 일종의 입론(立論)으로 '능인(能忍)'과 '불능인(不能忍)'이라는 명제를 제시하여 '필부(匹夫)'의 용맹과 '큰 용맹[大勇]'의 다른 점을 구분하였다. 여기서 '과인지절(過人之節)'은 '인(忍)' 자를 구체화시킨 것으로, '능인'이어야 비로소 '큰 용맹'이 됨을 말한 것이다. 표면적으로는 '인(忍)'과 '용(勇)'이 대립하는 것처럼 보이지만 작자는 양자의 통일성을 지적하였다. 이것이 바로 작자의 기본적 논점이자 작품 전체의 주지이다. 그 이하는 모두 장량에 대한 구체적인 논증이다. '부자방(夫子房)'부터 '차기의부재서(且其意不在書)'까지의 두 번째 단락은, 장량이 다리 위의 노인에게서 책을 전수받은 일에 대한 세속적인 견해를 반박하였다. '당한지망(當韓之亡)'부터 '유자가교야(儒子可敎也)'까지의 세 번째 단락은, 장량이 진왕(秦王)을 저격해 한(韓)나라를 위하여 복수하고자 한 것은 작은 분노를 인내하지 못한 것으로 필부의 용맹일 뿐인데, 일부러 거만하게 구는 노인을 잘 대한 태도 속에서 큰일을 해낼 수 있는 자격이 충분히 갖추어져 있음을 밝혀내었다.

'초장왕(楚莊王)'부터 '항적지불능노야(項籍之不能怒也)'까지의 네 번째 단락은, 설득력을 더욱 강화하기 위하여 정백(鄭伯)과 구천(句踐)의 고사를 원용하여 증거로 삼아 노인의 거만한 행동이 확실하게 장량에 대한 고찰과 시험임을 증명하였다. '관부고조지소이승(觀夫高祖之所以勝)'부터 말구(末句)까지의 다섯 번째 단락은, 한 고조 유방과 항적의 승패를 결정한 관건은 '능인'의 여부에 있음을 지적하였는데, 여기서 '인'은 바로 장량이 추구한 최고의 전략 원칙이다. 여기서 작자는 고립적으로 장량 한 사람만을 언급하지 않고 유방과 항적의 투쟁과 함께 연결시켰다. '능인'이 장량과 유방, 항적에게 중대한 의의를 지니고 있을 뿐만 아니라 노인이 장량을 계도해 일으킨 작용을 설명함으로써 의론의 설득력을 한층 더 강화시킨 것이다. 마지막에는 태사공(太史公)의 의혹하는 말을 원용해 장량의 외모 역시 '능인'의 특징을 표현해 내고 있다는 추측으로 작품을 끝맺음으로써 독자에게 가시지 않는 여운을 남기고 있다.

- **原文**

古之所謂豪傑之士는 必有過人之節하여 人情에 有所不能忍者하니 匹夫見辱에

拔劍而起하여 挺身而鬪는 此不足爲勇也라【能忍・不能忍, 是一篇主意.】 天下에 有大勇者하니 卒然臨之而不驚하고 無故加之而不怒하나니 此其所挾持者甚大하고 而其志甚遠也니라【好句法.】

옛날에 이른바 호걸스러운 선비는 반드시 남보다 뛰어난 절조가 있어 보통사람의 마음으로는 참지 못하는 바가 있었으니, 필부(匹夫)가 치욕을 당함에 칼을 뽑아 들고 일어나 몸을 솟구쳐 싸우는 것은 용맹이라 할 수 없는 것이다.【참고 참지 못하는 것이 한 편의 주된 뜻이다.】 천하에 크게 용맹한 자가 있으니, 갑자기 임하여도 놀라지 않고 까닭 없이 침해를 가하여도 노여워하지 않으니, 이는 지니고 있는 것이 심히 크고 그 뜻이 심히 원대한 것이다.【구법(句法)이 좋다.】

夫子房이 (授)[受]⁵書於圯(이)上之老人也⁶는 其事甚怪라 然이나 亦安知其非秦之世에 有隱君子出而試之리오 觀其所以微見(현)其意者하면 皆聖賢相與警戒之義어늘 而世不察하고 以爲鬼物이라하니 亦已過矣요 且其意不在書하니라

자방(子房)이 흙다리 위의 노인에게서 책을 전수받은 것은 그 일이 심히 괴이하다. 그러나 진(秦)나라 때에 은군자(隱君子)가 나와서 시험한 것이 아니라고 어찌 장담하겠는가. 노인이

---

5 (授)[受]: 저본에는 '수(授)'로 되어 있으나 《동파전집(東坡全集)》과 《당송팔대가문초》에 의거하여 '수(受)'로 바로잡았다.

6 夫子房 受書於圯上之老人也: 이 내용은 《사기(史記)》〈유후세가(留侯世家)〉에 아래와 같이 보인다. "장량(張良)이 일찍이 한가로이 하비(下邳)의 흙다리 위를 걷고 있었는데, 어떤 노인이 갈옷을 입고 장량이 있는 곳으로 와서 신발을 다리 밑으로 일부러 떨어뜨리고는 장량을 돌아보고 말하기를 '젊은이가 내려가서 내 신발을 가져오라.'라고 하였다. 장량이 놀라서 때리려고 하다가 노인이므로 억지로 참고 내려가 신발을 가져오니, 노인이 신발을 신겨달라고 하였다. 장량은 이왕 신발을 가져왔으므로 무릎을 꿇고 신발을 신겨주자, 노인은 신발을 신고 웃으면서 갔다. 장량이 놀라 바라보고 있는데, 노인이 1리(里)쯤 가다가 되돌아와서 말하기를 '젊은이는 가르칠 만하다. 5일 후 새벽에 여기에서 만나자.'라고 하였다. 장량이 괴이하게 여겨 꿇어앉아 대답하고 5일 후 새벽에 가니, 노인이 먼저 와 있었다. 노인은 화를 내며 '젊은이가 노인과 약속하고 늦게 오는 것은 무슨 일인가?'라고 책망하고 '5일 후에 다시 일찍 오라.'라고 하였다. 5일 후 장량이 닭이 울 때에 가니, 노인이 역시 먼저 나와 있다가 다시 성내며 말하기를 '왜 이리 늦는가? 5일 후 다시 일찍 오라.'라고 하였다. 5일 후 장량이 밤중이 되기 전에 가니, 잠시 후 노인이 와서 기뻐하고 책을 한 권 꺼내주면서 '이것을 읽으면 왕의 스승이 될 것이니, 10년 뒤에 흥하게 될 것이다. 13년 뒤에 젊은이는 나를 제북(濟北)의 곡성산(穀城山)에서 다시 만나게 될 것이니, 그곳에 있는 황석(黃石)이 바로 나이다.'라고 하고는 마침내 떠나가서 다시는 보이지 않았다. 다음날 장량이 그 책을 보니, 태공(太公)의 병법(兵法)이었다. 장량이 기이하게 여겨 항상 그 책을 외워 익혔으며, 이 책을 통하여 초(楚)나라의 항우(項羽)를 이길 수 있었다. 13년 뒤에 장량이 곡성산을 지나다가 황석이 있는 것을 보고 절하였으며, 장량이 죽자 이곳에 장례하고 황석과 함께 제사지냈다."

⋯ 挺 뽑을 정 挾 낄 협 圯 흙다리 이

은미하게 자신의 뜻을 보여준 것을 관찰해 보면 모두 성현(聖賢)이 서로 더불어 경계하신 뜻인데, 세상에서는 살피지 못하고 귀물(鬼物, 귀신)이라고 말하니, 또한 너무 잘못된 것이다. 또 노인의 뜻은 책을 전수하는 데에 있지 않았다.

當韓之亡, 秦之方盛也에 以刀鋸, 鼎鑊(정확)[7]으로 待天下之士하여 其平居無罪에 夷滅者不可勝數하니 雖有賁, 育[8]이라도 無所復(부)施라 夫持法太急者는 其鋒을 不可犯이요 而其勢를 未可乘이어늘 子房이 不忍忿忿之心하여 以匹夫之力으로 而逞於一擊之間[9]하니 當此之時하여 子房之不死者는 其間이 不能容髮하니 蓋亦危矣라【此時子房尙不能忍.】千金之子는 不死於盜賊하나니 何者오 其身可愛하여 而盜賊之不足以死也일새라 子房이 以蓋世之才로 不爲伊尹, 太公之謀[10]하고 而特出於荊軻, 聶(섭)政之計[11]하여 以僥倖於不死하니 此는 圯上老人所爲深惜者也라 是故로 倨傲鮮腆[12]而深折之하여 彼其能有所忍也然後에 可以就大事라 故로 曰 孺子를 可教也라하니라【此是老父正以折子房少年剛强不能忍之氣, 使之能含忍.】

한(韓)나라가 망하고 진(秦)나라가 막 성할 때를 당하여 칼과 톱과 솥과 가마솥 같은 형구(刑具)를 가지고 천하의 선비를 대하여 평소에 죄없이 주살 당한 자를 이루 셀 수가 없었으니, 비

---

7 刀鋸鼎鑊: 모두 형벌하는 도구로, 칼과 톱으로 사람의 몸을 자르고, 솥과 가마솥으로는 삶아 죽였다.

8 賁育: 맹분(孟賁)과 하육(夏育)으로, 맹분은 중국 전국(戰國)시대 제(齊)나라의 용사로 맨손으로 쇠뿔을 뽑았고, 하육은 주(周)나라의 역사(力士)로 천 균(鈞)의 무게를 들어 올렸다고 한다. 1균은 30(斤)이다.

9 子房……而逞於一擊之間: 장량의 집안은 부(父)·조(祖) 이상이 모두 한(韓)나라의 정승이었는데 한나라가 진 시황(秦始皇)에게 멸망되자, 장량은 젊은 혈기를 억누르지 못하고 복수하고자 하였다. 장량은 남은 가산을 다 털어 역사(力士)들을 구하고 120근의 철퇴를 만들어 동쪽으로 유람 중인 진 시황을 박랑사(博浪沙)에서 저격하였으나 실패하고, 성명을 바꾸어 겨우 화를 모면하였다.

10 伊尹太公之謀: 이윤(伊尹)은 상(商)나라를 개국한 탕왕(湯王)의 재상이고, 태공(太公)은 주(周)나라를 개국한 무왕(武王)의 군사(軍師)이다. 두 사람은 모두 은인자중하며 때를 기다리다가 자신을 알아주는 군주를 만난 뒤에 비로소 천하를 도모하였다.

11 荊軻聶政之計: 형가(荊軻)와 섭정(聶政)은 모두 전국시대의 자객들로, 이들의 계책이란 목숨을 돌아보지 않고 위험한 행동으로 복수하려는 계책을 이른다. 형가는 전국시대 위(衛)나라의 이름난 자객으로 연(燕)나라 태자 단(丹)을 위해 진(秦)나라의 시황제(始皇帝)를 죽이려다가 실패하고 살해되었다. 섭정은 위(魏)나라 사람으로 자신을 후대한 엄중자(嚴仲子)를 위하여 엄중자의 원수인 한(韓)나라의 정승 협루(俠累)를 죽이고 자살하였다.

12 倨傲鮮腆: '거오(倨傲)'는 오만함이며, '선(鮮)'은 선(善)의 뜻이고, '전(腆)'은 후(厚)의 뜻으로 자신을 높이고 잘난 체하며 거드름을 피움을 이른다.

록 맹분(孟賁)과 하육(夏育)과 같은 용사(勇士)라도 다시 힘을 쓸 곳이 없었다. 법을 너무 급하게 집행하는 자는 그 예봉(銳鋒)을 범할 수 없고 그 기세(氣勢)를 꺾을 수가 없는데, 자방은 분노하는 마음을 참지 못하고 필부(匹夫)의 힘으로써 한번 공격하는 사이에 분풀이를 하고자 하였다. 이때를 당하여 자방이 죽지 않은 것은 그 사이가 털끝 하나도 용납할 수가 없었으니, 또한 매우 위태로웠다.【이때까지도 자방은 참지 못하였다.】

천금(千金)을 가진 부잣집의 자식은 도적에게 죽음을 당하지 않으니, 그 이유는 어째서인가? 그 몸(목숨)이 아까워 도적에게 죽을 수가 없기 때문이다. 자방은 세상을 덮을 만한 재주로서 이윤(伊尹)과 태공(太公)의 계책을 세우지 않고, 다만 협객(俠客)인 형가(荊軻)와 섭정(聶政)의 계책을 내면서 요행으로 죽지 않기를 바랐으니, 이는 흙다리 위의 노인이 깊이 애석히 여긴 것이다. 그러므로 거만스럽게 대하고 거드름을 피워 자방의 기운을 깊이 꺾었으니, 노인은 저 자방이 참는 바가 있은 뒤에야 대사(大事)를 이룰 수 있다고 생각하였다. 그러므로 '유자(孺子, 젊은이)를 가르칠 수 있겠다.'라고 말한 것이다.【이것은 노인이 바로 나이 어린 자방의 군세고 강하여 참지 못하는 기운을 꺾어 참을 수 있게 한 것이다.】

楚莊王이 伐鄭한대 鄭伯이 肉袒牽羊而迎이어늘 莊王曰 其君이 能下人하니 必能信用其民矣라하고 遂舍之[13]하며【宣公十(一)〔二〕[14]年.】句踐之困於會稽而歸에 臣妾於吳者 三年而不勌(倦)[15]하니라 且夫有報人之志하고 而不能下人者는 是匹夫之剛也니라 夫老人者 以爲 子房이 才有餘而憂其度量之不足이라 故로 深折其少年剛銳之氣하여 使之忍小忿而就大謀하니 何則고 非有平生之素요 卒然相遇於草野之間하여【暗說圯下相遇.】而命以僕妾之役이어늘【暗說取履事.】油(悠)然而不怪者는 此固秦皇之所不能驚이요 而項籍之不能怒也니라

---

13 楚莊王……遂舍之: 정백(鄭伯)은 정(鄭)나라 양공(襄公)으로 초(楚)나라 군대가 정나라를 정벌하여 항복을 받았는데, 정백이 윗옷을 벗어 몸을 드러내고 양(羊)을 끌고 와서 초자(楚子)를 맞이하였다. 이에 초나라 왕은 "그 임금이 능히 남에게 자신을 낮추니 반드시 그 백성들을 믿고 잘 쓸 것이다. 이런 나라를 어찌 얻기를 바라겠는가?" 하고서 30리를 물러나 정나라의 강화(講和)를 허락하였다. 자세한 내용은 《춘추좌씨전(春秋左氏傳)》 선공(宣公) 12년에 보인다.

14 (一)〔二〕: 저본에는 '일(一)'로 되어 있으나 전거를 확인하여 '이(二)'로 바로잡아 번역하였다.

15 句踐之困於會稽而歸 臣妾於吳者三年而不勌: 춘추시대 월왕(越王) 구천이 오왕(吳王) 부차(夫差)와 회계산에서 싸워 대패하고 굴욕적인 맹약을 맺고 신첩 노릇을 하면서 부차의 의심을 풀게 하였다. 이후 월나라를 부흥시켜 20여 년 뒤에 오나라를 멸망시켰다. 《史記 卷41 越王句踐世家》

··· 袒 웃통벗을 단 牽 끌 견 勌 게으를 권 銳 날카로울 예 僕 종 복 油 조용할 유 項 목 항

초(楚)나라 장왕(莊王)이 정(鄭)나라를 정벌하자, 정백(鄭伯, 정나라 임금)이 옷을 걷어 살을 드러내고 양(羊)을 끌고서 맞이하였다. 이에 장왕은 "그 군주가 남에게 몸을 낮추니, 반드시 그 백성을 믿고 잘 쓸 것이다." 하고는 마침내 놓아주었으며,【이 일은 《춘추좌씨전》 선공(宣公) 12년에 보인다.】 월왕(越王) 구천(句踐)이 회계산(會稽山)에서 곤궁을 당하고 돌아가 오(吳)나라에게 신첩(臣妾) 노릇하기를 3년 동안 게을리하지 않았다. 또 남에게 보복할 마음을 가지고 있으면서 남에게 자신을 낮추지 못하는 것은 필부의 강함일 뿐이다.

노인은 생각하기를 자방이 재주는 유여(有餘, 충분)하나 도량이 부족함을 걱정하였다. 그러므로 소년의 강하고 예리한 기운을 깊이 꺾어서 그로 하여금 작은 분노를 참아 큰 계책을 성취하게 한 것이다. 어째서인가? 평소에 안면이 있지 않았고 갑자기 초야(草野)의 사이에서 서로 만나【흙다리 아래에서 서로 만난 일을 은근히 말하였다.】 하인과 첩의 일을 시키는데도【신발을 가져오게 한 일을 은근히 말하였다.】〈자방이〉유연히 대처하고 괴이하게 여기지 않은 것은, 이는 진실로 진 시황(秦始皇)이 놀라지 않는 것이요 항적(項籍, 항우)이 성내지 않는 것이다.

觀夫高祖之所以勝과 項籍之所以敗者컨대 在能忍與不能忍之間而已矣라 項籍은 唯不能忍이라 是以로 百戰百勝而輕用其鋒하고 高祖는 忍之하여 養其全鋒하여 而待其弊하니 此는 子房이 教之也라【因子房能忍, 又敎得高帝能忍, 所以得天下. 此一段議論, 尤高.】 當淮陰破齊而欲自王하여 高祖發怒하여 見(현)於辭色[16]하니 由是觀之컨대 猶有剛强不能忍之氣하니 非子房이면 其誰全之리오【引證.】 太史公이 疑子房以爲魁梧奇偉러니 而其狀貌乃如婦人女子하여 不稱其志氣[17]라하니 嗚呼라 此其所以爲子房歟인저

---

16 當淮陰破齊而欲自王……見於辭色: 회음(淮陰)은 회음후(淮陰侯)에 봉해진 한신(韓信)을 가리킨다. 한신은 제(齊)나라를 격파한 다음 자신을 제나라의 가왕(假王 임시왕)으로 봉해줄 것을 청하였다. 이에 고조인 유방(劉邦)은 크게 성을 내었는데, 장량(張良)이 은밀히 설득하여 한신을 제왕에 봉함으로써 한신이 힘을 다하여 항우(項羽)를 공격하게 만들었다.

17 太史公……不稱其志氣: 《사기(史記)》〈유후세가(留侯世家)〉의 태사공(太史公)의 논찬(論贊)에 보이는 말로, 여기에 "나는 유후(留侯)의 사람됨이 괴오(魁梧)하고 기특하며 위대할 것이라고 여겼었는데, 그의 초상화를 보니 외모가 부인과 여자와 같았다. 공자(孔子)가 말씀하시기를 '외모로 사람을 판단하다가 자우(子羽)에게서 잘못하였다.'라고 하셨으니, 유후도 그렇다고 하겠다.〔余以爲其人計魁梧奇偉 至見其圖 狀貌如婦人好女 蓋孔子曰 以貌取人 失之子羽 留侯亦云〕"라고 하였다. 자우는 공자의 제자인 담대멸명(澹臺滅明)의 자(字)로, 담대멸명은 외모가 매우 못생겼으나 그의 제자가 3,000명에 이르렀고 인품이 고결하여 제후들에게 이름이 났다.

····· 弊 피폐할 폐 魁 클 괴 梧 장대할 오 狀 형상 상 稱 걸맞을 칭

고조(高祖, 유방(劉邦))가 승리한 이유와 항적이 패배한 이유를 살펴보면 능히 참았는가, 능히 참지 못하였는가의 사이에 달려 있을 뿐이었다. 항적은 참지 못하였기 때문에 백전백승하였으나 함부로 그 칼날을 사용하였고, 고조는 참아서 그 온전한 칼날을 길러 상대방이 피폐해지기를 기다렸으니, 이는 자방이 가르쳐준 것이다.【자방이 능히 참음으로 인하여 또 고제가 능히 참을 수 있도록 가르쳐서 천하를 얻게 하였으니, 이 한 단락의 의론이 더욱 높다.】

회음후(淮陰侯, 한신(韓信))가 제(齊)나라를 격파하고 스스로 왕이 되고자 했을 때를 당하여, 고조가 성을 내어 말소리와 얼굴빛에 나타냈으니, 이것을 가지고 관찰해 보면 고조는 아직도 강강(剛强)하여 참지 못하는 기운이 있었던 것이니, 자방이 아니면 그 누가 온전히 해주었겠는가.【인증(引證)한 것이다.】

태사공(太史公, 사마천(司馬遷))은 의심하기를 '자방은 괴오(魁梧, 기골이 장대함)하고 기특하며 위대할 것이라고 여겼었는데, 그 외모가 부인과 여자와 같아 그 지기(志氣)에 걸맞지 못했다.' 하였으니, 아! 이것이 자방이 자방이 된 이유일 것이다.

진시황부소론秦始皇扶蘇論

소식蘇軾

• **작품개요**

　　이 작품은 《동파지림(東坡志林)》의 〈논고 13수(論古十三首)〉 중의 하나로, 《당송팔대가문초》에는 '시황론 일(始皇論一)'이라는 제목으로 실려 있는바, 작자가 해남도(海南島)에서 지은 것으로 보이나 정확한 저작 연도는 알 수 없다.

　　이 작품은 내용상 세 단락으로 나눌 수 있다. '진시황시(秦始皇時)'부터 '졸이망진(卒以亡秦)'까지의 첫 번째 단락은, 사건의 배경이 되는 조고(趙高)와 이사(李斯) 및 부소(扶蘇)와 몽의(蒙毅)의 원한 관계에 대해 기술하였는바, 사론(史論)의 필수불가결한 부분이다.

　　'소자왈(蘇子曰)'부터 '여시황한선자(如始皇漢宣者)'까지의 두 번째 단락은, 조고를 토론하는 데에 중점을 두었고 첫 번째 단락과 긴밀하게 연결하여 문세를 확장시켰는데, 먼저 진 시황이 국내외의 형세를 고르게 한 것이 엄밀하였음을 칭찬하고, 이어서 어떻게 엄밀하게 하였는지에 대해 구체적으로 해석하였다. 몽염(蒙恬)과 진 시황의 장자 부소 및 몽염의 아우 몽의 등으로 말미암아 국내외가 평안하자, 진 시황이 이 몇 사람으로 하여금 서로 견제하게 하고 서로 지지하게 하여 강대한 세력을 형성하게 한 것은 혼란함을 초래하려고 한 것이 결코 아니었다. 여기서 작자는, 혼란을 초래한 것은 바로 환관(宦官)인 조고를 등용한 것에 있음을 드러내고 어느 누구나 다 아는 역사적 교훈, 즉 환관을 가까이 하여 신임하면 틀림없이 환란을 초래한다는 사실을 제시하였다. 한(漢)나라 환제(桓帝)·영제(靈帝), 당(唐)나라 숙종(肅宗)·대종(代宗)은 환관을 신임하여 국사를 그르쳐서 논할 만한 가치조차 없으나, 진 시황이나 한나라 선제(宣帝)는 영명한 군주인데도 결국 환관으로 인한 화를 당하여 용렬한 군주와 다를 바가 없게 되었다. 작자는 진 시황을 논할 뿐만 아니라 한 선제까지 더하였는데, 두 사람이 모두 영명한 군주이면서도 사람을 잘못 등용한 측면에 있어서는 서로 통하는 부분이 있기 때문이었다.

'혹왈(或曰)'부터 말구(末句)까지의 세 번째 단락은, 이사를 토론하는 데에 중점을 두고 반복(反復)과 착종(錯綜)의 기교를 남김없이 발휘하였는데, 다른 사람이 '이사의 시혜'에 내해 질문하는 것을 빌려서 진나라가 도(道, 정치 상황)를 잃은 지 이미 오래되었음을 설명하였다. 작자는 상앙(商鞅)의 변법(變法)과 그 결과에 대해 서술하고 형가(荊軻)가 진 시황을 암살하려고 했던 것까지 인용하였는데, 이는 모두 진 시황이 너무 지나치게 위엄을 세우고 위세를 부리고서 충서(忠恕)로 마음을 삼지 않아 태자 부소가 죽임을 당하는 화환을 초래하였음을 설명하고자 한 것이다.

전체적으로 이 작품은 분명한 목적성을 지니고 지은 것으로 '입의(立意, 확정된 작품의 주제)'가 참신하고 독특하며 함의가 풍부하고 문세가 드높다. 특히 전후가 서로 호응하고 실제적 교훈에 가깝고도 적절한바, 작자의 문장 풍격을 여실히 드러낸 수작이라고 하겠다.

• 原文

秦始皇時에 趙高有罪어늘 蒙毅按之當死[18]러니 始皇이 赦而用之하고 長子扶蘇好直諫이어늘 上이 怒하여 使北監蒙恬兵於上郡[19]이러니 始皇이 東遊會稽하여 竝(傍)海走琅琊할새 次子胡亥와 李斯, 蒙毅, 趙高從이라 道病하여 使蒙毅로 還禱山川이러니 未及還에 上이 崩하니 李斯, 趙高 矯詔立胡亥하고 殺扶蘇, 蒙恬, 蒙毅하여 卒以亡秦하니라

진(秦)나라 시황(始皇) 때에 조고(趙高)가 죄를 짓자, 몽의(蒙毅)가 조사하여 사형에 해당시켰는데 시황이 그를 사면하여 등용하였고, 장자(長子)인 부소(扶蘇)가 직간(直諫)하기를 좋아하자

---

18 趙高有罪 蒙毅按之當死: 조고(趙高)는 환관(宦官)으로 벼슬이 중거부령(中車府令)이었으며, 몽의(蒙毅)는 장군 몽념(蒙恬)의 아우이다. 조고의 죄의 내용은 상고할 수 없다. 《史記 蒙恬傳》

19 長子扶蘇好直諫……使北監蒙恬兵於上郡: 진 시황(秦始皇) 35년(B.C. 212)에 어사(御史)로 하여금 조정을 비방하는 유생들을 사찰하게 하여 법을 어긴 460명을 함양(咸陽)에 묻어 죽였다. 이때 장자 부소(扶蘇)가 간언하기를 "천하가 이제 겨우 평정되어 먼 지방 사람들이 다 모이지 않았고 유생들은 공자(孔子)의 말씀을 외워 법으로 삼고 있는데 지금 상(上)께서 법을 너무 무겁게 하여 다스리시니, 천하가 불안해할까 두렵습니다. 부디 밝게 살피소서."라고 하였다. 이에 시황제가 노하여 부소를 북쪽으로 보내 상군(上郡)에서 몽념(蒙恬)의 군대를 감독하게 하였다. 《史記 秦始皇本紀》 상군은 진나라 소왕(昭王) 3년에 설치하였는데, 지금의 섬서성(陝西省) 연안(延安)·유림(榆林) 일대이다.

••• 毅 굳셀 의 按 조사할 안 恬 편안할 념 稽 조아릴 계 竝 곁 방 琅 산이름 랑 琊 산이름 야 亥 돼지 해 禱 빌 도 崩 황제죽을 붕 矯 속일 교

상(上, 시황)이 노하여 그를 북쪽으로 보내어 상군(上郡)에서 몽념(蒙恬)의 군대를 감독하게 하였다. 시황이 동쪽으로 회계(會稽) 지방을 유람하기 위하여 바닷가를 따라 낭야(琅邪)로 갈 적에 차자(次子)인 호해(胡亥)와 이사(李斯) · 몽의 · 조고가 수행하였다. 시황은 도중에 병이 들자, 몽의로 하여금 돌아가 산천(山川)에 기도하게 하였는데, 몽의가 미처 돌아오기 전에 시황이 죽으니, 이사 · 조고는 조서(詔書)를 위조하여 호해를 세우고 부소와 몽념 · 몽의를 죽여 끝내 진나라를 멸망하게 하였다.

蘇子曰 始皇이 制天下輕重之勢하여 使內外相形하여 以禁奸備亂이 可謂密矣라 蒙恬이 將三十萬人하여 威震北方하고 扶蘇監其軍하며 而蒙毅侍帷幄爲謀臣하니 雖有大奸賊이나 敢睥睨(비예)其間哉아 不幸道病이라도 禱祀山川은 尙有人也어늘 而遣蒙毅라 故로 高, 斯得成其謀[20]하니 始皇之遣毅와 毅見始皇病, 太子未立이어늘 而去左右는 皆不可以言智로다 雖然이나 天之亡人國에 其禍敗必出於智之所不及하나니 聖人이 爲天下에 不恃智以防亂이요 恃其無致亂之道耳니 始皇致亂之道는 在用趙高하니라

소자(蘇子)는 다음과 같이 말한다.

시황이 천하의 경중(輕重)의 형세(지형이나 사안의 중요성)를 통제하여 내외(內外)로 하여금 서로 나타나게 해서, 소요를 금하고 난을 대비한 것이 치밀하다고 이를 만하였다. 몽념은 30만 병력을 거느려 위엄이 북방에 진동하였고 부소가 그 군대를 감시하였으며, 몽의는 유악(帷幄)에서 황제를 모셔 모신(謀臣)이 되었으니, 비록 큰 간악한 역적이 있더라도 감히 그 사이에 엿

---

20 高斯得成其謀: 시황제(始皇帝) 37년(B.C. 210) 10월 황제가 동쪽 지방을 유람할 적에 작은아들 호해와 이사, 조고가 수행하였다. 7월에 시황제가 평원진(平原津)에 이르러 발병하자, 몽의를 보내어 산천의 신에게 기도하게 하였으나 병세가 더욱 악화되었다. 이에 북쪽의 상군으로 가서 장군 몽념의 군대를 감시하던 장자 부소에게 급히 돌아와 자신이 죽을 경우 즉위하라는 조서를 지었다. 그러나 이 조서를 발송하기 전에 시황제가 죽었다. 이때 조고가 옥새를 가지고 있었는데 조고는 환관으로 호해의 사부이기도 하였다. 조고는 이사에게, 부소가 즉위하게 되면 몽념과 몽의가 중용될 것이라며 설득하여 은밀히 계책을 짜고 시황제의 조서를 위조하여 부소와 몽념에게 죄를 얽어 사사(賜死)하였다. 몽념은 부소에게 재심을 청구할 것을 권했으나 부소는 부황(父皇)의 명령이라며 그대로 죽었고, 몽념은 재심을 청구했으나 받아들여지지 않고 역시 죽었다. 이에 조고와 이사는 몽의마저 죽이고 호해를 황제로 세우니, 이가 바로 이세 황제(二世皇帝)이다. 그 후 조고는 이사를 모함하여 삼족(三族)을 멸하였고 이세 황제를 시해한 다음 이세 황제의 조카인 자영(子嬰)을 세웠으나 끝내 자영에게 죽임을 당하였다. 마침내 진나라는 유방(劉邦)의 공격으로 도성인 함양(咸陽)이 함락되어 망하였으며, 자영은 항우(項羽)에게 죽임을 당하였다.

••• 帷 휘장 유 幄 휘장 악 睥 흘겨볼 비 睨 흘겨볼 예

볼 수 있었겠는가. 불행히 도중에 병이 들었더라도 산천에 기도하고 제사하는 것은 다른 사람이 있는데도 몽의를 보내었다. 이 때문에 조고와 이사가 자신들의 계책을 이룰 수 있었으니, 시황이 몽의를 보낸 것과 몽의가 시황이 병들고 태자(太子)가 아직 서지 못함을 보고도 시황의 곁을 떠난 것은 모두 지혜롭다고 말할 수 없다.

그러나 하늘이 남의 나라를 멸망시킬 적에는 그 화패(禍敗)가 반드시 지혜가 미치지 못하는 곳에서 나오게 마련이다. 성인이 천하를 다스릴 적에 지혜를 믿고서 난을 방비하려 하지 않고, 자신이 난을 초래할 길이 없게 함을 믿을 뿐이니, 시황이 난을 초래한 길은 조고를 등용함에 있었다.

夫閹尹之禍는 如毒藥猛獸하여 未有不裂肝碎(쇄)首也라 自有書契以來로 惟東漢呂强과 後唐張承業二人[21]이 號稱善良하니 豈可望一二於千萬하여 以取必亡之禍哉리오 然이나 世主皆甘心而不悔하니 如漢桓靈, 唐肅代는 猶不足深怪어니와 始皇, 漢宣은 皆英主로되 亦沈於趙高, 恭顯之禍[22]하니 彼自以爲聰明人傑也라 奴僕薰腐[23]之餘가 何能爲리오하더니 及其亡國亂朝하여는 乃與庸主不異라 吾故表而出之하여 以戒後世人主如始皇, 漢宣者하노라

저 엄윤(閹尹, 환관(宦官))의 화(禍)는 독약이나 맹수와 같아서 사람의 간을 찢어놓고 머리를 부수지 않은 적이 없었다. 문자가 있은 이래로 환관 중에 오직 동한(東漢)의 여강(呂强)과 후당(後唐)의 장승업(張承業) 두 사람만이 선량한 사람이라고 칭해지고 있으니, 어찌 천만 명 가

---

21 東漢呂强 後唐張承業二人: 여강(呂强)은 후한 영제(靈帝) 때의 환관으로 자는 한성(漢盛)이다. 성품이 청렴하고 충성스러우며 사심이 없는 사람이었다. 중상시(中常侍) 조절(曹節) 등이 아첨으로 총애를 구한다 하여 이들에게 상을 내리지 말 것을 청하였고, 또 영제가 사사로이 재물을 탐하여 각 군국(郡國)에서 도행비(導行費)를 거둬들이자 극력 간하였다. 장승업(張承業)은 당(唐)나라 희종(僖宗) 때의 환관인데 당나라가 멸망한 뒤에 후량(後梁)의 주전충(朱全忠)과 싸우는 진왕(晉王) 이극용(李克用)을 섬겼다. 이극용이 죽을 때에 아들 이존욱(李存勖)을 부탁하자, 이존욱에게 충성을 다하여 많은 공을 세웠다. 921년에 이존욱이 황제가 되려 하자 병든 몸으로 간하였는데 받아들여지지 않으니, 식음을 전폐하여 죽었다. 이존욱은 바로 후당(後唐)의 장종(莊宗)이다. 《後漢書 宦者傳》《五代史 張承業傳》

22 恭顯之禍: '홍현(恭顯)'은 홍공(弘恭)과 석현(石顯)을 이른다. 두 사람은 모두 죄를 지어 한(漢)나라 선제(宣帝) 때에 부형(腐刑)을 받고 환관으로 선발되어 홍공은 선제 때에 중서령(中書令)이 되고, 석현은 원제(元帝) 때에 홍공의 뒤를 이어 중서령이 되었다. 이들은 원제의 신임이 두터운데다가 원제가 병을 앓자 정사를 마음대로 처리하였고, 선제의 유조(遺詔)를 받아 원제에게 사부(師傅)로 존중받던 소망지(蕭望之)와 여러 신하들을 무함하여 죽였다.

23 薰腐: 불로 음경(陰莖)이나 고환(睾丸)을 훈증하여 썩혀 제거하는 것이다. 당시 환관은 부형(腐刑)을 받은 자들 중에서 선발하였으므로 직접 궁형(宮刑)을 받은 환관(宦官)을 지칭하기도 한다.

··· 閹 내시엄 猛 사나울 맹 裂 찢을 렬 碎 부술 쇄 薰 훈증할 훈 腐 썩을 부

운데에서 한두 명의 선량한 사람을 기대하여 반드시 멸망할 화를 취하겠는가.

그러나 세상의 군주들이 모두 〈환관을〉 마음에 달갑게 여기고 〈환관 때문에 나라가 망하는 것을〉 후회하지 않았다. 한나라의 환제(桓帝)와 영제(靈帝), 당나라의 숙종(肅宗)과 대종(代宗)과 같은 군주들은 오히려 깊이 괴이하게 여길 것이 못되지만, 진나라 시황과 한나라 선제(宣帝)는 모두 영명(英明)한 군주였는데도 조고와 홍공(弘恭)·석현(石顯)의 화에 빠졌으니, 저들은 스스로 생각하기를 '나는 총명한 인걸(人傑)이다. 노예의 훈부(熏腐)한 하찮은 환관들이 무슨 일을 할 수 있겠는가.'라고 여긴 것이다. 그런데 나라를 멸망하고 조정을 혼란시킴에 미쳐서는 마침내 용렬한 군주와 다름이 없었다. 나는 이 때문에 이것을 표출하여 후세의 인군으로서 진 시황과 한 선제와 같은 자를 경계하노라.

或曰 李斯佐始皇定天下하니 不可謂不智라 扶蘇는 始皇子라 秦人이 戴之久矣일새 陳勝이 假其名하여 猶足以亂天下[24]하고 而蒙恬은 持重兵在外하니 使二人이 不卽受誅而復請之런들 則斯, 高無遺類矣리니 以斯之智로 而不慮此는 何哉오

혹자는 말하기를 "이사는 시황을 보좌하여 천하를 평정하였으니, 지혜롭지 않다고 이를 수 없다. 부소는 시황의 아들로서 진나라 사람들이 오랫동안 추대하였으므로 진승(陳勝)이 그 이름만 빌리고도 천하를 어지럽힐 수 있었으며, 몽념은 많은 병력을 거느리고 밖에 있었으니, 만일 이 두 사람이 즉시 주벌을 받아들이지 않고 다시 재심(再審)을 청구하였더라면 이사와 조고는 남은 무리가 없이 모두 죽었을 것이다. 그런데 이사의 지혜로 이것을 염려하지 않은 것은 어째서인가?"라고 하였다.

蘇子曰 嗚呼라 秦之失道 有自來矣니 豈獨斯, 高之罪리오 自商鞅變法[25]으로 以殊死爲輕典하고 以參夷爲常法하여 人臣이 狼顧脅息하여 以得死爲幸하니 何暇復請

24　陳勝假其名 猶足以亂天下: 진승(陳勝)이 진나라 말기 의병을 봉기하면서, 당시 부소가 사사(賜死)된 사실을 백성들이 잘 모르고 있었으므로 인망(人望)을 얻기 위하여 자신이 '공자 부소'라고 사칭(詐稱)하였기 때문에 말한 것이다.

25　商鞅變法: 상앙(商鞅)은 위(衛)나라 사람으로 공손씨(公孫氏)였는데, 뒤에 상오(商於)라는 땅에 봉해져 상군(商君)이라고 불렸기 때문에 상앙이라 칭하게 되었다. 변법(變法)은 진(秦)나라 효공(孝公) 3년에 상앙이 부국강병을 목적으로 국가의 법령과 제도를 대대적으로 개혁한 것을 말한다. 진나라는 상앙의 변법으로 비로소 강국의 면모를 갖춰 천하통일의 대업을 이룰 수 있었다. 그러나 법령을 개혁하는 과정에서 무리하게 추진하여 수많은 사람을 처벌한 결과 원성이 자자하였고 사람들이 도덕을 버리고 오직 이익만을 추구하게 되었다. 《史記 卷68 商君列傳》

이리오 方其法之行也에 求無不獲하고 禁無不止하니 鞅이 自以爲軼(일)堯, 舜而駕
湯武矣러니 及其出亡而無所舍然後에 知爲法之弊[26]하니 夫豈獨鞅悔之리오 秦亦
悔之矣라【形容商鞅之慘刻, 秦法之酷烈, 可謂盡矣.】 荊軻之變에 持兵者熟視始皇環柱
而走하고 而莫之救者는 以法重故也[27]라 李斯之立胡亥에 不復忌二人者는 知威
令之素行하여 而臣子不敢復請也요【答前一段問.】 二人之不敢復請은 亦知始皇之
鷙悍(지한)而不可回也니 豈料其僞也哉아

　　이에 소자(蘇子)는 다음과 같이 말한다.

　　아! 슬프다. 진나라가 도(道)를 잃음은 유래가 있었으니, 어찌 다만 이사와 조고의 탓이겠는
가. 상앙(商鞅)이 법을 변경함으로부터 사형을 가벼운 법으로 여기고 삼족(三族)을 멸하는 것
을 떳떳한 법으로 여겨, 신하들이 이리처럼 돌아보고 숨을 죽이면서 제명에 죽는 것을 다행
으로 여겼으니, 어느 겨를에 다시 재심을 청구했겠는가.

　　이 법이 시행될 적에는 구하면 얻지 못함이 없고, 금하면 그치지 않음이 없었다. 상앙은 스
스로 생각하기를 '요(堯)·순(舜)을 뛰어넘고 탕(湯)·무(武)를 능가한다.'라고 여겼었는데, 그
가 쫓겨나 도망쳐 나가서 머물 곳이 없음에 이른 뒤에야 법을 만든 폐단을 알게 되었으니, 어
찌 상앙만 후회했을 뿐이겠는가. 진나라 또한 후회하였을 것이다.【상앙의 참혹하고 각박함과 진
나라 법의 혹독하고 심함을 형용하였으니, 극진하다고 이를 만하다.】

　　형가(荊軻)의 변란에 병기를 잡은 신하들이 시황이 기둥을 돌면서 도망하는 것을 보기만 하
고 구원하는 자가 없었던 것은 법이 엄했기 때문이었다. 이사가 호해를 세울 적에 다시 부소

26　　及其出亡而無所舍然後 知爲法之弊: 상앙을 중용한 효공(孝公)이 죽고 혜왕(惠王)이 즉위하자, 평소 상앙을 미워하
던 자들이 반역을 도모했다는 죄목으로 상앙을 참소하였다. 혜왕이 상앙을 체포하려 하자 상앙은 몰래 도망하여 관문에
이르러 객사에 들려고 하였다. 이때 객사의 주인이 이르기를 "상군의 법률에 여행증이 없는 손님을 재우면 그 손님과 연좌
하여 죄를 받습니다."라고 하였다. 상앙이 탄식하여 말하기를 "법을 만든 폐단이 이 지경에까지 이르렀는가?"라고 하며 자
신이 법을 만든 것이 너무 지나쳤음을 후회하였다. 《史記 卷68 商君列傳》

27　　荊軻之變……以法重故也: 형가(荊軻)는 전국시대 말기의 자객이다. 진나라 시황제는 즉위하기 전에 연(燕)나라 태자
단(丹)과 함께 조(趙)나라에 인질로 있으면서 친하게 지냈는데, 시황제가 귀국하여 즉위한 다음 태자 단을 무시하자, 단은
시황제에게 복수할 것을 꾀하면서 형가가 용감한 자객이라는 말을 듣고 그에게 복수해줄 것을 간청하였다. 형가는 연나라
의 사신으로 위장하여 값진 보물과 함께 땅을 바치겠다는 뜻으로 독항(督亢)이란 지역의 지도를 바치기로 하였다. 시황제
가 백관들을 모아놓고 사신을 접견할 적에 형가가 지도 속에 감춰둔 단검을 빼 들고 시황제를 죽이려고 하였다. 그러자 시황
제는 기둥을 따라 도망하였는데, 주변의 신하들이 모두 놀라기만 할 뿐 형가를 막지 못하였다. 이는 진나라의 법이 궁궐에
서 황제를 모시는 신하들은 병기를 소지하는 것을 엄하게 금하였기 때문이었다. 《史記 卷86 刺客列傳 荊軻》

　　••• 夷 멸할 이　脅 겨드랑이 협　軼 능가할 일　駕 능가할 가　環 돌 환　鷙 사나울 지　悍 사나울 한

와 몽념 두 사람을 꺼리지 않은 것은 정령(政令)이 평소에 행해져서 신하들이 감히 다시 재심을 청구하지 못할 줄을 알았기 때문이요,【앞 한 단락의 물음에 대해 답한 것이다.】 두 사람이 감히 다시 청구하지 못했던 것은 또한 시황이 사납고 모질어서 내린 명령을 다시 돌릴 수 없을 것임을 알았기 때문이니, 어찌 거짓 조서라는 것을 예측하였겠는가.

周公曰 平易近民이면 民必歸之[28]라하시고 孔子曰 有一言而終身行之하니 其恕矣乎[29]인저하시니 夫以忠恕爲心而以平易爲政이면 則上易知하고 下易達하여 雖有賣國之奸이라도 無所投其隙하여 倉卒之變이 無自發焉이라 然이나 其令行禁止는 蓋有不及商鞅者矣로되 而聖人이 終不以此易彼하시니라【文勢圓活, 意味悠長.】

주공(周公)은 "평이(平易)하게 하여 백성을 가까이 하면 백성들이 반드시 귀의한다."라고 하셨고, 공자(孔子)는 "한 글자로 종신토록 행할 만한 것이 있으니, 아마도 서(恕)일 것이다."라고 하셨으니, 충서(忠恕)를 마음으로 삼고 평이함으로 정사를 다스린다면 윗사람은 아랫사람의 마음을 알기 쉽고, 아랫사람은 윗사람에게 의견을 전달하기 쉬워서 비록 나라를 팔아먹는 간신이 있더라도 그 틈을 붙일 곳이 없어 창졸간의 변란이 말미암아 나올 수가 없는 것이다. 그러나 명령하면 행해지고 금지하면 멈추는 것으로 말하면 상앙에게 미치지 못함이 있었으나, 성인은 끝내 이것으로써 저것을 바꾸지 않으셨다.【문세가 원활하고 의미가 유장(悠長)하다.】

商鞅이 立信於徙木하고 立威於棄灰[30]하며 刑其親戚師傅호되 無慍容[31]하니 積威信

---

28 周公曰……民必歸之: 강태공(姜太公)은 제(齊)나라에 봉해진 지 5개월 만에 정사를 보고하였는데, 주공(周公)의 아들 백금(伯禽)은 노(魯)나라에 봉해진 지 3년이 지나서야 정사를 보고하였다. 이에 주공이 탄식하며 말하기를 "노나라는 후대에 제나라를 북면(北面)하여 섬기게 될 것이다. 정사가 간편하고 쉽지 않으면 백성들이 가까이하지 않는다. 평이하게 하여 백성을 가까이하면 백성들이 반드시 귀의하기 마련이다."라고 하였다.《史記 卷33 魯周公世家》

29 孔子曰……其恕矣乎:《논어》〈위령공(衛靈公)〉에 "자공(子貢)이 '한 글자로 종신토록 행할 만한 것이 있습니까?'라고 묻자, 공자는 '아마도 서(恕)일 것이다. 자기가 하고자 하지 않는 것을 남에게 베풀지 말려는 것이다.'라고 하셨다.〔子貢問曰 有一言而可以終身行之者乎 子曰 其恕乎 己所不欲 勿施於人〕"라고 보인다.

30 商鞅……立威於棄灰: 상앙은 새로운 법을 시행하기 앞서 백성들에게 믿음을 보일 목적으로 세 길쯤 되는 나무를 도성의 남문에 세워놓고 이것을 북문으로 옮겨놓은 자에게 10금(金)을 상으로 주겠다고 하였다. 그러나 백성들이 이상하게 생각하고 옮겨놓지 않으므로 상금을 올려 50금을 주겠다고 하였다. 이에 한 사람이 옮겨놓자, 즉시 50금을 주었다. 상앙은 또한 재를 거름으로 쓰기 위하여 재를 함부로 길에 버리는 자를 기시형(棄市刑)에 처하였다. 이는 모두 백성들에게 법령을 확고하게 시행할 것을 밝게 보인 것이다.《史記 卷68 商君列傳》

之極하여 以至始皇하여는 秦人이 視其君을 如雷電鬼神하여 不可測識이라 古者에 公族이 有罪면 三宥而後致刑이어늘 今至使人矯殺其太子而不忌하고 太子亦不敢請³²하니 則威信之過也라

　　상앙은 나무를 옮겨놓는 데서 신의(信義)를 세우고 재를 버리는 데서 위엄을 세우며, 왕실의 친척과 태자의 사부(師傅)를 형벌하면서도 측은히 여기는 모습이 없었다. 그리하여 위엄과 신의를 지극히 쌓아 시황에 이르러서는 진나라 사람들이 그 군주를 뇌전(雷電, 천둥과 벼락)과 귀신처럼 보아서 감히 측량하여 알 수 없다고 여겼다. 옛 공족(公族, 왕족)들은 죄가 있으면 세 번 용서한 뒤에 형벌을 받았는데, 지금에는 사람으로 하여금 조서를 위조하여 태자를 죽이면서도 꺼리지 않고 태자 또한 감히 재심을 청구하지 못함에 이르게 하였으니, 위엄과 신의가 지나친 것이다.

夫以法毒天下者는 未有不反中其身及其子孫하나니【皆是至人之言.】 漢武, 始皇은 皆果於殺者也라 故로 其子如扶蘇之仁이면 則寧死而不請하고 如戾太子之悍이면 則寧反而不訴³³하니 知訴之必不察也일새라 戾太子豈欲反者哉아 計出於無聊也라 故로 爲二君之子者는 有死與反而已니 李斯之智 蓋足以知扶蘇之必不反也라【答前段設問.】 吾又表而出之하여 以戒後世人主之果於殺者하노라

　　법으로써 천하에 해독을 끼친 자는 그 해독이 자신과 그 자손에게 되돌아오지 않는 경우가 없었으니,【모두 지인(至人)의 말이다.】 한나라 무제(武帝)와 시황은 사람을 죽이는데 과감한 자들이었다. 그러므로 그 아들이 부소처럼 인(仁)하면 차라리 죽을지언정 재심을 청구하지 않

31　刑其親戚師傅 無惻容 : 진(秦)나라 태자가 법령을 범하자 상앙은 태자의 사부 공자건(公子虔)을 죽이고 공손가(公孫賈)에게 묵형(墨刑)을 가하여 법령에 대한 믿음을 보였다. 《史記 卷68 商君列傳》

32　今至使人矯殺其太子而不忌 太子亦不敢請 : 태자 부소가 자살하라는 시황제의 조서를 보고 울며 자살하려 하자, 몽념이 말하기를 "조서가 거짓이 아님을 어찌 장담하겠습니까? 다시 재심을 청구한 뒤에 죽더라도 늦지 않습니다."라고 만류하였으나, 부소는 "아버지가 자식에게 죽음을 내렸는데, 자식이 어찌 다시 재심을 청구할 수가 있겠는가?"라고 하고 자살하였다. 《史記 卷87 李斯列傳》

33　如戾太子之悍 則寧反而不訴 : 여태자(戾太子)는 한(漢)나라 무제(武帝)의 정비(正妃)인 위황후(衛皇后)의 소생으로 태자에 봉해졌던 유거(劉據)의 시호이다. 무제 정화(征和) 2년(B.C. 91)에 강충(江充)에 의하여 무고(巫蠱)의 화(禍)가 일어나 무함을 입게 되자, 당시 요양차 감천궁(甘泉宮)에 있던 무제에게 일의 전말을 자세히 아뢰어 자신의 억울함을 하소연하지 않고 즉시 군대를 일으켜 강충을 죽이고 반란을 일으켰으나 결국 패하여 도망갔다가 자살하였다.

･･･ 宥 용서할 유　戾 어그러질 려　訴 하소할 소　聊 즐길 료

았고, 여태자(戾太子)처럼 사나우면 차라리 반란을 일으킬지언정 하소연하지 않았으니, 하소연하더라도 반드시 살펴주지 않을 줄을 알았기 때문이다. 여태자가 어찌 반란하려고 한 자이겠는가. 어쩔 수 없어서 반란한 것이다. 그러므로 두 군주의 아들이 된 자들은 죽음과 반란이 있을 뿐이니, 이사의 지혜는 부소가 반드시 반란하지 않을 것임을 안 것이다.【앞 단락의 물음에 답한 것이다.】나는 또 이것을 표출하여 후세의 군주로서 사람을 죽이는데 과감한 자를 경계하노라.

순경론荀卿論

• 작품개요

　　이 작품은 순경(荀卿, B.C. 313~B.C. 238)에 대한 일종의 의론문으로, 작자가 젊은 시절에 지은 것으로 추정된다. 순경은 순자(荀子)로 일컬어지는데, 이름이 황(況)이고 자가 경(卿)으로 전국시대 조(趙)나라 사람이다. 그는 유학(儒學)을 기본으로 하였으나 인간의 본성은 악하다는 성악설(性惡說)을 주장했으며, 법가(法家)를 대표하는 한비자(韓非子)와 이사(李斯)는 모두 그의 제자이다. 저술에 《순자》가 있다.

　　작자는 읽기에 수월한 문장을 구사하는 가운데에 깊은 함의를 담아 순자가 주장하였던 제왕의 도에 대해 명백하게 논술하고, 아울러 순자에 대한 작자의 인식을 드러내었다. 작자는 유가의 정통(正統)에 입각하여 순자의 학설을 바르지 못하며, 기이하고도 황당한 설로 간주하였다. 특히 그의 제자 이사가 저지른 죄는 용서받을 수 없을 정도이며, 그 죄의 원인과 화의 근본은 오로지 그 스승인 순자에게 있다고 주장하였다. 작자는 병렬과 대비로 대상을 부각시키고, 긍정과 부정이 서로 맞물리도록 논술해 반증(反證)하는 방법으로 정통 유가로 그려지는 순자의 형상을 철저하게 부정하였다.

• 原文

　　常(嘗)讀孔子世家하여 觀其言語, 文章호니 循循然莫不有規矩하여 不敢放言高論하고 言必稱先王하시니 然後에 知聖人憂天下之深也로라 茫乎不知其畔岸而非遠也요 浩乎不知其津涯而非深也라 其所言者는 匹夫, 匹婦之所共知로되 而所

478

古文眞寶後集 2

··· 荀 성순 循 따를순 規 법규 矩 법구

行者는 聖人도 有所不能盡也시니 嗚呼라 是亦足矣로다 使後世有能盡吾說者면 雖爲聖人이라도 無難이요 而不能者도 不失爲寡過而已矣니라

내 일찍이 〈공자세가(孔子世家)〉를 읽고서 그(공자)의 언어와 문장을 보니, 순순(循循, 질서정연함)히 모두 법도가 있어 감히 큰소리를 치거나 고상한 의론을 하지 않으시고 말씀마다 반드시 선왕(先王)을 칭하셨으니, 그런 뒤에야 성인이 천하를 근심함이 깊은 줄을 알았다. 아득하여 그 언덕(끝)을 알 수 없으나 먼 것이 아니요, 넓어서 그 나루터를 알 수 없으나 깊은 것이 아니다. 그 말씀하신 것은 필부(匹夫)와 필부(匹婦)도 함께 알 수 있는 것이나 행하는 것은 성인도 다하지 못하는 바가 있었으니, 아! 이러하면 또한 충분한 것이다. 가령 후세에 내(공자) 말을 모두 따르는 자가 있으면 성인이 되는 것도 어려움이 없을 것이요, 능하지 못한 자라도 허물이 적음을 잃지 않을 뿐이다.

子路之勇과 子貢之辯과 冉有之智[34]此三者는 皆天下之所謂難能而可貴者也라 然이나 三子者는 每不爲夫子所說(열)이요 顏淵은 嘿(默)然而不見其所能하여 若無以異於衆人者로되 而夫子亟(기)稱之[35]하시니라 且夫學聖人者는 豈必其言之云哉리오 亦觀其意之所嚮而已니 夫子以爲後世에 必有不足行其說者矣요 必有竊其說而爲不義者矣라【一篇主意, 在此二段.】 是故로 其言이 平易正直하사 而不敢爲非常可喜之論하시니 要在於不可易也니라

자로(子路)의 용맹과 자공(子貢)의 변설(辯說)과 염유(冉有)의 지혜, 이 세 가지는 모두 천하에서 이른바 능하기 어려워 귀하게 여길 만한 것이었다. 그러나 세 사람은 매번 부자(夫子)에게

---

34 子路之勇 子貢之辯 冉有之智: 자로(子路), 자공(子貢), 염유(冉有)는 모두 공자의 뛰어난 제자로 공문십철(孔門十哲)에 든 제자들이다. 자로는 계로(季路)라고도 칭하였는데, 성이 중(仲)이고 이름이 유(由)이며 노(魯)나라 변(卞) 땅 사람으로 공자보다 9살 어린데, 정사에 뛰어났으며 용맹하였다. 자공은 성이 단목(端木)이고 이름이 사(賜)이며 위(衛)나라 사람으로 공자보다 31살 어린데, 언어에 뛰어났다. 염유는 이름이 구(求)이고 노나라 사람으로 공자보다 29세 어린데, 징사에 뛰어났으며 다재다능하고 지혜가 뛰어났다.

35 顏淵……而夫子亟稱之: 안연(顏淵)은 이름이 회(回)이고 자가 자연(子淵)이며 노(魯)나라 사람으로 공자보다 30세가 어린데 덕행(德行)에 뛰어났다. 안빈낙도(安貧樂道)하여 공자께서 가장 뛰어난 제자로 꼽았으며, 후대 사람들은 '복성(復聖)'으로 칭하였다. 《논어》〈위정(爲政)〉에 공자께서 "내가 안회(顏回)와 더불어 온종일 이야기를 하였으나 내 말을 어기지 않아 어리석은 사람인 듯하였는데, 물러간 뒤에 그가 사사로이 거처하는 것을 살펴봄에 충분히 발명하니, 안회는 어리석지 않구나![吾與回言終日 不違如愚 退而省其私 亦足以發 回也不愚]"라고 칭찬하였다.

··· 茫 아득할 망 畔 밭두둑 반 岸 언덕 안 浩 넓을 호 津 나루 진 涯 물가 애 冉 늘어질 염
嘿 침묵할 묵 亟 자주 기 嚮 향할 향

기뻐함을 받지 못하였고, 안연(顏淵)은 침묵하여 그 능한 바를 볼 수가 없어서 중인(衆人)과 다름이 없는 듯하였으나 부자는 자주 칭찬하셨다.

또 저 성인을 배우는 것이 어찌 반드시 그 말씀을 배움을 이르겠는가. 바로 성인의 뜻이 향하는 바를 관찰할 뿐이다. 부자께서는 '후세에 반드시 나의 말을 행할 것이 못된다고 말하는 자가 있을 것이요, 반드시 나의 말을 절취(竊取)하여 불의(不義)를 저지르는 자가 있을 것이다.'라고 여기셨다.【한 편의 주된 뜻이 이 두 단락에 있다.】 이 때문에 그 말씀이 평이하고 정직해서 감히 비상(非常)하여 기뻐할 만한 의론을 하지 않으신 것이니, 요컨대 바꿀 수 없음에 있는 것이다.

昔者에 嘗怪李斯事荀卿이라가 旣而焚滅其書하고 盡變古先聖王之法하여 於其師之道에 不啻若寇讐러니 及今觀荀卿之書然後에 知李斯之所以事秦者 皆出於荀卿而不足怪也로라 荀卿者는 喜爲異說而不讓하고 敢爲高論而不顧者也니 其言은 愚人之所驚이요 小人之所喜也라 子思, 孟軻는 世之所謂賢人君子也어늘 荀卿이 獨曰 亂天下者는 子思, 孟軻也[36]라하고 天下之人이 如此其衆也며 仁人義士如此其多也어늘 荀卿이 獨曰 人性惡하니 桀, 紂는 性也요 堯, 舜은 僞也[37]라하니 由是觀之컨대 意其爲人이 必也剛愎(팩)不遜而自許太過요 彼李斯者는 又特甚者耳라

옛날에 나는 일찍이 이사(李斯)가 순경(荀卿)을 사사(師事)하다가 이윽고 그 스승의 책을 불태워 없애고 옛 선성왕(先聖王)의 법을 모두 변경하여, 그 스승의 도(道)를 원수처럼 여길 뿐만이 아님을 괴이하게 여겼다. 그런데 이제 순경의 책을 본 뒤에야 이사가 진나라를 섬긴 것이 모두 순경에게서 나와 괴이할 것이 없음을 알았노라.

순경이란 자는 이설(異說)을 하기 좋아하여 사양하지 않고 감히 고상한 의론을 하여 아무것도 돌아보지 않은 자이니, 그 말은 어리석은 자가 깜짝 놀라고 소인들이 좋아하는 것이었다. 자사(子思)와 맹가(孟軻)는 세상에서 이른바 현인·군자인데, 순경은 홀로 "천하를 혼란시킨 자는 자사와 맹가이다."라고 하였고, 천하 사람들이 이와 같이 많으며 인인(仁人)과 의사(義士)가 이와 같이 많은데도, 순경은 홀로 "사람의 성품은 악하니 걸(桀)·주(紂)는 본성대로 한 것이요, 요(堯)·순(舜)은 거짓으로 한 것이다."라고 하였다. 이것을 가지고 관찰하면 짐작컨대

---

36 荀卿……子思孟軻也: 이 내용은 《순자》〈비십이자(非十二子)〉에 보인다.

37 荀卿……堯舜僞也: 이 내용은 《순자》〈성악(性惡)〉에 보인다.

··· 啻 뿐 시 寇 도적 구 軻 수레 가 桀 걸임금 걸 紂 주임금 주 僞 거짓 위 愎 괴팍할 팍

그 사람됨이 반드시 강하고 고집스럽고 공손하지 않으면서 자신을 너무 지나치게 허여한 자였을 것이요, 저 이사라는 자는 또 특별히 심한 자였을 것이다.

今夫小人之爲不善에 猶必有所顧忌라 是以로 夏,商之亡에 桀,紂之殘暴로도 而先王之法度,禮樂,刑政이 猶未至於絶滅而不可考者는 是桀,紂猶有所存而不敢盡廢也어늘 彼李斯者는 獨能奮然而不顧하여 焚燒夫子之六經하며 烹滅三代之諸侯하며 破壞周公之井田하니【此三句, 斷斯罪.】 此亦必有所恃者矣리라 彼見其師歷詆天下之賢人하여 以自是其愚하고 以爲古先聖王이 皆無足法者라하니 不知荀卿이 特以快一時之論하여 而不自知其禍之至於此也라 其父殺人報仇하면 其子必且行劫하나니 荀卿이 明王道,述禮樂이어늘 而李斯以其學으로 亂天下하니 其高談異論이 有以激之也일새라 孔,孟之論은 未嘗異也로되 而天下卒無有及者하니 苟天下無有及者인댄 則尙安以求異爲哉리오

저 소인들이 불선(不善)한 짓을 할 때에도 오히려 반드시 돌아보고 꺼려하는 바가 있다. 이 때문에 하(夏)나라와 상(商)나라가 망할 적에 걸왕(桀王)과 주왕(紂王)이 잔혹(殘酷)하고 포악했음에도 불구하고 선왕의 법도와 예악(禮樂)과 형정(刑政)이 끊어지고 없어져서 상고할 수 없는 지경에 이르지 않았으니, 이는 걸왕과 주왕도 감히 다 폐하지 않고 남겨둔 것이 있었던 것이다. 그런데 저 이사라는 자는 홀로 분발하여 돌아보지 않고서 부자(夫子)의 육경(六經)을 불태우고 삼대(三代) 이후의 제후들을 죽여 멸망시켰으며 주공(周公)의 정전법(井田法)을 파괴하였으니,【이 세 구는 이사의 죄를 단정한 것이다.】이는 반드시 믿는 바가 있어서였을 것이다.

저 이사는 그 스승이 천하의 현인들을 하나하나 비방하여 자신의 어리석음을 스스로 옳게 여기는 것을 보고는 생각하기를 '옛 선성왕들은 모두 본받을 것이 못된다.'라고 여겼을 것이니, 이는 순경이 다만 한때의 의론을 통쾌하게 하여 그 화가 여기에 이를 줄을 스스로 알지 못한 것임을 모른 것이다.

아버지가 사람을 죽여 원수를 갚으면 그 자식이 반드시 장차 겁박하는 짓을 행하게 된다. 순경이 왕도를 밝히고 예악을 말하였는데 이사가 그 학문을 가지고 천하를 혼란시켰으니, 이는 순경의 고상한 말과 색다른 의론이 이사를 격동시켰기 때문이다. 공자와 맹자의 의론은 일찍이 색다르지 않았으나 천하에 끝내 공자와 맹자에게 미친 자가 없으니, 만일 천하에 미친 자가 없다면 오히려 어찌 이설(異說)을 구할 것이 있겠는가.

卷之四. 相字集

소심문小心文

此集은 文章이 占得道理强이라 以淸明正大之心으로 發英華果銳之氣하여 筆勢無敵하고 光焰燭天하니 學者熟之하고 作經義, 作策하면 必擅(천)大名於天下리라

이 상자집(相字集)은 문장이 도리를 점유(강조)함이 많다. 청명(淸明)하고 정대(正大)한 마음으로 영화(榮華, 아름다움)와 과예(果銳, 용감함)의 기운을 발로(發露)하여, 필세가 대적할 수 없고 광채가 하늘을 찌르니, 배우는 자가 익숙히 읽고서 경의(經義)와 책문(策文)을 지으면 반드시 큰 문명(文名)을 천하에 떨칠 것이다.

··· 銳 예리할 예　焰 불꽃 염　燭 밝힐 촉　擅 독단할 천

상고종봉사上高宗封事

• 작가소개

　　호전(胡銓, 1102~1180)은 자가 방형(邦衡)이며 호가 담암(澹菴)으로, 길주(吉州) 여릉(盧陵) 향성(薌城) 사람이다. 이강(李綱)·조정(趙鼎)·이광(李光)과 함께 '남송사명신(南宋四名臣)'으로 일컬어진다. 건염(建炎) 2년(1128)에 진사가 되어 첫 벼슬로 무주군사판관(撫州軍事判官)에 제수되었는데, 부임하기 전에 금(金)나라 군대에게 쫓기던 융우태후(隆佑太后) 맹황후(孟皇后)를 구하기 위하여 향정(鄕丁)을 모집하여 관군을 도와 금나라 군대를 막아냈다. 이 공으로 승직랑(承直郎)으로 승진하였다. 이후 병부 상서(兵部尙書) 여지(呂祉)가 현량방정(賢良方正)으로 추천하여 추밀원 편수관(樞密院編修官)에 제수되었다. 소흥(紹興) 8년(1138)에 금나라가 장통고(張通古)와 소철(蕭哲)을 '강남조유사(江南詔諭使)'로 삼아 남송으로 보냈는데, 왕륜(王倫)이 이들을 수행하여 당시 남송의 도성인 임안(臨安)에 도착해 강화를 진행하였다. 이때 남송 조정은 온갖 굴욕을 당하였는데 재상 진회(秦檜)가 화친을 주장하자 호전이 항소(抗疏)를 올려 극력 배척하고, 진회와 참정(參政) 손근(孫近) 및 사신 왕륜을 참형에 처할 것을 요구하였다. 이 일로 진회에게 미움을 사서 사판(仕板)에서 제명되어 소주(昭州)에 편관(編管)되었다가 길양군(吉陽軍)으로 옮겨졌다.

　　소흥 25년(1155)에 진회가 죽자 다음 해에 호전은 형주(衡州)로 양이(量移)되었고, 소흥 32년(1162)에 효종(孝宗)이 즉위하자 봉의랑(奉議郎)·지요주(知饒州)가 되었다. 이후 융흥(隆興) 원년(1163)에 비서소감(秘書少監)이 되고 기거랑(起居郎)으로 발탁되었으며, 융흥 2년(1164)에 국자감 좨주(國子監祭酒)를 겸임하다가 이윽고 권 병부 시랑 겸 중서 사인(權兵部侍郎兼中書舍人)이 되었다. 만년에 자정전 학사(資政殿學士)로 치사(致仕)하였다. 순희(淳熙) 7년(1180)에 78세를 일기로 졸(卒)하자 통의 대부(通議大夫)를 추증하였으며, 순희 13년(1186)에 '충간(忠簡)'으로 추시(追諡)하였다. 저

483
文章軌範 卷4. 相字集

술에는 《호담암선생문집(胡澹菴先生文集)》이 있다.

• 작품개요

　　이 작품은 소흥(紹興) 8년(1138) 11월에 당시 우통직랑(右通直郎) 추밀원 편수관(樞密院編修官)으로 있었던 작자가 고종(高宗)에게 올린 소(疏)이다. 제목의 '봉사(封事)'란 '밀봉한 주장(奏章)'이라는 뜻으로, 옛적에 신하가 군주에게 글을 올려 어떤 사안을 아뢸 적에 기밀이 누설됨을 막기 위하여 검은색 비단으로 만든 주머니에 넣어서 봉함하였기 때문에 이렇게 칭한 것이다. 이 글을 올린 해가 무오년(戊午年)이었기 때문에 '무오상고종봉사(戊午上高宗封事)'라고도 한다.

　　남송의 고종은 금나라에 대해서 화친의 정책을 취하였다. 물론 즉위 초에는 금나라에 항거하는 태도를 보이며 주전파 이강(李綱)을 재상으로 삼았지만 이 기간은 오래지 않았다. 소흥 원년(1131) 8월에 진회(秦檜)를 재상으로 삼았다가 여론의 압력에 의해 이듬해 8월에 파직하였는데, 소흥 8년 3월에 다시 재상으로 삼아 화친을 주장하였다. 진회는 왕륜(王倫)을 금나라에 사신으로 보내어 화친을 모색하였다. 왕륜이 돌아올 적에 금나라에서는 '강남조유사(江南詔諭使)'라는 오만한 명칭의 사절단을 남송으로 보냈는데, 이는 남송을 자신들의 속국으로 간주한 것이었다. 당시 작자는 주전파인 장준(張浚)·한세충(韓世忠)·악비(岳飛) 등의 입장과 그 궤(軌)를 같이하여 이해에 바로 이 밀주(密奏)를 지어서 올렸다. 이 밀주가 의흥(宜興)의 진사 오사고(吳師古)에 의해 판각되어 전파되자 조야에서 이를 다투어 보았고, 금나라 역시 천금을 들여 사흘 만에 그 밀주를 얻어서 읽어보고 깜짝 놀랄 정도였다. 하지만 고종은 화친에 마음이 있었고 진회가 조정의 전권을 장악하여, 호전은 배척을 받아 소주(昭州)와 신주(新州) 등지에서 유배생활을 하게 되었다. 결국 소흥 11년에 남송과 금은 정식으로 화약을 체결하였는데, 이를 역사에서는 '소흥화의(紹興和議)'라고 칭한다.

　　작품 전체는 일곱 단락으로 나눌 수 있다. '근안왕륜(謹按王倫)'부터 '폐하효지(陛下效之)'까지의 첫 번째 단락은, 먼저 왕륜의 죄악을 폭로함과 동시에 금나라의 음모를 들추어내었다. '부천하자(夫天下者)'부터 '폐하인위지야(陛下忍爲之耶)'까지의 두 번째 단락은, 대의(大義)에 대해 자세히 진술하여 금나라에 무릎을 꿇어서는 안 됨을 극력 주장하였다. '윤지의(倫之議)'부터 '가위통곡류체장태식야(可爲痛哭流涕長太息也)'까지의 세 번째 단락은, 잘못된 의론에 대해 통렬하게 반박하여 굴욕적으로 화친을 구하면 틀림없이 무궁무진한 화환(禍患)을 만들어 낼 것이라고 지적하였다. '향자(向者)'부터 '미가지야(未可知也)'까지의 네 번째 단락은, 형세를 분석하여 금나라에 대해 군대를 동원해 싸우면 충분히 승산이 있지만 스스로 굽혀서 화친을 구하면 그저 사기를 꺾을 뿐이라고 말하고, 왕륜을 참형에 처하여 백성의 분노를 풀어주어야 한다고 주장하였다. 이상 네 단락은 왕륜에 대한 탄핵이다.

'수연(雖然)'부터 '실관중지죄인의(實管仲之罪人矣)'까지의 다섯 번째 단락은, 재상 진회에 대한 탄핵이다. '손근(孫近)'부터 '역가참야(亦可斬也)'까지의 여섯 번째 단락은, 참지정사 손근에 대한 탄핵인데 주로 진회에게 아첨하여 직책을 다하지 않으며 자리만 차지하고 국록을 받아먹는 것을 지적하였다. 이 두 단락은 명확하게 '진회와 손근을 참형에 처하는 것'을 요구함으로 귀결을 삼았다.

'신비원추속(臣備員樞屬)'부터 말구(末句)까지의 마지막 단락은, 격분한 언사로 진회 등의 소인배와는 불공대천의 원수임을 표명하고 진회를 포함한 세 사람의 머리를 벨 것을 재차 엄정하게 요구하며 아울러 금나라가 보낸 강남조유사를 구류하고 금나라에 대해서 죄를 묻는 군사를 일으키도록 요구하였다.

작자는 화의(和議)를 반대하는 것을 작품 전체의 골자로 삼아 아첨하는 신하와 간사한 재상에 대해 그들의 잘못된 주장을 논박해 배척하고 험악하고 음흉한 속내를 폭로하였다. 그러나 실제로 이러한 비판은 고종을 향하고 있다. 화의를 선동하는 세력의 배후는 바로 고종이었기 때문이다.

작자는 간신을 탄핵할 때에 끊임없는 풍간(諷諫)으로 고종에게 간신의 말을 믿고 따라서 국사를 그르치지 않도록 일깨워주고 있다. 왕륜을 탄핵할 때에 유예(劉豫)를 예로 들어 금나라의 흉악한 야심을 들추어낸 것은 은밀하게 간한 것[暗諫]이고, 이어서 동자(童子)로 예를 들어서 삼척동자가 아무리 무지몽매하나 원수인 적에게는 절하려고 하지 않을 것이라고 말한 것은 완곡하게 간한 것[婉諫]이다. 왕륜의 잘못된 주장을 반박할 때에 "가령 오랑캐와 절대로 화친해야 함이 모두 왕륜의 주장과 같더라도 천하와 후세(後世)에서 폐하를 어떠한 임금이라고 말하겠습니까.[就令彼決可和盡如倫議 天下後世謂陛下何如主]"라고 한 것은 분명하게 간한 것[明諫]이다.

작품은 전체적으로 이유가 타당하고 근거가 충분하며, 원칙성과 전략성이 통일을 이루고 있다. 또한 언어 표현에서는 배비구(排比句)와 반문구(反問句)의 사용이 두드러지며, 결단을 표현하는 감탄구(感歎句)를 사용하여 작자의 기개를 드러내었다. 특히 왕륜의 잘못된 주장을 논박하는 부분은 사리가 정당하고 언사가 근엄하다. 시대의 요구와 인민의 목소리가 반영된 이 작품은 비록 고종에게 채납(採納)되지는 못하였으나 금나라에 항거하는 군민(軍民)의 투지를 고무하고 주화파에게 타격을 가하여 당대는 물론 후세까지 많은 영향을 끼친 수작이라고 하겠다.

篇題小註‥ 肝膽忠義하고 心術明白하고 思慮深長하니 讀其文하고 想見其人하면 眞三代以上人物이라 朱文公謂可與日月爭光이니 中興奏議에 此爲第一이라하시니라

간담(肝膽)이 충의(忠義)롭고 심술(心術)이 명백하며 사려(思慮)가 심장(深長)하니, 그 글을 읽고 그 인물을 상상해 보면 참으로 삼대(三代) 이전의 인물이다. 주문공(朱文公)은 "이 글은 해, 달과 빛남을 다툴 수 있으니, 중흥(中興)의 주의(奏議) 중에 이 글이 제일이다."라고 평하였다.

• 原文

謹按 王倫은 本一狎邪小人이요 市井無賴라【此八字, 的當王倫出身本末, 見王倫賣國之由.】頃緣宰相無識하여 遂擧以使虜러니 惟務詐誕하여 欺罔天聽하고 驟得美官하니 天下之人이 切齒唾罵니이다 今者에 無故誘致虜使하여 以詔諭江南爲名하니 是欲臣妾我也요【好句法.】是欲劉豫[1]我也라【好句法.】劉豫臣事醜虜하고 南面稱王하여 自以爲子孫帝王萬世不拔之業이러니 一旦에 豺狼이 改慮하여 捽(졸)而縛之하여 父子爲虜하니 商鑑不遠[2]이어늘 而倫이 又欲陛下效之니이다

삼가 살펴보건대, 왕륜(王倫)은 본래 방자하고 간사한 한 소인(小人)이요 시정(市井)의 무뢰배입니다.【이 여덟 글자는 왕륜의 출신(出身)과 본말(本末)에 꼭 들어맞으니, 왕륜이 나라를 팔아먹은 까닭을 볼 수 있다.】 지난번에 재상이 무식함으로 인해 마침내 그를 천거하여 오랑캐(금(金)나라)에게 사신으로 보내었는데, 오직 속임수와 허탄함을 힘써 천청(天聽, 임금의 귀)을 속이고 갑자기 아름다운 관직을 얻으니, 천하의 사람들이 이를 갈고 침을 뱉으며 꾸짖고 있습니다. 그런데 이제 까닭 없이 오랑캐 사신을 데려와서 강남(江南) 지방을 조유(詔諭)한다는 것으로 명분을 삼으니, 이는 우리를 신첩(臣妾)으로 삼고자 함이요,【구법(句法)이 좋다.】 이는 우리를 유예(劉豫)로 만들고자 하는 것입니다.【구법이 좋다.】

유예는 신하가 되어 추악한 오랑캐를 섬기고 남면(南面)하여 왕을 칭하고 스스로 생각하기를 '자손들이 제왕(帝王)의 지위를 누려 만세토록 뽑히지 않을 기업(基業)'이라고 여겼었는데, 하루아침에 시랑(豺狼, 승냥이와 이리로 금(金)나라를 가리킴)들이 생각을 바꾸어 잡아다 속박하여 부자(父子)가 포로가 되었습니다. 상(商)나라의 거울이 멀리 있지 않은데, 왕륜은 또 폐하(陛

---

1 劉豫: 경주(景州) 출신으로 금나라에 붙어 황제에 책봉되고 국호(國號)를 대제(大齊)라 하였으며 대명부(大命府)에 도읍하였는데, 8년 만에 금나라에 의하여 폐위되고 말았다.

2 商鑑不遠: 거울로 삼아 경계하여야 할 것이 가까운데 있다는 뜻으로 유예(劉豫)를 가리키는바, 《시경(詩經)》〈대아(大雅) 탕(蕩)〉의 "은(殷)나라의 거울이 멀리 있지 않아서 하후(夏后)의 세대에 있다.〔殷鑑不遠 在夏后之世〕"를 인용한 것이다.

••• 奏 아뢸 주 狎 친압할 압 緣 인연할 연 虜 오랑캐 로 罔 그물 망 切 갈 절 唾 침뱉을 타 罵 꾸짖을 매 諭 깨우칠 유 豫 기쁠 예 醜 추악할 추 豺 승냥이 시 狼 이리 랑 捽 잡을 졸 縛 묶을 박 效 본받을 효

下)로 하여금 이것을 본받게 하고자 하고 있습니다.

夫天下者는 祖宗之天下也요 陛下所居之位는 祖宗之位也니 奈何以祖宗之天
下로 爲犬戎之天下하고 以祖宗之位로 爲犬戎藩臣之位니잇고 陛下一屈膝이면 則
祖宗廟社之靈이 盡汚夷狄이요 祖宗數百年之赤子 盡爲左袵이요 朝廷宰執이 盡
爲陪臣이요 天下士大夫 皆當裂冠毁冕하여 變爲胡服하리니 異時豺狼無厭之求가
安知不加我無禮를 如劉豫也哉잇가 夫三尺童子는 至無知也로되 指犬豕而使之
拜하면 則怫然怒하나니 今醜虜는 則犬豕也어늘 堂堂天朝 相率而拜犬豕하시니 曾童
孺之所羞를 而陛下忍爲之耶잇가

천하는 조종(祖宗)의 천하요 폐하께서 차지하고 계신 지위는 조종의 지위이니, 어찌하여 조
종의 천하를 견융(犬戎)의 천하로 삼으며, 조종의 지위를 견융의 번신(藩臣)의 지위로 삼을 수
있겠습니까. 폐하께서 한번 무릎을 굽히시면 조종과 종묘(宗廟)·사직(社稷)의 영혼이 모두 오
랑캐에게 더럽혀지고, 조종의 수백 년 동안 내려온 적자(赤子, 백성)들이 모두 좌임(左袵, 옷깃을
왼쪽으로 하는 오랑캐의 복장)하게 될 것이요, 조정의 재집(宰執, 집정대신(執政大臣))들이 모두 배
신(陪臣, 제후국의 신하)이 될 것이요, 천하의 사대부(士大夫)가 모두 관(冠)을 찢고 면류관을 부수
고 호복(胡服)으로 바꿔 입을 것이니, 후일에 시랑(豺狼)들의 끝없는 요구가 유예에게 한 것처
럼 우리에게 무례(無禮)한 짓을 가하지 않을 줄을 어찌 알겠습니까.

저 삼척동자는 지극히 무지(無知)하지만 개와 돼지를 가리키면서 절하라고 하면 불연(怫然)
히 성을 냅니다. 지금 추악한 오랑캐는 개와 돼지인데, 당당한 천조(天朝, 천자)가 서로 이끌고
서 개·돼지 같은 오랑캐에게 절하려 하시니, 어찌 어린아이도 부끄러워하는 바를 폐하께서
차마 하신단 말입니까.

倫之議에 乃曰 我一屈膝이면 則梓宮可還이요 太后可復이요 淵聖可歸[3]요 中原可

---

3 梓宮可還……淵聖可歸: '재궁(梓宮)'은 제왕의 빈소나 관(棺)을 이르는바, 이때 휘종(徽宗)이 금나라로 잡혀가 오국성
(五國城)에서 죽었는데 그 시신을 금나라에서 억류하고 돌려주지 않았으며, 휘종의 후비(后妃)이고 고종(高宗)의 어머니
인 위황후(韋皇后) 및 휘종의 뒤를 이어 즉위한 흠종(欽宗)이 모두 금나라에 잡혀가 있었다. '연성(淵聖)'은 흠종(欽宗)에
대한 존칭으로 강왕(康王)이 남경(南京)에서 즉위하고 금나라에 잡혀가 있는 흠종에게 '효자연성황제(孝慈淵聖皇帝)'라는
존호(尊號)를 올렸다. 강왕은 바로 고종이다.

得이라하니 嗚呼라 自變故以來로 主和議者 誰不以此啗(담)陛下哉리오마는 而卒無
一驗하니 是虜之情僞를 已可知矣어늘 陛下尙不覺悟하사 竭民膏血而不恤하시며
忘國大讐而不報하시고 含垢忍恥하여 擧天下而臣之를 甘心焉하시니 就令虜決可
和가 盡如倫議라도 天下後世에 謂陛下何如主니잇고 況醜虜變詐百出하고 而倫이
又以奸邪濟之하니 梓宮決不可還이요 太后決不可復이요 淵聖決不可歸요 中原
決不可得이며 而此膝一屈이면 不可復伸하고 國勢陵夷하여 不可復振하리니 可爲痛
哭, 流涕, 長太息也로소이다

  왕륜의 주장에 이르기를 "우리가 한번 무릎을 굽히면 휘종(徽宗)의 재궁(梓宮)이 돌아올 수
있고 위태후(韋太后)가 돌아올 수 있으며, 연성(淵聖, 흠종(欽宗))이 돌아올 수 있고 중원(中原)을
얻을 수 있다."라고 하니, 아! 변고가 있은 이래로 화의(和議)를 주장하는 자들이 누구인들 이
것을 가지고 폐하를 유인하지 않았습니까. 그러나 끝내 한 가지 효험도 없었으니, 이를 통해
오랑캐의 실정과 거짓을 이미 알 수 있는 것입니다. 그런데도 폐하께서는 아직도 깨닫지 못
하시어 백성들의 고혈(膏血)을 다하면서도 돌아보지 않으시며 나라의 큰 원수를 잊어 보복하
지 않으시고, 치욕을 참고서 천하를 들어 오랑캐에게 신하 노릇하는 것을 달갑게 여기시니,
가령 오랑캐와 절대로 화친해야 함이 모두 왕륜의 주장과 같더라도 천하와 후세(後世)에서 폐
하를 어떠한 임금이라고 말하겠습니까.
  더구나 추악한 오랑캐들은 온갖 변괴와 속임수를 내며 왕륜은 또 간사함으로써 이루려 하
니, 휘종의 재궁은 결코 돌아오지 못할 것이고, 위황후는 결코 돌아오지 못할 것이고, 연성은
결코 돌아오지 못할 것이고, 중원을 결코 얻지 못할 것이며, 이 무릎이 한번 굽혀지면 다시는
펼 수 없고, 국세가 침체되어 다시는 떨칠 수 없을 것이니, 이는 모두 통곡할 만하고 눈물을
흘릴 만하고 한숨 지으며 깊이 탄식할 만한 것입니다.

向者에 陛下間關海道하사 危如累卵호되 當時에 尙不肯北面臣虜어든 況今國勢稍
張하여 諸將盛銳하고 士卒思奮이리잇가 只如頃者에 醜虜陸梁하고 僞豫入寇에도 固
嘗敗之於襄陽하고 敗之於淮上하고 敗之於渦(와)口하고 敗之於淮陰하니 較之前日
蹈海之危하면 已萬萬矣라 儻不得已而遂至於用兵인들 則我豈遽出虜人下哉리

··· 啗 먹을 담 膏 기름 고 垢 더러울 구 就 가령 취 夷 평할 이 涕 눈물 체 向 지난번 향

잇고 今無故而反臣之하여 欲屈萬乘之尊하여 下穹廬[4]之拜하시니 三軍之士 不戰而
氣亦索이라 此魯仲連所以義不帝秦[5]이니 非惜夫帝秦之虛名이요 惜夫天下大勢
有所不可也니이다 今內而百官과 外而軍民이 萬口一談하여 皆欲食倫之肉하여 謗
議洶洶이어늘 陛下不聞하시니 正恐一旦變作이면 禍且不測이라 臣은 切(竊)謂不斬
王倫이면 國之存亡을 未可知也라하노이다

　지난번에 폐하께서는 바닷길을 어렵게 떠도시어 위태로움이 누란(累卵)과 같았으나 당시에
도 오히려 북면(北面)하여 오랑캐에게 신하노릇을 하지 않으셨는데, 하물며 지금은 국세가 다
소 신장되어 여러 장수들이 예기(銳氣)가 충만되고 사졸들이 분발할 것을 생각하고 있음에 있
어서이겠습니까. 다만 지난번에 오랑캐가 날뛰고 위조(僞朝, 괴뢰정권)의 유예(劉豫)가 쳐들어
왔을 때에도 진실로 일찍이 이들을 양양(襄陽)에서 패퇴시키고 회상(淮上)에서 패퇴시키고 와
구(渦口)에서 패퇴시키고 회음(淮陰)에서 패퇴시켰으니, 지난날 바다로 뛰어들려던 위태로움
에 비교한다면 전혀 똑같지 않습니다. 만일 부득이하여 마침내 무력을 사용함에 이른다 한들
우리가 어찌 대번에 오랑캐들보다 못하겠습니까.

　이제 까닭 없이 도리어 오랑캐에게 신하 노릇을 하여 만승(萬乘)의 높음을 굽혀 궁려(穹廬,
오랑캐)에게 낮춰 절하려 하시니, 삼군(三軍)의 군사들이 싸우지 않고도 기운이 꺾입니다. 이 때
문에 노중련(魯仲連)은 의리상 진(秦)나라를 황제로 받들지 않은 것이니, 진나라를 황제로 받든
다는 허명(虛名)을 아까워한 것이 아니요, 천하의 대세가 불가함이 있음을 아까워한 것입니다.

　이제 안으로는 백관(百官)과 밖으로는 군민(軍民)들이 만구일성(萬口一聲)으로 모두들 왕륜
의 살을 저며 먹고자 하여 비난하는 의론이 흉흉한데, 폐하께서는 이것을 듣지 못하시니, 하
루아침에 변란(變亂)이 일어나면 화(禍)가 장차 헤아릴 수 없을까 두렵습니다. 신(臣)은 엎드려
생각하건대 왕륜을 처형하지 않으면 국가의 존망(存亡)을 알 수 없을 것입니다.

4　穹廬 : 털방석으로 만든 장막으로, 모양이 높이 솟았기 때문에 이름하였으며, 흉노족(匈奴族)들이 여기에 살았으므로
곧 오랑캐를 가리키게 되었다.

5　此魯仲連所以義不帝秦 : 노중련(魯仲連)은 전국시대 제(齊)나라의 고사(高士)이다. 노중련이 조(趙)나라에 있을 때
에 진(秦)나라 군대가 조나라의 수도인 한단(邯鄲)을 포위하였는데, 위(魏)나라 장군 신원연(新垣衍)을 보내 조나라로 하
여금 진나라를 천자로 섬기면 포위를 풀 것이라고 하였다. 이에 노중련은 "진나라가 방자하게 황제를 칭하고 주제넘게 천하
에 정사를 편다면, 나는 차라리 동해에 뛰어들어 죽을지언정 차마 그 백성이 될 수 없다.〔彼卽肆然而爲帝 過而爲政於天下
則連有蹈東海而死耳 吾不忍爲之民也〕"라고 하여, 신원연을 설득시키고 진나라 군대를 물러나게 하였다.《史記 卷83 魯仲
連列傳》

雖然이나 倫은 不足道也라 秦檜以腹心大臣而亦爲之하니 陛下有堯, 舜之資어시늘 檜不能致陛下如唐, 虞하고 而欲導陛下如石晉[6]하니이다 近者에 禮部侍郎曾開等이 引古誼以折之한대 檜乃厲聲曰 侍郎은 知故事하고 我獨不知아하니 則檜之遂非狠愎(한팍)을 已自可見이어늘 而乃建白하여 令臺諫從臣으로 僉議可否하니 是乃畏天下議己하여 而令臺諫從臣으로 共分謗耳니이다 有識之士 皆以爲朝廷無人이라하니 吁 可惜哉니이다 孔子曰 微管仲이면 吾其被髮左衽矣[7]라하시니 夫管仲은 霸者之佐耳로되 尙能變左衽之區하여 爲衣冠之會어늘 秦檜는 大國之相也로되 反驅衣冠之俗하여 歸左衽之鄕하니 則檜也는 不唯陛下之罪人이라 實管仲之罪人矣니이다

　그러나 왕륜은 굳이 말할 것이 없습니다. 진회(秦檜)는 심복(心腹)의 대신(大臣)인데도 이러한 짓을 하고 있습니다. 폐하께서는 요(堯)·순(舜)의 자품을 갖고 계신데도 진회는 폐하를 당(唐)·우(虞)처럼 만들지 못하고 폐하를 인도하여 석진(石晉)과 같이 만들고자 합니다.

　근자에 예부 시랑(禮部侍郎) 증개(曾開) 등이 옛날 의리를 인용하여 잘못을 지적하자, 진회는 마침내 큰소리로 말하기를 "시랑은 고사(故事)를 알고 나만 홀로 모르는가?" 하였으니, 진회가 사납고 괴팍하게 잘못을 은폐하는 것을 여기에서 이미 저절로 볼 수가 있습니다. 그런데 마침내 건백(建白, 건의)하여 대간(臺諫)과 시종신(侍從臣)들로 하여금 여럿이 모여 가부(可否)를 의론하게 하니, 이는 바로 천하에서 자신을 비난할까 두려워하여 대간과 시종신들로 하여금 함께 비방을 나누고자 하는 것입니다. 식견이 있는 인사들은 모두들 말하기를 "조정에 사람이 없다."라고 하니, 아! 애석합니다.

　공자가 말씀하시기를 "관중(管仲)이 없었다면 나는 머리를 풀어 헤치고 좌임(左衽)을 하였을 것이다." 하셨으니, 관중은 패자(霸者)의 보좌였을 뿐인데도 오히려 좌임의 구역을 의관(衣冠)의 사회로 변화시켰는데, 진회는 대국(大國)의 재상인데도 도리어 의관의 풍속을 몰아 좌임의 시골로 돌아가려 하니, 진회는 단지 폐하의 죄인일 뿐만 아니라 실로 관중의 죄인인 것입니다.

孫近은 附會檜議하여 遂得參知政事하니 天下望治를 有如飢渴이어늘 而近이 伴食

---

6 石晉: 석경당(石敬瑭)이 세운 후진(後晉)을 이른다. 후진의 고조(高祖)인 석경당은 글안(契丹, 거란)의 힘을 빌려 후당(後唐)을 멸망하고 후진을 세웠으나 그후 거란의 횡포로 온갖 수모를 겪고 곧 멸망하였다.

7 孔子曰……吾其被髮左衽矣: 이 내용은 《논어(論語)》〈헌문(憲問)〉에 보인다.

… 檜 노송나무 회 腹 배 복 虞 우나라 우 厲 사나울 려, 성낼 려 遂 이룰 수 狠 사나울 한 愎 괴팍할 팍 白 아뢸 백 僉 모두 첨 吁 탄식할 우 微 없을 미 被 입을 피 衽 옷깃 임

中書하여 漫不可否事하고 檜曰虜可講和라하면 近亦曰可和라하며 檜曰天子當拜라하면 近亦曰當拜라하니이다 臣이 嘗至政事堂하여 三發問호되 而近不答하고 但曰 已令臺諫侍從議矣라하니이다 嗚呼라 參贊大政이 徒取充位如此하니 有如虜騎長驅하면 尙能折衝禦侮耶잇가 臣竊謂秦檜, 孫近을 亦可斬也라하노이다

　손근(孫近)은 진회의 의견에 부회(附會)하여 마침내 참지정사(參知政事)를 얻었습니다. 천하에서는 나라가 다스려지기를 바라기를 기갈(飢渴)에 음식을 바라듯이 하는데, 손근은 아무 하는 일 없이 중서성(中書省)에서 모시고 밥만 먹을 뿐, 일에 대해 전혀 가타부타 하지 않고, 진회가 "오랑캐와 강화하여야 한다."라고 말하면 손근 또한 "강화해야 한다."라고 말하며, 진회가 "천자가 마땅히 절해야 한다."라고 말하면 손근 또한 "마땅히 절해야 한다."라고 말하고 있습니다.
　신이 일찍이 정사당(政事堂)에 이르러 세 번 질문을 꺼냈으나 손근은 대답하지 않고 단지 말하기를 "이미 대간과 시종신들로 하여금 의론하게 했다."라고 할 뿐이었습니다. 아! 정사를 참찬(參贊)하는 자가 이처럼 한갓 자리만 채우고 있으니, 만일 오랑캐의 기병(騎兵)이 승승장구해 온다면 그래도 적의 충돌을 막고 침략을 막을 수 있겠습니까. 신은 엎드려 생각하건대, 진회와 손근 또한 목을 베어야 할 것입니다.

臣이 備員樞屬하여 義不與檜等共戴天이라 區區之心이 願斬三人頭하여 竿之藁街⁸然後에 羈留虜使하여 責以無禮하고 徐興問罪之師하시면 則三軍之士 不戰而氣自倍하리이다 不然이면 臣有赴東海而死耳언정 寧能處小朝廷求活耶잇가

　신은 추밀원(樞密院)의 관속으로 충원되었으니, 의리상 진회 등과 함께 한 하늘을 이고 살 수가 없습니다. 구구한 마음에 세 사람의 머리를 베어 고가(藁街)에 게시한 뒤에 오랑캐 사신을 억류하여 무례함을 책하고 죄를 묻는 군대를 서서히 일으키신다면 삼군의 군사들은 싸우지 않고도 사기(士氣)가 저절로 배가(倍加)될 것입니다. 그렇지 않으면 신은 동해(東海)에 뛰어들어 죽을지언정 어찌 작은 조정에 처하여 살기를 바라겠습니까.

8　藁街: 거리의 이름인데, 여기에 오랑캐들이 머무는 관사(官舍)가 있었으므로 말한 것이다.

소심문小心文

此集은 皆謹嚴簡潔之文이라 場屋中에 日晷有限하니 巧遲者不如拙速이라 論, 策結尾에 略用 此法度하면 主司亦必以異人待之하리라

이 유자집(有字集)은 모두 근엄하고 간결한 문장이다. 과장(科場) 안에서는 시간에 제한이 있으니, 훌륭하지만 더디게 지은 문장이 졸렬하지만 빠르게 지은 것만 못하다. 논(論)과 책문(策文)의 끝맺음에 대략 이러한 법도(문장법)를 쓴다면 주사(主司, 시험관)도 반드시 특이한 사람으로 대우할 것이다.

··· 潔 깨끗할 결 晷 햇빛 구 遲 더딜 지 拙 졸렬할 졸 速 빠를 속

잡설雜說

한유韓愈 한문공韓文公

• 작품개요

　　이 작품은 〈잡설(雜說)〉 네 수 중 첫 번째로, 속칭 '용설(龍說)'이라고도 한다. 그러나 전설 속의 용에 대해 소개하거나 설명한 것이 아니라 마음속에 느낀 바를 사물에 의탁하였는바, 바로 사물을 빌려 작자의 뜻을 부친 것이다. 작품의 체제가 사리(事理)를 천명하거나 주장을 창도할 적에 사용하는 논설체에 속하므로 '설(說)' 자를 붙였다. '잡(雜)'이라는 것은 조합(組合) -전체를 조직해 이룸- 이라는 뜻이다. 즉, 다양한 부류를 취하였다는 것으로, 첫 번째 수에서는 용과 구름의 관계를 말하였고, 두 번째 수에서는 의원과 의술을 비유로 삼아 천하가 다스려짐을 믿고서 편안하게 있어서는 안 됨을 논술하였으며, 세 번째 수에서는 학(鶴)을 소재로 삼아 사람은 겉모습으로 취해서는 안 됨을 말하였고, 네 번째 수에서는 백락(伯樂)과 말을 예로 들어 인재를 제대로 알아보고 아끼는 문제에 대해 설명하였는데, 네 수 모두 대체적인 창작 의도는 현실에 대해 의론하고 감개한 감정을 토로하기 위한 것이다. 이 때문에 총괄적인 제목을 '잡설'이라고 한 것이다.

　　이 작품은 114자 밖에 안 되는 매우 짧은 편폭이다. 이 작품의 주지는, 용과 구름의 관계를 가지고 군주와 신하가 투합하는 것을 비유하여 신하는 군주가 없을 수 없고 군주는 더더욱 현신(賢臣)의 보필이 필요한바, 군주와 신하가 서로 투합하여야 비로소 공업(功業)을 이룰 수 있다는 것이다. 이는 《주역(周易)》〈건괘(乾卦) 문언전(文言傳)〉의 '운종룡(雲從龍)'이라는 한 구를 가지고 부연한 것으로, 세 층차로 나누어 구름과 용의 관계에 대해 묘사·서술하였다.

　　맨 처음에는, 구름이란 용이 토해 낸 기운이 모인 결과로 구름은 용이 날아오름으로 인하여 변화해 그 신기함을 나타낸다고 서술하였다. 그 다음으로는, 용이 '그 신령스러움을 신묘하게〔神其

靈]'할 수 있는 것 또한 구름 기운을 바탕으로 삼는 데에 달려 있음을 서술하였다. 가장 마지막으로는, 용이 의지하는 구름은 용 자신이 만들어낸 것이기 때문에 용은 자기 운명을 주재할 수 있음을 서술하였다.

작품의 문안(文眼)은 '령(靈)' 자이다. 작자는 '령' 자에 착안해 정(正)·역(逆)과 경(輕)·중(重)이 번갈아드는 필치를 구사하여 내용을 표현하였는데, 표현에서 두드러진 특색은 비유(比喩)의 사용이다. 이 작품의 비유는 수사적인 것이라기보다는 작품 전체에 퍼져있는 일종의 논증 방식이다. 용은 군주를, 구름은 신하를 빗댄 것으로, 군주가 아무리 성명(聖明)하여도 어진 신하가 없으면 그 덕을 드러낼 수 없고, 신하가 아무리 현능하여도 성군이 없으면 그 쓰임을 제대로 이룰 수가 없는 것이다.

작품은 전체적으로 한 단락에서 다른 한 단락으로 전절(轉折)할수록 문의(文意)가 더욱 깊어지며, 또한 반복적인 논증으로 용과 구름의 관계를 명확하게 밝혀냈는데, 그 논증이 상당히 엄밀하며 힘이 있다.

篇題小註‥ 此篇主意는 聖君賢臣相逢이라야 可成大功이라

이 편의 주의(主意)는 성군(聖君)과 현신(賢臣)이 서로 만나야 큰 공을 이룰 수 있다는 것이다.

· 原文

龍이 噓氣成雲하니【喩聖君.】雲固弗靈於龍也라【喩賢臣.】然이나 龍乘是氣하여【聖君任賢臣.】茫洋窮乎玄間하여 薄日月, 伏光景(影)하며 感震電, 神變化하며 水下土, 汨(골)陵谷하나니 雲亦靈怪矣哉인저【賢臣之功業, 亦非常.】雲은 龍之所能使爲靈也어니와【君能任用賢臣.】若龍之靈은 則非雲之所能使爲靈也라【臣不能使君爲聖.】然이나 龍不得雲이면 無以神其靈矣니 失其所憑依가 信不可歟인저 異哉라 其所憑依는 乃其所自爲也로다【君之用賢臣, 乃所以自成其功.】易曰 雲從龍[1]이라하니【此謂賢臣必從聖君.】既曰龍이면 雲從之矣니라【有聖君然後, 有賢臣. ○雜說二篇, 上篇以雲龍比君相, 下篇以伯樂知馬比

---

1 易曰 雲從龍:《주역》〈건괘(乾卦) 문언(文言)〉에 "구름은 용을 따르고 바람은 범을 따른다.〔雲從龍 風從虎〕"라고 보이는바, 용과 범은 군주를, 구름과 바람은 신하를 비유한 것으로, 성군과 현신이 만나는 것을 말한다.

··· 噓 내불 허   茫 아득할 망   薄 다가갈 박   電 번개 전   汨 어지럽힐 골   憑 의지할 빙

賢相知人, 世無賢相, 則不知人才. 其曰其眞無馬耶, 其眞不知馬耶者, 頓挫感慨, 下篇可參考.】

　용(龍)이 기(氣)를 불어 구름을 이루니,【성군(聖君)을 비유한 것이다.】 구름은 진실로 용보다 신령스럽지 못하다.【현신(賢臣)을 비유한 것이다.】 그러나 용은 이 기(氣, 구름)를 타고서【성군이 현신(賢臣)에게 맡긴 것이다.】 아득히 먼 하늘에 이르러 일(日)·월(月)을 가까이하여 햇빛과 그림자를 덮어버리고, 우레와 번개를 일으켜 변화를 신묘하게 부리며, 하토(下土, 땅)에 물을 내려 구릉과 산골짝을 어지럽게 하니(뒤바꿔놓으니), 구름 또한 신령스럽고 괴이하다.【현신의 공업 또한 예사롭지 않은 것이다.】

　구름은 용이 신령스럽게 만들 수 있지만【임금은 현신을 임용할 수 있는 것이다.】 용의 신령스러움으로 말하면 구름이 신령스럽게 만들 수 있는 것이 아니다.【신하는 임금을 성군으로 만들 수 없는 것이다.】 그러나 용은 구름을 얻지 못하면 그 신령스러움을 신묘하게 할 수 없으니, 그 의지할 바를 잃어서는 참으로 안 되는 것이다. 괴이하다. 용이 의지하는 구름은 용이 스스로 만드는 것이다.【임금이 현신을 등용해야 스스로 그 공업을 이룰 수 있는 것이다.】

　《주역》에 이르기를 "구름은 용을 따른다."라고 하였으니,【이는 현신이 반드시 성군을 따라야 함을 말한 것이다.】 이미 용이라고 말했으면 구름은 따르게 마련이다.【성군이 있은 뒤에 현신이 있는 것이다. ○〈잡설〉은 두 편이니, 상편(上篇)은 구름과 용으로 임금과 정승을 비유하였고, 하편(下篇)은 백락(伯樂)이 말을 알아보는 것으로 현상(賢相)이 사람을 알아보는 것을 비유하였으니, 세상에 현상이 없으면 인재를 알아보지 못한다. "참으로 양마(良馬)가 없는 것인가? 참으로 말을 알아보지 못하는 것인가?"라고 한 것은 돈좌(頓挫, 억양)하고 감개(感慨)한 것이니, 하편(下篇)을 참고해 보아야 할 것이다.】

송동소남서送董邵南序

한유韓愈

• 작품개요

　　이 작품은 일종의 '증서(贈序)'이다. '동소남'은 수주(壽州) 안풍(安豐) 사람으로 그의 생애는 자세하지 않다. 동소남은 집안 환경이 청한(淸寒)하여 농사와 독서를 병행하며 어렵게 공부를 하였다. 그러나 진사시에 연이어 낙방하자 하북(河北) 지역에 있는 번진(藩鎭)에 의탁하고자 하였다. 이 작품은 그러한 동소남을 전송하기 위하여 지은 것으로, 실의(失意)한 벗을 애석하게 여기는 한편 그가 당나라 조정과 맞서는 번진에게 의탁하는 것을 원치 않는 뜻을 완곡한 언사로 드러내보였다. 작품은 세 단락으로 나눌 수 있다.

　　'연조(燕趙)'부터 '면호재(勉乎哉)'까지의 첫 번째 단락은, "연(燕)·조(趙) 지방에는 예로부터 감개하여 슬피 노래하는 선비가 많다고 칭해 온다.〔燕趙古稱多感慨悲歌之士〕"라는 기구(起句)를 가지고 동소남의 이번 출행에 반드시 투합하는 대상이 있을 것이라고 추측하였다. '부이(夫以)'부터 '면호재(勉乎哉)'까지의 두 번째 단락은, 오늘날 연·조 지역의 선비가 전부 다 예전처럼 의(義)를 사모하고 인(仁)에 힘쓰지는 않을 것이므로 그렇다면 이번의 출행은 또 그 필요성을 알지 못하겠으니 의당 스스로 잘 알아서 처리할 것을 당부하였다. '오인자(吾因子)'부터 '출이사의(出而仕矣)'까지의 세 번째 단락은, 옛날〔古〕을 가지고 오늘〔今〕을 풍간한 것이다. 악의(樂毅)와 도구자(屠狗者)의 비분강개한 감정을 투사하여 정권을 담당한 자가 인재를 경시하는 것에 대한 불만스러움을 표출함과 동시에 현재 연·조 지역의 선비들이 당나라 조정으로 돌아오도록 호소함으로써 동소남에게 번진에 의탁하려는 생각을 버리도록 완곡하게 권하고 있다.

　　작자는 동소남이 하북으로 가는 것을 결코 바라지 않았다. 당시 하북은 번진이 할거한 지방으로 여기에 가는 것은 '종적(從賊)' 행위가 된다. 작자는 그 누구보다도 당 왕조의 통일을 바랐기 때문에 동소남이 하북으로 가는 것에 대해 뜻을 함께 할 수 없었다. 하지만 이 '송서(送序)'를 지어 동소남을 전송하게 된 이상 그에게 하북으로 가면 안 된다고 직설(直說)할 수도 없는 노릇이었다. 이 때문에 작자는 현재의 '하북'을 언급하지 않고 그저 이전의 '연·조' 지역을 말하였을 뿐이며, 관리를 언급하지 않고 '감개비가지사(感慨悲歌之士)'를 말하였을 뿐이다. '감개비가지사'는 그 인의(仁義)가 천성으로부터 나온 것으로 동소남과 부합하는 측면이 있다. 이것은 바로 동소남 역시 인의를 추구하는 사람으로 간주한 것인바, 이를 권면한 부분이다. 마지막 부분에서 동소남에게 고인(古人)을 애도하게 하고, 아울러 금인(今人)을 권면하여 당나라 조정에 출사하도록 요구하게 하였는데, 이는 그에게 처신하는 도리를 분명히 알도록 하려고 한 것이다.

이 작품은 150자의 짧은 편폭이지만 한 층 한 층 전절(轉折)하여 말 밖에 뜻이 있는바, 역대로 공인된 명작으로 구상(構想), 조어(造語), 배치(排置), 포국(布局)이 상당히 뛰어나다. 특히 '고(古)'와 '금(今)' 두 글자를 가지고 층차를 나누어서 각각 '오지(吾知)'와 '오오지(吾惡知)'로 호응시키고, '연조고칭다감개비가지사(燕趙古稱多感慨悲歌之士)'에 '망저군지묘(望諸君之墓)'와 '도구자(屠狗者)'를 가지고 호응시킨 것은 주목할 만한 부분이다. 언사는 간략하지만 함의는 풍부하고 문장의 편폭은 짧지만 기세는 심장한바, 참으로 천고에 전송되는 명편이라고 이를 만하다.

• 原文

燕, 趙에 古稱多感慨悲歌之士라 董生이 擧進士로되 連不得志於有司하여 懷抱利器하고 鬱鬱適玆土하니 吾知其必有合也로니【董生, 豪傑也. 燕·趙之士, 意氣投合.】董生은 勉乎哉어다【一本作行乎哉.】

연(燕) · 조(趙) 지방에는 예로부터 감개(感慨)하여 슬피 노래하는 선비가 많다고 칭해 온다. 동생(董生)이 진사시(進士試)에 응시하였으나 연달아 유사(有司, 시험관)에게 뜻을 얻지 못하여, 이기(利器, 뛰어난 재주)를 가슴에 안고 울울히(답답하게) 이 지방으로 가니, 나는 그와 의기가 투합할 자가 반드시 있을 줄을 아노니,【동생은 호걸이니, 연·조 지방의 선비들과 의기가 투합할 것이다.】동생은 힘쓸지어다.【〈면호재(勉乎哉)'가〉 일본(一本)에는 '행호재(行乎哉)'로 되어 있다.】

夫以子之不遇時로 苟慕義彊仁者 皆愛惜焉하니 矧(신)燕, 趙之士出乎其性者哉아【董生豪傑不遇時.】然이나 吾嘗聞風俗이 與化移易²이라하니 吾惡(오)知其今不異於

古所云耶아【又恐今日之燕·趙, 非昔日之燕·趙.】聊以吾子之行으로 卜之也호리니【燕·趙 尙有豪傑.】董生은 勉乎哉어다

　그대가 좋은 때를 만나시 못하였으므로 진실로 의(義)를 사모하고 인(仁)을 힘쓰는 자들이 모두 애석히 여기고 있으니, 하물며 연·조 지방의 선비로서 의분심(義憤心)이 그 본성에서 우러나오는 자들에 있어서랴!【동생은 호걸이었으나 좋은 때를 만나지 못하였다.】 그러나 내 일찍이 들으니 풍속은 시대의 변화에 따라 바뀐다 하니, 지금〈연·조 지방의 선비들이〉옛날에 말해 오던 바와 다르지 않음을 내 어찌 알겠는가.【또 지금의 연·조 지방이 예전의 연·조 지방이 아닐까 두려워한 것이다.】 애오라지 그대가 가는 것으로써 점치려 하노니,【연·조 지방에는 아직도 호걸이 있을 것이다.】 동생은 힘쓸지어다.

吾因子하여 有所感矣로니 爲我弔望諸君³之墓하고【樂毅.】而觀於其市에 復有昔時 屠狗者⁴乎아【此亦感慨悲歌之意.】爲我謝曰 明天子在上하시니 可以出而仕矣라하라【結 句瀟灑慷慨.】

　내 그대로 인하여 감동하는 바가 있으니, 나를 위하여 망저군(望諸君)의 묘에 조문하고【망저 군은 악의(樂毅)이다.】 그 시장에서 옛날 개를 잡던 자가 지금도 있는지 살펴보라.【이 또한 감개하 여 슬피 노래하는 뜻이다.】 있거든 나를 위해 "현명하신 천자께서 위에 계시니, 나와서 벼슬하라." 라고 말하라.【결구(結句)가 소쇄(瀟灑)하고 강개(慷慨)하다.】

2　吾嘗聞風俗 與化移易: 여기에서의 화(化)를 일반적으로 '교화'로 보나, 대산(臺山) 김매순(金邁淳)은 "만약 이렇게 해 석하면 당시 군주의 교화가 예전만 못함을 곧바로 배척한 것이니, 도리에 잘못됨이 있을 뿐만 아니요, 아랫글에 '현명하신 천자께서 위에 계시다'는 말과 모순이 되니, 이는 당시의 번진(藩鎭)을 가리켜 말한 것이다. 당나라는 숙종(肅宗)의 지덕 (至德) 연간부터 하북(河北)의 세 번진이 국가의 큰 근심이 되어 위박(魏博)은 위(魏) 지방을 점거하고 노룡(盧龍)은 연 (燕) 지방을 점거하고 성덕(成德)은 조(趙) 지방을 점거하였다. 헌종(憲宗) 때에 전흥(田興)이 귀순하여 위박 지역은 당나 라의 판도(版圖)에 들어왔으나, 연과 조 지방은 아직도 버티고 있었다. 그러므로 한공(韓公)이 그곳으로 가는 동생(董生) 을 통하여 이 글로써 격문을 대신하였으니, 앞에서는 이들 지역의 아름다운 옛 풍속을 찬미하여 장려한 것이요, 뒤에서는 지금에 변화한 풍속을 들어 풍자한 것이다." 하였다.《臺山集 卷19 闕餘散筆》

3　望諸君: 전국시대(戰國時代) 충의로운 명장(名將)으로 알려진 악의(樂毅)의 봉호이다. 연(燕)나라 소왕(昭王)을 섬겨 제(齊)나라를 격파하고 창국군(昌國君)에 봉해졌으나 새로 즉위한 혜왕(惠王)에게 군권(軍權)을 박탈당하고 조(趙)나라 로 망명하여 망저군에 봉해졌다. 그러나 악의는 평생토록 연나라를 잊지 않았다.

4　昔時屠狗者: 연나라의 협객인 고점리(高漸離)는 시장에서 개를 잡아 팔고 밤낮으로 술을 마셨으며 자객(刺客)인 형가 (荊軻)와 절친하였으므로, 곧 이들을 가리킨 것이다.

　　　　　… 屠 죽일 도　狗 개 구

송왕함수재서 送王含秀才序

한유 韓愈

• 작품개요

　이 작품의 제목은 〈송왕수재서(送王秀才序)〉 또는 〈송진사왕함서(送進士王含序)〉로도 표기되는바, '수재 왕함을 전송한 서'로 증서체 산문이다. 작중의 '건중 초기에 천자께서 즉위하시다[建中初 天子嗣位]'라는 내용에 근거하면 당 덕종(唐德宗) 정원(貞元) 12년 즈음에 지어진 것으로 보인다.

　왕함(王含)은 생몰년이 미상이다. 이 작품을 가지고 보면, 그는 초당(初唐) 시인(詩人) 왕적(王績, 약589~644)의 후손으로 훌륭한 재능이 있으면서도 이를 펼칠 기회를 만나지 못한 인물이다. 왕적은 동고자(東皐子)라고 자호하였는데 완적(阮籍)과 도잠(陶潛)을 흠모하여 술에 뜻을 부쳤는바, 〈취향기(醉鄕記)〉는 그의 대표적인 명작이다.

　이 작품은 겨우 200여 자에 불과한 단편이지만 작자의 참신하고 독특한 구상이 돋보인다. 당시 수재 왕함은 회재불우(懷才不遇)하여 불만이 가득하였다. 이때 작자는 독창적인 방법으로 왕함의 선조인 왕적의 〈취향기〉를 모두(冒頭)에서 언급하며, 왕적이 〈취향기〉를 지은 의도를 밝히고 옛날 성현과 명사들이 영욕과 진퇴에 대해 어떠한 태도를 취하였는지를 나열함으로써 왕함에게 마땅히 성인을 스승으로 삼아 스스로 다스려야 할 것이고 불우함으로 슬퍼해서는 안 됨을 알려주고 있다.

　작품은 〈취향기〉를 발단으로 삼아 완적·도잠·왕적 등을 언급하며 곳곳에서 '취(醉)' 자를 긴밀하게 연결시켰다. 또한 끝부분의 '고여지음주(姑與之飮酒)'는 기구(起句)의 '취향(醉鄕)'과 호응한다. 하나의 '취(醉)' 자가 작품 전체를 관통하여 전후가 서로 호응하고 짜임새가 엄격하면서도 완정(完整)하다. 서술과 의론을 적절히 사용하여 진중한 감정과 엄밀한 논리가 구비되어 있는바, 다양한 풍격과 풍부한 변화를 지닌 작자의 문장력을 가늠할 수 있게 해주는 작품이다.

'서(序)'란 한대(漢代)에 시작된 문체로 원래는 이야기나 서사에 차례와 조리가 있는 문장을 가리킨다. 당대(唐代)에 이르러는 일종의 증별(贈別)의 문체가 여기에서 파생되었는데, 당대 사람들은 상대방이 길을 떠날 때에는 언제나 글을 지어서 전송함으로써 위안과 면려를 표현하였다. 이것이 바로 '증서'이다. 이러한 '증서'는 직자의 고문 칭직 활동 중에서 특수한 지위를 차지하고 있다. 직자는 일생동안 수많은 증서체 문장을 지었는데 상대방을 권면하는 한편 각종 불합리한 사회 현상에 대해 비판과 규탄을 가하였다. 작자의 이러한 증서체 필법은 하나의 격식에만 국한되지 않고 매우 다양하고 다채롭다.

篇題小註‥ 王含之祖王績은 字無功이니 嘗作醉鄕記라 此序는 以醉鄕記三字로 生一篇議論하니 下字影狀이 可見其巧라 此序는 只從醉鄕記三字하여 得意變化하여 成一篇議論하니 此文公最巧處라 凡作論에 可以爲法이니라

왕함(王含)의 할아버지 왕적(王績)은 자가 무공(無功)인데 일찍이 〈취향기(醉鄕記, 술에 취한 사람의 기문)〉를 지었다. 이 서(序)는 '취향기' 세 글자를 가지고 한 편의 의론을 내었으니, 글자를 놓아 형상을 묘사함이 공교함을 볼 수 있다. 이 서는 다만 '취향기' 세 글자로부터 뜻을 얻어 변화하여 한 편의 의론을 만들었으니, 이는 한문공의 가장 공교한 부분이다. 무릇 논을 지을 때에는 이것을 법으로 삼을 만하다.

• 原文

吾少時에 讀醉鄕記하고 私怪隱居者無所累於世로되 而猶有是言하니 豈誠旨於味耶아하더니 及讀阮籍ㆍ陶潛詩하여【二公皆嗜酒好醉, 又與醉鄕親切.】乃知彼雖偃塞하여 不欲與世接이나 然猶未能平其心하여 或爲事物是非相感發하여 於是에 有託而逃焉者也로라【從醉鄕, 引得陶ㆍ阮二人嗜酒者作證.】若顏氏子는 操瓢與簞5하고 曾參은 歌

---

5 若顏氏子 操瓢與簞: 안씨(顏氏)의 아들은 공자의 고제(高弟)인 안회(顏回)로, 《논어》〈옹야(雍也)〉에 "한 대그릇의 밥과 한 표주박의 음료로 누추한 시골에 있는 것을 다른 사람들은 그 근심을 감내하지 못하는데, 안회는 그 즐거움을 변치 않으니, 어질다, 안회여!〔一簞食一瓢飮 在陋巷 人不堪其憂 回也不改其樂 賢哉回也〕"라고 한 공자의 말씀이 보이므로 말한 것이다.

··· 績 공 적 阮 성 완(원) 偃 교만할 언 塞 교만할 건 瓢 표주박 표 簞 소쿠리 단

聲이 若出金石[6]하니 彼得聖人而師之하여 汲汲每若不可及이라 其於外也에 固不
暇하니 尙何麴糵(국얼)之託而昏冥之逃耶아【破醉鄕.】 吾又以爲悲醉鄕之徒不遇
也로라【合王·阮·陶三人, 故添一徒字.】

내가 젊었을 때에 〈취향기(醉鄕記)〉를 읽고는 사사로이(속으로) 괴이하게 여기기를 '은거(隱
居)하는 자들은 세상의 일에 얽매임이 없을 터인데도 세상을 걱정하는 이러한 말이 있으니,
어찌 진실로 술에 맛을 들인 자이겠는가?' 하였는데, 완적(阮籍)과 도잠(陶潛)의 시를 읽고는
【두 공은 모두 술을 즐기고 취하기를 좋아하였고, 또 취향(醉鄕, 정신이 몽롱한 취중의 세계)과 가까웠다.】 비
로소 저들이 비록 언건(偃蹇, 오만)하여 세상 사람을 접하고자 하지 않았으나, 그럼에도 불구하
고 마음을 화평하게 하지 못해서 혹은 사물의 옳고 그름에 서로 감발(感發)되어 술에 의탁하
여 도피하는 경우가 있음을 알았노라.【취향으로부터 도잠과 완적 두 사람이 술을 즐기는 것을 끌어와
서 증명하였다.】

안씨(顏氏)의 아들(안연(顏淵))은 표주박과 대그릇을 잡았으며, 증삼(曾參)은 노랫소리가 금
석(金石)에서 나오는 듯하였으니, 저들은 성인을 만나 스승으로 삼아 급급히 매양 미치지 못
할 듯이 여겼다. 그리하여 외물(外物)에 진실로 미칠 겨를이 없었으니, 오히려 어찌 국얼(麴糵,
술)에 가탁하여 혼명(昏冥, 술취함)에 도피하였겠는가.【취향을 타파하였다.】 나는 또 취향(醉鄕)의
무리들이 불우함을 슬퍼하노라.【왕적(王績)과 완적, 도잠 세 사람을 합쳐 말하였기 때문에 '도(徒)' 한
글자를 더하였다.】

建中初에 天子嗣位하사 有意貞觀·開元之丕績하시니 在廷之臣이 爭言事라 當此
時하여 醉鄕之後世又以直廢하니 吾旣悲醉鄕之文辭하고 而又嘉良臣之烈하여 思
識其子孫이러니 今子之來見我也에 無所挾이라도 吾猶將張之어든【張者, 張大誇耀之
意.】 況文與行이 不失其世守하여 渾然端且厚아 惜乎라 吾力不能振之하고 而其言
이 不見信於世也라 於其行에 姑與之飮酒하노라【不脫醉鄕字.】

---

6 曾參歌聲 若出金石: 증삼(曾參) 역시 공자의 제자로, 자(字)는 자여(子輿)이다.《장자(莊子)》〈양왕(讓王)〉에 증자가
위(衛)나라에 있을 적에 지극히 곤궁하였으나 "신발을 끌고 상송(商頌)을 노래하면, 그 소리가 천지에 가득하여 마치 금속
에서 나오는 듯하였다.〔曳履而歌商頌 聲滿天地 若出金石〕"라고 보이므로 말한 것이다. 금석의 소리는 경쾌하고 분명함을
이른다.

건중(建中) 초기에 천자가 즉위하시고는 정관(貞觀)‧개원(開元) 연간의 훌륭한 치적(治績)에 뜻을 두시니, 조정에 있는 신하들이 다투어 정사(政事)에 대해 말하였다. 이때를 당하여 〈취향기〉 작자(作者)의 후손(왕함을 가리킴)이 또 직간(直諫)을 하다가 폐출을 당하니, 나는 〈취향기〉의 문장을 슬퍼하고 또 훌륭한 신하의 공렬(功烈)을 가상히 여겨 그 자손들과 알고 지낼 것을 생각하였다.

　이제 그대가 나를 보러 왔을 적에 소유한 것이 없더라도 내 오히려 장차 장려해 줄 터인데, 【'장(張)'은 넓히고 빛내는 뜻이다.】 하물며 문장과 행실이 대대로 지켜온 것을 잃지 않아 혼연(渾然)히 단정하고 또 후덕함에 있어서랴! 애석하게도 나는 힘이 그대를 진작시켜 줄 수 없고 내 말은 세상 사람들로부터 신임을 받지 못한다. 그러므로 그대가 떠날 갈 적에 우선 그대와 더불어 술을 마시는 것이다.【취향이라는 글자를 벗어나지 않았다.】

답이수재서答李秀才書

한유韓愈

● 작품개요

　　이 작품은 수재(秀才) 이사석(李師錫)에게 답한 서신이다. 이사석은 자가 도남(圖南)이다. 《창려집(昌黎集)》 권2의 〈북극일수증이관(北極一首贈李觀)〉과 권24의 〈당고태자교서이공묘지명(唐故太子校書李公墓誌銘)〉에 의하면, 작자가 25세이던 정원(貞元) 8년(792)에 함께 등과(登科)한 이관(李觀, 766~794)을 처음으로 만났고, 그 후 정원 10년에 이관이 병으로 경사(京師)에서 졸하였는데, 작중에 "고인이 된 친구인 이관 원빈이 10년 전에 오중(吳中)의 친구들과 작별한 시 여섯 장(章)을 나에게 보여주었다.〔故友李觀元賓十年之前 示愈別吳中故人詩六章〕"라고 한 내용에 근거하면, 이 서신은 정원 18년(802)에 작자가 사문박사(四門博士)로 있으면서 보낸 것으로 추측된다.

　　이 작품에 대해 명대(明代) 모곤(茅坤)의 《당송팔대가문초》에는 "작자는 이수재와 본래 친분이 없었고, 오직 원빈이 지은 시의 내용에서 그 사람을 알았을 뿐이다. 그러므로 마침내 시종 원빈에 의탁하여서 두 사람 사이의 정을 써낸 것이다.〔因與李秀才無舊 獨於元賓詩中得其人 故遂始終托元賓 以寫兩與之情〕"라고 설명하였다.

　　작품은 두 단락으로 나눌 수 있다. '유백(愈白)'부터 '유사어오원빈야(有似於吾元賓也)'까지의 첫 번째 단락은, 고인이 된 벗 이관이 10년 전에 작자에게 보여주었던 시를 언급함으로써 이관을 추억함과 동시에 상대방과의 연결점으로 삼았다. 더 나아가 상대방이 보내준 서신과 문장을 가지고 이관과 같이 훌륭한 품격을 갖추었다고 칭찬하였다. '자지언(子之言)'부터 말구(末句)까지의 두 번째 단락은, 작자와 종유(從遊)하기를 원하는 상대방에게 "고문(古文)에 뜻을 둔 것은 오직 그 문사가 좋아서일 뿐만 아니라, 그 문사 속에 담긴 도를 좋아해서일 뿐이다.〔所志於古者 不惟其辭之好 好其道

焉爾」라고 말함으로써 도(道)를 드러낸 문장은 물론 상대방과 함께 성현(聖賢)의 도(道)를 추구해 즐길 수 있음을 표명하였다.

　작자는 이른바 '고문운동(古文運動)'의 창도자로, 그가 가지고 있던 '고문(古文)'에 대한 관념이 이 서신에서도 잘 드러나 있다. 우리는 서신의 내용을 통해 작자가 '문(文)'보다 '도(道)'를 우위에 두고 있다는 사실을 알 수 있는데, 여기서 그가 말하는 도(道)는 바로 요(堯)·순(舜)으로부터 공(孔)·맹(孟)을 거쳐 이어온 유가(儒家)의 도(道)이다. 맹자(孟子)가 죽은 뒤에 단절된 도(道)를 다시 계승하여 유학을 부흥시킬 목적으로 고문운동을 주창하였던 그의 의도를 상기하며 이 작품을 음미해 볼 필요가 있을 것이다.

• 原文

　愈는 白하노라 故友李觀元賓이 十年之前에 示愈別吳中故人詩六章하니 其首章은 則吾子也니 盛有所稱引이라【句法.】 元賓이 行峻潔淸하고 其中狹隘하여 不能包容하여 於尋常人에 不肯苟有論說이라 因究其所以하니 於是에 知吾子非庸衆人이로라【字法.】 時에 吾子在吳中하고 其後에 愈出在外하여 無因緣相見이러니 元賓이 旣歿하니 其文이 益可貴重이요 思元賓而不見일새 見元賓之所與者하면 則如元賓焉이로라 今者에 辱惠書及文章하여 觀其姓名하니 元賓之聲容을 怳若相接이요【章法.】 讀其文辭하여 見元賓之知人과 交道之不汙호니 甚矣라 子之心이 有似於吾元賓也여

　한유(韓愈)는 아뢰노라. 고인(故人)이 된 친구인 이관(李觀) 원빈(元賓)이 10년 전에 오중(吳中)의 친구들과 작별한 시(詩) 여섯 장(章)을 나에게 보여주었는데, 그 첫 번째 장은 바로 그대에게 준 시였는바, 칭인(稱引, 칭찬)한 바가 대단하였다.【구법(句法)이다.】 원빈은 행실이 높고 깨끗하며, 마음이 좁아서 사람들을 포용하지 못하여 보통 사람들에 대해 구차하게 논설하려 하지 않았다. 나는 인하여 그가 이 시를 쓴 까닭을 연구하였으니, 이에 〈나는〉 그대가 평범한 사람이 아님을 알았노라.【자법(字法)이다.】

　그러나 그때에 그대는 오중에 있었고, 또 그 후에 나는 밖에 나와 있어 서로 만나볼 인연이 없었다. 그런데 원빈이 별세하자 그의 문장이 더욱 귀중해졌으며, 원빈을 그리워하여도 만나볼 수 없으므로 원빈이 더불어 교유하던 자를 만나면 원빈을 만난 듯이 반갑게 대하였다.

　이제 그대가 보내준 편지와 문장을 받고서 그대의 성명(姓名)을 보니 원빈의 목소리와 모습

　　　••• 峻 높을 준 狹 좁을 협 隘 좁을 애 尋 보통 심 常 보통 상 怳 황홀할 황 汙 더러울 오

을 황홀하게 접한 듯하며,【장법(章法)이다.】그대의 문장을 읽어보아 원빈이 인물을 알아보고 사귀는 도가 낮지 않음을 볼 수 있으니, 그대의 마음이 우리 원빈과 매우 유사하다.

子之言에 以愈所爲 不違孔子하고 不以雕琢爲工이라하여 將相從於此하니 愈敢自 愛其道하여 而以辭讓爲事乎아 然이나 愈之所志於古者는 不惟其辭之好요 好其 道焉爾라 讀吾子之辭하여 而得其所用心이면 將復有深於是者라 與吾子樂之하리 니 況其外之文乎아 愈는 頓首하노라

　그대의 말에 "나의 행실이 공자에게 위배(違背)되지 않고 문장을 아름답게 다듬는 것을 훌륭하게 여기지 않는다." 하여, 장차 서로 이곳에서 종유(從遊)하려 하는 듯하니, 내 감히 스스로 그 도(道)를 아껴 사양함을 일삼겠는가. 그러나 내가 고문(古文)에 뜻을 둔 것은 그 문사를 좋아해서일 뿐만 아니라, 그 문사 속에 담긴 도를 좋아해서이다. 그대의 문장을 읽고서 그대의 마음씀이 아마도 이보다 더 깊은 데 있으리라는 것을 알았다. 내 그대와 함께 이것을 즐거워하노니, 하물며 그 밖의 문장은 어떻겠는가! 한유는 머리를 조아리고 올리노라.

송허영주서 送許郢州序

한유 韓愈

● 작품개요

　　이 작품은 영주 자사(郢州刺史)로 부임하기 위해 떠나가는 허중여(許仲輿, 중여는 허지옹(許志雍)의
자로 보임)를 전송하며 지은 '증서(贈序)'이다. 당시 이 지역은 당 왕조의 주요 수조원(收租源)으로 산
남동도 절도관찰사(山南東道節度觀察使) 우적(于頔, ?~818)의 관할 하에 있었던 곳인바, 허중여는 우
적의 밑으로 가게 된 것이다.

　　작자는 허중여를 위해 지어준 이 증서를 통하여 우적이 가혹한 부세를 멈추도록 완곡한 언사로
설득하였다. 모두(冒頭)에서 작자는 우적과의 왕래를 언급하였는데, 특별히 예전에 보낸 서신 -〈여
우양양서〉- 의 내용을 언급하여 윗사람과 아랫사람이 서로 필수불가결한 관계임을 제시하였다. 이
어서 '자사의 일을 말함[道刺史之事]'으로써 자사와 관찰사의 사이에 서로 뜻을 통하게 하는 것이
매우 중요한 일임을 설명하며, 우적을 대상으로 삼아 풍유(諷諭)하면서도 흔적을 드러내지 않았다.

　　작자는 완곡한 표현을 위하여 본지를 드러내지 않았다. 본래는 우적에게 요구한 것이 허중여에
게 요구하는 것보다 더 중요한데도 우적과 허중여를 나란히 거론하였다. 또한 우적에게 뜻을 전달
하는 것이 주가 되고 허중여를 권면하는 것이 부수적이었으나 '증언(贈言)'하는 부분에서는 도리어
'자사의 일'로부터 시작하였고 마지막에는 '규(規)' 자를 허중여에게 귀결시켰다. 예전에 왕래하였던
서신으로부터 내용을 시작하여 우적과의 관계를 가지고 발단을 삼아 내용을 전개함에 그 태도가
공손하고 신중하며 어조가 화평하여 윗사람을 범하거나 당돌한 느낌이 전혀 없는바, 작자의 구
사(構思)가 높은 경지에 이르렀음을 보여준다고 하겠다.

篇題小註‥ 于頔(적)이 貪酷하여 賦斂苛急하니 此序는 諷諫于頔이니 文有權衡이라

〈산남동도 절도사(山南東道節度使)〉 우적(于頔)이 탐욕스럽고 혹독하여 세금을 각박하고 급하게 거둬들였으니, 이 서는 우적을 풍간(諷諫)한 것으로 글에 권형(權衡. 평가한 기준)이 있다.

• 原文

愈嘗以書로 自通於于公이 累數百言이니 其大要는 言先達之士得人而託之면 則道德彰而名聞流하고 後進之士得人而託之면 則事業顯而爵位通이어늘 下有矜乎能하고 上有矜乎位하여 雖恒相求而不相遇라하니 于公이 不以其言爲不可하고 復(복)書曰 足下之言이 是也라하니라

내 일찍이 편지로 직접 우공(于公)과 통한 것이 수백 자(字)에 이르렀는데, 그 대요(大要)는 '선달(先達, 선진)의 선비가 훌륭한 사람을 만나 의탁하면 도덕(道德)이 드러나고 명예가 후세에까지 미치며, 후진(後進)의 선비가 훌륭한 사람(선배)을 만나 의탁하면 사업(事業)이 드러나고 작위(爵位)가 현달하는데, 아랫사람은 자신의 재능을 자랑하고 윗사람은 자신의 지위를 자랑하여 비록 항상 서로 구하나 서로 만나지 못한다.'는 것이었다. 우공은 나의 말을 불가(不可)하다고 여기지 않고, 복서(復書, 답장)에 이르기를 "족하(足下)의 말이 옳다." 하였다.

于公이 身居方伯之尊하고 蓄不世之材하여 而能與卑鄙庸陋相應答을 如影響하니 是非忠乎君而樂乎善하여 以國家之務로 爲己任者乎아【欲譏刺其惡, 必先誇誦其善, 先誇誦于公之賢, 正是學孟子道齊宣王易牛事, 是心足以王矣一段,[7] 得進諫之道.】愈雖不敢私其大恩이나 抑不可不謂之知己라 恒矜而誦之하니 情已至而事不從은 小人之所不爲也라 故로 於使君之行에 道刺史之事하여 以爲于公贈하노라

---

7 孟子道齊宣王易牛事 是心足以王矣一段: 제 선왕(齊宣王)이 새로 주조한 종(鍾)에 피를 바르기 위해 소를 끌고 가는 것을 보고 이를 불쌍히 여겨 소를 양으로 바꾸라고 한 일이 있었는데, 맹자가 '이 마음이 충분히 왕 노릇 하실 수 있습니다.'라고 하여, 이 마음이 곧 측은지심(惻隱之心)의 발로임을 일깨워 주어 선왕이 왕 노릇을 하도록 진언하였다.《孟子 梁惠王 上》

우공은 자신이 방백(方伯, 관찰사)의 높은 자리에 있고 불세출의 재주를 가지고 있으면서도 낮고 비루하며 용렬하고 누추한 자(자신)와 더불어 응답하기를 그림자와 메아리와 같이 하니, 군주에게 충성하고 선(善)을 좋아하여 국가의 일을 자신의 임무로 삼는 자가 아니겠는가.【그의 악(惡)을 비방하고자 할 경우에는 반드시 먼저 그의 선(善)을 과장하여 칭송한다. 먼저 우공의 어짊을 과장스레 칭송한 것은 바로 맹자(孟子)가 제 선왕(齊宣王)에게 소와 바꾸도록 한 일을 말하고서 '이 마음이 충분히 왕 노릇 하실 수 있습니다.'라고 한 한 단락을 배웠으니, 간언(諫言)을 올리는 방도를 얻었다.】

내 비록 감히 큰 은혜를 사사로이 하지 못하나 또한 지기(知己)라고 이르지 않을 수 없다. 그리하여 항상 이것을 자랑하고 외우니, 정(情)이 이미 지극한데도 일이 따르지 않음은 소인(小人, 자신의 겸칭)이 하지 않는 바이다. 그러므로 사군(使君)이 길을 떠남에 자사(刺史)의 일을 말하여 우공에게 드리게 하노라.

凡天下之事 成於自同而敗於自異하나니 爲刺史者는 常私於其民하여 不以實應乎府하고 爲觀察使者는 恒急於其賦하여 不以情信乎州라【雖是以刺史, 觀察對說, 作句下字, 皆有權度. 一私于其民, 一急于其賦, 可見爲刺史賢, 爲觀察者不賢.】由是로 刺史不安其官하고 觀察使不得其政하여 財已竭而斂不休하고 人已窮而賦愈急하니 其不去爲盜也亦幸矣라 誠使刺史不私於其民하고 觀察使不急於其賦하여 刺史曰 吾州之民은 天下之民也니 惠不可以獨厚라하고【惠獨厚, 見刺史之仁.】觀察使亦曰 某州之民은 天下之民也니 斂不可以獨急이라하면【斂獨急, 見觀察使之不仁.】如是而政不均, 令不行者는 未之有也니라【此序本意, 欲諷觀察使于頓賦斂甚急, 刺史不能堪, 乃借刺史與觀察對說, 辭意輕重, 不待校量而知. 若獨說觀察, 則于公見之必怒矣, 此文章之妙.】

무릇 천하의 일은 스스로 함께 함에 이루어지고 스스로 달리함에 실패하는 것이니, 자사(刺史)가 된 자들은 항상 그 백성을 사사로이 봐주어서 실제로써 부(府, 관찰사부)에 응하지 않고, 관찰사(觀察使, 절도사)가 된 자들은 항상 부세(賦稅)를 걷는 것을 급히 여겨 진정(眞情)으로써 주(州)를 믿지 않는다.【비록 자사와 관찰사를 상대하여 말하였으나 구(句)를 만들고 글자를 놓은 것이 모두 권도(權度)가 있다. 하나는(자사는) 그 백성들을 사사로이 봐주고 하나는(관찰사는) 부세를 걷는 것을 급히 여기니, 자사가 된 자들은 어질고 관찰사가 된 자들은 어질지 못함을 볼 수 있다.】 이 때문에 자사는 그 관직을 편안히 여기지 못하고, 관찰사는 그 정사를 제대로 시행하지 못하여 재물이 이미 고갈되었는데도 거둠이 그치지 않고 백성들이 이미 곤궁한데도 부세의 독촉이 더욱 급하니, 백

··· 恒 항상 항 誦 외울 송 竭 다할 갈

성들이 떠나가서 도둑질하지 않는 것만도 다행이다.

　만일 자사가 그 백성을 사사로이 봐주지 않고 관찰사가 부세를 거둠을 급히 하지 않아서, 자사가 말하기를 "우리 주(州)의 백성은 천하의 백성이니, 은혜를 〈우리 주만〉 홀로 후하게 받을 수 없다."라고 하고,【'은혜를 홀로 후하게 하였다.〔惠獨厚〕'에서 자사의 어짊을 볼 수 있다.】 관찰사 또한 말하기를 "아무 주의 백성은 천하의 백성이니, 거둠을 〈이 주에서만〉 홀로 급하게 할 수 없다."라고 한다면,【'거둠을 홀로 급하게 하였다.〔斂獨急〕'에서 관찰사의 어질지 못함을 볼 수 있다.】 이와 같이 하고서 정사가 균평하지 않고 명령이 행해지지 않는 경우는 있지 않다.【이 서(序)의 본 뜻은 관찰사 우적이 세금을 너무 급하게 거두어 자사가 감당하지 못함을 풍자하고자 한 것인데, 마침내 자사와 관찰사를 빌어 상대하여 말했으니, 말뜻의 경중을 비교하여 헤아리지 않고도 알 수 있다. 만약 관찰사만을 말했다면 우공이 이 글을 보고서 반드시 노했을 것이니, 이것이 문장의 묘함이다.】

其前之言者를 于公이 旣已信而行之矣니 今之言者를 其有不信乎아 縣之於州는 猶州之於府也니 有以事乎上하고 有以臨于下하여 同則成하고 異則敗者 皆然也라 非使君之賢이면 其誰能信之리오【末又勸許公寬其縣, 其議論始公平, 辭意始圓備.】 愈於使君에 非燕遊一朝之好也라 故로 其贈行에 不以頌而以規하노라

　지난번에 내가 한 말을 우공이 이미 믿고 행하였으니, 지금 하는 말을 어찌 믿지 않겠는가. 현(縣)과 주(州)의 관계는 주(州)와 부(府)의 관계와 똑같으니, 이로써 윗사람을 섬기고 이로써 아랫사람에게 임하여, 서로 함께하면 일이 이루어지고 달리하면 실패함이 모두 그러하다. 사군(使君)의 어짊이 아니면 그 누가 능히 내 말을 믿겠는가.【끝에 또다시 허공(許公)이 그 현을 관대하게 다스리기를 권면하였으니, 그 의론이 비로소 공평하고 말뜻이 비로소 완비되었다.】 나는 사군에게 있어 잔치하고 노는 하루아침의 우호(友好)가 아니다. 그러므로 사군이 떠나갈 적에 글을 지어 주기를 칭송으로써 하지 않고 타이름으로써 하는 것이다.

증최복주서 贈崔復州序

한유 韓愈

• 작품개요

　이 작품은 작자가 감찰어사(監察御史)로 있었던 정원(貞元) 19년(803)에 지어졌다. '최복주'는 성명과 생평이 미상으로, 이때 복주 자사(復州刺史)가 되었기 때문에 이렇게 칭한 것이다. 최복주가 임지로 떠나가려고 할 적에 작자가 이 증서를 지어 전송하였다. 작품의 주지는, 최복주에게 청렴하고 명정(明正)한 지방관이 되어서 가렴주구를 막아 복주의 백성이 안식할 수 있도록 권면한 것이다.

　복주(復州)는 당시 산남동도(山南東道)에 속하였는바, 관찰사 우적(于頔)의 관할 하에 있었다. 편차로 보면 이 작품은 〈송허영주서〉 다음에 지어진 것인데, 작자의 본래 의도는 〈송허영주서〉와 마찬가지로 우적에게 넌지시 간하여 폭정과 가렴주구를 그만두도록 하려는 것이었다.

　작품은 세 단락으로 나눌 수 있다. '유지수백리(有地數百里)'부터 '역영의(亦榮矣)'까지의 첫 번째 단락은, 자사의 영화로움에 대해서 말하였는데, 이는 다음 단락을 위한 유력한 바탕이 된다. '수연(雖然)'부터 '난위야(難爲也)'까지의 두 번째 단락은, '수연(雖然)'으로 한번 전환하여 '자사 노릇하기 어려움〔刺史之難爲〕'을 말하였는데, 간접적으로 우적을 끌어들여 은미한 말로 풍간하였다. '최군(崔君)'부터 말구(末句)까지의 세 번째 단락은, 최복주와 우적에 대한 칭송과 선양으로 선회하였는바, 조사(措辭)가 매우 완곡하고 적절하다. 최복주에 대해서는 '인(仁)'자와 '소(蘇)'자를 사용하여 찬양하였고, 우적에 대해서는 '현(賢)'자와 '용(庸)'자를 써서 찬양하였다. 그러나 이는 표면적인 것이고 실은 그들에게 이렇게 하도록 책임을 지워 요구한 것이다. 마지막으로 우적·최복주와의 개인적인 친분을 서술함으로써 그들에 대한 칭송과 선양이 모두 제대로 알아보고 한 것임을 밝히고 있다.

　작품은 칭송하고 선양하는 가운데에 은근히 벼슬살이의 어려움을 표현해 드러냄으로써 최복주와 우적을 일깨워 자신들이 담당한 중임(重任)을 자각하고 의식하도록 하였다. 작자는 자사의 영화로움에 대해서 기술한 다음 자사의 임무를 제대로 수행하기 어려움에 대해 중점적으로 기술하였다. 백성은 직접 관부에다 하소연하지 못하고, 현령은 민정(民情)을 감추고 제대로 보고하지 않으며, 절도사는 또 자사를 신임하지 않으니, 자사가 청렴하고 명정(明正)한 정치를 펼쳐서 백성의 곤궁함을 구제하고 급박한 부세를 막고자 하여도 이는 매우 어려운 일이 된다. 여기서 '난위(難爲)'라고 한 작자의 본래 의도는, 바로 최복주가 곤란함을 알면서도 무릅쓰고 나아가 복주 자사로 있으면서 훌륭한 치적을 쌓기를 바란 것이다. 복주 자사가 자사 노릇하기 어려운 원인은 다름 아닌 산남동도 절도사 우적의 횡포이다. 이 때문에 작품의 가장 마지막 한 단락에서 "우공의 어짊은 충분히 최군을 등용할 만하다.〔于公之賢 足以庸崔君〕"라고 하였는데, 우적을 찬미하는 이 말에는 풍간의 의도가 담겨있는바, 우적이 폭정과 가렴주구를 멈출 것을 바라고 있는 것이다. 이 부분은 풍간이지 풍자가 아니기 때문에 필봉(筆鋒)을 누그러뜨려 문사가 완곡하다.

篇題小註‥ 此亦諷于頔이니 與上篇同意라

이 또한 우적(于頔)을 풍간한 것이니, 윗편과 뜻이 같다.

• 原文

有地數百里하고 趨走之吏 自長史‧司馬以下[數十人]⁸이요 其祿이 足以仁其三族하고 及其朋友‧故舊하며 樂乎心이면 則一境之人喜하고 不樂乎心이면 則一境之人懼하나니 大丈夫官至刺史면 亦榮矣라

수백 리의 땅을 소유하고 종종걸음으로 달려와 받드는 관리들이 장사(長史)와 사마(司馬)로부터 이하 수십 명이 있으며, 그 녹봉이 족히 삼족(三族)을 따뜻하게 할 수 있고 붕우(朋友)와 고구(故舊)에 미치며, 마음에 즐거우면 한 경내(境內)의 인민들이 기뻐하고, 마음에 즐겁지 않으면 한 경내의 인민들이 두려워하니, 대장부의 벼슬이 자사(刺史)에 이르면 또한 영화로운 것이다.

---

8 〔數十人〕: 저본에는 없으나 《창려선생집(昌黎先生集)》과 《당송팔대가문초(唐宋八大家文鈔)》에 의거하여 보충하였다.

雖然이나 幽遠之小民은 其足跡이 未嘗至城邑하니 苟有不得其所라도 能自直於鄉里之吏者鮮矣니 況能自辨於縣吏乎아 能自辨於縣吏者鮮矣니 況能自辨於刺史之庭乎아【此一段, 非知田里小民之疾苦者, 不能言. ○添之庭二字, 句便不凡.】由是로 刺史有所不聞하고 小民이 有所不宣이라 賦有常而民産無常하고 水旱癘疫之不期하니 民之豐約이 懸於州어늘 縣令不以言하고 連帥不以信하여 民就窮而斂愈急하니 吾見刺史之難爲也로라

그러나 아득히 멀리 있는 소민(小民, 백성)들은 그 발자취가 일찍이 성읍(城邑)에 이른 적이 없으니, 설령 살 곳을 얻지 못하더라도 능히 스스로 향리(鄉里)의 아전에게 자신의 뜻을 직접 펴는 자가 적은데, 하물며 현리(縣吏)에게 따지겠는가. 현리에게 스스로 따지는 자도 적은데 하물며 자사의 뜰에서 따지겠는가.【이 한 단락은 전리(田里)의 백성의 고통에 대해 아는 자가 아니면 말할 수 없다. ○'지정(之庭)' 두 글자를 더하였으니, 구(句)가 범상하지 않다.】이 때문에 자사가 듣지 못하는 바가 있고, 소민들이 뜻을 펴지 못하는 바가 있는 것이다.

부세는 일정한데 백성들의 재산은 일정함이 없으며, 수재(水災)와 한해(旱害), 염병이 기약 없이 이른다. 백성이 잘살고 못사는 것이 주(州)에 달려 있는데, 현령(縣令)은 이것을 말하지 않고 연수(連帥, 절도사)는 이것을 믿지 않아서 백성이 곤궁하게 되어도 부세를 거두기를 더욱 급히 하니, 나는 자사 노릇하기 어려움을 알겠다.

崔君이 爲復州하니 其連帥는 則于公이라 崔君之仁이 足以蘇復人이요 于公之賢이 足以庸崔君이니 有刺史之榮而無其難爲者 將在於此乎인저 愈嘗辱于公之知하고 而舊遊於崔君일새 慶復人之將蒙其休澤也하여 於是乎言하노라【此篇措辭婉曲, 用意直切, 得諷體.】

최군(崔君)이 복주 자사가 되었으니, 그 연수(連帥)는 바로 우공(于公)이다. 최군의 인자함은 능히 복주의 백성을 소생시킬 수 있고, 우공의 어짊은 충분히 최군을 등용할 만하니, 자사의 영화를 누리면서 자사 노릇하기 어려움이 없음은 장차 여기에 있을 것이다. 나는 일찍이 우공의 인정을 받았고 예로부터 최군과 종유하였으므로 복주의 백성이 장차 아름다운 은택을 입을 것을 경하하여 이에 말하노라.【이 편은 글을 씀이 완곡하고 의도가 직절(直切)하여 풍간하는 체(體)를 얻었다.】

⋯ 幽 그윽할 유 鮮 적을 선 癘 염병 려 疫 돌림병 역 約 곤궁할 약 帥 장수 수 蒙 입을 몽

독이고문讀李翱文

구양수歐陽脩

• 작품개요

이 작품은 일종의 독후감으로, 이고(李翱, 772~841)의 글을 읽고 난 뒤에 감상을 적은 것이다. 이고는 중당(中唐) 시기의 산문가이자 철학가로 한유(韓愈, 768~824)의 문생인데 당시에 상당히 문명(文名)이 있었다. 작자는 송 인종(宋仁宗) 경우(景祐) 3년(1036)에 이릉령(夷陵令)으로 폄적되어 부임하러 가는 도중에 이 작품을 지었다.

작품은 크게 세 단락으로 구성되어 있다. '여시독(予始讀)'부터 '상하기론야(上下其論也)'까지의 첫 번째 단락은, 이고의 〈복성서(復性書)〉와 〈여한시랑천현서(與韓侍郎薦賢書)〉·〈유회부(幽懷賦)〉에 대한 감상을 차례대로 기록하였다. '황내고일시(況迺翱一時)'부터 '기유란여망재(豈有亂與亡哉)'까지의 두 번째 단락은, 〈유회부〉의 어떤 내용이 자신을 감동시켰는지에 대하여 구체적으로 서술해 밝히면서 한유의 문장을 끼워 넣어 대조하였다. 대조를 통해 부각하는 기법을 사용하였기 때문에 행문이 더욱 곡절이 있으며, 이고에 대한 칭송 역시 더욱 높아진다. '연고행(然翱幸)'부터 말구(末句)까지의 세 번째 단락은, 이고가 처하였던 시대 상황을 북송 당시의 상황과 연계시켜 개탄하고 있다.

이 작품의 주지는 이고의 문장을 평가하는 데에 있지 않고, 이고의 문장을 평가하는 것을 빌려서 이고의 사람됨을 칭찬함과 동시에 세상에 대한 우려와 혁신을 저해하는 보수파 정치인들에 대한 울분을 쏟아낸 것이다. 작자가 당나라의 혼란과 멸망을 애석하게 여긴 것은 바로 당시의 송나라를 애석하게 여긴 것이며, 이고의 부(賦)를 칭찬한 것은 자신의 감정을 펼치기 위한 것이었다. 작자는 정권을 담당한 자들이 시국에 대해 근심하지 않고 개혁을 주장하는 사람들을 매도한다고 생각하였기에 가장 마지막 부분에서 "아! 높은 지위에 있으면서 스스로 근심하려 하지 않고, 또 타인들을 금하여 모두 근심하지 못하게 하니, 한탄스러운 일이다.〔嗚呼 在位而不肯自憂 又禁他人使皆不得憂 可歎也〕"라고 하였다. 이는 작품의 점정(點睛)으로 주지를 드러내었다고 하겠다.

일찍이 명대(明代)의 모곤(茅坤)은 이 작품에 대해 "그 배태(胚胎)가 오로지 당시의 일에 대해 느낀 바에 있는데, 득히 중요한 부분은 세상의 일에 대해 분개한 것이다.〔其結胎全在感當時事上 歸重 於憤世〕"라고 평가하였다. 이를 통해 시국에 대한 우려와 불합리한 세상사에 대한 분노가 작품의 근간임을 재차 확인할 수 있다.

• 原文

子始讀復性書三篇하고 曰 此는 中庸之義疏爾라 智者는 識其性이니 當復中庸이
요 愚者는 雖讀此라도 不曉也리니 不作이라도 可焉이로라 又讀與韓侍郞薦賢書하고 以
謂翺特窮時에 憤世無薦己者라 故로 丁寧如此하니 使其得志면 亦未必然이라하여
以翺로 爲秦, 漢間好事行義之一豪儁(俊)이요 亦善論人者也라호라 最後에 讀幽
懷賦然後에 置書而嘆不已하고 復讀不自休하여 恨翺不生於今하여 不得與之交하
고 又恨子不得生翺時하여 與翺上下其論也로라

나는 처음 이고(李翺)의 〈복성서(復性書)〉 세 편(篇)을 읽고 생각하기를 '이는 《중용(中庸)》의 의소(義疏, 주석)이다. 지혜로운 자는 그 성(性)을 알고 있으니 마땅히 중용(中庸)을 회복할 것이요, 어리석은 자는 비록 이 글을 읽더라도 알지 못할 것이니, 이 글은 짓지 않더라도 괜찮다.' 하였으며, 또 〈여한시랑천현서(與韓侍郞薦賢書)〉를 읽고는 생각하기를 '이고가 다만 곤궁할 때에 세상에 자신을 천거해 주는 자가 없음을 분하게 여겼으므로 이와 같이 간곡했던 것이니, 가령 그가 뜻을 얻었다면 또한 반드시 이렇게 하지는 않았을 것이다.'라고 하여, 이고를 진(秦)·한(漢) 시대에 일을 좋아하고 의(義)를 행하는 한 호준(豪俊)이며 또한 인물을 잘 평론한 자라고 여겼었다.

마지막으로 그의 〈유회부(幽懷賦)〉를 읽은 뒤에야 책을 덮고 감탄해 마지않았고 계속해서 다시 읽으면서 이고가 지금 세상에 태어나지 않아 그와 더불어 교유할 수 없음을 한하였고, 또 내가 이고의 때에 태어나지 못하여 그와 더불어 토론하지 못함을 한하였다.

••• 曉 깨달을 효 翺 날 고 特 다만 특 憤 성낼 분 儁 준걸 준

況洎翶一時에 有道而能文者 莫若韓愈하니 愈嘗有賦⁹矣로되 不過羨二鳥之光
榮하고 歎一飽之無時爾니 推是心인대 使光榮而飽면 則不復云矣리라 若翶는 獨不
然하여 其賦曰 衆囂囂而雜處兮여 咸歎老而嗟卑로다 視予心之不然兮여 慮行道
之猶非로다 怪神堯以一旅取天下어늘 後世子孫이 不能以天下取河北以爲憂라하
니 嗚呼라 使當時君子 皆易(역)其歎老嗟卑之心하여 爲翶所憂之心이런들 則唐之
天下豈有亂與亡哉아

하물며 이고와 동시대의 인물로 도(道)가 있으면서 문장을 잘한 자는 한유(韓愈)만한 이가
없었는데, 한유도 일찍이 지은 부(賦)가 있었으나 두 마리 새의 영광을 부러워하고 자신은 한
번도 배부를 때가 없음을 탄식함에 불과하였으니, 이 마음을 미루어 본다면 한유가 가령 영
광스럽고 배불렀다면 다시는 이렇게 말하지 않았을 것이다.

그런데 이고로 말하면 홀로 그렇지 않아 그의 〈유회부〉에 이르기를 "여러 사람들이 시끄럽
게 떠들며 뒤섞여 처함이여! 모두 늙음을 한탄하고 낮은 지위를 서글퍼한다. 살펴보건대 내
마음은 그렇지 않아 도를 행함이 오히려 잘못될까 염려한다."라고 하였고, 또 "신요(神堯, 당 고
조(唐高祖))는 한 무리의 군대로써 천하를 취하였는데, 후세의 자손들은 천하로써 하북(河北)
지방을 취하지 못하여 이것을 근심함을 괴이하게 여긴다."라고 하였다.

아! 슬프다. 당시 군자(君子)들이 모두 늙음을 한탄하고 낮은 지위를 서글퍼하는 마음을 바
꾸어 이고가 걱정한 바의 마음으로 삼았더라면, 당나라의 천하에 어찌 혼란과 멸망이 있었겠
는가.

然이나 翶幸不生今時하니 見今之事면 則憂又甚矣리니 奈何今之人은 不憂也오 余
行天下하여 見人이 多矣로니 脫有一人能如翶憂者면 又皆疏遠하여 與翶無異하고
其餘光榮而飽者는 一聞憂世之言이면 不以爲狂人則以爲病[癡]¹⁰子라하여 不怒
則笑之矣라 嗚呼라 在位而不肯自憂하고 又禁他人하여 使皆不得憂하니 可歎也夫
인저

---

9 愈嘗有賦: 한유(韓愈)가 지은 〈이조부(二鳥賦)〉를 이른다. 한유는 28세에 장안(長安)에서 뜻을 얻지 못하고 돌아오
던 중 황제에게 진상할 백조(白鳥)와 흰 구욕새[鸜鵒]를 보았는데, 사람들이 모두 길을 피해 주고 감히 똑바로 보지도 못하
였다. 이에 한유는 이 부를 지어 두 새만도 못한 자신의 신세를 한탄하였다.

10 〔癡〕: 저본에는 '치(癡)' 자가 빠져 있으나 사고전서본 《구양문충집》에 의거하여 보충하였다.

··· 洎 이에 계 羨 부러워할 선 囂 시끄러울 효 嗟 한탄할 차 旅 군대 려 脫 혹시 탈 癡 바보 치

그러나 이고는 다행히 지금 세상에 태어나지 않았으니, 만일 〈지금 세상에 태어나〉 지금의 일을 보았다면 근심이 더욱 심하였을 것이다. 그런데 어찌하여 지금 사람들은 근심하지 않는가?

내 천하를 돌아다니면서 많은 사람을 보았는데, 설령 한 사람이라도 이고처럼 나라를 근심하는 자가 있으면 또 모두 소원함을 당하여 그 처지가 이고와 다름이 없고, 그 나머지 영광스럽고 배부른 자들은 한번 세상을 걱정하는 말을 들으면 미친 사람이라고 여기지 않으면 바보라고 배척하여 노여워하지 않으면 비웃는다.

아! 높은 지위에 있으면서 스스로 근심하려 하지 않고, 또 타인들을 금하여 모두 근심하지 못하게 하니, 한탄스러운 일이다.

소심문小心文

此集은 才, 學, 識三高하고 議論關世敎하니 古之立言不朽者 如是夫인저 葉水心曰 文章이 不足關世敎면 雖工無益也라하니 人能熟此集이면 學進, 識進而才亦進矣리라

이 종자집(種字集)은 재주와 학문, 식견 세 가지가 모두 높고 의론이 세교(世敎)에 관계되니, 옛날에 훌륭한 글을 지어 불후한 자는 이와 같았다. 섭수심(葉水心, 섭적(葉適))은 "문장이 세교에 관계되지 못하면 비록 잘하더라도 유익함이 없다." 하였으니, 사람들이 이 종자집을 익숙히 읽으면 학문이 진전되고 식견이 진전되고 재주 또한 진전될 것이다.

••• 關 관계할 관 朽 썩을 후 葉 성 섭

유자후묘지 柳子厚墓誌

한유韓愈 한문공韓文公

• 작품개요

　　이 작품의 원제목은 〈유자후묘지명(柳子厚墓誌銘)〉으로,《고문진보》부록에는 전편(全篇)이 아닌 일부분만 실려 있는바, 본서에서는 전편을 번역하였음을 밝혀 둔다.

　　작자는 고인이 된 벗 유종원(柳宗元)을 위하여 이 글을 지었다. '묘지명(墓誌銘)'이란 죽은 자의 평생 사적과 중요한 성취를 개괄해 기술하여 빗돌에 새기는 것으로, 그 빗돌을 묘 부근에 세우기도 하며 혹은 묘혈(墓穴)에 함께 묻기도 한다. 당 덕종(唐德宗) 원화(元和) 14년(819) 11월에 유종원이 유주 자사(柳州刺史)로서 세상을 떠났는데, 이때 작자는 조주 자사(潮州刺史)에서 원주 자사(袁州刺史)로 부임하던 도중에 〈제유자후문(祭柳子厚文)〉을 지어서 애통함을 표현하였다. 그리고 이듬해에 이 작품을 지어서 유종원의 일생을 개괄하였는데, 특히 그의 정치적 재능을 대단히 긍정적으로 평가하는 데에 중점을 두어 '재주가 세상에 쓰이지 못하고 도(道)가 당시에 행해지지 못함(材不爲世用 道不行於時)'을 애석하게 여겼다. 아울러 유종원이 남긴 뛰어난 문장들이 틀림없이 후세에 전해질 수 있을 것이라고 단정하였다.

　　작품 전체는 일곱 단락으로 나눌 수 있다. '자후휘종원(子厚諱宗元)'부터 '개당세명인(皆當世名人)'까지의 첫 번째 단락은, 유종원의 가세(家世)에 대해 서술하였는데 특히 효행과 강직(剛直)함이 뛰어나 가풍(家風)에 중점을 두었다. 마지막에 '더불어 교유한 자가 모두 당대의 명인(名人)들이었다(所與遊皆當世名人)'라고 한 부분은 아래 단락의 복선이 된다. '자후소정민(子厚少精敏)'부터 '교구천예지(交口薦譽之)'까지의 두 번째 단락은, 유종원이 소년 시절에 영민하였음을 서술하고 아울러 여러 요인(要人)이 서로 칭찬하였던 것을 가지고 유종원이 함께 교유한 자들이 모두 당대의 명인이었음을 보여주었다. '정원십구년(貞元十九年)'부터 '실유법도가관(悉有法度可觀)'까지의 세 번째 단락은, 먼저 의도적으로 사실을 노출시키지 않는 완곡한 표현법으로 유종원이 폄적되었던 사건에 대해 기술하고 이어서 그의 학문과 문장이 매우 뛰어나고 치적이 훌륭하였음을 언급하였다. '기소지경사(其召至京師)'부터 '역가이소괴의(亦可以少愧矣)'까지의 네 번째 단락은, '자기가 맡은 유주를 가지고 파주와 바꾸려고 한[以柳易播]' 유종원의 바람으로부터 "선비가 곤궁하여야 절의를 볼 수 있다.[士窮乃見節義]"라는 가치적 판단을 이끌어내어 당시의 염량세태를 비판하는 태도를 드러내었다. '자후전시소년(子厚前時少年)'부터 '필유능변지자(必有能辨之者)'까지의 다섯 번째 단락은, 유종원의 일생에 있어서 그 '득실(得失)'을 총괄적으로 평하면서, 유종원이 세상에 제대로 쓰이지 못함을 한스럽게 여기면서도 그의 훌륭한 학문과 문장들이 틀림없이 세상에 전해질 것이라고 긍정적으로 예측하였다. '자후이원화십사년(子厚以元和十四年)'부터 '서기유종시자(庶幾有終始者)'까지의 여섯 번째 단락은, 유종원의 후사(後嗣)와 귀장(歸葬)의 정황에 대해서 기술하였다. 일곱 번째 단락은 '명왈(銘曰)'이하 세 구의 명사(銘辭)이다. 매우 짧은 명사이지만 마지막 구의 '이리기사인(以利其嗣人)'은, 작자를 포함한 여러 벗에게 어린 자식을 부탁하고 세상을 떠났던 유종원의 넋을 충분히 달래 줄 수 있다.

묘지명이라는 문체는 그 성질 상 전기(傳記)와 유사하지만 상대적으로 장중하고 엄숙하다. 일반적인 묘지명의 체례는 '기사(紀事)'를 주로 한다. 그러나 이 작품은 붕우간의 정의를 중심으로 삼아 유종원의 훌륭한 풍모와 절개를 상세히 기술하고 세속을 통렬히 배척한 데에 그 특징이 있다. 작자는 유종원의 평생 사적에 대한 종합적이고 개략적인 서술을 통하여 그의 문장과 학문, 정치적 재능 및 도덕적 품행을 찬양하는 한편 유종원이 배제를 당해 장기간 폄적되어 매우 곤궁하였던 사실에 대해서는 깊고도 간절한 동정을 표하였다. 작품은 전체적으로 서사와 의론을 적절히 안배하여 자유롭게 기술함으로써 전통적 비지문과는 궤를 달리하는 특수한 풍격을 이루었다. 참고로 '주식징축(酒食徵逐)'이나 '낙정하석(落穽下石)' 등 유명한 성어의 출전은 바로 이 작품이다.

• 原文

〈子厚는 諱宗元이니 七世祖慶이 爲拓跋魏侍中하여 封濟陰公하고 曾伯祖奭이 爲唐宰相하여 與褚遂良, 韓瑗으로 俱得罪武后하여 死高宗朝하다 皇考는 諱鎭이니 以事母로 棄太常博士하고 求爲縣令江南이러니 其後에 以不能媚權貴하여 失御史라가 權貴人死에 乃復拜侍御史하니 號爲剛直이요 所與遊皆當世名人이라

자후(子厚)는 휘(諱)가 종원(宗元)이다. 7세조(世祖) 경(慶)이 탁발위(拓跋魏, 북위(北魏))의 시중(侍中)이 되어 제음공(濟陰公)에 봉해졌으며, 증백조(曾伯祖)인 석(奭)은 당나라의 재상이 되어 저수량(褚遂良)·한원(韓瑗)과 함께 무후(武后)에게 죄를 얻어 고종(高宗) 때에 죽었다. 황고(皇考)는 휘가 진(鎭)이니, 어머니를 섬기기 위하여 태상박사(太常博士)를 버리고 강남(江南)의 현령이 되기를 청하였는데, 그 후 권귀(權貴)한 자에게 아첨하지 못하여 어사(御史)를 잃었다가 권귀한 사람이 죽자, 다시 시어사(侍御史)에 제수되었는데, 강직하다고 이름났으며 더불어 교유한 자가 모두 당대의 명인(名人)들이었다.

子厚少精敏하여 無不通達이라 逮其父時에 雖少年이나 已自成人하여 能取進士第하여 嶄然見頭角하니 衆謂柳氏有子矣러니 其後에 以博學宏辭로 授集賢殿正字하다 儁傑廉悍하며 議論이 證據今古하고 出入經史百子하여 踔(탁)厲風發하여 常屈其座人하니 名聲大振이라 一時皆慕하여 與之交하여 諸公要人이 爭欲令出我門下하여 交口薦譽之하니라

자후는 어려서부터 정민(精敏)하여 통달하지 못한 것이 없었다. 아버지가 살아계실 때에 비록 소년이었으나 이미 스스로 덕과 재능을 갖춘 사람이어서 진사(進士)에 급제하여 우뚝이 두각을 나타내니, 사람들은 유씨(柳氏) 집안에 훌륭한 아들을 두었다고 말하였다. 그 뒤에 박학굉사과(博學宏辭科)로 집현전 정자(集賢殿正字)에 제수되었는데, 준걸스럽고 염한(廉悍, 용감)하였으며 의론이 고금(古今)을 증거하고 경사(經史)와 제자백가(諸子百家)에 출입하였다. 의론이 호방하고 종횡무진하여 항상 좌중을 굴복시키니, 명성이 크게 떨쳐졌다. 이 때문에 당시 사람들이 모두 사모하여 그와 더불어 교유하려 하여 여러 왕공(王公)과 요인(要人)들이 다투어 자기의 문하에 나오게 하려고 해서 서로 입을 모아 천거하고 칭찬하였다.

貞元十九年에 由藍田尉하여 拜監察御史하고 順宗卽位에 拜禮部員外郎이러니 遇用事者得罪[1]하여 例出爲刺史하고 未至에 又例貶州司馬라 居閑에 益自刻苦하여 務

---

1 遇用事者得罪 : '용사(用事)'는 권력을 잡고 일하는 것으로, 순종(順宗)이 즉위한 다음 권력을 잡은 왕숙문(王叔文)·왕비(王伾)·위집의(韋執誼) 등을 이른다. 이때 유종원(柳宗元)·유몽득(劉夢得) 등의 문사(文士)들은 왕숙문의 주선으로 크게 등용되었으나, 순종이 갑자기 중풍이 들어 일찍 죽는 바람에 모두 죄를 받아 쫓겨나거나 사사(賜死)되었다. 이때 감찰어사(監察御史)였던 유종원은 소주 자사(韶州刺史)로 좌천되었다가 다시 영주(永州)의 사마(司馬)로 전락되었다.

··· 逮 미칠 체　嶄 높을 참　宏 클 굉　儁 준걸 준　廉 청렴할 렴　悍 굳셀 한　踔 뛰어날 탁
厲 굳셀 려　貶 깎을 폄

記覽하며 爲詞章에 汎濫停蓄하여 爲深博하여 無涯涘하고 而自肆於山水間하니라 元和中에 嘗例召至京師러니 又偕出爲刺史할새 而子厚得柳州라 既至에 歎曰 是豈不足爲政邪아하고 因其土俗하여 爲設教禁하니 州人順賴라 其俗이 以男女質錢하여 約不時贖하여 子本相侔면 則沒爲奴婢라 子厚與設方計하여 悉令贖歸호되 其尤貧하여 力不能者는 令書其傭하여 足相當이면 則使歸其質하니 觀察使下其法於他州하여 比一歲에 免而歸者且千人이라 衡湘以南에 爲進士者 皆以子厚爲師하니 其經承子厚口講指畫하여 爲文詞者 悉有法度可觀이러라〉

정원(貞元) 19년(803)에 남전 위(藍田尉)로 있다가 감찰어사(監察御史)에 제수되었다. 순종(順宗)이 즉위하자 예부 원외랑(禮部員外郞)에 제수되었는데, 권력을 잡고 있던 자가 죄를 얻게 되어 준례에 따라 자사(刺史)로 나갔고, 부임하기도 전에 또 준례에 따라 영주 사마(永州司馬)로 좌천되었다. 한동안 한가로이 거처하자 더욱 스스로 각고(刻苦)하여 많은 것을 보고 기억하는 데에 힘썼으며, 문장을 지음에 널리 범람하고 함축하여 깊고 넓어 끝이 없었으며, 산수간(山水間)에 마음껏 노닐었다.

원화(元和) 연간에 일찍이 준례에 따라 경사(京師)로 불려 왔다가 또 함께 나가 자사가 되었는데, 자후는 유주(柳州)를 얻게 되었다. 자후는 유주에 부임한 다음 탄식하기를 "이 어찌 정사를 할 수 없겠는가." 하고는 지방의 풍속을 따라 교화와 금령을 시행하니, 고을 사람들이 순종하여 선량해졌다.

이 지방 풍속은 자녀를 인질로 잡히고 돈을 빌렸는데, 제때에 빚을 갚지 못하여 이자와 본전이 서로 같아지면 몰수하여 노비(奴婢)를 삼기로 약속하였다. 자후는 여러 사람들과 방책(方策)을 세워 모두 돈을 갚고 돌아오게 하였는데, 특히 가난하여 갚을 힘이 없는 자들은 그 품삯을 기록하게 하여 상당하는 값에 차면 그 인질을 돌려보내게 하였다. 관찰사가 이 방법을 다른 주(州)에 내려 시행하였는데, 1년이 되자 노비를 면하고 돌아온 자가 거의 천 명에 이르렀다.

형산(衡山)과 상수(湘水) 이남 지방에 진사(進士)가 된 자들은 모두 자후를 스승으로 삼으니, 자후가 입으로 강(講)하고 손가락으로 지휘함을 거쳐 문장을 짓는 자들이 모두 법도가 있어서 볼 만하였다.

其召至京師而復爲刺史也에 中山劉夢得禹錫이 亦在遣中하여 當詣播州라 子厚泣曰 播州는 非人所居요 而夢得이 親在堂하니 吾不忍夢得之窮하여 無辭以白其

大人²이요 且萬無母子俱往理라 請於朝하여 將拜疏하여 願以柳易播하고 雖重得罪死라도 不恨이라하더니 遇有以夢得事白上者³하여 夢得이 於是에 改刺連州하니라

    그가 경사로 불려 왔다가 다시 자사가 되었을 석에 중산(中山) 유몽득(劉夢得) 우석(禹錫)도 자사로 파견되는 명단에 들어 파주(播州)로 나가게 되었다. 자후는 눈물을 흘리며 말하기를 "파주는 사람이 살 수 있는 곳이 아닌데 유몽득은 모친이 당상(堂上)에 계신다. 나는 유몽득이 곤궁하여 그 대인(大人, 어머니)에게 아뢸 말이 없음을 차마 볼 수가 없으며, 또 모자(母子)가 함께 갈 리가 만무하다. 내 조정에 장차 상소를 올려 유주와 파주를 서로 바꿀 것을 청원하고, 비록 이 때문에 거듭 죄를 얻어 죽더라도 한하지 않겠다."라고 하였다. 그런데 마침 유몽득의 일을 상(上, 황제)에게 아뢴 자가 있어 유몽득이 이에 연주(連州)의 자사로 바뀌게 되었다.

嗚呼라 士窮에 乃見節義하나니 今夫平居里巷相慕悅하고 酒食遊戲相徵逐하여 詡(후)詡强笑語하여 以相取下하고 握手出肺肝相示하며 指天日涕泣하여 誓生死不相背負하여 眞若可信이라가 一旦에 臨小利害僅如毛髮比하여는 反眼若不相識하고 落陷穽호되 不一引手救하고 反擠之하며 又下石焉者 皆是也라 此宜禽獸夷狄所不忍爲어늘 而其人이 自視以爲得計하나니 聞子厚之風이면 亦可以少愧矣리라

    아! 선비가 곤궁하여야 절의(節義)를 볼 수 있는 것이다. 평소 마을에서 서로 사모하고 좋아하며 술과 밥을 나눠 먹고 유희(遊戲)하며 서로 왕래하며 억지로 웃고 말하면서 서로 몸을 낮추며, 손을 잡고 폐(肺)와 간(肝)을 빼서 보여줄 것처럼 행동하며 하늘의 태양을 가리키고 눈물을 흘리며 '죽으나 사나 서로 저버리지 말자'라고 맹세하여 참으로 믿을 만한 것처럼 보인다. 그러나 하루아침에 겨우 모발(毛髮)에 비할 만한 작은 이해(利害)를 만나면 반목(反目)하여 서로 모르는 체하고 함정에 빠져도 한 번 손을 내밀어 구원하지 않고 도리어 떠밀고 또 돌을 떨어뜨리는 자들이 대부분이다. 이는 금수(禽獸)와 이적(夷狄)들도 차마 못하는 짓인데, 사람들은 스스로 좋은 계책이라고 여긴다. 그러나 이런 사람들도 자후의 풍도(風度)를 듣는다면

---

2 大人: 일반적으로 남의 부친(父親)을 높여 존칭하는 것이나, 여기서는 그의 어머니를 칭한 것이다.

3 有以夢得事白上者: 당시 어사중승(御史中丞)으로 있던 배도(裴度)가 유몽득의 딱한 사정을 아뢰어 연주 자사(連州刺史)로 바꾸라는 명령이 내리게 되었다.

••• 白 아뢸 백 詡 자랑할 후 握 쥘 악 肺 허파 폐 肝 간 간 僅 겨우 근 陷 빠질 함 穽 함정 정 擠 밀칠 제

다소 부끄러워할 것이다.

子厚前時少年에 勇於爲人하여 不自貴重顧藉하고 謂功業可立就라 故로 坐廢退하고【子厚黨附王伾·王叔文, 得罪, 貶永州司馬.[4]】既退에 又無相知有氣力得位者推挽이라 故로 卒死於窮裔하여【子厚終于柳州刺史.】材不爲世用하고 道不行於時也하니 使子厚在臺省時에 自持其身을 已能如司馬, 刺史時런들 亦自不斥이요 斥時에 有人力能擧之면 且必復用不窮이리라 然이나 子厚斥不久, 窮不極이면 雖有出於人이나 其文學辭章이 必不能自力以致必傳於後를 如今이 無疑也리니【三節議論, 有斷制, 有回幹, 有馳驟, 意氣激昂, 光彩燦爛, 一節高一節, 文章之妙.】雖使子厚得所願하여 爲將相於一時라도 以彼易此에 孰得孰失고 必有能辨之者리라

자후가 예전 소년 시절에 남을 위하는 일에 용감하여 자신을 귀중히 여기거나 돌보지 않았으며, 공업(功業)을 당장에 성취할 수 있다고 생각하였다. 이 때문에 연좌되어 폄출(貶黜)되었고,【자후는 왕숙문(王叔文)과 왕비(王伾)의 당에 붙었다가 죄를 얻어 영주 사마(永州司馬)로 폄직되었다.】물러난 뒤에는 또 아는 자 중에 힘(권력)이 있고 지위를 얻은 자가 천거해줌이 없었다. 이 때문에 끝내 궁벽한 변방에서 죽어【자후는 끝내 유주 자사(柳州刺史)로 있다가 죽었다.】재주가 세상에 쓰이지 못하고 도(道)가 당시에 행해지지 못하였다.

가령 자후가 대성(臺省)에 있을 때에 자기 몸을 지키기를 사마와 자사로 있을 때와 같이 하였다면 스스로 배척당하지 않았을 것이요, 배척당하였을 때에 천거해 줄 만한 힘이 있는 자가 있었다면 또 반드시 다시 등용되어 곤궁하지 않았을 것이다.

그러나 자후가 배척당한 지가 오래지 않고 곤궁함이 지극하지 않았더라면 비록 남보다 출중하더라도 그 문학과 문장이 반드시 지금처럼 자력으로 후세에 전해지지 못했을 것이 틀림없으니,【세 절(節)은 의론이 결단이 있고 전환이 있으며 치달리는 것이 있어 의기(意氣)가 격앙(激昂)되고 광채가 찬란하여 한 절이 한 절보다 높으니, 문장의 묘함이다.】비록 자후가 원하는 바를 얻어 한때에 장상(將相)이 되었더라도, 이것과 저것을 바꿀 경우 무엇이 득(得)이며 무엇이 실(失)이겠는가. 이것을 분별하는 자가 반드시 있을 것이다.

---

4 子厚黨附王伾……貶永州司馬: 유종원이 당 순종(唐順宗) 때 잠깐 권력을 장악했던 간신(奸臣) 왕비(王伾)와 왕숙문(王叔文)의 당에 속해서 예부 원외랑(禮部員外郎)의 신분으로 국정에 참여하였다. 뒤에 헌종(憲宗)이 즉위하여 왕숙문의 당을 미워하여 유종원을 영주 사마(永州司馬)로 좌천시켰다.

〈子厚以元和十四年十一月八日에 卒하니 年四十七이라 以十五年七月十日로 歸葬萬年先人墓側하다 子厚有子하니 男二人이니 長曰周六이니 始四歲요 季曰周七이니 子厚卒에 乃生하다 女子二人은 皆幼라 其得歸葬也에 費皆出觀察使河東 裴君行立하니 行立은 有節槪하고 重然諾하며 與子厚結交하고 子厚亦爲之盡이러니 竟賴其力하다 葬子厚於萬年之墓者는 舅弟盧遵이니 遵은 涿人이라 性謹愼하고 學 問不厭이러니 自子厚之斥으로 遵이 從而家焉하여 逮其死토록 不去하며 旣往葬子厚 하고 又將經紀其家[5]하여 庶幾有終始者라

자후가 원화(元和) 14년(819) 11월 8일에 별세하니, 향년 47세였다. 15년(820) 7월 10일에 고향으로 돌아와 만년현(萬年縣)에 있는 선인(先人)의 묘 곁에 장례하였다. 자후는 아들 두 명을 두었는데, 장남은 주육(周六)이니 이제 비로소 네 살이고, 막내는 주칠(周七)인데 자후가 죽은 뒤에야 태어났다. 딸아이는 두 명인데 모두 어리다.

그가 돌아와 장례할 적에 비용은 모두 관찰사인 하동(河東) 배군 행립(裴君行立)에게서 나왔다. 배행립은 절개가 있고 남에게 승낙하는 것을 신중히 하였으며 자후와 교분을 맺고 자후 또한 그를 극진히 위하였는데, 끝내 그의 힘을 의뢰하였다. 자후를 만년현의 묘소에 장례한 자는 구제(舅弟, 외종제(外從弟))인 노준(盧遵)이니, 노준은 탁군(涿郡) 사람으로 성품이 근신(謹愼)하고 학문을 싫어하지 않았다. 자후가 배척당한 뒤로부터 노준은 따라가 그의 집에서 머물며 자후가 죽을 때까지 떠나가지 않았으며, 자후를 장례하고는 또 장차 그 집안을 경영하여 거의 시종(始終)이 있게 할 것이다.

銘曰 是惟子厚之室이니 旣固旣安하여 以利其嗣人이로다〉

다음과 같이 명(銘)한다.
이는 자후의 유택(幽宅)이니, 견고하고 또 편안하여 그 뒤를 잇는 자손들을 이롭게 하리로다.

---

5 經紀其家 : 경기(經紀)는 경영, 경리(經理)와 같은 말로, 집안 살림을 잘하여 생업(生業)을 유지함을 이른다.

側 곁 측 槪 절개 개 諾 허락할 락 賴 의뢰할 뢰 遵 따를 준 涿 칠 탁 逮 미칠 체
紀 다스릴 기 嗣 이을 사

서기자묘비음書箕子廟碑陰

유종원柳宗元 유유주柳柳州

• 작품개요

　　이 작품은 본래《유하동집(柳河東集)》권5 〈비(碑)〉 9수 중 첫 번째인 〈기자비(箕子碑)〉에 보이는 것으로,《고문진보》부록에는 전편(全篇)이 아닌 일부분만 실려 있는데, 본서에서는 전편을 번역하였음을 밝혀 둔다.

　　〈기자비〉는 서문(序文, 병서(幷序)) 격인 비문(碑文)과 운문인 송(頌)으로 구성되어 있다. 당대(唐代)에 급군(汲郡)에 기자를 모신 사당이 있었는데, 이 작품은 바로 이 사당을 위해 지은 비문으로 기자의 훌륭한 업적과 행적이 '대인지도(大人之道)'에 부합함을 천명한 것이다. '음(陰)'은 음기(陰記)로, 비의 후면(後面)에 추기(追記)함을 이르나 이 글은 단지 자신의 의견을 나타낸 것으로 보인다. 창작 시기에 대해서는 작자가 영주(永州)로 폄직되기 이전에 지었다는 견해가 있으나 정확하지 않다.

　　기자는 이름이 서여(胥餘)로 은(殷)나라 주왕(紂王)의 숙부인데, 기(箕) 지역에 분봉되었기 때문에 이렇게 일컬어진다. 주왕이 무도하여 기자가 누차 충간하였음에도 불구하고 이를 따르지 않자, 기자는 거짓으로 미친 체하여 옥에 갇혔다. 주 무왕(周武王)이 주왕을 멸망시킨 뒤에 치국의 대도를 묻자, 기자는 무왕을 위하여 치국의 대법인 홍범구주(洪範九疇)를 진술해 주었는바, 이것이 바로 오늘날《서경(書經)》에 보이는 〈홍범(洪範)〉이다. 이후 기자는 주(周)나라를 피하여 조선(朝鮮)으로 갔다고 전한다.

　　작품 중 비문은 다섯 단락으로 나눌 수 있다. '범대인지도유삼(凡大人之道有三)'부터 '우은근언(尤殷勤焉)'까지의 첫 번째 단락은, 일종의 총강(總綱)으로, 먼저 기자가 '대인지도'를 갖춘 것에 대해 긍정함으로써 이하 전개되는 내용의 바탕이 된다. '당주지시(當紂之時)'부터 '유행지자의(有行之者

矣'까지의 두 번째 단락은, 공자가 언급한 '은유삼인(殷有三仁)' 중에서 나머지 두 사람 -비간(比干)과 미자(微子)- 을 가지고 대비하여 기자의 숭고한 형상을 부각시켰다. '시용보기명철(是用保其明哲)'부터 '기대인여(其大人歟)'까지의 세 번째 단락은, 구체적인 사례를 가지고 기자가 '정몽난(正蒙難)'·'법수성(法授聖)'·'화급민(化及民)'이라는 세 기지의 '대인지도'를 완벽하게 갖추고 있음을 증명하였다. '오호(於虖)'부터 '기유지어사호(其有志於斯乎)'까지의 네 번째 단락은, 기자가 '은인위노(隱忍爲奴)'한 본래 의도를 규명하여 국가를 위하는 충정을 확실하게 표현하였다. '당모년(唐某年)'부터 '작시송운(作是頌云)'까지의 다섯 번째 단락은, 이 비문과 송을 짓게 된 연유를 보충해 기술하였다.

송(頌)은 앞의 비문에서 기술한 내용들을 종합하여 정제된 운문으로 다시 표현한 것이다.

작자는 위대한 인물의 세 가지 표준인 '정몽난(正蒙難)'·'법수성(法授聖)'·'화급민(化及民)'을 가지고 기자를 평가하는 기준으로 삼아 차례대로 논술하였다. 특히 비간이 죽고 미자가 떠나간 뒤에 기자가 일부러 미친 체한 것은 지혜로운 행동이라고 주장하였다. 은나라 주왕이 무도하여 기자가 충간하였으나 이를 따르지 않고 도리어 그를 박해하였다. 하지만 기자는 모욕을 견뎌내고 끝내 공업을 세웠는바, 작자는 이에 대해 지극한 추숭과 찬탄을 표현하였는데, 그 착안점은 '은인(隱忍)'이라는 두 글자에 있다. 기자는 충절을 위해 무조건 목숨을 버리지도 않았고 자신의 이상을 실현할 기회를 놓치지도 않아 정치사적 측면에서 훌륭한 전범-〈홍범〉-을 남겼다. 이것이야말로 기자의 가치가 있는 부분이라고 하겠다. 비문의 마지막에서 '은인'을 말한 것은 기자의 본의를 간파한 것이자 그에 대한 숭경을 드러내 보인 것이다.

• 原文

〈凡大人之道有三하니 一曰正蒙難이요 二曰法授聖이요 三曰化及民이라 殷有仁人曰箕子니 實具茲道하여 以立於世라 故로 孔子述六經之旨에 尤殷勤焉하시니라

무릇 대인(大人)의 도(道)가 세 가지가 있으니, 첫째는 정도(正道)를 행하여 환란(患難)을 무릅쓰는 것이요, 둘째는 법(法)을 성인(聖人)에게 전수해 주는 것이요, 셋째는 교화가 백성들에게 미치는 것이다.

은(殷)나라에 기자(箕子)라는 인인(仁人)이 있었으니, 실로 이 도를 구비하여 세상에 우뚝 섰다. 그러므로 공자(孔子)가 육경(六經)의 뜻을 전술(傳述)함에 기자에게 더욱 간곡(懇曲)히 하신 것이다.

··· 蒙 입을 몽 授 줄 수 箕 키 기 殷 은근할 은 勤 은근할 근

當紂之時하여 大道悖亂하니 天威之動이 不能戒요 聖人之言이 無所用이라 進死以
併命이 誠仁矣나 無益吾祀故로 不爲하고 委身以存祀가 誠仁矣나 與亡吾國故로
不忍하니 具是二道하여 有行之者矣라

　주왕(紂王)의 때를 당하여 대도(大道)가 어그러지고 혼란해져, 하늘의 위엄을 동(動)하여도
경계시키지 못하고 성인의 말씀도 쓸 데가 없었다. 〈비간(比干)처럼〉 죽음으로 간언(諫言)을
올려 목숨을 바치는 것이 진실로 인(仁)이나 우리 종묘(宗廟)의 제사에 유익함이 없으므로 이
렇게 하지 않았고, 〈미자(微子)처럼〉 몸을 남의 나라에 맡겨 제사를 보존하는 것이 참으로 인
이나 함께 내 나라를 멸망하기 때문에 차마 이렇게 하지 못하였으니, 이 두 가지를 구비하여
행한 분이 있었다.

是用保其明哲하여 與之俯仰하여 晦是謨範하고 辱於囚奴하여 昏而無邪하고 隤(퇴)
而不息이라 故로 在易曰 箕子之明夷라하니 正蒙難也라 及天命旣改하고 生民以正
에 乃出大法하여 用爲聖師하여 周人이 得以序彝倫而立大典이라 故로 在書曰 以箕
子歸하여 作洪範이라하니 法授聖也라 及封朝鮮에 推道訓俗하여 惟德無陋하고 惟人
無遠하여 用廣殷祀하고 俾夷爲華하니 化及民也라 率是大道하여 聚于厥躬하여 天地
變化호되 我得其正하니 其大人歟인저

　이 때문에 자신의 명철함을 보존하여 세상과 더불어 부앙(俯仰)해서 자신의 훌륭한 계책과
법을 숨기고 옥에 갇힌 노예로 욕을 당하여, 어두운 현실이었으나 사악함이 없고 고달픈 상
황이었으나 그치지 않았다. 그러므로 《주역(周易)》 〈명이괘(明夷卦)〉 육오(六五) 효사(爻辭)에 이
르기를 "기자의 밝음이 상했다.〔箕子之明夷〕" 하였으니, 이는 정도를 행하여 환란을 무릅쓴
것이다.
　그러다가 천명(天命)이 바뀌고 생민(生民)이 바루어지자, 마침내 큰 법을 내어 성인의 스승
이 되어서 주(周)나라 사람들이 이로써 이륜(彝倫)을 펴고 큰 법을 세우게 되었다. 그러므로
《서경(書經)》 〈홍범(洪範)〉에 이르기를 "무왕이 기자를 데리고 돌아와 〈홍범〉을 지었다."라고
하였으니, 이는 법을 성인(무왕)에게 전수해 준 것이다.
　조선(朝鮮)에 봉해지자 도(道)를 미루어 풍속을 가르쳐 덕(德)을 지녀 누추함이 없었으며, 백
성들이 원근에 관계없이 모두 교화되었다. 그리하여 은(殷)나라의 제사를 넓히고 오랑캐 지방

을 중화(中華)로 만들었으니, 이는 교화가 백성들에게 미친 것이다. 이 세 가지 대도를 따라 자신의 몸에 모아 천지가 변화하여도 자신은 바른 도를 얻었으니, 이것이 대인(大人)인 것이다.

於(오)虖라〉當其周時未至하고 殷祀未殄에 比干已死하고 微子已去하니 向使紂惡未稔(임)而自斃하고 武庚念亂以圖存이런들 國無其人이면 誰與興理오 是固人事之或然者也라 然則先生隱忍而爲此는 其有志於斯乎인저

아! 주(周)나라의 때가 아직 이르지 않고 은나라의 제사가 아직 끊기지 않았을 때에 비간(比干)이 죽고 미자(微子)가 이미 떠나갔으니, 그때 만일 주왕(紂王)의 악행이 무르익기(가득하기) 전에 스스로 죽고 〈주왕의 아들〉 무경(武庚)이 혼란함을 염려하여 나라를 보존할 것을 도모하였더라면, 나라에 인도할 만한 사람이 없으면 누구와 더불어 다스림을 일으키겠는가? 이는 진실로 인사(人事)에 혹 있을 수 있는 일이다. 그렇다면 선생(先生, 기자)이 은인자중(隱忍自重)하고 이렇게 한 것은 여기에 뜻이 있어서였을 것이다.

〈唐某年에 作廟汲郡하고 歲時致祀하니 嘉先生獨列於易象일새 作是頌云이라

당(唐)나라 모년(某年)에 급군(汲郡)에 사당을 짓고 해마다 철에 따라 제사를 올리니, 나는 선생이 홀로 역상(易象)에 나열된 것을 가상히 여겨 이 송(頌)을 짓는다.

蒙難以正하고 授聖以謨하여 宗祀用繁하고 夷民其蘇라 憲憲大人은 顯晦不渝(투)요 聖人之仁은 道合隆汙라 明哲在躬하니 不陋爲奴요 行讓居禮하니 不盈稱孤⁶로다 高而無危하고 卑不可踰하며 非死非去하여 有懷故都라 時詘而伸하여 卒爲世模하고 易象是列하여 文王爲徒로다 大明宣昭하여 崇祀式孚호되 古闕頌辭러니 繼在後儒로다〉

환란을 무릅쓰고 정도를 지키며 　　　　　　　　　　　　　　　　　　　蒙難以正

<hr>

6 不盈稱孤: '칭고(稱孤)'는 칭왕(稱王), 칭제(稱帝)와 같은 말이다. 기자가 조선에 봉해져 왕이 되었음에도 자만하지 않았음을 말한다.

••• 於 탄식할 오 虖 탄식할 호 殄 끊을 진 向 지난번 향 稔 쌓일 임 斃 죽을 폐 謨 가르칠 모 蘇 소생할 소 渝 변할 투 汙 낮을 오 盈 가득할 영 踰 넘을 유 詘 굽힐 굴 闕 없을 궐

성인에게 법을 전수하여	授聖以謨
종사(宗祀)가 번창해지고	宗祀用繁
오랑캐 백성들이 소생하였네	夷民其蘇
훌륭한 대인은	憲憲大人
현달하든 은둔하든 변치 않으며	顯晦不渝
성인의 인(仁)은	聖人之仁
높든 낮든 도(道)가 모두 합하네	道合隆汙
명철(明哲)함이 몸에 있으니	明哲在躬
노예가 되어도 누추하지 않고	不陋爲奴
겸양을 행하고 예(禮)에 처하니	行讓居禮
고(孤, 과인(寡人))라고 칭해도 자만하지 않았네	不盈稱孤
지위가 높아도 위태롭지 않고	高而無危
낮아도 남들이 넘볼 수 없으며	卑不可踰
죽지도 않고 떠나가지도 않아서	非死非去
고도(故都)를 그리워하였네	有懷故都
때로 굽히다가 펴서	時詘而伸
끝내 세상의 법이 되었으며	卒爲世模
역상(易象)에 나열되어	易象是列
문왕(文王)과 같은 무리가 되었네	文王爲徒
크게 밝히고 선양하여	大明宣昭
높이는 제사 정성껏 올리지만	崇祀式孚
예전에는 칭송하는 글이 없었는데	古闕頌辭
후유(後儒)가 뒤이어 짓노라	繼在後儒

篇末小註‥ 此等文章은 天地間有數니 不可多見이라 惟杜牧之絕句詩一首似之하니 題項羽鳥江廟云 勝敗兵家不可期니 包羞忍恥是男兒라 江東子弟多豪俊하니 卷土重來未可知라하니라

이러한 문장은 천지 사이에 몇 안 되는 글이니 많이 볼 수 없다. 오직 두목(杜牧)의 절구시(絶句詩) 한 수(首)가 이와 유사하니, 그의 〈제항우오강묘(題項羽烏江廟)〉에 다음과 같이 말하였다. "승패는 병가(兵家)의 상사(常事)라 기약할 수 없으니, 수치를 참는 것이 참으로 남아(男兒)라오. 강동(江東)의 자제(子弟) 중에 호걸이 많으니, 권토중래(捲土重來)할 지 알 수 없어라."

발소흥신사친정조초跋紹興辛巳親征詔草

신기질辛棄疾 신가헌辛稼軒

• 작가소개

　　신기질(辛棄疾, 1140~1207)은 원래 자가 탄부(坦夫)인데 뒤에 유안(幼安)으로 고쳤다. 호는 가헌(稼軒)이며 산동동로(山東東路) 제남부(濟南府) 역성현(歷城縣) 사람이다. 소위 호방파(豪放派)의 사인(詞人)이자 장령(將領)이다.

　　신기질이 출생하였을 때에는 이미 중국의 북방 지역이 금(金)나라의 판도 안에 들어가 있었다. 소싯적에 당회영(黨懷英, 1134~1211)과 함께 유첨(劉瞻)에게 수학하여 북방 지역에서는 '신당(辛黨)'이라 병칭될 정도로 유명하였다. 소흥(紹興) 31년(1161)에 금나라 군주 완안량(完顔亮, 1122~1161)이 대대적으로 남침을 감행하자, 후방에 있던 한족들이 여진족의 폭압에 반기를 들었다. 당시 21세였던 신기질은 2천여 명을 모아서 경경(耿京)의 지휘 하에 의병에 참가하여 장서기(掌書記)가 되었다. 동년 11월에 완안량이 부하에게 피살되어 금나라 군대가 북으로 철수하자, 신기질은 이듬해인 소흥 32년에 명을 받들고 남하하여 남송 조정과 연락하였다. 사명을 완수하고 돌아올 적에 경경이 금나라에 매수된 장안국(張安國)에게 피살되고 의군(義軍)이 궤멸되었다는 소식을 듣고, 곧장 50여 명을 인솔해 몇 만 명이나 되는 적의 군영을 습격하여 반도(叛徒)를 사로잡아 건강(建康)으로 데리고 돌아와 남송 조정에 넘겨주어 처결하게 하였다.

　　이후 25세이던 해에 강음첨판(江陰簽判)이 되어 남송에서의 벼슬살이를 시작하였다. 금나라에 항거하고 북벌을 감행하자는 취지의 《미근십론(美芹十論)》과 《구의(九議)》 등 유명한 저술을 조정에 올렸으나 그의 의견은 채용되지 못하였다. 이후 강서(江西)·호남(湖南)·복건(福建) 등지의 수신(守臣)을 역임하였고 비호군(飛虎軍)을 창설하였다. 그러나 정권을 담당한 주화파와 의견이 일치하지 않아 누차 탄핵을 당하였고, 결국에는 중원을 회복하려는 뜻을 이루지 못한 채 개희(開禧) 3년 (1207)에 68세를 일기로 졸하였다. 송 공제(宋恭帝) 때에 소사(少師)로 추증되었으며, 시호는 충민(忠敏)이다. 국가의 흥망과 민족의 운명에 대한 우려와 비분강개함은 그가 지은 사(詞)에 잘 드러나 있다.

• 작품개요

　　이 작품은 영종(寧宗) 가태(嘉泰) 4년(1204) 3월에 지어진 것이다. '소흥(紹興)'은 남송 고종(高宗) 의 연호로, '소흥 신사(辛巳)'는 소흥 31년인 서기 1161년이다. '친정조초(親征詔草)'란 재상 진강백(陳康伯, 1097~1165)이 고종에게 금나라를 친히 정벌하도록 권하면서 천자의 명의를 빌려 대신 작성한 조서의 초고를 가리킨다. 그 후 고종은 화의(和議)에 휘말려 친정(親征)을 포기하였으며 뒤에 효종(孝宗)의 융흥(隆興) 연간에 금나라를 정벌하려 하였으나 효종이 일찍 죽음으로써 이 또한 무산되고 말았다.

　　작품은 총 세 구로 구성된 매우 짧은 분량이지만 함의는 무궁하다. 고종의 연호인 '소흥'과 효종(孝宗)의 연호인 '융흥(隆興)'을 거론해 대비함으로써 남송 조정이 북벌할 좋은 기회를 놓치고 오랑캐에게 모욕을 당한 사실을 짐작할 수 있게 하고, 아울러 국가의 흥망에 대한 통렬하고도 참담한 교훈을 시사하고 있다.

• 原文

　　使此詔見於紹興之前이면 可以無事讐之大恥요 使此詔行於隆興之後면 可以卒不世之伐功이어늘 今此詔與此虜 猶俱存也하니 悲夫라

　　가령 이 조서가 소흥(紹興) 이전에 나왔더라면 원수를 섬기는 큰 치욕이 없었을 것이요, 이 조서가 융흥(隆興) 이후에 행해졌더라면 불세출의 정벌하는 공을 끝마칠 수 있었을 터인데, 이제 이 조서와 이 오랑캐(금(金)나라)가 함께 남아 있으니, 아! 슬프다.

　　　　　　　　••• 紹 이을 소　讐 원수 수　隆 높을 륭　虜 오랑캐 로　俱 함께 구

소심문小心文

韓文公, 蘇東坡二公之文이 皆自莊子覺悟하니 此集은 可與莊子竝驅爭先이니라

　한문공과 소동파 두 분의 문장은 모두 《장자(莊子)》에서 깨우친 것이니,
　이 호자집(乎字集)은 《장자》와 함께 나란히 달리며 선두를 다툴 만하다.

제전횡묘문 祭田橫墓文

한유韓愈 한문공韓文公

• 작품개요

　이 작품은 일종의 제문(祭文)으로 진(秦)·한(漢) 교체기의 역사적인 인물인 전횡(田橫. ?~B.C.202)을 그 대상으로 삼았다. 전횡은 장사(壯士)로 제(齊)나라 왕 전영(田榮)의 아우이다. 전영이 항우(項羽)의 공격으로 죽자 전횡은 패잔병들을 다시 모아 항우에 맞서면서 전영의 아들 전광(田廣)을 제왕으로 세우고 자신은 승상이 되어 권력을 잡았다. 한나라 장수 한신(韓信)과 관영(灌嬰)의 군대에 패하여 전광이 죽자 전횡은 스스로 왕이 되어 관영의 군대에 맞서다가 팽월(彭越)에게 의탁하였다. 얼마 후 한 고조(漢高祖) 유방(劉邦)이 천하를 통일하자, 전횡은 주살될까 두려워 500명의 무리를 거느리고 해도(海島)로 들어갔다. 한 고조가 사신을 보내 전횡이 오면 크게는 왕으로 삼고, 작게는 후(侯)로 봉하며, 오지 않으면 군대를 보내 도륙하겠다고 위협하였다. 전횡이 어쩔 수 없이 두 나그네와 함께 낙양(洛陽) 근처에까지 와서 "내가 처음에 한왕(漢王, 유방)과 같이 남면(南面)하여 고(孤)라고 칭했는데, 이제 와서 북면(北面)하여 섬길 수는 없다."라고 하며 자결하였다. 이에 두 나그네는 전횡의 머리를 한 고조에게 보내 장례를 치르게 하고 얼마 후 따라서 자결하였고, 이 소식을 들은 섬의 500명도 함께 자결하였다.

　표면상 이 작품은 전횡을 애도하기 위해 지은 것으로 보이지만, 실제로는 역사를 통하여 현실에 대한 불만과 분노를 해소한 것이다. 작자는 당 덕종(唐德宗) 정원(貞元) 8년(792)에 진사가 된 이후에 3년 동안 두 차례나 이부(吏部)가 주관하는 박학굉사과(博學宏詞科)에 낙방하였다. 그리고 정원 11년(795) 정월 이후 3개월 동안 연속으로 세 차례나 당시의 재상에게 편지를 올려 미관말직이라도 구하려고 하였으나 모두 허사로 돌아갔고 세 번째로 응시한 박학굉사과에도 낙방하고 말았다.

동년 9월에는 고향으로부터 동도(東都) 낙양(洛陽)으로 가다가 언사(偃師)의 시향(尸鄉)이라는 곳을 지나게 되었는데, 그곳에 있던 전횡의 묘에 들러 제사를 지내 조문하고자 이 제문을 지었다.

작품은 두 부분으로 나눌 수 있다. '정원십일년구월(貞元十一年九月)'부터 '위문이조지(爲文而弔之)'까지는 일종의 소서(小序)로, 이 제문을 짓게 된 유래에 대해서 밝혔다. 작자는 낙양으로 가다가 전횡의 묘 주변을 경유하게 되었는데 "전횡이 의(義)가 높아 선비를 얻음에 감동하였다.[感橫義高能得士]"라고 설명하였다. '기사왈(其辭曰)' 이하는 두 번 환운(換韻)한 총 8구의 운문이다. 전횡 및 500명의 자살로부터 제문을 쓴 현 시점까지 천 년에 가까운 오랜 시간이 흘렀지만 작자 자신도 모르게 감정이 끓어오른 것에 대해 기술하고, '의고능득사(義高能得士)'하였던 전횡에 대해 경모하는 마음을 드러내었다. 이는 작자 당시에 전횡과 같은 사람이 없음을 개탄한 것이다.

작자는 전횡을 빌려서 당시의 상황에 대해 풍유(諷諭)하였다. 전횡을 칭송함으로써 현실의 통치자가 현명한 인재를 제대로 등용하지 못하는 것에 대한 불만을 표출한 셈이다. 청년 시기에 지은 200여 자에 불과한 짧은 편폭이지만 필법이 노련하고 완숙하며 고(古)와 금(今)을 서로 긴밀하게 연결시켰다. 행문에 긴장과 완화를 반복하여 변화가 다채롭고, 인물 묘사나 감정 표현에 작자의 역량을 남김없이 발휘한 수작이라고 하겠다.

- **原文**

貞元十一年九月에 愈如東京할새 道出田橫墓下하니 感橫義高能得士하여 因取酒以祭하고 爲文而弔之하노라

정원(貞元) 11년(795) 9월에 한유(韓愈)가 동경(東京, 낙양)에 갈 적에 길이 전횡(田橫)의 묘 아래를 지나게 되었다. 나는 전횡이 의(義)가 높아 선비를 얻은 것에 감동하고는 술을 따라 제사하고 제문(祭文)을 지어 조문하였다.

其辭曰 事有曠百世而相感者하니 余不自知其何心이라 非今世之所稀면 孰爲使余歔欷而不可禁고 余旣博觀乎天下하니 曷有庶幾乎夫子之所爲오 死者不復生이니 嗟余去此其從誰오 當秦氏之失鹿[1]하여 得一士而可王이어늘 何五百人之擾

---

1 當秦氏之失鹿 : 진씨(秦氏)는 진(秦)나라를 가리키며 사슴은 제위(帝位)를 비유한 것으로, 《한서(漢書)》〈괴통전(蒯通

··· 如 갈 여 弔 조문할 조 曠 빌 광 稀 드물 회 歔 탄식할 허 欷 탄식할 희 曷 어찌 갈 擾 어지러울 요 鋩 칼날 망 遑 허둥지둥할 황 顚 넘어질 전 沛 넘어질 패 耿 밝을 경 跽 꿇어앉을 기 薦 올릴 천 魂 영혼 혼 髣 방불할 방 髴 방불할 불

535

文章軌範 卷7. 乎字集

擾로 而不能脫夫子於劍鋩(망)고 豈所寶之非賢가 抑天命之有常가 昔闕里²之多士에도 孔聖亦云其遑遑하시니 苟余行之不迷면 雖顚沛其何傷이리오 自古死者非一이로되 夫子至今有耿光이라 跽(기)陳辭而薦酒하니 魂髣髴而來享이어다

제문의 내용은 다음과 같다.   其辭曰

백세(百世)나 멀어도 감동되는 일이 있으니	事有曠百世而相感者
내 스스로 이것이 무슨 마음인지 모르겠습니다	余不自知其何心
지금 세상에 보기 드문 일이 아니라면	非今世之所稀
누가 나로 하여금 탄식하여 금하지 못하게 하겠습니까	孰爲使余歔欷而不可禁
내 이미 천하를 널리 살펴보니	余旣博觀乎天下
어찌 부자(夫子)처럼 한 분이 있겠습니까	曷有庶幾乎夫子之所爲
죽은 자는 다시 살아날 수 없으니	死者不復生
아! 내 이 분을 버리고 누구를 따르겠습니까	嗟余去此其從誰
진(秦)나라가 사슴(제위(帝位))을 잃었을 때	當秦氏之失鹿
한 명의 선비만 얻었어도 왕(천자)노릇을 할 수 있었는데	得一士而可王
어찌하여 그 많은 오백 명이	何五百人之擾擾
부자를 칼날에서 벗어나지 못하게 했단 말입니까	而不能脫夫子於劍鋩
아마도 보배로 여긴 바가 어진 자가 아니어서입니까	豈所寶之非賢
아니면 천명(天命)에 일정한 법칙이 있어서입니까	抑天命之有常
옛날 궐리(闕里)에 선비가 많을 때에도	昔闕里之多士
공자(孔子)께서도 경황이 없다 하셨으니	孔聖亦云其遑遑
만일 내 길을 잃지 않는다면	苟余行之不迷
넘어지고 자빠진들 어찌 해롭겠습니까	雖顚沛其何傷
예로부터 죽은 자가 한두 명이 아니나	自古死者非一

傳》에 '진나라가 그 사슴을 잃자 천하가 함께 쫓아갔다.[秦失其鹿 天下共逐之]'라는 말에서 유래한 것이다.

2   闕里: 노(魯)나라 추읍(鄒邑) 창평향(昌平鄕)에 있는 마을로, 공자가 태어난 곳이다. 현재 산동성(山東省) 곡부(曲阜)로 공자의 가묘(家廟), 사당 등이 이곳에 있다.

부자는 지금까지 광채가 있습니다   夫子至今有耿光

꿇어앉아 글을 드리고 술을 올리니   跽陳辭而薦酒

영혼은 어렴풋이 오셔서 흠향하소서   魂髣髴而來享

상매직강서 上梅直講書

소식蘇軾 소동파蘇東坡

• 작품개요

이 작품은 작자가 예부(禮部)의 진사시(進士試)에 급제한 후에 매직강(梅直講)에게 보낸 서신이다. '매직강'은 당시 국자감 직강(國子監直講)으로 있었던 매요신(梅堯臣, 1002~1060)으로, 자가 성유(聖俞)이며 안휘성(安徽省) 선성(宣城) 사람이다. 송나라의 대표적 시인 가운데 한 명으로 구양수(歐陽脩)와 함께 시문의 혁신을 창도하여 당대의 문풍을 바꾸어 시가의 발전에 크게 기여하였다. 젊어서 과거에 실패하여 주현(州縣)의 관속을 지내다가 송 인종(宋仁宗) 황우(皇祐) 3년(1051), 중년의 나이에 동진사출신(同進士出身)으로 급제하고 가우(嘉祐) 2년(1057)에 국자감 직강(國子監直講), 상서도관 원외랑(尚書都官員外郎)에 차례로 임명되었다. 이 때문에 '매직강' 또는 '매도관(梅都官)'으로도 불린다.

작자는 가우 2년에 경사(京師)에 와서 진사시에 응시하였다. 당시 구양수가 한림학사(翰林學士)로서 예부(禮部)의 지공거(知貢擧)가 되어 진사시를 주관하였고, 매요신이 국자감 직강으로서 점검시권관(點檢試卷官)이 되어 시험 답안을 확인하였는데, 작자의 〈형상충후지지론(刑賞忠厚之至論)〉을 보고 천거하여 구양수의 칭찬을 얻었다. 이로 인해 작자는 이 시험에서 2등으로 급제하고 이후 이름이 천하에 알려지게 되었다.

이 작품은 네 단락으로 나눌 수 있다. '모관집사(某官執事)'부터 '역족이락호차의(亦足以樂乎此矣)'까지의 첫 번째 단락은, 주공(周公)과 공자(孔子)의 사적(事跡)을 인용해 기술하여 작자 자신이 구양수·매요신과 관계를 맺고 있는 것을 부각시킴과 동시에 아래의 글에서 회재불우(懷才不遇)한 매요신을 칭송하는 복선으로 삼았다. '식칠팔세시(軾七八歲時)'부터 '미상규기문(未嘗窺其門)'까지의 두 번째 단락은, 매요신을 숭경(崇敬)하는 마음을 완곡하고 은근하게 표현하면서 자신이 경사에 온지 한 해가 넘었지만 직접 찾아뵙지 못한 것에 대해 말하였다. '금년춘(今年春)'부터 '역하이역차락야(亦何以易此樂也)'까지의 세 번째 단락은, 구양수·매요신과 같이 훌륭한 은사(恩師)를 만나게 된 것이야말로 작자의 인생에서 가장 큰 즐거움임을 표현하고, 더 나아가 자신의 이상을 토로하였다. '전왈(傳曰)'부터 말구(末句)까지의 마지막 단락은, 회재불우하지만 온화하여 성내지 않고 관후하고 돈박하여 원망하는 말이 없는 훌륭한 인격을 갖춘 매요신에 대해 깊이 칭찬하고, "원컨대 참여하여 듣고 싶다.[願與聞焉]"라는 자신의 의사를 표현하며 끝맺었다.

작품은 전체적으로 '락(樂)' 자를 골자로 삼아 내용을 전개하며 전후를 호응시켰다. 오로지 '지기상락(知己相樂)'의 관점에서 입론(立論)한 덕분에 문장의 수사와 그 풍치가 탁월하여 속되지 않을 수 있었다. 작자는 주공과 공자를 서로 비교하고, 이를 통해 도(道)를 함께하는 '지기(知己)'가 있어야 서로 즐거워할 수 있음을 설명하였다. 또 공자와 그 제자를 가지고 구양수·매요신과 자신의 관계를 비유하여 그들을 추숭하고 '지기'의 즐거움 및 자신의 원대한 포부를 충분히 드러내었다.

한편, 작자가 이 서신에서 드러내고자 하였던 것은 '선비는 궁(窮)·달(達)에 대해 어떠한 태도를 취해야 하는가'라는 문제이다. 곤궁함을 잘 견디어 천명으로 받아들이는 군자의 절조는 참으로 행하기 어려운 일이다. 하지만 곤궁하면서도 원망스러움이 없는 것은 더욱더 훌륭한 일이라고 하겠다.

• 原文

某官執事아 每讀詩至鴟鴞(치효)하고 讀書至君奭³하면 常切(竊)悲周公之不遇러니 及觀史에 見孔子厄於陳, 蔡之間이로되 而絃歌之聲不絕하고 顏淵, 仲由之徒相與答問하니 夫子曰 匪兕(시)匪虎어늘 率彼曠野⁴라하니 吾道非邪아 又何爲至此오

---

3 每讀詩至鴟鴞 讀書至君奭: 〈치효(鴟鴞)〉는 《시경》 빈풍(豳風)의 편명으로 《시경집전(詩經集傳)》에 "무왕(武王)이 상(商)나라를 이기시고, 아우인 관숙(管叔) 선(鮮)과 채숙(蔡叔) 도(度)로 하여금 주왕(紂王)의 아들인 무경(武庚)의 나라를 감시하게 하였는데, 무왕이 죽고 어린 성왕(成王)이 즉위하여 주공(周公)이 돕자, 관숙과 채숙은 무경을 데리고 반란을 일으키고 또 국중(國中)에 유언비어를 퍼뜨리기를 '주공이 장차 어린 군주에게 불리한 짓을 할 것이다.'라고 하였다. 그러므로 주공이 동쪽지방을 정벌한 지 2년 만에 마침내 관숙과 무경을 잡아 주살하였으나, 성왕은 아직도 주공의 뜻을 알지 못하였다. 그러므로 이 시를 지어 왕에게 주었다."라고 하였다. 〈군석(君奭)〉은 《서경》의 편명인데, 본래 소공 석(召公奭)의 이름이다. 《서경집전》에 "소공이 고로(告老, 치사(致仕))하고 떠나가자 주공이 만류하고 지은 것이다."라고 하였고, 또 "이 편을 지은 것은 《사기》에 '소공은 주공이 나라를 차지하여 즉위할까 의심하였다.' 하였고, 공영달(孔穎達)은 '소공은 주공이 일찍이 정사를 섭정하였는데, 이제 다시 신하의 지위에 있게 되었기 때문이다.' 하였다."라고 보인다.

4 匪兕匪虎 率彼曠野: 《시경》〈소아(小雅) 하초불황(何草不黃)〉에 보이는 구이다. 원래는 주나라의 정역(征役)이 끊이

顏淵曰 夫子之道至大라 故로 天下莫能容이니이다 雖然이나 不容何病이릿가 不容然
後에 見君子니이다 夫子油然而笑曰 回아 使爾多財인대 吾爲爾宰⁵라하시니라 夫天下
雖不能容이나 而其徒自足以相樂이 如此하니 乃今에 知周公之富貴가 有不如夫
子之貧賤이로라 夫以召公之賢과 以管, 蔡之親으로도 而不知其心하니 則周公이 誰
與樂其富貴시리오 而夫子所與共貧賤者는 皆天下之賢才니 則亦足以樂乎此矣
시리이다

　　모관(某官) 집사(執事)께 올립니다. 저는 매양 《시경(詩經)》을 읽다가 〈치효(鴟鴞)〉에 이르고 《서경(書經)》을 읽다가 〈군석(君奭)〉에 이르면, 항상 주공(周公)의 불우함을 속으로 서글퍼하였습니다. 그리고 《사기(史記)》를 보다가 공자가 진(陳)·채(蔡)의 사이에서 곤액을 당하셨는데 현가(絃歌)의 소리가 끊기지 않고, 안연(顏淵)과 중유(仲由)의 무리가 서로 문답(問答)한 내용을 보니, 부자(夫子)께서 말씀하시기를 "외뿔소도 아니요 범도 아닌데 광야에 포위되어 쫓겨다니니, 내 도(道)가 잘못되었는가? 또 어찌하여 이 지경에 이르렀는가." 하자, 안연이 말씀하기를 "부자의 도가 지극히 크시기 때문에 천하가 용납하지 못하는 것입니다. 그러나 용납되지 못함이 어찌 나쁠 것이 있겠습니까. 용납되지 못한 뒤에야 군자(君子)를 만나볼 수 있습니다."라고 하니, 부자는 유연(悠然)히 웃으면서 말씀하시기를 "안회(顏回)야! 만일 네가 재물이 많다면 나는 너의 재(宰, 가신)가 되겠다." 하였습니다.
　　천하가 비록 용납하지 못하나 그 무리들이 스스로 서로 즐길 수 있음이 이와 같았으니, 저는 지금에야 주공의 부귀(富貴)가 부자(夫子)의 빈천(貧賤)만 못함을 알았습니다. 저 어진 소공(召公)과 친형제인 관숙(管叔)·채숙(蔡叔)도 그 마음을 알아주지 못하였으니, 주공이 누구와 더불어 그 부귀를 즐거워하셨겠습니까. 그런데 부자께서 빈천을 함께 한 분들은 모두 천하의 현자(賢者)였으니, 또한 함께 이것을 즐거워하실 수 있었을 것입니다.

지 않아 부역가는 자들의 괴로움이 심함을 노래한 내용인데, 여기에서는 공자가 "우리들이 외뿔소도 아니고 범도 아닌데 광야에 포위되어 쫓겨다닌다."라고 탄식하신 것이다.

5　及觀史……吾爲爾宰: '관사(觀史)'는 역사책을 보는 것으로, 《사기(史記)》의 〈공자세가(孔子世家)〉를 가리킨 것이다. 〈공자세가〉에 "공자가 채(蔡)나라에 계신 지 3년에, 오(吳)나라가 진(陳)나라를 공격하자 초(楚)나라가 진나라를 구원하였다. 이때 공자가 진·채의 사이에 있었는데 초나라에서 사람을 보내어 공자를 초빙하려 하자, 진·채의 대부들은 서로 모의하기를 '공자가 초나라에 등용되면 우리 진·채의 대부들이 위태로울 것이다.'라고 하고, 군대를 징발하여 공자를 포위하여 초나라로 가지 못하게 하였다. 이 때문에 식량이 떨어져 수행하는 자들이 병들어 일어나지 못했다."라고 하였는바, 위의 내용은 이때 공자가 제자들과 문답한 것에 보이며, 이 시기는 노(魯)나라 애공(哀公) 6년으로 공자의 나이 63세였다.

軾이 七八歲時에 始知讀書라 聞今天下에 有歐陽公者하니 其爲人이 如古孟軻, 韓愈之徒요 而又有梅公者 從之游而與上下其議論이러니 其後益壯에 始能讀其文辭하고 想見其爲人하니 意其飄然脫去世俗之樂하고 而自樂其樂也라 方學爲對偶聲律之文하여 求升斗之祿일새 自度(탁)無以進見(현)於諸公之間이라 來京師逾年에 未嘗窺其門이러이다

저(소식)는 7~8세 때에 처음으로 독서할 줄 알았는데, 지금 천하에 구양공(歐陽公)이라는 분이 계신데 그 인품이 옛날 맹가(孟軻)와 한유(韓愈)의 무리와 같고, 또 매공(梅公)이라는 분이 계신데 그와 종유(從遊)하면서 더불어 의론을 주고받는다."라는 말을 들었습니다. 그 후 더욱 장성하여 처음으로 그 문장을 읽어보고 그 인품을 상상해보면서 생각하기를 '표연(飄然)히 세속의 즐거움을 떨쳐버리고 자신의 낙(樂)을 즐거워하는 분'이라고 여겼습니다. 그러나 이때는 막 대우(對偶)와 성률(聲律)의 문장을 배워 한 말 한 되의 녹봉을 구하던 때였으므로, 제공(諸公)의 사이에 나아가 뵐 수 없다고 스스로 생각하였습니다. 그리하여 경사(京師)에 온 지 1년이 넘도록 일찍이 그 문을 엿보지 못하였습니다.

今年春에 天下之士 群至於禮部어늘 執事與歐陽公이 實親試之하니 軾이 不自意獲在第二하니이다 旣而聞之人호니 執事愛其文하여 以爲有孟軻之風이라하시고 而歐陽公이 亦以其能不爲世俗之文也而取焉하여 是以在此라하니 非左右爲之先容이요 非親舊爲之請屬(촉)이로되 而向之十餘年間에 聞其名而不得見者 一朝爲知己니이다 退而思之호니 人不可以苟富貴요 亦不可以徒貧賤이라 有大賢焉而爲其徒면 則亦足恃矣라호이다 苟其僥一時之幸하여 從車騎數十人하여 使閭巷小民으로 聚觀而贊歎之라도 亦何以易此樂也리잇고

금년 봄에 천하의 선비들이 떼지어 예부(禮部)의 과장(科場)에 이르렀었는데, 집사와 구양공이 실로 친히 시험을 보였습니다. 이때 저는 뜻밖에 2등으로 급제하였습니다.

이윽고 사람들에게 들으니, 집사께서는 저의 글을 사랑하여 '맹가(孟軻)의 기풍이 있다.' 하였고, 구양공 또한 '세속의 문장을 짓지 않는다.' 하여 취했기 때문에 제가 진사과 2등에 급제하게 되었다고 하였습니다. 좌우에서 저를 위하여 먼저 소개해 준 것도 아니고 친구들이 저를 위하여 청탁한 것도 아닌데, 지난 10여 년 동안 그 이름만 듣고 뵙지 못했던 분이 하루아

침에 지기(知己)가 되었습니다.

　저는 물러나와 생각해보니, '사람은 구차히 부귀해서도 안 되고, 또한 한갓 빈천해서도 안 되니, 대현(大賢)이 계시는데 그 문도가 된다면 이 또한 충분히 믿을 만하다.'고 여겨졌습니다. 만일 일시의 요행으로 거기(車騎) 수십 명을 따르게 하여 여항(閭巷)의 백성으로 하여금 모여 구경하며 감탄하게 한들 어찌 이 낙(樂)을 바꾸겠습니까.

傳曰 不怨天하며 不尤人이라하니 蓋優哉游哉하여 可以卒歲라 執事名滿天下而位不過五品호되 其容色이 溫然而不怒하고 其文章이 寬厚敦朴而無怨言하시니 此必有所樂乎斯道也니 軾은 願與聞焉하노이다

　전(傳, 《논어》〈헌문(憲問)〉)에 이르기를 "하늘을 원망하지 않고 사람을 탓하지 않는다." 하였으니, 한가롭게 유유자적하면서 해를 마칠 수 있는 것입니다.
　집사께서는 이름이 천하에 가득한데도 지위가 5품(品)에 지나지 않으나 그 모습과 얼굴빛이 온화하여 성내지 않으며, 그 문장이 관후(寬厚)하고 질박하여 원망하는 말이 없으니, 이는 반드시 이 도를 즐거워하는 바가 있어서일 것입니다. 저는 참여하여 듣기를 원합니다.

　　　••• 尤 허물 우　朴 질박할 박

I. 校勘 · 註釋 · 飜譯 資料

1. 中國

賈誼, 張溥 閱,《賈長沙集(埽葉山房藏版影印)》

孔稚珪, 張溥 閱,《南齊孔詹事集(影印)》

王褒, 張溥 閱,《王諫議集(埽葉山房藏版影印)》

王褒, 張溥 閱,《王諫議集(影印)》

諸葛亮, 張溥 閱,《諸葛丞相集(埽葉山房藏版影印)》

呂祖謙, 蔡文子 注,《增注東萊呂成公古文關鍵(續修四庫全書影印)》

傅藻,《東坡紀年錄》(朝鮮刊, 木板本)

陳德秀,《西山先生眞文忠公文章正宗》(原本影印)

王霆震,《古文集成》(原本影印)

陳櫟,《定宇集》(原本影印)

朱熹,《晦庵朱侍講先生韓文考異》(原本影印)

蕭統,《重校新彫文選》(五臣注 宋刻本)

朱熹,《楚辭集注(宋刻本影印)》, 人民文學出版社, 1953.

文懷沙,《屈原離騷今譯》, 上海文藝聯合出版社, 1954.

柳宗元,《柳河東集(影印)》, 商務印書館, 1971.

李白, 王載庵 輯註,《李太白全集(臺影印初版)》, 河洛圖書出版社, 1975.

瞿蛻園 外 校注,《李白集校注》, 里仁書局, 1981.

洪興祖,《楚辭補注(點校)》, 中華書局, 1983.

高步瀛,《文選李注義疏》, 中華書局, 1985.

馬其昶,《韓昌黎文集校注》, 上海古籍出版社, 1986.

孔凡禮,《蘇軾文集》, 中華書局, 1986.

姚鼐,《古文辭類纂(全3册)》, 北京市中國書店, 1986.

姚鼐, 慕容眞 点校, 《林紓選評古文辭類纂》, 浙江古籍出版社, 1986.

姜亮夫, 《重訂屈原賦校注》, 天津古籍出版社, 1987.

陳子展, 《楚辭直解(校閱)》, 江蘇古籍出版社, 1988.

何林天, 《重訂新校王子安集》, 山西人民出版社, 1990.

關永禮, 《古文觀止·續古文觀止鑒賞辭典》, 上海同濟大學出版社, 1990.

陳宏天, 高秀芳, 《蘇轍集》, 中華書局, 1990.

呂晴飛, 《唐宋八大家散文鑑賞辭典》, 中國婦女出版社, 1991.

王興國, 《賈誼評傳》, 南京大學出版社, 1992.

王勃, 《王子安集(四庫唐人文集叢刊)》, 上海古籍出版社, 1992.

褚斌杰, 《白居易評傳》, 北京大學出版社, 1994.

張啓成, 《文選全譯》, 貴州人民出版社, 1994.

蕭統, 張啓成·徐達 等 譯注, 《文選全譯》, 貴州人民出版社, 1994.

戴震, 《戴震全書》〈屈原賦注〉, 黃山書社, 1995.

王勃, 《王子安集註》, 上海古籍出版社, 1995.

金開誠 外 2人, 《屈原集校注》, 中華書局, 1996.

湯炳正 外 3人, 《楚辭今注》, 上海古籍出版社, 1996.

夏漢寧, 《賈誼文賦全譯》, 百花洲文藝出版社, 1996.

郭預衡, 《(新版校評本)唐宋八大家散文總集(全10冊)》, 河北人民出版, 1996.

方家常, 《諸葛亮文集全譯》, 貴州人民出版社, 1997.

李伯勛, 《諸葛亮集箋論》, 陝西人民出版社, 1997.

汪福建, 《諸葛亮全書(上·下)》, 中國世界語出版社, 1998.

高海夫, 《唐宋八大家文鈔校注集評》, 三秦出版社, 1998.

孔凡禮, 《蘇軾年譜》, 中華書局, 1998.

李白, 《李太白全集》, 北京圖書館出版社, 1998.

吳納, 于北山 校點, 《文章辨體序說》, 人民文學出版社, 1998.

徐師曾, 羅根澤 校點, 《文體明辨序說》, 人民文學出版社, 1998.

姚鼐, 徐樹錚 集評, 《古文辭類纂(中華傳世文選)》, 吉林人民出版社, 1998.

郭沫若, 《屈原賦今譯》, 雲南人民出版社, 1999.

遲文浚·宋緒連, 《唐宋八大家散文 廣選新注集評》, 遼寧人民出版社, 1999.

陰法魯, 《古文觀止譯注》, 北京大學出版社, 2000.

賈誼, 《新書校注》, 中華書局, 2000.

傅成·穆儔, 《蘇軾全集》, 上海古籍出版社, 2000.

朱熹, 《楚辭集注(校點)》, 上海古籍出版社, 2001.

張玉霞, 《蘇洵全集》, 時代文藝出版社, 2001.

韓鵬杰, 《(中國十大文豪全集)白居易全集》, 時代文藝出版社, 2001.

張美霞, 《蘇轍全集》, 時代文藝出版社, 2001.

曾棗莊·金成禮, 《嘉祐集箋註》, 上海古籍出版社, 2001.

呂雪菊, 《歐陽脩全集》, 時代文藝出版社, 2001.

張玉霞, 《柳宗元全集》, 時代文藝出版社, 2001.

牟華林, 《宜賓學院學報》〈孔稚珪年譜〉, 2002.

于智榮, 《賈誼新書譯注》, 黑龍江人民出版社, 2003.

陳振鵬, 章培恒, 《古文鑑賞辭典》, 上海辭書出版社, 2003.

王水照·朱剛, 《蘇軾評傳》, 南京大學出版社, 2004.

李夢生·史良昭, 《(注音版) 古文觀止》, 上海古籍出版社, 2005.

陳垣, 《史諱舉例》, 中華書局, 2006.

楊伯峻·周振甫·沈玉成 等, 《名家精譯古文觀止》, 中華書局, 2007.

陳宏天, 《昭明文選譯注》, 吉林文史出版社, 2007.

熊礼汇 点校, 《详说古文真宝大全》, 湖南人民出版社, 2007.

陳宏天 外 2人 主編, 《昭明文選譯注》, 吉林文化出版社, 2007.

柳宗元, 尹占華·韓文奇 校注, 《柳宗元集校注》, 中華書局, 2014.

2. 臺灣·香港

韓愈, 《韓昌黎全集》, 世界書局, 1935.

呂祖謙, 《古文關鍵(叢書集成初編)》, 商務印書館, 1936.

周敦頤, 王雲五 主編, 《-叢書集成初編- 周濂溪集》, 商務印書館, 1936.

姚鼐, 《廣注古文辭類纂》, 世界書局, 1936.

沈德潛·宋晶如, 《廣注唐宋八大家古文》, 世界書局, 1937.

宋晶如, 《-廣註語譯- 古文觀止》, 世界書局, 1938.

蘇轍, 《欒城集》, 中華書局, 1966.

葉玉麟, 《三蘇文選》, 信成書局, 1966.

白居易, 《(國學基本叢書)白香山集(影印本)》, 商務印書館, 1968.

王雲五, 《(國學基本叢書) -萬有文庫- 蘇東坡集》, 商務印書館, 1968.

柳宗元, 《柳河東全集》, 中華書局, 1970.

姚鼐, 王文濡 校注, 《評校音注古文辭類纂》, 臺灣中華書局, 1970.

梁啓超, 《陶淵明》, 商務印書館, 1971.

馬持盈, 《史記今註》, 臺灣商務印書館, 1983.

3. 日本

黃堅, 《魁本大字諸儒箋解古文眞寶(後集)》(原本影印)

岡本賢藏, 《增評補註古文眞寶校本(後集)》, 東京 文昌堂 (原本影印)

川上廣樹, 《點註唐宋八家文讀本》(原本影印)

東龜年, 《-校刻補訂- 正續合幷 文章軌範評林》, 満黄亭藏, 1791. (原本影印)

源暉辰, 《增纂評註 文章軌範 正續編》, 1796. (原本影印)

安藤秉, 《-安政改鑴- 文章軌範纂評》, 1857. (原本影印)

宮脇通赫, 《點註文章軌範 正續》, 1879-1883. (原本影印)

原田由己, 《標箋文章軌範 正續》, 1881. (原本影印)

星川清孝, 《-新釈漢文大系16- 古文眞寶(後集)》, 明治書院, 1963.

長澤規矩也,《(新刊迂齋先生標註)崇古文訣》, 古典研究會(和刻本漢籍文集 第19輯), 1979.

松枝茂夫·和田武司 譯注,《陶淵明全集》, 岩波書店, 1990.

4. 韓國

成百曉,《(懸吐完譯)古文眞寶(後集)》, 傳統文化研究會, 1994.

成百曉,《(譯註)心經附註》, 傳統文化研究會, 2002.

成百曉,《(譯註)近思錄集解》, 傳統文化研究會, 2003.

李章佑 外,《古文眞寶》, 乙酉文化社, 2007.

鄭太鉉,《(譯註)唐宋八大家文抄(韓愈)》傳統文化研究會, 2010.

申用浩·許鎬九,《(譯註)唐宋八大家文抄(王安石)》傳統文化研究會, 2010.

金東柱,《(譯註)唐宋八大家文抄(蘇轍)》傳統文化研究會, 2010.

宋基采,《(譯註)唐宋八大家文抄(曾鞏)》傳統文化研究會, 2010.

成百曉,《(譯註)唐宋八大家文抄(蘇軾)》傳統文化研究會, 2010.

李章佑·魯長時·張世厚,《(譯註)唐宋八大家文抄(蘇洵)》傳統文化研究會, 2012.

李相夏,《(譯註)唐宋八大家文抄(歐陽脩)》傳統文化研究會, 2012.

宋基采,《(譯註)唐宋八大家文抄(柳宗元)》傳統文化研究會, 2013.

袁行霈, 박종혁 외 옮김,《도연명 연구》, 學古房, 2017.

金錫冑,《古文百選》(原本影印)

未　詳,《고문빅선(古文百選)》(原本影印)

未　詳,《古文眞寶諺解》, 學民文化社, 2004.

II. 研究資料

戚維翰,《李白研究》, 華世出版社, 1975.

蔡世明,《歐陽脩的 生平與學術》, 文史哲出版社, 1980.

管笛,《醉翁亭記研究》, 黃山書社, 1999.

杨高巍,〈陈康伯《亲征诏草》与绍兴辛巳宋金大战〉,《江西师范大学学报(哲学社会科学版)》,
　　第44卷, 2011.

정재철,《고문진보 연구》, 문예원, 2014.

李長之,《陶淵明傳論》, 天津人民出版社, 2015.

馬得瑜,《蘭亭集序》的文化意義及其藝術價值〉,《江南大學學報(人文社會科學版)》No.02, 2016.

宋定莉,〈儒道的辯證 以周濂溪〈太極圖〉及《太極圖說》為中心〉, 東海大學 博士學位論文
　　2017.

陈来,〈朱子《太极解义》的成书过程与文本修订〉,《文史哲》第4期(总第367期), 2018.

蘇鉉盛,〈張栻의「太極解義」定本 研究〉,《中國學報》第90輯, 2019.

편집후기

한송(寒松) 성백효(成百曉) 선생님의 역저(力著) 《현토신역 부안설 사서장구집주(懸吐新譯 附按說 四書章句集註)》가 2016년에 완간된 이후로 《고문진보(古文眞寶)》의 새 역주서(譯註書)가 마침내 출간을 앞두게 되었다. 금번의 출간까지 표면적으로는 5년이라는 시간이 걸린 것이지만 기실 선생님께서는 그보다 훨씬 이전부터 출간 계획을 염두에 두고 계셨고 2013년도부터 본격적으로 역주 작업에 착수하셨다. 그 당시에 본인은 고전번역교육원 밀양분원에 소속되어 강의를 맡고 있었는데, 선생님께서 본서 출간 작업에 참여할 수 있는 기회를 주셔서 관련된 자료들을 조사·수집하고 새로 출간할 책의 체재 및 편집 방향에 대해 함께 고민해 보기 시작하였다. 그 뒤로 적잖은 곡절을 겪은 출간 작업이 8년의 세월이 흐른 지금에야 드디어 주공(奏功)하게 된 것이다. 한사람의 후학(後學)으로서도 선생님의 새 번역서가 출간된다는 사실은 몹시 반가운 일인데, 더구나 출간 작업의 일부를 담당한 본인으로서는 그 심정이 감개무량하다고 하겠다. 아마도 불사주야(不舍晝夜) 온갖 수고로움을 마다하지 않으신 선생님께서도 이번 출간에 대하여 그 감회가 남다르시리라 생각된다.

주지하는 바와 같이 《고문진보》란, 선자(選者)가 자신만의 독특한 기준을 세운 다음 이에 따라 역대의 명작 시문(詩文)을 가려 뽑아서 엮어낸 일종의 '선집(選集)'으로, 문장학습을 위한 계몽서이자 입문서로서 주로 지방의 사숙(私塾)에서 강학 교재로 사용된 것으로 보인다. 본 역주서가 대본(臺本)으로 삼은 것은 우리나라에서 주로 유통된 판본인 《상설고문진보대전(詳說古文眞寶大全)》으로, 첩산(疊山) 사방득(謝枋得)의 《문장궤범(文章軌範)》이 부록(附錄)으로 실려 있는 형태를 취하고 있다. 본래 《문장궤범》에 수록된 작품은 총 69편인데 그중 42편이 《고문진보》에 수록된 작품과 중복되므로 《문장궤범》의 평비(評批)까지 《고문진보》의 해당 작품으로 함께 옮겨 실어 놓고, 그 나머지 27편을 《고문진보》의 끝에다 부록하여 간행한 것이다. 현재까지 여러 연구자의 고증에 의하면, 소위 '대전본(大全本)' 《고문진보》는 송말 원초(宋末元初)의 성리학자인 진력(陳櫟)의 손을 거친 것으로, 우리나라에는 조선조 세종(世宗) 32년(1450) 윤1월에 명(明)나라 대종(代宗)의 등극조서(登極詔書)를 반포하기 위해 사신으로 온 한림원 시강(翰林院侍講) 예겸(倪謙)이 전해 주었다고 한다. 그 이전에는 《선본대자제유전해고문진보(善本大字諸儒箋解古文眞寶)》가 전래한 것으로 보이나 이 '대전본'이 주류가 되어 지금까지 이어진 셈이다.

물론 《고문진보》에 대하여 비판적이거나 부정적인 평가가 더러 있으나 우리나라 조선조의 허다한 문사(文士)와 거유숙학(鉅儒宿學)이 이 책을 필독함으로써 명시(名詩)와 명문(名文)을 접하고 아울러 작시(作詩)와 작문(作文)을 연습하였던 사실만 보더라도 이 책이 지니는 가치를 충분히 증명할 수 있다. 나와 같은 한문학도에게 있어서 사서(四書)와 삼경(三經)이 가장 중요한 기본서가 된다는 것은 두말할 필요가 없이 자명하지만 이에 못지않게 《고문진보》 역시 없어서는 안 될 중요한 기본서가 됨은 당연하다.

그러나 본인의 경험으로는 현재 유통되는 영인본(影印本)을 강독(講讀)하며 공부할 적에 몹시 어려움이 많았다. 실제로 국내외의 표점서나 번역서에 의지하지 않은 채 원문을 마주하여 구두(句讀)를 끊고 현토(懸吐)하며 해석하는 것은 그 자체로도 매우 어려웠을 뿐만 아니라, 설사 글자 그대로 해석을 마쳤더라도 구체적으로 무슨 의미를 담고 있는지 파악하는 것은 또 다른 난관이었다. 특히 후집(後集)에 맨 처음으로 실려 있는 〈이소경(離騷經)〉은 너무 어려워서 감히 읽을 엄두조차 못 냈고 십여 차례 이상 시도한 끝에야 겨우 작품 전체를 일독(一讀)한 기억이 난다. 《고문진보》에 실려 있는 작품들 자체의 해독이 어려운 것은 당연하거니와 소주(小註)의 평비는 참으로 난해투성이였다. 본인의 고루과문(孤陋寡聞)함을 성급하게 일반화하는 우(愚)를 범하는 것일지도 모르지만, 《고문진보》를 처음으로 접한 사람들은 대부분 본인과 같은 경험을 하였으리라는 생각을 조심스레 해본다.

그렇기에 기존의 《고문진보》 번역서와 달리 세밀하게 역주하고 소주까지 번역한 선생님의 새 역주서가 특별한 가치가 있다고 하겠다. 그러나 대전본 자체가 대조할 만한 다른 판본이 없는 데에다가 출처가 불분명한 소주가 상당하였기에 소주의 번역은 쉽지 않았다. 대전본의 소주들을 훑어보면 《문장궤범》을 포함하여 여조겸(呂祖謙)의 《고문관건(古文關鍵)》, 누방(樓昉)의 《숭고문결(崇古文訣)》, 왕정진(王霆震)의 《고문집성(古文集成)》 등에 실려 있는 평비와 진력의 《정우집(定宇集)》이나 주자(朱子)의 설(說) 등이 발췌되어 실려 있는 것임을 알 수 있다. 예컨대 〈이소경〉이나 〈어부사(漁父辭)〉 같은 작품의 소주는 주자의 《초사집주(楚辭集注)》를 거의 그대로 반영한 것이다. 그러나 그 밖의 다른 작품들의 소주는 오탈(誤脫)의 유무를 차치하더라도, 상기(上記)의 평비가 착종되어 있을 뿐만 아니라 어떤 경우는 심하게 축약·변개되어 있기도 하고 다른 데에서는 아예 찾아볼 수 없고 대전본에만 존재하는 평비도 상당하다. 게다가 음주(音註)는 시대에 따라 달라지는 자음(字音)의 특성상 현재의 음가(音價)와 동떨어진 것도 있으며, 역시 오탈이 있는 것으로 추정되는 부분이 많기에 현실적으로 다루기 힘들었다. 이 때문에 부득이하게 음주를 포함하여 몇 글자 안 되는 극히 짧은 소주나 오탈이 있는 것으로 의심되는 소주는 우선 번역에서 제외할 수밖에 없었다. 독자(讀者) 제위(諸位)께서는 부디 이 점을 양찰해 주시길 바란다. 아울러 작품마다 '개요(槪要)'를 붙여서 해당 작품을 개략적으로 설명하고 작가별 '소개(紹介)'를 통하여 해당 작가에 관한 대체적인 것을 알 수 있게 하였다. 작품 개요와 작가 소개는 중국과 일본의 기존 연구 성과를 십분 참조하였는바, 관련 자료들은 '참고서목(參考書目)'으로 밝혀 두었다.

본인은 지방 출신으로 20세가 되어 상경하기 전에 부친께 한문(漢文)을 조금 배운 적이 있었다. 기억을 더듬어 보면 주변에 한문을 공부하는 사람들이 전무하다시피 하여 남다르다는 우월감과 자부심에 도취되어 있었다. 그러던 중 우연히 소개를 받아 들어간 민족문화추진회 국역연수원 -현 한국고전번역원 부설 고전번역교육원- 에서 당시 교수로 재직하시던 선생님의 수업을 듣게 되었는데, 선생님은 본인에게 있어서 그야말로 약석(藥石)과 같은 존재였다. 특히 〈어부사〉부터 시작하여 작품 원문과 소주를 찬찬히 강독하시는 선생님의 《고문진보》 수업은 글자의 훈(訓)을 대충 엮어 풀이하고 넘어가곤 했던 본인에게 한문 원전을 치밀하고 명확하게 분석하는 태도를 뚜렷이 각인시켰고, 혼자서 읽기에는 밋밋하고 맛을 모르겠던 《고문진보》의 글들이 선생님의 해석과 풀이가 곁들어지면서 입체감이 살아나고 그 맛이 느껴졌다. 그전까지 자신감으로 가득 차 있었던 본인은 선생님의 수업을 접한 후로 부끄러운 마음이 밀려들었고 선생님의 태도를 본으로 삼아 기본적인 공부부터 다시 시작하기로 다짐하게 되었다.

당시 느꼈던 선생님의 《고문진보》 수업의 감동이 이 책을 읽는 여러분들에게도 고스란히 전달되기를 희망한다. 그리고 개인적으로는 전집(前集)까지 아울러 새롭게 역주하여 출간하시기를 희망하였는데, 여건상 우선 후집만을 출간하게 된 점이 아쉬움으로 남는다.

여든에 가까운 춘추로 일모도원(日暮途遠)을 탄식하시면서도, 자임하신 일을 늘 건건(乾乾)함으로 꾸준하고도 굳건하게 완수해 나가시는 선생님을 뵈면 선생님께서 이루신 높은 학문의 경지가 너무도 당연한 것으로 여겨진다. 말학부수(末學膚受)한 이 사람을 내치지 않고 애정 어린 가르침을 아낌없이 베풀어주신 선생님의 은혜에 지면(紙面)을 빌려 삼가 심심한 감사의 말씀을 사뢴다. 아울러 선생님께서 오래도록 강녕하시어 후학들이 그 의표(儀表)와 학문에 길이 의지할 수 있게 되기를 간절히 기원한다.

서력(西曆) 2021년 1월 문제자(門弟子) 이영준(李泳俊) 근지(謹識)

海東經史研究所 임원

| 顧 問 | 林東喆 | 監 事 | 吳相潤 |
| | 延萬熙 | | 李根寬 |

所 長	成百曉
理事長	權五春
理 事	金成珍
	盧丸均
	申範植
	辛泳周
	李光圭
	李在遠
	李哲洙
	張日碩

역자 │ 성백효(成百曉)

충남(忠南) 예산(禮山)에서 태어나셨다. 가정에서 부친 월산공(月山公)으로부터 한문을 수학하셨고, 월곡(月谷) 황경연(黃璟淵), 서암(瑞巖) 김희진(金熙鎭) 선생으로부터 사사했다.

민족문화추진회 부설 국역연수원 연수부 수료, 고려대학교 교육대학원 한문교육과를 수료하였고, 현재 한국고전번역원 명예교수, 전통문화연구회 부회장을 역임하고 있으며, 사단법인 해동경사연구소 소장을 역임 중이다.

사서집주(四書集註), 『시경집전(詩經集傳)』, 『서경집전(書經集傳)』, 『주역전의(周易傳義)』, 『고문진보(古文眞寶)』, 『근사록집해(近思錄集解)』, 『심경부주(心經附註)』, 『통감절요(通鑑節要)』, 『당송팔대가문초(唐宋八大家文抄) 소식(蘇軾)』, 『고봉집(高峰集)』, 『독곡집(獨谷集)』, 『다산시문집(茶山詩文集)』, 『송자대전(宋子大全)』, 『약천집(藥泉集)』, 『양천세고(陽川世稿)』, 『우계집(牛溪集)』, 『여헌집(旅軒集)』, 『율곡전서(栗谷全書)』, 『잠암선생일고(潛庵先生逸稿)』, 『존재집(存齋集)』, 『퇴계전서(退溪全書)』, 『부안설 논어집주(附按說 論語集註)』, 『부안설 맹자집주(附按說 孟子集註)』, 『부 안설 대학·중용집주(附按說 大學·中庸集註)』, 『배우고 익히는 논어(전3권)』, 『최신판 논어집주(論語集註)』, 『최신판 맹자집주(孟子集註)』, 『최신판 대학·중용집주(大學·中庸集註)』, 『조선후기 한문비평(전2권)』 등을 번역하였다.

이영준(李泳俊)

고려대학교 한문학과 및 동 대학원 국어국문학과 박사과정을 수료하였다. 한국고전번역원 전문위원 및 해동경사연구소 연구원을 역임하고, 현재 성신여대 고전연구소 연구원으로 재직하고 있다. 번역서로 『증보역주 백헌선생집』, 『국역 정조실록(재번역)』, 『국역 손암집』, 『역주 사정전훈의 자치통감강목』 등이 있다.

박민희(朴民喜)

전주대학교 한문교육과를 졸업하고, 동대학원에서 사학으로 석사학위를 취득하였으며, 고려대학교 고전번역협동과정 박사과정을 수료하였다. 한국고전번역교육원 연수부와 전문과정을 마쳤다. 현재 한국고전번역원 승정원일기 외부역자로 활동 중이다.

고문진보후집 2 **부附 문장궤범文章軌範**

1판 1쇄 인쇄 | 2021년 2월 25일
1판 1쇄 발행 | 2021년 3월 10일

저자 | 진력(陳櫟), 사방득(謝枋得)
역자 | 성백효, 이영준, 박민희

디자인 | 씨오디
지류 | 상산페이퍼
인쇄 | 다다프린팅

발행처 | 한국인문고전연구소 **발행인** | 조옥임
출판등록 | 2012년 2월 1일(제 406-251002012000027호)
주소 | 경기 파주시 가람로 70(402-402) **전화** | 02-323-3635 **팩스** | 02-6442-3634
이메일 | books@huclassic.com

ISBN | 978-89-97970-71-1 04820
          978-89-97970-69-8 (set)